SAINT AUGUSTIN

DU MÊME AUTEUR

Actes de la Conférence de Carthage en 411, t. I-IV (*Sources chrétiennes*, vol. 194, 195, 224 et 373), Paris, éditions du Cerf, 1972-1991.

Byrsa I. Mission archéologique française à Carthage. Rapports préliminaires des fouilles 1974-1976, sous la direction de S. Lancel (Coll. de l'École française de Rome, vol. 41), Rome, 1979.

Byrsa II. Mission archéologique française à Carthage. Rapports préliminaires sur les fouilles 1977-1978 : niveaux et vestiges puniques, sous la direction de S. Lancel (Coll. de l'École française de Rome, vol. 41), Rome, 1981.

Introduction à la connaissance de Carthage : la colline de Byrsa à l'époque punique, Paris, Éd. Recherches sur les civilisations, 1983.

Carthage, Paris, Fayard, 1992.

Hannibal, Paris, Fayard, 1995.

Serge Lancel

SAINT AUGUSTIN

Fayard

À la mémoire d'Henri-Irénée Marrou
et d'Anne-Marie La Bonnardière,
et à André Mandouze.
Je leur dois d'avoir un peu approché l'enfant de Thagaste,
l'évêque d'Hippone, le docteur de la grâce.

AVANT-PROPOS

L'image qui figure sur la couverture de ce livre est considérée comme le plus ancien portrait de saint Augustin. Son antiquité n'est pas douteuse, puisque cette peinture à fresque du Latran, à Rome, est communément datée du milieu du VIᵉ siècle. On y voit un homme dans la force de l'âge, le front déjà largement dégarni, vêtu d'une longue tunique à manches, blanche et ornée d'une bande pourpre qu'on remarque sur l'épaule droite et qu'on retrouve sur le pan qui descend sur le pied droit : c'est la marque d'une dignité qui est ici sacerdotale. Il est assis dans une cathèdre de type curule, assez maladroitement représentée, avec un dossier qui semble l'accueillir comme dans une conque, ou une corolle largement ouverte. Sa main gauche est refermée sur un rouleau – un *volumen* – qui atteste sa qualité de lettré et qu'on peut tenir aussi pour un emblème de son œuvre ; la droite tient ouvert et montre un gros *codex* qui figure bien évidemment « le Livre ». Cette image se rattache à la série bien documentée des représentations d'« intellectuels », de *mousikoï andrès*, sur lesquelles Henri-Irénée Marrou avait attiré l'attention, mais elle annonce aussi une autre série figurative, celle des vignettes dépeignant des clercs et des évêques mitrés dans les enluminures médiévales : elle fait ainsi la transition entre la fin de l'Antiquité tardive et le haut Moyen Âge, en quoi elle est bien représentative d'Augustin.

À la différence cependant des unes comme des autres, elle n'est pas conventionnelle ; des premières en particulier elle n'hérite pas le procédé presque exclusif de figuration frontale, l'aspect de portrait raide et « posé ». Le mouvement un peu penché de trois quarts avant anime le buste ; surtout, le visage est étonnamment « personnel » : on n'oublie pas, quand on les a vus, le regard intense des yeux sous le front barré par deux rides profondes, le nez en assez fort relief, la bouche petite mais bien dessinée et charnue, qu'un pli marqué sépare d'un menton résolu qui ne se perd pas dans une courte barbe naissante (on ne se rasait pas tous les jours dans l'Antiquité !). Rien n'est moins « passe-partout » que cette figure. Mais comment a-t-on pu réaliser avec le souci de la ressemblance le portrait d'un homme qui était mort plus d'un siècle auparavant, sinon en reproduisant, pour illustrer à Rome une mémoire dont la renommée était déjà immense, un portrait – sur panneau de bois, sur parchemin ? – fait à Hippone de son vivant et transporté après sa mort en Italie ? Le lecteur qui voudra bien aller jusqu'au bout de ce livre verra, quelques centaines de pages plus loin, que ce problème est posé aussi à propos du transfert de l'œuvre de l'évêque, après sa disparition. Avec Augustin, rien n'est jamais ordinaire, ni vraiment simple, à commencer par son « portrait ».

Celui qui s'engage dans la confection d'un livre sur saint Augustin se doute bien qu'il s'embarque dans une aventure qui a toutes chances d'être passionnante, mais dont il mesure mal par avance toutes les implications. Il se dit qu'il va écrire une biographie et il ouvre les *Confessions* sans se dissimuler qu'elles sont tout autre chose qu'un recueil d'informations ; mais les informations qu'il y trouve d'abord l'enchantent. Il y voit un jeune garçon supérieurement doué qui fait profession de détester l'école mais qui y réussit magnifiquement, puis un adolescent que la puberté travaille en lui révélant un tempérament avec lequel il lui faudra compter. Il découvre ensuite un jeune homme qui fait sans complexes apparents sa part à la vie sexuelle tout en s'ouvrant pleinement à la vie de l'esprit, avec une envie de réussite sociale sur laquelle on pressent déjà que l'inquiétude de l'âme étendra de plus en plus son ombre. Il comprend bien que le manichéisme de la vingtième année n'est qu'une voie de garage spirituelle : l'étudiant puis le jeune professeur s'y attardent un peu trop, mais il leur fait confiance.

Et il a raison. À trente ans, le maître de rhétorique donne à Milan toute sa mesure. La découverte des « livres des platoniciens » comble les aspirations que dix ans plus tôt la lecture de l'*Hortensius* de Cicéron avait fait naître ; mais une autre découverte qui suit de peu, celle de saint Paul, met existentiellement Augustin sur le fil du rasoir. Il ne peut s'y maintenir longtemps, bien que Monique, en renvoyant la mère d'Adeodatus et en négociant les conditions d'un beau mariage, ait ouvert la voie à un compromis convenable. D'une manière somme toute raisonnable, la mère d'Augustin jouait sur les deux tableaux : elle voulait pour lui le succès en ce monde et le salut dans l'autre. Elle l'aurait bien vu haut fonctionnaire et philosophe chrétien à ses heures, comme quelques autres, et bon père de famille par surcroît. Mais Augustin n'était pas l'homme des demi-mesures et des accommodements. Le poids de la chair en était venu à trop lui peser ; l'âme en était par trop lestée. Plus tard, le vieil évêque, les sens un peu éteints, en viendra, nous le verrons, à une appréciation plus positive du corps. Mais, dans l'ardeur de ses trente ans, le jeune homme le traînait comme un boulet. À défaut de miracle, il lui fallait une admonition qui eût ceci de miraculeux que par elle le doigt de Dieu se posât précisément sur ce qui faisait plaie, pour le guérir. Ce fut ce qui advint dans le jardin de Milan, et la crise se dénoua d'une manière toute différente de ce qu'avait prévu Monique, qui sut comprendre que le salut de son fils passait par le choix radical de la continence et du renoncement au monde.

Mais, en termes de « romanesque », les conséquences étaient graves. Le héros ne se mariait pas, il n'avait pas d'enfants. Pis, il perdait bientôt celui qu'il avait eu hors mariage, après avoir enterré sa mère et son ami le plus cher, et enseveli dans un linceul de silence la compagne de sa jeunesse. Il devenait prêtre, puis évêque, pour se consacrer quarante années durant à des besognes répétitives : les offices, la prédication, le service très astreignant de l'assistance due aux fidèles. Quoi de plus désolant pour un biographe ? Pour comble, ce dernier ne tarde pas à s'apercevoir qu'une fois tarie la source d'informations que sont les *Confessions* – et ce tarissement jette un voile sur tout ce qui suit la mort de Monique –, il manque assez cruellement de fil conducteur pour continuer à suivre commodément Augustin à Thagaste, puis à Hippone. Il lui faut se rabattre sur les *Lettres* – une mine prodigieusement riche, il est vrai – et sur les *Révisions* pour renouer avec la chronologie et pour accompagner le déroulement dans le temps d'une action et la réalisation au fil des années d'une œuvre qui, l'une comme l'autre, tiennent lieu à l'évêque de la vie privée qu'il a perdue.

Celui qui s'est lancé un peu inconsidérément dans un tel livre s'avise donc assez vite que les aventures de l'évêque sont ses controverses et les combats qu'il mène avec une redoutable pugnacité, et que ses enfants sont les ouvrages qu'il produit avec une fécondité qu'on n'avait plus connue dans le monde de langue latine depuis Cicéron. « *Aut libri, aut liberi* », aurait-il pu dire lui aussi, et plus pertinemment que d'autres. Mais il lui faut alors entreprendre d'embrasser une œuvre immense, qui nourrit depuis des siècles les commentaires des théologiens et qui continue de susciter d'innombrables gloses : une tâche qu'on pourrait considérer comme impossible. Faut-il alors se résigner à laisser saint Augustin aux seuls spécialistes, qui en parlent entre eux dans toutes les grandes langues de culture et se comprennent à son sujet à demi-mot ? Il y a, certes, de bons livres sur saint Augustin, disponibles, sinon en librairie, du

moins en bibliothèque – et on les trouvera mentionnés dans la bibliographie à la fin de ce volume –, mais très peu d'entre eux sont
véritablement accessibles à un lectorat exigeant mais insuffisamment
rompu aux subtilités exégétiques et critiques des patristiciens pour
en tirer tout le profit souhaitable. Ajoutons que saint Augustin est
le seul grand auteur des littératures de l'Antiquité dont le *corpus*
textuel continue à s'accroître : il y a une quinzaine d'années, une
petite trentaine de lettres inédites de l'évêque ont été retrouvées à
Paris dans les collections de la Bibliothèque nationale ainsi que dans
le fonds manuscrit de la bibliothèque municipale de Marseille, et
plus récemment ce sont presque autant de nouveaux sermons qui
sont revenus au jour dans les collections de la bibliothèque de
Mayence, en Allemagne ; et ce que nous savons des manques assez
précisément chiffrables dans ces deux séries de textes permet d'affirmer que la fouille des fonds manuscrits de la vieille Europe n'a pas
fini de grossir l'œuvre publiée de saint Augustin. Et même si l'essentiel de cette œuvre est connu depuis l'époque humanistique, même
si les grandes lignes de l'action de l'évêque et sa pensée sont surtout
dessinées par ses grands ouvrages, ces inédits ajoutent suffisamment
de petites touches pour qu'il soit justifié de les prendre en considération dans une nouvelle vue d'ensemble de la vie et de l'œuvre.

Saint Augustin, l'homme et l'œuvre : ainsi disait-on il n'y a pas
si longtemps – c'était le titre d'un bon livre de Gustave Bardy, il y
aura bientôt soixante ans. Il ne faut pas refuser la formule, à la
condition de ne pas séparer l'une de l'autre, de s'attacher à montrer
comment les ouvrages de l'évêque, souvent nés des circonstances
– sans être des œuvres de circonstance – s'insèrent dans le courant
d'une existence riche de rencontres, d'actions et de réactions. C'est
l'effort qui a été fait dans le présent livre[a], qui s'est voulu attentif à
montrer les glissements, les évolutions quand elles sont perceptibles,
tout en marquant nettement les tournants majeurs, qui fixent des
directions sur lesquelles l'évêque ne reviendra plus : la primauté
absolue de la grâce, sur laquelle la pensée ne varie plus à partir de
396, le dogme du péché originel, acquis dans toute sa rigueur dès
l'origine de la controverse antipélagienne, en 412-413, alors que
l'attitude vis-à-vis du miracle, par exemple, se modifie sensiblement
par le double jeu d'une réflexion théologique approfondie et de
l'apport événementiel qu'est l'introduction en Afrique des reliques
de saint Étienne. On n'a pas oublié non plus – ce n'est pas si courant –

---

a. Mon texte a bénéficié, j'ai plaisir à le dire, d'une première lecture qu'a bien
voulu en faire mon collègue et ami Aimé Gabillon : il en est sorti meilleur et je
l'en remercie.

que ce docteur de l'Église était un évêque, qui vivait et agissait dans un diocèse, entre les murs de basiliques et de monastères, dans une ville et dans des campagnes peuplées d'hommes et de femmes que l'on croise surtout dans les lettres et dans les sermons.

Enfin, on ne vit pas un certain temps dans la compagnie de saint Augustin sans en venir à le considérer non *sub specie aeternitatis* – tel qu'en lui-même enfin son éternité l'a changé –, mais par rapport à ce que nous vivons nous-mêmes aux approches de la fin du deuxième millénaire après Jésus-Christ, séparés de lui par plus de quinze siècles qui pèsent lourd – surtout, disons-le, celui qui est à la veille de s'achever – dans la comparaison des conduites et des modes de pensée de l'un et des autres. Un saint Augustin, en notre temps si peu normatif, si fort adonné à l'inessentiel, paraîtrait difficilement concevable, à l'exception, bien sûr, de la dimension caritative qui n'en est pas absente, heureusement pour ceux qui auront le plus souffert de ce siècle de fer et de sang ; et il serait hors de propos, parfaitement inopérant et même absurde de tenter d'imaginer comment, revenu par impossible sur cette terre, il adapterait son « message » à notre culture. Laissons-le à la sienne, dont il fut l'honneur, plus encore que la gloire, jusque dans les excès de sa rigueur. Inversons le sens de l'échange et demandons-nous plutôt quelle leçon nous pourrions tirer de cette vie, même en dehors de toute option proprement religieuse. Mais la réponse à cette question vient justement d'être donnée : c'est pour avoir placé à un très haut niveau d'exigence l'honneur d'être homme en son temps que saint Augustin aurait quelque titre à inspirer éventuellement le nôtre.

Avis au lecteur : les notes appelées dans le texte par des chiffres sont à lire en fin de volume, regroupées par chapitre.

I.

L'ENFANT DE THAGASTE

CHAPITRE PREMIER

Thagaste

Naguère encore, Souk-Ahras, une grosse bourgade des confins algéro-tunisiens, demeurait l'image même, à peine altérée, de ces petites villes de colonisation que la France avait implantées en Algérie dans la seconde moitié du XIXᵉ siècle, tracées dans la belle illusion qu'en cette terre l'Histoire reprenait un cours seulement interrompu et que le coq gaulois y recueillait l'héritage de la louve romaine : l'héritage des deux Rome, l'impériale et la chrétienne. À Souk-Ahras, comme souvent ailleurs, les débuts furent difficiles et périlleux, l'occupation d'abord surtout militaire. Regagnant Constantine en venant de Tunis par voie de terre, Flaubert y avait fait étape à la fin de mai 1858 : « ville neuve, atroce, froide, boueuse », commentera-t-il dans son journal de voyage à son retour à Croisset. Quelques décennies plus tard, la pacification des Hanencha, l'exploitation des mines de l'Ouenza, l'ouverture de lignes ferroviaires qui refaisaient du lieu le nœud de communications qu'il avait été dans l'Antiquité assuraient la prospérité de Souk-Ahras. À la « Belle Époque », si l'on n'était pas trop regardant sur les réalités d'une ségrégation ethnique et politique bien étrangère au monde romain, on pouvait sans doute, devant le kiosque à musique de la grand-place, s'y croire revenu à l'âge d'or de Septime Sévère. Y pensait-on beaucoup au seul enfant du pays qui eût accédé à une notoriété universelle ? On avait du moins donné son nom à l'église, ainsi qu'au petit musée que sa crypte abritait, bien modeste, puisque la construction de la ville moderne avait en grande partie occulté le site antique.

Lorsque Augustin y naquit le 13 novembre 354[1], l'endroit s'appelait Thagaste : un toponyme préromain, qui n'a rien de surprenant dans ce terroir numide où trois siècles de présence romaine n'avaient pas effacé les traces d'une double culture antérieure. Augustin semble avoir ignoré le vieux fonds indigène, pour nous manifesté par les inscriptions libyques si nombreuses dans la région ; mais c'est lui, tout particulièrement, qui nous fait connaître la survie dans cette même région, et paradoxalement si loin du territoire propre de Carthage, de la langue punique, ou de ce qui en subsistait, qu'il fallait parler pour se faire entendre dans les campagnes. À ce substrat et à ces survivances s'étaient ajoutés, en bordure maritime de cette « Numidie d'Hippone », des apports venus du large, ceux de juiveries plus ou moins anciennes, et ceux de communautés de langue grecque : le prédécesseur d'Augustin sur le siège épiscopal d'Hippone, Valerius, était grec, et le nom de son meilleur ami, son *alter ego*, Alypius, trahit la même origine. Ce n'est certes pas cette relative complexité culturelle qui a fait Augustin – on ne tardera pas à voir qu'il était de culture strictement latine –, mais on doit la garder présente à l'esprit ; elle est plus que le décor dans lequel, devenu prêtre puis évêque, il évoluera pendant près de quarante ans.

Pour le gouverneur – le « légat » – en poste dans la capitale régionale, Hippo Regius (Bône, maintenant Annaba), où il représentait le proconsul d'Afrique, et donc l'autorité impériale, Thagaste était depuis environ deux siècles un « municipe », c'est-à-dire une commune de plein exercice, où tous les hommes libres étaient citoyens romains, avant même que l'édit de Caracalla, en 212, n'étendît le bénéfice de cette citoyenneté à tous les habitants de l'Empire. Faute, sur le site de Thagaste, d'une bonne conservation de ces archives de pierre que constituaient les inscriptions honorifiques et les dédicaces qui peuplaient habituellement le forum, on serait bien en peine d'en esquisser ce que les spécialistes appellent une « prosopographie municipale », une liste au moins partielle, et échelonnée dans le temps, des principaux magistrats et prêtres : duumvirs, curateurs, flamines. Il est tout à fait exceptionnel de trouver, comme on le fit à Thamugadi (Timgad) à la fin du siècle dernier, une « photographie » qui rassemble tous les notables d'une cité à une époque précisément connue, celle de la fin du règne de l'empereur Julien, en 363, dans le cas de l'« album » de Timgad [2]. Pour Thagaste, mis à part un fragment d'inscription qui mentionne son premier protecteur, Romanianus, nous devons au seul Augustin les rares indications dont nous disposons sur la classe dirigeante de sa cité, à laquelle sa famille appartenait, mais à un rang modeste.

Notre connaissance archéologique du site, pour les raisons qui ont été dites plus haut, est réduite à peu de chose. Les plans qui en ont été levés au début de ce siècle, sur la base de fouilles très partielles faites lors des constructions de la ville moderne, confirment l'indication (*ciuitas parua* [3]) d'un texte ancien sur sa relative exiguïté : une dizaine d'hectares. Et ils ne permettent pas d'en retrouver la physionomie. C'est fort dommage car, contrairement à ce que l'on pense parfois, si toutes ces cités possédaient un et parfois deux forums (nos grands-places), une curie (nos mairies), une basilique (nos palais de justice), plusieurs temples (nos églises), ces édifices s'agençaient selon des plans sensiblement moins répétitifs que ceux des villages de colonisation qui se sont édifiés souvent sur les mêmes sites une quinzaine de siècles plus tard. On ne peut donc se fonder sur les villes avoisinantes pour imaginer Thagaste, d'autant plus qu'à la différence des colonies militaires établies par Rome *ex nihilo* en Numidie centrale, avec des plans stricts et standardisés dont Timgad présente l'archétype, c'étaient comme Thagaste d'anciennes cités indigènes, dont la réfection à la romaine n'avait pas gommé les fantaisies natives. À l'ouest de Souk-Ahras, les ruines importantes et naguère encore bien conservées de Khamissa, l'ancienne Thubursicu Numidarum, près des sources de la Medjerda, montrent ce que pouvaient être ces villes qui épousaient souplement les reliefs de ce pays de montagnes.

Augustin mourra en 430 dans les murs d'Hippone assiégée par les Vandales, mais il eut la chance de naître et de vivre la majeure partie de son âge dans un pays demeuré en marge des grands mouvements qui submergeaient déjà d'autres parties de l'Empire, et notamment les Gaules. Le mal qui rongeait son Afrique – un schisme, le donatisme, avec les désordres sociaux qu'il entraînait parfois – l'affaiblissait assez pour créer un terrain propice à des révoltes – celle de Firmus, puis celle de Gildon ; mais ce mal sévissait surtout dans les Maurétanies et en Numidie centrale (l'Algérois et les plateaux de l'actuel Constantinois). Il fallut attendre la fin du IVe siècle pour que, s'étendant vers le nord et vers l'est, il gagnât les contrées proches d'Hippone. Bien réels, ces troubles, qui contraignirent Augustin à soutenir la lutte la plus longue de son épiscopat, n'affectaient cependant pas en profondeur la vie des provinces africaines. Les Barbares maures et gétules qui guettaient les faiblesses du colosse aux frontières du sud et de l'ouest ou dans les isolats des montagnes étaient encore tenus en respect. L'Afrique demeurait prospère. On a pu déceler les traces, bien visibles dans les parures urbaines des villes, alors restaurées et souvent embellies, d'un nouvel âge d'or dans la seconde moitié du IVe siècle : elles retrouvaient, après la mauvaise passe du IIIe siècle, le train de vie brillant qu'elles avaient connu sous les Antonins et sous les Sévères[4]. Et, en dépit de quelques accrocs, l'ordre régnait dans cet immense territoire, des actuels confins algéro-marocains au rivage des Syrtes. « La majeure partie de notre Empire, fidèlement soumise à notre administration civile[5] » : c'est ainsi qu'à l'automne de 410 l'empereur Honorius qualifiait l'Afrique, dans un document officiel daté de Ravenne, où il se terrait, tandis qu'Alaric et ses Goths occupaient Rome avant de déferler sur l'Italie méridionale.

AFRICAIN DE NAISSANCE, ROMAIN DE CULTURE

On ne peut comprendre une bonne part des motivations d'Augustin en ses années d'adolescence et de jeunesse si l'on n'a pas une suffisante perception à la fois des modalités culturelles de son enracinement en Afrique et du milieu social dans lequel il était né. Dans l'Antiquité, le nom, et d'abord celui que l'on tenait de son père, le gentilice, donnait une première indication. Dans un système à deux noms qui tendait alors, avec la désuétude où était tombé un prénom qui n'avait jamais été vraiment distinctif, à devenir la règle pour qui n'était pas de grande origine, Augustin avait pour nom de famille Aurelius[6]. Ce qui date presque certainement la romanisation de ses ancêtres au plus tard de l'époque (212) de l'édit de Caracalla : le fils de Septime Sévère avait reçu de son père, en 196, le nom glorieux de Marc Aurèle, qui le tenait lui-même d'Antonin ! Dans la famille d'Augustin, on était donc romain, d'un point de vue juridique, depuis environ un siècle et demi, au moins, et culturellement depuis plus longtemps encore, sans doute. Voilà qui limite singulièrement la portée des supputations que l'on a pu faire sur la probabilité statistique que le futur évêque d'Hippone ait été de sang berbère ; ce qui, au demeurant, est une quasi-certitude, du moins du côté maternel. Si le nom du père, Patricius, relève de l'onomastique latine banale du Bas-Empire, celui de la mère, Monnica (Monique), particulièrement fréquent dans la région, est le diminutif de Monna, un nom indigène lui-même bien attesté qui est aussi celui d'une divinité locale dont le culte est mentionné sur une inscription de Thignica (Aïn Tounga, dans la moyenne vallée de la Medjerda).

Oui, mais quelle importance ? À moins d'exciper de cet ancrage ancien en terre d'Afrique pour reconnaître d'emblée chez l'un de ses fils l'empreinte – comme un « sceau ineffaçable » et « réfractaire à toute analyse » – d'un « climat physique et moral » propre à cette terre, auquel Augustin devrait son tempérament, « chaud, impulsif, extrême[7] ». Voire. Gardons-nous de nous laisser enfermer dans les clichés d'un déterminisme « mésologique » qui remonte à Salluste, si ce n'est à Hérodote, rajeuni au milieu de ce siècle par les tenants de l'« environnementalisme ». À plus forte raison se refusera-t-on à verser, à propos du fils de Monique, dans un exotisme anachronique ou dans une couleur locale illusoire ; on l'a déjà dit fortement : « ce qui compte, c'est la civilisation, non les chromosomes[8] ». Romains furent les modèles politiques d'Augustin, romaines toutes ses références culturelles. Pour autant, il ne reniera jamais ses origines, et même, dans une lettre écrite au grammairien Maxime de Madaure, ville où il s'était ouvert jeune adolescent à la culture classique, il défendra, contre les quolibets du grammairien, les noms puniques de deux martyrs locaux (Miggin et Namphamo), en termes qui dénotent une certaine « conscience africaine[a] ». Pareillement, non sans fierté, il rappellera dans sa *Cité de Dieu*, comme on le fait d'une gloire nationale, l'*origo* africaine d'Apulée, le grand homme de Madaure[b]. Toutefois, cette Afrique dont il se réclame est une Afrique intégrée à la romanité et exempte de tout particularisme politique ; le seul vrai particularisme qu'il faudra retenir chez l'évêque d'Hippone sera son sentiment d'appartenir à une Église assez forte du témoignage de ses propres martyrs et de l'enseignement de ses premiers docteurs pour pouvoir affirmer jalousement son autonomie au sein de la catholicité, face au siège de Rome.

UN JEUNE HOMME PAUVRE ?

Revenons au milieu familial du jeune Augustin. La principale information sur le statut social du père nous vient du biographe de l'évêque, Possidius : Patricius faisait partie de la classe moyenne des *honestiores*, comme on disait alors, c'est-à-dire des petits possédants de naissance libre et légitime à qui un « cens », c'est-à-dire un niveau de patrimoine essentiellement foncier, faisait obligation d'avoir le statut « curial », d'être membres de la curie de leur cité, et donc d'être soumis aux contraintes financières qu'imposait l'exercice des fonctions municipales[c]. L'état de fortune de Patricius ne lui permit sans doute pas de gérer les charges les plus honorifiques et aussi les plus lourdes, celles de duumvir, de curateur ou de flamine ; mais il contribuait comme tout décurion à la gestion locale, avec le permanent souci de tenir son rang et de ne pas aller grossir la masse des « gens de peu » (les *humiliores*), des hommes réduits à cultiver les terres des autres, pratiquement sans existence civique, astreints dans leur cité aux *munera sordida*, contraints d'offrir le travail de leurs bras dans des corvées personnelles au service de leur collectivité.

Parlant de la condition de son père, et donc de la sienne, Augustin

a. *Ep.* 17, 2.
b. *Cité de Dieu*, VIII, 12 ; 14.
c. *Vita Aug.*, I, 1.

a hésité entre deux qualificatifs : « modeste[a] », et « pauvre[b] ». La
pauvreté est toujours chose relative, si l'on n'en définit pas le seuil.
Patricius était nécessairement un peu au-dessus de ce seuil, car il
aurait cessé d'être de rang curial s'il était retombé au-dessous ; mais
le seuil était parfois fort bas. Une loi de l'empereur Constance II
avait spécifié peu auparavant – en 342 – que quiconque possédait
vingt-cinq jugères de terres et en cultivait autant sur les domaines
impériaux devait être curiale, et qu'on pouvait même désigner pour
les curies des gens qui ne disposaient pas de ce minimum[9]. Or
cinquante jugères équivalaient à une douzaine d'hectares, ce qui était
peu dans les conditions d'exploitation agricole de l'Antiquité, et
même à Thagaste, où une pluviosité abondante l'hiver et au printemps, suivie d'un été sec, favorisait les récoltes. Du petit domaine
de Patricius[c], nous ne connaissons que la « vigne », dans le voisinage
de laquelle se situait le fameux poirier aux fruits d'amère repentance[d]. La famille vivait de ce petit domaine, dans une économie de
subsistance qui excluait naturellement toute thésaurisation, mais
même toute dépense excessive. Non cependant l'entretien d'une
domesticité : Augustin a évoqué ses nourrices, au pluriel, et aussi
les servantes, toujours au pluriel, qui servaient dans la maison de sa
mère comme dans celle de son père[e]. De nos jours certes un luxe,
mais alors seulement quelques bouches de plus à nourrir frugale-
ment. On n'en tirera pas argument pour voir en Patricius et les siens
autre chose qu'une famille de petits-bourgeois de province, préoc-
cupés de sauvegarder leur dignité, se serrant sur tout pour assurer
la promotion du garçon qui promettait[f]. Le père fit des sacrifices
pour envoyer son fils pendant trois ans à l'école du grammairien à
Madaure, et l'on verra que sur ses quinze ans Augustin fit la désastreuse expérience d'une année de total désœuvrement à Thagaste,
faute de subsides pour l'envoyer poursuivre ses études supérieures
à Carthage.

On a dit plus haut que la pauvreté est chose relative. En particulier
aux yeux de ceux qui la vivent. Augustin enfant pouvait comparer
le sort des siens, à Thagaste, à celui du seigneur de la cité. Que
l'opulence de Romanianus l'ait ébloui, que Romanianus ait été le
modèle qu'il se soit alors proposé pour sortir de la médiocrité de sa

a. *Conf.*, II, 5 : « *patris, municipis admodum tenuis* ».
b. Cf. *Sermon* 356, 13 : « *Augustinum, id est hominem pauperem de pauperibus
natum* ».
c. Les *pauci agelluli* de *Ep.* 126, 7.
d. *Conf.*, II, 9. Cf. *infra*, p. 42.
e. *Conf.*, I, 7 ; IX, 17-18 et 20.
f. *Conf.*, I, 26, *in fine* : « *bonae spei puer appellabar* ».

propre condition est une quasi-évidence. En 386, à Milan, où il était dans l'attente du baptême, alors que de son côté son ancien protecteur s'était rendu à la cour impériale pour tenter d'arranger ses affaires qui périclitaient, il lui dédia l'un de ses dialogues de l'époque, le *Contra Academicos*. Une page brillante détaillait la munificence de l'évergète de Thagaste au temps de sa splendeur, la richesse des jeux qu'il offrait, l'abondance des banquets qu'il donnait, la magnificence de ses chasses, de ses bains, de sa maison[a]. Un texte à mettre en regard de la célèbre « mosaïque du seigneur Julius », qui fournit une image comparable de la vie de ces grands *landlords*[10]. Quand il écrivit ce texte, Augustin avait déjà renoncé à faire carrière, et il exhortait Romanianus à poursuivre un autre bonheur. Mais, à quinze ans, désœuvré et dans l'attente d'un destin, ce qu'il savait, c'était que faute de s'évader par le haut, trois ans plus tard, à l'âge légal de dix-huit ans précisé par une loi de Constantin valable notamment pour l'Afrique Proconsulaire[b], il lui faudrait entrer à la curie et supporter sa vie durant le fardeau qui accablait maintenant son père. Sérieuse incitation à réussir en ce monde, quand on ne voit pas encore d'autre réussite possible. Le train de vie de Romanianus devait déjà faire monter en lui ce cri qu'il prêtera plus tard à ses paroissiens, à la fois pleins d'admiration et blêmes d'envie devant le faste des riches : « Seuls ces gens-là existent, seuls ils vivent[c]. »

a. *Contra Acad.*, I, 2.
b. *C. Th.*, XII, I, 7.
c. *Sermon* 345, 1. Cf. aussi *Enarr. in Psalm.* 32, 2, *serm.* 2, 18.

Chapitre II

Monique

Avant de se consacrer tout entier à l'*Ecclesia Mater*, aux approches de la quarantaine, Augustin avait eu une première concubine, à laquelle il fut très attaché pendant une quinzaine d'années, et qui lui donna un fils ; puis, en même temps qu'une éphémère fiancée, une seconde liaison, qui dura peu. Mais une seule femme compta vraiment dans sa vie, sa mère selon la chair, Monique.

Comme on le devine à lire, un peu entre les lignes, quelques pages du livre IX des *Confessions*, Patricius avait pris femme à Thagaste dans un milieu proche du sien. Il avait épousé Monique, comme le dira son fils d'une formule empruntée à Virgile, dans la « plénitude de sa nubilité[a] », ce qui veut dire qu'il n'avait pas épousé une fillette, pratique au demeurant plus rare alors en Afrique qu'à Rome même [1]. Trois enfants naquirent au couple, dans un ordre que nous ignorons : une fille, demeurée pour nous anonyme, qui, une fois veuve, deviendra plus tard la supérieure d'une communauté de religieuses[b], et deux garçons [2] : outre Augustin, Navigius, qu'on retrouvera auprès de son frère en Italie, à Cassiciacum, puis à Ostie au chevet de leur mère mourante. Navigius était-il l'aîné ? C'est assez probable, quand on sait que Monique avait vingt-trois ans à la naissance d'Augustin[c], à moins d'admettre que, mariée jeune, elle ait attendu plusieurs années avant d'avoir son premier fils.

Les silences d'Augustin sur son père sont aussi parlants que ce qu'il en dit. Peut-être faut-il ajouter, pour être équitable – et expliquer au moins partiellement ces silences –, que dans l'Antiquité plus encore qu'aujourd'hui les premières années d'un enfant étaient surtout l'affaire des femmes et qu'Augustin perdra ce père dans sa

---

a. *Conf.*, IX, 19.
b. *Ep.* 211, 4 ; Possidius, *Vita Aug.*, XXVI, 1.
c. *Conf.*, IX, 28, *in fine*.

seizième année, tandis qu'après sa disparition il entretiendra pendant encore dix-sept ans avec sa mère un dialogue souvent difficile, parfois intermittent, mais toujours d'une exceptionnelle richesse. Oui, mais en même temps, à lire les mots d'Augustin, leur dit et leur non-dit, on ne peut se défendre de l'impression que Patricius, sans doute absorbé par les soucis de son exploitation agricole, et par ses charges municipales, est un peu resté pour son fils un inconnu. Non qu'il eût été un père inattentif ou négligent : pour financer les études de son fils, il s'était imposé des sacrifices disproportionnés à son état de fortune, mû par la conviction, qu'il partageait avec Monique, que seule l'élévation culturelle hisserait son Augustin au-dessus d'une condition dont il voyait trop bien les limites[a]. Il ne fut pas récompensé de ses efforts, puisqu'il mourut prématurément l'année même – 370 ou début 371 – du départ de son fils pour Carthage ; fait notable, Augustin ne mentionnera que très incidemment cette mort[b]. Et par la suite ce père disparu n'occupera plus guère sa pensée, du moins exprimée : dans une lettre à son ami Nebridius, en 388/89, il l'évoquera une fois, juste comme l'exemple de quelqu'un qu'on se remémore, et seulement comme une chose que l'on a perdue[c].

Il est également significatif qu'en fait, rédigeant ses *Confessions* une dizaine d'années après la mort de sa mère, il n'ait un peu parlé de ce père que dans le rapport qu'il entretenait conjugalement avec Monique. Il était, dit-il, foncièrement bon, mais emporté et violent[d]. Monique avait le bon esprit de ne pas lui tenir tête : elle laissait passer l'orage et s'efforçait ensuite de le raisonner. Elle y avait gagné que ce mari coléreux ne porta jamais la main sur elle, et même de pouvoir donner autour d'elle l'image d'un couple plutôt harmonieux. À ses amies, qui s'en étonnaient tout en se plaignant de leur propre sort de femmes battues, elle répondait en riant que le contrat dont on leur avait donné lecture au jour de leur mariage était la charte de leur servitude[3] ! Un mari était un maître qu'il fallait savoir désarmer, sans aller jusqu'à la révolte ouverte. De la même manière, elle s'était résignée aux infidélités de Patricius, attendant patiemment que, touchant enfin son mari, la grâce lui fît don de la chasteté en même temps que de la foi. Car Patricius – et cela aussi le laissait

---

a. *Conf.*, II, 5 et 8.
b. *Conf.*, III, 7 : « J'avais alors dix-neuf ans et mon père était mort depuis plus de deux années. »
c. *Ep.* 7 (à Nebridius), I, 1
d. *Conf.*, IX, 19.

en marge du duo que formaient Augustin et sa mère – était resté païen jusqu'à la veille de sa mort[a].

UNE FIDÈLE PARMI D'AUTRES

Cette conversion finale est l'une des plus belles réussites d'une épouse dont toute la conduite conjugale montre la finesse et la calme ténacité. On a dit plus haut que Patricius et Monique appartenaient au même milieu ; du moins au même milieu social, car ils constituent l'un des rares exemples historiquement bien saisissables de ces couples « mixtes », religieusement parlant, qui devaient être assez fréquents en cette Afrique du Nord du milieu du IVe siècle[4]. De plus en plus soumis à restriction et surveillance depuis la fin du règne de Constantin, et même officiellement persécuté par ses fils, notamment par Constance II, le paganisme demeurait vigoureux au sein des élites municipales, où il était un facteur de conservatisme social. Chronologiquement éphémère, la réaction païenne de Julien l'Apostat (362-363) eut en fait des conséquences durables pour la persistance des anciens cultes[5]. Nous verrons plus loin que, devenu évêque, Augustin ne put, au début du Ve siècle, éluder le débat avec les tenants d'un paganisme encore localement pugnace, en particulier dans sa Numidie, à Calama (Guelma) et à Madaure. De cette dernière ville, il avait gardé le vif souvenir d'avoir vu, alors âgé d'une douzaine d'années, les décurions et les notables parcourant les rues en une frénétique procession menée par les sectateurs de Bellone[b]. Pourtant cette coexistence avec les fidèles chrétiens, de plus en plus nombreux dans le petit peuple, était en général sereine. Ce devait être le cas à Thagaste.

Monique était donc née dans une famille chrétienne et elle était elle-même, comme nous dirions maintenant, croyante et pratiquante. La pratique religieuse des chrétiens d'alors, en Afrique du Nord, comportait parfois des aspects pour nous surprenants, comme cette coutume d'aller porter des offrandes alimentaires sur les tombeaux des martyrs, pour des agapes qui trop souvent dégénéraient en orgies : une survivance manifeste de la fête païenne des *Parentalia*[6]. Bien sûr, Monique ne se laissait pas aller à ces débordements. Si les corbeilles qu'elle apportait au cimetière contenaient, outre de la bouillie et du pain, une cruche de vin pur, de ce vin elle ne buvait elle-même, lors de ces libations partagées avec d'autres fidèles,

---

a. *Conf.*, IX, 22.
b. *Ep.* 17, 4.

qu'une petite quantité coupée d'eau dans une coupe vidée à petites gorgées devant chaque tombe visitée. Cette sobriété était-elle le souvenir d'une expérience de sa prime jeunesse ? Augustin a raconté cette histoire qu'il tenait, dit-il, de l'intéressée elle-même[a]. Élevée dans la tempérance par une vieille servante qui avait toute la confiance de ses parents, Monique avait pourtant versé dans une fâcheuse habitude. C'était elle, en fille sage, que l'on envoyait au cellier puiser du vin au tonneau : avant de remplir avec sa coupe la carafe qu'elle portait, elle y trempait les lèvres, non par goût, dit Augustin, mais par espièglerie d'enfant. Mais peu à peu le goût lui en était venu, au point qu'elle en était arrivée à boire avec avidité des coupes entières. Fort heureusement elle s'était guérie de ce début d'ivrognerie dans un sursaut d'amour-propre : la servante qui l'accompagnait au cellier, s'étant prise un jour de querelle avec sa jeune maîtresse, l'avait par moquerie traitée de « petite biberonne[7] ». Piquée au vif, Monique avait aussitôt coupé court.

L'insistance mise par Augustin dans la relation de cet épisode, l'importance qu'il attache à ce « sevrage » – dans lequel on ne s'étonnera pas qu'il voie, derrière la moqueuse servante, l'intervention divine – sont avant tout significatives de son aversion profonde pour les excès de boisson, qui n'ont jamais été son fait, mais où il reconnaissait l'une des formes les plus avilissantes des servitudes sensuelles. L'anecdote souligne également l'un des traits marquants de la personnalité de sa mère, ici révélé dès l'adolescence : une volonté forte, qu'elle mettra au service d'une grande exigence morale, comme à celui, on l'a vu, de la réussite de sa vie conjugale en dépit des faiblesses de Patricius, avant d'en faire profiter les efforts parfois un peu pesamment déployés pour assurer le succès de son fils en ce monde, et son salut dans l'autre.

UNE MÈRE TRÈS PRÉSENTE

On retiendra ici une remarque d'un des plus pénétrants biographes d'Augustin : « Peu de mères peuvent surmonter l'épreuve de nous être montrées uniquement en ce qu'elles ont pu représenter pour leur fils, à plus forte raison pour un fils aussi compliqué qu'Augustin[8]. » Que Monique, si présente, jusque dans l'absence, dans les trente premières années de son fils, se tire plutôt bien de cette épreuve, dans le reflet que ce fils a laissé d'elle, c'est ce que reconnaîtra sans peine le lecteur des *Confessions* et du *De beata uita*. Tout au début

---

a. *Conf.*, IX, 18.

de ce traité, Augustin, qui fêtait alors son trente-deuxième anniversaire, en novembre 386, entouré à Cassiciacum par sa famille et par un petit groupe d'amis, salue en premier lieu la présence à ses côtés de sa mère, « à qui revient, je crois, le mérite de tout ce que je vis[a] » : version plus subtile – et plus ambiguë – d'un « je lui dois tout » qu'il n'a pas écrit. À Cassiciacum, Augustin vit en parfaite entente avec sa mère, dans une communion d'âme et de cœur qui culminera un an plus tard avec l'« extase d'Ostie », à peu de jours de la mort de Monique. La blessure, si durement ressentie, comme un arrachement, de la séparation d'avec la mère d'Adeodatus, l'année précédente, s'est cicatrisée, avant d'être lavée par les eaux du baptême au printemps de 387. Le nouveau converti, en paix avec lui-même, n'a plus de contentieux avec sa mère. En ce calme automne de la campagne milanaise, Monique est omniprésente aux entretiens qu'anime son fils ; en mère aubergiste, certes, d'abord, mais aussi en participante à part entière aux discussions, spirituellement « accouchée », comme Alypius, Licentius et les autres, par la maïeutique de son fils. La pertinence de ses répliques, inspirées par le bon sens à défaut de formation théorique, suscite à plusieurs reprises l'admiration de l'auditoire, et d'abord de son fils, qui n'hésite pas, pour l'encourager à se maintenir à ces hauteurs spéculatives, à lui dire qu'elle est déjà entrée dans la citadelle de la sagesse[9]. En dépit de ses handicaps intellectuels, l'ardeur de Monique dans cette quête de la vérité avait véritablement frappé Augustin. Quelques jours plus tard, dans un autre dialogue – le *De ordine* –, auquel la participation maternelle est moins grande, il renouvellera cet hommage, rappelant qu'au jour de son anniversaire, lors des échanges du *De beata uita*, la présence spirituelle de Monique s'était imposée à lui au point que rien ne lui était apparu plus apte à la pratique de la vraie philosophie[b].

Une douzaine d'années plus tard, sous la plume d'un fils devenu entre-temps homme d'Église, Monique est présentée surtout comme l'un des instruments – sinon le principal instrument – de la grâce. La figure de la mère, dans les *Confessions*, apparaît idéalisée, sans cependant que le regard porté sur elle perde toute lucidité, ni que les griefs soient entièrement gommés. Bonne chrétienne alors que son fils cherchait encore sa voie, Monique avait quelques longueurs d'avance, mais elle avait encore du chemin à faire jusqu'au jour de sa mort à Ostie. Elle était encore dans les « faubourgs de Babylone » – ainsi l'évêque d'Hippone la situera-t-il avec les images et les mots

---

a. *De beata uita*, I, 6 : « *nostra mater, cuius meriti credo esse omne quod uiuo* ».
b. *De ordine*, II, 1.

de *Jérémie*, 51 [10] –, quand, inquiète de la toute neuve virilité d'Augustin dans sa seizième année, elle se contentait de le mettre en garde contre la fornication – et surtout contre l'adultère –, plutôt que de songer à canaliser sa sexualité dans un mariage de jeunesse qui eût sonné, avec le glas d'un bel avenir, celui de ses ambitions mondaines pour son fils. Les mêmes pensées, humaines, trop humaines, l'animaient-elles encore à Milan, en 385, lorsque pour assurer le beau mariage un instant entrevu elle avait exigé le départ de la concubine ? Il est vrai qu'elle espérait qu'enfin le baptême suivrait le mariage[a], comme le précise son fils, qui a pourtant quelque peine à faire remise à sa mère de la cruauté du procédé, eu égard à l'intention. Mais, plus on avance dans les *Confessions*, plus on voit la reconnaissance l'emporter en définitive, ainsi que la gratitude pour la valeur d'exemple de toute une vie.

Au fil des pages, Monique apparaît moins comme un modèle que comme une référence permanente, une balise dont la lueur, parfois obscurcie – ainsi quand cette mère sera abandonnée et fuie lors du départ pour Rome en 383 –, jalonne un chemin encore incertain. Retrouvant à Milan, au printemps de 385, un Augustin qui avait rompu avec le manichéisme, sans avoir encore adhéré à la foi chrétienne, elle l'assurera de sa conviction qu'avant de sortir de cette vie elle le verrait fidèle catholique[b]. Elle n'avait rien épargné pour parvenir à cette fin, ni les prières, ni les larmes, ni le difficile courage d'interdire sa maison à son fils à son retour de Carthage en 373. Elle partageait avec d'autres chrétiens des premiers âges le don de ces visions où la révélation divine vient, pour qui sait l'interpréter, éclairer la route et dissiper le doute. Ainsi du rêve inspiré qu'elle fit au plus profond de son désespoir, quand Augustin était dans sa vingtième année[c]. Elle s'était vue debout sur une règle en bois, et un lumineux jeune homme venait à elle, joyeux et souriant ; comme il lui demandait les causes de sa tristesse et de ses larmes quotidiennes, elle lui avait répondu qu'elle pleurait la perdition de son fils ; alors le jeune homme – le Christ, bien sûr – l'avait engagée à regarder plus attentivement pour constater que, là où elle se trouvait, se trouvait aussi ce fils : et Monique avait aperçu Augustin, debout à côté d'elle, sur la même règle [11]. Tels seront-ils, l'un et l'autre proches du divin, un soir de l'été de 387, à Ostie.

Le temps de quelques décennies, notre XXe siècle finissant a pris plus de distance avec l'univers mental de Monique et son environ-

a. *Conf.*, VI, 23.
b. *Conf.*, VI, 1.
c. *Conf.*, III, 19.

nement social que les quinze siècles qui ont précédé. De quoi ouvrir un vaste espace à la simplification et même à la caricature. Là où Augustin voyait une veuve chrétienne exemplaire, qui multipliait les aumônes et se rendait deux fois par jour à l'église pour prier et non pour bavarder[a], nous serions tentés de reconnaître une bigote visionnaire, plutôt rigide et totalement dépourvue de ce que nous appelons le sens de l'humour[12]. Freudisme aidant, la mère inquiète et attentive – trop, peut-être –, passionnément attachée à « enfanter selon l'esprit » celui qu'elle avait conçu dans sa chair[b], a été perçue comme charnellement possessive et abusive par des analystes à qui les *Confessions* servent parfois comme sur un plateau leur douteuse pâture. Ainsi de ce mot d'Augustin[c], évoquant son enfance chrétienne, alors que le père était encore païen, et avouant simplement que Monique « mettait tout en œuvre pour que tu fusses mon père, toi, mon Dieu, plutôt que lui[13] ». On nous dit que le sentiment de culpabilité, de fait si fort chez Augustin – et par la suite caractéristique du christianisme médiéval et moderne –, est issu de relations difficiles entre un fils génial et une mère dominatrice et dévote[14]. La doctrine du péché originel, création augustinienne, en découlerait. Ainsi, selon cette lecture, depuis de longs siècles, un trait majeur de la physionomie morale et de la sensibilité religieuse de notre monde occidental serait la résultante des névroses engendrées dès la prime enfance dans la psychè d'Augustin par sa relation avec sa mère.

Revenons à Thagaste, au jour des ides de novembre 354. Imaginons Patricius, le père trop vite oublié, et sa femme, penchés sur le berceau du fils nouveau-né. Est-ce à cet instant qu'ils décidèrent du nom personnel à lui donner ? Dans le cas d'un rejeton mâle, le choix était le fait du père, mais on peut gager que Monique eut son mot à dire dans l'octroi de ce nom d'Augustin, pour nous banalisé par d'innombrables porteurs en plus d'un millénaire d'onomastique chrétienne, mais alors si rare[15], et surtout si ambitieux : littéralement, le « petit Auguste », ou le « petit empereur ». Les parents l'avaient-ils donné à celui qui devait l'illustrer dans la prescience d'un destin unique ? Sous ce diminutif allait grandir un enfant dont la gloire posthume, un jour, éclipserait celle des maîtres du monde.

a. *Conf.*, V, 17.
b. *Conf.*, V, 16.
c. *Conf.*, I, 17.

CHAPITRE III

Une enfance numide

L'Antiquité n'a jamais fait grand cas de l'enfance, un âge informe, sans statut social ni véritable existence personnelle[1] ; on préférait la passer sous silence, sauf pour déplorer les disparitions prématurées, dans des poèmes funéraires gravés en épitaphes qui sont souvent, au-delà des conventions du genre, de petits chefs-d'œuvre de pathétique vrai, avec une force à la mesure du sentiment que l'on avait que ces *aôroï*, en grec, ces *immaturi*, en latin, avaient été saisis par la mort avant d'avoir commencé à vivre. Et puis, même aux yeux des plus complaisants dans l'égotisme, les premières années n'annonçaient pas plus l'adulte que la chrysalide n'annonce le papillon : il ne serait pas venu à l'esprit d'un Cicéron, d'un Sénèque ou d'un Pline de faire revivre les jeunes garçons qu'ils avaient été, encore moins les vagissants nourrissons.

Augustin, lui, n'a pas tu son enfance, et cette remontée aux origines d'une vie, perçue comme un continuum vécu, est en soi une chose très neuve. Déjà le narrateur des *Confessions* n'élude pas le tout premier âge, celui de l'*infantia*. À défaut de souvenirs, il le revoit par les yeux de braves femmes qui l'avaient connu au maillot, ou tout simplement le reconstruit d'après ce qu'il peut observer de petits enfants en bas âge, dont l'avidité de perception sensorielle le frappe[a]. Comme eux, il a bénéficié du lait de la tendresse humaine, cette consolation d'être au monde prodiguée par la bonté de Dieu à travers les mères et les nourrices[b]. Mais l'évêque en qui commence alors à s'ébaucher la doctrine du péché originel ne s'attendrit pas sur un petit être dont l'innocence ne tient qu'à la faiblesse, désarmé,

---

a. Particulièrement leur avidité de perception visuelle : cf. *De Trinitate*, XIV, 7 (texte daté vers 418).

b. *Conf.*, I, 7.

mais non désarmant pour qui sait voir toute sa nocivité potentielle[a]. Même ses pleurs, dit-il, sont vengeance ou chantage, et la jalousie n'est pas absente de son cœur ! Une vision si pessimiste peut étonner, encore que la reconnaissance – si « moderne » – de cette inconsciente perversité initiale ne soit pas pour surprendre notre siècle nourri de Freud, ni une théologie lucidement sensible à l'héritage criminel qui pèse, culturellement, mais aussi génétiquement, sur les enfants des hommes[2]. Mais celui qui s'exprime ainsi n'est plus le père d'Adeodatus, le fils disparu depuis une dizaine d'années ; ce n'est pas non plus déjà le théologien qui sera à l'origine de la codification canonique du baptême des nouveau-nés, pour cause de péché originel[3], mais tout simplement le chrétien qui, dès les premières pages de cette « confession de louange et de péché », rendant compte de son existence passée, ne croit pas devoir faire l'impasse sur sa première enfance, même s'il a, comme il le dit, quelque peine à la considérer comme partie intégrante de sa vie ici-bas[b] : il sait qu'il y a dans ce petit corps « innocent », encore exempt de péché personnel, faute de discernement, une âme capable de se sauver, mais susceptible aussi de se perdre.

ÉCOLIER À THAGASTE

L'apprentissage de la parole, qui marque le début de la « seconde enfance » – la *pueritia* – a inspiré à Augustin une analyse dont on peut dire qu'elle fait de lui le père de la psychologie de l'enfant. Lorsqu'il écrit que « les mots, revenant à leur place en des phrases diverses, lui livraient leur valeur significative[c] », il reconnaît déjà l'importance de ce que nous appelons les « indices prosodiques » dans la reconnaissance par le très jeune enfant de la phonologie et de la syntaxe de sa langue maternelle. Mais, avec l'entrée à l'école élémentaire, les choses se gâtèrent. Pour nous, première grande surprise : incontestablement si doué intellectuellement, globalement, comme on le verra, « bon élève », Augustin dit avoir détesté le système scolaire de son temps – lequel n'était pourtant guère différent, à cet âge, de ce que nous apprend sur la journée d'un jeune écolier romain un document du début du IIIe siècle[4], qui met en scène un petit garçon d'un milieu social à peine supérieur à celui du jeune

---

a. *Ibid.* : « *Ita imbecillitas membrorum infantilium innocens est, non animus infantium.* »
b. *Conf.*, I, 12.
c. *Conf.*, I, 13.

Augustin. Il est vrai, pourtant, que des coups de fouet pouvaient ponctuer les exercices (de lecture, d'écriture, de calcul), si le maître les jugeait mal exécutés. Et, comme le rappelle H.-I. Marrou, « retirer sa main sous la férule » était devenu une métaphore synonyme de vie scolaire[5]. Mais les écoliers de notre temps essayaient encore de soustraire leurs doigts mis en grappe à la règle de quelque descendant des « hussards noirs de la République », et ils n'en mouraient pas.

Il nous faut cependant bien croire Augustin, tant les souvenirs de l'évêque paraissent douloureux à l'évocation de la vie vécue par l'écolier. Le portrait qu'il en trace, et qu'on a peine à imaginer véridique, si du mystique, du théologien, de l'écrivain et de l'homme d'Église on extrapole à l'enfant, n'est pas celui d'un « fort en thème ». Il n'aimait pas l'étude : il le dit, il le répète[a]. Plus précisément, il était rebelle à la contrainte éducative, en quoi il n'était guère différent de la grande majorité des petits garçons, depuis que le monde est monde. L'enfant pétulant, dissipé, joueur, qui commettait à la maison de menus larcins au bénéfice de ses compagnons de jeu[b], redoutait par-dessus tout d'être battu à l'école et, plus encore peut-être, de l'être à l'applaudissement de ses parents[c]. Pourtant, si pénibles que lui aient été cette contrainte et ces sanctions, n'en déplaise aux tenants d'une conception « ludique » du système scolaire, il ne les condamne pas, reconnaissant qu'il n'aurait rien appris si on ne l'y eût obligé[d]. À l'âge de soixante-douze ans, dans l'un des derniers livres de la *Cité de Dieu*, le vieil évêque reviendra encore une fois sur ses plus lointains souvenirs et de nouveau il évoquera en termes forts la rudesse du dressage scolaire : qui ne choisirait, dit-il, plutôt de mourir, si on lui proposait ou la mort à subir ou l'enfance à recommencer[e] ! Mais on voit mieux, dans ce contexte, le sens de cette déploration : dépendante, soumise à la volonté des adultes, en quête éperdue de liberté dans l'évasion du jeu, l'enfance est emblématique de la misère de la condition humaine, depuis la chute.

a. *Conf.*, I, 19 : « Je n'aimais pas l'étude, et je détestais d'y être contraint » (cf. déjà I, 14 : « Si je me montrais paresseux à apprendre, je recevais des coups »).

b. *Conf.*, I, 30.

c. *Conf.*, I, 14.

d. *Conf.*, I, 19 : « *Et urgebar tamen, et mihi bene fiebat* [...] *non enim discerem, nisi cogerer* ».

e. *Cité de Dieu*, XXI, 14.

LES RACINES AMÈRES DU GREC

On oublie parfois que l'Empire romain était bilingue. Ou, plus exactement, qu'outre les multiples parlers locaux usités en dehors de la langue officielle – le latin –, la connaissance d'une seconde langue d'échanges et de culture, le grec – en fait seconde langue officielle dans la moitié orientale du monde romain –, s'imposait à qui voulait faire carrière dans l'administration impériale, ou faire partie de l'élite cultivée. Seul un bon apprentissage du grec permettait d'être compté parmi les *utraque lingua eruditi*, un passeport pour la réussite. Bien qu'il y eût, comme on l'a dit plus haut, des communautés de langue grecque en Afrique du Nord à cette époque, cette province de l'Empire ne brillait pas alors spécialement par ses foyers d'hellénisme. On enseignait pourtant le grec dès l'école élémentaire, dans une bourgade aussi modeste que Thagaste. Et le grec, précisément, était l'une des matières d'étude qui rebutaient le jeune Augustin[6]. La raison en est simple et facile à comprendre. Depuis des siècles, la tradition romaine était que l'apprentissage des deux langues fût mené parallèlement, et souvent même que celui du grec intervînt en premier : mais alors, dans les bonnes familles, il était le fait d'une gouvernante ou d'un « pédagogue », des domestiques qui étaient eux-mêmes grecs ou de langue grecque. Augustin n'a pas eu ces facilités réservées aux enfants des milieux aristocratiques. Alors, comme il le dit lui-même, qu'il avait appris le latin au milieu des caresses de ses nourrices, dans les ris et les jeux et dans le joyeux mouvement de sa vie préscolaire[a], c'est du *magister* qu'il avait reçu les premiers rudiments du grec. Il se trouvait ainsi – mais à un âge beaucoup plus tendre et avec des facultés d'acquisition encore intactes – dans la situation de nos modernes étudiants qui découvrent sur le tard la souplesse et la richesse verbales du grec ancien : mots merveilleux, mais graphiquement hérissés de leurs « accents » et de leurs « esprits », comme roses de leurs épines. Dans les *Confessions*, c'est une autre métaphore qui s'impose à Augustin : les suavités du bon Homère, dit-il, lui sont apparues gâtées par le fiel des difficultés d'une langue étrangère[b].

Quel était le niveau de grec atteint par Augustin ? Ainsi posée,

---

a. Il le dit dans une de ces formules ternaires, avec des quasi-rimes, pratiquement intraduisibles, qui sont l'une des caractéristiques de son style : « *inter blandimenta nutricum, et ioca arridentium, et laetitias alludentium* » (*Conf.*, I, 23).

b. *Conf.*, I, 24.

un peu naïvement, la question risque de rester sans réponse. Il ne faudrait pas en tout cas prendre au mot celle que l'intéressé a faite un jour lui-même, en prétendant que de la langue grecque il ne savait pas grand-chose, et pour ainsi dire presque rien[a]. De ce problème souvent débattu, c'est encore H.-I. Marrou qui a donné la solution la plus probable. Savoir l'anglais ou l'allemand, cela peut signifier, au minimum, qu'on en sait assez pour pouvoir, en s'aidant au besoin d'un dictionnaire, prendre connaissance, en vue d'une recherche, d'un article publié dans une revue savante ; cela peut vouloir dire aussi, et c'est tout autre chose, qu'on a plaisir à lire ou à relire Goethe ou Shakespeare dans le texte, et mieux encore que ces auteurs meublent notre mémoire, au même titre qu'un Racine, et qu'on pourrait les faire ressurgir au détour d'une émotion, comme Néron citant machinalement un vers de l'*Iliade* en entendant les cavaliers lancés à sa poursuite[b]. Même si Augustin n'a sans doute jamais cessé de progresser en grec, même s'il y était plus à l'aise vers la fin de sa vie qu'en son adolescence, on peut avec Marrou penser qu'il savait le grec plutôt de la première façon que de la seconde[7] ; bref, qu'il n'était pas vraiment un *utraque lingua eruditus*, au sens fort du terme, comme l'avait été Cicéron, capable de commencer une phrase en latin et de la terminer en grec, et qui pensait dans les deux langues, ou Pline le Jeune, qui montrait semblable aisance au temps de Trajan, ou encore Apulée, champion de la haute culture en Afrique du Nord à l'époque des Antonins. Deux bons siècles plus tard, les positions du grec s'étaient beaucoup affaiblies dans le monde occidental, et pas seulement sur ses rivages du Sud. Augustin n'était pas seul à avoir du legs de l'hellénisme une saisie très partielle[8], à en bénéficier surtout par traductions interposées, comme on le verra dans le cas des *libri Platonici*. Avant même la fin de l'Antiquité et la si fragile « renaissance » byzantine, cet oubli du grec en Occident a préludé culturellement à la dichotomie qui dominera l'histoire de la Méditerranée à l'époque médiévale.

Bien qu'Augustin se soucie assez peu, dans ce récit, de précision chronologique, on doit rapporter à cette première partie de l'enfance, antérieure à la dixième année, cette subite crise d'étouffement – le texte met en cause le *stomachus*, mais les Anciens parlaient de l'estomac comme Toinette, dans *Le Malade imaginaire*, parle du

---

a. *Contra litt. Petiliani*, II, 91 : « *Et ego quidem Graecae linguae perparum assecutus sum et prope nihil* » : petite coquetterie d'un grand évêque qui veut montrer à son interlocuteur – ici le donatiste Petilianus – qu'il n'est pas nécessaire d'être grand clerc en grec pour savoir que « catholique » signifie « universel ».

b. SUÉTONE, *Néron*, 49.

poumon – qui mit l'enfant en assez grand péril pour qu'on envisageât son baptême[a]. Déjà Monique, alarmée, en hâtait les préparatifs, quand cette maladie d'enfant disparut comme elle était venue ; et le baptême fut différé, de peur que, venue l'adolescence, de nouvelles souillures n'en vinssent altérer la purification. Le jeune Augustin restait ainsi disponible pour toutes les aventures spirituelles, sur le chemin de cet itinéraire si compliqué qui aboutira enfin au baptême, à Milan, au printemps de 387. Mais nous devons au récit de cet épisode une information essentielle, dans l'optique de sa « conversion ». Car l'évêque qui revient ici sur son enfance est tout à fait formel sur un point : comme sa mère, l'enfant Augustin croyait au Christ, et très certainement il accompagnait Monique à l'église ; à la naissance – « *ab utero matris* » – il avait reçu le sacrement des catéchumènes, par l'imposition des mains, le signe de la croix et le contact du sel[b]. Comme il le dira plus tard dans l'une de ses homélies sur l'*Évangile de Jean* (XI, 3), en comparant les catéchumènes aux baptisés, « il croyait déjà au nom du Christ, même si le Christ ne croyait pas encore en lui ». En quoi la conversion intervenue un peu passé la trentaine diffère sensiblement de quelques célèbres conversions d'agnostiques dont on la rapproche parfois un peu trop vite.

COLLÉGIEN À MADAURE

Augustin n'avait pas tardé à épuiser les possibilités scolaires de Thagaste. Nous verrons que dans sa vingtième année, après avoir complété sa propre formation à Carthage, il reviendra un temps dans sa ville natale pour y dispenser un enseignement de *grammaticus* – assimilable au moins au premier cycle actuel de notre enseignement secondaire. Mais, au temps de son enfance, ce niveau d'études n'existait pas à Thagaste. Probablement dans sa onzième année, il dut aller pour cela à Madaure.

Une trentaine de kilomètres – une petite journée de voyage, à l'époque – séparent Souk-Ahras de Mdaourouch, qui pérennise le nom antique, Madauros, presque inchangé à travers les siècles et les gosiers locaux. Aux pieds du djebel bou-Sessou, qui ferme l'horizon au sud, celui qui s'y aventure aujourd'hui découvre au bout d'une piste un petit ensemble de ruines mis au jour au début de ce siècle, endormi dans l'attente d'une improbable reprise des fouilles. En son centre, empiétant sur le forum, la forteresse – à quoi se résumait

---

a. *Conf.*, I, 17.
b. *Conf.*, I, 17, *initio*.

là comme ailleurs, sous la brève domination byzantine, au VIe siècle, une civilisation urbaine réduite à la défensive – enferme comme en un poing serré un charmant petit théâtre, à demi mangé par les murs du fort, mais protégé par eux. Lorsque Augustin y arriva, la ville, demeurée modeste à l'écart des grandes routes et en lisière de la Gétulie et de l'ancien territoire des Musulames, vivait encore sur le souvenir de son grand homme, Apulée. Il a pu voir sur le forum la statue qui avait été dédiée par ses concitoyens au « philosophe platonicien », comme il s'appelait lui-même sans plus de modestie, un label que par la suite Augustin, bon connaisseur du néoplatonisme et assez fier de l'homme de Madaure, ne lui a pas contesté[9]. Dans cette seconde moitié du IVe siècle, la ville subsistait surtout, semble-t-il, grâce à ses oliviers et à ses huileries, dans une honnête aisance, comme en témoignent les grands travaux de restauration attestés alors par les inscriptions : pendant le séjour d'Augustin, en 366-367, les grands thermes d'été bénéficièrent de réparations et de réels embellissements[10]. Et l'on peut penser avec Stéphane Gsell que l'« orgueil d'avoir donné le jour à Apulée dut contribuer à faire de Madaure une ville où les belles-lettres étaient en grand honneur[11] », et dont les écoles avaient une réputation au-dessus du statut modeste de la cité.

Sur le cursus d'études qu'il y suivit lui-même, Augustin n'est pas très explicite : il l'évoque incidemment, comme on le fait d'une période sans histoire – et donc probablement heureuse –, juste avant sa calamiteuse année d'inaction après le retour à Thagaste en 369. S'il ne s'y étend pas davantage, c'est pour en avoir dit par anticipation l'essentiel dans le livre I des *Confessions*, où la distinction n'est pas toujours clairement faite entre la première formation à l'école élémentaire du *magister ludi*, à Thagaste, et celle du *grammaticus*, l'enseignement secondaire suivi à Madaure. Mais la formule qu'il emploie pour cette brève mention – « un premier séjour hors de chez moi pour m'initier à la littérature et à l'art oratoire[a] » – montre bien qu'on était désormais très au-delà des premiers rudiments et que les grammairiens de Madaure poussaient assez loin l'instruction de leurs élèves[12]. Ils n'hésitaient pas trop à empiéter sur le programme des rhéteurs, comme l'atteste cet exercice – l'« éthopée », ou portrait de personnage en situation – dans lequel excellait Augustin : il s'agissait, en l'occurrence, d'imaginer et de rédiger en prose le discours prononcé par Junon, « irritée de ne pouvoir détourner d'Italie le roi des Troyens[b] ». Autant le jeune

---

a. *Conf.*, II, 5.
b. *Conf.*, I, 27.

enfant avait été souvent rebuté par les premiers apprentissages – dont l'évêque reconnaît pourtant qu'ils sont fondamentaux et irremplaçables, car ils fournissent des outils pour toute la vie –, autant le garçon d'une douzaine d'années aima avec passion les lettres latines, et tout particulièrement Virgile, le Virgile de l'*Énéide*, qu'il savait par cœur comme le saura encore Racine : « Délicieux, dit-il, était pour moi le spectacle de la vanité [ce dernier mot est évidemment de l'évêque] : le cheval de bois plein de soldats en armes, l'incendie de Troie et jusqu'à l'ombre de Créüse elle-même[a]. » Ces années de Madaure furent pour Augustin celles d'un premier épanouissement, en cet âge de grâce où les jeunes adolescents, encore épargnés par les inquiétudes de la chair, font avec enthousiasme l'expérience précoce des essais littéraires. Et la poésie restera toujours pour lui un trésor, sans doute vite recouvert par les sédiments d'une complexe stratigraphie intellectuelle, mais dont il n'oubliera jamais la beauté. Bien des traits témoignent chez Augustin de cette présence constante de la poésie, à des niveaux divers. À l'un de ses correspondants qui lui avait adressé un billet terminé par un couplet de cinq hexamètres dont le dernier comportait un pied de trop, le vieil évêque répondit malicieusement que s'il avait voulu ainsi le prendre en défaut sur une métrique devenue pour lui bien lointaine, c'était raté[b] ! Et dans une page du livre VIII – écrit sans doute vers 405 – d'une de ses œuvres majeures, le *De Trinitate*, dans la litanie des « choses bonnes », il placera le poème au-dessus de tous les autres biens, juste après Dieu, qui est le bien même[c].

Augustin est par ailleurs resté très discret sur ces trois ou quatre années passées à Madaure. Le bonheur de s'ouvrir à la vie de l'esprit dut l'aider à passer sur bien des choses. Dans ce monde en pleine mutation religieuse, la petite cité numide était restée un bastion du paganisme ; pourtant, avec ses saints locaux, Miggin et Namphamo, dont le martyre doit remonter à la persécution de Commode, en 180, la communauté chrétienne de Madaure avait pris précocement place dans les martyrologes[13]. Mais, en ces années 360, le sort de cette communauté, sa survie même sont problématiques ; et les trois églises – dont une cimétériale – que l'archéologie atteste à l'époque tardive n'existaient probablement pas encore[14]. Immergé dans un milieu païen, le jeune catéchumène a sans doute eu du mal à observer les pratiques cultuelles auxquelles sa mère l'avait accoutumé à Thagaste. Il résidait peut-être chez un parent, ou chez l'un de ses pro-

a. *Conf.*, I, 21.
b. *Ep.* 261, 4.
c. *De Trin.*, VIII, 3.

fesseurs : ces pédagogues mal payés arrondissaient leurs maigres revenus en prenant en pension quelques-uns de leurs élèves. Nous en connaissons un, le grammairien Maxime, grâce à une lettre que ce dernier envoya quelque vingt ans plus tard à Augustin alors nouveau converti et résidant à Thagaste ; et s'il n'en découle pas de façon certaine que le vieux maître s'adressait à son ancien disciple, il est bien clair que le jeune garçon l'avait alors connu [15].

Dans sa lettre, Maxime ironisait sur les martyrs de Madaure, qui n'avaient selon lui fait que subir le châtiment mérité par leurs crimes ; il raillait, lui, le *grammaticus Romanus*, leurs noms indigènes et s'indignait qu'on pût préférer leur culte à celui des dieux immortels[a]. Au demeurant, comme beaucoup de païens « éclairés » de son temps, il opposait au Dieu des chrétiens un Dieu suprême, invocable sous différents noms, et non exclusif des divinités traditionnelles dont il considérait les effigies, présentes sur le forum de sa cité, comme autant de protections salutaires. Augustin dans sa réponse ne chercha pas à lui faire préciser sa théologie : c'eût été peine perdue. Mais il eut à cœur – et cette manifestation de « conscience africaine » sera toujours chez lui une constante – de défendre nommément Namphamo – il croyait savoir qu'en punique son nom signifiait l'« homme au bon pied », dont la venue porte bonheur – contre les sarcasmes du grammairien qui, petit parvenu de la culture, oubliait trop facilement ses origines. Il y ajoutait quelques souvenirs. Oui, il se souvenait bien d'avoir vu enfant sur le forum de Madaure deux statues de Mars, l'une nue, l'autre cuirassée et, leur faisant face, une statue d'homme dirigeait contre elles trois doigts pointés en un geste de défense magique : c'est du moins ainsi que le petit garçon interprétait – et l'évêque n'en était pas dupe et utilisait maintenant à des fins polémiques le souvenir de l'enfant ! – un geste qui était plutôt celui, traditionnel, d'un orateur romain[b]. Et puis il y avait aussi le souvenir de ces processions délirantes conduites à travers les rues et les places de la ville par les principaux personnages de la cité. C'est à Madaure, en sa douzième année, sans se douter alors que l'évêque trouverait là matière à de longues luttes, qu'Augustin a pris d'abord conscience de la résistance du paganisme, fort de la simplicité de ses rites, de la beauté de son décor iconographique et monumental, et de l'attrait de ses fêtes, qui parlaient encore à l'imagination du populaire.

---

a. *Ep.* 16, 2.
b. *Ep.* 17, 4.

Les poires du désœuvrement

Sans doute en l'été ou l'automne de l'année 369, Augustin regagna Thagaste. Il avait changé. Le premier à s'en apercevoir fut son père, Patricius, quand il le vit un soir aux bains « dans son vêtement d'inquiète adolescence », comme l'écrit joliment l'auteur des *Confessions*[a]. Ce fut, lui, pour s'en réjouir : il se voyait déjà entouré de petits-fils. Monique, elle, fut consternée, comme toutes les mères, de voir son petit enfant devenu un grand garçon pubère, avec des appétits qu'elle ne connaissait que trop bien pour les avoir vus à l'œuvre chez Patricius. Elle lui fit la leçon, qui tenait en peu de mots : pas de fornication, et surtout pas d'adultère avec l'épouse de qui que ce fût. Pour le jeune homme, propos de bonne femme, dont il eût rougi de tenir compte[b] ! Quant à l'évêque, lorsqu'il repense à cette triste année de disponibilité et de désordre, il en vient à reprocher à ses parents – à sa mère surtout, qui pilotait moralement le ménage – de n'avoir pas songé à contenir alors le tempérament de leur fils dans les limites d'un engagement conjugal. Et pour cause, ajoute-t-il, en conjecturant d'après ce dont il se souvient des pensées qui les animaient : car les belles espérances qu'ils nourrissaient l'un comme l'autre pour son élévation sociale – Patricius de façon plus platement bourgeoise, Monique avec le souci d'un supplément d'âme pour son fils – risquaient fort d'être ruinées par un mariage prématuré qui eût mis un terme aux études et stoppé toute promotion[c]. Le projet était bien d'envoyer Augustin à Carthage pour qu'il y complétât sa formation, quel qu'en fût le risque moral. Et Patricius s'employait à réunir les fonds nécessaires à l'entretien de son fils. Mais, en attendant, les études étaient interrompues. Ce fut donc une année de total désœuvrement.

Et de débordements. Oh ! le lecteur du livre II des *Confessions* en quête de détails croustillants en serait pour ses frais de basse curiosité. Tout est dit, sans l'être ; ou plutôt, rien n'est dit, mais tout doit être lu entre les lignes d'une prose brûlante et somptueuse. Si, dans ces pages baroques, on fait la part de l'excessive sévérité du regard porté par l'évêque lorsqu'il fait revivre l'année la plus noire de sa jeunesse, reste la force suggestive d'un langage que personne, dans l'Antiquité, n'avait encore mis en œuvre pour évoquer les

---

a. *Conf.*, II, 6.
b. *Conf.*, II, 7.
c. *Conf.*, II, 8.

pulsions charnelles de l'adolescence : « Quel était mon plaisir, sinon d'aimer et d'être aimé ? Mais je ne me tenais pas dans la mesure d'un échange d'âme à âme, là où se trouve le sentier lumineux de l'amitié. Des buées s'exhalaient du fond limoneux de la concupiscence charnelle, et des bouillonnements de la puberté[a] ». Bien sûr, certains de ceux qui se sont risqués à décoder ces phrases n'ont pas manqué d'y déceler une improbable homosexualité, que tout par la suite dans les conduites affectives d'Augustin exclut assez nettement, et de voir, dans telle autre phrase qui suit, l'aveu de plaisirs solitaires, qui de fait n'ont rien d'invraisemblable. Qu'il ait eu quelques amourettes, peut-être ancillaires, qu'il y ait rivalisé, comme il le dit, avec les camarades de son âge, sans doute. Mais Thagaste, la modeste « Babylone » de leurs ébats, leur imposait ses limitations de bourgade provinciale, où tout se savait. Ce qui devait manquer le plus à leurs dévergondages, c'était la matière et l'occasion. Mais, en définitive, infiniment précieuses sont les indications qui nous sont ainsi données sur le tumulte de ce corps d'adolescent en sa seizième année. Nous sommes ainsi avertis de la réalité des obstacles que l'exigeante sensualité d'Augustin dressera sur le chemin de la conversion, ou, plus exactement, des difficultés que cette nature ardente éprouvera, quinze ans plus tard, pour ajouter à la conversion de l'intelligence la conversion de la volonté.

Ce n'est pourtant pas sur l'évocation de ces tourments et de ces frasques que s'achève le livre II des *Confessions*, mais sur celle d'un autre type de « fornication », une « fornication de l'âme » : l'épisode fameux du vol des poires. Le récit en tient en quelques lignes. Dans le voisinage d'une vigne qui appartenait à la famille d'Augustin, il y avait un poirier, dont les fruits, précise le narrateur, n'avaient rien de spécialement délectable. Une nuit où les jeunes chenapans avaient traîné fort tard dehors, ils mirent à sac le poirier, goûtèrent quelques poires, qui n'avaient d'autre saveur que celle du fruit défendu, et jetèrent les autres aux cochons[b]. À notre époque où les tentations sans mesure de la société de consommation, jointes à l'effondrement des contraintes éducatives, inspirent à de jeunes désœuvrés des conduites naguère encore inimaginables, le vol des poires peut faire sourire. Qui de nous, quand la délinquance juvénile se limitait à cela, n'a chapardé des fruits dans un verger, ou cueilli quelques grappes dans une vigne ? En soi, le vol des poires est une peccadille. Et nous ne saurons jamais, passé l'exaltation de cette action d'éclat joyeusement commise en bande, quel retentissement il eut alors dans la

a. *Conf.*, II, 2.
b. *Conf.*, II, 9.

conscience du jeune Augustin. Ce qui importe, c'est que parvenu à l'âge mûr, devenu évêque, Augustin en ait gardé, plus qu'un souvenir, une telle empreinte dans l'âme. De cette désastreuse année de disponibilité à Thagaste, c'est le seul fait précis qui surnage, ou du moins le seul auquel le mémorialiste confère le statut d'*exemplum*, en éprouvant le besoin de faire suivre les huit lignes du récit de sept pages de commentaires.

Ce qui signifie sans doute que le souvenir du vol des poires l'a accompagné sa vie durant, d'abord comme un remords, puis, la conversion venue, comme la triste illustration des méfaits pour l'homme du libre arbitre, impuissant à le diriger vers la plénitude de l'être, mais toujours suffisant pour le faire choir dans le mal, ce non-être. Acte de vandalisme, acte gratuit – et non larcin commis sous l'empire de la nécessité –, le saccage du poirier était bien plus grave que les effets d'une pulsion charnelle adolescente. Dans son *Commentaire sur la Genèse*, vers 410, Augustin s'élèvera contre l'idée communément reçue que les seuls péchés qu'on puisse commettre sont ceux qui mettent en œuvre les organes sexuels[a]. Il savait bien, longtemps avant Freud, que la *libido* – ce qu'il appelle, lui, la « concupiscence » – avait d'autres vecteurs. Mais déjà, écrivant les *Confessions*, il s'interrogeait amèrement : « Malheureux ! Qu'ai-je donc aimé en toi, mon larcin, forfait nocturne de ma seizième année ?[b] » Peut-on aimer le mal pour le mal ? Sans doute, mais il y fallait pour ces adolescents des conditions favorisantes. Rassemblant ses souvenirs, approfondissant l'analyse, Augustin en venait à conclure que, seul, il n'aurait pas accompli cette transgression de l'interdit ; ce qui était aussi en cause, c'était l'entraînement du groupe, ce dévoiement de l'amitié – une valeur humaine pour lui essentielle –, réduite ici à une pure complicité, autant dire à rien[c]. En dernière analyse, le vol des poires apparaît, sans forcer le texte augustinien, comme une « parabole du péché originel [16] ». Et, comme souvent chez Augustin, la richesse des harmoniques est ici telle qu'elle autorise dans les pages qu'on a consacrées à l'épisode – mais un peu en marge du texte – des rapprochements suggestifs, sinon toujours convaincants : le poirier mis à sac symboliserait ainsi l'arbre de la connaissance du bien et du mal, du fruit duquel Ève s'était emparée [17] ; à cet arbre répondrait symboliquement un autre, l'arbre de vie, c'est-à-dire le figuier du jardin de Milan, sous lequel Augustin commencera d'entreprendre sa propre rédemption...

---

a. *De Gen. ad litt.*, X, 23.
b. *Conf.*, II, 12.
c. *Conf.*, II, 16.

L'année 370 tirait à sa fin. Avec elle allait se refermer cette parenthèse, un temps mort entre la fin de l'enfance et l'entrée dans la vie, la vie de l'esprit et celle du cœur. Arrondissant généreusement le viatique réuni par Patricius, Romanianus permettait à Augustin de partir pour Carthage.

CHAPITRE IV

Carthage

« Se souvient-on du bonheur comme se souvient de Carthage celui qui l'a vue ? » Le nom de la cité apparaît fugitivement jeté à un détour de la fameuse analyse de la mémoire, au livre X des *Confessions*[a]. Mais des émerveillements de l'adolescent découvrant la capitale africaine, des émotions de l'évêque retrouvant, vingt ans plus tard, cette ville où il devait si souvent s'exprimer, nous ne saurons pas davantage. D'un homme comme Augustin, nous attendons qu'il nous dise tout, y compris ce qu'il n'avait nul souci de nous dire. Acceptons que cette mention trop pudique vaille évocation de la grande cité en sa multiple splendeur.

Pour parcourir les cent soixante-quinze milles – environ deux cent soixante kilomètres – qui séparaient Thagaste de Carthage, on empruntait les derniers tronçons de la grande route qui reliait à la capitale ses greniers à blé, les *castella* des hautes plaines de Constantine et de Sétif[1]. Un voyage de plusieurs jours, avec des étapes au Kef (l'ancienne Sicca), au Krib (Musti), à Aïn Tounga (Thignica), à Medjez el-Bab (Membressa). On rejoignait là le cours sinueux de la Medjerda, abandonné au départ de Thagaste. Entre Medjerda et oued Miliane, on cheminait alors dans cette petite « Mésopotamie » dont la richesse agricole faisait depuis des siècles l'un des terroirs les plus fertiles et les plus urbanisés du monde antique.

À l'approche du golfe de Carthage, laissant à droite Tunis et son lac, on arrivait, dans le pédoncule alors encore étroit de l'isthme, en vue de la métropole, sur les arrières de sa façade maritime. Le premier regard n'était probablement pas très différent de celui que jette aujourd'hui le voyageur qui, au sortir de l'aéroport, découvre le site dans le même axe : à Sidi Daoud, il voit déjà se dresser la cathédrale bâtie par le cardinal Lavigerie à la fin du XIXe siècle, qui

---

a. *Conf.*, X, 30.

occupe exactement l'emplacement du Capitole antique, avec une élévation comparable. Mais, en cette fin du IVᵉ siècle, la ville haute de la Carthage romaine était encore plus impressionnante. Au sommet du plateau artificiellement aménagé sur les décombres de la Byrsa punique, et corsetée par de puissants murs de soutènement, la vaste esplanade sur laquelle s'ouvrait le Capitole était bordée d'un côté par des portiques, de l'autre par la bibliothèque mentionnée par Apulée[a], d'un autre encore par l'une des plus vastes basiliques judiciaires du monde antique[2]. Au cœur de cette « ville ouverte », Rome affichait une puissance impériale parvenue à son apogée à l'époque même où ce centre monumental avait été parachevé, dans la seconde moitié du IIᵉ siècle.

LA GRANDE VILLE

Au début de l'ère victorienne, le jeune Engels découvrira Londres, première « mégapole » de notre monde moderne, et s'émerveillera de ces rues où l'on pouvait marcher longtemps sans en voir la fin. Car la grande ville, c'est d'abord cela : un espace structuré où la déambulation même la plus longue est toujours canalisée, où les hautes rives des façades sur rue arrêtent et retiennent le regard, alors que les places le libèrent, en lui restituant le ciel. Venant de sa petite bourgade, où les montagnes proches bornaient les horizons, Augustin arrivant à Carthage dut avoir les mêmes impressions. À l'échelle du monde de ce temps, l'« Alexandrie de l'Ouest » était une très grande cité, qui disputait à Antioche la troisième place, mais était sans conteste la deuxième ville de la Méditerranée occidentale, loin, il est vrai, derrière Rome. Elle tenait toujours ce rang quelques années plus tard – à l'époque (388) où Augustin s'embarquera à Ostie pour rentrer en Afrique –, au dire d'Ausone : le rhéteur bordelais, qui savait de quoi il parlait (il avait été préfet du prétoire pour les Gaules, l'Italie et l'Afrique en 378-379), s'était amusé à écrire un *Ordo urbium nobilium*, un classement des dix-sept villes les plus célèbres de son temps, de Rome à son Bordeaux natal ; et Carthage était toujours à ses yeux la troisième ville de l'Empire, après Rome et Constantinople[b]. Se risquera-t-on à avancer un chiffre ? On ne devrait pas se situer au-dessus d'une probable réalité en estimant sa population, toutes classes confondues, entre deux cent et trois cent mille habitants ;

a. APULÉE, *Florides*, IV, 18, 85.
b. AUSONE, *Ordo urbium nobilium*, 2-3 : dans un subtil jeu de balance, le poète met les deux cités pratiquement à égalité.

au regard du gigantisme urbain que nous vivons, de quoi faire sourire, mais pour l'Antiquité un poids démographique considérable.

On a rappelé plus haut la surprise du jeune Engels découvrant Londres au milieu du XIXᵉ siècle. Dans la Carthage tardive aussi on pouvait pendant des heures battre le pavé des voies décumanes et cardinales, en leur quadrillage aussi régulier que celui d'une plantation bien ordonnée, comme le dit un texte de l'époque[a]. Dans son plus grand axe, celui des voies cardinales, la ville avait fini par déborder, particulièrement au nord-est, sur les premières pentes du plateau qui mène maintenant à Sidi bou-Saïd, le tracé en quatre « centuries » des arpenteurs de l'époque augustéenne. Parallèlement à la côte, les rues, de l'actuel quartier de Bordj Djedid jusqu'aux ports, se prolongeaient sur deux kilomètres. En bordure immédiate du rivage, là où aux temps puniques s'élevait un rempart dressé contre les menaces venues du large, se développait maintenant un *lungomare* – qui manque cruellement à la Carthage moderne –, un boulevard qui dominait la mer d'une hauteur de quatre à cinq mètres et offrait sur un front de mille huit cents mètres une promenade ininterrompue, du terre-plein du port marchand jusqu'au-delà des thermes d'Antonin, qu'elle englobait en faisant un décrochement, une saillie sur la ligne du rivage. Cette « croisette » multipliait les vues sur le golfe de Carthage, fermé au nord et à l'est par les lignes douces du cap Bon, si proches par vent d'ouest, au sud par les deux mamelons du Bou Kornine, et au second plan, derrière eux, par la silhouette allongée du Zaghouan, d'où venait par aqueduc l'eau qui circulait partout dans la ville. Nul doute que le premier regard du jeune Augustin n'ait été d'abord pour cette baie, et pour cette mer qu'il voyait pour la première fois, et qu'il était réduit, enfant, à imaginer devant un verre rempli d'eau, comme il le dit dans une lettre à son jeune ami Nebridius[b]. Il contemplait maintenant « le spectacle grandiose qu'elle offre, quand elle se pare d'un manteau de couleurs diverses : de vert aux multiples nuances, de pourpre, d'azur[c] ». À mi-chemin de ce boulevard, on arrivait à la hauteur du *decumanus maximus* ; là, quand on se retournait, au bout de la perspective ouverte par cette large avenue qui descendait de Byrsa vers la mer, le regard était arrêté par la triple nef, vue de profil, de la grande basilique, assise sur les puissantes structures des actuelles « absides de Beulé ». À droite, la ville s'étageait sur les hauteurs,

---

a. *Expositio totius mundi et gentium*, 61, *S.C.*, vol. 124, p. 202.

b. *Ep.* 7, 6.

c. Ainsi revivait cette image dans un texte daté de 426/27 (*Cité de Dieu*, XXII, 24, 5).

dominée par les deux masses semi-circulaires jumelles et adossées des gradins de l'odéon et du théâtre. Vision fascinante, intimidante aussi, choc éternellement ressenti par le jeune provincial ambitieux qui « monte » dans la capitale et s'y trouve pour la première fois face aux virtualités de son avenir.

AMARE AMABAM

Mais Augustin n'était pas Rastignac. Son « à nous deux, Carthage ! » n'eut rien du froid serment de réussite à tout prix que se fait le jeune arriviste. Au lieu de cela, le cri d'un jeune homme avide d'aimer et d'être aimé. Célèbre est l'ouverture du livre III des *Confessions* : « J'arrivai à Carthage et tout autour de moi bouillonnait à grand bruit la chaudière des honteuses amours. Je n'aimais pas encore et j'aimais à aimer ; en manque au plus profond de moi-même, je m'en voulais de ne l'être pas assez. Je cherchais quoi aimer, aimant à aimer[a] »... Il n'est pas, dans toute la littérature de l'Antiquité, de langue grecque ou latine, de texte où reviennent si souvent, en si peu de lignes, les mots « amour » et « aimer » : l'amour en tant qu'appétence de l'être, le vouloir aimer traduisant véhémentement un besoin, en termes qui rappellent – sans surprise : le néoplatonisme était passé par là – que, chez Platon, Éros est fils de Poros, la débrouillardise, mais aussi de Penia, la pauvreté. Et Augustin, dans sa dix-septième année, tenait moins de Poros que de Penia. Et qui plus est – c'est du moins l'évêque qui le dit pour l'étudiant –, assoiffé d'amour il regrettait de ne pas être dans une soif plus grande encore[3].

Avec de telles dispositions d'âme et de corps, il n'est guère étonnant que le jeune homme se soit empressé de trouver à Carthage ce que Thagaste ne pouvait offrir à l'adolescent. La grande ville n'était pas seulement un somptueux décor. Salvien, qui écrivait un demi-siècle plus tard, en rajoute certainement quand il décrit une Carthage « débordant de vices et bouillonnant d'iniquité, regorgeant d'habitants et plus encore de turpitudes[4] ». Mais cette rhétorique pieuse et chagrine avait des chances de tomber juste quand il s'agissait d'un grand port ouvert à tous les vents du large, d'une ville riche où les

a. *Conf.*, III, 1 : « *Veni Carthaginem et circumstrepebat me undique sartago flagitiosorum amorum. Nondum amabam et amare amabam et secretiore indigentia oderam me minus indigentem. Quaerebam quid amarem, amans amare* »... Comme la plupart des traducteurs, nous avons renoncé à tenter de rendre le jeu de mots *Carthago/sartago* (le mot signifiant ordinairement « poêle à frire »), que ce jeu de mots soit d'Augustin, ou qu'il ait été une plaisanterie répandue chez les étudiants.

tentations ne manquaient pas pour une jeunesse « universitaire » souvent oisive. L'évêque a laissé du jeune étudiant un portrait peu flatté, mais sans doute vrai dans les grandes lignes, d'où il ressort surtout qu'Augustin n'avait pas tardé à se laisser tomber dans la fameuse « chaudière » : « Je me précipitai dans l'amour, où je désirais être pris. Mon Dieu, ô ma miséricorde, de quel fiel tu as pour moi assaisonné cette douceur ! Car je fus aimé et je parvins à la jouissance qui enchaîne, et, dans la joie, je me suis laissé prendre aux nœuds du malheur, pour être meurtri par les verges, au fer brûlant, de la jalousie, des soupçons, des craintes, des colères et des querelles [a]. »

La meilleure façon d'engager une liaison amoureuse, disait déjà Ovide près de quatre siècles plus tôt, c'était de fréquenter le cirque et surtout le théâtre. Que le jeune Augustin ait suivi le conseil est d'autant moins douteux que, dans les *Confessions*, l'aveu de ces orageuses amours est immédiatement suivi par celui de sa passion pour le théâtre. Il avait assez vibré enfant au récit des malheurs de Didon pour révéler alors sa sensibilité devant un rideau de scène. Et, puissance de l'effet de miroir du jeu dramatique, le jeune amant tantôt comblé, tantôt trahi qu'il était devenu, du gradin où il prenait place, était à l'unisson des amants de théâtre, tantôt partageant leurs joies, tantôt affligé de la tristesse de leur désunion [b]. Mais – comme le note l'évêque mettant au net les souvenirs de l'étudiant [5] –, c'était surtout la douleur des amants désunis, le déchirement de leur séparation qui fascinait Augustin spectateur. Il y a dans ces pages, sur l'adhésion du public à la performance de l'acteur, une analyse qu'il faudra attendre Diderot et son *Paradoxe sur le comédien* pour retrouver, approfondie, et menée surtout du côté de l'homme de théâtre et de son métier. Et, information non moins précieuse qui nous est ainsi donnée, il est quasi certain qu'en dehors des mimes et des pantomimes, seuls spectacles dont un Tertullien fît état au début du IIIe siècle [6], on représentait encore sur les scènes de Carthage des pièces du grand répertoire tragique, ou tout au moins des adaptations théâtrales des épisodes les plus dramatiques de l'épopée classique, nourries des amours de Didon et d'Énée, et de leurs retrouvailles lors de la descente du héros aux Enfers [c].

À Carthage, le spectacle était souvent aussi dans la rue, ou sur le parvis des temples. Ces temples, Augustin les verra fermer les uns après les autres, une trentaine d'années plus tard, mais en sa jeunesse

---

a. *Conf.*, III, 1.
b. *Conf.*, III, 4.
c. C'est ce que suggère une phrase du *Sermon* 241, 5.

les anciens cultes, de plus en plus menacés, étaient toujours vigoureux. On se souvient qu'à Madaure le jeune garçon avait subi le
premier choc de ce paganisme encore militant en assistant à la
procession des sectateurs de Bellone. Dans la capitale, les manifestations religieuses avaient une tout autre ampleur, et bien souvent
les tableaux vivants qu'elles mettaient en œuvre avaient une tonalité
érotique beaucoup plus marquée que les spectacles présentés au
théâtre. C'était en particulier le cas de la plus importante de ces
fêtes, celle qui se déroulait sur plusieurs jours au printemps en
l'honneur de Caelestis – l'héritière romaine de Tanit, la divinité
tutélaire de Carthage –, qu'on identifiait alors à la Magna Mater.
Cette assimilation justifiait l'intervention, dans ce carnaval sans mas-
ques, des prêtres eunuques de Cybèle, les galles, qui promenaient
dans les rues, avec leur démarche efféminée, leurs visages blanchis
à la céruse, leurs chevelures trempées de parfums et leurs membres
flasques. Augustin et ses camarades se mêlaient au public qui les
regardait passer, attentifs aussi aux comédiens, hommes et femmes,
qui, sur la vaste place dallée qui s'étendait devant le temple de la
déesse, dans la partie sud de la ville, non loin des ports, figuraient
de façon crue, avec des postures lascives plus éloquentes que les
mots, les aventures de Cybèle et d'Attis. Quarante ans plus tard,
faisant dans la *Cité de Dieu* le procès de ces cultes, Augustin avait
gardé de ces scènes un assez vif souvenir pour se revoir sur ce parvis,
suivant comme il le pouvait le déroulement des jeux au milieu de la
foule qui s'y pressait, les yeux fixés tour à tour sur la statue de la
déesse et sur le cortège des prostituées, puis sur les histrions dont
les mimes érotiques, écrit-il, étaient de nature à fournir aux jeunes
épousées présentes, si elles n'en détournaient pas leurs regards, la
plus convaincante des éducations sexuelles[a].

Un visage derrière un pilier d'église

Rien de tel que les théâtres, disait Ovide, pour faire des rencontres,
et il aurait pu ajouter les temples ; c'était toujours vrai, mais maintenant il y avait aussi les églises ! On n'a pas oublié que Monique
avait, dès l'enfance, habitué son fils à assister aux offices. À Carthage, les églises se multiplieront au tournant des ive et ve siècles,
mais à l'époque de la jeunesse d'Augustin on en comptait déjà
plusieurs et, faute d'indications de sa part, il serait vain de chercher
à préciser celle qu'il fréquentait. C'est dans l'une de ces églises que

---

a. Cf. *Cité de Dieu*, II, 26, 2 ; cf. aussi II, 4, et VII, 26.

l'auteur des *Confessions* s'accuse, dans le style chrétiennement crypté qui est le sien lorsque sa narration plonge jusqu'à l'intime de ses conduites passées, d'avoir « convoité des fruits de mort et négocié le moyen de se les procurer » : façon de dire que l'étudiant y faisait les yeux doux à d'aimables jouvencelles qu'il ne songeait pas encore à draper dans les habits du péché[a]. Un texte très récemment mis au jour fait écho à cette confession voilée et jette une lumière plus crue sur la promiscuité qui, dans les églises, favorisait alors liaisons et aventures. Il s'agit d'un sermon prononcé par Augustin à Carthage, à l'invitation et en présence de l'évêque de la ville, Aurelius, probablement dans l'église cathédrale, la *basilica Restituta*, et le 23 janvier – le lendemain de la fête de saint Vincent, en l'honneur de qui avait eu lieu la réunion – de l'année 404 ou 405. Augustin rappelle que dans sa jeunesse, lors des vigiles, les deux sexes n'étaient pas séparés : tous et toutes entraient par le même passage étroit, où déjà les femmes commençaient à être exposées aux lazzis[b]. Et il précise aussi qu'en ce temps-là, dans l'église suburbaine des *Mappalia*, où se trouvait le tombeau de saint Cyprien – l'un des hauts lieux augustiniens de Carthage, où l'on aura l'occasion de revenir –, à la place d'hymnes, on entendait chanter, à l'intention des femmes présentes, des chansonnettes grivoises[c]. Trente ans plus tard, pareille licence n'était plus qu'un souvenir ; Aurelius y avait mis bon ordre.

Est-ce dans l'église des *Mappalia* – sa « paroisse » ? – qu'Augustin rencontra celle avec qui il devait vivre, en lui restant fidèle, pendant près de quinze années ? Il nous dit seulement que, ce qui la lui fit trouver, hors mariage, ce fut « une ardeur vagabonde bien dénuée de prudence[d] ». Mais, avec ce concubinage qui allait durer, et qui serait sanctionné, peu après, par la naissance d'un fils, il mettait rapidement un terme à ces vagabondages sentimentaux. Si l'on tient compte de l'âge – environ quinze ans[e] – qu'avait ce fils lors de son inscription au baptême, à Milan, au printemps de 387, il avait dû naître en 371/72 : ce qui veut dire qu'Augustin avait rencontré sa mère une année à peine, et plutôt quelques mois seulement, après son arrivée à Carthage. Patricius, son père, venait alors de disparaître et Monique, aidée par la générosité de Romanianus, était désormais seule pour lui adresser des subsides. Le jeune homme

---

a. *Conf.*, III, 5. Les « fruits de mort » viennent de *Rm.*, 7, 5, cité selon une vieille version latine de l'Apôtre.

b. *Sermon Dolbeau 2 (Mayence 5)*, 5, dans F. Dolbeau, *Vingt-Six Sermons au peuple d'Afrique*, Paris, Ét. aug., 1996, p. 330.

c. *Ibid.* : « *Impudicae cantiunculae* ».

d. *Conf.*, IV, 2.

e. *Conf.*, IX, 14.

qui, débarquant dans la grande ville, avait d'abord brûlé de paraître
« élégant et mondain[a] », se rangeait maintenant avec cette liaison
sans éclat, mais stabilisatrice.

On chercherait en vain dans les *Confessions*, et ailleurs, le nom
de cette femme qui s'effacera quinze ans plus tard avec discrétion
et dignité. Pourquoi ce silence sur son nom ? Elle était probablement
d'origine modeste, du petit peuple de Carthage ; mais même les
humbles avaient un nom, un nom unique, le seul que les épitaphes
de l'époque nous font connaître. La raison pour laquelle nous l'ignorerons toujours est évidemment tout autre. Augustin n'avait, que
nous sachions, aucun grief contre elle ; et même, plus positivement,
il n'avait eu qu'à se louer, semble-t-il, de la compagne et de la mère.
Mais on verra que cet attachement charnel, qui n'avait pris fin que
peu avant la conversion, au début de l'année 386, en avait été le
principal obstacle. Prononcer le nom, écrire le nom de celle qui avait
si longtemps partagé sa couche, c'était retrouver l'inflexion de sa
voix, respirer de nouveau le parfum de son corps. C'était faire
renaître, à jamais mêlées, les joies et les blessures anciennes. La
damnatio nominis – l'oubli forcé du nom – était le lourd couvercle
posé sur la boîte aux souvenirs[b].

---

a. *Conf.*, III, 1 : « *elegans et urbanus esse gestiebam* ».
b. Ce silence signifie sans doute aussi que lorsque Augustin écrivait ses *Confessions*, la mère d'Adeodatus était encore vivante, probablement enfouie dans l'incognito de quelque communauté religieuse. En respectant son anonymat, la *damnatio
nominis* protégeait aussi cet incognito.

Chapitre V

De Cicéron à Mani

La vie d'étudiant à Carthage n'était pas toujours de tout repos. Surtout pour les nouveaux venus, en proie aux bizutages, ces rites de passage qui sont aussi vieux que toute jeunesse. Augustin, lui, semble avoir été épargné par les brimades : il avait assez de personnalité pour imposer respect aux meneurs – les *euersores*, comme il les appelle d'un mot presque intraduisible[a] –, sans pour autant entrer dans leurs menées, dont il s'amusait parfois, tout en les réprouvant. Et peut-être avait-il déjà la prescience que, quelques petites années plus tard, devenu professeur, il lui faudrait supporter à son tour ces mauvaises manières, dont il devait vite se lasser et dont il présentera les excès comme la cause première de son départ, alors, pour Rome[b].

Qu'Augustin ait été un étudiant sérieux, nous aurions toutes les raisons de le penser même en l'absence du témoignage d'un de ses anciens condisciples, Vincentius, évêque de Cartennae (Ténès, en Algérie), qui lui rappelait, en 407/08, qu'il l'avait connu jadis appliqué à l'étude et menant une vie paisible et honnête à Carthage[c]. Qu'il ait été brillant dans ses études, il ne nous étonne pas en nous le disant lui-même : à l'école du rhéteur, il était le meilleur[d]. Comme il le dit encore, ces études menaient droit au métier d'avocat, une spécialité reconnue comme lucrative en Afrique au moins depuis Juvénal. Elles impliquaient donc la lecture et le commentaire du prince des orateurs romains, Cicéron, et plus particulièrement des plaidoyers qui avaient fait de lui le plus grand spécialiste latin du

---

a. *Conf.*, III, 6 : on traduit le plus souvent par « chambardeurs » ; on pourrait risquer « chahuteurs », mais le mot latin implique une brutalité plus forte.
b. Cf. *Conf.*, V, 14.
c. *Ep.* 93, 51 (reproduisant le début de la lettre reçue de Vincentius).
d. *Conf.*, III, 6 : « *Et maior iam eram in schola rhetoris.* »

genre judiciaire. Mais Cicéron lui-même, en son temps, exigeait du futur orateur une formation à la philosophie[a]. Cette tradition d'un minimum de culture philosophique dans le bagage de l'apprenti avocat ne s'était pas encore perdue, puisque Augustin déclare qu'en suivant le programme habituel des études il en était arrivé au livre « d'un certain Cicéron, dont on admire en général la langue, l'inspiration pas tellement[b] ». Ce livre, ajoute-t-il, contient une exhortation à la philosophie et s'intitule l'*Hortensius*.

L'*HORTENSIUS*

Cet ouvrage – un dialogue –, Cicéron l'avait appelé ainsi du nom de son principal rival en éloquence dans la Rome de ce temps. Le livre est perdu, mais on en possède assez de fragments (une centaine, dont quinze chez Augustin lui-même [1]) pour reconnaître qu'il s'agit bien de ce qu'on désignait depuis Aristote comme un « protreptique », c'est-à-dire un discours de « conversion », écrit dans le but de montrer l'importance de la recherche et de l'amour de la sagesse dans la conduite de la vie. Lorsqu'il lut l'*Hortensius*, Augustin avait dix-neuf ans ; il reçut de cette lecture une empreinte profonde. Au même âge, un Pline le Jeune faisait comme tous les jeunes nobles de son temps son stage d'officier dans une légion cantonnée en Syrie : il était moins souvent dans sa caserne qu'à Beyrouth, où il suivait les leçons d'un philosophe grec ; mais rien dans ses œuvres qui nous sont parvenues n'indique que cet enseignement ait éveillé son âme aux fins dernières, tandis que pour Augustin la découverte du livre de Cicéron intervenait à un tel stade de maturation intellectuelle que le durable enthousiasme né de sa lecture se traduisait aussitôt, comme par le fait d'une révélation, par une modification radicale du dessein fondamental. « Ce livre, dit-il, changea mes sentiments, il changea mes prières et rendit tout autres mes vœux et mes désirs[c] ». Et l'apprenti rhéteur d'ajouter que, pour la première fois, ce qui le retenait, ce n'était pas la manière dont les choses étaient dites, mais les choses dites elles-mêmes : *pectus, non linguam*.

Certes Augustin poursuivrait encore, des années durant, ses études de rhétorique, avant de l'enseigner lui-même. Une flamme pourtant s'était allumée en lui dont l'éclat aurait parfois des intermittences,

---

a. *De oratore*, I, 56-57 ; 68-69 ; 76-83 ; 143 ; *Orator*, 11-18 ; 113-119.
b. *Conf.*, III, 7.
c. *Conf.*, III, 7.

mais ne s'éteindrait plus. Jusqu'aux jours enfin apaisés de la retraite de Cassiciacum, il vivrait partagé entre le désir de parvenir à des certitudes et celui de faire carrière en ce monde. Dans les *Soliloques*, écrits à la fin de 386, il déclarera que c'était la lecture du livre de Cicéron qui avait commencé à dissiper en lui le goût des richesses[a]. Mais il fallait bien vivre et, faute d'être spirituellement en état de satisfaire les plus hautes exigences intellectuelles, demeurer dans la décevante recherche des biens matériels. De son aveu même, Augustin y était toujours attaché durant ses années manichéennes[b]. Il avait encore les mêmes aspirations à Milan, quand la rencontre, dans la rue, d'un mendiant joyeux de sa misère et trouvant son bonheur dans un verre de vin et quelques piécettes lui parut illustrer l'inanité de ses propres ambitions[c]. L'idéal de vie entrevu en 373 à Carthage – une vie tout entière orientée par l'amour de la sagesse – reculera devant lui comme un mirage pendant une douzaine d'années. Mais, relatant au livre VIII des *Confessions* les derniers soubresauts avant la libération, ce sera encore à la lecture de l'*Hortensius* et à sa dix-neuvième année qu'il fera remonter le point de départ de sa quête[d]. Il était à ce point persuadé de l'excellence du livre de Cicéron comme « protreptique » que c'est lui qu'il mettra entre les mains de Licentius, le fils de Romanianus, et de Trygetius, ses deux jeunes disciples, en guise de « propédeutique » avant les entretiens de Cassiciacum[e].

Les ambitions temporelles et le désir de réussite sociale n'étaient pas les seuls obstacles placés devant l'adhésion pleine et entière du jeune Augustin au projet d'une existence tendue vers la recherche de la sagesse qu'il lui semblait voir chez Cicéron. N'oublions jamais que dans son enfance il avait reçu une première imprégnation religieuse, un premier « apprêt », dont le dépôt ne pouvait manquer de colorer de façon spécifique les influences qui viendraient successivement marquer son âme et sa sensibilité. Lorsqu'il nous dit qu'à la lecture de l'*Hortensius* une seule chose tempérait son enthousiasme, c'est qu'il n'y lisait pas le nom du Christ, gardons-nous d'y voir on ne sait quelle naïveté. Il n'y a là ni bévue chronologique ni méconnaissance historique. Ni non plus, comme on pourrait le soupçonner, anachronisme « mémoriel », l'évêque auteur des *Confessions* intervenant dans les souvenirs du jeune homme et les resituant

a. *Sol.*, I, 17

b. *De util. cred.*, 3 : « La beauté d'une femme, le luxe des richesses, la vanité des honneurs ».

c. *Conf.*, VI, 9.

d. *Conf.*, VIII, 17 ; cf. aussi *De beata uita*, I, 4.

e. *Contra Acad.*, I, 4.

après coup dans un contexte spirituel qui n'aurait pas été le sien alors. La phrase qui suit dans le texte établit réellement cette exigence avec un accent de vérité qui ne trompe pas : « Ce nom [le nom du Christ], mon cœur d'enfant l'avait bu avec le lait même de ma mère et l'avait gardé au fond de lui ; et sans ce nom nul livre, si littéraire, si élégant, si véridique fût-il, ne pouvait me ravir tout entier[a]. »

Ainsi, par un détour surprenant mais explicable si l'on songe que ce qui l'avait séduit dans l'*Hortensius* c'était l'élévation d'une pensée tournée vers un salut philosophique ici-bas à défaut d'un salut tout court, Cicéron l'avait ramené à la figure centrale de la religion de son enfance. Augustin résolut donc alors de s'appliquer à la lecture des Écritures[b]. Il n'avait encore d'elles, sans doute, que le savoir très partiel qu'avait pu lui en donner la liturgie des offices : la musique des mots, plutôt que la connaissance des textes. C'était donc son premier contact sérieux avec la Bible[c]. Mais, alors que sa référence au Christ donnait à penser que c'était aux Évangiles qu'il voulait se reporter, ce qu'il dit de cette première expérience biblique semble indiquer qu'il se frotta d'abord à l'Ancien Testament. Ce fut une déception, pour deux raisons dont la première est évidente et qu'il énonce sans ambages : « Ce livre me parut indigne d'être comparé à la majesté d'un Cicéron[2]. » On lisait alors la Bible dans de vieilles versions latines, diverses selon les provinces – la « vieille romaine » différait de la « vieille africaine » –, mais qui avaient le trait commun d'être écrites sans art, en un latin souvent gauche, toujours rustique. Pour un étudiant formé au bien-dire, coulé dans le moule cicéronien, c'était un choc. Eût-il pu passer outre, eût-il été, par extraordinaire, sensible sans préparation à cette poésie des mots, si étrange au premier abord pour un « classique », il serait resté rebuté par le texte biblique, dont l'auteur des *Confessions*, revivant par la pensée ce premier échec, compare avec force l'accès à celui d'une caverne : il faut baisser la tête pour y entrer, ce que ne savent pas faire les orgueilleux ; mais ensuite l'œil s'y fait et la voûte s'élève. Augustin était resté à l'entrée ; le peu qu'il avait lu des « livres historiques » l'avait horrifié. On le verra bientôt prêter une oreille complaisante aux propos des manichéens, qui se gaussaient des rois et des prophètes de la Bible. Les *Évangiles*, qu'il

---

a. *Conf.*, III, 8.
b. *Conf.*, III, 9.
c. L'évêque dira plus tard à ses ouailles, sur un ton de regret, que faute d'avoir confié ces livres à sa mémoire en sa jeunesse, il ne pouvait se fier à elle pour les commenter dans sa prédication : *Sermon Dolbeau* 23 (*Mayence* 59), 19, dans *Vingt-Six Sermons au peuple d'Afrique*, Paris, Ét. aug., 1996, p. 610.

aborda alors avec une approche critique et « rationaliste », ne le déçurent pas moins : une trentaine d'années plus tard, il confessera dans un sermon que les discordances entre les deux généalogies du Christ chez *Matthieu* (1, 1-16) et chez *Luc* (3, 23-38) l'avaient rebuté[3]. Lui qui était en quête d'une vérité qui donnât un sens à la vie, mais n'était pas encore prêt à faire humblement le travail intérieur qu'exigeaient les contraintes de la foi, allait être à dix-neuf ans une proie facile pour les sectateurs de Mani.

LE MANICHÉISME

De tous les mots en -*isme*, le manichéisme est probablement celui qui est affligé de nos jours de la plus forte réduction conceptuelle. Dans notre usage courant, le manichéen est celui pour qui il y a le bien et le mal, comme il y a le jour et la nuit, l'eau et le feu. Sans transition, ni mélange. Peut-être le manichéisme était-il dès ses origines voué à une telle simplification ; mais si au IVᵉ siècle on avait pu en faire une pareille caricature, on ne comprendrait pas qu'Augustin ait pu s'y laisser prendre, encore moins qu'il y soit demeuré pendant neuf ans, jusqu'aux approches de la trentième année.

Lorsque Augustin devint « auditeur » dans la secte, Mani était mort depuis exactement un siècle[4]. Il avait souffert « passion » en Susiane, au cœur de ce royaume perse sassanide, alors un puissant empire, qui s'étendait de Palmyre à l'Inde, de la Caspienne à l'océan Indien, et faisait souvent jeu égal avec Rome : l'empereur Valérien, fait prisonnier en 260 par Shapur, en avait su quelque chose. Sous le règne de Shapur, Mani avait multiplié les voyages missionnaires, parcourant l'Empire perse en tous sens, du Baloutchistan à l'est aux frontières de l'Arménie au nord, et à l'Égypte, au sud. À Alexandrie, gagnée à partir des côtes de la mer Rouge, les conversions furent nombreuses à la fin du IIIᵉ siècle ; c'est probablement à partir de là que le manichéisme est passé en Afrique, peut-être importé par l'un des douze apôtres de Mani, Adimantus[5]. D'Alexandrie, en 297, l'empereur Dioclétien adressait au proconsul d'Afrique un édit qui réprouvait avec force l'introduction dans l'Empire de cette superstition venue de Perse, et condamnait à mort et à la confiscation de leurs biens les chefs de la secte[6]. À cette époque, la religion nouvelle s'était déjà introduite en Palestine ; elle atteindra Rome après la grande persécution, au temps du pape Miltiade (311-314), puis par l'Italie passera en Gaule et de là en Espagne. Pourtant, après l'apogée de sa propagation au IVᵉ siècle, la vigueur de la persécution, exercée à la fois par l'Église et par l'État, qui s'abattit sur elle entraîna vite son déclin en Occident ; les membres de la secte disparurent ou se fondirent dans d'autres sectes, comme le priscillianisme en Espagne ; à la fin du Vᵉ siècle, on n'y comptait plus que quelques groupements isolés, notamment dans l'Afrique vandale[7]. En Orient, en revanche, sa survie a été durable, même après la conquête arabe, et plus encore en Extrême-Orient, où des communautés manichéennes ont subsisté jusqu'au XIIIᵉ siècle dans le Turkestan chinois.

La diversité des sources relatives au manichéisme tient à cette dispersion géographique. Il n'est pas de corps de doctrine de l'Antiquité qui se soit exprimé dans un si large éventail linguistique : grec et latin, bien sûr, mais aussi copte, arabe, syriaque, iranien moyen (pahlevi), turc ancien, chinois. Linguistiquement très divers, les textes ne sont pas moins hétérogènes dans leur contenu, comprenant sources directes (écrits de Mani lui-même, écrits de ses apôtres ou de leurs épigones) et indirectes (chroniques, catalogues d'hérésies, réfutations polémiques, dont celles d'Augustin). De plus, la « Révélation » manichéenne peut avoir été, ici ou là, modifiée par des adaptations locales, dues à la mentalité religieuse propre des régions où elle était prêchée ; on a pu ainsi soupçonner, au vu de l'importance prise par le mythe dramatique du *Jesus patibilis* dans la doctrine à laquelle avait adhéré Augustin, une variante « numide » du manichéisme[8]. Pour toutes ces raisons, il est difficile de décrire sommairement les principaux traits de la « Révélation » manichéenne. On s'y risquera pourtant, pour tenter d'apprécier quels purent être dans les grandes lignes les engagements d'Augustin, sans se dissimuler qu'on ignorera toujours jusqu'à quel degré alla son initiation, et s'il eut une vue d'ensemble de la doctrine, questions auxquelles ses écrits polémiques ne donnent pas pleinement réponse.

Mani se présentait comme le continuateur des grands systèmes religieux déjà révélés. Mais, à la différence de Zoroastre en Perse, du Bouddha en Inde, de Jésus en Palestine, qui n'avaient rien écrit eux-mêmes et avaient laissé à leurs disciples le soin de codifier un enseignement qui n'avait pas été fixé à l'origine et pouvait donc subir des déviations, Mani avait consigné de sa main sa « Révélation » et avait canonisé de son vivant les ouvrages, originellement composés en syriaque, qui en étaient porteurs. Ces livres furent ensuite retranscrits à l'identique dans plusieurs langues et copiés avec soin sur des supports qui souvent ne le cédaient pas en beauté aux plus somptueux manuscrits conservés de nos Bibles médiévales : Augustin avait eu en main de ces *codices* en vélin, délicatement reliés et enluminés, des trésors pour antiquaires, disait-il, que plus tard il proposa ironiquement à ses anciens coreligionnaires de manger bouillis, s'ils n'avaient pas peur du noir de l'encre et de la

chair animale dont ils étaient faits[a] ! Des principaux ouvrages de
Mani, l'*Évangile vivant*, le *Trésor de vie*, la *Pragmateia* (ou *Traité*),
le *Livre des Mystères*, le *Livre des Géants*, il ne reste que des fragments. Il faut y ajouter – mais on entre là dans l'œuvre des épigones –, un texte comme la *Lettre du fondement* (*Epistula fundamenti*, largement reproduite dans une réfutation d'Augustin) et
surtout les ensembles retrouvés en Égypte et en Extrême-Orient : les
Kephalaia (ou « Chapitres »), mis au jour au Fayoum [9], ainsi que le
Livre des prières et des psaumes [10], précieux pour la connaissance
de la liturgie manichéenne, et les documents exhumés en Asie centrale, notamment dans l'oasis de Tourfan, ainsi qu'en Chine (le
« compendium chinois », dit « traité Chavannes-Pelliot », du nom
de ses inventeurs [11]).

Tel du moins qu'on peut le reconstituer sur ces bases, le manichéisme est une « gnose », un savoir auquel on accède grâce à la
révélation contenue dans un discours sacré. Une « gnose », c'est-à-
dire une connaissance progressivement acquise par l'initié, et qui lui
apporte le salut en lui révélant son origine, en le rendant conscient
de son être propre, de sa condition présente dans le monde tel qu'il
est, et des moyens de s'en libérer. Ce discours sacré avait pris la forme
d'un mythe qui avait pour ambition de recouvrir et remplacer tous
les mythes religieux préexistants, mais un mythe artificiel, une cosmogonie très compliquée, née dans la pensée de Mani de l'expérience
réfléchie du gnostique qu'il était lui-même, éprouvant sa situation de
créature humaine comme mauvaise, parce qu'elle était mélange, provisoire et anormal, de substances antinomiques : l'Esprit et la
Matière, le Bien et le Mal, la Lumière et les Ténèbres. Fruit d'une
chute, ce mélange supposait un état primordial, où les deux substances hétérogènes étaient séparées. Le salut consistait en un retour à
cet état antérieur de séparation radicale. Le mythe élaboré sur la base
de cette « intuition » comprenait donc trois phases : un moment
passé, un moment présent – celui que vit l'homme dans sa situation
de mélange –, un moment futur, où la division originelle sera rétablie.
C'étaient les fameux « Trois Temps » (*initium, medium, finis*), dont
les sectateurs de Mani faisaient gloire à leur Maître d'avoir su les
distinguer. En particulier ce Felix, un « élu », qu'Augustin, en 404,
finira par confondre, mais qui tenait ferme que Mani était bien le
Paraclet annoncé par le Christ – dans l'*Évangile de Jean*, 16, 13 –
pour avoir été le seul à faire état des trois temps[b].

Au commencement, donc, la Lumière et les Ténèbres, ou si l'on

---

a. *Contra Faustum*, XIII, 6 et 18.
b. *Contra Felicem*, I, 2 et 9. Sur ces trois temps, cf. la traduction du « Fragment

préfère le royaume de Dieu (le Bien) et le royaume du Mal, étaient séparés. Le royaume de Dieu s'étendait au nord : c'était une terre de lumière, terre de paix et de pureté, qui se manifestait en cinq hypostases (ou « demeures ») : l'Intelligence, la Raison, la Pensée, la Réflexion, la Volonté. Au-dessous, cantonné au sud, était le royaume du Mal, règne de l'anarchie, du désordre et de la force brutale, symétriquement constitué de cinq « mondes » : la Fumée, le Feu dévorant, le Vent destructeur, l'Eau fangeuse, les Ténèbres. Mais la rupture de cette séparation – c'était le début du « temps médian » – était le fait de la frénésie du Prince des Ténèbres, qui tentait d'envahir le royaume de la Lumière. Dieu décidait de s'opposer par lui-même, au moyen de sa propre âme, qu'il « évoquait » par l'intermédiaire de la « Mère de Vie » : ce combattant, ce sera l'« Homme primordial » (le dieu Ohrmizd dans les versions iraniennes), qui partira au combat avec ses cinq « fils », le feu, l'air, l'eau, la lumière, l'éther, qui sont les éléments constitutifs de son âme. Sur le point de succomber à l'assaut, précipité dans l'abîme infernal, l'Homme primordial s'offrait en pâture, avec ses cinq fils, aux démons des Ténèbres : sacrifice volontaire, mais aussi stratagème, par le jeu duquel la substance divine était désormais mélangée à la substance obscure de la Matière, satisfaisant momentanément la rapacité des Ténèbres, mais préparant la rédemption à venir.

Cette rédemption sera acquise au terme d'un long processus. Pour sauver l'Homme primordial, Dieu procède à une seconde émanation de lui-même : il « évoque » successivement l'Ami des Lumières, le Grand Architecte et l'Esprit vivant. C'est ce dernier, accompagné de ses cinq fils, qui se rend à la frontière du royaume des Ténèbres et parvient, en lui tendant sa main droite, à hisser hors de l'obscurité l'Homme primordial. Mais celui-ci a laissé derrière lui son âme – les cinq fils mentionnés plus haut. Ce sera encore l'Esprit vivant qui s'emploiera à la sauver, en organisant le monde, à la façon du Démiurge grec, distinguant trois parts dans la substance lumineuse mélangée à la Matière : celle qui est indemne de tout contact forme les deux grands luminaires, le Soleil et la Lune ; celle qui n'en est que peu affectée constitue les étoiles ; reste la Terre, dont la salvation est encore à accomplir. Ce sera la tâche d'une nouvelle « évocation », en la personne d'une troisième « émanation », ou « envoyé[12] » (parfois identifié au dieu Mithra), dont les douze filles correspondent aux signes du zodiaque. Son entreprise consiste à libérer la Lumière enfouie dans les Ténèbres, à opérer le rassemblement de l'Âme

---

Pelliot » dans H.-Ch. Puech, *Le Manichéisme, son fondateur et sa doctrine*, Paris, 1949, pp. 158-159.

vivante en ramenant ses membres épars à leur source originelle. Pour ce faire, il met en œuvre une mécanique céleste, ou plutôt cosmique, dont les rouages sont les trois sphères des vents, du feu et de l'eau. La Lune est l'agent principal de ce vaste sauvetage : la première quinzaine du mois, à travers la « colonne de splendeur » (la Voie lactée), les particules de Lumière (les âmes) montent jusqu'à la Lune qui s'en gonfle jusqu'à devenir pleine Lune ; puis elle transfère cette lumière libérée au Soleil, qui l'achemine à son tour à sa patrie d'origine. Tout ce trafic céleste a dû intriguer Augustin, qui sur ses vingt ans s'intéressait aux choses du ciel, et l'on verra que les manichéens eurent maille à partir avec lui à ce sujet.

En plus de cette mécanique, le Troisième Envoyé déployait une dynamique analogique des pulsions humaines, sous la forme d'une entreprise de séduction. Il apparaissait dans la splendeur de sa beauté aux Archontes (ou démons) du Mal, à la fois mâles et femelles, provoquant leur désir et leur faisant répandre, avec leur semence, une partie de la lumière qu'ils avaient emprisonnée. Mais avec elle tombait aussi leur péché ; de la semence disséminée sur la terre humide naissait un monstre marin qu'Adamas-Lumière transperçait de sa lance ; de celle qui était tombée sur la terre sèche naissaient les plantes. Quant aux Archontes femelles, elles accouchaient d'« avortons » qui, projetés sur la terre, dévoraient les bourgeons des plantes et s'assimilaient ainsi une part de lumière ; puis, pour perpétrer leur descendance démoniaque, ils s'unissaient entre eux, engendrant les animaux. La part de lumière rassemblée sur la terre, et qui restait à sauver, était ainsi éparpillée dans le règne végétal et animal. Plus gravement encore, pour garder indéfiniment prisonnière la part de lumière qu'il détenait, le Prince des Ténèbres concevait le projet de créer deux êtres à jamais asservis à son dessein par le désir sexuel. Après avoir dévoré toute la progéniture diabolique (les « avortons » et leur descendance), deux grands démons s'accouplèrent et de leur accouplement naquirent Adam et Ève. Plongé dans une inconscience bestiale par une telle origine, Adam en est tiré par un sauveur, qui l'éveille à la conscience de lui-même. Mais il succombe à la tentation charnelle et engendre une descendance marquée par le stigmate démoniaque de la concupiscence, qui continue elle-même à s'accoupler et à procréer, prolongeant ainsi l'emprisonnement des âmes lumineuses dans la matière ténébreuse des corps. Situation qui ne prendra fin que lorsque interviendra le troisième temps du mythe, marqué d'abord par une période de calamités apocalyptiques, puis par un jugement dernier et un embrasement général qui durera mille quatre cent soixante-huit ans ; à l'issue de cette *ekpurôsis*, les dernières parcelles de Lumière qui seront alors sauvées remonteront au ciel, le monde visible sera anéanti, tandis que la Matière sera enfouie à tout jamais dans une sorte de vaste fosse. Alors, la séparation initiale de la Lumière et des Ténèbres sera enfin rétablie.

Ainsi exposée à grands traits, au risque d'une simplification et d'une réduction excessives, la doctrine laisse apparaître ce qui en fait l'essentiel, un dualisme foncier, cohérent tant dans sa cosmogonie que dans son anthropologie : comme le monde, l'homme est un composé, ou plutôt un mélange de lumière et de ténèbres, de bien et de mal. Et ce dualisme, pensaient les manichéens, était éprouvé par l'homme jusque dans sa géographie corporelle, le haut de son corps étant le réceptacle du bien – comme la lumière, à l'origine du monde, était au nord –, tandis que le mal résidait en sa partie inférieure – comme les ténèbres régnaient en un sud originel. Et tout comme la dynamique mise en œuvre au niveau cosmique tendait à la libération pleine et entière de la lumière, de même tout l'effort de l'homme – si du moins il voulait assurer son salut personnel sans attendre l'*ekpurôsis* finale – consistait à réduire en lui, à force d'ascèse et de continence, la part d'ombre, tout en cherchant à accroître sa part de lumière, et en se gardant par-dessus tout d'attenter à cette lumière omniprésente dans le monde, mais éparpillée, emprisonnée dans la matière et cernée par les ténèbres.

Des codes de vie en principe très contraignants encadraient donc l'existence des sectateurs de Mani. Ils en concernaient tous les aspects, mais se regroupaient plus précisément sous trois chapitres, correspondant à trois modes d'action, eux-mêmes symbolisés par trois organes ou parties du corps : la bouche, la main, le « sein », que « scellaient » trois « sceaux » (*signacula*), que le manichéen s'obligeait à respecter scrupuleusement. Le « sceau de la bouche » proscrivait évidemment toute parole attentatoire à la lumière divine, mais surtout définissait strictement toute une série de tabous alimentaires : prohibée était la viande, considérée comme un amas de souillures dont toute âme était absente, ainsi que vin, parce que la fermentation et le vieillissement avaient fait disparaître toute substance divine du jus de la vigne ; et l'on reconnaissait dans les églises chrétiennes les crypto-manichéens au fait qu'à l'eucharistie ils acceptaient l'hostie mais refusaient le calice. Dans ce régime végétarien, certains aliments faisaient prime, car censés renfermer le plus de lumière, comme les melons, les figues, les concombres, les olives et l'huile qu'on en tirait. Mais – et là on arrivait au domaine couvert par le « sceau de la main » –, il n'était pas permis au parfait manichéen de cueillir lui-même ces « fruits de lumière », ni de les cultiver ni de préparer quelque nourriture que

ce fût, autant de péchés mis à la charge des aspirants ou « catéchumènes », quitte à les en absoudre par la suite ! Et ce même « sceau
de la main » proscrivait pour le manichéen de stricte obédience
l'exercice de toute activité professionnelle, le bénéfice de toute possession matérielle, et lui interdisait d'aspirer à toute position sociale.
Le « sceau du sein », enfin, couvrait le domaine de la sexualité : il
prescrivait la continence, interdisait absolument la procréation, puisque procréer revenait à perpétuer l'emprisonnement des âmes lumineuses dans les ténèbres des corps.

On a déjà compris que des codes aussi exigeants impliquaient,
avec une différenciation des fonctions, une stricte hiérarchisation de
la société manichéenne, et que leur observance ne pouvait être que
le fait d'une minorité. Au-dessous des clercs – évêques et prêtres –,
qui constituaient spécifiquement l'Église de la secte, cette minorité
était celle des « élus » ou « parfaits » : ceux-là vivaient dans le scrupuleux respect des trois « sceaux » ; du moins en principe, car
Augustin, qui une fois affranchi de leur emprise ne leur a pas ménagé
ses sarcasmes, raconte qu'un jour qu'il se trouvait avec quelques
amis sur l'une des places les plus fréquentées de Carthage il avait
vu et entendu trois de ces « élus » siffler grossièrement des femmes
qui passaient[a].

Au-dessous des « élus », aspirant pour certains d'entre eux à grossir leurs rangs, les « auditeurs » constituaient une indispensable piétaille, assujettie aux besognes vivrières interdites aux « élus ». Ils
devaient simplement observer une sorte de « décalogue », une suite
de préceptes fondamentaux dont certains faisaient d'ailleurs de toute
antiquité partie du fonds commun de beaucoup de morales sociales
pratiques : ne pas commettre le meurtre, ni l'adultère, ne pas mentir,
éviter l'avarice ou la duplicité ; mais aussi ne pas tomber dans l'idolâtrie ou la magie, et pratiquer l'exercice de la piété telle que l'entendait l'Église manichéenne. L'observance de ces règles minimales
était insuffisante pour assurer leur salut personnel, *hic et nunc*, mais
leur laissait l'espoir de renaître un jour dans le corps d'un élu. Au
demeurant, liberté leur était laissée de se livrer aux activités du
monde profane, de cultiver la terre, de commercer, de bâtir, d'exercer
des métiers, de posséder des biens. Les tabous les plus contraignants
ne les concernaient pas : ils pouvaient manger de la viande, boire
du vin, se marier ou vivre avec une concubine, et même avoir des
enfants. À partir de 373, Augustin fut l'un de ces « auditeurs » ; il
allait sur ses dix-neuf ans.

---

a. *De moribus ecclesiae catholicae et manichaeorum*, II, 68 : le verbe employé,
adhinnire, suggère le hennissement d'un étalon au passage d'une jument !

Chapitre VI

Un rhéteur manichéen
entre Thagaste et Carthage

On n'entre pas dans une secte pour la facilité qu'elle donne de garder une concubine, surtout quand on s'appelle Augustin. Sur les circonstances et les raisons de son adhésion au manichéisme, il s'est expliqué lui-même, et dans plusieurs textes. Mais de ces textes, les uns – ceux des *Confessions* – sont trop colorés, pour nous donner une information « objective », par le dépit persistant qu'il ressentit d'avoir été pris comme dans un piège, et d'en être resté trop long-temps prisonnier, d'autres sont obscurcis par des formulations méta-phoriques ou allusives qui n'ont pas facilité la tâche des exégètes.

C'est le cas d'une page souvent scrutée du *De beata uita*, où Augustin écrivait à l'automne de 386, au lendemain de sa conver-sion : « Pour ce qui me concerne, à l'âge de dix-neuf ans, après avoir connu en l'école du rhéteur le livre de Cicéron qui a pour titre l'*Hortensius*, je fus enflammé d'un tel amour de la philosophie que je méditai de m'y consacrer sans délai. Mais, d'une part les brumes ne me manquèrent pas pour égarer ma course, et d'autre part, je l'avoue, je tins longtemps mes yeux fixés sur des astres qui s'abî-maient dans l'océan, par lesquels j'étais induit en erreur. En effet, d'une part une crainte religieuse enfantine [*superstitio quaedam pue-rilis*] me détournait du projet même d'une recherche, et d'autre part, quand, m'étant enhardi [*factus erectior*], je chassai ce brouillard et me persuadai qu'il fallait plus accorder créance à ceux qui proposent qu'à ceux qui imposent [*docentibus potius quam iubentibus*], je tombai sur des hommes qui tenaient la lumière que l'on voit avec les yeux pour digne d'être objet de culte à l'égal de ce qui est suprêmement divin[1]. » En ces lignes qui résument les premières années de l'itinéraire intellectuel d'Augustin – et qui font partie de ce qu'on a proposé d'appeler ses « premières confessions[2] » –, trois mots ont exercé la sagacité des commentateurs. On s'accorde cepen-dant en général à comprendre la « *superstitio quaedam puerilis* », qui enveloppait le jeune Augustin comme d'un brouillard, comme la crainte révérentielle du chrétien catéchumène qu'il était, retenu de s'engager dans la voie d'une investigation rationnelle par une foi d'autant plus contraignante qu'elle était mal éclairée. Et l'on doit d'autant moins hésiter à la comprendre ainsi que quelques années plus tard, dans un petit traité que devenu prêtre il dédiera à son ami Honoratus demeuré dans le manichéisme, Augustin lui rappellera qu'une des causes – sinon la principale – de son adhésion à la secte avait été l'habileté des manichéens à lui montrer que ce qui l'inhibait dans la recherche de la vérité était qu'il était détourné de sa quête par cette *superstitio*[a]. Après la révélation due à la lecture de l'*Hortensius*, puis après la déception causée par un essai non préparé d'immersion dans la Bible, le jeune homme en venait à secouer une autorité que les manichéens savaient lui présenter comme paralysante[3]. Il lui était d'autant plus facile d'aller du côté de ces hommes qui se targuaient d'amener leurs auditeurs à Dieu par la raison, sans imposer une croyance, qu'il retrouvait dans leur enseignement le nom du Christ, dont il avait tant regretté l'absence chez Cicéron. Au jour de sa réception dans la secte, de son « illumination », comme disaient les manichéens, on lui avait donné lecture du texte doctrinal de base, l'« Épître du fondement », qui commençait par ces mots : « Mani, apôtre de Jésus-Christ par la providence de Dieu le Père[b] ».

LE PIÈGE DE LA CHRISTOLOGIE MANICHÉENNE

Et de fait, on faisait dans la secte grand usage du nom du Christ. La « christologie » manichéenne combinait trois figures de Jésus, dont deux étaient mythiques, la troisième seule ayant en apparence une dimension historique. La première était celle de Jésus la Splendeur, un être transcendant et cosmique, initiateur de la dernière étape dans la reconquête de la Lumière. Une deuxième figure de Jésus était celle du *Iesus patibilis* cloué à l'immense « croix de Lumière » qu'était le monde, dont il était l'âme, à jamais « suspendu à tout bois[c] » ; c'était à lui, épars dans la nature entière, qu'il fallait se garder d'attenter, ce à quoi veillait le respect du « sceau de la main ». À ces deux figures mythiques se superposait le Jésus des Évangiles, mais son historicité réelle était niée dans sa définition manichéenne :

---

a. Cf. *De utilitate credendi*, 2, et la fine analyse de A. SOLIGNAC dans *B.A.*, vol. 13, p. 126, note 1.

b. *Contra epist. fund.*, V, 6.

c. *Contra Faustum*, XX, 2.

il était fils de Dieu sans aucune parenté terrestre, ce qui ne gênait pas le jeune Augustin, qu'on a vu broncher sur les généalogies du Christ ! Il était bien venu en ce monde, dans le pays des Juifs, mais sans avoir de corps véritable, et sans avoir véritablement souffert sur la Croix, si ce n'était de façon mystique.

Ces trois figures de Jésus apparaissaient superposées dans les hymnes qu'on psalmodiait dans les assemblées liturgiques manichéennes, telles que nous les restituent les textes retrouvés à Médinet Mâdi, en Égypte, où le nom du Christ Sauveur était répété de psaume en psaume : « Viens, mon Sauveur Jésus, ne m'abandonne pas. Je t'ai aimé, je t'ai donné mon âme » (*Ps.* 244) ; ou encore : « Adorons l'Esprit du Paraclet. Bénissons Notre-Seigneur Jésus, qui nous a envoyé l'Esprit de Vérité. Il est venu et il nous a délivrés de l'errance du monde. Il nous a présenté un miroir : nous y avons regardé et nous y avons vu l'univers. Quand le Saint-Esprit est venu, il nous a révélé le chemin de la Vérité et il nous a enseigné qu'il y a deux Natures, celle de la Lumière et celle des Ténèbres, séparées l'une de l'autre depuis le commencement [4] » (*Ps.* 223). Augustin a certainement chanté ces hymnes, et d'autres semblables, avec les fidèles de la secte. Dans l'état d'impréparation philosophique et religieuse – mais avec un fort besoin de croyance – où il était dans sa dix-neuvième année, il acceptait cette image « docétique » d'un Christ transcendant, comme il le reconnaîtra plus tard : « Notre Sauveur lui-même, ton Fils unique, je l'imaginais comme émané pour notre salut de la masse de ton corps de lumière ; ainsi je ne pouvais rien croire de lui que ce que pouvait me suggérer ma vaine imagination. Je pensais qu'une nature comme la sienne ne pouvait être née de la Vierge Marie sans être mêlée à la chair ; or, je ne le voyais pas s'y mêler sans être souillé. Je craignais donc de le croire né dans la chair, pour n'être pas contraint de le croire souillé par la chair [a] ».

Faute d'une armature intellectuelle – et d'une formation scripturaire – suffisante, le jeune homme demi-habile et déjà préoccupé de son salut s'était laissé prendre au piège de ceux dont il comparera les approches aux ruses des oiseleurs, « qui posent leurs gluaux au bord d'une mare pour attraper les oiseaux altérés [b] ». Et la glu dont ces pièges étaient enduits, c'était une « bouillie de syllabes », faite du « nom de Dieu, de celui de Notre-Seigneur Jésus-Christ, et celui du Paraclet notre consolateur, l'Esprit saint [c] ». Il suffisait d'assaisonner cette bouillie de quelques références pauliniennes pour obte-

---

a. *Conf.*, V, 20.
b. Cf. *De utilitate credendi*, 2.
c. *Conf.*, III, 10.

nir ce « credo » trinitaire qui était celui de Faustus de Milev, mais qui fut aussi un temps le sien : « De Dieu le Père tout-puissant, du Christ son fils et de l'Esprit saint, nous adorons la divinité une et identique sous cette triple appellation. Mais nous croyons que le Père habite cette lumière suprême et originelle que Paul appelle "inaccessible" (*1Tim.*, 6, 16), tandis que le Fils a son séjour dans cette lumière-ci, dérivée et visible ; et parce que le Fils est un être double, comme le reconnaît Paul disant que le Christ est la puissance de Dieu et la Sagesse de Dieu (*I Co.*, 1, 24), nous croyons que sa puissance habite dans le soleil et sa sagesse dans la lune. Quant à l'Esprit saint, qui est la troisième majesté, nous confessons que toute cette région de l'air en est le siège et le réceptacle ; et c'est de ses forces et de son effusion spirituelle que la terre a conçu et engendré le Jésus souffrant [*Iesum patibilem*], qui est la vie et le salut des hommes, suspendu à tout bois... Telle est notre croyance[a]. » Vingt ans plus tard, repensant à cette « bouillie de syllabes », l'auteur des *Confessions* lui trouvait le goût amer de la déception.

Il avait eu pourtant alors une autre raison de se ranger avant sa vingtième année du côté de ces « hommes délirants d'orgueil, charnels et bavards à l'excès[b] ». Le manichéisme donnait au problème du mal – et notamment du mal en nous – des réponses physiquement ascétiques mais moralement confortables[5]. La lecture de l'*Hortensius* avait, contre les plaisirs du corps, ajouté ses mises en garde philosophiques à celles qu'Augustin pouvait tenir de la religion de son enfance. Mais le jeune homme, soumis aux appétits de la chair, toujours mû par ses ambitions temporelles, était resté dans sa mauvaise conscience. Revivant les prodromes de sa véritable libération, en 386, et repassant en pensée ces quelque douze années de lutte intérieure, l'auteur des *Confessions* aura un joli mot pour évoquer ce sursis qu'en sa jeunesse il s'était octroyé plus qu'il ne l'avait demandé : « Donne-moi la chasteté, donne-moi la continence, mais pas tout de suite[c] ! » Encore un petit instant, mon Dieu ! Le dualisme manichéen lui fournissait à point nommé – et à bon compte, car l'« auditeur » n'était pas tenu aux pâleurs et aux macérations des « élus » – un indiscutable confort moral, en l'exonérant du péché et en amortissant en lui le sentiment de culpabilité, faute de l'en affranchir totalement. Il avouera que dix ans plus tard, alors qu'il était toujours en relation à Rome avec des « élus » de la secte, il s'accordait encore le bénéfice de cette facilité. « Il me semblait encore,

---

a. Cf. *Contra Faustum*, XX, 2.
b. *Conf.*, III, 10.
c. *Conf.*, VIII, 17.

dit-il, que ce n'est pas nous qui péchons, mais je ne sais quelle nature étrangère qui pèche en nous [...], et j'aimais à m'excuser en accusant je ne sais quoi d'autre qui était en moi sans être moi[a] ».

Sur la réalité de son engagement dans le manichéisme, Augustin a varié ; on le voit parfois en minimiser la portée. Il est vrai qu'aux yeux du chrétien, de l'évêque, la période n'avait rien de très reluisant. Mais on peut aussi admettre que ces estimations variables correspondent à des variations réelles, à des intermittences ou à des fluctuations. Augustin n'a pas tenu son « journal d'un manichéen » ; l'eût-il fait qu'on constaterait, sur ces dix petites années avant la rupture finale, bien des doutes et bien des tiédeurs. Il lui est arrivé – une fois la crise terminée, en 386 – de dire, pour qualifier une attitude souvent attentiste en quelque sorte, qu'« il ne donnait pas son assentiment, mais qu'il pensait que les manichéens lui cachaient sous ces voiles quelque chose de grand qu'ils lui découvriraient plus tard[b] ». Il est sans doute plusieurs manières de lire ces lignes ; on pourrait y voir comme une façon de se « dédouaner » après coup – ce qui n'est guère dans la manière d'Augustin ; il est probablement plus juste d'y reconnaître le désir de juger honnêtement sur pièces, et l'espérance – peut-être naïve – que pouvait avoir alors le jeune « auditeur » de progresser dans cette « gnose[6] ». Ailleurs, il se définira comme le compagnon de route de ces « hommes qui préféraient l'éclat d'une belle tige de blé à la vie d'une âme » ; il les suivit, dira-t-il, longtemps, mais avec prudence et « en traînant les pieds[c] ». Et, vers la même époque, s'adressant à son ami Honoratus, il lui donnera une raison, que nous pouvons juger tout à fait plausible, de cette réserve, sans doute grandissante avec les années, qu'il garda dans ses rapports avec les manichéens : « Quelle raison, dit-il, m'empêchait d'adhérer complètement à eux, en sorte que je restais au rang des "auditeurs" et n'abandonnais pas les espérances et les affaires de ce monde, si ce n'est que je me rendais compte qu'ils étaient plus diserts et éloquents dans la réfutation des autres que fermes et sûrs dans la démonstration de leur doctrine[d] ? » Une façon de dire que l'espérance, un instant entrevue, d'y voir plus clair dans la « révélation » manichéenne, avait été finalement déçue.

Une chose, cependant, est sûre : c'est qu'Augustin, à dix-neuf ans, alla vers les manichéens avec un certain élan ; celui que l'on

a. *Conf.*, V, 18.

b. *De beata uita*, I, 4.

c. C'est le sens de l'adverbe *pedetentim* : cf. *De duabus animabus*, IX, 11, texte écrit sans doute en 391.

d. *De utilitate credendi*, 2.

peut avoir à un âge où l'on n'est pas sur ses gardes – *incauta aetate* – et où l'on est particulièrement sensible à l'amitié : il reconnaîtra lui-même qu'il avait été séduit par une sorte de bonté qu'il avait alors sentie chez les « élus » de la secte ; et plus encore avait-il alors cédé à sa fougue juvénile, à la griserie – le mot n'est pas trop fort – qu'il ressentait en allant de succès en succès dans ses discussions avec des « chrétiens ignorants[a] ». Son prosélytisme faisait merveille, pour la plus grande joie de ses nouveaux amis, qui avaient vite vu le parti à tirer de cette brillante recrue, un débatteur déjà redoutable, pourvu de tout l'outillage de la rhétorique classique. C'est alors, et dans ce contexte, autour de ses vingt ans, qu'Augustin a pris le goût de la controverse, que s'est fait jour cette passion de réfuter et de convaincre qui sera le moteur permanent de ce grand intellectuel, son unique faiblesse aussi, peut-être, car seule une prodigieuse puissance de travail fera que cette ardeur ne l'empêchera pas de venir à bout d'œuvres de longue haleine comme le *De Trinitate* ou la *Cité de Dieu*. Nul doute que du jeune prosélyte les victimes chrétiennes demeurées inconnues furent nombreuses. Mais il entraîna aussi avec lui ses compagnons les plus chers : Honoratus, déjà mentionné, l'ami anonyme qu'il perdra bientôt à Thagaste, Romanianus, son protecteur, et, *last but not least*, Alypius, quand ce dernier deviendra son élève à Carthage vers 380.

PROFESSEUR À THAGASTE

Ces noms nous ramènent à Thagaste où, l'année qui suivit sa rencontre avec les manichéens, Augustin fit retour. Il avait maintenant vingt ans, et il était parvenu au stade final de ses études de rhétorique. Il avait jusque-là, ainsi que l'enfant Adeodatus et sa mère, vécu des subsides maternels, arrondis par la générosité de Romanianus, et il était temps qu'il gagnât sa vie. Depuis qu'il avait renoncé à la carrière d'avocat, la seule profession qui s'ouvrait devant lui était l'enseignement. Dans sa petite ville natale, il n'était naturellement pas question d'enseigner la rhétorique : il enseigna donc la grammaire, et l'on peut soupçonner Romanianus d'avoir en cette occasion fait preuve du même évergétisme que Pline le Jeune, lorsque ce dernier, au début du IIe siècle, avait à Côme, sa petite patrie, fait l'essentiel des frais de création d'une chaire de *grammaticus*, pour éviter à ses concitoyens de devoir envoyer leurs enfants à Milan,

a. *De duabus animabus*, IX, 11.

avec les dépenses que cela impliquait[a]. On se souvient que, faute d'un tel enseignement sur place, le jeune Augustin avait dû aller passer trois ans à Madaure.

Entre le fils et la mère, ce furent des retrouvailles difficiles. Alors que quelques années auparavant Monique avait tout fait pour parer au risque d'un mariage prématuré, elle retrouvait son fils engagé dans une liaison avec une femme de condition inférieure et père d'un enfant illégitime. Et les rêves, partagés de son vivant par Patricius, de voir en son Augustin un prince du forum s'étaient envolés. C'était un maître d'école qui revenait au pays. Sans doute savait-elle déjà tout cela. Mais cette adhésion récente au manichéisme, c'en était trop. Elle refusa de recevoir l'hérétique sous son toit, de l'avoir à sa table[b]. Augustin dut accepter un temps l'hospitalité de Romanianus[c]. Il ne perdait certes pas au change : ce que nous savons par lui de l'opulence du « patron » de Thagaste nous fait deviner que sa « maison de ville » devait, en dimensions et en qualité, être au niveau des belles demeures romano-africaines de ce temps, au moins l'équivalent de la « maison de Bacchus » à Djemila, avec des pièces de réception vastes et somptueuses, pavées de mosaïques[7].

Monique cependant revint assez vite à de meilleurs sentiments à l'égard d'Augustin. Surtout, l'angoisse que lui causait ce qu'elle considérait comme sa mort spirituelle s'apaisa un peu à la suite d'un rêve où elle s'était vue debout sur une règle en bois, en présence d'un radieux jeune homme qui lui demandait la cause de sa détresse ; et, sur sa réponse, que la cause en était la perdition de son fils, le jeune homme l'avait engagée à regarder avec attention à ses côtés et à voir que, là où elle se trouvait, se trouvait aussi ce fils ; et elle l'avait aperçu debout, sur la même règle. Rapportant l'épisode dans les *Confessions*, Augustin ajoute qu'analysant le rêve avec sa mère il avait, fort de ses jeunes certitudes, tenté de lui faire interpréter cette vision comme une invite à ne pas désespérer, elle, de devenir ce qu'il était, lui. Mais Monique l'avait repris sans la moindre hésitation : ce que l'apparition – évidemment divine – lui avait dit, c'était que là où elle était, elle, il était aussi, lui (« *ubi tu, ibi et ille* »). Ce fut au tour d'Augustin d'être impressionné, sinon ébranlé, par les certitudes de sa mère[d].

Peu après, Monique reçut un autre réconfort qui ne contribua pas peu à calmer ses inquiétudes, et du même coup à améliorer ses

a. Cf. Pline, *Ep.*, IV, 13, 3-6 (lettre adressée à Tacite).
b. *Conf.*, III, 19.
c. *Contra Acad.*, II, 3.
d. *Conf.*, III, 20.

relations avec son fils. Elle avait fait appel à un évêque voisin, qu'elle avait prié d'avoir un entretien avec Augustin, pour le réfuter et le ramener dans le droit chemin. Mais cet évêque avait été lui-même manichéen dans sa jeunesse ; pour avoir accompli ce parcours, il savait que ce serait peine perdue que d'essayer d'entreprendre un néophyte dans la secte, gonflé d'orgueil par surcroît pour avoir déjà induit quelques autres en erreur. Et il engagea Monique à continuer à prier pour son fils, en l'assurant qu'il finirait bien par découvrir par lui-même, à force de lectures, la fausseté de la doctrine dont il était pour l'heure entiché. Et comme elle insistait, il la congédia avec un peu d'impatience, en lui laissant, en guise de viatique, cet oracle consolateur : il n'était pas possible, lui dit-il, que pérît le fils de larmes comme les siennes[a] !

Augustin avait réintégré la maison familiale, avec sa compagne et le petit Adeodatus, alors âgé d'à peine trois ans, que sa trop neuve existence vouait au même effacement que sa mère dans la brève chronique[8] de cette année numide. Dans les pages des *Confessions* qui y ont trait, Thagaste elle-même apparaît à peine. La bourgade n'offrait aucun avenir à un jeune homme ambitieux, mais la vie s'y écoulait probablement assez douce, réchauffée surtout par l'amitié. Entre Romanianus, le fils de ce dernier, Licentius – il est vrai encore bien jeune –, Alypius et d'autres, demeurés anonymes, comme l'ami trop tôt disparu dont il sera bientôt question, presque tous liés alors par une commune complicité dans le manichéisme, Augustin goûtait ces joies qu'il détaille si bien dans une page relative, sinon à Thagaste, du moins à ces années : « Parler et rire ensemble, échanger des services, lire en compagnie de bons livres, plaisanter et être sérieux ; être en désaccord, parfois, mais sans se fâcher – comme on peut être en désaccord avec soi-même –, et faire servir ces rares désaccords à l'assaisonnement de multiples accords ; apprendre et s'instruire, tour à tour, avoir peine en regrettant les absents et joie en accueillant les arrivants ; et grâce à ces attitudes venues du cœur de gens qui s'aiment les uns les autres, exprimées par les visages, par la langue, par les yeux, par mille gestes charmants, fondre les âmes ensemble comme en un foyer et de plusieurs n'en faire plus qu'une[b]. » Certes, celui qui a écrit cette page en 397/98 l'a nourrie des souvenirs d'autres expériences réussies de vie en communauté : la mémorable « retraite » de Cassiciacum, à l'automne de 386, l'*otium* chrétien du retour à Thagaste, à la fin de 388, pour ne rien dire encore de la vie cénobitique de l'évêque. Mais on peut créditer déjà le jeune

a. *Conf.*, III, 21.
b. *Conf.*, IV, 13.

Augustin des sentiments qui inspirent ces lignes, et qui sont au cœur de sa personnalité affective : un goût profond pour la mise en commun des données de l'existence individuelle, qui va très au-delà des échanges ordinaires de la vie sociale, et qui concerne autrui dans sa totalité, physique, intellectuelle, morale, spirituelle. Et ce partage sans restriction, cet amical accord des êtres entre eux ne sont complets que s'ils s'accompagnent d'un plein consensus sur « toutes les choses divines et humaines », selon la belle définition cicéronienne de l'amitié, qu'Augustin avait faite sienne [9].

L'AMI PERDU

La foudre du malheur nous frappe par où nous lui faisons signe. Augustin fut frappé dans ses amitiés à la fin de cette année passée à Thagaste. Il y avait retrouvé un camarade d'enfance, compagnon d'école et de jeu, et alors qu'ils avaient maintenant l'un et l'autre vingt ans, l'alchimie secrète de l'amitié avait mué cette ancienne camaraderie en connivence profonde. Sans doute parce que les « choses divines », comme disait Cicéron, s'étaient mises de la partie. Chrétien, mais mal assuré dans sa foi, le jeune homme avait été victime du prosélytisme de son ancien condisciple. Ils communiaient désormais dans le manichéisme, de façon très étroite : « Mon âme, dit Augustin, ne pouvait se passer de lui [a]. » Quelques mois plus tard, cette amitié – « d'une douceur plus grande que toutes les douceurs de ma vie jusqu'alors » – fut brisée par la mort.

Augustin en fut d'autant plus meurtri qu'au dernier moment les « choses divines » avaient séparé les deux amis. Terrassé par la fièvre, bientôt inconscient, l'ami malade fut baptisé à son insu, au sein de sa famille catholique. Augustin ne s'émut pas de ce baptême *in articulo mortis*, persuadé qu'il était que l'âme de son ami garderait l'empreinte de ce qu'il lui avait enseigné, lui, plutôt que celle d'un sacrement administré sur un corps privé de sentiment. Un mieux étant survenu, Augustin voulut plaisanter avec le malade de ce baptême reçu dans l'inconscience. À sa grande surprise, l'autre, qui déjà se savait baptisé, lui signifia de ne plus tenir de tels propos, s'il voulait conserver son amitié. Quelques jours après, une rechute l'emporta.

Augustin fut atterré. Il avait perdu deux fois cet ami, en son corps et en son âme. L'analyse qu'il donne de son désarroi dans les *Confes-*

---

a. *Conf.*, IV, 7.

sions[a] n'est pas seulement remarquable parce qu'elle est sans exemple dans les littératures de l'Antiquité. On n'a sans doute jamais par la suite trouvé de meilleurs mots pour dire le vide poignant qui se creuse là où le cœur regorgeait de présence, ce trou dans l'âme, là où elle débordait de plénitude, qui conduit tant d'êtres à la dépression et à la mort. « J'étais devenu, pour moi-même, dit-il, une vaste interrogation. » La perte de ce compagnon l'avait laissé étranger à lui-même, comme privé de sa propre intériorité. Augustin avoue avoir alors pensé au suicide. Il dira dans les *Confessions* (IV, 9) qu'il interrogeait en vain son âme et que, s'il lui disait : « Espère en Dieu ! » elle avait raison de ne pas obéir, « parce qu'il était plus vrai et meilleur, l'homme si cher qu'elle avait perdu, que le fantôme en qui on lui ordonnait d'espérer » : le dieu matériel et non transcendant en qui il croyait alors ne lui était d'aucun secours. Et, s'il surmonta l'épreuve, ce ne fut pas pour la raison bien oiseusement rhétorique qu'il en donne et qui, au soir de sa vie, fit sursauter le vieil évêque lorsqu'il relut le texte pour ses *Révisions*[b]. Mais il avait pris Thagaste en horreur. De son désir de s'enfuir de cet endroit qui lui était désormais odieux, il ne s'ouvrit qu'au seul Romanianus, dont il sut vaincre les répugnances d'évergète, avant tout soucieux du bien de sa cité, que le départ d'Augustin allait priver d'un professeur hors du commun[c]. Une fois encore muni des subsides de son protecteur, il repartait pour Carthage ; il avait alors vingt-deux ans.

---

a. *Conf.*, IV, 9-11.

b. *Conf.*, IV, 11 : « Et peut-être ne craignais-je de mourir que de peur qu'il ne mourût tout entier, celui que j'avais tant aimé ! » Cette phrase est ainsi commentée dans les *Révisions* (II, 6, 2) : « Cela me paraît plutôt une déclamation sans valeur qu'une confession sérieuse, bien que cette sottise soit en quelque sorte tempérée par l'addition du mot "peut-être". »

c. *Contra Acad.*, II, 3.

Chapitre VII

Les premiers accomplissements

Il arrivait à Augustin, mais avec un circuit de formation plus court, ce qui était arrivé à Apulée deux siècles auparavant. Il revenait dans la capitale, où il avait été étudiant, pour y devenir un maître. Pour qualifier le métier qu'il exercera pendant dix années, d'abord à Carthage, puis à Rome et à Milan, l'auteur des *Confessions* n'épargnera pas les formules péjoratives : « J'enseignais ces années-là la rhétorique, et je vendais la verbosité qui permet de vaincre, vaincu moi-même par mes passions[a]. » Qu'on ne s'y trompe pourtant pas : n'enseignait pas qui voulait la rhétorique dans la capitale africaine. Augustin y avait été nommé sur une chaire municipale, dans le cadre donc d'un enseignement supérieur public[b]. Nous savons par Libanius, qui à la même époque et dans une cité comparable – Antioche – était dans cette situation, que c'étaient les curies (les conseils municipaux) qui étaient responsables du recrutement des professeurs. Elles les nommaient par décret[1], et c'était aussi par décret qu'elles pouvaient mettre fin à leur contrat. De même fixaient-elles le niveau de rémunération ; à Antioche, Libanius se plaignait de la médiocrité du traitement. Augustin, lui, est resté discret sur ce point ; certes, il laissera entendre qu'à Rome, où il fera un stage rapide quelques années plus tard, sa rétribution – mais c'était une chaire privée – était plus élevée, mais ce qui le déterminera à quitter son poste à Carthage, ce sera le « chahut » effréné, l'indiscipline permanente de la population estudiantine. Était-il personnellement en cause, et était-ce la rançon du succès, ou tout simplement le fait qu'il s'agissait

---

a. *Conf.*, IV, 2. Sur le même registre, il avait traité les maîtres d'école de son enfance de « *uenditores grammaticae* » (*Conf.*, I, 22). Quand, à l'été de 386, il renoncera définitivement à ce métier, il dira qu'il avait décidé de « retirer le ministère de [sa] langue de la foire aux bavardages » (*Conf.*, IX, 2).

b. *Conf.*, VI, 11 : « [...] *cum* [...] *rhetoricam ibi professus publica schola uterer* ».

de « cours publics » ? De leur propre volonté, se plaindra-t-il, les étudiants forçaient l'entrée des classes où ils n'avaient que faire[a]. Ces irruptions étaient d'autant plus aisées que l'enseignement était dispensé dans des bâtiments eux-mêmes publics ; pour Libanius, c'était la salle même des séances de la curie d'Antioche ; quant à Augustin, un incident dont Alypius fut le héros malheureux, et sur lequel on reviendra, donne à penser qu'il officiait dans un local proche du forum.

Nos universitaires, qui veillent avec un soin jaloux et à grand renfort de commissions et d'auditions redondantes au recrutement de leurs collègues, se demanderont avec inquiétude quelles étaient alors les modalités de choix. Pour briguer ces postes, éventuels marchepieds d'accès à d'autres carrières plus prestigieuses, la compétition était parfois vive. Les intrigues, cabales et interventions diverses ne manquaient pas. Le silence total d'Augustin sur les circonstances de sa propre nomination nous interdit toute supputation, sauf peut-être de supposer que, là encore, l'influence de son ami Romanianus put être déterminante. Car cette influence dépassait le cadre régional de Thagaste et de la Numidie environnante : nous avons de bonnes raisons de penser qu'il jouissait alors de titres qui faisaient de lui un notable à l'échelon de la province d'Afrique, sinon même, par promotion exceptionnelle, un membre de l'aristocratie sénatoriale[b].

Nous verrons que pour obtenir le poste de Milan Augustin dut soumettre un essai à Symmaque, que ce dernier trouva de son goût, et dont il recommanda l'auteur aux Milanais. Mais, à Carthage, le brillant sujet était déjà connu hors du cercle étroit de ses condisciples et de ses professeurs. À l'âge de vingt ans, encore étudiant, il avait fait un coup d'éclat : entre autres livres – notamment des manuels d'arts libéraux[c] –, qu'il lisait en complément de l'enseignement qu'on lui donnait, il avait déniché sur les rayons de la bibliothèque de Carthage les *Catégories* d'Aristote. Son maître de rhétorique, et quelques doctes de l'entourage, qui en avaient la bouche pleine, avaient éveillé sa curiosité[2]. Il avait lu l'ouvrage sans aucune aide, probablement dans la traduction latine de Marius Victorinus[3]. Comme on peut s'y attendre, l'auteur des *Confessions* reprochera à l'étudiant, alors soumis à l'anthropomorphisme manichéen, d'avoir appliqué à Dieu les catégories aristotéliciennes. Restait la prouesse

---

a. *Conf.*, V, 14.

b. Cf. *Contra Acad.*, I, 2, l'éloge où il est fait allusion à des « honneurs qui dépassaient le cadre municipal ».

c. *Conf.*, IV, 29.

intellectuelle, réelle chez un jeune homme peu préparé à la conceptualisation logique, et l'extraordinaire appétit d'apprendre – « l'art
de parler et de discuter, la géométrie, la musique et les nombres[a] » –,
et aussi cette rapidité à comprendre et cette pénétration dans le
jugement dont il était parfaitement conscient, et qui faisaient de lui
un jeune intellectuel hors pair, dans la Carthage de ce temps. Cette
supériorité de l'esprit était bien nécessaire à ce professeur qui n'avait
guère que quatre ou cinq ans – et parfois moins – de plus que ses
auditeurs. Les meilleurs d'entre eux sentaient en lui un souffle qui
n'était pas d'un simple marchand de paroles, capable, pour peu qu'ils
s'y prêtent, de les faire aller au-delà d'eux-mêmes[4].

ALYPIUS

La matière manque, et c'est dommage, pour écrire un livre sur
les étudiants d'Augustin, comme on a pu le faire sur les étudiants
de Libanius[5]. La raison en est évidente. Alors que Libanius avait
pratiqué pendant près d'un demi-siècle, dont près de quarante ans à
Antioche, avec un grand dévouement pédagogique pour des disciples
qui demeuraient parfois plusieurs années auprès de lui et devenaient
des amis, Augustin n'a été que sept ans rhéteur à Carthage. Ainsi
s'explique que du flot plus restreint des élèves qui défilèrent devant
lui n'ait surnagé qu'un petit groupe, le clan des « Numides », qui
passeront la mer eux aussi et qu'on retrouvera avec le maître en
Italie. En faisait partie Trygetius, natif de Thagaste également et qui,
d'abord rétif à l'étude, et après un crochet par l'armée, fera preuve
de spontanéité et de fougue dans les dialogues de Cassiciacum. Tel
avait été également l'itinéraire de Licentius, le fils de Romanianus :
alors qu'il avait d'abord désespéré de lui inspirer du goût même pour
de médiocres études littéraires, Augustin se félicitera plus tard de
son élan vers la philosophie[b]. Mais, dans ce petit groupe d'étudiants
qui étaient aussi des compatriotes, on en voit dès lors un se distinguer
par la vigueur du lien qui l'unissait à Augustin, dont ne le séparait
qu'une faible différence d'âge, Alypius.

Apparenté à Romanianus, Alypius était né à Thagaste dans une
famille d'un rang probablement un peu supérieur à celle d'Augustin,
et il en avait été l'élève quand ce dernier y enseignait la grammaire
en 374-376. Les deux jeunes gens s'étaient retrouvés à Carthage,
mais leurs relations furent d'abord espacées. Pour une raison que

a. *Conf.*, IV, 29.
b. Cf. *De ordine*, I, 16.

nous ignorons, le père d'Alypius était en froid avec Augustin et avait interdit à son fils de suivre l'enseignement du rhéteur. Désœuvré, Alypius n'était pas tombé comme son aîné dans la « chaudière des amours coupables » – Augustin nous dira qu'il n'était guère porté sur ces plaisirs[a] –, mais il s'était pris de passion pour les jeux du cirque. Une passion absorbante, bien plus dévoreuse de temps : on sait quelle force d'attraction avaient les courses sur les foules, à Carthage comme ailleurs, quelle ferveur y entourait les cochers vainqueurs, quel poids social et même politique avaient les factions dans la ville[6]. Le goût pour les spectacles, cette concupiscence des yeux, était le point faible d'Alypius en sa jeunesse. Augustin a aussi raconté comment plus tard, à Rome, il s'était un jour laissé entraîner par des amis, à son corps défendant, à des combats de gladiateurs : un spectacle encore beaucoup plus coûteux pour l'âme. Dans l'amphithéâtre, il avait d'abord gardé les yeux fermés, bien décidé à tenir bon ; mais au moment le plus dramatique – la chute d'un des combattants dans l'arène –, une clameur lui avait fait ouvrir les yeux ; et il avait alors laissé ses regards se repaître longuement de cette sauvagerie du sang versé qui d'abord avait pénétré en lui par les oreilles, désormais asservi à cet atroce voyeurisme[b]. Il semble qu'à Carthage Alypius se soit contenté du cirque et de ses courses, et il avait donc ses habitudes dans la partie basse de la ville, en sa bordure sud-ouest, où, dans l'actuel quartier de Yasmina, le cirque s'étendait en longueur sur quelque cinq cents mètres, dimension qui en faisait le deuxième du monde romain, après le Circus Maximus de Rome[7].

Alypius cependant n'avait pas rompu avec Augustin. Il ne prenait pas la défense paternelle au pied de la lettre et assistait de temps en temps à ses cours en « auditeur libre ». Un jour qu'il était là, Augustin, de propos non délibéré, dit-il – mais on a peine à le croire –, prit pour illustrer l'un de ses développements une comparaison tirée des jeux du cirque et de leur public, « en lançant quelques traits mordants contre ceux qui en étaient captivés[c] ». Alypius se sentit visé mais, au lieu d'en prendre ombrage, il accepta la leçon et de ce jour ne remit plus les pieds au cirque[8]. Insistant auprès de son père, il obtint que fût levée la défense qui visait l'enseignement d'Augustin. Il se mit à fréquenter assidûment ses leçons et, ajoute l'auteur des *Confessions*, il fut pris avec lui dans les filets des mani-

a. *Conf.*, VI, 21.
b. *Conf.*, VI, 13 : par l'efficacité de la description, l'acuité de l'analyse, le jeu stylistique, l'une des plus belles pages des *Confessions*.
c. *Conf.*, VI, 11.

chéens. Comme quoi le père n'avait peut-être pas tout à fait tort de se défier d'Augustin !

De cette époque date évidemment à propos d'Alypius une anecdote qu'Augustin a rapportée à des fins d'édification, mais qui nous intéresse aussi pour le jour qu'elle jette sur la topographie et les conditions de vie de la Carthage de ce temps. Un jour, vers midi, pour préparer l'exercice qu'il s'apprêtait à faire dans la classe d'Augustin – une déclamation qu'il allait y prononcer –, Alypius se promenait de long en large, tablettes et stylet en main, sur le forum, et, précise Augustin, devant le « tribunal ». Absorbé par son travail, il n'avait pas remarqué l'arrivée d'un jeune homme qui, à l'aide d'une hache qu'il avait dissimulée, s'en prit aux balustrades qui dominaient la « rue des Orfèvres » (le *uicus argentariorum*[9]) et se mit à en découper le plomb. Alerté par le bruit, les orfèvres qui avaient leurs boutiques en contrebas dépêchèrent des gens. Le voleur, lui, avait déjà disparu sans demander son reste, tandis qu'Alypius, intrigué en le voyant s'éloigner à toutes jambes, s'approchait pour voir, trouvait et prenait en main la hache abandonnée par l'autre dans sa fuite. Déjà on se saisissait de lui, déjà il était emmené pour être jeté en prison, quand, passant providentiellement par là, un architecte des bâtiments publics, qui connaissait Alypius, se portait garant pour lui et faisait éclater la méprise ; bientôt le véritable voleur était confondu et arrêté[a]. Ce que l'auteur des *Confessions* a retenu de cette histoire, c'est la leçon qu'Alypius put en tirer, sorti de là, comme il le dit, « plus riche d'expérience », mieux armé, lui qui se destinait à la magistrature – et qui deviendrait en fait homme d'Église – pour se garder de condamner autrui sur des apparences. Mais ce récit apporte aussi la précieuse confirmation d'un texte précis aux indications de l'archéologie la plus récente : les balustrades qui surplombaient la « rue des Orfèvres », sur laquelle s'ouvraient les boutiques qui étaient engagées sous la place, étaient celles qui ceinturaient de garde-fous le forum de la ville haute, c'est-à-dire la vaste esplanade artificielle de Byrsa, et le « tribunal » auquel Augustin fait allusion doit être identifié avec l'ample basilique judiciaire dont les fouilles de ces dernières années ont permis de préciser l'implantation[10]. Et il confirme aussi par ailleurs les indices relevés sur le terrain, notamment aux abords mêmes de ce centre monumental, sur la réalité de dégradations infligées au domaine public, de façon troublante, dans une Carthage pourtant à cette époque pacifique et prospère[11].

À Carthage, en ces mêmes années – et peut-être même avant le

a. *Conf.*, VI, 14-15.

début de son enseignement de rhéteur –, Augustin avait fait la connaissance d'un garçon de quelques années son cadet qui, par sa finesse autant que par son origine et sa position sociale, introduisait un ton nouveau dans le petit cercle d'amis « numides » qui entourait le maître. Nebridius faisait partie de ces Carthaginois aisés qui se partageaient entre la capitale et la maison familiale proche de Carthage où ses parents vivaient de la noble vie des grands propriétaires ruraux du temps. L'amitié de ce jeune homme distingué qui n'avait pas besoin de faire carrière était vite devenue très chère à Augustin ; elle était de celles qui pouvaient lui faire oublier les heures noires vécues à Thagaste. C'est à cette amitié certainement, autant qu'à celle d'Alypius, qu'il pensait en jetant dans les *Confessions* sa belle formule sur l'effet de baume, sur les blessures de la vie, du temps qui passe, si du moins n'y manquent pas les réconforts de l'amitié[a]. Mais la présence à ses côtés d'un Nebridius n'avait pas seulement un effet consolateur. Par son indépendance d'esprit, par la pertinence de ses observations, par la rigueur morale que lui reconnaissait son ami[b], il allait jouer un rôle actif dans l'évolution intellectuelle d'Augustin, en ces années carthaginoises qu'on peut dire décisives, dans la mesure où un scepticisme croissant vis-à-vis du manichéisme préparait le terrain à d'autres accomplissements.

LA TENTATION DE L'ASTROLOGIE

On n'est pas en permanence en situation de devoir faire des choix. L'exigence philosophique de tendre à la vie parfaite, entrevue depuis la lecture de l'*Hortensius*, restait à l'arrière-plan de l'âme du jeune rhéteur, mais elle n'était pas sa préoccupation la plus actuelle. Augustin vivait alors au jour le jour son expérience d'intellectuel d'origine modeste qui aspirait à devenir un « parvenu de la culture[12] ». Les modèles ne manquaient pas ; il en avait même sous les yeux. Quand il avait débuté dans sa chaire de rhétorique, en 376, le palais des proconsuls, près duquel il exerçait, était occupé par Hesperius. Le proconsul alors en charge n'était autre que le fils du rhéteur bordelais Ausone, qui, devenu après trente ans de métier le précepteur de l'empereur Gratien, avait, la soixantaine arrivée, commencé une seconde carrière aussi rapide et brillante que tardive, qui

---

a. *Conf.*, IV, 13 : « Les heures ne sont pas oisives, et ce n'est pas sans effet qu'elles passent sur nos sentiments. »

b. *Conf.*, IV, 6 : « *adulescens ualde bonus et ualde castus* » (cf., sur le sens de cette formule, G. MADEC, dans *Rev. des ét. aug.*, VII, 1961, pp. 245-247).

le mènerait à la préfecture du prétoire pour les Gaules, l'Italie et l'Afrique en 378-379, et pour couronner le tout au consulat. Ausone en avait profité pour caser tous les membres de sa famille, et c'est son gendre, Thalassius, qu'Augustin verra succéder à Hesperius, l'année suivante, en 377 ! Pareille réussite avait de quoi faire tourner la tête à un jeune homme intelligent et ambitieux ; c'était au moins un bel encouragement. Augustin n'a pas pu ignorer l'existence et les noms de ces deux gouverneurs d'un rang éminent dans la hiérarchie des hauts fonctionnaires du Bas-Empire, mais il n'est pas certain qu'il ait eu l'occasion de les rencontrer.

Cette occasion se produisit deux ou trois ans plus tard[13]. Augustin avait pris part à un concours de poésie dramatique, et il n'avait pas eu besoin des services d'un « haruspice » – des sacrifices magiques, repoussés avec horreur – pour remporter le prix ; il eut l'honneur de recevoir sa couronne des mains du proconsul, Helvius Vindicianus[a]. Le gouverneur était aussi un savant, l'un des médecins les plus fameux de cette époque où la médecine, longtemps l'apanage des Grecs, commençait à développer en Afrique du Nord des écoles de renom. Son attention pour le lauréat dura plus que le temps de la cérémonie. Il le reçut chez lui à plusieurs reprises et apprit ainsi dans ces conversations qu'entre autres lectures Augustin s'adonnait à celle des ouvrages des « faiseurs d'horoscopes », autrement dit des astrologues. En sa jeunesse, Vindicianus s'était lui aussi laissé séduire par l'astrologie, au point de penser en faire profession, une profession très lucrative, comme on sait : lui qui avait réussi à comprendre Hippocrate, il était bien capable, se disait-il, d'assimiler ces livres-là. Et pourtant il les avait abandonnés pour se consacrer à la médecine, parce qu'il en avait découvert la fausseté et qu'il ne voulait pas gagner sa vie en trompant son prochain. Le proconsul avait vite évalué les capacités d'Augustin ; il poursuivit en lui conseillant paternellement, puisque la rhétorique lui assurait de quoi vivre honnêtement, de laisser tomber un objet de vaine curiosité. Et comme le jeune homme lui objectait la justesse apparente d'un bon nombre de prédictions faites par les astrologues, Vindicianus lui répondit qu'il fallait l'imputer au hasard.

Le vieux proconsul ne parvint pas à convaincre Augustin, et dans le même temps son ami Nebridius échoua lui aussi dans ses efforts pour le détourner de l'astrologie[14], qui restera encore quelques années une forte tentation. Malheureusement, Augustin ne s'explique pas sur ce qu'il en attendait : on ne saurait croire que ses motivations restaient circonscrites aux trois domaines où s'exerce ordinairement

---

a. *Conf.*, IV, 5 (et VII, 8 pour le nom du proconsul).

la sagacité des tireurs d'horoscope, la santé, l'argent et l'amour. De son penchant pour l'astrologie en sa jeunesse, l'auteur des *Confessions* nous donne successivement deux explications dont l'une, la séduisante habileté des astrologues à exonérer l'individu de sa responsabilité personnelle[a], paraît plutôt une réflexion a posteriori du chrétien et de l'évêque. Mais l'autre rend mieux compte de l'attitude d'Augustin alors. Comme il l'avait répondu à Vindicianus, il ne croyait pas au hasard ; ou plutôt il ne voulait pas y croire. Le mieux n'était-il pas, particulièrement quand ce qui était en cause c'était notre existence, de l'exorciser en lui substituant un déterminisme personnel lié à l'ordre cosmique ? C'est ainsi ce qu'on peut appeler une exigence rationnelle que manifeste la justification suivante, où transparaît bien l'état d'esprit d'Augustin en ces années : « Je n'avais pas encore trouvé de preuve décisive qui me fît apparaître sans ambiguïté que ce que disaient les astrologues dans leurs consultations, c'était le fait du hasard ou du sort, et non d'une observation méthodique des astres[b]. » En ce sens, son adhésion à l'astrologie était parallèle à sa foi « raisonnée » – et prudente – dans le manichéisme.

Le crédit qu'il accordait alors à la divination était une croyance secondaire et annexe, mais elle eut elle aussi la vie dure. Il faut lire dans le *Contra Academicos* les anecdotes relatives à cet Albicerius, devin alors fameux à Carthage, auquel Augustin ne répugnait pas de s'adresser, par exemple pour retrouver une cuillère perdue[c] ; et de fait Albicerius la retrouva sans peine. À la même époque, l'un des disciples d'Augustin, un jeune « clarissime » du nom de Flaccianus – qui deviendrait proconsul d'Afrique en 393 –, expérimentait également les dons incontestables d'Albicerius. Invité par lui à dire à quoi il pensait sur le moment même, le devin lui répondait : à un vers de Virgile. Et lequel ? insistait Flaccianus. Et l'autre, dont les humanités étaient pourtant bien courtes, de lui réciter ce vers en se jouant. Flaccianus reconnaissait que c'était bien joué, mais attribuait le mérite de la prouesse à quelque démon qui inspirait le devin. Ainsi, pour lui comme apparemment pour son maître, la divination n'était-elle pas niable, mais elle ne devait pas être confondue avec la connaissance, encore moins avec la sagesse.

L'attachement d'Augustin à l'astrologie devait survivre – mais peu de temps – à sa rupture avec les manichéens. Il a conté au

---

a. *Conf.*, IV, 4.
b. *Conf.*, IV, 6.
c. *Contra Acad.*, I, 17 : c'est Licentius qui est chargé par Augustin de consulter Albicerius.

livre VII des *Confessions* comment il s'en détacha définitivement, bien des années après les mises en garde de Vindicianus et de Nebridius. Il semble qu'il était déjà à Milan (donc au plus tôt à la fin de 384) lorsqu'il eut à ce sujet une rencontre décisive avec un nommé Firminus, qu'il désigne comme un ami et qualifie d'homme cultivé et qui, au sujet d'une affaire pour lui d'importance, lui avait demandé une consultation astrologique. Augustin ne s'y refusa pas, tout en ajoutant qu'il n'y croyait plus guère. Et, là-dessus, d'une façon bien surprenante, Firminus lui raconta une histoire qui, apparemment sans qu'il s'en rendît compte, allait autant qu'on pouvait le faire à l'encontre de la crédibilité des horoscopes.

Son père, passionné d'astrologie, avait un ami qui ne l'était pas moins, au point que l'un et l'autre en étaient arrivés à noter la position des astres même à la naissance des petits de leurs animaux familiers ! Il se trouva que lorsque la mère de Firminus devint enceinte, une des servantes de cet ami commença au même moment une grossesse. Les deux femmes accouchèrent d'un fils au même instant, avec une simultanéité si parfaite qu'il fut impossible de relever, d'un côté comme de l'autre, la moindre différence dans la position des astres. Et pourtant Firminus, fils de bonne famille, faisait brillamment son chemin dans le monde, tandis que le fils de la servante, né dans l'esclavage, continuait d'y vivre[a]. Ce récit fut un trait de lumière pour Augustin ; ses dernières hésitations cédèrent à l'instant et, revenant sur l'horoscope qu'il venait, un peu à contre-cœur, de faire pour Firminus, il lui dit que pour approcher de la vérité il lui aurait fallu tenir compte de ses origines, et de son éducation, et de même pour l'esclave. Enfin détrompé, il lui fallait passer à l'attaque, confondre les « extravagants » qu'il n'avait que trop longtemps suivis. Il aura pour ce faire recours à un argument qu'il juge péremptoire, et qui lui a peut-être été suggéré par l'une de ses lectures cicéroniennes, si ce n'est soufflé par un sermon qu'il aurait pu entendre alors de la bouche d'Ambroise : celui des jumeaux, qui naissent à un intervalle si bref qu'il ne laisse place à aucun changement observable dans la position des astres [15]. Et de citer l'exemple d'Ésaü et de Jacob (*Gn.*, 25, 24-26), ce dernier sorti du ventre de sa mère Rébecca en tenant le talon de son frère : un astrologue aurait dû prédire même destinée à ces deux jumeaux dont le sort fut de fait si différent [16]. Un peu plus tard, dans un texte qu'on peut dater de 388/89, il achèvera de régler leur compte à ceux dont il dira joliment qu'ils « prétendent asservir nos actes aux corps céles-

---

a. *Conf.*, VII, 8.

tes, et nous brocanter aux étoiles, et toucher de nous le prix auquel ils nous vendent[a] » !

Le *De pulchro et apto*

Revenons à cette période carthaginoise, entre la vingt-cinquième et la vingt-neuvième année. Augustin vivait, entre sa compagne à laquelle il était fidèle et le petit Adeodatus qui grandissait, une vie rangée, studieuse. Il lisait beaucoup. Dès la fin de l'adolescence, il avait assimilé seul les livres relatifs à ce qu'on appelait les « arts libéraux » – outre les disciplines proprement littéraires, la dialectique, l'arithmétique, la musique, la géométrie, l'astronomie –, tout un ensemble de disciplines formatrices qui, *via* Cicéron, remontait à la Grèce hellénistique[17]. Et peut-être, dès les années de son professorat carthaginois, avait-il en tête de marquer cette *enkyklios paideia* de son empreinte personnelle en songeant déjà à ces *Disciplinarum libri* qu'il ébauchera de fait à Milan et dont il ne restera que le *De musica*[18]. Il avait aussi lu, pour compléter sa formation proprement rhétorique, et sans doute lisait-il encore, des historiens – en fait plutôt des « abréviateurs » – et des « antiquaires » : Varron, Justin, Florus, Valère-Maxime. Surtout, il lisait à cette époque de « nombreux écrits philosophiques qu'il avait confiés à sa mémoire[b] ». Assurément, ces lectures aussi étaient parties intégrantes de la « formation continue » d'un bon rhéteur, selon les préceptes cicéroniens, et c'est dans cette perspective, on s'en souvient, qu'il avait découvert l'*Hortensius* à dix-neuf ans. Mais on se souvient aussi de l'effet « initiatique » de cette découverte ; cet effet avait été assez fort pour inspirer au jeune homme d'élargir ses horizons philosophiques avant même d'accéder aux fameux *libri Platonicorum* qu'il ne connaîtra qu'en Italie. À ce titre, ces lectures étaient des jalons dans une quête de la sagesse commencée dans la fièvre de la révélation de l'*Hortensius* ; mais elles étaient aussi – l'auteur des *Confessions* le précise lui-même[c] – pour Augustin des pierres de touche pour éprouver la véracité de la doctrine manichéenne. Quelles étaient-elles donc, ces lectures ? Peut-être déjà des traductions latines, dues à Apulée, de textes platoniciens, mais probablement surtout des recueils « doxographiques », c'est-à-dire des recueils d'opinions,

---

a. *De diuersis quaestionibus LXXXIII*, 45, 2.
b. *Conf.*, V, 3.
c. *Ibid.* : « J'en comparais certaines données avec les longues fables des manichéens. »

des ouvrages de seconde main, bien commodes pour avoir un premier accès aux principales écoles de pensée du monde antique[19].

Des orientations prises alors par Augustin à la suite de ses lectures on aurait une vue plus précise si l'on disposait de son premier ouvrage, écrit vers 380[a], et qu'il intitula *De pulchro et apto*, ce que l'on traduira faute de mieux par « Du beau et du convenable ». Ce traité était déjà perdu à l'époque de la rédaction des *Confessions*, et l'auteur ne s'en souciait guère[20]. À l'époque, pourtant, il avait dû fonder de grandes espérances sur une entreprise destinée autant à servir sa carrière en le faisant connaître qu'à éprouver ses capacités dialectiques. En effet, sur sa réputation, il avait dédié son traité à un rhéteur en vue à Rome, où il bénéficiait d'appointements publics[b]. Hierius était alors pour Augustin le symbole même de la réussite à laquelle il aspirait : Syrien de naissance – comme il était lui Africain –, de langue grecque, mais parvenu à la suprême aisance de la diction et de l'éloquence en latin, et par surcroît passablement frotté de philosophie : « Ce rhéteur, avouera-t-il, appartenait à cette race d'hommes que j'aimais au point de vouloir leur ressembler[c]. » De lui, il attendait une reconnaissance, assez conscient pourtant de la valeur de son travail, en en jugeant par lui-même, pour le considérer déjà avec une sorte de contentement narcissique.

Les problèmes esthétiques préoccupaient alors tout particulièrement Augustin et nourrissaient son enseignement. Plus précisément, il posait ces problèmes par la confrontation de deux concepts, celui de « beau » (*pulchrum*), qui résulte de l'harmonie d'un ensemble, et d'autre part celui de « convenable » (ou d'« adapté » : *aptum*), qui résulte d'un accord exact avec autre chose. Cette position du problème n'était bien sûr pas sans antécédent dans la tradition philosophique de l'Antiquité, et que l'origine de cette problématique remonte en dernière analyse à Platon n'est pas douteux. En cherchant à préciser – trop ! – une filiation possible on est arrivé à l'*Hippias majeur*, un dialogue dans lequel Socrate joue avec le vaniteux sophiste d'Élis comme le chat avec la souris en lui demandant de proposer de la beauté diverses définitions, que la discussion ruine rapidement les unes après les autres. Ainsi de celle qui identifie le beau (*to kalon*) avec la convenance (*to prepon*)[21]. Dans le dialogue de Platon, à l'appui de l'idée que Socrate lui propose, de voir si ce ne serait pas la « convenance » qui serait l'essence du « beau », Hippias avance étourdiment l'exemple d'un homme qui, laid ou

a. Il avait alors, dit-il, vingt-six ou vingt-sept ans : *Conf.*, IV, 27.
b. *Conf.*, IV, 21 ; il semble que ce Hierius ait exercé au forum de Trajan.
c. *Conf.*, IV, 23.

ridicule par ailleurs, paraîtra à son avantage avec des vêtements ou des chaussures qui lui conviennent. Socrate n'a pas de peine à lui montrer que l'exemple n'est pas pertinent, puisqu'il revient à faire comprendre que cette « convenance » confère à l'objet – ou à l'individu – une beauté plus apparente que réelle. Ce n'est pas dans cet esprit qu'Augustin, dans le premier aperçu qu'il donne de son ouvrage[a], évoque lui aussi l'harmonie de la chaussure avec le pied auquel elle s'adapte, une image au demeurant obvie qui, lorsqu'elle sort de son emploi trivial, peut trouver asile dans des contextes philosophiques divers[22]. Pour Augustin, et cela découle clairement d'une seconde analyse qui complète la première[b], si le « beau » est ce qui convient (ou ce qui « plaît » : *decet*) par lui-même, le « convenable » (*aptum*) était ce qui convenait (ou plaisait) par son adaptation à autre chose. Dans cette perspective, loin de la problématique très brièvement exposée et vite rejetée dans l'*Hippias majeur*, le *pulchrum*, convenance du tout, et l'*aptum*, convenance de la partie au tout, sont deux formes du beau, l'une impliquant l'autre[23].

Ainsi Augustin définissait-il la beauté, en laissant son esprit, comme il dit, parcourir le monde des « formes corporelles ». Parti du sensible, il tentait d'atteindre au spirituel mais, comme il le confesse d'une manière pathétique, la pensée frémissante qu'il essayait de fixer sur les choses incorporelles revenait toujours aux lignes, aux couleurs et aux massivités de la matière, dans l'incapacité où il était alors de s'élever au-dessus du monde des corps. Cette vaine tentative le laissait prisonnier du dualisme manichéen, qu'il appliquait à l'analyse morale de l'âme, où il distinguait d'un côté la vertu, royaume de la paix et de l'unité, et de l'autre le vice, règne de la discorde et d'une division fondamentale. Il y avait, dans une coexistence inharmonieuse qui lui paraissait irrémédiable, une âme raisonnable et pacifiée, essence de la vérité et du souverain bien et, « dans le morcellement de la vie irrationnelle », la substance du mal souverain, autosubsistante et indépendante de Dieu ; en quoi Augustin apparaissait alors comme encore inféodé à la doctrine de Mani. Mais, dans le même temps, cette conceptualisation dualiste s'exprimait avec une terminologie qui laissait soupçonner d'autres sources d'inspiration. Car il donnait à la vertu (entendons l'âme raisonnable, substance de la vérité et du souverain bien) le nom de « monade » – « en tant qu'élément spirituel non sexué » –, et au vice (ou substance de la vie irrationnelle et du mal) le nom de « dyade », principe, par exemple, de la colère dans la perpétration des crimes ou de la

a. *Conf.*, IV, 20.
b. *Conf.*, IV, 24.

sensualité dans l'exercice du libertinage. Or on a bien montré qu'il usait là d'un vocabulaire issu de spéculations néopythagoriciennes qui ont pu parvenir jusqu'à lui par le biais de ces recueils « doxographiques » dont il a été plus haut question[24]. Ainsi, sur fond de manichéisme, se laissaient deviner les lectures et les tentations variées d'un Augustin encore très éclectique.

FAUSTUS DE MILEV

L'auteur des *Confessions* n'a pas trop de railleries pour les égarements de l'« auditeur » manichéen qu'il fut avec constance, sinon toujours avec enthousiasme, pendant neuf ans, entraînant dans ses « extravagances » ses amis « par lui et avec lui séduits ». Pour éviter aux « élus » de rompre le « sceau de la main », il se reprochera d'avoir été de ceux qui leur apportaient leur nourriture, « afin que dans l'officine de leur ventre ils fabriquent des anges et des dieux pour notre libération[25] ». Cette activité au service des « élus » était de règle pour les « catéchumènes », que le manuscrit de Tébessa compare à Marthe au service de Marie à Béthanie (*Lc*, 10, 38-42). Ailleurs, il reconnaît avoir assisté aux offices de la secte, avoir entendu lecture de ses textes fondamentaux, avoir participé au mois de mars à la grande fête annuelle du *Bêma*, qui commémorait la « passion » de Mani. Si le prosélytisme des débuts s'était calmé, la fidélité demeurait, vaille que vaille, en dépit des doutes. Ceux-ci cependant allaient grandissant, en particulier nourris par les lectures d'Augustin. Entre autres écrits – ils figurent parmi ces *multa philosophorum* qu'il opposait de plus en plus aux fables de la secte[a] –, les recueils de physique et d'astronomie qu'il pouvait connaître, au moins de seconde main, par des textes d'Apulée et de Varron, et peut-être aussi par les extraits cicéroniens des *Phénomènes* d'Aratos. Ce qu'Augustin y découvrait – même s'il n'était sans doute pas entré lui-même dans la technique de ces calculs[26] – c'était l'existence de lois, mathématiquement déduites d'observations rigoureuses, qui permettaient de calculer et de prédire plusieurs années d'avance les éclipses du Soleil et de la Lune, avec toute la précision souhaitable quant à l'année, au mois, au jour et même à l'heure de la survenue du phénomène, et quant à son intensité[b]. Et il ne voyait rien là qui s'accordât avec la fumeuse métaphysique des manichéens, et leurs extravagantes théories sur le rôle éminent des deux grands luminaires

---

a. *Supra*, p. 82.
b. *Conf.*, V, 4 et 6.

dans la « récupération » de la Lumière captive des Ténèbres, ni avec leur ridicule explication des éclipses, dues selon eux au geste, souvent répété, de l'Homme primordial, qui se voilait la face afin de ne pas voir le sort réservé aux âmes malheureuses aux prises avec le Démon pour n'avoir pu échapper à l'étreinte de la Matière !

D'autres facteurs intervenaient pour ébranler les « convictions » manichéennes d'Augustin. On se souvient que son premier contact avec la Bible avait été plutôt répulsif et que même le Nouveau Testament l'avait rebuté. Pourtant, il n'avait pas totalement perdu de vue ces textes, et quand il sera à Rome, il se remémorera les controverses qu'un certain Elpidius entretenait déjà à Carthage contre les membres de la secte. Ces derniers prétendaient que le Nouveau Testament, tel que les catholiques le produisaient, avait été falsifié – par qui ? ils ne le précisaient pas – dans le dessein de gauchir la foi chrétienne dans le sens de la loi judaïque[a]. Dans ces discussions, l'argumentation d'Elpidius lui paraissait solide, et faible la défense de ses adversaires ; mais les manichéens avaient l'habileté de dire qu'ils réservaient sur ce point l'exposé de leur vérité à leurs fidèles, en petit comité ! Celui qui devait cependant en ces années le pousser le plus à remettre en question ses fausses certitudes fut son ami Nebridius, qui le suivra à Milan et auquel il reconnaîtra toujours la plus grande rigueur intellectuelle[b].

Nebridius avait, presque seul dans l'entourage d'Augustin, résisté à la contagion manichéenne ; il avait fait sensation dans ce petit groupe et jeté le trouble parmi les membres de la secte en s'attaquant au cœur de leur doctrine par une question fondamentale. On a vu que dans la cosmogonie mythique de Mani, rompant, au début du « temps médian », la séparation originelle, le Prince des Ténèbres tentait d'envahir le royaume de la Lumière ; Dieu, comme on sait, décidait de s'opposer lui-même, par le biais d'« évocations » – ou d'hypostases –, dans un combat dont le principal résultat serait le douloureux et durable mélange de la substance divine à la substance obscure de la Matière. Mais, objectait Nebridius, que pouvait contre Dieu la « race des ténèbres » (*gens tenebrarum*[c]), si Dieu se refusait à engager le combat contre elle ? Et Nebridius avait prévu d'enfermer ses adversaires dans un dilemme qui ne comportait nulle échappatoire : s'ils lui répondaient que Dieu avait engagé le combat parce

a. *Conf.*, V, 21. Sur cette prétendue corruption juive des Évangiles, cf. *De util. cred.*, 7.

b. Cf. *Conf.*, VI, 17 : « *quaestionum difficillimarum scrutator acerrimus* » ; en 408, dans une lettre écrite à Bonifatius de Cataquas, Augustin ne s'exprimera pas différemment sur les exigences intellectuelles de Nebridius : *Ep.* 98, 8.

c. *Conf.*, VII, 3.

que la race des Ténèbres pouvait lui nuire, ils portaient atteinte au dogme de l'inviolabilité ou de l'incorruptibilité divine, qu'ils partageaient avec les chrétiens. Répondaient-ils qu'elle ne pouvait lui nuire ? dans ce cas il n'y avait plus de raison de livrer une lutte dans des conditions telles qu'elles aboutissaient à ce qu'une partie de Dieu – ou sa descendance – se trouvait corrompue et avilie par son mélange avec le mal. Autour d'Augustin, on considérait que l'« argument de Nebridius » avait fait mouche[27]. Les manichéens étaient dans l'embarras ; pour échapper au dilemme, l'un d'entre eux n'avait pas craint d'avancer que Dieu n'avait pas voulu se soustraire au mal, ou du moins que par bonté il avait voulu venir en aide à cette puissance du mal inquiète et perverse pour la discipliner. Mais, ce disant, il se mettait en contradiction avec les livres de la secte, qui affirmaient que Dieu se tient en garde contre ses ennemis[a].

Mais bientôt se produirait une confrontation qui mettrait fin de façon décisive aux hésitations d'Augustin. Sans doute dès les premiers temps de son entrée dans la secte, il avait eu vent par ses coreligionnaires de l'existence d'un fameux « évêque » manichéen, du nom de Faustus. Ce Faustus était un Numide, comme lui, originaire de Milev (Mila, dans l'actuel Constantinois), où il était né un peu avant le milieu du siècle dans une famille pauvre et païenne. Lui aussi était à sa manière un « parvenu de la culture », mais plus modestement : Augustin, qui jaugeait vite ceux qu'il avait en face de lui, ne le créditera pas de la connaissance des « arts libéraux », mais le trouvera seulement frotté de Cicéron et de Sénèque, et de quelques poètes latins[b] ; en revanche il ne lui contestera pas la facilité de l'élocution dans une langue raffinée, le charme de la parole, la souplesse de l'intelligence[c]. Faustus devait ressembler assez à ces grands sophistes de la Grèce classique dont de multiples joutes et conférences affûtaient la facilité et l'ingéniosité, au prix tout de même, dans le cas de Faustus, de sérieuses atteintes aux cordes vocales, rançon de ses discours et de ses prédications[d]. Il semble qu'en ces années il ait vécu quelque temps à Rome son « épiscopat » missionnaire dans une molle opulence[28], ce qui explique qu'Augustin ait dû attendre pour le rencontrer, avec une impatiente curiosité. Car les manichéens de son entourage, souvent incapables

---

a. Cf. *De moribus manichaeorum*, II, 25.

b. *Conf.*, V, 11.

c. *Contra Faustum*, I, 1.

d. *Ibid.*, XXI, 10 : lésion des cordes vocales, ou laryngite, ou trachéite ? L'emploi du mot *stomachus*, si flou, laisse dans l'incertitude. Quand Augustin, en 386, se plaindra de difficultés qui semblent du même ordre, il hésitera entre le mot *pectus* et le mot *stomachus*.

de répondre à ses questions, lui vantaient fort ce Faustus comme un homme qui, en un tournemain, aplanirait toutes les difficultés et résoudrait tous les problèmes.

Enfin Faustus vint ; et la déception d'Augustin fut à la mesure de sa longue attente. Il lui trouva d'abord du charme, de l'aisance, une façon beaucoup plus séduisante de traiter les développements habituels des gens de sa secte. Telle fut du moins l'appréciation qu'il eut, de loin, de « cet échanson qui servait si joliment des coupes précieuses[a] ». Car, entouré comme il l'était d'un cercle fourni d'auditeurs, Faustus n'était pas facile à approcher. L'occasion se présenta enfin d'un colloque en petit comité : flanqué de ses amis, Augustin s'ouvrit à l'« évêque » manichéen des questions qu'il se posait. Il ne tarda pas à comprendre qu'il n'obtiendrait pas de lui les éclaircissements espérés, notamment sur la discordance constatée entre les données de l'astronomie et les fables manichéennes relatives au ciel, aux astres, au soleil et à la lune[b]. Avec une modestie et une franchises inattendues, qui redoublèrent en sa faveur la sympathie naissante de son interlocuteur, Faustus se récusa sur son incompétence. Augustin le trouva beau joueur, mais resta sur sa faim. Ce ne fut cependant pas la fin de leurs relations ; ils avaient en commun le goût de la littérature, et le jeune rhéteur alla même jusqu'à adapter ses leçons aux affinités et à la tournure d'esprit de ce nouvel auditeur – mais l'élan qui toutes ces années avait animé Augustin dans son effort pour progresser dans cette « gnose » était désormais brisé. Faustus, après avoir été pour tant de gens un « lacet de mort », venait à son insu de dénouer celui où il avait été pris. Sans rompre encore avec les manichéens, il était désormais dans l'attente d'une autre lumière.

LE DÉPART POUR ROME

Augustin n'allait pas tarder à quitter Carthage. De ce départ, il donnera pour principale raison, dans les *Confessions*, l'indiscipline des étudiants carthaginois, devenue à la longue insupportable. Mais tout un faisceau de motivations était maintenant rassemblé pour le pousser à passer la mer. Son cher Alypius l'avait déjà précédé à Rome pour faire son droit[c] ; sur place, Augustin avait des amis (probablement manichéens) qui l'incitaient vivement à venir les

a. *Conf.*, V, 10.
b. *Conf.*, V, 12.
c. *Conf.*, VI, 13 et 16.

rejoindre, en lui faisant miroiter un salaire plus élevé, une position sociale plus en vue : l'évêque verra par la suite dans ce chant des sirènes une inspiration divine[a]. Et puis, et surtout, le rhéteur avait épuisé les ressources de Carthage, à la fois dans la poursuite de ses ambitions terrestres et pour la satisfaction de ses exigences intellectuelles.

Pourquoi fallut-il que Monique se trouvât là le jour où il décida de s'en aller ? Intuition de mère, ou connaissance qu'elle avait eue d'un départ que son fils avait eu du mal à lui cacher ? Plus probablement encore ce fils l'avait avertie de sa décision, et Monique était accourue de Thagaste pour les adieux[b]. Mais Augustin n'avait pas prévu à quel point ces adieux seraient déchirants ; lui, qui connaissait pourtant bien sa mère, sous-estima le tumulte charnel[c] qu'allait causer cette séparation. Et ils vécurent cet orage en tête à tête, car ni sa compagne ni Adeodatus, qui n'étaient pas du voyage, n'étaient alors présents sur la plage où le drame se noua. Monique insista pour accompagner son fils jusqu'au rivage, espérant jusqu'au dernier moment le retenir ou bien partir avec lui. Pour s'en débarrasser, il ne restait plus à Augustin que la feinte : il prétendit ne pas vouloir quitter un ami qui attendait un vent favorable pour s'embarquer. « J'ai menti à ma mère, à une mère comme elle, et je me suis sauvé », écrira-t-il plus tard, en chargeant ce geste d'égoïsme fondamental de la signification d'une fuite à tous les sens du mot salutaire.

Le navire en partance était à l'ancre non pas dans le port principal de la ville, mais dans la petite baie au débouché de l'actuel « ravin d'Hamilcar », sur les hauteurs de laquelle on peut voir encore les vestiges de la basilique dite de Sainte-Monique : là se trouvait alors une chapelle à la mémoire de saint Cyprien, où Augustin réussit à persuader sa mère d'aller se recueillir[29]. « Cette nuit-là, furtivement, je partis ; elle, non ; elle resta là à prier et à pleurer[d]. » Revivant le drame, l'évêque, s'adressant à Dieu, aura cette phrase pour commenter l'imploration maternelle : « Mais toi, dans ton dessein profond, exauçant l'essentiel de son désir, tu négligeas ce qu'elle te demandait alors pour faire de moi ce qu'elle te demandait toujours. » L'Éternel entend l'appel, mais lit mieux que l'intéressée dans son propre cœur et rectifie la prière de lui-même ! Et il poursuivra : « Le

---

a. *Conf.*, V, 14.

b. On ne peut cependant exclure qu'en ces années carthaginoises Monique, veuve depuis plusieurs années, soit venue vivre auprès de son fils ; mais rien dans les *Confessions* ne va dans ce sens.

c. C'est le *carnale desiderium* qui reçoit du fouet des douleurs son juste châtiment : *Conf.*, V, 15.

d. *Conf.*, V, 15.

vent souffla et emplit nos voiles, et fit disparaître le rivage où, le matin venu, elle délirait de douleur. » Ainsi, jadis, Didon avait longuement pleuré la fuite d'Énée, comme le jeune Augustin l'avait appris sur les bancs de l'école.

CHAPITRE VIII

Entre Rome et Milan

Rome, où Augustin débarqua au seuil de sa trentième année, à l'automne de 383, était restée la ville magnifique qui, vingt-cinq ans plus tôt, avait si fort impressionné l'empereur Constance. Lui qui résidait dans la capitale orientale fondée par son père Constantin, après avoir fait dans la Ville éternelle une entrée triomphale, en avait longuement parcouru tous les quartiers sans lasser son admiration[a]. Ainsi Rome dut-elle apparaître à Augustin après son débarquement à Ostie. Mais, s'il y eut enchantement, il fut de courte durée, et les *Confessions* n'en portent pas trace, et l'on chercherait en vain dans toute son œuvre une marque d'un émerveillement de l'œil, d'une nostalgie quasi physique, comme celle qui inspirera en 417 à Rutilius Namatianus un éloge vibrant de cette Rome qu'il quittait avec tant de regret, alors que la ville dont il chantait la triomphante éternité avait pourtant subi quelques années plus tôt les ravages des hordes d'Alaric. Il est vrai qu'il était plus facile alors à un païen d'être un admirateur inconditionnel de Rome : tout y parlait d'une grandeur dont l'Empire chrétien n'était que l'héritier de fraîche date. Les pages de la *Cité de Dieu* que l'on peut citer sont moins un éloge de Rome qu'une invite souvent émouvante à lui faire découvrir dans la nouvelle religion les conditions et les moyens d'une autre grandeur, encore supérieure à l'ancienne[b].

Rome, on le verra, ne laissera pas de bons souvenirs à Augustin. À peine arrivé, il tomba malade : il fut pris de fièvres qui le mirent en danger. Rome était certes une ville superbe, mais surpeuplée, et en dépit des efforts des titulaires de la curatelle des égouts de la ville et du lit du Tibre, le manque d'hygiène y était à la mesure de la magnificence des monuments. Au temps de Constance, dont

a. AMMIEN MARCELLIN, *Histoire*, XVI, 10, 6-15.
b. *Cité de Dieu*, II, 29.

nous venons de parler, un prince de la famille royale de Perse qui y avait trouvé refuge répondait à qui lui demandait ce qu'il pensait de la ville : « Ce qui m'y plaît, c'est qu'on y meurt aussi bien qu'ailleurs ! »

Augustin, cependant, finit par se remettre de ces fièvres dans la maison de l'« auditeur » manichéen qui lui avait donné l'hospitalité[a]. Toute persécutée qu'elle était, leur communauté survivait sans trop de peine dans l'anonymat d'une grande cité, et Augustin y demeurait immergé par commodité tant matérielle qu'intellectuelle. Il fréquentait même quelques « élus ». Il n'était pourtant pas pour eux – ni pour son hôte dont il s'ingéniait à saper la confiance dans la secte[b] – un interlocuteur facile, ni docile. Il avait parfois des velléités de revenir à la foi catholique de son enfance, et eut plaisir à retrouver cet Elpidius dont les joutes victorieuses avec les « élus » à propos des Écritures l'avaient déjà impressionné à Carthage, mais il restait prisonnier du dualisme manichéen. Il a dit lui-même, avec une sorte d'humour un peu désespéré, comment il était alors accablé sous le poids de ces « masses » – ces « substances » du mal et du bien dont il se formait des images physiques et pondéreuses – dont la matérialité quasi charnelle lui fermait l'accès à toute spiritualité[c].

LA TENTATION SCEPTIQUE

Alors il se réfugia dans le doute. Des débuts de la période romaine date ce qu'on a pu appeler sa « tentation sceptique », nourrie alors par la lecture des philosophes de la Nouvelle Académie. On se souvient – supra, p. 63 – de cette page du De beata uita (I, 4) écrite à l'automne de 386 où il décrivait comme une périlleuse traversée son itinéraire depuis sa dix-neuvième année : les Académiciens, dira-t-il, tinrent alors « longtemps » la barre de sa barque ballottée à tous les vents. « Longtemps », c'est-à-dire le temps de son année romaine, 384, et probablement encore toute l'année 385, avant que la lecture des libri Platonicorum, puis la découverte de saint Paul ne donnent à ses pensées des inflexions décisives. Dix ans après la révélation due à la lecture de l'Hortensius, il revenait à Cicéron, qui demeurait alors son principal médiateur dans son accès aux philosophies dont le but

a. Constantius, un riche Romain, qui réalisera un peu plus tard, après le départ d'Augustin à Milan, le projet d'un « monastère » manichéen qui tournera mal : cf. De mor. manich., II, 74.

b. Conf. V, 19. Son hôte et ami, Constantius, deviendra par la suite catholique : cf. Contra Faustum, V, 5.

c. Conf., V, 20.

ultime était de définir les fins dernières. Cicéron était lui-même proche de la trentaine quand, en 79-78, accompagné de son frère Quintus et de son cousin Lucius, il avait fait ce voyage d'Athènes où il avait retrouvé son ami Atticus[a]. C'était pour ces jeunes gens, dans ce « Grand Tour » qui les conduira aussi en Orient, un pèlerinage aux sources des principaux courants de pensée du monde antique et Cicéron dira que dans les jardins d'Académos il s'était tout particulièrement recueilli devant l'exèdre (le banc semi-circulaire) où s'asseyait Carnéade[b]. Il n'avait pu connaître ce dernier, mais quelques années auparavant il avait suivi à Rome les leçons de son successeur et continuateur, Philon de Larissa ; il avait aussi été l'auditeur d'Antiochus d'Ascalon, et c'était lui, alors directeur de l'Académie, qu'il retrouvait à Athènes lors de ce séjour.

Dans ses *Académiques*, un dialogue en deux parties très partiellement conservé, écrit en cette année 45 si terrible pour lui, après la mort de sa fille Tullia, Cicéron avait exposé les différences qui distinguaient assez nettement les deux branches de l'Académie, en son temps. Avec Carnéade, suivi par Philon, elle s'était engagée dans la voie du probabilisme, qui niait la possibilité de toute connaissance vraie ou scientifique. Une telle attitude de pensée était en réaction contre la doctrine stoïcienne, essentiellement celle de Zénon de Cittium, qui deux siècles auparavant soutenait qu'il y avait, entre les images vraies et les images fausses fournies par nos sens, et qui étaient à la base de la perception intellectuelle, un critère de certitude ou d'évidence qui permettait de faire le départ entre elles. Les Académiciens niaient la réalité de ce critère et dès lors la suspension de tout jugement devenait la règle en tout domaine, y compris et d'abord dans celui de la vie morale : ainsi, alors que pour les stoïciens le sage était celui qui ne donnait pas son assentiment à ce qui n'était pas vrai, les Académiciens considéraient que seul était sage celui qui en toute circonstance refusait de donner son assentiment. Antiochus d'Ascalon avait par la suite suivi une voie divergente de celle de Carnéade et de Philon. Réagissant contre eux à son tour et soucieux de revenir aux sources du platonisme, il faisait observer qu'en étaient issues deux écoles qui l'une et l'autre admettaient la possibilité de la connaissance, celle des stoïciens et celle d'Aristote. Avec les stoïciens, Antiochus considérait qu'existait un critère de certitude sans lequel il était vain d'espérer atteindre quelque vérité : le sage pouvait donc, armé de ce critère, parvenir à l'action droite, à la rectitude morale, qui le faisait accéder à la vie heureuse, fût-il par

a. Cf. P. GRIMAL, *Cicéron*, Paris, Fayard, 1986, pp. 71-74.
b. *De finibus bonorum et malorum*, VII, 4.

ailleurs accablé par tous les coups du sort. Dans le même temps, il pensait avec les péripatéticiens que pour vivre une vie heureuse la possession du bien moral était nécessaire, mais non suffisante ; plus exactement, que les « prétendus biens » – les « préférables » des stoïciens : la santé, la richesse, la gloire, etc. – devaient s'y ajouter pour faire parvenir le sage à la *uita beatissima*. Antiochus était ainsi parvenu à une sorte de synthèse, mais au prix d'une contradiction dans le domaine de la vie morale qui rebutait Cicéron. Certes, comme on l'a montré, cet enseignement lui fut utile en lui faisant connaître les multiples variantes des philosophies postsocratiques, et les évolutions d'une école à l'autre : ainsi naquit ou se fortifia son éclectisme[a]. Mais il préféra les leçons de Philon et s'en tint à son probabilisme : il y avait, comme l'avait voulu Platon, une vérité, dans le monde des idées, mais nous ne sommes jamais certains de l'atteindre, car elle est toujours perçue, sans critère, sous forme d'opinion probable. Le sage, donc, sera celui qui, tout en refusant son assentiment, faute de certitude, passe sa vie dans une loyale recherche de la vérité ; c'est dans l'exercice de cette vertu qu'il trouvera le bonheur.

Au point où il en était arrivé, Augustin trouvait dans les *Academica* quelque chose comme un antidote au dogmatisme manichéen dont il avait encore peine à se défaire, et il pouvait considérer le scepticisme éclectique de Cicéron comme une sorte de position d'attente appropriée à son cas. Il écrira dans les *Confessions* : « Désespérant désormais de pousser plus avant dans cette fausse doctrine [le manichéisme], j'étais résolu à m'y tenir, faute de mieux, mais avec plus de tiédeur et d'indifférence. Il me vint même à l'esprit que les philosophes qu'on appelait Académiciens avaient été plus sages que les autres en soutenant qu'il faut douter de tout et que l'homme n'est capable d'aucune vérité[b]. » Un autre texte relatif à sa période italienne, entre Rome et Milan, donne la mesure de ses perplexités, auxquelles les penseurs de la Nouvelle Académie lui proposaient une solution provisoire : « Une fois installé en Italie, je me mis à me demander sérieusement non pas si je resterais dans la secte, où je regrettais d'être tombé, mais quelle méthode je devrais suivre pour atteindre le vrai... Parfois il me semblait introuvable et le flot de mes pensées emportait mes suffrages vers les Académiciens. Parfois au contraire, réfléchissant à la perspicacité de l'esprit humain, je me disais que si la vérité lui échappait, c'était seulement

---

a. P. Grimal, *op. cit.*, p. 74.
b. *Conf.*, V, 18-19.

parce que lui échappait la méthode même de la recherche et que cette méthode, précisément, il fallait la tenir d'une autorité divine[a]. »

C'est naturellement surtout à travers le *Contra Academicos*, ce dialogue de l'automne de 386, que l'on peut découvrir comment Augustin a vécu cette « tentation sceptique », quel parti il a tiré de ses lectures. Quatre siècles après Cicéron, certainement aidé en cela par les textes cicéroniens, mais aussi apparemment par un ouvrage aujourd'hui perdu de Varron, le *Liber de philosophia*[b], il refaisait le même chemin, s'efforçait lui aussi de saisir, dans la succession des écoles, les raisons de leurs positions et de leurs divergences. Certes, il nous faut tenir compte du fait que, dans ces discussions de Cassiciacum, il revoit la doctrine des *Academici* à la lumière qu'il tient maintenant des livres platoniciens plus récemment découverts ; mais sa réflexion personnelle a pu précéder ce nouvel éclairage. On le voit soucieux d'exonérer les Académiciens du reproche d'un scepticisme trop radical : ce scepticisme lui apparaît finalement comme une sorte de paravent destiné à soustraire les thèses spiritualistes de l'école platonicienne aux attaques des matérialistes stoïciens et épicuriens[c]. Une phrase des *Confessions* semble bien retracer l'évolution qu'il a suivie dans sa perception des thèses de la Nouvelle Académie : « Je croyais alors [c'est-à-dire au début de la découverte qu'il en fit] que leur doctrine était pour de bon celle qu'on leur impute communément ; je n'avais pas alors pénétré leurs véritables intentions[d]. »

Sans doute s'est-il assez vite démarqué des thèses probabilistes des Académiciens, sans doute n'a-t-il pas tardé à surmonter le doute radical et la suspension de jugement des sceptiques. Un esprit comme le sien ne pouvait demeurer longtemps dans une attitude aussi négative. Il n'est pas certain cependant qu'il ait défini tout de suite la position – en soi probabiliste elle aussi, mais d'un probabilisme optimiste – qui sera la sienne par rapport aux Académiciens dans le dialogue de Cassiciacum : « Entre eux et moi, dira-t-il, il n'y a aucune différence, si ce n'est qu'ils tiennent pour probable qu'on ne peut trouver la vérité, alors que moi je tiens pour probable qu'on peut la trouver[e]. » Mais la fréquentation de ces textes avait été une étape importante dans le cheminement spirituel d'Augustin

---

a. *De utilitate credendi*, 20.

b. Cf. *Cité de Dieu*, XIX, 1-3 : Augustin s'est servi de ce livre, dont il devait avoir une connaissance déjà ancienne, pour développer les réponses données par les philosophes au problème du souverain Bien.

c. C'est ce qui ressort clairement des considérations finales du *Contra Acad.*, III, 37-40.

d. *Conf.*, V, 19.

e. *Contra Acad.*, II, 23.

entre Rome et Milan. C'est à elle qu'il faut imputer sa rupture définitive avec le manichéisme, effective à la fin de l'année 384, c'est elle qui l'a aidé à fermer la parenthèse de ces erreurs poursuivies pendant près de dix ans. Dressant un bilan de lui-même à son arrivée à Milan, il écrira : « Ainsi, à l'exemple des Académiciens, tels qu'on les interprète, je doutais de tout et je flottais entre toutes les doctrines ; alors je décidai qu'il fallait du moins abandonner les manichéens, ne croyant pas devoir, en pleine crise de doute, demeurer dans une secte au-dessus de laquelle je plaçais déjà un certain nombre de philosophes ; à ces philosophes, pourtant, parce qu'ils ignoraient le nom salutaire du Christ, je refusais absolument de confier le traitement des langueurs de mon âme. Je résolus donc de rester catéchumène dans l'Église catholique qui se recommandait de mes parents, en attendant qu'une lumière certaine vînt orienter ma course[a]. » Que le lecteur veuille bien ici se défendre d'une éventuelle impression de « déjà lu » : oui, l'absence du nom du Christ disqualifiait ces philosophes comme elle avait disqualifié l'*Hortensius* dix ans auparavant. Mais ces dix années ne s'étaient pas écoulées en pure perte. Augustin s'installait dans une position d'attente, mais enrichi de nouvelles réceptivités.

MILAN

Rome n'était plus le centre d'un pouvoir devenu bipolaire, et qui en Occident hésitait entre plusieurs capitales nouvelles, Trèves, Milan et même Ravenne, le refuge aux jours du malheur. Mais Rome demeurait le centre symbolique de l'Empire, la Ville « sacrée », et le point de mire de toutes les ambitions et de toutes les convoitises, comme le serait Constantinople quelques siècles plus tard. Elle n'était plus le lieu de résidence de la cour impériale, mais toujours celui de la vieille aristocratie sénatoriale, traditionaliste, le plus souvent ombrageusement païenne, au moment même où les veuves et les filles de ce patriciat subissaient sur l'Aventin l'austère ascendant d'un Jérôme, avant son départ d'Ostie, à destination de l'Orient, en août 385 : Augustin et lui s'étaient alors croisés, sans se connaître.

Cette aristocratie concentrait les richesses qu'elle tirait d'immenses domaines dans de somptueux palais, îlots de luxe dans une ville économiquement en déclin, en proie au chômage et à la famine, accueillante pour les gladiateurs, les mimes, les danseuses et autres histrions, mais fermée aux étrangers, et plus particulièrement aux

a. *Conf.*, V, 25.

intellectuels[1]. Pourtant, l'exemple de la réussite du Syrien Hierius, à qui il avait dédié quatre ans plus tôt son *De pulcho et apto*, était pour Augustin un encouragement à tenter d'y faire carrière. Il dut se contenter, plus modestement, de se constituer une « clientèle » étudiante, probablement par l'entremise de ses amis manichéens : chez eux, comme dans toute communauté minoritaire et persécutée, la solidarité était forte et agissante. La position d'Augustin était ainsi celle, précaire, d'un *Privatdozent* exerçant à domicile : il dit lui-même qu'il avait commencé à rassembler chez lui quelques élèves, à qui il enseignait la rhétorique ; mais il ne tarda pas à s'apercevoir de l'inconfort de sa situation. À Carthage, ce que redoutaient les professeurs, c'était l'inconduite des étudiants, la violence de leurs chahuts. À Rome, plus étroitement surveillés par l'administration[2], ils se tenaient plus tranquilles, mais leur malhonnêteté laissait sans ressources un professeur sans statut officiel ni salaire fixe : pour éviter de payer leur maître, ils s'entendaient entre eux, désertaient ses cours en masse et passaient chez l'un de ses collègues[a]. Faute d'une voie de recours, cette pratique était imparable.

La chance emprunta pour Augustin, dans son infortune, le visage du premier personnage de Rome, le préfet de la Ville, qui était alors Symmaque. En l'été de 384, date à laquelle se situe sa préfecture, qui prit fin au début de 385[3], Q. Aurelius Symmachus, surnommé Eusebius, avait une bonne quarantaine d'années. Il avait été proconsul d'Afrique en poste à Carthage en 373-374, quand Augustin, alors âgé de dix-neuf ans, y terminait ses études de rhétorique, et il est peu probable que l'étudiant ait eu alors l'occasion d'approcher le haut fonctionnaire, d'une douzaine d'années son aîné. Cette fois-ci encore, ce furent ses amis manichéens qui l'aidèrent en lui fournissant une introduction auprès de Symmaque.

Il se trouvait que la ville de Milan s'était adressée à Symmaque pour lui demander de lui procurer un maître de rhétorique, et il était précisé que l'élu bénéficierait, pour son voyage, des services de la poste impériale. La démarche milanaise n'avait rien d'insolite : c'était encore Rome qui, en Occident, disposait du meilleur corps professoral, et du plus nombreux[4] ; d'autre part, c'était une bonne manière, peu coûteuse pour elle, que faisait ainsi la cour de Milan à Symmaque. Avec Prétextat et Nicomaque Flavien, et plus radicalement qu'eux, Symmaque était alors le chef de file du clan païen au sénat de Rome. En 382, l'empereur Gratien avait pris contre ce clan une mesure hautement symbolique : il avait fait enlever de la salle des séances du sénat l'autel de la Victoire, que Julien y avait

---

a. *Conf.*, V, 22.

rétabli lors de sa « réaction païenne ». L'émotion avait été vive au sein du parti païen et Symmaque avait été choisi pour aller à Milan réclamer le report de cette décision. En vain : appuyés par le pape Damase et, sur place, par l'évêque Ambroise, les sénateurs chrétiens, qui équilibraient à peu près en nombre leurs collègues païens, avaient obtenu que l'empereur ne cédât point, et Symmaque n'avait pas même été reçu en audience. L'année suivante, succédait à Gratien assassiné à Lyon un enfant de douze ans, Valentinien II ; en fait sa mère Justine, une chrétienne de confession arienne, qui pratiqua à partir de 383 un jeu subtil de balance entre le parti chrétien, patronné par Ambroise, et la coterie païenne du sénat romain. Pendant l'été 384, le sénat avait de nouveau demandé l'abrogation des dispositions antipaïennes de Gratien, et notamment la remise en place de l'autel de la Victoire, et le préfet de la ville avait été chargé de faire un rapport en ce sens[a]. Sur le point de céder, la cour de Milan avait reculé devant la protestation d'Ambroise, qui menaçait d'excommunier le jeune empereur, mais l'entente était restée bonne avec le parti païen, et en particulier avec Symmaque, comme en témoignent des textes datables de la fin de cette année-là[b].

Il n'est pas surprenant non plus que les milieux manichéens de Rome aient été en relation avec le préfet païen de la ville et qu'à l'inverse Symmaque ait été sensible à leur démarche en faveur de leur protégé. Entre ce tenant de la religion traditionnelle de plus en plus contrebattue par le pouvoir impérial et ces « hérétiques » violemment hostiles aux catholiques et persécutés par ce même pouvoir, il pouvait y avoir des alliances objectives. À l'automne de 384, Symmaque avait bien, comme on l'a dit, « mille raisons de faire appel à un non-catholique pour un poste aussi important[5] ». Le préfet mit cependant Augustin à l'épreuve : « Je lui soumis un discours d'essai, dira celui-ci ; il le trouva à son goût et m'envoya à Milan[c]. »

Milan, où Augustin arrivait à l'automne de 384, pratiquement pour son trentième anniversaire, n'avait certes pas l'éclat urbain de Rome, ni même de Carthage, mais la ville bénéficiait de la richesse agricole et de la qualité d'élevage des plaines de l'Italie du Nord, moins déséquilibrées par les grands domaines que l'Italie centrale et méridionale. Et il suffit d'un coup d'œil sur une carte pour comprendre l'importance croissante de la ville et de sa région dans ce monde romain d'Occident à la fois aux prises avec le monde barbare

---

a. SYMMAQUE, *Relationes*, 3.
b. ID., *ibid.*, 21 et 23 ; *C. Th.*, I, 6, 9.
c. *Conf.*, V, 23.

du nord et du centre de l'Europe et en symbiose de plus en plus grande avec lui. La présence de la Cour à Milan, où elle n'était tout de même pas aux avant-postes, comme à Trèves ou à Sirmium, tenait certes à des raisons stratégiques, à la situation de la ville à la convergence des passages alpins ainsi que sur l'axe transversal qui reliait à la Gaule le monde illyrien ; mais elle concrétisait aussi le déplacement du centre de gravité de l'Occident romain, son décalage vers le nord-ouest, avant même la perte prochaine de l'Afrique du Nord après l'invasion vandale, en 430. Battant monnaie impériale depuis le milieu du IIIe siècle, septième ville de l'Empire selon le classement établi par Ausone, Milan était également celle d'où, au printemps de 313, étaient parties les fameuses lettres – abusivement appelées « édit de Milan » – signées par Constantin et Licinius, qui rendaient aux chrétiens leur liberté et leur restituaient leurs édifices de culte : plus nettement encore qu'à Rome au pont Milvius, l'Empire chrétien avait fait là ses premiers pas au début du IVe siècle. L'importance prise par la ville dans le nouvel ordre religieux ne tenait pas ainsi seulement à l'exceptionnelle personnalité de son évêque, en ces années, Ambroise. Certes, il n'y avait pas alors que des chrétiens à Milan, et le général d'origine franque, Flavius Bauto, qui était le ministre le plus influent de la Cour et qui recevra l'hommage du nouveau rhéteur à son entrée en charge comme consul, était probablement païen. Mais la grande métropole du Nord, du fait de son ouverture culturelle, était un lieu particulièrement propice à la prise d'une grande décision dans l'ordre de la vie intérieure.

Pourtant, en ces jours de l'automne de 384, ce n'était pas l'avenir de sa vie spirituelle qui préoccupait le plus Augustin. Le nouveau « maître de rhétorique » de la ville avait dû se mettre immédiatement au travail : à la « rentrée universitaire » s'étaient ajoutés ses débuts comme orateur officiel. La première occasion en avait été, le 22 novembre, le dixième anniversaire de la proclamation comme « Auguste » du jeune Valentinien II, ce qu'on appelait les *decennalia*[6]. Il était d'usage, pour commémorer ces jubilés, que fût prononcé l'un de ces discours d'apparat dont le meilleur exemple demeure le *Panégyrique de Trajan*, œuvre de Pline le Jeune, et dont pour le Bas-Empire une série de textes conservés présente toute une panoplie de rhétorique flagorneuse. Ce qu'on y voyait lourdement vanté, c'étaient en particulier les prouesses guerrières, indispensables en ces temps d'invasions, d'insurrections et d'usurpations incessantes, et souvent souligné aussi la sage politique du prince envers ses sujets. Mais que dire dans le cas de Valentinien II, un adolescent alors âgé de quatorze ans, plutôt falot et sous tutelle, qui mourra étranglé à vingt-deux ans sans avoir rien fait de saillant en sa courte vie d'empereur d'Occident ? Le discours d'Augustin ne nous est pas parvenu, mais nous savons que sur le point de le prononcer il était dans ses petits souliers : « Le souci, se souviendra-t-il plus tard, angoissait mon cœur, enfiévré de pensées qui le consumaient[a]. » Ce fut ce jour-là, pour lui mémorable, qu'accompagné de quelques amis il rencontra dans une rue de Milan un mendiant dont l'ivresse joyeuse et de peu satisfaite contrastait fortement avec les hautes ambitions qui le rongeaient. Quant au discours, il s'en tira, dira-t-il encore, « en débitant force mensonges destinés à soulever les applaudissements d'auditeurs qui n'en étaient point dupes ». L'épreuve était pour lui cruciale, il le savait, et entre autres soucis il avait celui de son accent de Romain d'Afrique, qui pouvait faire sourire, mais aussi exciter les railleries[7]. Tel avait été aussi le lot du grand empereur africain de la fin du IIᵉ siècle, Septime Sévère ; mais ce qui pouvait chez un prince passer pour un charme de plus était un handicap chez un professionnel du bien-dire.

Il faut croire qu'Augustin se tira de cet exercice à son avantage, car quelques semaines plus tard il le réitéra en une autre occasion non moins solennelle : l'entrée en charge comme consul ordinaire – il eut comme collègue en Orient son futur gendre, le jeune empereur Arcadius – de Flavius Bauto, le 1ᵉʳ janvier 385. Avec le « maître de la milice », la matière ne manquait pas pour l'éloge, si l'on n'avait pas peur d'encenser en un style fleuri un militaire à poigne, qui s'était illustré contre les Goths en Thessalie, puis dans les Balkans, puis pour avoir stoppé une branche des Alamans en Rhétie – le centre et l'est de la Suisse actuelle –, et remporté enfin, avant les derniers jours de 384, une victoire sur les Sarmates, sur les bords du Danube. Et puis – et cela faisait de lui un ministre indispensable pour Valentinien II et sa régente de mère –, Bauto barrait les cols des Alpes aux entreprises de Maxime, un usurpateur difficilement cantonné en Gaule. Tout cela fut mis en valeur par Augustin, qui joua le jeu avec d'autant moins d'états d'âme que le « maître de la milice » était un ami de son protecteur, le préfet de la ville de Rome. Et l'on a parfois pensé que le discours probatoire soumis à Symmaque, dont l'audition avait valu à Augustin d'obtenir la chaire de Milan, était l'ébauche de ce panégyrique de Bauto[8].

Augustin à Milan était un homme très occupé. Ses matinées, dit-il, appartenaient à ses étudiants. Le reste du temps, il le réservait à la préparation de ses cours[b], en s'efforçant de garder du temps libre pour faire visite à ses amis haut placés (*amicos maiores*), dont il

---

a. *Conf.*, VI, 9.
b. *Conf.*, VI, 18 : « *Quando praeparamus quod* emant *scholastici* ? », avec encore

considérait l'appui comme nécessaire. Pourquoi ? Non pour conserver cette chaire où il réussissait bien, mais pour s'en servir comme d'un tremplin afin de monter plus haut encore. Symmaque, quand il l'avait reçu à Rome l'été de 384, n'avait sans doute pas manqué de lui dire ce qu'il avait écrit un jour à l'un de ses correspondants, que les succès littéraires ouvraient souvent la voie à une belle carrière[a]. Il n'était guère besoin de répéter la leçon à un jeune ambitieux, qui avait en tête l'éclatante réussite d'Ausone et de sa famille, et de quelques autres, comme ce Manlius Theodorus qu'il allait bientôt connaître. Que visait-il ? Il le dira dans les *Confessions* (VI, 19) : utiliser ses amis influents, dont il comptait maintenant un bon nombre, pour obtenir quelque poste honorifique (*aliquis honor*), et par exemple, en attendant mieux, au moins un gouvernement de province[9].

Alypius venait de le rejoindre à Milan, et l'exemple qu'il lui donnait alors n'était pas fait pour le détourner de ses propres ambitions. Après avoir terminé ses études de droit à Rome, Alypius y était d'abord resté pour entrer dans l'administration impériale en qualité d'assesseur du « comte des largesses italiques », c'est-à-dire d'un haut fonctionnaire chargé de la gestion des finances impériales – comprenant recettes et impôts divers – dans le « diocèse » (le groupe de provinces) d'Italie-Afrique ; en tant qu'assesseur, Alypius mettait ses compétences de juriste au service d'une administration où les litiges ne manquaient pas. Ses compétences, mais aussi – Augustin a tenu à le souligner[b] – son incorruptible honnêteté. Aux prises avec un sénateur très influent, qui avait voulu obtenir un passe-droit en usant d'intimidation, Alypius n'avait pas cédé. Il avait tenu bon en face de la tentative de corruption comme devant la menace, et le magistrat dont il n'était que le conseiller s'était bien trouvé de sa résistance, rejetant sur l'opiniâtreté de son adjoint, qui se disait prêt à démissionner, la responsabilité du refus d'une complaisance. On pouvait donc, se disait Augustin, ne pas perdre son âme au service de l'empereur. Son ami n'avait éprouvé qu'une tentation dans l'exercice de ses fonctions : celle, poussé par sa passion des livres, une denrée alors rare et précieuse, de profiter des scribes de son bureau pour se faire copier des manuscrits ; mais il avait su résister.

Nebridius aussi était venu rejoindre ses deux amis. Il avait sur

---

une fois cette métaphore de la vénalité (*emere*), si courante quand l'évêque d'Hippone parle de son premier métier.

a. SYMMAQUE, *Ep.*, I, 20, 1 (à Ausone, lettre datée de 378).
b. *Conf.*, VI, 16.

eux l'avantage de vivre de ses rentes ; à l'abri du besoin, il l'était aussi des tentations. Pourtant, Augustin n'excipera jamais de la situation enviable de son ami carthaginois pour rabaisser ses mérites. Bien au contraire, il était aussi intarissable sur son désintéressement que sur son intelligence, et sur cette ardeur toute gratuite dans la recherche de la vérité qui le fascinait : c'était uniquement son amour de la sagesse, et l'espoir qu'il avait de la trouver aux côtés d'Augustin, qui avait incité Nebridius à quitter père et mère et son riche domaine des environs de Carthage[a]. À Milan, où il ne manquait pas de recommandations, il fuyait le beau monde et, alors qu'il aurait pu faire servir sa culture et son esprit à des partis plus avantageux, il avait accepté, par amitié, de devenir modestement l'auxiliaire de Verecundus, un grammairien de Milan, qui mettra plus tard sa campagne de Cassiciacum à la disposition d'Augustin, et à qui il fallait alors un aide pour son école[b].

Au début de l'année 385, Augustin avait ainsi reconstitué à Milan le petit noyau d'amis dont il avait, lui qui ne sera jamais un homme seul, un vital besoin. Que lui manquait-il, sinon cette tendresse qui avait réchauffé son enfance, et bien sûr aussi cette charnelle présence dont le désir, tout autant que ses ambitions, dressait entre lui et la région où vivre en esprit une encore insurmontable barrière ? Au printemps de cette année 385, la mère furtivement – honteusement – abandonnée deux ans plus tôt sur les rivages carthaginois passa à son tour la mer. Elle ne marcha pas sur les eaux, mais presque[10] ! Les retrouvailles avec son fils effacèrent d'un coup dans sa chair les traces laissées par tant d'alarmes, quand Augustin lui apprit qu'il avait fait la moitié du chemin, qu'il n'était plus manichéen sans être encore chrétien catholique : elle lui dit la certitude qu'elle avait désormais de le voir, avant de sortir elle-même de cette vie, devenu fidèle catholique.

Dans ses bagages, Monique avait apporté ce qui faisait encore défaut à son fils pour que sa fugace et trop humaine félicité sur cette terre, qui touchait à sa fin, fût complète : le petit Adeodatus, maintenant adolescent, et cette compagne innommée, impalpablement présente, de l'existence de qui l'on douterait si l'on n'avait dans l'oreille les gémissements d'Augustin quand la malheureuse sera bientôt chassée de son lit, sacrifiée au tyrannique mirage de la réussite sociale[11].

a. *Conf.*, VI, 17.
b. *Conf.*, VIII, 13.

CHAPITRE IX

Ambroise

« Et je vins à Milan, chez l'évêque Ambroise, connu de toute la terre comme l'un des hommes les plus éminents, et comme ton pieux serviteur[a]. » Dans la chronologie affective et spirituelle des *Confessions*, qui ne coïncide pas toujours avec le calendrier reconstruit des historiens, le personnage d'Ambroise est le premier à apparaître à l'arrivée à Milan, et il se peut en effet que sur l'« agenda » du maître de rhétorique fraîchement affecté dans la résidence impériale la visite à l'évêque ait compté parmi les toutes premières démarches. Une phrase à la suite du texte qu'on vient de citer confirme qu'il s'agissait bien d'une simple présentation : « L'accueil de cet homme de Dieu fut pour moi celui d'un père, et il eut pour l'étranger que j'étais les sentiments affectueux d'un évêque. » En fait, l'évêque de Milan avait accueilli comme il convenait à son ministère ce jeune Africain qui arrivait dans sa bonne ville pour occuper un poste en vue, mais il n'avait aucune raison de lui sauter d'emblée au cou ; il ne pouvait en effet ignorer que sa nomination était due à son ennemi idéologiquement le plus déterminé, Symmaque, à supposer encore qu'il n'ait pas su ce que la recommandation d'Augustin à Symmaque devait elle-même à l'entremise de la communauté manichéenne de Rome. Si, dans la recomposition mémorielle de ces deux années capitales pour lui, Augustin a par la suite campé Ambroise comme une « figure de proue » à l'orée de son séjour milanais, ou, si l'on préfère, s'il en a fait la figure entre toutes emblématique de cette période si riche par ailleurs de rencontres, c'est tout simplement qu'Ambroise sera bientôt celui qui apportera à la « conversion » la sanction ecclésiale et la rendra définitive en lui administrant le baptême au printemps de 387.

---

a. *Conf.*, V, 23.

UN ÉVÊQUE PAR SURPRISE

Ambroise avait tout pour fasciner quelqu'un comme Augustin, et pour l'impressionner de prime abord. Le petit homme qu'il voyait dans sa maison toujours ouverte, où l'on entrait sans se faire annoncer, avec son front haut, son long visage et ses grands yeux [1], en train de lire silencieusement [2] – et qu'il laissait à son recueillement sans oser le déranger –, était le même, il le savait, qui durant l'hiver de 383-384 avait accompli à Trèves une délicate mission diplomatique qui consistait à dissuader l'usurpateur Maxime de faire venir auprès de lui, sous couleur de le protéger, le jeune Valentinien II ; le même qui, quelques mois plus tard, l'avait emporté contre Symmaque et Bauto dans l'affaire de l'autel de la Victoire. Mais savait-il alors comment Ambroise était parvenu sur le siège épiscopal de Milan ? À la mort de l'évêque Auxence, en 373, la situation dans la ville était critique : le prélat disparu était de confession arienne, donc le représentant d'une minorité importante, mais en régression face à la dominante catholique de la cité. Dans la basilique où siégeaient les évêques de la province, réunis pour ordonner un successeur à Auxence, fit irruption une foule houleuse au sein de laquelle les deux partis faisaient pression sur un corps électoral lui-même divisé et irrésolu. Il fallait apaiser l'émeute et rétablir l'ordre. Plutôt que de faire donner la troupe, le gouverneur de la province préféra intervenir en personne : il entra dans l'église, obtint le silence, prit la parole, se fit écouter en appelant au calme. La foule alors l'acclama et d'une voix demanda pour évêque ce gouverneur unanimement respecté. Ce gouverneur n'était autre qu'Ambroise.

À l'époque de cette élection « tumultuaire », Ambroise avait trente-trois ou trente-quatre ans. Il était Romain de Rome, l'exact contemporain de Symmaque, auquel il était apparenté, et il n'était pas de moindre naissance : si le père de Symmaque avait terminé sa carrière comme préfet de la ville de Rome, celui d'Ambroise avait jeune encore exercé la préfecture du prétoire dans les Gaules, avec résidence à Trèves, et c'était là qu'était né le futur évêque de Milan [3]. Mais une mort prématurée, sans doute violente, avait interrompu une carrière qui s'annonçait brillante, et le jeune Ambroise était rentré à Rome avec sa mère, son frère Satyrus, et sa sœur aînée, Marcellina, qui prendra le voile, sera consacrée par le pape Libère et figurera dans la correspondance de saint Jérôme comme l'une des plus nobles figures chrétiennes de Rome[a].

Après avoir suivi le cycle des études libérales, Ambroise avait fait son droit et, devenu avocat, avait été distingué par l'un des hommes les plus considérables du temps, un chrétien, Probus, qui avait fait de lui son assesseur lors de sa première préfecture du prétoire pour l'Italie et l'Illyrie, vers 368 : le jeune homme avait ainsi vécu quelques années une vie d'« attaché de cabinet » à Sirmium, sur le Danube. Peu après, âgé d'environ trente ans, Ambroise avait été promu *consularis Aemiliae et Liguriae*, en résidence à la cour impériale, et promis au plus brillant destin dans le siècle si les fidèles milanais n'en avaient décidé autrement.

Semblable « parcours » faisait d'un tel évêque un pasteur hors norme, en un temps, il est vrai, où la norme n'était guère fixée et où l'exception était souvent la règle. À cent lieues d'un abbé de cour, mais aussi d'un curé de campagne – ce qu'étaient beaucoup d'évêques en ce temps –, Ambroise comptait parmi les grands chefs spirituels qui avaient fait et continuaient à faire l'histoire en ce IVe siècle – et pas seulement l'histoire religieuse –, et qui parfois aussi l'écrivaient. Capable par formation d'en imposer à une foule hurlante, il était aussi déterminé par conviction à mobiliser des foules de fidèles – mais dans la non-violence –, quand l'intérêt supérieur de son Église lui paraissait en jeu. On en verra bientôt un exemple, et l'on sait que la trace persistante qu'il laissera est d'avoir été le premier prélat à avoir fait plier un empereur – et quel empereur : le grand Théodose ! – et l'avoir soumis à pénitence publique, consacrant ainsi de façon éclatante la primauté du spirituel sur le politique et créant un précédent qui pèsera très lourd pendant de longs siècles sur les rapports entre l'Église et l'État.

Lorsqu'on a été un simple meneur d'hommes, on ne devient pas du jour au lendemain pasteur d'âmes – tout en demeurant un meneur d'hommes – sans un grand effroi. Augustin, qui venait pourtant de moins loin, connaîtra bientôt ce vertige lorsqu'il sera élu et ordonné prêtre à son corps défendant à Hippone, et contraint de demander à son évêque un délai pour se mettre en état de faire face aux obligations de prédication qui lui étaient imposées. Quant à Ambroise, certes chrétien de naissance, mais baptisé après son accession à l'épiscopat, et moins familier des Écritures que de Cicéron et de Virgile, il avait beaucoup à apprendre. Son biographe Paulin de Milan dira même que, rentrant chez lui après la fameuse élection, il eut un mouvement de recul et qu'il voulut se « réfugier dans la

---

a. Jérôme, *Ep.* 45, 7.

philosophie[4] ». L'intéressé dira lui-même plus simplement, dans un texte où l'on reconnaît sa première prédication, adressée à son clergé en 374, que puisqu'il lui était arrivé de devoir enseigner avant d'avoir appris, il lui fallait dans le même temps apprendre et enseigner[5].

L'homme d'action, devenu homme de cabinet pour pouvoir être un bon pasteur, avait beaucoup appris quand Augustin le rencontra. Il avait sur son nouvel interlocuteur l'avantage d'avoir eu dans sa jeunesse une bonne formation dans les deux langues, et il avait donc un accès direct à ses collègues les Pères de l'Église grecque, qui étaient à peu de chose près ses contemporains et dont l'œuvre exégétique lui était disponible : les « Cappadociens », en particulier, et surtout Basile de Césarée et Grégoire de Nazianze. À travers eux, Ambroise découvrait la tradition théologique dans laquelle ils se situaient, celle d'Origène, et, au-delà encore, accédait à l'exégèse allégorique et au syncrétisme philosophique de Philon d'Alexandrie, le penseur juif qui s'était efforcé de démontrer le parfait accord entre la pensée grecque et la révélation biblique. Appliquant la méthode allégorique à l'Ancien Testament, en particulier au Pentateuque, Philon s'était attaché, sans cesser pour autant de défendre le sens littéral, à dégager la signification profonde qui se dissimulait derrière l'étrangeté de certains préceptes de la Loi. Origène avait développé et perfectionné ce système « herméneutique ». L'Écriture en son entier, l'Ancien et le Nouveau Testament, avait pour lui un sens spirituel, que seule pouvait découvrir l'ascèse de la contemplation. Il n'y avait de pierres d'achoppement dans la Bible que pour ceux qui s'en tenaient au sens littéral, les « charnels » ; si l'on visait, au-delà, le « sens moral », il fallait utiliser l'exégèse allégorique dans une perspective anthropologique qui était déjà celle de Philon ; si l'on s'attachait à la recherche du « sens spirituel », on pouvait grâce à la même méthode débusquer dans tout détail de l'histoire de l'Ancien Testament des figures significatives de l'histoire du salut. Pour parvenir au sens, il fallait « casser la noix », disait Origène[6]. C'était cette méthode qu'appliquait Ambroise[7].

Tout occupé qu'il fût dès les premières semaines de son séjour milanais, Augustin avait pris le temps d'aller écouter quelques sermons de l'évêque. Ses motivations étaient à la fois complexes et un peu profanes. Il n'avait jamais coupé les ponts avec l'Église, au sein de laquelle il était catéchumène ; dans ce cas précis, il y avait bien autre chose pour l'attirer au prêche : il avait gardé un grand souvenir de son premier contact avec Ambroise, de son affabilité un peu distante, de son rayonnement tempéré par la réserve aristocratique. Et puis la curiosité aussi le poussait : le professionnel de la parole brûlait d'entendre comment s'en tirait de son côté cet autre *seminator uerborum*, comme à Athènes les philosophes stoïciens et épicuriens qui l'entouraient avaient appelé l'Apôtre[a]. En un premier temps, il semble avoir été un peu déçu ; certes, l'éloquence tant vantée était réelle, les propos plus savants que ceux de Faustus, l'« évêque » manichéen, mais d'une séduction moindre[b]. Le discours « sotério-logique » d'Ambroise l'impressionnait, mais il restait encore en dehors. À la longue, cependant, le contenu de cette forme aimable se fraya un chemin jusqu'à lui ; comme il le dira lui-même : « Elles pénétraient aussi dans mon esprit, avec les mots que j'aimais, ces choses que je négligeais[c]. » Ce qui l'ébranlait surtout, c'était d'entendre de la bouche d'Ambroise des interprétations selon le sens spirituel de bon nombre de passages de la Loi et des Prophètes qui étaient autant de réfutations victorieuses des sarcasmes à leur sujet des manichéens, dont il avait été longtemps prisonnier. Sans s'enga-ger aussitôt dans la voie de la foi catholique, et figé encore dans une incertitude « méthodique » qui était largement la conséquence de ses lectures des philosophes de la Nouvelle Académie, il devait du moins à ces élucidations d'avoir définitivement fait dans son esprit table rase des idées manichéennes.

Monique à Milan

Monique, elle, ne s'y était pas trompée. « Elle aimait cet homme [Ambroise], dira plus tard son fils, comme un ange de Dieu, car elle savait que c'était lui qui m'avait amené à cet état de doute et de flottement par lequel, elle en avait le sûr pressentiment, je devais passer pour aller de la maladie à la santé, avec un intervalle de danger plus aigu, un passage que les médecins appellent critique[d]. » Elle n'en avait que plus de zèle pour aller à l'église, surtout les jours où Ambroise y prenait la parole.

Dans ses exercices ordinaires de piété, transportant en Italie ses habitudes africaines, Monique eut cependant une surprise. Qui n'a vu les vastes aires funéraires de l'Afrique tardive, en particulier dans les Maurétanies, et tout spécialement à Tipasa et à Cherchel, avec leurs multitudes de tables d'agapes – les *mensae* –, tantôt à ciel ouvert, tantôt ceintes d'enclos, noyant sous leurs maçonneries semi-

---

a. *Actes des apôtres*, 17, 18.

b. *Conf.*, V, 23.

c. La traduction ne peut rendre en l'espèce ce jeu des assonances qui est un des charmes de la prose augustinienne : « *Veniebant in animum meum simul cum uerbis, quae* diligebam*, res etiam, quas* neglegebam » (*Conf.*, V, 24).

d. *Conf.*, VI, 1.

circulaires les tombeaux des défunts en l'honneur desquels on se réunissait pour festoyer, ne peut se figurer la réalité et la popularité d'une pratique dont l'archéologie permet de fixer assez tôt le développement dans un contexte spécifiquement chrétien[8]. Dans l'environnement de ces tables, autour desquelles les convives prenaient place allongés à la façon des rayons d'un demi-cercle, dont la table elle-même formait en creux le centre, tout un dispositif était prévu pour assurer le confort et la propreté de ce *refrigerium* (à la fois « rafraîchissement » et « restauration »), nom qu'on donnait à ces agapes de communion avec les morts. Souvent, leurs noms, écrits sur le pavement de mosaïque qui garnissait la table, les rendaient encore plus présents aux banqueteurs. Il arrivait à ces pieux festins de tourner à l'orgie[a], voire à la rixe entre convives un peu trop échauffés, et l'on a naguère mis au jour, à Tipasa, en Algérie, une inscription mosaïquée où les participants au banquet se mettaient eux-mêmes en garde contre les excès et s'exhortaient à la sagesse[9].

La pratique de Monique, elle, était paisible, « conviviale » au sens vrai du terme, et discrète. La *meribibula* de Thagaste n'était pas retombée dans son petit travers de jeunesse[b] : elle se contentait de faire circuler de tombe en tombe, outre une corbeille de sobres victuailles – de la bouillie et du pain –, une petite coupe où du vin coupé d'eau était partagé avec les fidèles présents[c]. Cela du moins en Afrique, car à Milan le gardien du cimetière ne la laissa pas passer en cet équipage. Il agissait sur instructions de son évêque, qui avait interdit ces pratiques, non seulement pour ôter toute occasion à l'ivrognerie en ces lieux, mais aussi et peut-être surtout parce que ces agapes continuaient les *Parentalia* païens, originellement célébrés pendant une neuvaine à la fin de l'hiver, en février. Au plus fort de son combat contre les essais de retour offensif du paganisme, Ambroise ne pouvait se permettre de tolérer ce qui risquait d'en apparaître comme un héritage ou une survivance.

Monique, après avoir fait retour sur elle-même, s'était conformée sans difficulté aux consignes d'un évêque de qui elle était au demeurant prête à tout accepter, tant elle en espérait le salut de son fils. Ce qu'elle dépensait naguère en provisions en l'honneur des morts, elle l'avait transformé en aumônes pour les plus pauvres des vivants. Le plus important pour nous peut-être est que cette interdiction aisément acceptée avait été entre Monique et Ambroise la première

---

a. C'est le motif, entre autres, invoqué par Ambroise pour y mettre fin à Milan : *Conf.*, VI, 2.

b. Cf. *supra*, p. 27.

c. *Conf.*, VI, 2.

occasion d'une relation en « demi-teinte » entre un grand évêque et cette « fidèle de la base » qui se trouvait être aussi la mère d'Augustin. Probablement un peu plus tard, l'attention d'Ambroise avait été de nouveau attirée sur elle, de façon indirecte, et cette fois-ci par Augustin lui-même, à propos d'un scrupule de sa mère dont il ne s'est pas fait l'écho dans les *Confessions*. Monique avait, selon l'usage de l'Église africaine, coutume de jeûner le samedi ; mais elle s'était aperçue que cet usage n'était pas suivi à Milan, et elle était perplexe. Pour la tirer d'embarras, Augustin avait interrogé Ambroise, lequel lui avait répondu en feignant de considérer qu'il posait la question pour lui-même, alors qu'il était alors fort loin d'être concerné. « Quand je suis ici, avait-il répondu, je ne jeûne pas ; quand je suis à Rome, je jeûne le samedi ; où que tu sois, respecte l'usage local, si tu ne veux être à personne sujet de scandale[a]. »

En fait, Ambroise n'avait pas été dupe et il avait parfaitement compris qu'en cette affaire le jeune rhéteur avait servi d'intermédiaire entre lui-même et une fidèle modeste, mais qu'il connaissait déjà assez par son assiduité pour en vanter au fils – non sans peut-être quelque malice – les qualités et la piété[b]. Tout de même que Monique comptait sur l'évêque pour assurer la conversion de son fils, Ambroise misait peut-être secrètement sur une telle mère pour l'aider à sortir Augustin des incertitudes dans lesquelles il le voyait encore enlisé. Il ne savait pas alors que la crise se résoudrait un an plus tard tout autrement qu'il pouvait l'espérer et que Monique en avait le désir, elle qui associait toujours dans ses souhaits pour son fils vie chrétienne et réussite temporelle.

LES PERPLEXITÉS D'AMBITION

« J'aspirais avidement aux honneurs, aux profits, au mariage[c] »... Augustin était venu à Milan pour réaliser ses ambitions de carrière, accessoirement pour progresser dans la voie entrevue depuis la lecture de l'*Hortensius* douze ans auparavant. Pour Monique, comme on vient de le dire, les deux devaient aller de pair. La chrétienne, en elle, donnait sans doute le pas à la sanction ecclésiale des progrès spirituels qu'elle sentait chez son fils, mais la mère

---

a. *Ep.* 36, 32 (lettre d'Augustin au prêtre Casulanus) ; cf. aussi *Ep.* 54, 3.

b. *Conf.*, VI, 2 : « Souvent, m'apercevant, il ne pouvait s'empêcher de me la vanter, me félicitant d'avoir une telle mère. »

c. *Conf.*, VI, 9.

n'était pas moins attachée à ses succès sur cette terre. Parmi les grands de ce monde qu'elle apercevait d'un peu loin à Milan, il n'en manquait pas, du côté chrétien, pour lui donner de bons exemples de dignitaires qui avaient su concilier les exigences de la foi avec celles de leur carrière, comme Ambroise lui-même avant son épiscopat, ou comme Probus et Manlius Theodorus. Cette double réussite passait par le mariage, un beau mariage, bien sûr. Et cette mère qui, effrayée par les effervescences de son Augustin en sa seizième année, s'était cependant refusée à envisager de les canaliser dans un mariage trop précoce pour n'être pas le tombeau de ses espérances[a], aspirait maintenant à l'« établir », bourgeoisement, et si possible mieux encore. Il n'y avait pas là la moindre contradiction. Monique était une femme cohérente et volontaire dans la poursuite des buts qu'elle s'était assignés.

Dans son esprit, le mariage, condition sociale de la réussite d'Augustin, devait être suivi du baptême, condition de son salut. Si vif était son désir de voir ce fils prendre femme dans un milieu conforme à ses ambitions qu'elle en venait – avec l'accord d'Augustin et même, si on le lit bien, sur sa demande – à solliciter sur ce sujet une révélation divine, en mettant en œuvre une sorte de théurgie matrimoniale dont elle était la première à reconnaître l'insuccès : « Chaque jour, sur ma demande et selon son désir, elle te suppliait avec un cri passionné du cœur de lui montrer en songe quelque chose sur mon prochain mariage. Jamais tu n'y as consenti. Elle voyait des images fantastiques, irréelles, comme en engendre la force vive de l'esprit humain quand il s'acharne sur un sujet ; elle me les racontait, mais sans y mettre la confiance qui lui était habituelle lorsqu'elles venaient de toi ; elle n'en faisait qu'un cas médiocre[b]. »

Il n'est donc pas surprenant que, faute d'une aide divine, elle ait pour parvenir à ses fins incité, sinon contraint, Augustin à une séparation qui fut pour lui une très douloureuse blessure, et dont les conditions heurtent nos sensibilités modernes. Pour dire la chose en un mot qui ne soit pas infidèle à la façon dont l'intéressé lui-même la rapportera plus tard, la compagne qui partageait son lit depuis seize ans, dans un concubinat que le droit romain comme l'Église considéraient comme un « mariage de fait », était devenue un obstacle au mariage projeté ; elle fut donc priée de faire place nette pour une alliance avec une famille plus reluisante. Ce qu'on sait de la banalité, alors, d'une telle pratique ne la rend pas moins choquante, quand son bénéficiaire s'appelle Augustin. On a pu imaginer

a. Cf. *supra*, p. 40.
b. *Conf.*, VI, 23.

que la famille de la jeune promise avait fait de la répudiation de sa compagne la condition de son consentement [10] : une explication certes plausible, mais qui n'exonère pas Monique et son fils du poids de cet acte. On a aussi émis l'hypothèse d'un pieux complot entre Monique et la mère d'Adeodatus, celle-ci s'étant peut-être spontanément effacée [11]. Mais on ne lit rien dans les *Confessions*, ni ailleurs, à l'appui de cette consolante supposition, qui ne fait au demeurant qu'auréoler la compagne de l'éclat d'un beau rôle, par un sacrifice librement consenti.

Déchirement supplémentaire, lui fut imposé le sacrifice, immense, de repasser la mer sans son enfant. « Elle était, dira Augustin, repartie pour l'Afrique, en faisant [à Dieu] le vœu de ne plus connaître d'autre homme à l'avenir, et en laissant auprès de moi l'enfant naturel que j'avais eu d'elle, mon fils [a]. » S'il s'était agi d'une fille, elle aurait eu une chance de la ramener avec elle au pays : il y a à cet égard, à travers les époques et les cultures, de solides permanences. Plus précisément, en l'occurrence, la mère vouée à la continence aurait élevé sa fille dans une perspective de consécration religieuse, et tout aurait été dit ; tandis que dans le contexte de réussite temporelle où se situait toujours Augustin, à la jeune existence d'Adeodatus, un « garçon qui promettait », autant et plus que son père au même âge, tous les atouts devaient être ménagés – ce qui, sans même parler du poids des sentiments du père, excluait un retour en Afrique dans l'obscurité du milieu maternel.

Un événement si lourd est rapporté ici sur le ton d'une émotion tellement contenue, avec une telle retenue dans la discrétion qu'on en est surpris. Notre époque friande de repentances en tout genre ne peut qu'en être frustrée. Il faut cependant avoir présent à l'esprit que lorsqu'il écrivait ces lignes, un peu avant 400, Augustin gardait la plaie vive d'une perte encore plus douloureuse, dont il partageait le malheur avec son ancienne compagne, celle de ce fils, précisément : Adeodatus était mort prématurément, peu après le retour en Afrique, en 389/90. Le silence n'est pas l'oubli, mais il est parfois la seule médecine d'un cœur blessé. Nous avons dit plus haut notre sentiment sur l'anonymat jeté sur la mère d'Adeodatus comme une chape, au mieux comme un voile de consécration [b]. À l'époque où il rédigeait les *Confessions*, ou un peu avant, le père d'Adeodatus lui avait cependant rendu hommage, toujours sans la nommer : « Voici, écrivait-il, un homme et une femme ; il n'est pas le mari d'une autre femme, ni elle l'épouse d'un autre homme. Ils ont des

---

a. *Conf.*, VI, 25.
b. Cf. *supra*, p. 51.

rapports charnels non en vue d'enfants à procréer, mais seulement pour satisfaire leur concupiscence ; ils ont pris cependant l'engagement réciproque de n'avoir pas de relations, lui avec une autre femme, elle avec un autre homme. Peut-on appeler mariage leur union ? Oui, certes, à la rigueur et sans absurdité, si leur engagement vaut jusqu'à la mort de l'un des deux, et si tout en ne recherchant pas dans leurs rapports la génération, ils ne la fuient pas[a]. » On ne pouvait reconnaître plus clairement la qualité de mariage au long concubinage qu'il avait vécu lui-même avec la mère d'Adeodatus, ni confesser non moins clairement que la responsabilité de la rupture d'un tel « mariage » lui incombait, à lui Augustin.

Il n'est point besoin de lire entre les lignes des *Confessions* pour comprendre que l'entente physique et affective qui liait Augustin à sa compagne ne faisait pas de lui l'agent le plus actif dans la recherche d'un autre statut familial. « On insistait sans relâche, dira-t-il, pour me faire contracter mariage » ; et on le voit préciser ce « on » : « Déjà je faisais ma demande, déjà je recevais promesse, *grâce surtout aux efforts de ma mère*[b]. » Et c'est certainement Monique qui avait été le principal artisan de cette « négociation matrimoniale », au terme de laquelle Augustin s'était vu « fiancé » avec une promise encore bien jeunette : « Il lui manquait encore près de deux ans pour être nubile ; mais, comme elle plaisait, on attendait[c]. » La fiancée était donc alors une petite demoiselle d'une douzaine d'années, qui « plaisait » sans doute surtout par son rang social et ses « espérances » – mais peut-être était-elle « plaisante », par-dessus le marché ! L'ex-fiancé, revenu de tout projet matrimonial, tracera un an plus tard dans les *Soliloques* le portrait de l'épouse idéale : « Belle, pudique, de bonnes manières, instruite ou capable de l'être, avec une dot suffisante pour permettre à son mari d'envisager sans difficulté un *otium* studieux[d]. » Il n'y a guère que la spécificité de l'« *otium* studieux » pour distinguer ce vœu de celui de tous les maris en puissance dans le cadre de ces mariages « arrangés » qui étaient alors de règle pour assurer la cohésion économique et sociale dans les hautes classes, et le sont encore aujourd'hui dans les conventions de maintes cultures, avec, soit dit en passant, un taux non négligeable de vraies réussites conjugales.

Il n'était donc que d'attendre. Mais Augustin, en cette attente, n'avait pas attendu ! « Moins amoureux du mariage qu'esclave du

---

a. *De bono coniugali*, V, 5.
b. *Conf.*, VI, 23.
c. *Conf.*, VI, 23.
d. *Soliloques*, I, 17 (hiver 386-387).

plaisir », il s'était entre-temps procuré une autre femme ; mais cette autre liaison, qui dura peu, n'eut pas le pouvoir de refermer la plaie laissée béante par le départ de la mère d'Adeodatus[a]. Et, pour son seul assouvissement physique, sans grand profit affectif, avec pour unique résultat une banalisation en soi dégradante de sa vie sexuelle, il s'était mis dans la situation d'adultère qu'il décrira plus tard : « Si un homme se met pour un temps avec une femme jusqu'à ce qu'il trouve à en épouser une autre recommandable ou par son rang ou par ses richesses, il est adultère dans son cœur, non vis-à-vis de celle qu'il désire trouver mais vis-à-vis de celle qui partage sa couche.[b] »

L'attachement d'Augustin pour sa compagne n'était pas le seul frein à l'avoir maintenu dans une relative inertie, dans ce projet de mariage, comme en tout autre domaine qui ne fût pas l'exercice de son métier au jour le jour. Dire qu'il était partagé est peu dire : en cette année 385, toute prise de décision qui engageât véritablement l'avenir lui paraissait impossible. Quelques phrases des *Confessions* font superbement le point des incertitudes au milieu desquelles il flottait alors. « J'avais déjà trente ans, pataugeant toujours dans la même fange, avide de jouir d'un présent qui me fuyait et me dispersait, tandis que je me disais : "Demain je trouverai, l'évidence m'apparaîtra et je m'y tiendrai. Faustus viendra et m'expliquera tout. Ô grands hommes de l'Académie, ne peut-on rien saisir de certain pour la conduite de la vie ? Mais non, cherchons avec plus de soin et ne désespérons pas. Voici déjà que n'est plus absurde dans les livres de l'Église ce qui paraissait absurde : on peut les interpréter autrement, et favorablement. Je fixerai mes pas sur le degré où, enfant, mes parents m'avaient placé, jusqu'à ce qu'une claire vérité m'apparaisse. Mais où la chercher ? Quand la chercher ? Ambroise n'a pas le temps, et moi je n'ai pas celui de lire. Et où chercher les livres ? Où et quand nous les procurer ? À qui les emprunter ? Que du temps soit réservé, des heures mises de côté pour le salut de notre âme ! Une grande espérance s'est levée : la foi catholique n'enseigne pas ce que nous pensions, ce dont nous l'accusions à tort[c]." »

Acceptons de considérer que ces lignes écrites quelque quinze ans plus tard retracent de façon véridique les perplexités de la première année milanaise, même si leur apparent raccourci peut nous étonner. Certes, Faustus ne viendrait plus et les philosophes de l'Aca-

---

a. *Conf.*, VI, 25 : « *Procuraui aliam* », peut-être une concubine esclave : c'était la solution de facilité.

b. *De bono coniugali*, V, 5.

c. *Conf.*, VI, 18.

démie étaient déjà derrière lui, mais l'ironie sur soi-même n'effaçait pas toutes les traces subsistantes des erreurs anciennes ou récentes. Oui, les premiers sermons entendus d'Ambroise avaient levé les hypothèques qui pesaient sur l'Ancien Testament, et commencé d'asseoir sur une base intellectuelle acceptée la foi bien fragile héritée de l'enfance. Mais le temps manquait, et peut-être aussi les livres, pour progresser dans cette voie, et Ambroise, trop occupé, n'était guère disponible. Et comme jadis Hercule hésitant entre le vice et la vertu, Augustin balançait encore entre l'espérance chrétienne qu'il commençait d'entrevoir et les charmes de cette vie dans le siècle qui se proposaient maintenant à lui : « Mais attends un peu ! Elles sont agréables elles aussi, les choses d'ici-bas ; elles ont leur douceur, qui n'est pas mince. Il ne faut pas à la légère rompre l'élan qui nous porte vers elles, car il serait humiliant d'y faire retour ensuite[a] ! »

Dans le petit cercle d'Africains qui gravitaient à Milan autour d'Augustin, on était dans les mêmes tribulations d'esprit ; c'était aussi le lot d'Alypius et de Nebridius, les intimes : « Il y avait là les bouches de trois affamés, qui s'inspiraient mutuellement leur faim[b]. » Mais avec des nuances. Alypius en particulier affichait sa différence : il était des trois le plus séduit alors par cette idée d'une vie communautaire dédiée à la recherche de la sagesse qui commençait à prendre corps entre les amis, et pour cette raison il était très hostile au mariage projeté par Augustin, lui répétant sans cesse qu'il n'y avait pas pire obstacle. Il n'avait pas grand mérite à le dire, car apparemment la chasteté ne lui pesait guère : ce n'était pas lui qui, de la position d'Ambroise, aurait regretté le célibat, alors que ce célibat paraissait à Augustin si pénible[c]. Alypius adolescent avait eu l'expérience de l'amour physique, mais il s'en était vite dépris, n'en avait pas gardé de bons souvenirs et vivait depuis dans la continence[d] ; et il regardait son ami, « pris dans la glu de la volupté », un peu comme un phénomène, au point qu'Augustin s'était cru obligé de lui expliquer qu'il y avait une belle marge entre les pleines délectations de la liaison qu'il vivait lui-même et les quelques plaisirs furtifs dont un lointain souvenir rendait le mépris facile à Alypius. La démonstration avait été si convaincante, paraît-il, qu'Alypius, à entendre Augustin parler si bien des joies du mariage, en était venu

---

a. *Conf.*, VI, 19.
b. *Conf.*, VI, 17.
c. *Conf.*, VI, 3 : « Il n'y avait que son célibat qui me paraissait chose pénible. »
d. *Conf.*, VI, 21.

à le désirer lui-même, non par l'effet d'une sensualité dont il était décidément dépourvu, mais par pure curiosité[a] !

Entre-temps, le petit monde des Africains de Milan proches d'Augustin s'était un peu dilaté. Navigius avait rejoint son frère et leur mère, s'il n'était pas déjà venu lui aussi dans les bagages de Monique, au printemps de 385. Et comme les cousins, Rusticus et Lartidianus, apparaîtront bientôt eux aussi, présents au plus tard lors de la « retraite » de Cassiciacum[b], c'est au sens large le cercle familial de Thagaste qui se trouvait reconstitué autour d'Augustin : on accourait auprès de l'enfant du pays qui avait réussi. C'est probablement encore en cette année 385 que Romanianus, le protecteur et le bailleur de fonds de toujours, s'était lui aussi rendu à Milan, attiré non par les succès de son ami et protégé – encore que ces succès le payassent de tant de soins –, mais par le souci de régler à la cour impériale de graves difficultés d'affaires[c]. Probablement aussi était-il accompagné dès lors de son fils Licentius, que l'on verra également suivre les débats de Cassiciacum l'année suivante. Avec l'aide de sa fortune, encore considérable, en dépit de récents revers qui le préoccupaient, Romanianus était un allié de poids dans ce projet de communauté que caressaient Augustin et Alypius ; et de fait c'est grâce à lui – et à Verecundus – qu'il se réalisera pendant quelques mois dans l'actuelle campagne lombarde. Peut-être avait-il été inspiré à Augustin par ce qu'il savait alors d'un « monastère » manichéen récemment fondé à Rome par son hôte et ami, l'« auditeur » Constantius ; et Romanianus était encore lié au manichéisme par un attachement persistant[12]. Quoi qu'il en soit, les amis avaient poussé assez loin leurs plans. Ils avaient ainsi déjà prévu que les biens dont chacun des participants disposait en propre seraient mis en commun, pour ne plus former qu'un seul patrimoine. La communauté semblait pouvoir rassembler une dizaine de membres : chaque année deux d'entre eux seraient désignés comme des magistrats pour la gérer, les autres étant déchargés de tout souci matériel. Mais ce beau projet élaboré par des hommes capota quand leurs auteurs en vinrent à se demander si leurs femmes – plusieurs d'entre eux étaient alors mariés et d'autres, comme Augustin, aspiraient à l'être – y consentiraient. Poser la question, c'était déjà y répondre, apparemment ! On n'en parla plus[d].

---

a. *Conf.*, VI, 22.
b. Cf. *Beata u.*, I, 6.
c. *Conf.*, VI, 24 ; *Acad.*, II, 4 : ce texte fait état des procès dans lesquels Romanianus était alors engagé.
d. *Conf.*, VI, 24. Le mot employé par Augustin pour désigner leurs compagnes

Au milieu de ses perplexités, et même si provisoirement l'idéal d'une vie philosophique menée en commun se révélait chimérique, Augustin avait du moins le réconfort de ses discussions avec ses deux plus solides amis, ses plus fermes soutiens intellectuels, Alypius et Nebridius. Par exemple, il discutait avec eux des « termes extrêmes des biens et des maux » – c'est le titre d'un traité de Cicéron –, et il confessera que dans ce vaste débat où toutes les doctrines du monde antique s'étaient affrontées il aurait volontiers donné la palme à Épicure, s'il n'avait cru qu'après la mort existait une vie pour l'âme, avec la sanction et la rétribution de ses actes, ce que ce dernier rejetait [13]. Mais il ne se séparait pas d'Épicure en caressant l'idée – conçue comme irréelle et exprimée sur le mode irréel – que nous serions bienheureux si nous étions immortels et que notre vie s'écoulait dans une perpétuelle volupté du corps, sans aucune crainte de la perdre. C'était contradictoire, il le savait, et il ne se dissimulait pas qu'en dépit de quelques « échappées métaphysiques » – comme cette croyance, ci-dessus mentionnée, à la vie de l'âme après la mort – il était toujours prisonnier d'un matérialisme dont la tyrannie lui devenait pesante et honteuse maintenant qu'il avait, comme il le disait, dépassé l'« adolescence [a] ». Il avait pourtant commencé à s'en affranchir : par exemple, il y avait longtemps qu'il s'était défait d'une conception anthropomorphique de Dieu [b], mais il cherchait toujours à s'en faire une « idée », presque nécessairement plus proche de l'image que du concept ; et comme il se figurait Dieu comme un « être immense, qui pénétrait toute la masse de l'univers, et que toutes choses possédaient », il lui fallait admettre que le corps d'un éléphant contenait plus de Dieu que celui d'un moineau, puisque l'éléphant est plus grand et tient plus de place [c] ! Et toujours aussi lancinante se posait à lui l'interrogation majeure, à laquelle il avait cru douze ans auparavant trouver une réponse toute faite dans la doctrine manichéenne : d'où vient le mal [d] ? Le rejet d'un dualisme commode le laissait encore pour l'instant sans solution.

---

est *mulierculae* : de « faibles femmes », incapables d'être à la hauteur de ce grand dessein !

a. *Conf.*, VII, 1 : « *Iam mortua erat adulescentia mea mala et nefanda, et ibam in iuuentutem.* »

b. *Ibid.*

c. *Conf.*, VII, 2.

d. *Conf.*, VII, 7 : « *Et quaerebam unde malum, et male quaerebam et in ipsa inquisitione non uidebam malum.* »

Chapitre X

386 : la conversion de l'intelligence

À l'automne de l'année 385, Augustin est milanais depuis un an. Ses succès professionnels sont indéniables ; avec le mariage projeté, la réussite sociale qui se profile ne l'est pas moins. Sur « les voies larges et battues du siècle[a] », c'est une marche triomphale. Sur la voie que l'*Hortensius* lui avait montrée dans sa vingtième année – et qui sera bientôt la voie du Seigneur[b] –, il piétine encore. Et c'est alors que tout s'accélère, en quelques mois. Quelque effort que l'on fasse pour aérer une chronologie difficile à préciser dans le détail, moins d'une année s'écoulera avant qu'Augustin sorte des impasses où il s'était engagé.

L'état d'âme d'Augustin à quelques mois de sa « délivrance » est sans doute difficile à saisir, surtout pour un homme de notre temps. Le grand intellectuel qu'il était avait eu, de Carthage à Milan, en passant par Rome, accès à tous les courants de pensée du monde antique préchrétien, le plus souvent par le truchement de Cicéron, mais aussi par le commode intermédiaire de ces « doxographies », ces recueils d'opinions et de positions philosophiques qu'il semble avoir surtout consultés pendant ses années carthaginoises[c]. Sur ce qu'avaient pensé les maîtres de l'époque hellénistique du souverain bien, et des fins dernières, c'est-à-dire de la meilleure manière pour l'homme de conduire sa vie sur cette terre, il en savait presque autant qu'avaient pu en savoir en leur temps un Sénèque ou un Tacite[1]. Il avait enfin, après en avoir, non sans risque[d], éprouvé la tentation, surmonté le scepticisme de la Nouvelle Académie. Pour un « honnête

---

a. *Conf.*, VI, 24.
b. *Conf.*, VI, 26 : « *et constitues nos in* tua uia ».
c. Cf. *supra*, p. 82.
d. Cf. *supra*, pp. 94-95, et *Contra Acad.*, II, 23 : « Cela m'avait rendu paresseux et tout à fait indolent. »

homme » de l'époque classique, et même de l'espèce la plus exigeante, celle qui attendait de la philosophie la définition d'un mode de vie ici-bas, c'eût été largement suffisant.

Mais, comme beaucoup d'hommes de l'Antiquité tardive, païens aussi bien que chrétiens, Augustin avait la préoccupation de son salut. C'était elle, plus encore qu'une réponse espérée à des interrogations spéculatives, qui l'avait fait entrer dans l'« Église » de Mani, choix qui avait lourdement pesé sur son évolution spirituelle pendant une dizaine d'années. Il devait surtout à sa rencontre avec Ambroise, dès la fin de 384, une première « actualisation » d'un christianisme en lui latent – ou virtuel –, faiblement nourri de souvenirs d'enfance [a] et de pratiques non intériorisées. Il était maintenant non seulement tenu en bride par les « attraits d'une femme et des honneurs [b] » – les *impedimenta* « mondains » –, mais égaré par les brumes d'un « cœur encrassé [c] ». Cet « encombrement de l'esprit [2] » tenait à sa réplétion par des images qui l'obnubilaient. Au début du livre VII des *Confessions*, analysant rétrospectivement avec une grande acuité ses errements d'alors, il dira que son « cœur » protestait violemment – mais en vain – contre les « phantasmes » de son imagination, et qu'il s'évertuait en pure perte à chasser de son esprit, comme on le ferait d'une volée de moustiques, « l'essaim tumultueux et tournoyant des images impures [d] ». Mais déjà, dans un texte qui date de son *otium* chrétien à Thagaste, il en avait tiré la leçon à l'usage de Romanianus, à qui ce texte était dédié : « Qu'il soit pour toi entendu, écrivait-il en 390, que l'erreur religieuse serait impossible si l'âme n'honorait pas comme son Dieu une âme, ou un corps ou ses propres phantasmes [e]. » En cet état d'« encrassement » de l'âme, une seconde et forte impulsion de progrès spirituel lui était venue d'Ambroise, à la suite d'une première phase, peu après son arrivée à Milan, où il avait écouté l'évêque, non sans fruit, mais de façon plus attentiste.

On a vu plus haut que Monique, fidèle de pratique assidue, était un trait d'union de fait entre l'évêque qui attendait patiemment qu'Augustin se découvrît et ce fils incertain de lui-même qui s'avançait un peu masqué au-devant du pasteur. Par sa mère, Augustin était

---

a. Auxquels la parole d'Ambroise avait redonné crédit : cf. *Conf.*, VI, 5 : « *Gaudebam, deus meus, quod ecclesia [...] in qua* mihi *nomen Christi* infanti *est inditum non saperet* infantiles nugas. »

b. *Beata uita*, I, 4 : « *Ne in philosophiae gremium celeriter aduolarem*, uxoris honorisque illecebra detinebar. »

c. *Conf.*, VII, 2. « Cœur » est à prendre ici au sens biblique et quasi pascalien.

d. *Conf.*, VII, 1.

e. *De uera religione*, 18.

évidemment au courant de tout ce qui se passait dans les milieux chrétiens et dans les églises de Milan. Or, il s'y passait beaucoup de choses, et de la plus haute importance.

UN PRINTEMPS MILANAIS

Milan était en ces années en butte à un contrecoup local de l'arianisme condamné au concile de Constantinople en mai 381, et interdit au moins en Orient par un décret impérial de Théodose. C'est ainsi que l'évêque arien de Durostorum, une ville de Mésie inférieure sur le Danube (aujourd'hui Silistra, à la frontière roumano-bulgare), était allé chercher fortune à Milan avec l'appui de l'impératrice mère, Justine, dont on sait qu'elle était elle-même de confession arienne. Le conflit, en germe dès l'arrivée de cet évêque concurrent, surgit au printemps de 385, sans doute à l'occasion des baptêmes du temps pascal, quand Justine, devenue régente entre-temps, exigea d'Ambroise qu'il cédât à la communauté arienne et à son évêque – aux yeux d'Ambroise un demi-Barbare, par surcroît – une basilique *extra muros*, la *basilica Portiana*. La résistance d'Ambroise, appuyé par une émeute populaire qui grondait aux portes du palais où il tenait tête à Justine, fit provisoirement reculer la régente. Mais cette « Catherine de Médicis de l'arianisme [3] » était tenace. Elle fit promulguer le 23 janvier 386 une loi aux termes de laquelle la liberté de culte était octroyée aux tenants de la foi « homéenne [a] » définie par le concile de Rimini en 359, et confirmée en 360 à Constantinople ; de plus, quiconque entraverait cette liberté de culte devenait passible de la peine de mort [b].

Cette dernière menace relevait surtout de l'intimidation, mais la Cour s'était donné les moyens légaux de faire plier Ambroise. L'évêque arien, Auxence [4], demandait une basilique pour Pâques. La Cour proposa à l'évêque catholique de faire trancher le différend par un jury d'honneur devant le consistoire impérial. Le refus d'Ambroise, fort de son accession tout à fait légitime à la chaire épiscopale de Milan et de la solidarité de la communauté catholique de la ville, très majoritaire, rendit l'affrontement inévitable. Il culmina une semaine entière, du vendredi 27 mars, avant-veille des Rameaux, au jeudi saint, le 2 avril 386 [5]. Ambroise a rapporté par le menu ces journées de luttes dans une lettre à sa sœur Marcellina [c].

---

a. Du grec *homoios*, « semblable », exprimant la similitude des « personnes » de la Trinité divine, plutôt que leur consubstantialité selon le *credo* de Nicée.

b. *C. Th.*, XVI, I, 4.

c. AMBROISE, *Ep.* 20, 25-26.

Dès le mois de février, il s'était enfermé dans la *basilica Portiana* (sans doute l'actuelle basilique San Lorenzo) avec la foule des fidèles, comme pour y soutenir un siège. Le 27 mars, la Cour tente une diversion : on vient lui réclamer, non plus la *Portiana*, hors-les-murs, mais la grande basilique Neuve, *intra muros* ; Ambroise refuse. Le lendemain, samedi 28, le préfet du prétoire en personne se rend à la cathédrale où Ambroise officiait ; il se rabat sur la *Portiana*, objet de la demande initiale : même refus de l'évêque, aux acclamations de ses ouailles déjà en effervescence. Le lendemain encore, dimanche des Rameaux, le 29 mars, alors que l'assaut de la *basilica Portiana* est décidé par la Cour, la ville entière se soulève ; la foule occupe la basilique Neuve, tandis que dans la *Portiana* assiégée Ambroise tient bon, jouant du nationalisme milanais contre les soldats goths chargés du maintien de l'ordre, catholiques, eux-mêmes, pour la plupart, et vite retournés quand l'évêque les menace d'excommunication. La crise atteint son apogée le jeudi saint 2 avril. Ambroise se rend à la *Portiana* dès l'aube, tandis que la grande basilique est occupée par une foule de fidèles à laquelle l'évêque envoie quelques prêtres pour pouvoir rester lui-même dans le lieu de culte menacé, toujours assiégé par la troupe, mais sur lequel la pression devient moins forte, des soldats faisant défection et se joignant aux fidèles d'Ambroise. L'évêque passe la nuit dans l'église parmi eux, maintenant leur courage par ses prêches, chantant avec eux hymnes et psaumes. Le lendemain, vendredi saint, la Cour capitule.

Augustin était bien placé pour savoir dans le détail ce qui se passait, car Monique était du nombre des fidèles qui opposaient leur résistance passive à la volonté de l'impératrice régente. « Tandis que la nuit, écrira-t-il, le peuple fidèle montait la garde dans l'église, prêt à mourir avec son évêque, ma mère était là, aux avant-postes de l'inquiétude et de la veille, et elle vivait de prières[a]. » Et il ajoutera que ce fut à cette occasion, pour empêcher le peuple de sécher de tristesse et d'ennui, que pour la première fois en Occident on se mit à chanter hymnes et psaumes à la mode de l'Orient chrétien. À ceux qui lui reprochaient d'exciter le peuple et même de l'ensorceler par ses hymnes, Ambroise répondait qu'il y avait une sorte de magie dans un chant où chaque jour on proclamait la Trinité[b]. Nul doute non plus que Monique n'ait été présente aux grandes fêtes qui suivirent peu après, du 17 au 19 juin, l'invention des reliques des saints martyrs Gervais et Protais, découvertes à point

---

a. *Conf.*, IX, 15.
b. Donc le symbole d'une foi véritablement trinitaire opposée à l'arianisme : *Contra Auxentium*, 34.

nommé par Ambroise pour « faire ratifier par le ciel son opposition à la régente hérétique[6] ». Et le ciel de fait était avec l'évêque puisqu'un aveugle fut miraculeusement guéri durant le transfert des reliques à la basilique ambrosienne.

Même sans être saisi par la fièvre qui secouait Milan au printemps de 386, il était difficile de rester complètement indemne. « Nous ressentions pourtant le trouble de la cité consternée », dira Augustin. Mais l'événement ne semble pas avoir eu sur lui plus de prise : la façon dont il relate l'invention des reliques indique clairement qu'il n'en a pas été le témoin oculaire, non plus qu'il n'a vu la guérison de l'aveugle ; et, comme on l'a dit avec justesse, le fait même qu'il n'en ait rien dit dans le cours des textes qui relatent les étapes de son évolution intérieure montre assez que toute cette séquence, de la mobilisation populaire de la fin de mars aux fêtes de juin, a eu une influence faible ou nulle sur cette évolution[7]. Augustin devait avoir alors une admiration un peu effrayée pour cet évêque dont la crânerie à l'égard du pouvoir temporel lui en imposait sans doute, tout en l'inquiétant un peu ; car sa propre situation était celle d'un laïc occupant à Milan une charge officielle. Plus tard, évêque de grand prestige, mais dans un diocèse marginal par rapport aux centres du pouvoir, il ne connaîtra pas ces affrontements au plus haut niveau, dont son passé de haut fonctionnaire facilitait la maîtrise à Ambroise. Il aura l'expérience à Hippone des mouvements de foule, mais il ne sera jamais lui-même en position de devoir s'opposer, physiquement autant qu'intellectuellement, à la force publique, en entraînant comme le faisait Ambroise des masses à ses côtés, avec l'impérieux devoir de réussir sans faire couler le sang. Cette épreuve lui sera épargnée[a].

La « conversion » d'Augustin sera-t-elle pour autant une « conversion d'intellectuel individualiste, rebelle aux enthousiasmes et aux mouvements de foule[8] » ? La formule est un peu rebutante en ce qu'elle suggère la quête d'un salut personnel égoïstement menée par un homme de cabinet indifférent aux soubresauts, autour de lui, de la vie collective ; mais, rapportée aux événements milanais du printemps de 386, elle n'est pas fondamentalement fausse. Augustin n'a pas « participé ». L'aurait-il voulu qu'il ne l'aurait pu, puisque, à la différence de sa mère, il ne faisait pas partie de la communauté chrétienne catholique de Milan. Mais, entre la fin de 385 et l'été de 386, il y eut d'autres moments que ces semaines intenses pour être

---

a. Ou il y répugnera, comme à Carthage l'été de 413, quand il s'avouera impuissant, après la mort de Marcellinus, à sauver tous ceux que le comte Marinus avait jetés en prison : cf. *infra*, p. 380.

en contact avec l'évêque. Et nous savons qu'en ces temps plus ordinaires Augustin fut souvent l'auditeur d'Ambroise. « Je l'écoutais chaque dimanche », écrira-t-il[a]. À quoi fait écho ce qu'il écrit déjà, encore très proche des faits, à l'automne de 386 dans le *De beata uita*, lorsqu'il dit « avoir souvent remarqué dans *les propos* [d'Ambroise] que la notion de Dieu exclut toute idée de corps, comme aussi la nature de l'âme, car l'âme est de tous les êtres celui qui se rapproche le plus de Dieu[b]. » Le mot qu'il emploie ici pour rappeler les dires de l'évêque – *sermones* : à la fois « propos échangés » et « sermons » – pourrait suggérer des conversations privées avec Ambroise. Et il lui est arrivé d'en avoir, comme celle destinée à élucider la question du jeûne le samedi, qui tourmentait Monique. Mais ces tête-à-tête furent certainement très rares : l'évêque, au début, l'intimidait, et par la suite il le trouva bien trop occupé pour venir personnellement à son secours[c]. En fait, c'est bien Ambroise en chaire qu'écoutait Augustin.

L'ingéniosité des exégètes s'est donc naturellement tournée du côté des sermons et des traités d'Ambroise attribuables à cette époque, pour y scruter à la fois un contenu susceptible d'avoir influencé Augustin, et des dates compatibles avec les acquis de la chronologie. On voudrait ainsi dater de la fin de l'année de 385, ou du début de 386, les prêches dans lesquels Augustin entendait « souvent » l'évêque répéter le mot de saint Paul : « La lettre tue, mais l'esprit vivifie[9] » (*II Co.*, 3, 6). Mais n'est-ce pas une vaine recherche, dans la mesure où le verset paulinien, avec une telle valeur méthodologique, devait être d'un emploi quasi permanent dans la bouche d'un prédicateur appliqué à l'exégèse spirituelle des textes de l'Ancien Testament ? On comprend que l'auditeur en ait noté les apparitions récurrentes. Il y a sans doute plus de chances de pister véritablement la trace écrite d'un commentaire sur la *Genèse* (1, 26 et 9, 6 : « L'homme a été créé à l'image de Dieu »), dont l'audition comblait d'aise Augustin[d] : c'était l'âme seule, par sa nature spirituelle, qui était l'image de Dieu, et ainsi étaient définitivement réfutées les railleries des manichéens sur ce Dieu chrétien à l'image de l'homme qu'il avait créé et possédant comme lui un corps d'homme. Ce commentaire, avec une référence expresse aux manichéens, se retrouve dans les sermons sur l'*Hexameron* d'Ambroise, dont on admet qu'ils ont été prêchés pendant la semaine sainte de

---

a. *Conf.* VI, 4.
b. *Beata uita*, I, 4.
c. *Conf.*, VI, 3 et 18 ; sur ce dernier texte, cf. *supra*, p. 113.
d. *Conf.*, VI, 4.

386[10]. Et l'une des apories dont Augustin fait état au milieu des perplexités dont il souffrait alors, à propos du libre arbitre comme cause du mal, fait également référence aux sermons de cette même série : « Et je fixais mon attention sur ce que *j'entendais dire*, à savoir que le libre arbitre est la cause du mal que nous faisons[a]. » Il en découle accessoirement que, même sans participer aux veilles et à l'occupation nocturne de l'église, le fils de Monique s'y est tout de même aventuré en qualité d'auditeur pendant cette fameuse semaine.

LE NÉOPLATONISME

Peu après le temps pascal du printemps de 386, en mai ou en juin, Ambroise prêcha une série de sermons – dont le *De Isaac* et le *De bono mortis* –, où l'on a constaté, comme dans le *De Iacob*, prêché précédemment, l'utilisation massive de thèmes qui remontent aux *Ennéades* de Plotin, le penseur favori de l'empereur Gallien qui, au milieu du IIIᵉ siècle, avait développé à Rome, mais en grec, une philosophie originale qui repensait la doctrine de Platon et avait fait de lui le maître de ce qu'on appelle commodément le néo-platonisme[11].

Comme l'a dit en conclusion d'une longue étude le principal auteur de ces rapprochements incontestables, les sermons cités « présentent dans un contexte testamentaire, revues et corrigées selon les dogmes catholiques, les doctrines fondamentales des *Ennéades* sur le souverain bien, l'origine du mal, l'ascension de l'âme vers Dieu jusqu'à l'extase, la patrie céleste, la libération que procure la mort du corps, la vie perpétuelle des Bienheureux[12] ». Or la même méthode des parallèles textuels a mis en évidence, dans des textes d'Augustin datant de cette époque, ou de peu postérieurs (le *Contra Academicos*, les *Soliloques*), ou se référant à elle (les *Confessions*), la présence de thèmes « plotiniens », ou plus largement néoplatoni-ciens, voire platonisants. On identifierait ainsi, avec ces contacts, une troisième phase, encore plus importante que les deux précé-dentes, de l'influence de l'évêque de Milan sur le rhéteur en quête de sa voie. Il n'est cependant pas absolument certain que ce sont les sermons d'Ambroise qui ont initié Augustin à certains aspects essentiels de la doctrine plotinienne – ou du moins peuvent-ils ne pas avoir été seuls à imprégner alors Augustin de platonisme et de néoplatonisme[13] : car en ces mois décisifs du printemps et de

---

a. *Conf.*, VII, 5 ; cf. *Hexameron*, I, 8, 31.

l'été de 386, il a fréquenté à Milan un cercle de « spirituels », païens et chrétiens mêlés, qui a joué tout autant qu'Ambroise son rôle dans l'accélération de son évolution.

Parallèlement à celle d'Ambroise, la forte influence de ce « milieu milanais [14] » n'est pas douteuse. Au premier rang de ceux qui le composaient, Manlius Theodorus, à qui Augustin dédiera bientôt son *De beata uita* . Flavius Manlius Theodorus est le pendant chrétien de ces dignitaires païens, les Symmaque et les Nicomaque Flavien – mais, à la différence de ceux-là, et aussi d'Ambroise, il était d'origine modeste –, capables de mener une vie intellectuelle digne de ce nom de front avec leur carrière dans la haute administration impériale. Après avoir été préfet du prétoire pour les Gaules, il vivait à cette époque-là une retraite philosophique dans son *suburbanum* proche de Milan ; il l'avait mise à profit pour écrire une histoire de la philosophie et divers autres traités dont l'existence nous est au moins connue grâce au poète Claudien, qui écrivit en vers son panégyrique à l'occasion de son consulat en 399 ; car Manlius Theodorus avait repris du service à l'instigation de Stilicon, à la fin du siècle. Nous savons par Augustin lui-même que Theodorus était un fervent disciple de Plotin et, dans le même texte, Augustin le crédite, au même titre qu'Ambroise, de propos édifiants dont il avait bénéficié, sur Dieu et la nature de l'âme [15].

À Milan, Augustin avait dû rencontrer assez tôt, dans l'entourage d'Ambroise, le prêtre Simplicianus, qui succédera à son évêque – bien qu'il fût plus âgé que lui [16] –, après avoir été son mentor. Simplicianus n'avait rien écrit, mais il avait beaucoup lu : des philosophes, en particulier Plotin, auquel il avait été introduit à Rome dans sa jeunesse par Marius Victorinus, qui l'avait traduit en latin. On verra qu'un peu plus tard la conversation qu'eut avec lui Augustin sur la conversion de Marius Victorinus fut l'un de ces « déclics » qui précipitèrent sa propre maturation. Sans doute dès le début de l'été de 386, il avait déjà eu avec Simplicianus une série d'entretiens sur les rapports qu'on pouvait établir entre le système néoplatonicien et le prologue de l'Évangile de Jean ; ce qui facilitera à Augustin le bilan qu'il fera des concordances et des discordances entre néoplatonisme et christianisme. Dans le milieu ecclésiastique milanais, Simplicianus fut plus directement qu'Ambroise l'artisan de la « conversion » d'Augustin.

Plusieurs autres noms se rencontrent encore, non dans les *Confessions*, mais dans les dialogues de l'automne de 386, ou dans les premières lettres d'Augustin qui datent de cette période, de personnages qui semblent avoir fait partie de ce réseau de relations intellectuelles. Ainsi de cet énigmatique Celsinus [17], dont le nom est lié aux « livres platoniciens », puisque dans le *Contra Academicos* Augustin, s'adressant à Romanianus, rappelle que Celsinus qualifiait ces livres de « bien remplis[a] ». On peut lui adjoindre deux correspondants d'Augustin à cette époque, Hermogenianus et Zenobius. Le premier est peut-être Clodius Hermogenianus Olybrius, un grand personnage, collègue d'Ausone au consulat en 379, et fils d'une poétesse chrétienne, Faltonia Proba, avec la famille de qui Augustin sera plus tard en relations épistolaires[b]. À Hermogenianus, Augustin écrivit durant l'hiver de 386-387 la première de ses lettres conservées, en lui demandant son avis sur son interprétation du scepticisme de la Nouvelle Académie dans son *Contra Academicos*. Il fallait donc que son correspondant fût lui aussi quelque peu philosophe ; mais il n'était pas chrétien : dans son milieu, comme on aura l'occasion de le vérifier bien souvent, on laissait aux femmes le soin de s'investir dans la nouvelle religion. Quant à Zenobius, destinataire de la deuxième lettre conservée d'Augustin, un court billet, il semble avoir été alors en service à la Cour, qu'il quitta dans un départ précipité, déploré dans le *De ordine*, un dialogue qui lui est dédié et qu'il avait en quelque sorte suscité, pour avoir écrit et envoyé à Augustin un poème sur l'« ordre[c] ». Il semble que ce soit le même dont Augustin apprendra en 410, par une lettre de son frère Dioscorus, qu'il est devenu *magister memoriae*, une très haute fonction proche de l'empereur[d]. Zenobius, très évidemment, n'était pas chrétien et il « platonisait » lui aussi : c'était ce bain commun du néoplatonisme qui réunissait à Milan les païens et les chrétiens de ce petit cercle intellectuel.

Appartenait-il à ce cercle, et si oui, qui était-il, l'« homme gonflé d'un monstrueux orgueil » qui alors – c'est-à-dire à la fin du printemps de 386 – procura à Augustin « certains livres des platoniciens, traduits du grec en latin[e] » dont nous saurons plus tard que le traducteur n'était autre que Marius Victorinus[f] ? On a tout fait pour tenter de percer l'anonymat de ce mystérieux initiateur. On a pensé à Manlius Theodorus[18], à Porphyre[19] et même à l'énigmatique Celsinus[20]. Peu importe après tout son nom. Une chose est sûre : c'est qu'il n'était pas chrétien, puisque aux yeux d'Augustin il faisait partie de ces « orgueilleux » qui refusent le mystère de l'Incarnation.

a. *Contra Acad.*, II, 5.

b. *Ep.* 130, 131, 150, cette dernière, vers 414, commémorant la prise de voile de Demetrias : cf. *infra*, p. 468.

c. *De ordine*, I, 20.

d. *Ep.* 117 : « *Frater Zenobius magister memoriae factus est.* »

e. *Conf.*, VII, 13.

f. *Conf.*, VIII, 3.

Mais, et c'est cela qui compte, ces livres, sur le moment, firent sur Augustin un effet prodigieux. De nouveau, il ressentait à leur lecture cet embrasement de l'esprit qu'il avait connu à dix-neuf ans à la découverte de l'*Hortensius*. Il a consigné lui-même cette impression en termes forts, et avec des images identiques, dans deux textes chronologiquement très proches de cette « révélation ». « Je me suis enflammé », dira-t-il dans le *De beata uita* (I, 4) ; et, dans le *Contra Academicos* (II, 5), associant Romanianus à son propre enthousiasme, il éprouvera le besoin, en filant un peu la métaphore, de décrire cet embrasement, de dire comment, sur la petite flamme qui couvait encore en eux, « ces livres répandirent les parfums de l'Arabie et distillèrent quelques gouttes de leur précieuse essence : ce fut une chose incroyable, Romanianus, incroyable que l'incendie qui en résulta ». Et là, comme dans le *De beata uita*, il ajoutera que, n'eût été la considération qu'il avait encore pour le modèle que lui proposaient de hauts dignitaires menant dans le siècle, et dans le mariage, une vie de sagesse, il aurait tout planté là et, sans plus attendre, « rompu ses amarres[a] ».

Sur la nature de ces *libri Platonicorum* qui avaient provoqué en lui un tel « choc libérateur[21] », les hypothèses sont allées bon train. Dans sa *Cité de Dieu* – donc après 412, au plus tôt –, Augustin a énuméré ceux qu'il désignait comme « platoniciens » : les Grecs, Plotin, Jamblique, Porphyre, et aussi le bilingue Apulée[b]. Mais de ce dernier il n'est nulle trace dans les premières œuvres, et de Jamblique aucune, nulle part. Dans le *De beata uita*, il est fait état de la lecture d'un « petit nombre de livres de Plotin[c] », tandis que dans le *Contra Academicos* figure l'éloge d'un Plotin si proche de son maître que Platon paraît revivre en lui[d] ; dans les *Soliloques*, enfin, on trouve Plotin étroitement associé à Platon en ce qu'il a écrit sur Dieu[e]. Ce qui faisait très justement conclure à Paul Henry que « de tous les philosophes néoplatoniciens, Plotin seul est cité dans les documents qui nous reportent à l'époque de la conversion d'Augustin[22] ». On s'accorde maintenant à peu près à penser qu'en un premier temps Augustin a lu des textes plotiniens[23] et que, s'il a lu Porphyre, c'est par la suite, et non à Milan ou à Cassiciacum en 386[24].

---

a. *De beata uita*, I, 4, à confronter avec *Conf.*, VI, 19, *in fine*.

b. *Cité de Dieu*, VIII, 12.

c. *De beata uita*, I, 4, où la leçon « Plotini » doit être préférée à « Platonis », qui figure aussi dans la tradition.

d. *Contra Acad.*, II, 41.

e. *Soliloquia*, I, 9.

« JE SUIS RENTRÉ TOUT ENTIER EN MOI-MÊME[a] »

Ce que dit Augustin de son expérience intérieure dans un texte que seuls quelques mois séparent de cette expérience nous assure que le récit qu'il en fait par la suite au livre VII des *Confessions* n'est pas une reconstitution factice, mais le résultat, que nous pouvons tenir pour crédible, d'un « intense effort de la mémoire pour reconstituer véridiquement un climat spirituel de dix ans antérieur[25] ». Ce qu'il a lu dans les « livres des Platoniciens » n'a pas été reçu par lui comme une information intellectuelle, mais a créé en lui les conditions d'un retour réflexif en soi-même, intensément vécu.

« Averti [par ces livres] de rentrer en moi-même, j'entrai dans l'intimité de mon être sous ta conduite... J'entrai, et je vis avec l'œil de mon âme, si faible fût-il, au-dessus de l'œil de mon âme, au-dessus de mon intelligence, la lumière immuable, non pas la lumière ordinaire et visible pour toute chair, ni une lumière de même nature en plus fort, et qui aurait un éclat plus vif et remplirait tout de sa grandeur. Non, ce n'était pas cela, c'était autre chose, bien autre chose que tout cela[b]. » Ainsi commence la relation d'une expérience qu'il est tout à fait légitime d'appeler mystique, formulée avec des mots qui font appel à des thèmes spécifiquement plotiniens, mais librement assumés dans un contexte spirituel qu'on peut déjà dire chrétien[26]. De même Plotin est-il toujours à l'arrière-plan, quand Augustin confesse que cette lumière lui a fait prendre violemment conscience qu'il se trouvait loin de Dieu dans la *regio dissimilitudinis* : « Tu as frappé la faiblesse de mon regard par la violence de tes rayons sur moi, et j'ai tremblé d'amour et d'horreur, et j'ai découvert que j'étais loin de toi dans *la région de la dissemblance*. » Avant d'être plotinien, ce dernier concept remonte à Platon[27] ; mais, dans la perspective néoplatonicienne, il a trait à l'emprisonnement de l'âme dans les réalités sensibles, dans lesquelles elle choit comme dans un bourbier : l'âme entre dans la « région de dissemblance » dans le mouvement qui l'éloigne de l'Être divin[c]. Pour Augustin, à l'inverse, c'est lorsque l'âme se tourne vers Dieu et entre dans sa

---

a. *Contra Acad.*, II, 5.
b. *Conf.*, VII, 16.
c. En ce sens, la *regio egestatis* évoquée par Augustin dans *Conf.*, II, 18, *in fine*, pour caractériser le désert spirituel de son adolescence, est proche de la perspective plotinienne.

lumière qu'elle perçoit sa situation, qu'elle prend conscience de l'abîme qui l'en sépare comme d'une différence ontologique entre la créature et le Créateur. Augustin poursuit en faisant dire à l'Être qui lui envoie cette fulgurante lumière : « Je suis la nourriture des forts : grandis et tu me mangeras ; et tu ne me changeras pas en toi comme l'aliment de ta chair, mais c'est toi qui seras changé en moi », c'est-à-dire en insérant dans le récit de la crise vécue par lui une douzaine d'années auparavant une composante eucharistique qui semble surajoutée. L'expérience mystique culmine peu après. À Augustin qui se lamente – en se souvenant de ses incapacités de naguère à concevoir l'incorporel – et qui demande si « la vérité n'est rien, puisqu'elle ne s'étend ni dans l'espace fini ni dans l'infini », Dieu répond « de loin » comme il avait répondu à Moïse, en lui révélant son « nom d'éternité » : « Mais si ! Je suis, moi, celui qui Suis (*Ex.*, 3, 14). » Et Augustin accueille en mystique cette réponse : « Et j'ai entendu comme on entend dans le cœur, et il n'y avait pas, absolument pas, à douter. »

Voilà déjà un demi-siècle qu'on a tenté de montrer que cette section des *Confessions* – de VII, 16 à 23 – relate non pas une expérience unique, mais une série d'« anabases » spirituelles réélaborées dans le souvenir de l'évêque, que ces « vaines tentatives d'extases plotiniennes » seraient duelles, sinon plurielles[28]. L'appréciation dépend beaucoup de l'œil avec lequel on lit ces textes : celui du « biographe », attentif surtout à retracer différentes phases vécues, ou celui du « phénoménologue », appliqué à retrouver, derrière l'apparente itération des situations, la reprise insistante de la description, d'une part d'un état – l'humaine condition, avec ses faiblesses, même armée de la philosophie et de la mystique néoplatoniciennes –, et d'autre part d'une ascèse, un acte ponctuel et instable. Il faut noter dans ces pages le jeu des imparfaits qui rendent des « permanences » – ou des efforts – et des « parfaits » – nos « passés simples » – qui transcrivent des actes, et parfois une réussite. Ce jeu est remarquable au chapitre 23. Augustin commence par faire état de ses tentatives – vaines, de fait, dans l'ordinaire des jours –, par décrire cette situation d'instabilité qui est souvent le lot du contemplatif : « Cette jouissance que j'avais de mon Dieu n'était pas une jouissance stable : je me sentais entraîné vers toi par ta beauté[29], mais bientôt mon propre poids m'arrachait de toi et je retombais sur le sol en gémissant. Ce poids, c'était mes habitudes charnelles, mais ton souvenir demeurait avec moi »... On a justement souligné[30] que ce schéma d'expérience spirituelle, conjuguant la douceur de l'appel entendu, l'élan de l'essor pris, puis l'amertume de la pesanteur ressentie et enfin la douleur de la chute, se retrouve au livre X des

Confessions, dans une page où le « présent » de la notation, correspondant à l'« imparfait » du souvenir, nous assure que l'instabilité du mystique est restée le lot de l'évêque : « Et quelquefois tu me fais accéder à une profondeur de sentiment qui m'est grandement inusitée et atteint un degré de douceur tel que, s'il atteignait en moi sa plénitude, je ne sais quoi se produirait d'incommensurable avec la vie d'ici-bas. Mais je retombe dans notre monde de pesanteurs navrantes et de nouveau je suis englouti dans l'ordinaire d'une existence qui me tient, et j'en pleure très fort, mais très fort elle me tient[a]. »

Le détachant sur ce fond de tentatives avortées ou imparfaites, dans ce même chapitre 23, Augustin a décrit au passé simple l'un de ces moments éphémères d'ascèse spirituelle réussie à Milan, l'été de 386, non nécessairement unique, mais exemplaire : « Ainsi, par degrés, je montai des corps à l'âme qui sent par le corps, et de là à sa force intérieure, à laquelle les sens corporels communiquent les perceptions extérieures, limites que peuvent atteindre les bêtes ; et de là encore à cette puissance rationnelle qui recueille pour le juger ce que saisissent les sens. Mais cette puissance elle-même, se reconnaissant en moi muable elle aussi, s'éleva jusqu'à l'intelligence d'elle-même, et elle dégagea ma pensée de l'habitude, en la soustrayant à l'essaim contradictoire des fantasmes, pour découvrir de quelle lumière elle était inondée quand elle proclamait sans hésitation qu'il faut préférer l'immuable au muable, et d'où lui venait la connaissance de l'immuable lui-même ; car si elle ne l'eût pas connu de quelque manière, elle ne l'eût d'aucune manière préféré au muable. Elle parvint enfin à l'Être lui-même, dans l'éclair d'un regard frémissant... Mais je ne pus fixer mon regard, et ma faiblesse refoulée me rendit à mes vues ordinaires ; et je ne gardai plus en moi qu'une mémoire amoureuse et qui aspirait à un mets dont j'avais comme perçu l'arôme et que je ne pouvais pas encore manger. »

On retrouve avec cette page le style narratif, au « parfait », déjà employé au début de la relation de la première expérience intérieure, au chapitre 16[b] ; mais elle a par rapport au premier récit sa spécificité propre. D'abord par la mise en œuvre de la dialectique des degrés : l'ascension est ici décrite comme progressive, montant des sens jusqu'à la raison qui les juge, puis de là s'élevant à l'intelligence de soi qui, se pensant elle-même, découvre quelle lumière opérait déjà en elle pour lui faire préférer l'immuable au muable. Et, différence plus importante encore, comme l'a écrit O. Du Roy,

a. *Conf.*, X, 65.
b. *Supra*, p. 127.

« ce qu'Augustin exploite ici systématiquement, c'est cette voie découverte grâce à la première expérience où, rappelé au-dedans de lui, arraché à lui-même, Dieu lui avait frayé le chemin... Au sommet de cette ascension, l'âme entrevoit Dieu, mais ne peut s'y maintenir[31] ».

On retrouvera avec l'« extase d'Ostie » la même montée progressive et la même redescente, avec la forte nostalgie qui l'accompagne. Le climat psychique cependant ne sera pas le même, le soupir qu'Augustin poussera avec Monique ne sera pas le gémissement de l'âme refoulée à cause de sa faiblesse. C'est que le baptême sera survenu entre-temps, qu'Augustin aura appris que la béatitude parfaite n'est pas de ce monde. Ce sera peut-être surtout, comme on l'a écrit, parce que l'expérience d'Ostie se situera « dans un climat de recueillement, de prière et d'humilité qui permettra de surmonter en l'assumant la *dissimilitudo* métaphysique et ouvrira l'âme tout entière à la pénétration de la grâce divine[32] ». En d'autres termes, parce que la conversion de la volonté aura fait suite à la conversion de l'intelligence.

La conversion de l'intelligence

Des néoplatoniciens, Augustin n'avait pas reçu seulement l'incitation à des exercices spirituels. Il avait eu par eux accès à une philosophie qui se trouvait répondre à beaucoup des questions qui se posaient à lui depuis une douzaine d'années ; plus exactement, la rentrée réflexive en soi-même, condition première d'une montée « anagogique » vers le divin, l'avait mis en mesure, après cette saisie fugitive de l'Être, de parvenir grâce à cette illumination à une vision du monde qui allait devenir le socle de sa métaphysique. Bien des articles de cette philosophie, notamment dans ses aspects les plus proprement ontologiques, resteront dans la suite de son œuvre des points fixes de sa pensée, y compris dans sa prédication d'évêque.

Tout naturellement, au livre VII des *Confessions*, le bilan que fait l'auteur de ses nouveaux acquis métaphysiques intervient juste à la suite de sa relation, au chapitre 16, de son appréhension spirituelle de Dieu et de l'âme[33] : « Et j'ai regardé toutes choses au-dessous de toi, et j'ai vu qu'on ne peut dire ni absolument qu'elles sont ni absolument qu'elles ne sont pas : elles sont, à vrai dire, puisqu'elles sont par toi, mais elles ne sont pas, puisqu'elles ne sont pas ce que tu es. Car ce qui est vraiment, c'est ce qui demeure immuablement[a]. » Il y a donc entre les êtres – les « choses » – une hiérarchie de densité ontologique déterminée à partir de l'Être et par dépendance de lui. Dieu est le Bien suprême, et ce qui est corruptible et muable, très au-dessous dans l'échelle ontologique, est bon aussi, en tant que créature de Dieu. Quant au mal, dont l'origine obsédait depuis longtemps Augustin, « il n'était pas une substance, parce que, s'il était une substance, il serait bon[b] ». La bonne question à propos du mal n'était pas : « d'où vient-il ? » mais : « quel est-il ? » comme il la développera peu après dans deux de ses premières œuvres[c]. En quoi Augustin réagissait en bon disciple de Plotin, mais aussi en auditeur d'Ambroise, qui sans doute avait déjà attiré son attention sur cette définition du mal comme privation du bien dans sa prédication du printemps de 386[34].

Privation du bien ou manque d'être, en termes ontologiques, le mal est aussi, quand il s'agit du mal physique, absence de convenance entre certains éléments de la création et certains autres, alors que tous les éléments de cette création sont bons en eux-mêmes et qu'il nous faut accepter la nature telle qu'elle est – « notre terre a son ciel nébuleux et venteux, qui lui convient[d] » –, et aussi bien la vipère et le vermisseau que Dieu a créés bons, en les accordant avec les parties inférieures de sa création[e]. Quant au mal moral – ou mal en nous : *iniquitas* –, il n'était pas, comme un manichéisme commode le lui avait d'abord suggéré[f], une autre nature en nous qui péchait ; non, « ce n'était pas une substance, mais détournée de la suprême substance, de toi, ô Dieu, la perversité d'une volonté qui se tournait vers les choses inférieures, qui rejetait ses biens intérieurs et s'enflait au dehors[g] ». Idées d'origine plotinienne qui, vite modifiées par des apports spécifiquement chrétiens – le Prologue de l'Évangile de Jean, les Épîtres de saint Paul –, complétées par eux et réassimilées à travers eux, constitueront durablement l'armature intellectuelle de la doctrine augustinienne de l'univers, de Dieu et de l'homme[35].

Vers la fin du livre VII des *Confessions*, juste avant la mention de

a. Cet énoncé de *Conf.*, VII, 17 se retrouvera presque inchangé dans *Enarr. in Psalm.* 134, 4.
b. *Conf.*, VII, 18.
c. Cf. le *De mor. manichaeorum*, II, 2 ; à la même époque (388), il répondra à Evodius dans *De libero arbitrio*, I, 6 : « Tu demandes d'où vient que nous agissons mal ; il faut donc d'abord examiner ce qu'est mal agir. »
d. *Conf.*, VII, 19.
e. *Conf.*, VII, 22.
f. Cf. *supra*, pp. 66-67.
g. *Conf.*, VII, 22. Plotin est ici nettement sous-jacent : *Enn.*, V, 1, 1, 4-8.

sa lecture de saint Paul, Augustin a marqué les limites, non pas intellectuelles, mais spirituelles de cette « conversion de l'intelligence », tout en se félicitant d'avoir lu d'abord ces *libri Platonicorum*. « Je bavardais, écrira-t-il, tout à fait comme un fin connaisseur, et si dans le Christ je n'avais pas cherché ta voie, ce n'est pas un homme *fin*, mais bientôt un homme *fini* que j'aurais été[a]... Où était donc en effet cette charité qui édifie sur le fondement de l'humilité, le Christ Jésus ? Et quand donc ces livres me l'auraient-ils enseignée ? Si, avant que j'eusse médité tes Écritures, tu as voulu me les faire rencontrer, je crois que c'est pour que s'impriment dans ma mémoire les sentiments qu'ils m'auraient inspirés et que plus tard je puisse distinguer la différence qui sépare la présomption et la confession, et la différence entre ceux qui voient où il faut aller sans voir par où, et la *voie* qui conduit non seulement à la vue, mais encore à l'habitation de la *patrie* bienheureuse. » Il ajoutera que s'il avait lu ces livres après, et non avant les Écritures, il aurait couru le risque soit d'être écarté par eux de la « voie », soit d'être amené à penser qu'ils étaient tout aussi capables de le mettre sur la « voie ». Ce que le moindre connaisseur d'Augustin ne croira pas facilement.

Dans les *Confessions* encore, rappelant les erreurs manichéennes de sa jeunesse et ses lectures des philosophes qui l'aidèrent à en sortir, et qui lui parurent véridiques, comme les néoplatoniciens traitant du créateur et de sa création, il affirmera : « Même quand les philosophes disaient vrai, j'ai dû les dépasser, pour l'amour de toi[b]. » Et peut-être ainsi n'est-il pas devenu lui-même un philosophe ; ou plutôt ainsi se fait-il qu'après les *Dialogues* de Cassiciacum il n'est pas demeuré un philosophe, au sens classique du mot[36]. Mais s'il était resté au stade où il en était à Milan au début de l'été de 386, après sa lecture des néoplatoniciens, s'il avait continué à soupirer avec eux après la « patrie » fugitivement entrevue, sans pouvoir en trouver la « voie », sans doute n'eût-il été qu'un sous-produit parmi d'autres de ce néoplatonisme finissant[37]. Le « dépassement » de la philosophie le mènerait au salut, mais également, sans qu'il le sût et sans qu'il s'en préoccupât, à la gloire la plus grande parmi les hommes, immortelle elle aussi.

---

a. *Conf.*, VII, 26 ; noter l'opposition et le jeu de mots, bien dans la manière d'Augustin : *peritus / periturus*.

b. *Conf.*, III, 10 : « *Etiam uera dicentes philosophos transgredi debui, prae amore tuo.* »

Chapitre XI

386 : la conversion de la volonté

Tout autant que de fixer la chronologie de la phase proprement intellectuelle de la conversion à la fin des premiers mois de 386, il est difficile de préciser dans le temps celle qui, durant l'été de la même année, vit céder les dernières résistances. Dans cette suite précipitée d'événements, il faut se contenter, et déjà non sans mal, d'une chronologie relative : tout se joue en quelques semaines, pour aboutir, dans la « lumière d'août », au jardin de Milan.

La route pour y parvenir comportait encore plusieurs étapes ; c'est alors qu'Augustin trouva Simplicianus sur son chemin. Les *Confessions* ne font état que d'une seule rencontre avec le vieux prêtre de Milan[a], mais nous avons de bonnes raisons de penser qu'Augustin n'avait pas attendu que l'été de 386 fût avancé pour se confier à lui. Bien plus tard, alors qu'il rédigeait le livre X de la *Cité de Dieu*, vers 415 – et que Simplicianus, devenu entre-temps évêque de Milan, avait quitté ce monde –, il révéla qu'il lui avait souvent entendu raconter l'histoire de ce « platonicien » de ses amis – on a pensé à Marius Victorinus, et l'histoire se serait alors passée à Rome –, qui aimait dire qu'il faudrait écrire en lettres d'or le début du prologue de l'Évangile de Jean et le placer dans les églises aux endroits les plus en vue [1]. Il est donc vraisemblable, bien que ce ne soit précisé nulle part, que ce fut Simplicianus, lors de l'une de leurs premières rencontres, qui fit connaître à Augustin ces célèbres versets. On ne peut cependant exclure qu'il en ait eu connaissance indépendamment du vieux prêtre, au moment où il accédait à celle des *libri Platonicorum*, tant, dans les milieux néoplatoniciens, on avait coutume – et depuis longtemps déjà [2] – de considérer le prologue johannique comme inspiré du néoplatonisme.

De cette assimilation – on pourrait presque dire de cette confis-

a. *Conf.*, VIII, 1 et 3-5. Cf., déjà *supra*, p. 124, sur la personnalité de Simplicianus.

cation – on trouve au demeurant confirmation dans deux pages du livre VII des *Confessions*, dans le mouvement célèbre où Augustin, faisant le point sur ses lectures néoplatoniciennes et dressant du même coup le bilan des concordances et des discordances de ces textes avec les textes chrétiens[a], résume les premiers avec les termes mêmes du début du prologue johannique – et le cite textuellement jusqu'à *Jean*, 1, 10 –, comme exprimant sinon à la lettre, du moins fidèlement en esprit, l'adéquation du *Verbum* chrétien et du *Logos* platonicien[b]. « Mais, ajoutera-t-il, qu'il est venu dans son propre domaine et que les siens ne l'ont pas reçu, mais qu'à tous ceux qui l'ont reçu il a donné le pouvoir de devenir les enfants de Dieu, en croyant en son nom » (*Jn*, I, 11-12), cela je ne l'ai pas lu dans ces livres[c]. » Et, de même, il n'y avait pas lu « que le Verbe se soit fait chair et qu'il ait habité parmi nous[d] ». À plus forte raison n'y avait-il pas lu l'incarnation du Fils et sa crucifixion, comme il le dit en poursuivant son mouvement antithétique, et maintenant en citant des textes pauliniens[e].

Quand donc, au cours de ces semaines si denses, Augustin s'est-il « saisi[3] » de saint Paul ? Probablement à la suite, là encore, d'une de ses rencontres avec Simplicianus, consécutive à l'exaltation provoquée par la lecture des *libri Platonicorum*, mais aussi à l'insatisfaction d'une trop fugace vision de la « patrie ». On verra que le prêtre lui fera également le récit d'une expérience vécue très exemplaire, dont la force d'incitation sera aussi agissante que les lectures qu'il lui suggérera. Mais, lorsque Augustin nous dit au début du livre VIII des *Confessions* qu'il allait confier à Simplicianus les « remous de son âme », on peut penser que les *Épîtres* de Paul furent la première médecine que le vieux pasteur lui ordonna. Il semble, à lire attentivement les *Confessions*, VII, 27, que ce n'était pas pour lui la première découverte de l'Apôtre qui, à première lecture, ne lui était pas apparu exempt de contradictions internes, allant parfois jusqu'au désaccord avec la Loi et les Prophètes[f]. Une seconde lecture avide et appliquée lui fit découvrir l'unité de ces textes, et aussi

a. C'est le mouvement : *ibi legi / ibi non legi*, de *Conf.*, VII, 13-14.

b. *Conf.*, VII, 13.

c. *Ibid.*, *in fine*. Il en découle assez clairement que le texte du prologue johannique que le platonicien cité par Simplicianus voulait voir écrit en lettres d'or dans les églises ne devait pas aller au-delà de *Jean*, 1, 5.

d. *Conf.*, VII, 14, *initio*.

e. *Conf.*, VII, 14, citant *Ph.*, 2, 6-11, et *Rm.*, 5, 6 et 8, 32.

f. *Conf.*, VII, 27. Il est probable que ce furent les manichéens, du temps de son engagement parmi eux, qui lui firent remarquer ces apparentes contradictions ; cf. J.J. O'MEARA, *La Jeunesse de saint Augustin*, p. 204.

qu'ils étaient en accord avec tout ce qu'il avait lu dans les livres platoniciens, mais avec le « renfort de la grâce[a] ». Citons la conclusion à la fois de ces lectures pauliniennes et du livre VII des *Confessions* : « Autre chose est d'apercevoir d'un sommet boisé la patrie de paix, sans trouver le chemin qui y mène, de s'évertuer en vain dans des régions impraticables, au milieu des assauts et des embuscades que dressent les déserteurs fugitifs avec leur chef, lion et dragon ; autre chose de tenir la voie qui y conduit, construite par la prévoyance du Prince céleste, à l'abri des brigandages de ceux qui ont déserté la milice céleste ; car ils l'évitent comme le supplice[b]. » Il reprenait ainsi la distinction déjà faite entre « ceux qui voient où il faut aller, sans voir par où » – les platoniciens – et « celui qui est la voie conduisant à la patrie bienheureuse, qu'il faut habiter et non seulement voir » – et qui est le Christ.

« UN HOMME D'UNE ÉMINENTE SAGESSE »

Augustin avait entendu parler de Jésus-Christ depuis ses premières années, et on se souvient que c'est avec ces syllabes magiques, accommodées à leur façon, que les manichéens avaient fait la glu qui l'avait pris dans leur piège. De ce piège il était maintenant sorti, mais sa « christologie » demeurait assez rudimentaire ; ce fut sans doute, jointe aux éclaicissements prodigués par Simplicianus, sa lecture de saint Paul qui l'aida alors à se tirer d'une erreur dans laquelle il penserait reconnaître plus tard la doctrine d'un hérésiarque du nom de Photin[c].

Il l'avouera sans fard : « Mon opinion sur le Christ, mon Seigneur, se bornait à voir en lui un homme d'une éminente sagesse, à qui nul ne saurait être égalé. » Quinze siècles après, Ernest Renan ferait sursauter son public en présentant le Christ comme un « homme incomparable », dans sa leçon inaugurale au Collège de France. Mais, même alors, Augustin n'était pas aussi positiviste. Dans un temps où un goût répandu pour les *mirabilia* en rendait l'acceptation facile même à un chrétien mal instruit dans sa foi, il avait admis sans difficulté le dogme de la naissance virginale du Christ, reçu dès l'enfance. Et, à la suite de la phrase qu'on vient de citer, il écrira qu'à ses yeux cette « sagesse » était surtout due au fait que,

---

a. *Ibid.* : « *Inueni quidquid illac uerum legeram hac cum* commendatione gratiae tuae *dici.* »
b. *Conf.*, VII, 27.
c. *Conf.*, VII, 25.

« né merveilleusement d'une vierge pour être l'exemple du mépris à accorder aux choses temporelles pour obtenir l'immortalité, [le Christ lui] paraissait, par l'effet de la sollicitude divine à notre égard, avoir mérité une bien grande autorité dans son enseignement. Mais ce que renfermait de mystère le *Verbe fait chair*, je ne pouvais pas même le soupçonner ». Augustin admettait au sujet du Christ et de sa vie tout ce qu'on lisait dans les Évangiles : Jésus avait mangé et bu, dormi et marché comme un homme ; il était passé par toute la gamme des sentiments humains, et il avait eu une âme et une intelligence humaines. Mais, faute de pouvoir concevoir que cette créature muable était hypostatiquement unie au Verbe immuable, pour lui ce Christ qui avait rassemblé en lui tout le meilleur de l'homme n'était qu'un homme de sagesse supérieure, participant de la sagesse divine, mais non un Dieu fait homme. Devait-il cette conception de Jésus à ses lectures de Porphyre ? On l'a pensé[4]. Pourtant, à la différence d'Augustin, Porphyre ne croyait probablement pas à la naissance virginale du Christ.

Dans le même temps, Alypius, dont l'évolution était parallèle à celle d'Augustin, et qui discutait avec son ami de ces problèmes, s'était forgé de son côté de la doctrine catholique sur le Christ une idée fausse qui faisait obstacle à son adhésion. « Il pensait, écrit Augustin, que les catholiques croyaient à un Dieu revêtu de chair, si bien qu'il n'y avait que Dieu et la chair dans le Christ, et il estimait qu'ils ne lui attribuaient pas l'âme et l'esprit de l'homme ; et comme il était persuadé que les actes transmis par la tradition au sujet du Christ ne pouvaient pas avoir existé sans une créature vivante et raisonnable, il ne se mouvait qu'avec lenteur vers la foi chrétienne[a]. » Ces idées étaient celles d'Apollinaire de Laodicée, un théologien syrien de l'époque qui, mû par un souci de cohérence théologique, se refusait à admettre chez le Christ l'existence d'une âme unie à un corps, et donc une possibilité de péché et de compromission du salut. Dans la personne de Jésus, le Verbe était donc selon lui entré en contact avec une chair d'homme selon le mode d'union de l'âme et du corps dans l'humanité ordinaire. Et ainsi le Christ n'était-il pas composé d'une nature humaine, âme et corps, unie à une nature divine, mais seulement d'un corps animé par une nature divine. Tout risque de dualisme était de la sorte écarté, mais du même coup était niée la réalité proprement humaine du salut. Ces vues d'Apollinaire avaient été condamnées peu auparavant comme hérétiques au concile de Constantinople, en 381, mais leur pouvoir de séduction demeura longtemps encore. Elles faisaient partie de la nébuleuse christolo-

a. *Conf.*, VII, 25.

gique de l'époque et devaient circuler à Milan comme elles le feront en Orient jusqu'au concile de Chalcédoine, en 451[5].

LA CONTAGION DE L'EXEMPLE : LA CONVERSION DE MARIUS VICTORINUS

Il faut revenir à Simplicianus. Parmi les entretiens d'Augustin avec le vieux prêtre, que la dramatisation spirituelle des *Confessions* a réduits à l'unité, il en fut un qui eut une force particulière d'entraînement. Lorsque eut lieu cette rencontre, sans doute en juillet 386, Augustin avait, parallèlement à son édification philosophique et théologique, beaucoup changé sur le plan moral. Il le dira nettement : « J'avais pris en dégoût ce que je faisais dans le siècle ; cette vie m'était à charge, maintenant que mes passions de naguère, l'appétit d'honneurs et d'argent, ne m'excitaient plus à supporter une si lourde servitude[a]. » Mais, ajoute-t-il, il se sentait toujours solidement lié par l'impossibilité de se passer d'une femme. Que faire ? Il voyait, parmi les fidèles qui remplissaient une église maintenant fréquentée par lui de plus en plus assidûment, coexister les deux statuts, celui des hommes mariés et celui des continents. Il avait lu la *Première Épître aux Corinthiens*, 7 et ne savait quel parti prendre. Il avait, dit-il aussi, déjà trouvé la perle précieuse, et il lui eût fallu tout vendre pour l'acheter[b], et il hésitait encore. Plus que d'endoctrinement, il avait pour l'heure besoin de références existentielles.

Ce fut Simplicianus qui les lui fournit. Le vieux prêtre avait pris la mesure de son interlocuteur et senti qu'en lui il fallait que l'humilité en vînt à triompher de l'orgueil de l'intellectuel ; il lui conta donc l'histoire de Marius Victorinus, qu'il avait connu en sa jeunesse. S'il y avait eu à Rome, à cette époque, un grand intellectuel comblé de toutes les vanités de ce monde, c'était bien lui : beaucoup de sénateurs avaient été ses disciples et, honneur insigne, il avait de son vivant vu se dresser sa statue sur le Forum romain. Vers la fin de sa vie, le vieux maître, qui avait traduit Plotin et était l'un des phares du néoplatonisme, s'était mis à lire les Écritures, et il en était venu à confier à Simplicianus qu'il était devenu chrétien. À quoi le prêtre avait répliqué qu'il ne le croirait et qu'il ne le compterait parmi les fidèles que lorsqu'il l'aurait vu à l'église. Là-dessus, Victorinus lui avait dit ironiquement : « Ce sont donc les murs qui font les chrétiens[c] ? » Ce philosophe que seule sa maturation intérieure,

---

a. *Conf.*, VIII, 2.
b. *Mt.*, 13, 46.
c. *Conf.*, VIII, 4 : « *Ille autem inridebat dicens : "Ergo parietes faciunt chris-*

nourrie de lectures aussi bien profanes que chrétiennes, avait acheminé vers une sorte de foi déiste, avait peine à concevoir que le christianisme, c'était aussi le rassemblement dans un même lieu d'hommes et de femmes unis par une même croyance.

Un jour, pourtant, il alla trouver Simplicianus : « Allons à l'église, lui dit-il, je veux me faire chrétien ! » Après avoir suivi une première catéchèse, Victorinus s'inscrivit pour le baptême. Mais une épreuve attendait le rhéteur. Il était d'usage à Rome, dans la liturgie baptismale, que la profession de foi fût prononcée en présence de tous les fidèles, du haut d'une estrade. Pour le ménager, les prêtres proposèrent à Victorinus de réciter ce credo plus discrètement, et non en public, comme on le conseillait, dit Simplicianus, aux personnes timides. Mais le philosophe déclina cette offre et monta pour réciter la formule au milieu des acclamations de la foule des fidèles qui scandaient son nom[a].

Simplicianus avait visé juste. « Aussitôt qu'il m'eut raconté cela de Victorinus, je brûlai de l'imiter[b]. » Augustin se sentait d'autant plus concerné par ce précédent qu'il était, professionnellement, dans la même situation que son collègue romain. Pour parachever son *exemplum*, Simplicianus n'oublia pas d'ajouter que, peu après sa conversion, Victorinus avait été mis au pied du mur par la loi de l'empereur Julien qui interdisait aux chrétiens d'enseigner l'éloquence et les belles-lettres : le rhéteur avait préféré « abandonner le bavardage de l'école plutôt que le Verbe divin ». Et Augustin enviait cette chance qu'il avait eue d'être placé, de l'extérieur, en face d'un choix, alors qu'il était, lui, la proie d'un conflit intérieur.

Car si la leçon d'humilité offerte par Simplicianus avait porté, il restait entravé dans les chaînes de ce qu'il appellera dans les *Confessions* la *consuetudo*, le poids invétéré des habitudes du corps. « Deux volontés en moi, résumera-t-il, l'une ancienne, l'autre nouvelle, celle-là charnelle, celle-ci spirituelle, étaient aux prises ; et leur rivalité disloquait mon âme[c]. » On ne dira jamais mieux après lui ce débat de la pesanteur et de la grâce, cet attardement du dormeur sur la couche dont il voudrait pourtant s'arracher, ces « tout de suite ! » ces « un petit instant ! » indéfiniment opposés à l'âme par la chair[d]. Pour se libérer de ces derniers liens, il fallait encore à Augustin d'autres admonitions.

---

tianos ?" » Sur ce mot de Victorinus, cf. le commentaire de P. Courcelle, *Recherches*, pp. 383-391.

a. *Conf.*, VIII, 5.
b. *Conf.*, VIII, 10.
c. *Conf.*, VIII, 10.
d. *Conf.*, VIII, 12.

LE JOUR LE PLUS LONG : LES RÉCITS DE PONTICIANUS

En ces jours où tout se précipitait, Augustin n'était pas seul au milieu de ses anxiétés. Il avait auprès de lui Alypius, alors en disponibilité et dans l'attente de nouvelles fonctions, après avoir été assesseur juridique pour la troisième fois. Nebridius partageait la vie de ses deux amis. Il s'était – nous l'avons vu *supra*, p. 102 – modestement mis au service d'un grammairien milanais, Verecundus, qu'il secondait dans son école.

Un jour que Nebridius était absent, un certain Ponticianus rendit visite à Augustin et Alypius. Ils connaissaient ce Ponticianus, qui était comme eux africain, et qui, lui aussi protégé de Symmaque, occupait alors un poste en vue à la Cour. Sur une petite table, tout près, Ponticianus aperçut un livre, le prit, l'ouvrit et, à sa surprise – car il s'attendait à trouver l'un des outils de travail du rhéteur Augustin –, découvrit qu'il s'agissait des *Épîtres* de saint Paul. Lui-même était chrétien et il fut agréablement surpris de les voir entre les mains de son compatriote.

Orientée par la découverte inattendue de cette complicité spirituelle, la conversation s'engagea. Ponticianus raconta aux deux amis l'histoire d'Antoine, le moine égyptien, père de tous les anachorètes. Ce fut l'occasion d'une double stupéfaction, et du narrateur qui, constatant l'ignorance de ses interlocuteurs, s'attarda sur le sujet, et d'Augustin et d'Alypius, émerveillés de la geste de cet athlète de Dieu et surpris de la découvrir seulement maintenant[6]. Avec Ponticianus, les deux amis devaient aller de surprise en surprise, et l'écouter avec un intérêt de plus en plus passionné. Car si l'héroïsme spirituel d'un Antoine avait pour eux quelque chose de fascinant, la vie de l'ermite au désert n'était pas faite pour exercer sur eux la plus forte des tentations. La suite allait se révéler autrement bouleversante.

Ponticianus passa ensuite, par une insensible transition, à la vie monacale qui commençait à se développer en Occident. Au grand étonnement d'Augustin et d'Alypius, qui n'en avaient jamais entendu parler, il leur révéla qu'à Milan même, hors les murs, il y avait un monastère, entretenu par les soins d'Ambroise. Surtout – et c'était là que les « récits » de Ponticianus allaient poindre l'âme de ses deux auditeurs –, il plongeait dans ses souvenirs. Quelques années auparavant, alors qu'il servait à Trèves dans le corps des *agentes in rebus*[7], un jour que l'empereur passait l'après-midi aux jeux du cirque, et qu'il avait donc quartier libre, il en avait profité pour aller se promener avec trois de ses collègues dans les jardins qui s'étendaient au-delà des remparts. Ils s'étaient divisés en deux groupes et, tandis que Ponticianus et son compagnon allaient de leur côté, il arriva que leurs pas firent tomber les deux autres sur une cabane où vivaient des anachorètes. Et ils trouvèrent là, continuait Ponticianus, le livre qui racontait la vie d'Antoine. À sa lecture, l'un des deux s'émerveilla et s'enflamma. La suite, Augustin dans ses *Confessions* l'a transcrite en un style direct qui rend bien sensible que le dialogue ému que les deux *agentes in rebus* eurent entre eux à Trèves est celui qu'il entretenait avec lui-même aux approches de sa libération. À quoi tend notre service ? disait à son ami celui qui avait le livre en main. Que pouvons-nous espérer de plus, après bien des peines et des périls, que d'être des « amis de l'empereur », tandis qu'être « ami de Dieu », si je veux le devenir, c'est fait à l'instant[a] ? La délibération ne fut pas longue. Quand Ponticianus et son compagnon les rejoignirent, les deux amis, l'un entraînant l'autre, avaient déjà pris le parti de tout abandonner en ce monde[8]. Ils demeurèrent dans la cabane, « fixant leur cœur au ciel », tandis que Ponticianus et son ami regagnaient le palais impérial, « en traînant leur cœur à terre[b] ».

À la fin de ce récit, c'était au tour d'Augustin d'avoir le cœur à terre ; l'image de cette conversion qui aurait dû être la sienne était ce qui pouvait le plus le toucher. Il faisait une fois de plus retour sur lui-même, revivait en accéléré les douze années qui s'étaient écoulées depuis sa lecture de l'*Hortensius*. Douze années pendant lesquelles il s'était efforcé, de Mani à la Nouvelle Académie, des académiciens aux platoniciens, de parvenir à une vérité. Et maintenant qu'il avait épuisé les voies de la philosophie, il n'était pas plus avancé. Il voyait toucher au but des hommes simples, armés de leur seule humilité. C'est dans cet état d'agitation extrême qu'il se jeta sur Alypius, en lui criant : « Quoi ? Des ignorants se dressent, ils enlèvent le ciel, et nous, avec notre science sans cœur, nous ne faisons que nous vautrer dans la chair et dans le sang[c] ! »

---

a. *Conf.*, VIII, 15.
b. *Conf.*, VIII, 15, *in fine*.
c. *Conf.*, VIII, 19. Il ajoutera : « Je dis je ne sais quoi de ce genre » ; mais, aux mots près, on peut admettre qu'il avait encore une douzaine d'années plus tard gardé un vif souvenir de ce moment crucial.

LE JOUR LE PLUS LONG : LE JARDIN DE MILAN

Son tumulte intérieur avait emporté Augustin tout au fond du petit jardin dont Alypius et lui avaient la jouissance, le plus loin possible de la maison, comme pour matérialiser un début d'anachorèse, cette rupture à laquelle il aspirait sans pouvoir encore y consentir. Alypius l'y avait suivi, pas à pas et en silence. « Ma solitude ne souffrait pas de sa présence, dira-t-il, et puis eût-il pu m'abandonner un moment dans l'état où j'étais ? » On ne dira jamais assez combien était intime la communion des deux amis, en dépit de la différence très accentuée de leurs tempéraments.

Seul cependant avec lui-même dans son déchirement, Augustin constatait un divorce au plus intime de son âme. Certes, l'analyse qu'il en fait dans les *Confessions* se situe dans les perspectives qui étaient maintenant celles du prêtre, puis de l'évêque qui avait beaucoup réfléchi au libre arbitre et consacré plusieurs livres à la réfutation du dualisme manichéen. Elle a été aussi écrite avec les mots et enrichie des souvenirs littéraires de l'ancien rhéteur, et elle est tributaire de ses habitudes de dramatisation narrative, si bien que ces pages, comme le célèbre récit de l'épilogue qui les clôt, sont sans doute de tous les textes de l'Antiquité – et peut-être de toutes les littératures – ceux que l'on a scrutés de plus près dans l'intention avouée d'y faire la part de l'authenticité et de la fiction, d'y isoler le « vécu brut » de la recomposition littéraire. Ce qui eût bien surpris Augustin qui, ici comme ailleurs, a bien pris soin de marquer la distance qu'il y a nécessairement entre les sentiments éprouvés et les mots employés pour les dire avec un tel recul, et qui avait assez réfléchi aux mécanismes de la mémoire pour savoir que la reconstruction du souvenir n'a rien de commun avec la lecture d'une page du journal intime qu'on n'a pas écrit.

Ainsi se fait-il que dans le jardin de Milan ait été projetée une analyse de la volonté qui apparaît rétrospectivement nourrie d'idées qui trouveront plus tard leur plein développement dans le cadre de la controverse antipélagienne. Mais les failles de cette volonté sont bien celles qui torturaient Augustin en ce jour d'août 386, et à l'occasion desquelles il commençait à régler leur compte aux manichéens. S'il était en proie à une double postulation simultanée qui l'écartelait, ce n'était pas parce que deux âmes en lui, l'une bonne, l'autre mauvaise, étaient en conflit[a], mais parce que la dissociation

---

a. *Conf.*, VIII, 24.

de son âme, dont une partie était tirée vers le bas par le poids des habitudes mauvaises, l'empêchait d'exercer pleinement son vouloir dans le sens d'une vérité pourtant reconnue. Adam déjà – mais lui dans l'entière liberté des origines – avait vécu cette chute et il avait enchaîné ses fils après lui[a].

Dans les *Confessions*, Augustin a manipulé comme sur un théâtre les marionnettes de ce débat intérieur. Les vieilles maîtresses de son âme, d'abord : « Elles me retenaient, mes anciennes amies, à petits coups elles me tiraient par mon vêtement de chair, et elles murmuraient à mi-voix : "Tu nous congédies donc ? Et à partir de cet instant nous ne serons plus avec toi, plus jamais, et plus jamais ne te sera permis ceci ou cela, plus jamais[b] ?" » Rappels affriolants de plaisirs bien précis chuchotés dans son dos, « comme des tiraillements à la dérobée pour lui faire tourner la tête ». Le héros[9] résiste, mais il hésite, il est retardé dans sa marche, tandis que la « tyrannique habitude » lui susurre ironiquement : « Crois-tu donc que tu pourras faire sans elles ? » Mais, de l'autre côté, du côté où « il tremble de passer », dame Continence est là, qui vient à son secours. Mobilisant une imagerie qu'on retrouvera souvent par la suite dans la figuration des élus des *Jugement dernier*, elle lui montre l'innombrable foule – hommes et femmes, jeunes et vieux, vierges et veuves chargées d'ans – des enfants qui lui sont nés du Seigneur. Pourquoi ne se joindrait-il pas à eux ? semble-t-elle lui dire avec un sourire un peu ironique. L'interpellé cependant, qui a toujours dans l'oreille les chuchotements de ses vieilles amies, rougit et balance encore.

Cet ultime débat avait accumulé dans le cœur d'Augustin une telle nuée de misère que se leva en lui « une grosse tempête, chargée d'une grosse pluie de larmes[c] ». Pour leur donner libre cours, il s'éloigna d'Alypius et alla s'étendre sous un figuier[10]. Là, au milieu de ses larmes, il poussait des cris pitoyables : « Combien de temps encore ? Ce sera donc demain, toujours demain[11] ? Pourquoi ne pas en finir sur l'heure avec mes turpitudes ? »

« Prends, lis ! »

« Ainsi disais-je, et je pleurais dans l'extrême amertume de mon cœur broyé. Et voici que j'entends une voix venue de la maison voisine, celle d'un garçon ou d'une fille, je ne sais, qui sur un air

---

a. *Conf.*, VIII, 22, *in fine*.
b. Conf., VIII, 26.
c. *Conf.*, VIII, 28.

de chanson disait et répétait à plusieurs reprises : "Prends, lis !
Prends, lis !" Et aussitôt, changeant de visage, je me mis à réfléchir
intensément en me demandant si dans un jeu une telle ritournelle
était habituellement en usage chez les enfants, mais il ne me revenait
pas de l'avoir entendue quelque part. Et, refoulant l'assaut de mes
larmes, je me levai, ne voyant d'autre interprétation à cet ordre divin
que l'injonction d'ouvrir le livre et de lire le premier chapitre sur
lequel je tomberais.

» Je venais en effet d'apprendre qu'Antoine avait tiré de la lecture
de l'Évangile, pendant laquelle il était survenu par hasard, un avertissement personnel, comme si c'était pour lui qu'était dit ce qu'on
lisait : "*Va, vends tout ce que tu possèdes, donne-le aux pauvres et
tu auras un trésor dans les cieux. Viens, suis-moi*[a]", et qu'un tel
oracle l'avait aussitôt converti à toi.

» Je me hâtai donc de revenir à l'endroit où Alypius était assis :
car c'est là que j'avais posé le livre de l'Apôtre quand je m'étais
levé. Je le saisis, je l'ouvris et je lus en silence le premier chapitre
sur lequel tombèrent mes yeux : "*Point de ripailles ni de beuveries ;
point de coucheries ni de débauches ; point de querelles ni de jalousies. Mais revêtez-vous du Seigneur Jésus Christ et ne vous faites
pas les pourvoyeurs de la chair dans ses convoitises*[b]."

» Je ne voulus pas en lire davantage : je n'en avais plus besoin.
Ce verset à peine achevé, à l'instant même se répandit dans mon
cœur comme une lumière apaisante, et toutes les ténèbres du doute
se dissipèrent[c]. »

Il faut prendre ce texte et le lire comme Augustin a pris le livre
de l'Apôtre et l'a lu dans la lumière du jardin de Milan, débarrassé
des gloses qu'un extraordinaire acharnement exégétique a fait pul-
luler sur lui. Et ne voir en ces gloses que l'hommage – le culte,
presque – rendu par les philologues à ces lignes qui disent avec
simplicité le tremblement de l'instant où tout bascule, où douze
années de torturantes hésitations font place à une certitude sur quoi
bâtir, comme sur un roc, une nouvelle vie. Le figuier sous lequel
s'est étendu Augustin peut bien rappeler celui sous lequel gisait
Nathanaël[12], mais est-ce une raison de douter de son existence ?
Parce que c'est – dans un lieu à coup sûr originel : le « jardin » –
un arbre à la fois banal et symbolique, mettra-t-on en question sa
réalité[13], alors qu'on ne doute pas, bien sûr, de celle du « second
pilier à l'entrée du chœur, à droite, du côté de la sacristie », près

---

a. *Mt.*, 19, 21.
b. *Rm.*, 13, 13-14.
c. *Conf.*, VIII, 29.

duquel Claudel, à Notre-Dame de Paris, a vécu l'événement qui dominera, comme il le dit, toute sa vie ? Et cette voix qu'Augustin a entendue, de garçon ou de fille, on ne sait – une « voix d'ange », assurément –, s'est-elle élevée de la « maison voisine » ou de la « maison
divine », comme l'écrit le plus ancien des manuscrits qui nous ont
conservé ce texte [14] ? Il s'agit bien de la « maison voisine », mais elle
est « divine », évidemment, comme l'admonition qui en émane [15].

Comme on le sait, la pratique antique, courante et bien attestée,
de « tirer des sorts », aussi bien en puisant dans Homère et dans
Virgile que dans les Écritures, est considérée comme sous-jacente à
cette sorte de consultation que fait Augustin des Épîtres de saint
Paul [16]. Il ne s'ensuit pas qu'il se soit pour autant soumis à tout un
rituel que des textes antiques et médiévaux nous font connaître, et
qu'il aurait transposé sous une forme « romancée », ou tout au moins
fictive. La scène décrite dans les Confessions n'offre au demeurant
avec ces rituels de sortilegium qu'une ressemblance vague. Augustin
est dans le doute, non pas sur la signification de ce qu'il entend,
mais sur sa réalité concrète : était-ce une comptine, ou bien un jeu,
au cours duquel des enfants se seraient mutuellement enjoint, dans
une sorte de refrain chanté, de prendre un livre et de le lire, avec
les mots – tolle, lege – dont on se servait tout naturellement pour
ce faire, en latin [17] ? Et, qu'il s'agisse d'un signe du ciel, d'une
admonition divine, Augustin en est encore plus persuadé lorsqu'il
découvre la teneur de ce verset sur lequel ses regards se sont portés
à l'ouverture du livre. Car, contrairement à ce qu'on a dit et répété [18],
ce précepte de morale chrétienne, en soi banal, était pour lui le moins
banal qui pût être ; de tous les textes sur lequels il pouvait tomber
dans une consultation « à l'aveugle » des épîtres pauliniennes, c'était
celui qui était pour lui porteur du message le plus fort. Non certes
pour ce qui était des « ripailles » et des « beuveries », ni non plus
au chapitre des « querelles » ; mais toute l'histoire de la vie d'Augustin depuis l'adolescence jusqu'à cette heure de grâce met en vive
lumière que sa plus solide entrave dans son aspiration à la vie parfaite
n'était pas l'ambition, ni la poursuite des honneurs ou des richesses,
mais bien ce que saint Paul appelle « la satisfaction de la chair en
ses convoitises ». Et, si miracle il y avait, c'était que ce verset,
précisément, de l'Épître aux Romains se fût trouvé là à point nommé
pour faire sauter le dernier verrou [19].

Revenons au jardin de Milan. Sitôt lu le texte décisif, Augustin
avait fermé le livre, après avoir marqué la page. Puis il avait rejoint
Alypius et lui avait tout raconté. En proie à la même tempête intérieure, Alypius avait demandé à voir le passage ; et il avait lu
la suite : « Mais celui qui est faible dans sa foi, accueillez-le »

(*Rm.*, 14, 1), et il avait appliqué à son propre cas ce verset bien anodin au regard de la dure médecine que les lignes précédentes proposaient à Augustin. Mais on sait que le chaste Alypius n'avait pas besoin d'admonestations si rudes. Puis les deux amis étaient allés trouver Monique, dont la joie avait éclaté à voir qu'elle n'avait pas versé en vain tant de larmes, que le rêve fait jadis se réalisait, que ce fils était désormais « debout avec elle sur la règle de la foi » : cela valait bien de renoncer à des petits-enfants nés de sa chair[a]. Les voies d'une autre existence s'ouvraient devant Augustin. Il allait avoir trente-deux ans.

---

a. *Conf.*, VIII, 30, *in fine*.

CHAPITRE XII

Cassiciacum

Les hasards du calendrier – en l'occurrence le calendrier universitaire, comme nous dirions – font parfois bien les choses. La crise décisive avait eu lieu dans les tout premiers jours d'août 386[a]. Augustin avait immédiatement décidé de démissionner de sa charge de rhéteur de la ville de Milan, de « soustraire en douceur, comme il le dit, le ministère de [sa] langue à la foire aux bavardages[b] ». Il lui fallait pour cela une raison socialement sérieuse, qui pût être admise par les pères de ses étudiants, peu enclins à accorder sa liberté à un professeur dont ils attendaient beaucoup pour la réussite de leurs enfants. Ils eussent balayé d'un revers de main la conversion d'Augustin. Mais, en cet été de 386, le surmenage professionnel – et peut-être aussi les retombées psychosomatiques d'une telle galopade spirituelle – avait eu raison de ses poumons : il peinait à respirer, se plaignait de douleurs de poitrine, ne parvenait plus – fâcheuse disgrâce pour un professeur – à s'exprimer à voix claire et soutenue[c]. Il tenait là, au moins, un bon prétexte pour démissionner sans ostentation, et non sur un coup d'éclat qu'il voulait éviter[d] : n'oublions pas qu'il s'agissait d'une position quasi officielle, obtenue sur une recommandation politique au plus haut niveau (celle de Symmaque). Par chance, les longs congés de fin d'année universitaire – l'équivalent de nos « grandes vacances » d'été – commençaient le 23 août pour ne s'achever qu'à la mi-octobre : c'étaient les « vacances de vendange », les *feriae uindemiales*[1]. Il n'avait donc qu'un peu plus de quinze jours à attendre pour être libre : il lui fallut, dira-t-il, du

---

a. Augustin précise que sa décision fut prise à peine vingt jours avant les vacances de vendange : *Conf.*, IX, 2 : « *paucissimi dies* », et IX, 4 : « *Nescio utrum uel uiginti dies erant.* »
b. *Conf.*, IX, 2.
c. *Conf.*, IX, 4.
d. *Conf.*, IX, 3.

courage pour prendre son mal en patience, et aussi parce qu'il n'avait plus le ressort de l'intérêt pécuniaire pour supporter sa charge[a].

La fin d'août enfin était arrivée. Augustin ne pouvait demeurer oisif en cette ville de Milan où il était arrivé deux ans plus tôt pour conquérir le monde. Surtout, il avait besoin, non seulement de repos physique, mais de calme pour faire le point, chose qu'il n'avait jamais pu faire pendant toutes ces années où il courait après le succès. Bref, il lui fallait faire retraite. Il y avait alors en latin un joli mot pour dire cela : *secessus*, la mise à l'écart volontaire, la rupture avec toutes les obligations, loin du monde et de ses bruits, seul avec soi-même ou mieux avec une compagnie choisie, dans une campagne agréable et pas trop lointaine : non pas une thébaïde, mais un refuge accessible. Ce refuge, ce fut le domaine dont son ami le grammairien Verecundus lui offrit la jouissance, à lui et à sa petite troupe de parents et d'amis, au lieudit Cassiciacum. Verecundus n'était pas seulement généreux, c'était un homme à paradoxes : il aspirait lui aussi à devenir chrétien, et sa femme, qui l'était déjà, lui avait montré le chemin ; mais, précisément, c'était ce qui le retenait, car cet homme épris d'absolu voulait être chrétien dans la parfaite continence. Comme le dit Augustin non sans une pointe de malice, « il prétendait ne pas vouloir devenir chrétien d'une autre manière que de celle dont il ne pouvait l'être ! » En attendant, ses amis l'exhortaient à être au moins un bon mari[b]. Cet adepte du tout ou rien finira par tomber malade un an plus tard et il recevra le baptême *in articulo mortis*, alors qu'Augustin était déjà reparti à Rome : en échange de la campagne dont il avait fait bénéficier ses amis, au pied des premiers contreforts des Alpes, il aurait en partage « la montagne ruisselante de lait, la montagne aux gras pâturages » (*Ps.* 67, 16)[c].

LE BONHEUR À CASSICIACUM

Pour situer « la campagne de Cassiciacum » – *rus Cassiciacum* –, on a longtemps hésité entre Casciago, près de Varèse, et Cassago dans la Brianza, à une trentaine de kilomètres de Milan vers le nord-est, à peu près à mi-chemin entre Monza et Lecco. Alessandro Manzoni, à qui tenait à cœur tout ce qui touchait à sa Lombardie

---

a. *Conf.*, IX, 4 : « *quia recesserat* cupiditas, *quae mecum solebat ferre graue negotium* ».

b. *Conf.*, IX, 6.

c. *Conf.*, IX, 5, *in fine*.

natale, avait d'abord opté pour la première localisation, avant de se rallier à la seconde, très généralement préférée maintenant, sans preuves décisives, mais avec quelques bons arguments parmi lesquels celui de la distance, moindre que celle qui sépare Casciago de Milan, joue un rôle important[2].

Augustin s'installa à Cassiciacum avec sa petite troupe, sinon à la fin d'août, du moins vraisemblablement au début de septembre[3]. Il y avait avec lui d'abord les proches : sa mère, Monique, et son fils, Adeodatus, maintenant un adolescent d'une quinzaine d'années, très éveillé et tout à fait capable de suivre les discussions, sinon d'y prendre une part très active ; et puis le frère, Navigius, qu'on verra s'éclipser, de temps en temps, et les deux cousins, Lartidianus et Rusticus, qui ne feront guère que de la figuration. Le souci de ses affaires avait rappelé Romanianus en Afrique et il ne participera pas aux débats du *Contra Academicos*, qui lui sera dédié ; mais Licentius, son fils, était là, et se montrera même très présent, autant et plus encore que Trygetius, un jeune homme natif de Thagaste, comme Licentius, moins « intellectuel » que son jeune compatriote mais très combatif, au point que le maître dira gentiment de lui qu'« il avait réponse à tout[a] ». On a parfois daubé sur cette « compagnie assez mal assortie[4] ». Mais en oubliant la présence d'Alypius, un peu à éclipses, il est vrai.

S'il est une absence à regretter, comme Augustin l'a regrettée, c'est celle de Nebridius. Sans être encore chrétien, ce dernier avait partagé avec ses deux amis l'allégresse de leur libération, et il travaillait alors à se débarrasser d'une idée fausse sur la nature du Christ qui s'apparentait au « docétisme », une hérésie ancienne et fort répandue, selon laquelle le vêtement de chair de Jésus n'était qu'une apparence : très probablement l'un des derniers vestiges, en lui fossilisé, des idées manichéennes qu'il avait pourtant, on s'en souvient, si vivement et si efficacement combattues. Pour n'être pas à Cassiciacum à l'automne et durant l'hiver de 386, Nebridius avait un alibi : il était retenu à Milan par ses obligations professorales dans l'école de Verecundus ; il n'a pu, à regret, jouir de l'*otium* philosophique de Cassiciacum et participer aux dialogues à partir de novembre. Et si, quelques semaines plus tôt, pendant ces « vacances de vendange » qui devaient être pour lui aussi une période de liberté, il était auprès d'Augustin, ce dernier n'en a pas fait mention[5]. De Milan, du moins, par le biais d'un échange de lettres dont subsistent celles d'Augustin[6], Nebridius a suivi les travaux de ce « séminaire » champêtre auxquels sa grande exigence intellectuelle a manqué.

a. *Contra Acad.*, I, 24.

Dans les vertes collines de la Brianza, où les Préalpes lombardes bornent au nord et à l'est un regard qui vers l'ouest s'étend par beau temps jusqu'au mont Rose, Augustin ne s'est pas affranchi du jour au lendemain de l'*aestus saeculi*[a], l'équivalent latin de notre « stress ». Il ne s'est pas senti un beau matin plus léger, comme se sentira Renzo, le héros de Manzoni, en fuite lui aussi de Milan et qui, sur le point de traverser l'Adda, prendra le temps d'admirer le ciel de Lombardie, « si beau quand il est beau, si brillant, si calme[7] ». Tant de fatigues et d'angoisses accumulées avaient laissé des traces. À la fin du mois de novembre encore, lorsque eurent lieu les discussions du livre III du *Contra Academicos*, Augustin se plaignait de lassitude, conséquence durable de son enseignement de rhétorique à Milan, et on le voit se féliciter de n'avoir pour lancer le débat qu'à prononcer un court exorde devant un petit auditoire, ce qui lui évitait de forcer la voix au détriment de sa santé[b]. Toujours à la même époque, lors des discussions du *De ordine*, il apparaît parfois psychologiquement fragile. Il était ravi de constater les progrès de ses disciples, en particulier de Trygetius, qui revenait de loin[c] ; mais, le lendemain matin, il ne put supporter que Licentius et lui se chamaillent comme des enfants, le premier voulant à toute force que fût enregistrée une bévue de Trygetius, et ce dernier riant ensuite de la réprimande que venait de s'attirer Licentius : les deux jeunes gens, stupéfaits, entendirent leur maître se lancer dans une vive exhortation passionnée à se tenir toujours à la hauteur des enjeux de leur débat, une tirade ardente qui finit dans un flot de larmes[d]. Peu après, les tablettes vinrent à manquer pour continuer l'enregistrement, et la suite fut renvoyée à plus tard ; cela tombait bien, car Augustin doit avouer que la véhémence de ses objurgations avait mis à l'épreuve sa voix et ses poumons[e].

En dépit de ces handicaps et de la rémanence de certaines angoisses, qui le tenaient la nuit éveillé – non moins que le harcèlement des plus précises inquiétudes de la chair[f] –, Augustin fut heureux à Cassiciacum. Pour la première fois, et même s'il s'agissait plus d'un « séminaire professoral » que de la communauté philosophique projetée à Milan, il réalisait un rêve, et la réalisation de ce rêve s'accompagnait de rapports désormais totalement apaisés avec

---

a. *Conf.*, IX, 5.
b. *Contra Acad.*, III, 15.
c. *De ord.*, I, 16.
d. *De ord.*, I, 29-30.
e. *De ord.*, I, 33.
f. *Sol.*, I, 25.

Monique, promue « mère aubergiste », et qui ne dédaignait pas de mettre à l'occasion dans les discussions un grain de gros bon sens que son fils avait le bon esprit de trouver bienvenu, et qui l'était parfois[a]. Augustin vivra toujours par la suite dans des mondes clos exclusivement masculins : sans savoir qu'il bénéficiait pour la dernière fois de cette chaleur maternelle étendue à tout un petit cénacle, il montre dans les textes écrits alors par lui qu'il l'a beaucoup appréciée. Le domaine de Verecundus résonnait des rires de Licentius et des éclats de la robuste joie de Trygetius. Mais le sourire de Monique et celui de son fils en retour ont signé nombre de pages du *De beata uita*[b].

La vie quotidienne à Cassiciacum était harmonieuse ainsi qu'elle peut l'être à la campagne. Comme toutes les propriétés rurales, le *rus Cassiciacum* rassemblait une maison d'habitation et des bâtiments de ferme, au milieu de champs cultivés, de prairies et de bois. Augustin et son entourage ne s'enfermaient pas dans la maison. La première discussion du *Contra Academicos*, le 10 novembre, ne débutera qu'au coucher du soleil, la journée ayant été presque tout entière passée au dehors à diriger les travaux des champs en compagnie des colons de Verecundus[c]. Même sans cette nécessité, la beauté du ciel suffisait à faire sortir le petit groupe qui s'installait pour débattre dans la prairie attenante à la maison[d]. On rentrait à la tombée d'un jour déjà court et l'on faisait de la lumière pour continuer la discussion à la maison[e]. Quand le temps était maussade, on se réunissait habituellement dans les petits thermes de la villa – probablement dans le *tepidarium* –, qui formaient un petit corps de bâtiment annexe[f]. Le maître et ses élèves dormaient dans une vaste pièce qui tenait lieu de dortoir, ce qui accentue encore le caractère cénobitique de cette « retraite » ; et c'est dans ce dortoir, au petit matin du 20 novembre, que prendra naissance, dans la nuit encore noire, entre Augustin, Licentius et Trygetius fortuitement réveillés, le débat dont le développement constituera le troisième dialogue de Cassiciacum, le *De ordine*.

---

a. Sur les activités de Monique à Cassiciacum, cf. *supra*, p. 28.

b. *De beata uita*, II, 10 ; II, 16 ; III, 21 ; IV, 27. Dans les *Confessions* (IX, 8), il idéalisera la présence de sa mère à Cassiciacum en termes forts : « Se joignant à nous, ma mère était là avec un extérieur de femme, une foi d'homme, une assurance de vieillard, une tendresse de mère, une piété de chrétienne. »

c. *Contra Acad.*, I, 15.

d. *Contra Acad.*, I, 25.

e. *Contra Acad.*, III, 44.

f. *De ord.*, I, 25.

LES TROIS *DIALOGUES* DE CASSICIACUM

Le *Contra Academicos*, de *De beata uita* et le *De ordine* sont les premières œuvres conservées d'Augustin, et surtout les premières après sa conversion. Elles ont été composées sur la base de dialogues enregistrés par un ou deux sténographes – les *notarii* mentionnés dans ces textes – ou parfois reconstitués de mémoire[a], et récrits par la suite par Augustin, mais dans un laps de temps restreint – novembre et décembre 386 –, ce qui garantit leur fidélité aux débats réellement tenus[8]. C'est aussi ce qui fait leur intérêt : dans ces textes datés de peu de mois après les phases décisives de son évolution intellectuelle et spirituelle, Augustin témoigne de son état d'esprit d'alors, il fait le point sur ses pensées et sur ses convictions.

Les *Dialogues* sont aussi les premiers textes qu'on puisse opposer à l'auteur des *Confessions* retrouvant douze ans plus tard dans sa mémoire le chemin de Cassiciacum : Augustin contre Augustin. On ne s'en est pas privé. Et l'on n'a pas manqué de trouver des différences de présentation. Un exemple : dans les *Soliloques*, Augustin s'est plaint d'une violente rage de dents qui, dit-il, lui permettait encore de conserver ses acquis intellectuels, mais pas de les accroître ; ce qu'on croira volontiers[b]. Et il ajoute que si alors la lumière de la vérité s'était dévoilée à lui, il n'aurait plus senti la douleur ou du moins l'aurait facilement supportée. Dans les *Confessions* il écrira que, la rage de dents s'étant un moment aggravée au point de l'empêcher de parler, l'idée lui vint de demander à tous les siens qui étaient présents d'adresser pour lui une prière à Dieu[c]. Il en écrivit le texte sur une tablette de cire et la leur donna à lire : à peine l'avaient-ils lue, le genou en terre, que la douleur avait disparu. Dira-t-on que l'évêque a « inventé » après coup la tablette et la prière ? Ce serait l'accuser gravement, et sans le moindre espoir d'en apporter la preuve, d'une pieuse falsification a posteriori. Ce qui est vrai, c'est que dans les *Confessions* le rappel de ce qui s'est passé à Cassiciacum s'inscrit dans un contexte d'action de grâces qui est celui de l'ensemble du livre ; dans les *Dialogues*, la perspective n'est pas la même. Après Gaston Boissier, Prosper Alfaric n'a pas eu tort de

---

a. C'est le cas du dialogue nocturne tenu dans le dortoir de Cassiciacum, consigné par les interlocuteurs le matin venu : « Les discussions étaient récentes et comment des choses aussi remarquables auraient-elles pu sortir de la mémoire de trois personnes aussi attentives ? » (*De ord.*, I, 26).

b. *Sol.*, I, 21.

c. *Conf.*, IX, 12.

dire que pour connaître l'état d'âme où se trouvait Augustin quand
il les composa, il faut faire appel à eux plutôt qu'aux *Confessions*. Oui, mais à condition de les lire avec probité. « Moralement
comme intellectuellement, écrivait Alfaric, c'est au néoplatonisme
qu'[Augustin] s'est converti, plutôt qu'aux Évangiles[9]. » Cette
phrase célèbre, où s'exprime tout le « laïcisme » universitaire français de la fin du XIXe siècle, repose sur une lecture contestable des
Dialogues[10].

Y a-t-il d'ailleurs une telle distance de regard entre les *Confessions*
et les écrits de Cassiciacum ? L'évêque écrira : « Ce que j'y fis dans
le domaine littéraire, qui sans doute était déjà à ton service, mais où
l'école de l'orgueil haletait encore comme en un temps de pause,
ces livres en témoignent, où je discute avec les personnes présentes
et avec moi-même, seul devant toi[a]. » « Un temps de pause » – *pau-
satio* –, un temps que s'est donné le nouveau converti pour reprendre
souffle entre conversion et baptême, un temps de décantation aussi,
où l'intellectuel en vacances, puis en disponibilité, reste encore un
homme de lettres amoureux de cette philosophie – « l'école de
l'orgueil » ! – qui a toujours le mérite de lui avoir révélé où était
Dieu, même si c'était aux Évangiles et à saint Paul qu'il revenait de
lui avoir montré le chemin pour y parvenir et demeurer avec lui. Et
puis Augustin peut bien avoir décidé de démissionner de sa chaire,
à Cassiciacum il reste un professeur. De littérature, d'abord : au
programme de Licentius et de Trygetius, Virgile et encore Virgile[b].
Et un professeur est tenté d'appliquer à ses élèves – surtout s'il les
voit disposés à en profiter – les recettes qui lui ont été bénéfiques :
se souvenant de ses propres dix-neuf ans, il leur mit en mains
l'*Hortensius* ; et comme le livre de Cicéron paraissait avoir sur eux
aussi cette puissante vertu d'éveil qu'il avait ressentie à leur âge, il
voulut tout naturellement éprouver leurs forces en les faisant progresser sur le chemin de la philosophie[c]. C'était aussi un moyen
pour lui de clarifier ses propres idées. Il fut donc, avec Alypius qui
le remplaça parfois dans cet office, le meneur de jeu de dialogues
de type cicéronien. Dans le même temps, et pour la première fois
de sa vie – si l'on excepte le *De pulchro et apto*, non conservé, et
les discours d'apparat prononcés à Milan –, revoyant les premiers
jets et récrivant les « sténogrammes », il faisait très consciemment
œuvre littéraire, avec l'évident souci de sa publication et de sa
diffusion. Romanianus recevra rapidement, et le premier, le *Contra*

---

a. *Conf.*, IX, 7.
b. *Contra Acad.*, I, 15 ; II, 10 ; *De ord.*, I, 26.
c. *Contra Acad.*, I, 4.

Academicos qui lui est dédié, mais Hermogenianus l'aura vite en main[a], de même que Manlius Theodorus le *De beata uita*, dont il est le destinataire. Zenobius de son côté ne tardera pas à lire le *De ordine*, qui lui est dédié. Il y a encore du gendelettre dans l'Augustin de cette période. De ce dernier dialogue, citons – car l'occasion par la suite ne se retrouvera plus ! – cette phrase admirable pour sa fausse modestie d'auteur : « Quant à mes livres, s'il leur arrive de tomber entre les mains de quelques personnes qui ne demandent pas, après avoir lu mon nom : "Qui est-ce ?" puis rejettent le volume, mais, soit curiosité, soit goût de l'étude, en franchissent le seuil, sans se soucier de sa pauvre apparence[b] »...

Une chose frappe à la lecture des premières pages du *Contra Academicos* : l'autorité avec laquelle s'affirme la primauté du spirituel sur le temporel. C'est à Romanianus qu'Augustin fait honneur de ce dialogue, mais au prix d'une admonestation initiale dont la rigueur surprend un peu : le « patron » de Thagaste avait peut-être tort d'être encore englué dans le manichéisme, mais après tout c'était à son ancien protégé qu'il devait de s'y être fourvoyé. Passe encore qu'Augustin fasse des vœux « pour que Dieu le rende à lui-même[c] ». Romanianus était riche et puissant et, du moins pour un provincial, au plus haut degré *beatus*, au sens profane : heureusement la fortune, en soufflant de l'autre côté, a commencé à y mettre bon ordre ! Il faut lire, ou relire[d], le portrait du seigneur local, bientôt saisi dans sa chute, ou dans un premier trébuchement salutaire. Bossuet en son temps n'avertira pas autrement les grands. Ce petit discours de parénèse, dès l'abord, fait pressentir l'ambition du *Contra Academicos*, mais tout aussi bien celle des deux autres dialogues, dont les discussions s'imbriquent les unes dans les autres tout au long de cette fructueuse quinzaine de novembre 386.

Désormais « réfugié dans le sein de la philosophie[e] », Augustin peut lui aussi, comme autrefois Cicéron, songer à écrire un « protreptique ». C'est Romanianus qu'il vise en priorité, mais il ne l'a pas sous la main, et sans doute au fond de lui-même n'a-t-il guère d'espoir de convertir de sitôt cet homme trop absorbé par ses affaires et dont l'engagement dans la poursuite de la sagesse est probablement moins grand qu'il ne veut bien le dire[f]. Il fera donc porter ses efforts sur son fils, ce Licentius qu'il propose en exemple à son père,

---

a. *Ep.* 1.
b. *De ordine*, I, 31.
c. *Contra Acad.*, I, 1.
d. *Contra Acad.*, I, 2 : cf. *supra*, p. 23.
e. *Contra Acad.*, I, 3 : « *in philosophiae gremium* ».
f. *Contra Acad.*, II, 4-5.

et sur Trygetius, son compagnon. Ce « proptreptique » sera ainsi mis
en œuvre par le biais de l'édification intellectuelle et morale des
deux jeunes gens. D'où, dans les trois dialogues, et plus nettement
dans le *Contra Academicos*, un côté « petit manuel d'initation à la
philosophie », plus précisément axé sur la recherche de la vérité et
la définition du bonheur, et qui fait nécessairement une large place
aux lieux communs de la pensée antique. Et comme le scepticisme
de la Nouvelle Académie avait été un temps pour lui le principal
obstacle à sa progression dans la recherche de la vérité et risquait
de l'être pour ses jeunes disciples, Augustin en tirait l'occasion de
développer sa position contre les Académiciens[a]. De là, pour ce
premier dialogue[b], un titre qui ne rend que très partiellement compte
de son contenu. On reviendra plus loin sur ce texte dans un essai
d'évaluation globale des *Dialogues* en tant que « plate-forme » de
la pensée augustinienne à l'automne de 386, mais on notera sans
attendre ce que révèle d'emblée la discussion initiale, entamée dans
l'après-midi du 10 novembre, sur la question de fond qui se pose à
tous les interlocuteurs : que faut-il entendre par « vie heureuse » et
comment y parvenir[c].

Il n'est donc pas surprenant que ce problème central de toute
philosophie morale dans l'Antiquité soit le thème – et le titre – du
dialogue dont les débats s'ouvrirent le jour anniversaire d'Augustin,
le 13 novembre (il avait ce jour-là trente-deux ans) et mobilisèrent
tous les intervenants pendant trois après-midi consécutifs. De son
De beata uita, l'auteur dira, à la fin de son adresse à Manlius
Theodorus, qu'elle est la plus « religieuse » de ces discussions de
Cassiciacum ; et ce texte, lorsqu'il sera relu par le vieil évêque à
l'occasion de ses *Révisions*, trouvera plutôt grâce à ses yeux ; il
déplorera surtout que soit lacunaire l'exemplaire qu'il en avait dans
sa bibliothèque[d]. Une lacune dont le biographe se réjouit qu'elle
n'affecte pas la dédicace dans laquelle, filant un peu longuement la
métaphore du voyage sur mer et de ses périls, Augustin retrace en
raccourci son itinéraire intellectuel durant les douze années qu'il
vient de vivre : une relation précieuse en dépit de sa brièveté, où
l'on a proposé de voir ses « premières *Confessions*[e] ». Une lacune

---

a. Cf. *supra*, pp. 94-96.

b. Du moins selon l'ordre de publication qui découle des *Révisions* : *Retract.*,
I, I.

c. *Contra Acad.*, I, 5 : « *Defini ergo, ait Trygetius* – il s'adresse à Augustin –,
quid sit beata uita ».

d. Et par voie de conséquence le texte que nous lisons (*Retract.*, I, 2).

e. *De beata uita*, I, 1-4 ; cf. *supra*, p. 63.

aussi qui, à peu près à mi-chemin du dialogue[a], ne compromet pas
la cohérence qu'il doit, à la différence des deux autres, au fait d'avoir
été élaboré de façon suivie et avec un centrement plus strict sur un
thème majeur. Outre sa cohérence et son unité, la caractéristique du
De beata uita – et c'est ce qui fait le charme de ce petit dialogue –
est qu'il est des trois celui où la maïeutique d'Augustin joue le mieux
son rôle, avec un recours minimal aux références et aux textes proprement philosophiques[b], en face d'interlocuteurs parfaitement novices, comme son frère Navigius, son fils Adeodatus et sa mère Monique, très présents, l'une comme les autres. C'est un moyen pour
Augustin de signifier qu'on peut parvenir à la vérité même sans le
secours de l'édification platonicienne, en particulier, comme c'est le
cas chez Monique, quand l'illumination chrétienne vient éclairer le
bon sens[c].

À la différence du précédent, le *De ordine*, comme le *Contra
Academicos*, est un dialogue où très souvent la dialectique, quand
elle échoue à faire avancer l'argumentation, cède la place à des
exposés suivis, mode d'expression auquel Augustin a recours notamment quand il se rend compte que sa petite troupe bat la campagne
et qu'il importe de redresser le cap[d]. En même temps, il est, des
trois dialogues, celui qui par son « ouverture », de façon si surprenante, originale et vivante, nous introduit le mieux dans cette atmosphère de « collège anglais » que préfigure la vie à Cassiciacum.
Après avoir dormi quelques petites heures, Augustin, réveillé comme
d'ordinaire, dit-il, au milieu de la nuit, médite dans l'obscurité –
car, si chez lui en Afrique l'huile ne coûtait rien, allumer les lampes
la nuit était en Italie un luxe devant lequel même les riches recu-
laient[e]. Un bruit attire son attention, un bruit d'eau qui coule, qui
n'est pas celui, régulier, de la pluie, mais le bruit intermittent d'une
sorte de petit torrent dont le cours serait de temps en temps interrompu ou obstrué. Au même moment, Licentius manifeste qu'il est
éveillé lui aussi en donnant un coup sur le bois de son lit pour faire
fuir une souris qui l'importunait, et, pressé de donner son avis sur
le phénomène qui a intrigué Augustin, il avance une explication qui
satisfait son maître, ainsi que Trygetius également tiré du sommeil :
ce sont les feuilles mortes – on est à la mi-novembre – qui de temps

---

a. *De beata uita*, III, 22, juste avant une citation de l'*Hortensius* de Cicéron.

b. On n'y voit cité que l'*Hortensius* : II, 10 ; III, 22 ; IV, 26.

c. Cf. *De beata uita*, IV, 27, où Augustin admire sa mère d'avoir découvert par
la seule force de son esprit la maxime philosophique qu'il se préparait à dévoiler.

d. Voir par exemple *De ord.*, II, 24, et la « reprise en main » que constitue le
discours d'Augustin qui suit : II, 24-27.

e. *De ord.*, I, 6.

à autre obstruent les canalisations de bois alimentant le domaine en eau courante ; puis la pression chasse ces bouchons qui tendent à se reformer avant d'être dissipés de nouveau. Parce qu'il entrait dans une chaîne de causalités, le bruit qui avait frappé leurs oreilles, d'abord perçu comme étrange, était bien dans l'ordre des choses, dans l'« ordre », tout court.

Si vivement engagé, le débat progressait vite. Avant que le jour ne parût, salué par une longue prière d'Augustin, le maître et ses deux disciples avaient déjà abordé le problème qui était au cœur des préoccupations d'Augustin depuis des années et particulièrement au cours des premiers mois de cette année 386 : que faire du désordre, c'est-à-dire du mal ? Ne fallait-il pas admettre qu'il n'était pas en dehors de l'ordre[a] ? Mais la lancinante question demeurait : le mal avait-il toujours existé, ou bien avait-il commencé d'être un jour ? Une réponse provisoire – et incomplète – serait mise plus tard, lors d'une deuxième séance de discussions, dans la bouche de Monique : Dieu avait permis que le mal existât, mais il ne l'avait pas laissé en dehors de l'ordre[b]. Mais, à la fin du dialogue, les interrogations posées par ce problème fondamental étaient laissées en suspens : « Comment Dieu n'est-il l'auteur d'aucun mal et comment, si Dieu est tout-puissant, se commet-il cependant tant de mal ? Le mal a-t-il toujours existé ou a-t-il commencé avec le temps ? Et s'il a toujours existé, était-il sous la dépendance de Dieu ? S'il l'était, est-ce que ce monde a toujours existé, en lequel le mal était sous la domination de l'ordre divin ? Si au contraire ce monde a commencé d'exister, comment, avant ce commencement, le mal était-il maintenu sous la puissance de Dieu ? Et quel besoin de créer le monde et d'y inclure, pour le malheur des âmes, le mal que maîtrisait auparavant la puissance divine ? S'il y a eu un temps où le mal n'était pas sous la domination de Dieu, que s'est-il tout à coup produit qui ne s'était jamais produit dans les temps antérieurs de l'éternité ? Car il serait parfaitement stupide, pour ne pas dire impie, de prétendre qu'en Dieu s'est formé un nouveau dessein[c]. »

Relisant ce dialogue, l'auteur des *Révisions* dira qu'alors il n'était pas en état, avec des partenaires trop novices, de traiter de cette matière si difficile, et qu'il s'était dès lors contenté de parler de l'ordre à suivre dans les études[d]. C'était, de la part du vieil évêque, jeter un regard bien réducteur sur un texte qui, s'il annonçait l'entre-

---

a. *De ord.*, I, 17-18.
b. *De ord.*, II, 23.
c. *De ord.*, II, 46.
d. *Retract.*, I, 3, 1.

prise des *Disciplinarum libri*, avait une autre visée et développait, vis-à-vis de la foi, le programme de la raison. Dans le *De ordine*, s'adressant à Monique, Augustin avait compté sa mère au nombre des personnes qu'on pouvait introduire, « en les faisant passer par des portes dorées et peintes, dans le sanctuaire de la philosophie[a] ». Il avait pour son entourage, comme pour lui-même, une ambition très haute. Car dans le petit discours conclusif de son dialogue il dévoilait la finalité de ce plan d'études qu'il proposait aux « retraitants » de Cassiciacum : il culminait en une recherche métaphysique centrée sur un double problème, le problème de l'âme, le problème de Dieu[b]. C'était tracer pour lui-même la voie qu'il suivrait pendant de longues années. Et, pour qu'il fût bien clair que ce qui lui importait, ce n'était pas la connaissance du monde et de ses lois – la connaissance du « monde sensible » –, il avait tenu à préciser, s'adressant toujours à sa mère, que « philosophie » signifiait littéralement « amour de la sagesse », complétant ce rappel par une référence, non à Platon, mais à saint Paul (*Col.*, 2, 8) et par la citation de *Jean*, 18, 36 : « Mon royaume n'est pas de ce monde[c]. »

Que les discussions bien réelles qui furent à l'origine des dialogues de Cassiciacum aient été pour Augustin et son entourage de véritables fêtes de l'esprit, c'est ce qui apparaît de façon éclatante à la lecture ; et elles furent gratifiantes pour le meneur de jeu, qui a visiblement plaisir à constater les progrès de ses disciples[d], et à enregistrer leurs apports positifs dans les débats, avec une fierté paternelle bien compréhensible quand il s'agit d'Adeodatus[e]. Rien pourtant ne respire moins l'« intellectualisme » que ces pages où, dans la naissante dialectique augustinienne de l'*intelligere* et du *credere*, le primat paraît encore accordé aux voies de l'intelligence. On a noté très justement les fortes résonances plotiniennes de ces dialogues[11], tout nourris de néoplatonisme, mais où les idées platoniciennes ne sont qu'un des moyens privilégiés de parvenir à l'intelligence d'un Dieu qui ne sera pourtant pas le Dieu des philosophes. Il faut lire, à la fin du *Contra Academicos*, un texte capital pour la saisie de la position d'Augustin à Cassiciacum en l'automne de 386. Il terminait son exposé conclusif en affirmant que nous parvenons

---

a. *De ord.*, I, 31.
b. *De ord.*, II, 47 : « [...] *philosophiae disciplina* [...] *cuius duplex quaestio est : una de anima, altera de Deo* ».
c. *De ord.*, I, 32.
d. Ainsi en *De ord.*, I, 10 et 21 pour saluer les progrès de Licentius, en I, 16 pour ceux de Trygetius.
e. Voir *De beata uita*, I, 6 ; II, 12 ; III, 17.

à la vérité sous la double impulsion de l'autorité et de la raison[a]. Et il ajoutait : « Aussi est-ce pour moi une certitude que je ne m'écarterai absolument sur aucun point de l'autorité du Christ, car je n'en trouve pas de plus forte. Quant à ce qu'il faut rechercher avec la raison la plus subtile – car je suis désormais en des sentiments tels que je désire ardemment saisir la vérité non seulement par la foi, mais encore par l'intelligence –, j'ai confiance de pouvoir trouver, *pour le moment*, chez les platoniciens, des doctrines qui ne soient pas opposées à nos mystères[b]. »

À Cassiciacum, Augustin relisait Plotin, mais il lisait aussi les *Psaumes*[c] ; il faisait confiance à la philosophie, investie de la plus haute mission, mais il en mesurait aussi les limites, et prônait déjà cette « docte ignorance[d] » qui resterait l'un des pivots de conviction du théologien et du mystique. Quelques lignes du *De ordine* résument assez bien l'attitude religieuse d'Augustin quelques mois après la crise du jardin de Milan : « La philosophie promet la raison mais ne délivre qu'à peine un très petit nombre d'hommes : elle les amène cependant non seulement à ne pas dédaigner les mystères chrétiens, mais à les comprendre comme ils doivent l'être. Aucun autre office n'incombe à la vraie philosophie, à la philosophie authentique, sinon d'enseigner le principe suprême des choses, l'immensité de l'intelligence qui demeure en lui, tout ce qui en a découlé, sans aucun préjudice pour lui, en vue de notre salut : ce principe, c'est le Dieu unique, tout-puissant, trois fois puissant, Père, Fils et Saint-Esprit, qu'enseignent les vénérables mystères, dont la profession sincère et inébranlable libère les peuples... Quant à cette chose sublime, qu'un si grand Dieu ait daigné revêtir et assumer pour nous un corps semblable au nôtre, plus elle paraît vile, plus elle est remplie de miséricorde et plus elle est inaccessible à l'orgueil des habiles[e]. »

LES *SOLILOQUES*

L'hiver était venu à Cassiciacum. Quelques semaines auparavant, Augustin avait adressé aux autorités milanaises sa lettre de démis-

---

a. Ce sera réaffirmé dans le *De ord.*, II, 16 : « *Duplex enim est uia quam sequimur cum rerum nos obscuritas mouet, aut rationem aut certe auctoritatem.* »

b. *Contra Acad.*, III, 43. Le mot *sacra* (« mystères ») est traduit ici suivant les conventions habituelles.

c. *Conf.*, IX, 8-11.

d. *De ord.*, II, 44 : « [...] *de summo illo deo, qui scitur melius nesciendo.* » Cf. *infra*, pp. 517-518.

e. *De ord.*, II, 16.

sion, en mettant en avant ses difficultés respiratoires et cette douleur de poitrine qui, de fait, persistait encore à la fin de 386 [12]. Dans le même temps, il avait écrit à Ambroise pour lui dire sa repentance et son désir de recevoir bientôt le baptême, et lui demander conseil, à cette fin, pour ses lectures. L'évêque lui avait recommandé le premier des livres prophétiques, *Isaïe* ; mais alors que les *Psaumes* avaient touché son cœur et s'étaient ouvert un chemin dans son âme, la véhémence du prophète le rebuta. Il dut remettre à plus tard cette lecture [13] et du même coup la découverte du fameux dit prophétique qui allait devenir bientôt la référence initiale de sa dialectique dans l'intelligence de la foi : « *Nisi credideritis, non intellegetis* » (*Is*, 7, 9). Devenu à son tour pasteur et commentant ce même *Isaïe* devant ses fidèles, Augustin dira un jour qu'il était de ces textes que, faute de les avoir lus dans l'adolescence, il avait besoin d'avoir sous les yeux dans un livre, alors que sa mémoire restait bien inutilement encombrée de littérature profane[a].

Licentius et Trygetius étaient-ils encore à ses côtés en ce début d'hiver ? Du silence qui se fait sur eux on peut déduire que la vie les avait repris dans son tourbillon ordinaire. Le dortoir s'était vidé. Dans une lettre écrite à son cher Nebridius, au tout début de 387, on voit Augustin dialoguant seul avec lui-même, allongé sur son lit, dans le calme de la nuit[b] : son ami avait reçu les *Dialogues* et avait félicité le maître d'être parvenu, lui semblait-il, à la sagesse ; Augustin n'était pas dupe de ce compliment qu'il mettait au compte d'une encourageante amitié : qu'aurait dit Nebridius s'il avait reçu les *Soliloques* ? Augustin avait créé ce néologisme, en s'en excusant un peu, pour le donner comme titre à ce qui n'était pas un « monologue », mais le produit dialogué d'un dédoublement[c] : comme Socrate l'eût fait avec son *daïmôn*, il conversait avec sa Raison et se mettait à l'écoute de ce bon génie, et lui confessait ses désirs, ses doutes et ses insuffisances résiduelles. Instrument de cette introspection, sa Raison lui faisait comprendre sans trop de ménagements que son humaine faiblesse faisait encore obstacle à la *fruitio Dei* : son « œil intérieur » – une image plotinienne dont l'évêque fera toujours usage – était-il assez purifié pour regarder le soleil ? Augustin se soumettait à cet examen de conscience. Il ne désirait plus la fortune, depuis longtemps, ni les honneurs depuis peu. Il y avait

---

a. *Serm. Dolbeau* 23 (*Mayence* 59, complétant le *sermon* 374), 19, dans *Vingt-Six Sermons au peuple d'Afrique*, p. 610.

b. *Ep.* 3, 1 : « *Diu mecum in lecto situs cogitaui, atque has loquelas habui, Augustinus ipse cum Augustino.* »

c. *Sol.*, II, 14.

aussi beau temps qu'il tenait en bride sa sensualité pour ce qui était du manger et du boire, et du plaisir des bains. Mais la femme ? insistait la Raison, qui connaissait son monde. La réponse d'Augustin était catégorique : il avait renoncé sans retour au mariage, et il professait qu'« il n'était, pour jeter l'âme d'un homme à bas de sa citadelle, rien de tel que les caresses d'une femme et ce contact des corps sans lequel on ne peut parler de possession d'une épouse[a] ». Et s'il lui arrivait encore de poursuivre le rêve d'un *otium* philosophique vécu au milieu de ses amis – ce qui supposait fortune et dignité sociale –, la Raison lui accordait volontiers que la fin mise en perspective, l'ambition de parvenir à la sagesse, justifiait dans ce cas les moyens matériels désirés. Il y a dans ce premier livre des *Soliloques* un ton de confidence, plutôt rare chez Augustin, quelque chose comme une esquisse de « confessions », au sens profane et quasi rousseauiste du mot.

Si précieux soit-il pour fixer la physionomie morale d'Augustin quelques mois après sa conversion, cet aspect d'« autoportrait » des *Soliloques* n'est pourtant pas ce qui en fait tout le prix. Surtout, plus nettement encore que les *Dialogues*, ils constituent un premier jalon dans la quête métaphysique dont la dernière page du *De ordine* dévoilait la visée. À l'issue de la longue prière initiale sur laquelle on reviendra, la Raison demande à Augustin ce qu'il veut savoir ; la réponse tient en quatre mots : « *Deum et animam scire cupio*[b]. » Satisfaire une ambition si haute est ressenti par lui comme une ardente obligation, qui ne peut souffrir qu'il attende d'autres que lui, d'ouvrages écrits par d'autres que lui, un secours pour résoudre les difficultés qu'il pressent[14]. Elle suppose en premier lieu une analyse du processus de la connaissance véritable, et d'abord de ses conditions. Augustin se souvient de ses fugitives réussites, et surtout des échecs éprouvés lors de ses tentatives de contemplation du début de l'été de 386[c]. Dieu ne se manifestera à l'intelligence que si l'œil de l'âme est en état de le contempler ; il faut que cet œil soit sain, ce que lui garantira la foi, qui seule peut l'affranchir des passions ; à la foi il faut joindre l'espérance, qui seule permettra de persévérer et de passer outre à l'insuccès des premières tentatives ; il y faut enfin la charité, c'est-à-dire l'amour de cette lumière qui est promise

---

a. *Sol.*, I, 17. Pourtant la Raison lui fera avouer un peu plus tard (I, 25) ses obsessions nocturnes.

b. *Sol.*, I, 7. Même indication en I, 20 : « *Ut animas nostras et deum simul concorditer inquiramus* » et en I, 27 : « *Animam te certe dicis et deum uelle cognoscere ? – Hoc est totum negotium meum.* »

c. Cf. *supra*, pp. 127-130.

à l'âme[a]. Ainsi Augustin transcrit-il en langage chrétien les commandements d'une *exercitatio animi* qu'il avait trouvés dans le néoplatonisme. Si ces conditions sont remplies, l'âme pourra bénéficier pleinement de l'illumination de Dieu, recevoir directement sa lumière, et ne plus se contenter de celle, seulement réfléchie, qui rayonne dans le monde sensible[b]. Là encore, Augustin suivait Plotin, lui-même héritier de Platon, mais il le suivait parce qu'il considérait déjà, comme il le précisera bien plus tard dans la *Cité de Dieu*, que la doctrine néoplatonicienne coïncidait en cela avec l'enseignement de l'Évangile[c].

Le second livre des *Soliloques* s'ouvre par la réaffirmation de l'exigence fondamentale. La Raison invite Augustin à prier pour la réussite de leur entreprise. Cette deuxième prière est très brève : « Dieu qui es toujours le même, fais que je me connaisse, que je te connaisse[d] ! » Se connaître soi-même, c'est-à-dire connaître son âme, pour connaître ce qui est le plus proche d'elle, et à l'image de quoi elle a été faite ; faire servir le précepte socratique – ici sous-jacent, sans que cela soit dit – à la connaissance la plus haute, tout l'effort théologique qui sera mis plus tard en œuvre dans la deuxième partie du *De Trinitate* est déjà ici programmé. Cela requiert qu'on s'appuie sur des bases stables, sur une première certitude relative au sujet même de cet acte de connaissance, et c'est pourquoi la Raison fait d'emblée découvrir à Augustin un *cogito* – déjà esquissé dans le *De beata uita*[15] – qui préfigure celui de Descartes, en plus rudimentaire et sans son développement syllogistique. « Sais-tu que tu penses ? demande la Raison – Je le sais – Donc il est vrai que tu penses ? – Cela est vrai[e]. » Un peu plus tard, dans le *De libero arbitrio*, et de façon plus évidemment cartésienne avant la lettre, la certitude d'être en tant que sujet pensant, même dans l'erreur, servira de support pour amorcer la preuve de l'existence de Dieu[f]. Ici, elle est le terrain solide sur lequel Augustin peut prendre pied pour s'engager sur la première des deux voies tracées par lui, celle de la connaissance de l'âme. De cette âme, les questions relatives à la nature et à l'origine occuperont toute sa vie sa pensée, et il hésitera toujours sur le mode de sa création par Dieu. Mais, dès l'hiver de 386-387, il est au moins tiré de tout doute sur son caractère impé-

---

a. *Sol.*, I, 12.
b. *Sol.*, I, 23.
c. *Cité de Dieu*, X, 2, rapprochant Plotin, *Enn.*, V, 1, 10, 10-18, et *Jn*, 1, 6-10.
d. *Sol.*, II, 1 : « *Deus semper idem*, nouerim me, nouerim te. »
e. *Sol.*, II, 1 : « *Cogitare te scis ? – Scio – Ergo uerum est cogitare te ? Verum.* »
f. *De lib. arb.*, II, 7 ; on admet que le livre I et le début du livre II de ce dialogue ont été écrits à Rome en 388.

rissable. Très probablement par l'intermédiaire du traité de Plotin *Sur l'immortalité de l'âme*, il emprunte à Platon l'argumentation tirée de la subsistance de la vérité, dont l'âme est le sujet[a]. À Augustin qui lui avoue son inquiétude, la Raison réplique : « Cesse de gémir ! L'âme humaine est immortelle » – « Comment le prouves-tu ? » interroge Augustin. Et la Raison résume alors les résultats auxquels ils sont déjà parvenus : « Si tous les attributs d'un sujet doivent toujours subsister, il faut donc que le sujet subsiste toujours. Or toute science a l'âme pour sujet. Il est donc nécessaire que l'âme subsiste toujours, si la science subsiste toujours elle-même. Mais la science n'est autre chose que la vérité et la vérité subsiste à jamais... Donc l'âme subsiste toujours[b]. »

Plusieurs « prières », on l'a vu, entrecoupent les *Soliloques*, dont l'ardent appel, si significatif de la quête essentielle, qu'est le « *nouerim me, nouerim te* ». Ces oraisons expriment fortement la conviction qu'a Augustin, à la différence des philosophes trop orgueilleusement confiants dans les seules forces de leur raison, qu'un secours lui est nécessaire pour parvenir à la vérité qu'il recherche sur lui-même et sur Dieu. « Que sous ta conduite je revienne en moi et en toi », implore-t-il du fond de ses « ténèbres » en une invocation[c] où l'on retrouve l'attitude mystique du retour en soi-même avant la conversion vers Dieu, « sous sa conduite », constatée dans les « anabases spirituelles » de la fin du printemps milanais, telles que nous les rapportent les *Confessions*[16]. Et puis – mais il faudrait dire « d'abord », puisque Augustin a placé en ouverture ce que nous sommes tentés de lire comme un finale – il y a la grande et belle oraison du début des *Soliloques* : un texte admirable, maintes fois analysé et commenté[17], dont le souffle et le jaillissement se soutiennent sur cinq grandes pages. Cette « prière du philosophe », comme on l'a appelée[18] – mais c'est surtout vrai de son quatrième mouvement (*Sol.*, I, 4) –, d'où l'Incarnation est encore absente, où la définition trinitaire de Dieu ne figure pour lors qu'en filigrane, est à lire comme un hymne de repentance, de foi et d'amour.

---

a. PLATON, *Phédon*, 78 b-82 c ; 84 ab ; cf. aussi *Ménon*, 86 b.
b. *Sol.*, II, 24.
c. *Sol.*, II, 9.

Chapitre XIII

Ostie

Dans les premières semaines de 387, Augustin regagna Milan avec ses compagnons. « Quand vint le moment où il fallait donner mon nom, nous quittâmes la campagne pour revenir à Milan[a]. » La raison du retour en indique aussi approximativement la date : nous savons par Ambroise lui-même que dans son église on pouvait « donner son nom » – pour s'inscrire à la catéchèse baptismale – dès l'épiphanie (le 6 janvier)[b] ; la liste des aspirants au baptême – les *competentes* – était dressée, et donc les inscriptions closes, au début du carême. En 387, la fête de Pâques tombant le 25 avril et le premier dimanche de carême étant ainsi le 14 mars, le retour de Cassiciacum a donc pris place entre début janvier et mi-mars. Augustin précisera qu'Alypius avait dompté son corps « jusqu'à fouler, pieds nus, le sol glacé de l'Italie », lors de ce trajet, ce qui incline à le situer plutôt au cœur de l'hiver lombard, en janvier-février.

Augustin était désormais libéré de ses obligations professorales, mais son *otium* restait très occupé. À elle seule, la préparation au baptême était déjà très exigeante ; par la pénitence[c] et le jeûne, elle mobilisait le corps autant que l'esprit : il évoquera plus tard les semaines où, avec les autres *competentes*, il passait ses journées à être « catéchisé, exorcisé, examiné[d] ». Tout autre que lui se fût trouvé suffisamment absorbé. Les *Confessions* sont bien discrètes sur ce printemps milanais, mais nous savons pourtant grâce aux *Révisions* qu'il profita de ce temps de relative liberté pour ne pas casser l'élan métaphysique pris à Cassiciacum. Les *Soliloques* étaient restés inachevés. Il écrivit donc à son retour à Milan un livre, *L'Immor-*

---

a. *Conf.*, IX, 14.
b. Ambroise, *In Luc*, IV, 76.
c. C'est la « pénitence primordiale » dont parle le *sermon* 351, 2.
d. *De fide et operibus*, VI, 9.

talité de l'âme, qu'il présentera dans les *Révisions* comme un *commonitorium* – quelque chose entre brouillon et aide-mémoire –, destiné dans son esprit à fournir des matériaux pour un cómplément aux *Soliloques*. Il dira que cet écrit était tombé à son insu et malgré lui dans le public, et avait donc été compté dès lors parmi ses œuvres : un constat que fera sans enthousiasme le vieil évêque, relisant un texte dont la texture trop serrée et la concision excessive rendaient de son propre aveu la lecture pénible[a].

On a montré assez récemment que ce petit livre était, plus encore que de Plotin, nourri de Porphyre, utilisé dans une esquisse un peu sèche où ne se retrouve pas le souffle des *Soliloques*[1]. Le *De immortalitate animae* en prend pourtant bien la suite ; il reprend, à son début, pour établir la pérennité de l'âme, l'argument déjà formulé dans les *Soliloques*, tiré de la subsistance de la vérité, dont l'âme est le sujet[b]. La suite est, en un premier temps, une série de variations sur la raison, et notamment sur son immutabilité, à la différence du corps, ce qui constitue une autre preuve de son immortalité. Un second mouvement du développement s'attache à démontrer l'indestructibilité de l'âme. Là encore, la démonstration part du corps : on peut diviser un corps autant qu'on voudra, l'acheminer autant qu'on voudra vers le non-être, il n'atteindra jamais au néant[c]. À plus forte raison en sera-t-il ainsi pour l'âme. La sottise, la folie, l'affaiblissement de la raison peuvent la faire tendre au non-être, sans pouvoir la mener au néant[d]. L'âme est, par définition, vie qui anime ce qui vit ; elle ne peut s'abandonner soi-même, elle ne peut être privée de vie, puisque c'est elle qui la donne[e]. Tenant son être de Dieu, c'est-à-dire d'une essence qui n'a point de contraire – ce contraire serait le non-être –, l'âme ne peut perdre son être et ne peut donc pas périr[f]. Mais, objectera-t-on, elle pourrait se dégrader ? Se changer en corps ? Par exemple dans le sommeil ? Mais, dans le sommeil, c'est l'usage du corps qui est amoindri pour l'âme, non la vie propre de l'âme[g]. Elle ne risque pas non plus de se dégrader par son action dans le corps, où elle n'est pas spatialement logée, étant irréductible à l'étendue[h]. Jetée en vrac dans un tissu trop dense, cette métaphysique est un peu rebutante ; mais un certain nombre de ces thèmes

---

a. *Retract.*, I, 5, 1
b. *De immortalitate animae*, 1.
c. *Ibid.*, 12.
d. *Ibid.*, 13-14.
e. *Ibid.*, 16-17.
f. *Ibid.*, 19.
g. *Ibid.*, 23.
h. *Ibid.*, 25.

sur l'âme continueront d'inspirer par la suite Augustin[2]. Ce qu'on retiendra de leur rassemblement dans un texte écrit lors du carême de 387, c'est qu'à peu de jours de son baptême Augustin éprouvait encore le besoin de « saisir la vérité non seulement par la foi, mais par l'intelligence », comme il le disait dans le *Contra Academicos*[a] ; il restait dans les mêmes dispositions d'esprit qu'à l'automne précédent.

Dans le cours de son *De immortalitate animae*, Augustin faisait explicitement référence aux « arts libéraux[b] », et le mot *disciplina* – entendons « formation intellectuelle » ou mieux « scientifique » – intervenait dès les premiers mots du texte comme élément signifiant de son *incipit*. Car Augustin n'avait pas perdu de vue le plan d'étude qu'il avait détaillé dans le *De ordine* : la grammaire, la rhétorique, la dialectique, la musique, la géométrie, l'astronomie[c]. Ces arts libéraux, tous ceux qui étaient venus compléter sa première formation d'adolescent à Madaure puis à Carthage, il les avait assimilés en autodidacte très doué aux alentours de sa vingtième année, comme il le rappellera dans les *Confessions*, en s'en accusant comme d'une science alors demeurée vaine, car, dira-t-il, « j'avais le dos à la lumière et le visage tourné vers les objets éclairés ; aussi mon visage lui-même, qui les voyait éclairés, n'était pas éclairé[d] ». Mais il savait maintenant qu'il y avait un bon usage de ces arts libéraux et, au cours de sa dernière année milanaise, ses lectures lui avaient fait découvrir que leur pratique graduée donnait accès à la connaissance de l'âme, qui en était purifiée ; il s'agissait en somme d'une propédeutique à cette étude de l'âme dont il avait dit aussi dans le *De ordine* qu'elle devait être le fait des *discentes* – ceux qui avaient encore à apprendre –, alors que les questions relatives à Dieu – la seconde voie qu'il fallait se tracer – convenaient, elles, aux *iam docti*, à ceux qui étaient déjà instruits[e]. Évoquant cette entreprise du printemps de 387 dans ses *Révisions*, Augustin confirmera l'esprit dans lequel il l'avait abordée, sans pouvoir la mener à son terme : « Par l'intermédiaire des choses corporelles [*per corporalia*] je désirais parvenir moi-même, ou conduire les autres, aux choses incorporelles [*ad incorporalia*]. » Autrement dit, ce n'est pas, comme on l'a parfois avancé[3], simplement pour apurer le passé avant son baptême et avant

---

a. Cf. *supra*, p. 158.

b. *De immortalitate animae*, 6.

c. *De ordine*, II, 35-44.

d. *Conf.*, IV, 30, évidente allusion au mythe platonicien de la caverne.

e. *De ord.*, II, 47 : « *Prima* (i.e. *quaestio de anima*) *est illa discentibus, ista iam doctis.* »

d'amorcer une vie nouvelle qu'Augustin s'est lancé, avec si peu de temps devant lui, dans un programme de travail qu'on peut juger démesuré. Ce n'était pas seulement l'« adieu aux armes » de l'ancien rhéteur.

Quel que fût le génie d'Augustin et sa puissance de travail, venir à bout des *Disciplinarum libri* en l'espace de quelques mois[a], alors qu'il était par ailleurs, depuis son retour à Milan, déjà très sollicité par la préparation du baptême, était un peu une gageure – même si, pour ce faire, et au moins pour partie du projet, il pouvait mobiliser rapidement ses compétences professionnelles. C'est ainsi qu'il put achever vite le livre sur la *Grammaire*, sur la base des notes qu'il avait. Plus tard il s'apercevra à Hippone que l'ouvrage avait disparu de sa bibliothèque : l'ouvrage perdu survit sans doute partiellement sous la forme d'un résumé que la tradition manuscrite lui attribue[4]. De même, il disposait de tous les éléments nécessaires pour composer son *De musica*, au titre pour nous bien trompeur, car c'est de la musique des vers qu'il s'agit, du moins dans les cinq premiers livres écrits à Milan avant le baptême, et qui ne sont ni plus ni moins qu'un traité de métrique. À cet édifice souvent très technique Augustin ajoutera plus tard un « étage » spirituel sur lequel on reviendra[5]. Quant aux autres « disciplines », dialectique, rhétorique, géométrie, arithmétique, philosophie[b], « seuls, disent les *Révisions*, les commencements [*principia*] des livres qui en traitaient ont été conservés[6] ». Et l'évêque ajoutait que, par la suite, il les avait perdus ; peut-être, pensait-il, n'étaient-ils pas perdus pour tout le monde : parole d'espoir pour nous, que les importantes redécouvertes de ces vingt dernières années ont conforté dans la conviction que, quand il s'agit d'Augustin, la « fouille » des grands fonds manuscrits de la vieille Europe peut encore réserver d'heureuses surprises[7].

LES EAUX DU BAPTÊME

Des monuments conservés de la fin de l'Antiquité, le baptistère est peut-être celui dont la charge émotionnelle est la plus forte. Cette impression est due à la parfaite adéquation d'une structure et d'une forme architecturale au rite initiateur d'une liturgie née au début de notre ère aux bords du Jourdain. À ces hommes et à ces femmes

---

a. Si l'on suppose qu'il avait commencé à y travailler dès l'automne de 386 à Cassiciacum.

b. Ce dernier traité au lieu du traité sur l'astronomie qui couronnait normalement le cycle : *De ord.*, II, 42.

pour qui descendre les quelques marches qui les immergeaient dans le bassin des thermes profanes était un geste de bien-être usuel, sinon quotidien, la seule vraie douceur de vies au jour le jour rudes et inconfortables, la symbolique de la totale immersion dans la cuve baptismale était immédiatement accessible. La beauté, bien souvent, de ces vasques rondes ou polygonales, parfois quadrilobées ou cruciformes[8], avec leur décor mosaïqué qui les tapissait et qui jouait sous le film d'eau, les aidait encore à en saisir le caractère sacré, et à concevoir plus facilement qu'ils en sortiraient régénérés spirituellement, comme ils émergeaient physiquement délassés de la piscine des bains publics, et qu'ils auraient en sortant, revêtus de la tunique blanche, dépouillé le vieil homme dont les péchés gisaient à terre avec les vêtements laissés au bord de la cuve baptismale.

Ainsi en fut-il pour Augustin, lorsqu'il reçut le baptême de la main d'Ambroise[a] lors de la vigile pascale, dans la nuit du 24 au 25 avril 387, en étant plongé dans la vasque octogonale du baptistère très probablement érigé par Ambroise lui-même à côté de la *basilica noua*, la future basilique de Sainte-Thècle, à l'emplacement de l'actuel Duomo[9]. Dans la foule des « néophytes » qui les entourait, il avait à ses côtés son fils Adeodatus, et Alypius. Les *Confessions* ne sont jamais simplement « narratives » ; elles ne le seront pas davantage à cette occasion pourtant unique. Augustin écrira seulement : « Et nous fûmes baptisés, et le trouble de notre vie passée s'enfuit loin de nous[10]. » Son émotion bien réelle, celle qui saisit le fils prodigue devant un accueil qu'il n'osait espérer, il en dirait le jaillissement dans les jours qui suivirent, quand il chantait avec ses nouveaux frères les hymnes dont un an auparavant Ambroise avait introduit l'usage dans son église pour galvaniser ses fidèles en lutte contre les menées proariennes de Justine[b]. « Combien j'ai pleuré à entendre tes hymnes et tes cantiques, vivement remué par les voix dont la douceur résonnait dans ton église ! Ces voix coulaient dans mes oreilles, et la vérité se distillait dans mon cœur ; il en sortait en flot bouillonnant des sentiments de piété, et mes larmes ruisselaient, et cela me faisait du bien[c] ! »

Peut-être fut-ce en ces jours d'exaltation que prit place la visite que fit Augustin à la communauté monastique de Milan, qui avait à sa tête un prêtre, « le meilleur et le plus savant des hommes », dont nous ignorerons toujours le nom[d]. Sans doute fut-ce aussi alors que

---

a. *Ep.* 36, 32 ; POSSIDIUS, *Vita Aug.*, I, 5-6.
b. Cf. *supra*, p. 120.
c. *Conf.*, IX, 14.
d. *De mor. eccl. cath.*, I, 70.

la petite troupe d'Africains réunie autour d'Augustin s'adjoignit une nouvelle recrue, en la personne d'Evodius. Ce jeune homme dont il est alors pour la première fois question était lui aussi originaire de Thagaste, décidément une pépinière de talents ; lui aussi avait servi dans la police politique impériale et, comme les deux *agentes in rebus* de Trèves dont Ponticianus avait raconté le « retournement[a] », il avait « renoncé à la milice du siècle pour entrer dans la tienne[b] ». Sans doute l'appel d'une autre vie était-il fortement entendu par des hommes de cœur amenés à se salir les mains au service de l'empereur. Evodius avait déjà reçu le baptême quand il entra dans la familiarité d'Augustin. Il en restera toujours proche et on le verra, devenu évêque d'Uzalis, non loin d'Utique, en butte à de particulières attaques de la part des donatistes, qui se souvenaient qu'il avait été dans sa jeunesse l'auxiliaire du pouvoir impérial, et ne le lui pardonnaient pas.

Arrivé à Milan à l'automne de 384, Augustin y avait accompli en deux années une révolution morale et spirituelle complète, dont le terme avait été le baptême reçu d'Ambroise. Que pouvait-il y faire de plus, ou encore ? Il avait, à Milan, tout connu : un succès professionnel éclatant, les promesses d'une brillante élévation sociale, mais aussi les douloureuses tribulations d'une âme enfin réconciliée avec elle-même après avoir trouvé la voie. Ne fallait-il pas rompre avec cette ville où il avait rompu avec ses ambitions ? Et, après avoir bénéficié auprès d'Ambroise, et auprès du vieux prêtre Simplicianus, de ce rayonnement de la foi qui l'avait tant aidé dans sa propre conversion, ce ne serait pas, bien au contraire, manque de reconnaissance que de prendre du champ pour devenir à son tour – et nulle part mieux que chez lui, en Afrique – foyer de rayonnement. Sans doute éprouvait-il aussi que les relations, sur lesquelles un moment il avait beaucoup misé, avec ses amis milanais, comme Hermogenianus et Zenobius, avaient tourné un peu court ; et même avec Manlius Theodorus, sur qui il avait fondé trop d'espoirs, et qui l'avait déçu[11]. Et puis il fallait vivre, tout simplement. Avec quels subsides ? La décision d'abandonner le métier de rhéteur était irrévocable ; l'hospitalité des uns ou des autres, comme celle de Verecundus, ne pouvait avoir qu'un temps ; et le bailleur de fonds de toujours, Romanianus, avait passé la mer. Tous ces bas détails, que les *Confessions* taisent, entre autres, durent peser aussi dans la décision qui fut prise de rentrer au pays : « Nous cherchions en quel lieu nous serions plus utilement à ton service et nous retournions ensemble

---

a. Cf. *supra*, pp. 139-140.
b. *Conf.*, IX, 17.

en Afrique. Nous étions à Ostie, aux bouches du Tibre, quand ma mère mourut[a]. »

OSTIE

Augustin et les siens, accompagnés d'Alypius et d'Evodius, quittèrent Milan au plus tard au début de septembre 387. S'ils s'y étaient attardés davantage, ils auraient été pris dans la tourmente qui descendait alors de l'ouest par les cols des Alpes Cottiennes, dévalés par Maxime et par son armée, imprudemment appelés à la rescousse contre les Sarmates par le jeune Valentinien II et sa mère Justine ; le sauveur devenu usurpateur fit le 8 septembre son entrée dans Milan déserté par la cour impériale. Ce fut donc au cours de l'été qu'avec son entourage Augustin fit de Milan à Rome, en sens inverse, le trajet qu'il avait accompli seul presque trois ans auparavant, et de façon maintenant plus lente et moins confortable, car il ne bénéficiait plus, comme à l'aller, des facilités de la poste publique. Après une dernière étape à Rome, ils arrivèrent à Ostie. Les voyageurs y firent halte pour se reposer dans un logis qui donnait sur un jardin intérieur, comme il était de règle dans les maisons de l'époque : « C'était à l'écart de l'agitation, après les fatigues d'un long voyage ; nous y refaisions nos forces pour la traversée[b]. »

Nous savons ainsi qu'Augustin et sa famille ne résidaient pas dans la zone portuaire – à Porto –, de l'autre côté du petit bras du Tibre, mais à quelques kilomètres au sud, dans la colonie d'Ostie. Les fouilles extensives qui y ont été faites au milieu de ce siècle ont mis en évidence la situation particulière qui y prévalait à la fin de l'Antiquité[12] : avec le déplacement de l'activité maritime principale autour du grand bassin hexagonal créé par Trajan et constamment entretenu par la suite, la vie avait un peu reflué de la vieille cité ; les grandes habitations collectives – les *insulae* – menaçaient ruine, mais, dans le même temps, on avait continué à construire de belles maisons pour les riches familles de négociants et d'armateurs de ce qui restait encore, en marge du port proprement dit, un centre de commerce important. Augustin, à qui les recommandations ne manquaient pas, fut hébergé dans l'une de ces *domus*[13]. Ostie était « la porte de l'Afrique » : il n'est pas douteux qu'y existait une colonie africaine accueillante, christianisée de longue date depuis qu'au début du IIIe siècle Minucius Felix, flanqué d'Octavius, y avait fait les cent

---

a. *Conf.*, IX, 17.
b. *Conf.*, IX, 23.

pas sur la plage pour convertir leur ami Caecilius Natalis [14]. Au reste, c'est Augustin qui le dit lui-même : à peine étaient-ils arrivés à Ostie que Monique s'était vue entourée d'un petit groupe d'amis de son fils avec qui elle s'entretint librement d'une mort qu'elle sentait venir[a].

Jamais la mère et le fils n'avaient été si proches l'un de l'autre. Augustin a fixé pour nous cette proximité dans une image d'une telle netteté picturale qu'elle s'est imposée telle quelle dans l'iconographie augustinienne, des miniatures médiévales jusqu'à la toile célèbre d'Ary Scheffer au milieu du XIX[e] siècle. Il dira qu'un jour de secrètes dispositions divines les avaient placés seuls, debout côte à côte, accoudés à une fenêtre d'où leur vue s'étendait sur le jardin[b]. Toutes conditions étaient réunies pour que dans leur connivence profonde ils vécussent ensemble cet instant d'exception dont le récit est le sommet des *Confessions*. Telle qu'il se la remémore et la rétablit, sans prétendre créditer sa mémoire d'une précision au mot près, leur conversation en tête à tête était partie d'une méditation sur ce que pouvait être la vie éternelle dans l'au-delà, cette vérité que « *l'œil n'a pas vue, ni l'oreille entendue, et qui n'est pas montée dans le cœur de l'homme* » (*I Co.*, 2, 9). Au regard de la prescience qu'on pouvait en avoir, le plaisir des sens de notre chair, pensaient-ils l'un et l'autre, méritait à peine qu'on en parlât. Alors commençait une ascension comme celles dont Augustin avait eu l'expérience à Milan l'année précédente, non plus menée maintenant en solitaire, mais dans la communion de pensée qui l'unissait à Monique [15].

« Alors, nous élevant d'un élan plus ardent vers l'"*être même*", nous avons traversé, degré par degré, tous les êtres corporels, et le ciel lui-même, d'où le soleil, la lune et les étoiles jettent sur la terre leur lumière. Et nous montions encore au-dedans de nous-mêmes [*interius*] en fixant notre pensée, notre dialogue, notre admiration, sur tes œuvres. Et nous parvînmes jusqu'à nos âmes et nous les avons dépassées pour atteindre cette région d'inépuisable abondance où tu repais à jamais Israël dans le pâturage de la vérité, là où la vie est la sagesse, principe de tout ce qui est, a été, sera, sans qu'elle ait été faite elle-même, car elle est comme elle a toujours été, comme elle sera toujours... Et tandis que nous parlions de cette sagesse, que nous y aspirions, nous y avons touché [16] un moment dans un élan total du cœur [*toto ictu cordis*]. Et puis nous avons soupiré et nous

---

a. *Conf.*, IX, 28.
b. *Conf.*, IX, 23.

avons laissé là, attachées, les *"prémices de l'esprit*ᵃ*"* et nous sommes revenus au bruit de nos lèvres, où notre parole commence et finit. »

Comme il l'avait déjà expérimenté à Milan, Augustin sait par cette « anabase » renouvelée en compagnie de sa mère qu'à la sagesse divine on ne peut se hisser que dans le bref instant d'une « extase » qui doit elle-même passer par une phase « enstatique », par l'expérience exigeante de l'intériorité. Et qu'il faut bien après cela revenir au monde contingent et changeant d'ici-bas, et à cette parole humaine qui a commencement et fin, contrairement au Verbe créateur, « qui demeure en soi sans vieillir[b] ». Mais ce retour n'est plus senti comme une chute ; et le soupir d'Augustin et de Monique à Ostie est sans doute celui d'un « désir incomplètement assouvi[17] », mais non l'expression d'une désespérance. Il faut lire à la suite, non seulement pour leur beauté formelle, mais aussi et surtout pour ce qu'elles révèlent de la maîtrise acquise par Augustin dans la méthode spirituelle de l'approche de Dieu, et de l'espérance qu'il en tire désormais, les « stances » dédiées au silence intérieur comme condition de l'accueil en nous du Verbe divin sans intermédiaire :

> Si en quelqu'un faisait silence le tumulte de la chair,
> silence les images de la terre, et des eaux, et de l'air,
> silence même les cieux, et si l'âme aussi faisait en soi
> silence, et se dépassait, ne pensant plus à soi,
> silence aussi les songes et l'imagination ;
>
> si toute langue et tout signe
> et tout ce qui ne se produit qu'en passant
> faisait silence en quelqu'un absolument
> – car, si on peut les entendre, elles disent, toutes ces choses :
> « *Ce n'est pas nous qui nous sommes faites,*
> *mais nous a faites celui qui demeure éternellement* » *(Ps. 99, 3, 5)* ;
>
> cela dit, si maintenant elles se taisaient,
> puisqu'elles nous ont dressé l'oreille
> vers celui qui les a faites,
> et s'il parlait lui-même, seul,
> non par elles, mais par lui-même,
>
> de façon que nous entendions son verbe
> non par langue de chair, ni par voix d'ange,
> ni par fracas de nuée, ni par énigme de parabole,
> mais que lui, que nous aimons en tout cela,
> nous l'entendions lui-même sans cela,

---

a. *Rm.*, 8, 23. Sur ces « prémices de l'esprit », on lira la note de A. Solignac, dans *B.A.*, 14, pp. 552-55.

b. *Conf.*, IX, 24, *in fine*.

– comme à l'instant dans une tension de notre être
et dans le ravissement de notre pensée
nous avons atteint au-dessus de tout l'éternelle sagesse –,
si cela se prolongeait et si s'évanouissaient
les autres visions d'un ordre bien inférieur,
et que celle-là seule ravisse et absorbe et plonge
dans les joies intérieures celui qui la contemple,
et que la vie éternelle soit telle que fut cet instant
d'intelligence après lequel nous avons soupiré...

ne serait-ce pas cela la signification de cette parole :
« *Entre dans la joie de ton Seigneur* » (*Mt.*, 25, 21) ?
Et quand cela ? N'est-ce pas pour le jour
où « *nous ressusciterons tous sans être changés* » (*I Co.*, 15, 51)[a] ?

On a noté anciennement déjà dans ces textes – dans le récit proprement dit de l'« extase » comme dans le « discours de silence [18] » qui suit – le recours à un langage néoplatonicien qui avait fait depuis longtemps ses preuves dans l'expression humaine de l'approche du divin, et auquel Augustin était rompu par ses lectures et sans doute aussi par sa propre transcription de ses expériences [19]. Et un texte récemment retrouvé de l'évêque – un sermon inédit daté du 1er janvier 404 –, où il se réfère aux expériences spirituelles auxquelles se livraient encore les païens cultivés au début du Ve siècle, confirme de façon éclatante, par les rapprochements très précis que l'on peut faire avec l'« extase d'Ostie », qu'à la base de cet exercice il y avait une méthode héritée de Plotin[b].

Mais cette trame plotinisante est aussi tissée de références scripturaires – surtout des *Psaumes* et de saint Paul –, qu'on ne prendra pas pour les éléments d'un habillage biblique ajouté après coup par l'auteur des *Confessions*. Probablement dès le printemps de 386, à l'écoute des sermons d'Ambroise, qui « enrobait les paraphrases de Plotin dans un langage inspiré de l'Écriture [20] », Augustin avait pris le pli de repenser le néoplatonisme à travers des formes scripturaires. Et, dans les semaines et les mois qui avaient suivi, sa lecture des épîtres pauliniennes, puis son immersion plus profonde dans la Bible pendant sa catéchèse baptismale avaient encore accru cette facilité à marier la symbolique des Écritures à la dialectique plotinienne des degrés. Si bien qu'on peut facilement admettre que « la conversation qu'il eut avec sa mère présentait un amalgame de pensées ploti-

---

a. *Conf.*, IX, 25. Sauf légères retouches, la traduction est celle de G. Bouissou dans la *B.A.*, vol. 14.

b. *Sermon Dolbeau 26 (M. 62)*, 27 (F. DOLBEAU, *Vingt-Six Sermons au peuple d'Afrique*, 1996, p. 386).

niennes et d'expressions bibliques sensiblement identique à celui que nous pouvons analyser dans l'œuvre écrite[21] ».

Saint Augustin a-t-il été un mystique, parmi les plus grands ? S'il est un domaine où les simples mortels sont mal placés pour établir des classements et distribuer des prix, c'est bien celui où s'exerce un acte qui se situe à la plus fine pointe de la spiritualité. Ce qu'il faut au moins reconnaître avec l'un des meilleurs scrutateurs de la mystique augustinienne, c'est qu'Augustin est demeuré attaché sa vie durant à une méthode spirituelle de l'approche de Dieu expérimentée dès la période milanaise, consacrée par cet instant de grâce à Ostie en compagnie de Monique, sans se dissimuler jamais que « s'il faut faire effort pour aller vers Dieu, c'est Dieu seul qui décide de la rencontre et en reste maître[22] ». La vie d'Augustin, telle que nous la connaissons par ce qu'il nous en laisse deviner souvent plus que par ce qu'il nous en dit, a été ponctuée par ces rencontres obtenues dans cet état fugace d'« apesanteur » spirituelle qu'il a si bien décrit, s'adressant à ses fidèles, dans l'un de ses sermons[23].

Monique, qui venait de l'accompagner sur l'un de ces sommets, touchait au terme de son combat sur cette terre. Elle répéta à son fils ce qu'il savait déjà, qu'elle avait atteint le but qu'elle s'était fixé en cette vie en le voyant devenu chrétien catholique[a]. Quelques jours plus tard, une fièvre la mit au lit. Augustin se souvenait qu'elle s'était parfois inquiétée de sa sépulture, qu'elle avait prévue commune avec celle de son mari, à Thagaste, animée alors de sentiments si ordinairement répandus, païens et chrétiens confondus, et que l'auteur des *Confessions* a rendus avec les termes un peu précieux de la poésie funéraire[b]. Navigius et lui n'en furent que plus surpris, alors qu'ils étaient tous deux à son chevet, de l'entendre dire que peu lui importait l'endroit où serait inhumé son corps, pourvu qu'elle vécût dans leur souvenir et ne fût pas oubliée dans leurs prières. Et Augustin apprit quelques jours plus tard que pressentant sa mort dès son arrivée à Ostie elle avait laissé percer cette nouvelle approche eschatologique : « Rien, avait-elle dit, n'est loin pour Dieu, et il n'y a pas à craindre qu'il ne sache point où me retrouver à la fin du monde pour me ressusciter[c]. »

Monique mourut ainsi après neuf jours de maladie, âgée de cinquante-six ans. Une douzaine d'années plus tard, Augustin revivrait

---

a. *Conf.*, IX, 26.

b. *Conf.*, IX, 28 : « Que l'on pût dire d'elle qu'il lui avait été accordé, après un long voyage outre-mer, qu'une terre conjointe couvrît la terre des deux conjoints ». Un « exercice de stèle », comme on dirait maintenant.

c. *Conf.*, IX, 28, *in fine*.

en pensée ces heures de deuil que l'acuité du chagrin avait gravées dans sa mémoire. Au moment où Monique avait exhalé son dernier soupir, Adeodatus n'avait pu retenir ses cris : tous étaient intervenus pour le faire taire. Et Augustin, qui avait fermé les yeux de sa mère, se faisait pour ne pas pleurer une terrible violence qui le faisait durement souffrir. Mais il estimait, et ceux qui l'entouraient estimaient aussi, qu'une mort comme celle-là, qui n'était disparition ni misérable ni totale, ne devait susciter ni plaintes ni gémissements. Son cœur saignait, mais son âme lui commandait de garder secs ses yeux qui lui brûlaient[a]. Le jour des obsèques, il continua de refouler ses larmes et après l'enterrement se rendit aux bains, dans l'espoir vain d'y chasser « la sueur amère de la tristesse[24] » ; puis il s'endormit, brisé. Au réveil lui revint à l'esprit un hymne d'Ambroise[25] en vers iambiques qu'il avait souvent entendu chanter à sa mère[b] et qu'il avait chanté lui-même lors de son baptême. Il lâcha alors les larmes qu'il retenait et dans un bref orage les laissa couler autant qu'elles voulaient, « pour en faire un lit sous son cœur[c] ».

En décembre 1945, dans une petite cour jouxtant l'église Santa Aurea, à la sortie d'Ostie antique vers Rome, des jeunes gens qui creusaient un trou pour planter un poteau de basket-ball découvrirent les fragments d'une plaque de marbre inscrite[26]. Ils conservaient la partie gauche de l'épitaphe de Monique, déjà connue par les manuscrits médiévaux qui en avaient transcrit le texte, en l'attribuant à un ancien consul du nom de Bassus, d'« illustrissime mémoire[27] » : très probablement Anicius Auchenius Bassus, consul en 408, qui rédigea et fit graver cette épitaphe du vivant d'Augustin, alors évêque, sans doute dans les premières années du Ve siècle et plutôt après le sac de Rome par Alaric en 410[28]. Elle associait la mère et le fils dans une même gloire, celle que confèrent les vertus, supérieure à la renommée des hauts faits.

---

a. *Conf.*, IX, 29 : « Mes yeux, sur un ordre violent de mon âme [ici *animus*], résorbaient la source de leurs pleurs jusqu'à la dessécher », et 30 : « Mon âme [ici *anima*] était blessée et ma vie était comme mise en pièces. »

b. *Hymn. Ambr.*, I, 2 : « *Deus, creator omnium...* » ; cf. *Beata uita*, IV, 35, et *Conf.*, IX, 15.

c. *Conf.*, IX, 33.

CHAPITRE XIV

Une seconde saison romaine

Laissant derrière eux Monique inhumée à Ostie selon sa volonté, Augustin et les siens auraient dû s'embarquer pour l'Afrique, conformément à leur projet initial [a]. Il semble qu'il était encore pour eux temps de le faire, avant la « fermeture de la mer », à partir du 11 novembre jusqu'au 10 mars, période pendant laquelle la navigation était en principe interrompue sur les lignes maritimes « régulières [1] ».

Mais pour la première fois le cours de l'histoire personnelle d'Augustin était infléchi par celui d'événements extérieurs, en marge desquels elle s'était jusqu'alors située. Si la petite troupe des enfants de Thagaste ne prit pas la mer pour rentrer au pays à l'automne de 387, ce fut très probablement [2] en raison des conséquences militaires de l'usurpation de Maxime, dont l'armée n'avait pas tardé à dominer l'Italie, tandis que son chef était reconnu officiellement à Rome dès janvier 388. L'Afrique, entraînée par la défection du « comte » Gildon, un prince indigène pourtant promu par Théodose, s'était ralliée à lui. Les routes maritimes, parcourues par les flottes de l'usurpateur, n'étaient pas sûres, et nous savons par une lettre d'Ambroise à Théodose [b] que Maxime sera vaincu sur mer en Sicile avant de l'être sur terre en Illyrie et finalement massacré à Aquilée. Augustin devra attendre le retour au calme, après la mort de l'usurpateur, pour rentrer en Afrique [c].

Il n'était guère question pour lui de demeurer à Ostie, pour maintes raisons, dont le deuil qui venait de l'y frapper n'était pas la dernière. Augustin se replia donc sur Rome, avec sa maisonnée, et en compagnie d'Alypius et d'Evodius. Il y vivra pendant une petite année dans des conditions et avec un statut social qui restent pour

---

a. Cf. *supra*, pp. 168-169.
b. AMBROISE, *Ep.*, 40, 23.
c. *Contra litt. Pet.*, III, 30.

nous un peu énigmatiques. Durant sa première année romaine, en 383-384, il avait trouvé refuge au sein de la communauté manichéenne, en particulier chez un « auditeur » du nom de Constantius, un riche Romain qui était devenu son ami[a]. De plus, outre cette solidarité de la secte qui lui procurait un logis, le rhéteur qu'il était alors, pour mauvais payeurs que fussent ses étudiants, tirait tout de même de ses leçons de quoi subsister, d'autant plus largement qu'il était seul à Rome. Il s'y retrouvait maintenant sans ressources pour nous discernables, chargé de famille – au minimum son fils Adeodatus et son frère Navigius, pour ne rien dire de ses deux amis –, et naturellement toutes amarres rompues avec ses anciens amis manichéens. Tout porte à croire que le petit groupe d'Africains bénéficia, en bloc, d'un hébergement amical en milieu catholique. Était-ce chez ce même Constantius ? Nous savons seulement que ce dernier finit par devenir catholique quelques années plus tard[b].

LA PREMIÈRE POLÉMIQUE ANTIMANICHÉENNE

On se souvient qu'étant à Milan Augustin avait eu vent du « monastère » manichéen dont Constantius avait eu l'idée à Rome. Simple « auditeur », mais immensément riche et influent, ce dernier supportait mal les critiques qui s'élevaient contre ses amis de la secte en raison de leurs vagabondages et de leurs mœurs dissolues. Pour y mettre un terme, il avait projeté de faire vivre chez lui, à ses frais, tous ses « frères » manichéens déterminés à suivre une « règle de vie tirée de la *Lettre de Mani*[c] ». La lecture de ce texte en avait rebuté beaucoup ; un certain nombre toutefois avaient accepté et restèrent, l'« évêque » de la secte en tête – plus par respect que par conviction sincère, cependant, comme le montrèrent vite les querelles qui éclatèrent entre gens qui s'accusaient mutuellement de manquements, jusqu'à la révolte de ceux qui finirent par avouer ouvertement que ces règles de vie leur étaient insupportables. Constantius avait cru pouvoir rétablir la situation en les mettant en face de ce dilemme : il fallait ou bien observer tous les préceptes, ou bien juger inepte celui qui avait donné ces règles que personne ne pouvait suivre. Ce fut la fin du « monastère » : l'évêque lui-même

---

a. Cf. *supra*, pp. 91-92.

b. *Contra Faust.* (texte daté vers 400), V, 5.

c. *De mor. manich.*, II, 74. Il ne s'agit sans doute pas de la « lettre du Fondement », connue par ses citations augustiniennes, mais plutôt d'une des « lettres » dont les manuscrits en copte, retrouvés en Égypte vers 1930, n'ont pas survécu au bombardement de Berlin, où ils étaient conservés, en 1945.

prit la fuite en laissant derrière lui dans un garde-manger dissimulé des victuailles achetées en cachette sur des fonds eux-mêmes secrets. Il avait pourtant fait d'abord plutôt bonne impression à Augustin : « Un homme rustique et sans culture, mais dont la rusticité même paraissait une sauvegarde pour les bonnes mœurs[a] ».

De la véracité de tout cela, qu'il avait appris à Milan d'un témoin qu'il dit irréfutable, Augustin s'assura une fois de retour à Rome, peut-être auprès de Constantius lui-même. Dans le milieu chrétien de Rome, beaucoup de bruits couraient sur les manichéens, comme celui qui les accusait de pratiquer entre eux une communion très particulière en absorbant des semences animales et même humaines, tout de même qu'ils consommaient des semences végétales, dans la cohérence de la conviction qu'ils avaient d'empêcher ainsi des parcelles d'âme – ou de lumière – de retomber prisonnières de la matière[3]. Pour le moment, cela restait dans l'esprit d'Augustin à l'état d'un soupçon auquel il s'abstenait d'ajouter foi[b]. Les manichéens prêtaient par ailleurs suffisamment le flanc à des attaques sur le plan de la morale. Et, s'il faut en croire les *Révisions*, si ce fut à Rome, au lendemain de son baptême, qu'Augustin inaugura contre eux, sur ce terrain, une polémique qu'il devait poursuivre des années durant, les provocations de ses anciens amis en furent la cause[c].

Il le fit dans un ouvrage en forme de diptyque : un premier livre, *Mœurs de l'Église catholique*, auquel ferait suite *Mœurs des manichéens*[4].

Ces deux opuscules ne figurent pas parmi ceux d'Augustin auxquels on fait le plus souvent référence, et à juste titre, car on n'y trouve rien qu'on puisse tenir pour un acquis fondamental ou définitif dans son anthropologie ou sa théologie. Pour la première fois pourtant on y voit s'exprimer le fidèle en tant que tel, assumant la défense et l'illustration d'une Église dont il est membre depuis moins d'une année, en même temps que s'y révèle un redoutable polémiste. Il faut lire le portrait du manichéen jouisseur, qui, dans sa stricte observance du « sceau de la bouche », repousse avec horreur les trois doigts de mauvais vin que boit le pauvre catholique, et le petit morceau de lard rance dont il agrémente son chou quotidien, tandis que sa table à lui croule sous une profusion de

a. *De mor. manich.*, II, 74.
b. *Ibid.*, II, 66.
c. *Retract.*, I, 7, 1 : « Après mon baptême, alors que j'étais à Rome, je ne pus supporter en silence la jactance des manichéens sur leur continence ou leur abstinence fallacieuse. »

mets non carnés, mais raffinés, et de boissons non fermentées, mais variées et exquises[a]. Augustin ne pardonnait pas facilement aux manichéens d'avoir spirituellement stérilisé ses années de jeunesse, et sans doute ne se pardonnait-il pas d'avoir laissé s'embourber dans les marais de leur dualisme l'élan pris à dix-neuf ans à la lecture de l'*Hortensius*. Il avait le sentiment d'avoir été joué[b]. Il y a du règlement de comptes dans cette polémique antimanichéenne ; c'est de cela qu'elle tient son mordant. Mais c'est aussi une entreprise de sauvetage : il s'était sauvé lui-même ; il lui fallait maintenant assurer le salut de ceux qu'il avait entraînés avec lui quand il militait lui-même dans la secte, et qui y étaient parfois demeurés[c], avant que, par le prêtre, puis par l'évêque, la lutte contre les manichéens ne fût ressentie tout simplement comme une obligation pastorale. Quand il prenait contre eux ses tablettes et son stylet en 388 à Rome, on l'aurait beaucoup étonné en lui disant qu'il ferraillerait encore avec leurs chefs en Afrique une quinzaine d'années plus tard[5].

Les amateurs d'ironie corrosive et aussi de pittoresque trouveront leur compte dans le pamphlet qui constitue le second volet du diptyque ; mais c'est surtout avec le premier, celui qui met en valeur l'Église catholique, que s'amorce l'argumentation qu'Augustin déploiera inlassablement pour confondre les manichéens. Il évitera, dit-il, autant que possible de les brusquer[d]. Et puisque ses adversaires proclamaient hautement leur rationalisme et méprisaient l'autorité – entendons celle des Écritures –, il s'en tiendra avec eux, au moins au début de cette réfutation, aux seuls moyens de la raison[e]. La raison nous dit quel est le but auquel aspire l'homme : vivre heureux[f]. Avec un tel exorde, Augustin semblait mettre en chantier un autre *De beata uita*, mais sur de nouvelles bases. Dans le dialogue de Cassiciacum, il était encore tributaire des idées professées par les stoïciens comme par les platoniciens sur la distinction de l'âme et du corps et sur l'indépendance du sage, dont la béatitude est un état

---

a. *De mor. manich.*, II, 29-30.

b. C'est le mot qu'il emploie lui-même : « *nouem annis quibus me* ludificastis » (*ibid.*, II, 34).

c. Ainsi son ami d'enfance, Honoratus, pour qui sera écrit le *De utilitate credendi*, en 391/92.

d. *De mor. eccl. cathol.*, I, 2 : « Je veux plutôt les guérir que les combattre, s'il est possible » ; il ne se faisait pas d'illusions.

e. *Ibid.*, I, 3.

f. Rappelons que ce sont les premiers mots du *De uita beata* de Sénèque : « *Viuere* [...] *omnes beate uolunt.* »

de l'âme, par rapport au corps et aux vicissitudes de l'existence[a]. Et, dans le *Contra Academicos*, à la même époque – automne de 386 –, il pensait encore que le souverain bien de l'homme consistait dans la raison, et que sa béatitude pouvait être une vie menée selon la raison[b]. Pour Augustin maintenant, peu importait qu'il fallût partir de l'idée que l'homme est composé d'une âme et d'un corps[c] ; et, à supposer même qu'on voulût garder une définition purement corporelle de l'homme, on ne pouvait nier que ce qui fait le bien du corps, ce n'est pas le plaisir, ni l'absence de souffrance ni non plus la force ou la beauté : ce qui fait le bien du corps, c'est l'âme, et d'abord en ceci qu'elle lui donne la vie[d]. Mais alors il faut se demander quel est le souverain bien de l'âme : est-ce la vertu, comme toute l'Antiquité classique l'avait pensé, avec des nuances selon les écoles ? Oui, sans doute, la vertu rend l'âme parfaite ; mais, à la différence de ses prédécesseurs, stoïciens, péripatéticiens ou néoplatoniciens, Augustin ne pense plus que la vertu existe en puissance chez l'homme ; pour atteindre à la vertu, l'âme doit suivre comme un guide quelque chose qui lui est transcendant ; et ce quelque chose est la cause même de ce bien, c'est-à-dire Dieu ; et c'est atteindre Dieu qui procure la béatitude[e].

Mais précisément, à ce stade, ajoute Augustin, la raison devient impuissante : « Parvenue au divin, elle se détourne ; elle ne peut fixer son regard, elle tremble, elle s'enflamme, elle brûle d'amour, elle est éblouie par la lumière de la vérité et elle retourne à ses ténèbres habituelles, non par choix, mais par lassitude[f]. » Quand l'homme est arrivé à ce point de son ascèse, la raison doit chez lui être relayée par l'autorité, c'est-à-dire par l'enseignement des Écritures. Et c'est là aussi qu'on retrouve le fil de la polémique antimanichéenne, car si les manichéens tenaient pour recevables l'Évangile et saint Paul, rejetant l'Ancien Testament qu'ils lisaient au premier degré comme l'avait fait longtemps Augustin lui-même, ils ne pouvaient évidemment en accepter la concordance avec le Nouveau, dont ils faisaient au demeurant une lecture « hérétique » en l'expurgeant, comme s'il s'agissait pour eux d'interpolations, de tout ce qui s'y référait à l'autorité des Écritures de l'Ancien Testament. Qu'il s'agisse de la charité ou de l'exercice des vertus, toute

---

a. *De beata uita*, IV, 25.
b. *Contra Acad.*, I, 5, repris dans *Retract.*, I, I, 2.
c. *De mor. eccl. cathol.*, I, 6.
d. *Ibid.*, I, 7.
e. *Ibid.*, I, 9 : « *Oportet ut aliquid aliud sequatur anima, ut ei uirtus possit innasci* », et I, 10 : « *Si [deum] assequimur, non tantum bene, sed beate uiuimus* ».
f. *Ibid.*, I, 11.

la suite de ce premier livre du *De moribus* est consacrée à montrer, contre les manichéens, l'accord essentiel de l'Ancien et du Nouveau testament et l'unicité du Dieu qui est professé dans l'un et dans l'autre[a]. L'ouvrage culmine avec la page qui en justifie plus particulièrement le titre – *Des mœurs de l'Église catholique* – et qui est un hymne à l'Église non seulement en tant qu'éducatrice de ses fidèles, mais aussi et surtout en tant que garante des liens familiaux, du contrat social et des bases politiques de la cité terrestre[6]. À peine entré dans cette Église, Augustin lui assignait le plus exigeant des rôles, le plus périlleux aussi dans une société humaine, celui de mentor universel.

La découverte de la Rome chrétienne

Cette Église, il avait commencé à la voir vivre à Milan, d'abord de l'extérieur, puis de façon intime à partir du début de l'année 387 ; à Rome, il en approfondissait la connaissance. Dire qu'il voyait la Ville éternelle d'un œil neuf est peu dire : en fait, il la voyait véritablement pour la première fois. Et ce qu'il découvrait, c'était la grande cité chrétienne, qui naturellement lui avait échappé lors de son premier séjour, en 383-384, quand il était immergé dans le milieu manichéen. Cette fois-ci, Augustin baignait dans le milieu chrétien de Rome. Durant les dix mois qu'il y passa, il le fréquenta assidûment, à différents niveaux, avec une curiosité de néophyte avide de tout connaître. On aura l'occasion de dire qu'Augustin ne fut jamais « amoureux » de la Ville éternelle ; mais sans doute fut-il alors sensible à la métamorphose urbanistique qu'elle vivait à cette époque et dont Jérôme consacrera l'aboutissement une quinzaine d'années plus tard par une fameuse et forte formule, « *mouetur urbs sedibus suis* » : Rome n'était déjà plus dans Rome, dans un sens tout à fait concret et matériel ; le bon peuple abandonnait le Capitole et les temples à demi ruinés pour courir vers les tombes des martyrs[b]. En particulier au Vatican, que visita aussi Augustin. Il y éprouva des surprises, par exemple lorsqu'en compagnie d'Alypius il découvrit qu'à la différence de Milan, où Ambroise veillait attentivement au respect de son interdiction des repas funéraires – Monique en avait su quelque chose –, les agapes sur les tombes étaient monnaie courante à Saint-Pierre de Rome[c]. Comme les deux amis s'en éton-

---

a. Cf. en particulier *De mor. eccl. cathol.*, I, 15 ; 16 ; 26 ; 30 ; 34 ; 57.
b. Jérôme, *Ep.* 107, 1 (à Laeta, vers 401).
c. *Ep.* 29, 10 (à Alypius) : « *Quoniam de basilica beati apostoli Petri quotidianae*

naient, on leur avait répondu que la prohibition papale, souvent renouvelée, ne pouvait être imposée à la foule des pèlerins qui affluaient sans cesse de partout, et ce d'autant plus que l'*ager Vaticanus* était bien éloigné du Latran, où résidait alors le successeur de Pierre. Mais les Romains eux-mêmes étaient très attachés à cette coutume, comme le montre le banquet offert aux pauvres dans Saint-Pierre, en 395, par le riche sénateur Pammachius à l'occasion des funérailles de sa femme, aux applaudissements aussi bien de Paulin de Nole que de Jérôme. Augustin, lui, était resté très critique à cet égard et, s'adressant aux manichéens dans l'exhortation finale de son livre I du *De moribus*, il n'exonérait pas sa propre communauté de ce poids mort qu'était à ses yeux le trop grand nombre de ceux qui « buvaient avec excès sur les morts, offraient des repas aux cadavres et mettaient leurs voracités et leurs ivresses au compte de la religion[a] ». Il s'en prendra également à ceux qui « adorent les tombeaux et les peintures », ce qui pourrait préfigurer l'écho qu'il donnera plus tard – nous le savons par l'un des nouveaux sermons récemment publiés – aux critiques des païens qui reprochaient aux chrétiens d'« adorer les colonnes dans les églises[b] ». Il s'étonnera aussi – mais la chose ne tirait pas pareillement à conséquence – de la coutume romaine du jeûne le samedi[c], alors qu'il était proscrit ce jour-là par Ambroise à Milan, comme il était bien placé pour le savoir[d].

Augustin s'est particulièrement intéressé aux aspects cénobitiques de la vie chrétienne à Rome. Vantant aux manichéens ces existences exemplaires dont le modèle était venu d'Égypte, il rappelait d'abord le monastère milanais qu'il avait visité au temps de son baptême. Il ajoutait qu'à Rome il avait connu plusieurs communautés ascétiques comparables, dirigées par ceux des frères qui se distinguaient par l'âge (*grauitas*), la sagesse (*prudentia*) et la science des Écritures (*diuina scientia*) ; à l'image des moines d'Orient et de Paul lui-même, ils vivaient en autosuffisance du travail de leurs mains ; et ils pratiquaient des jeûnes prolongés où leur abstinence de viande et de vin n'était pas motivée, comme chez les manichéens, par des tabous, mais par la seule volonté de briser la concupiscence du

---

uinolentiae *proferebantur exempla* ». Le mot *uinolentia* (« ivrognerie ») est bien dans le ton habituel d'Augustin sur ce chapitre.

a. *De mor. eccl. cathol.*, I, 75.

b. *Ibid.*, et *Serm. Dolbeau* 26 (*M.* 62), 10, dans *Vingt-Six Sermons* [...], Paris, 1996, p. 374.

c. *Ep.*, 36, 9, 21 (à Casulanus).

d. Cf. *supra*, p. 109.

corps[a] ; toutefois, ces austérités volontaires n'étaient jamais imposées à qui n'était pas en état de les supporter. Ces établissements
d'hommes avaient leurs pendants féminins, des maisons qui rassemblaient des veuves ou des vierges ; elles filaient et tissaient pour
gagner leur vie, mais étaient tout à fait capables d'assurer à d'autres
une formation morale et religieuse.

LE *DE QUANTITATE ANIMAE*

Si Augustin lui-même n'avait pas déjà vécu de cette façon au
cours de cette année romaine, c'est parce qu'il se savait en transit,
et qu'il lui fallait reporter au retour en Afrique la réalisation, avec
ses amis, de ce projet d'une vie en commun à laquelle il aspirait
depuis quelques années.

Mais, dans un cadre moins formellement monacal, la réalité de
sa vie à Rome ne devait pas être très sensiblement différente. C'est
chose assurée pour ce qui est de sa vie intellectuelle. Pendant les
mois de cette année 387-388, quand elle n'était pas consacrée à la
polémique antimanichéenne, elle restait attachée à la poursuite des
deux principales directions de recherche spirituelle qu'il s'était
fixées dès l'époque de Cassiciacum : la connaissance de Dieu et
celle de l'âme[b]. À propos de ce dernier problème, sous le titre
De la grandeur de l'âme, il composa un texte qui se situait dans
le droit fil des *Soliloques* et aussi du *De immortalitate animae*.
Mais il y revenait à la formule du dialogue, qui lui avait si bien
réussi à l'automne de 386 dans la campagne lombarde. Il avait à
ses côtés Evodius, nouveau venu dans son entourage, mais enfant
du pays, attaché à sa famille ; à la mort de Monique, le jeune
homme avait été le premier à se saisir du psautier et à entonner
un chant que toute la maison avait repris avec lui[c]. C'est Evodius
qu'Augustin associa à sa réflexion d'alors sur l'âme, au cours
d'entretiens dont il n'y a pas lieu de suspecter la réalité formelle :
vers 414/15, l'évêque d'Hippone les rappelait, ainsi que les textes
qui en étaient issus, à son collègue d'Uzalis, qui semblait les avoir
un peu oubliés[d]. Quel y fut en fait le niveau d'implication intellectuelle d'Evodius, seul Augustin aurait pu nous le dire ; constаtons au moins que le texte écrit ne se contente pas de lui attribuer

---

a. *De mor. eccl. cathol.*, I, 70.
b. Cf. *supra*, pp. 160-161.
c. C'était le *Psaume* 100 : *Conf.*, IX, 31.
d. *Ep.* 162, 2.

le rôle ingrat de « faire-valoir[7] ». Il le crédite d'avoir d'emblée
donné une impulsion vigoureuse à la discussion, en posant dès
l'abord, sur l'âme, les questions essentielles : d'où vient-elle ?
Quelle est sa « qualité », et quelle sa « quantité » ? Pourquoi
a-t-elle été donnée à un corps ? Et que devient-elle lors de son
union avec ce corps, et aussi lors de sa séparation d'avec lui[a] ?
   Il s'en faut que les pages qui suivent, dans le *De quantitate
animae*, répondent de façon égale à toutes les attentes d'Evodius.
À la date de ce texte, Augustin n'a pas encore trouvé à toutes ces
questions des réponses définitives, qui mûriront parfois en lui
jusqu'aux années de rédaction du *De Trinitate*. Il dispose déjà,
comme base essentielle, du matériel philosophique néoplatonicien ;
mais il sait bien qu'il aura à exploiter le matériel scripturaire. C'est
pourquoi la réponse aux deux premières questions est rapide et
prudente : que l'âme vienne de Dieu, qu'elle soit créée par lui,
c'est chose certaine, mais ici expédiée en trois mots[b] ; sur les
modalités de son origine et de son incarnation dans les corps, il
aura l'occasion de revenir à maintes reprises, dans ses commentaires sur la *Genèse* et bientôt déjà dans le *De libero arbitrio*[8].
Quant à la *qualitas* de l'âme, il se contentera de répondre à Evodius
que l'âme est « semblable à Dieu », ce qui signifie, bien sûr, qu'elle
n'est ni de même puissance, ni de même substance[c] ; et les trois
dernières questions formulées par son jeune ami, reportées à la fin
de l'échange, seront escamotées[d]. L'essentiel du dialogue est ainsi
consacré, conformément au titre, mais contrairement à sa lettre, à
dire en quoi consiste la « grandeur » de l'âme ; et le plus gros de
ce long développement à montrer que cette grandeur ne doit pas
être conçue en termes d'espace : l'âme est incorporelle, dépourvue
d'étendue, et donc indivisible. C'est au cours de cette longue
démonstration que, pour répondre à une impatiente interruption
d'Evodius, qui lui demande ce qu'est enfin l'âme, Augustin lâchera
abruptement qu'elle est « une substance douée de raison, faite pour

---

a. *De quant. an.*, 1. Mais on peut aussi dire qu'Augustin a mis dans la bouche
d'Evodius une liste stéréotypée de questions sur l'âme telles qu'on les trouvait
communément dans les « doxographies » : on les trouve déjà à peu près dans cet
ordre dans le *De ordine*, II, 17.
   b. *De quant. an.*, 2.
   c. *De quant. an.*, 3. Dans le *De immortalitate animae*, 24, il avait déjà placé
l'âme en position médiane entre Dieu et le corps, concept auquel il se tiendra (cf.
Enarr. in Psalm. 145, 5 et *Ep.* 140, 3 : « *In quadam medietate* [anima rationalis]
posita est »).
   d. *De quant. an.*, 81.

gouverner un corps[a] » ; cette définition est d'importance, car elle est à la base d'une anthropologie toujours dualiste, d'inspiration encore platonicienne, déjà formulée sous une autre forme dans le *De moribus* : « L'homme, tel qu'il apparaît à l'homme, est une âme raisonnable usant d'un corps mortel et terrestre[b]. » Reste alors à expliquer comment cette « substance raisonnable » peut « user » du corps, lui-même une autre « substance », puisque l'hypothèse d'une division de l'âme et de sa diffusion locale est rejetée. En germe seulement dans le *De quantitate animae*, la solution sera précisée bien plus tard dans une lettre adressée à Jérôme : l'âme agit dans la totalité du corps qu'elle anime par l'effet d'une sorte de « tension vitale[c] ». La fin du dialogue est occupée par une sorte de « coupe verticale », non de l'âme, mais de ses fonctions ou, pour mieux dire, de ses accomplissements. Ce sont les « degrés » de l'âme, une échelle à sept barreaux, sur laquelle, à partir du troisième échelon – celui où s'épanouissent les arts et les sciences, les institutions sociales, politiques et religieuses –, l'homme est de tous les êtres animés le seul à poursuivre, s'il s'en donne spirituellement les moyens, une ascension qui le mènera aux approches de la sagesse et du divin, et pour finir à la contemplation de Dieu, acquise au septième et dernier degré[d]. Parvenue à ce stade ultime, l'âme n'éprouve plus que le souhait de se libérer par la mort du corps des dernières entraves qui l'empêchent encore d'adhérer à la vérité tout entière. On retrouvera plus tard, dans le *De doctrina christiana*, ce cheminement « scalaire », qui mène de la science à la sagesse[e].

LE TRAITÉ SUR LE LIBRE ARBITRE

À l'adresse des manichéens, Augustin affirmait à la fin de son texte que l'âme avait reçu de Dieu le libre arbitre[f]. Lâché pour la première fois, ce mot clef annonçait l'intention de celui qui le prononçait d'examiner à fond le problème qui le préoccupait depuis de si longues années, celui de l'origine du mal. Pendant longtemps, on s'en souvient, Augustin avait trouvé dans le dualisme manichéen une solution qui, sans le satisfaire véritablement, lui convenait pour sa commodité. Douze ans plus tard, le rejet de ce dualisme commode

---

a. *De quant. an.*, 22.
b. *De mor. eccl. cathol.*, I, 52.
c. *Ep.* 166, 4 (datée vers 415) ; cf. *infra*, p. 512.
d. *De quant. an.*, 70-79.
e. *Doctr. chr.*, II, 9-11.
f. *De quant. an.*, 80.

l'avait laissé sans réponse en face de cette obsédante question : *unde malum*[a] ? Puis la lecture des *libri Platonicorum* – des livres de Plotin, en particulier – lui avait révélé que le mal, loin d'être une « substance », était l'effet de la « perversité d'une volonté qui se tournait vers les choses inférieures[b] ». Cette découverte faite à Milan au printemps de 386, il l'avait approfondie la même année à Cassiciacum, comme le montrent entre autres certains développements du *De ordine*, révélateurs du flottement qui persistait cependant dans sa pensée quand il s'agissait d'établir la relation entre Dieu et le mal[c]. Il fallait décidément vider l'abcès, ce qu'il fit toujours en compagnie et avec l'aide d'Evodius. Ce fut l'objet du premier livre du *De libero arbitrio*, dont nous savons qu'il fut bien rédigé au cours de cette seconde année romaine[9].

Une attaque délibérément provocatrice était mise dans la bouche d'Evodius : Dieu n'était-il pas l'auteur du mal ? Il était facile à son interlocuteur de répondre qu'il y avait mal et mal : s'il s'agissait du mal que nous subissons en punition du péché, oui, Dieu en était bien l'auteur ; mais, à la racine d'un premier mal, il y avait la créature humaine. Cependant Augustin était bien obligé de reconnaître un semblant de pertinence, sous l'apparente « impertinence », à la question initiale d'Evodius : « Si les péchés viennent de ces âmes que Dieu a créées, et si ces âmes procèdent de Dieu, comment ces péchés ne seraient-ils pas presque directement rapportés à Dieu[d] ? » Il y avait là un « effet de chaîne[e] » que les manichéens ne se faisaient pas faute d'exploiter, et pour la dissipation duquel sera mise en œuvre une dialectique qui dépassera largement les limites du livre I de ce traité. Pour l'heure, il fallait d'abord examiner ce qu'est l'action mauvaise[f], notamment l'adultère et l'homicide. L'analyse de ce dernier exemple amenait tout naturellement des considérations sur les limites de la compétence punitive de la loi civile, en soi précieuses pour l'éclairage qu'elles jettent sur la première réflexion pénale et sociologique d'Augustin[g]. La loi des hommes, la loi tem-

---

a. *Conf.*, VII, 7 ; cf. *supra*, p. 116.

b. *Conf.*, VII, 22 ; cf. *supra*, p. 131.

c. *De ordine*, II, 46.

d. *Lib. arb.*, I, 4. Juste avant, il avait cité le mot d'*Isaïe*, 7, 9 : « Si vous ne croyez pas, vous ne comprendrez pas », mais en affirmant sa volonté de traiter ce problème du mal par le raisonnement.

e. Cf. *De duabus animabus*, VIII, 10 : « [...] *quasi per quamdam* catenam *ad deum mala et peccata connecti* ».

f. *Lib. arb.*, I, 6 : « *Prius ergo discutiendum est quid sit male facere.* »

g. Cf. notamment dans *Lib. arb.*, I, 9-10, la discussion sur le cas de l'esclave qui tue son maître pour échapper à de graves sévices de sa part.

porelle, est de toute nécessité applicable aux hommes dont la volonté pervertie ne s'attache qu'aux biens transitoires et inférieurs : les richesses, les honneurs, les plaisirs, la beauté du corps et même la liberté, du moins telle qu'on l'entend communément, celle d'agir à sa guise[a].

Car la vraie liberté est « celle des hommes heureux qui s'attachent à la loi éternelle ». Ceux-là mettent en œuvre une « volonté bonne », laquelle est en soi un bien qu'il suffit de vouloir pour le posséder, « avec une telle facilité que posséder ce qu'ils veulent n'est rien d'autre que de le vouloir[b] » : formule dont l'optimisme – ici justifié dans le cadre d'une anthropologie toute théorique – pourra plus tard sembler l'amorce d'un pélagianisme avant la lettre[10]. Mais, si cette volonté se dégrade, cette liberté authentique se perd, et ainsi, par le jeu de son libre arbitre, l'homme peut déchoir de son statut ontologique initial – celui d'Adam avant la chute –, et se fourvoyer dans le péché. Si bien que le responsable du mal moral n'est pas Dieu, mais le libre arbitre de la volonté humaine. Si cela paraissait acquis à l'issue de ce livre I du *De libero arbitrio*, Evodius cependant ne lâchait pas prise : on pouvait se demander, objectait-il, si Dieu a bien fait de nous donner cette libre disposition de notre volonté, car, si nous en étions privés, nous ne serions pas exposés au péché ; en sorte qu'indirectement Dieu pouvait encore être tenu pour la cause du mal moral. Augustin en convenait : satisfaisante d'un point de vue psychologique, cette analyse ne l'était pas au regard de la foi. Il fallait la poursuivre et, laissant un peu l'homme de côté, faire valoir l'omnibienfaisance de Dieu. Ce sera l'objet des livres II et III, qui ne seront vraisemblablement pas achevés avant 395, date à laquelle il enverra l'ensemble à Paulin de Nole[c]. « Je l'ai commencé laïc, je l'ai terminé prêtre », dira-t-il bien plus tard[d] de ce « Traité du libre arbitre », soulignant par là-même l'importance et la cohérence à travers le temps de cet ouvrage qui jetait un pont entre les deux parties de sa vie, et qui avait entamé sur la liberté de l'homme, sur ses conséquences et sur ses limites, une réflexion qui l'accompagnerait jusqu'en ses dernières années.

Au cours de l'été de 388 prit fin l'état de guerre qui l'année précédente avait empêché Augustin et les siens de rentrer chez eux. Parti en juin de Thessalonique, l'empereur Théodose traversait le

---

a. *Lib. arb.*, I, 31-32.

b. *Lib. arb.*, I, 29.

c. *Ep.* 31, 7, où il dit aussi qu'il en avait déjà fait un envoi partiel à Romanianus. Pour la suite du *De libero arbitrio*, voir *infra*, pp. 259-262.

d. À l'extrême fin de sa vie, en 428/29, dans le *De dono perseuerantiae*, XII, 30.

nord des Balkans à marches forcées en remontant la vallée de la Save, et s'emparait d'Aquilée où l'usurpateur Maxime, qui y avait trouvé refuge, était massacré par ses soldats. Cela se passait à la fin de juillet ou d'août 388. Le rétablissement, dans le même temps, de la sécurité sur mer, notamment dans les eaux siciliennes, permettait de nouveau des liaisons régulières avec Carthage. À son passage à Ostie, Augustin alla sans doute se recueillir avec Adeodatus sur la tombe de Monique. Dans le courant de septembre, il revoyait les côtes d'Afrique, après une absence de cinq années qui avaient fait de lui un tout autre homme[a]. Il aurait bientôt trente-quatre ans.

---

a. Il le dira lui-même à l'adresse des donatistes qui lui reprochaient son passé : « *Alii iuimus, et alii rediuimus* » (*Enarr. in Psalm.* 36, 3, 19).

Chapitre XV

L'*otium* à Thagaste

Après avoir touché terre à Carthage à l'automne de 388, Augustin ne se rendit pas immédiatement à Thagaste. Dans la capitale, il reçut, ainsi qu'Alypius, l'hospitalité d'un ami chrétien, un ancien haut fonctionnaire des bureaux du vicaire d'Afrique, du nom d'Innocentius[a]. Le malheureux souffrait de fistules dont les incisions à répétition, même pratiquées par les meilleurs chirurgiens, le mettaient au supplice ; mais, pour la dernière d'entre elles, la plus rebelle, il bénéficiera d'une guérison miraculeuse. Parmi ceux qui se succédaient à son chevet, on citera l'un des diacres de Carthage, son futur évêque, Aurelius. Augustin rencontrait là pour la première fois celui dont il ne se doutait guère alors qu'il serait, au sein du clergé africain, son principal collaborateur pendant trente-cinq ans. Dans l'entourage d'Innocentius, on voyait aussi l'évêque qui occupait en ces années le siège d'Uzalis (El Alia), non loin d'Utique[1], et qui s'appelait Saturninus. Dans la maison de son ami, Augustin reçut aussi la visite d'un de ses anciens élèves, Eulogius, qui était devenu à son tour professeur de rhétorique. Ce dernier lui donnera le meilleur témoignage qu'un disciple puisse donner à son maître de l'excellence de son enseignement : il lui racontera que, pendant les années milanaises d'Augustin, il l'avait une nuit entendu en rêve lui fournir, alors qu'il était dans l'embarras, la bonne interprétation d'un texte de Cicéron qui devait être le sujet de son cours du lendemain[2] !

Pourtant, la halte carthaginoise fut de brève durée. Le temps tout de même de revoir aussi le cher Nebridius, qui résidait non loin de là et dont le retour les avait précédés. À Carthage, trop de souvenirs flottaient encore, trop proches, dont il n'était pas facile d'affronter

---

a. *Cité de Dieu*, XXII, 8, 3 ; le texte ne souffle mot de la présence à leurs côtés d'Adeodatus, ni de celle d'Evodius, qui pourtant avaient accompli la traversée en leur compagnie.

la réalité presque physique. Et puis, et surtout, se dessinait enfin la possibilité pratique de réaliser, après les rêves faits à Milan, après l'expérience réussie mais brève de Cassiciacum, le projet de vie communautaire qui était devenu indissociable d'une existence chrétienne pour quelqu'un qui, repensant plus tard cette phase intermédiaire, se définira comme « *nondum quidem clericus, sed iam deo seruiens*[a] ». À la mi-octobre, au plus tard, la petite troupe reprit la grand-route qui menait en Numidie et parvint à Thagaste. La maison qu'Augustin et son fils Adeodatus y retrouvaient était désormais vide de la génération précédente[3]. Les biens familiaux, y compris la domesticité de condition servile, étaient maintenant propriété des enfants de Patricius et de Monique, libres de toute obligation vis-à-vis d'ascendants qui n'étaient plus de ce monde. Possidius dira, en ne considérant évidemment que le « héros » de cette biographie « hagiographique », qu'Augustin « prit la décision de s'installer dans la maison et sur les terres qui lui appartenaient, mais sans plus les tenir pour propriété personnelle[b] ». Ce qui veut dire – comment le comprendre autrement ? – qu'il avait légué[4] à la communauté (ecclésiale) de sa ville natale les biens qu'il tenait de son père – mais en indivision avec son frère et sa sœur –, tout en en conservant l'usufruit pour pouvoir y vivre avec ceux qui partageaient son engagement, en particulier Alypius et Evodius, mais aussi avec les « siens », au sens familial du terme[5].

LES LETTRES À NEBRIDIUS

De la maison de Thagaste, un grand historien de l'Afrique chrétienne dira qu'« elle marque une transition entre la villa studieuse de Cassiciacum et les monastères proprement dits qui vont apparaître à Hippone[6] ». C'est par rapport à la « retraite » lombarde qu'il importe d'abord de faire apparaître les différences. Extérieurement, celles-ci n'étaient guère perceptibles. Pour Nebridius, qui demeurant à Milan n'avait pas vécu l'expérience de Cassiciacum et qui pareillement voyait maintenant de loin, de la campagne de Carthage où il vivait noblement avec sa mère, l'entreprise de Thagaste, il s'agissait toujours d'une communauté de philosophes. Faute d'y participer physiquement, il le faisait par correspondance, comme il l'avait fait au temps de Cassiciacum, à l'automne de 386. « Je me fais une joie, écrivait-il à Augustin, de conserver tes lettres comme la prunelle de

_____

a. *Cité de Dieu*, XXII, 8, 3.
b. *Vita Aug.*, III, 2.

mes yeux. Ce sont de grandes lettres, non par les dimensions, mais par les sujets qu'elles traitent, et de grands sujets elles contiennent de grandes élucidations. Elles me parleront tantôt du Christ, tantôt de Platon, tantôt de Plotin[a].» Le jeune homme cependant souffrait de son isolement, s'impatientait un peu de voir cet Augustin qu'il aurait voulu inviter dans sa maison de campagne, près de Carthage, retenu à Thagaste par ce qu'il croyait être surtout le fait des sollicitations de ses concitoyens[b], et comptait sur l'aide de Romanianus et de Lucinianus – sans doute le frère de Licentius – pour parvenir à le détacher de ce qu'il considérait comme une emprise locale. Qu'Augustin ait dès lors été tenu localement pour un sage qu'on venait consulter sur beaucoup de sujets, cela n'est guère douteux. Mais Nebridius avait apparemment peine à comprendre la grande différence existentielle qui distinguait Thagaste de Cassiciacum : aller s'installer quelques semaines – voire quelques mois[c] – dans la maison de campagne prêtée par un ami avec sa mère, son fils et deux jeunes disciples était une chose ; liquider ses biens, n'en conserver que la jouissance et vivre en « serviteur de Dieu » dans un dénuement volontaire en était une tout autre, une situation irréversible celle-là, qui en même temps ne menait à rien, ou plutôt n'avait d'autre avenir, à terme, qu'un véritable monachisme, ou encore la cléricature. En cela consistait la « transition » dont parlait Paul Monceaux, et que nous avons plus de facilité à percevoir, nous qui connaissons la suite, que Nebridius. À son jeune ami, Augustin répondait sur un ton de tendre affection que, eût-il pu supporter sans fatigue de parcourir lui-même la distance qui les séparait, il ne pouvait envisager d'abandonner là où il avait décidé d'exercer une forte présence ceux qui, plus encore que Nebridius, avaient besoin de lui. Quant à faire des allers et retours entre Thagaste et Carthage, ce n'était être ni avec l'un ni avec les autres, et c'était donc rompre l'engagement de vie à la fois contemplative et utile à la communauté qu'il avait pris. Il suggérait à Nebridius de recourir à une litière fermée – une *basterna* – pour s'engager plus confortablement sur la route de la Numidie ; mais, ajoutait-il, comment sa mère, qui déjà supportait mal son absence quand il était bien portant, accepterait-elle de le laisser partir malade[d] ? Et, de fait, Augustin aurait bientôt la vive douleur de le voir disparaître.

Cette séparation sans remède des deux amis nous a valu, avant la

---

a. *Ep.* 6, 1, dans la correspondance d'Augustin.
b. *Ep.* 5.
c. Sur les difficultés de la chronologie, cf. *supra*, p. 148.
d. *Ep.* 10, 1.

séparation finale, un petit paquet de lettres écrites par l'un comme par l'autre, qui est, dans la correspondance conservée d'Augustin, le plus fourni des dossiers de ce genre [7], et sans doute aussi le plus émouvant. Dans cet échange qui débute à l'époque de Cassiciacum, les envois les plus nombreux, qui sont datables des trois petites années de Thagaste, nous renseignent précieusement à la fois sur le type d'édification dont pouvaient bénéficier en ces années les familiers d'Augustin, et aussi sur ce qu'il attendait lui-même alors de cette vie qui n'était pas passivement contemplative.

Nebridius n'était pas de ceux qui se contentent de réponses expéditives ou de pure forme [a]. Ses propres billets étaient courts, mais foisonnaient de questions difficiles posées de façon pressante. Augustin lui écrira un jour qu'ayant trouvé le temps de les relire tous pour faire le point des réponses qu'il lui devait encore, il avait constaté qu'il y avait là de quoi excéder à la fois les capacités intellectuelles (*ingenium*) et le temps libre (*otium*) de n'importe qui. Et, ajoutait-il, les problèmes soulevés par Nebridius étaient si ardus qu'un seul d'entre eux suffisait largement à l'absorber, lui Augustin [b]. Comme il l'avait fait déjà à Cassiciacum, il mettait à profit le calme de la nuit pour satisfaire cette avidité spirituelle [c], et d'abord en exhortant son ami – ce qui sera remède à la solitude dont il se plaint – à faire retour en lui-même [d], à trouver en son propre esprit un séjour agréable [e], à pratiquer de son côté, comme Augustin le fait du sien avec ses proches, cette *exercitatio animi* qui est le chemin le plus sûr pour parvenir à Dieu. Ce faisant, Augustin est amené à dire le bénéfice qu'il compte retirer lui-même de cet *otium* ; il le fait en recourant à un mot dont l'ambitieuse formulation a suscité bien des commentaires : *deificari*, un terme de fait très audacieux, véritable défi lancé au traducteur, qui hésite à le rendre par « se diviniser (dans la retraite) », ou « être fait semblable à Dieu (dans la retraite) ». On a pu penser que la formule et le contexte dans lequel elle figure ont été inspirés à Augustin par des textes de Porphyre qu'il avait pratiqués en ces années de façon au moins indirecte [8]. Mais, aussi bien, dans une page du *De moribus ecclesiae catholicae*, ouvrage qu'il reprenait alors après le premier jet écrit à Rome un ou deux ans auparavant,

---

a. Sur ses exigences intellectuelles, voir ce qu'en dira Augustin dans une lettre datée de 408 : *Ep.* 98, 8.

b. *Ep.* 11, 1. C'était surtout un avertissement lancé à son ami de ne rien rajouter au « tas » (*aceruus*) !

c. *Ep.* 3, 1 (de Cassiciacum) ; 13, 1 (une fin de nuit, à Thagaste).

d. *Ep.* 9, 1 : « *Confer te ad tuum animum et illum in deum leua, quantum potes.* »

e. *Ep.* 10, 1.

il faisait valoir que la vie contemplative dans un cadre cénobitique spécifiquement chrétien était ce qui pouvait le plus rapprocher de Dieu[a]. À la limite, la *fruitio dei* était une *deificatio*. Et, dans une page du *De uera religione*, qui date de cette même époque, commentant un verset du *Psaume* 45, il définira l'*otium* qui permet ou du moins facilite cette *deificatio* : ce n'est pas le repos qui consiste dans le désœuvrement (*desidia*), mais « le repos de la pensée [*cogitatio*], qui la libère de l'espace et du temps[9] ». Le concept de « déification » demeurera dans la pensée et le vocabulaire d'Augustin, mais avec une rapide et radicale modification de sens à partir de la perspective néoplatonicienne initiale ; quelques petites années, et sa réflexion sur la grâce, suffiront pour qu'il attribue à Dieu seul le pouvoir de « déification » au bénéfice de l'homme, par la médiation du Christ[10].

Les échanges épistolaires du temps de Cassiciacum avaient eu trait à la distinction du monde sensible et du monde intelligible. C'étaient maintenant les problèmes relatifs à la connaissance qui préoccupaient les deux amis. Augustin s'attachait à redresser les idées fausses de Nebridius sur le fonctionnement de l'imagination et de la mémoire. De la première, il disait déjà à peu près qu'elle était « maîtresse d'erreur et de fausseté[b] ». Quant à la mémoire, il restait alors dans la ligne platonicienne définie à Cassiciacum dans les *Soliloques*[c] : elle ne servait pas seulement à faire renaître des images de notre passé ; elle intervenait aussi pour faire resurgir à la claire conscience des connaissances préalablement acquises par l'âme[d]. On verra qu'il se détachera bientôt de cette théorie de la « réminiscence », au profit de l'« illumination » dispensée par le Maître intérieur ; mais cette doctrine commence à poindre dans les lignes ultimes de l'avant-dernière lettre adressée à Nebridius[e].

De toutes les questions soulevées par Nebridius dans ses petits billets, la moins difficile – comme le faisait remarquer son interlocuteur – n'était pas celle qu'il posait sur l'Incarnation, par laquelle était abordé en fait le problème de la Trinité. Le jeune homme, qui jusqu'à une date assez récente était resté curieusement tributaire des idées manichéennes sur le Christ[f], demandait pour-

a. Cf. *supra*, pp. 181-182 ; *Mor.*, I, 67.
b. *Ep.* 7, 5.
c. *Sol.*, II, 35.
d. *Ep.* 7, 2. Cf. déjà *De quantitate animae*, 34 : « Ce qu'on appelle "apprendre" n'est pas autre chose que se rappeler et se souvenir. »
e. *Ep.* 13, 4.
f. Cf. *Conf.*, IX, 6, et *supra*, p. 148.

quoi c'était le Fils, et non le Père, qui s'était incarné pour notre salut. Et Augustin de s'étonner de ce que son ami n'eût pas mentionné aussi le Saint-Esprit[a]. C'était pour lui l'occasion de mettre pour la première fois au net, et en peu de mots, une théologie trinitaire dont on peut suivre la genèse depuis les écrits de Cassiciacum[11]. Dans une formulation nécessairement sommaire et selon un schéma qu'il tenait de ses lectures néoplatoniciennes – Plotin, puis Porphyre –, mais revu à la lumière de sa propre expérience spirituelle, Augustin partait d'une explication ontologique de la Trinité. « Il n'est, écrivait-il à Nebridius, aucune nature, ni absolument aucune substance qui n'ait en elle et manifeste, d'abord qu'elle *est*, ensuite qu'elle *est ceci ou cela*, en troisième lieu qu'elle *demeure* autant que possible en cela même qu'elle est[b]. » Chacune de ces trois dimensions – ou propriétés – de la substance renvoyait à l'une des personnes de la Trinité : la première, l'existence (*esse*) faisait connaître le Principe (ou Cause) de la nature et se référait à son créateur, le Père ; la deuxième, la Forme (*species*), renvoyait au Fils, tandis qu'il fallait reconnaître dans le Saint-Esprit la Permanence (*manentia*) en laquelle sont toutes choses. Augustin pouvait alors revenir au rôle propre du Fils, et expliquer le mystère de l'Incarnation à partir de sa « propriété » en tant que Forme (*species*) : « La Forme, qui est attribuée en propre au Fils, est aussi en rapport avec l'enseignement [*disciplina*] et avec une certaine forme d'art – s'il est permis d'user de ce mot en pareille matière –, et avec l'intelligence par laquelle l'âme est formée dans sa représentation de la réalité. Ainsi, puisque l'effet de cette assomption de la condition humaine a été de nous inculquer un enseignement de vie, et un exemple de morale, ce n'est pas sans raison que tout cela est attribué au Fils[c]. » On constate ainsi non sans surprise qu'à la date – autour de 390 – de ce texte Augustin assigne au Christ incarné un rôle essentiellement pédagogique : à le lire, il semble que le salut apporté par le Fils de Dieu se réalise sur le plan de la connaissance, et non sur celui de la rédemption. En d'autres termes, on a relevé « le caractère moralisant de la sotériologie augustinienne à cette époque[12] ». Mais il est juste d'ajouter qu'Augustin ne se proposait pas ici de traiter des fins de l'Incarnation dans une perspective proprement et spécifiquement sotériologique[13].

Dans sa *Lettre 14*, Augustin voulait croire qu'avec les capacités intellectuelles qu'il reconnaissait à son correspondant, il y avait de

a. *Ep.* 11, 2.
b. *Ep.* 11, 3.
c. *Ep.* 11, 4.

bonnes chances qu'ils eussent éclairci ensemble les questions qu'il se posait sur l'humanité du Christ[a]. Ce fut la dernière que reçut Nebridius avant sa mort, sans doute dans les premiers mois de 391. Quelques années plus tard, l'évêque se souvenait avec émotion de ces derniers échanges, quand il évoquait son ami maintenant en ce paradis où lui était révélé tout ce sur quoi il interrogeait jadis avidement la pauvre sagesse humaine d'Augustin : « Il vit maintenant dans *le sein d'Abraham* – quoi que soit ce qui est signifié par ce sein [14] –, oui c'est là que vit mon cher Nebridius, un doux ami pour moi, pour toi, Seigneur, un affranchi devenu ton fils adoptif. C'est là qu'il vit, car quel autre lieu pour une telle âme ? C'est là qu'il vit, en ce lieu sur lequel il me faisait tant de questions, à moi, pauvre humain sans expérience. Il n'applique plus son oreille à ma bouche, mais la bouche de son esprit à ta source, et il boit, autant qu'il le peut, ta sagesse au gré de son avidité, dans un bonheur sans fin ! Et je ne crois pas qu'il s'enivre d'elle au point de m'oublier, puisque toi, Seigneur, dont il s'abreuve, tu te souviens de nous[b]. »

Première apologétique chrétienne

Parmi les qualités majeures d'Augustin, il faut mettre en bonne place une indomptable pugnacité. Cette ardeur à réfuter et à convaincre avait eu déjà bien des occasions de s'employer, d'abord en faveur du manichéisme, aux premiers temps de sa jeunesse[c], puis contre lui. L'ancien rhéteur n'en finirait pas de sitôt avec les manichéens. Avec le *De moribus*, il les avait attaqués avec succès sur le plan de la morale, mais il se souvenait des railleries que les gens de la secte réservaient aux Écritures : critiques et plaisanteries faciles, certes, mais qui faisaient mouche quand elles s'adressaient à des hommes demeurés trop « charnels », comme il en avait fait lui-même l'expérience en ses années carthaginoises. Il fallait donc leur opposer une autre lecture de la Bible, une lecture « spirituelle », nette et ferme, mais aussi accessible : car on lui avait reproché l'excessive difficulté de ses précédents écrits antimanichéens[d].

Ce fut l'objet de son premier ouvrage d'exégèse, où tout naturellement il commençait par le commencement : *De la Genèse, contre les manichéens*. Il avait gardé un grand souvenir des sermons

---

a. *Ep.* 14, 3.
b. *Conf.*, IX, 6.
c. Cf. *supra*, p. 68.
d. Cf. *De Genesi aduersus manichaeos*, I, 1.

d'Ambroise sur l'*Hexameron*, écoutés au printemps de 386 ou 387 ;
mais son propre commentaire s'en distinguait nettement, en suivant
le texte point par point, en relevant point par point les objections
des manichéens et en leur donnant aussitôt réponse. Et cela dès le
premier mot de la *Genèse* : « Au commencement, Dieu créa le ciel
et la terre. » Les gens de la secte avaient coutume de dire : quel
commencement ? Et que Dieu faisait-il donc avant de créer le ciel
et la terre [15] ? Se reférant à une péricope de l'Évangile de Jean, selon
le texte de la « vieille latine » qui avait alors cours en Afrique[a],
Augustin répondait que par *principium* il ne fallait pas entendre le
commencement du temps en un sens chronologique, mais que Dieu
avait fait le ciel et la terre *in Christo, cum Verbum esset apud
Patrem* [16]. Mais surtout il leur répliquait, ébauchant ainsi une analyse
du temps et de l'éternité sur laquelle il reviendrait souvent pour la
préciser [17], qu'il n'y avait pas un *avant* la création du ciel et de la
terre : avant que Dieu, qui est, lui, dans une immobile éternité, ne
fît le temps, il n'y avait pas de temps[b]. Surtout préoccupé de répondre
en hâte à une propagande manichéenne qui semble avoir été active
dans cette région de la Numidie à cette époque, Augustin, ici,
n'approfondit pas toujours son exégèse. Dans son élucidation du
texte, il ne s'arrête qu'à ce qui est directement objet de polémique
de la part de ses adversaires. Ainsi le fameux « *fiat lux* » est-il pour
l'instant laissé de côté[c].

Mais, dès cette première approche de la *Genèse*, quand on aborde
les versets 26 à 31 et la création de l'homme au sixième jour, « à
l'image et à la ressemblance de Dieu », l'occasion est trop belle
de régler son compte à l'anthropologie manichéenne. Les gens de
la secte se gaussaient de ce texte, et demandaient si Dieu avait un
nez, des dents et de la barbe. Augustin lui-même avait eu en sa
jeunesse assez de mal à se défaire de cette conception anthropomorphique de Dieu, pour lui substituer ensuite une « idée » demeurée encore trop spatiale[d]. Comme Ambroise le lui avait appris le
premier, ni l'une ni l'autre n'étaient le fait des chrétiens, pour qui
cet homme créé par Dieu à son image et à sa ressemblance faisait
référence à l'« homme intérieur », doué de raison et d'intelligence[e].
C'était ainsi, en « homme spirituel », qu'il avait fait son apparition

---

a. *Jn*, 8, 25, réponse de Jésus aux Juifs qui lui demandent qui il est : « *Principium,
quia et loquor uobis.* »

b. *Gn. adu. man.*, I, 3-4.

c. *Gn. adu. man.*, I, 13 : « *Et dixit deus : fiat lux, et facta est lux. Hoc non solent
reprehendere Manichaei* »...

d. *Supra*, p. 116.

e. *Gn. adu. man.*, I, 27-28.

lors de la Création, et c'était seulement après avoir été chassé du
Paradis qu'il était devenu « animal » : les « tuniques de peau » dont
Adam et Ève avaient été revêtus – *Gn.*, 3, 21 – signifiaient leur
condition mortelle, due au péché commis, selon une exégèse qui
remontait à Origène[18], et aussi les suggestions mauvaises qui leur
venaient des sens[a]. À nous, venus en ce monde après le péché, de
faire le chemin inverse, ouvert pour nous par le Christ, et de tenter
de réintégrer le paradis perdu. Et c'était ainsi qu'il fallait comprendre le repos du septième jour, dont se moquaient aussi les manichéens : Dieu, demandaient-ils, avait-il vraiment besoin de repos ?
Mais en vérité ce *requies Dei*, le septième jour, signifiait notre
propre repos, celui que nous vaudrons en Dieu nos œuvres bonnes,
si nous en sommes capables[b].

Car les six jours de la Création, tels que les présente la *Genèse*,
tout à la fois récit de faits passés et prédiction de l'avenir, symbo-
lisent les âges du monde, ou plutôt du genre humain. Le premier
âge s'étend d'Adam à Noé : c'est l'enfance du monde, dont le
Déluge est le soir ; et comme la terre est recouverte par les eaux
du Déluge, le souvenir de notre enfance est oblitéré par le Déluge
de l'oubli. Le matin du deuxième jour commence au temps de Noé,
« quand le firmament fut établi entre l'eau et les eaux » : c'est
l'enfance de l'humanité, au soir de laquelle Dieu produit la confusion des langues parmi ceux qui bâtissaient la tour de Babel[c]. Un
troisième matin débute avec Abraham et avec lui un troisième âge,
semblable à l'adolescence : l'humanité entre dans l'ère de la promesse, alors un peuple honore Dieu, reçoit les Écritures et les
Prophètes[d]. Puis vient le quatrième matin, avec le règne de David,
quatrième âge, jeunesse éblouissante du monde, premier accomplissement de l'humanité[e]. Mais avec la captivité de Babylone
s'ouvre un cinquième matin, aube d'un cinquième âge, qui est celui
du milieu de la vie des hommes[f] ; le soir de cet âge est marqué
par la multiplication des péchés au sein du peuple d'Israël, à ce
point aveuglé par eux que la venue du Christ ne sera pas par lui
reconnue. Avec la prédication de l'Évangile luit le sixième jour,
qui est celui de la *senectus* du vieil homme, mais également celui

---

a. *Gn. adu. man.*, II, 41.
b. *Ibid.*, I, 34.
c. *Ibid.*, I, 35-36.
d. *Ibid.*, I, 37. Le thème sera largement développé dans *Cité de Dieu*, XVI,
12-34.
e. *Ibid.*, I, 38, thème longuement développé dans *Cité de Dieu*, XVII, 8-19.
f. *Ibid.*, I, 39 : « *declinatio a iuuentute ad senectutem, nondum senectus, sed iam
non iuuentus* ».

de l'apparition de l'homme nouveau, encore charnel, mais régénéré par le Christ ; et le soir de ce sixième jour verra la consommation des siècles. Alors s'ouvrira le septième jour, celui du repos en Dieu, qui n'aura pas de soir[a].

Avec ce premier commentaire sur la Genèse, Augustin prenait pour la première fois ses distances – mais non sans espoir de retour – avec le type spéculatif d'ouvrage qui avait été le sien jusqu'alors. Et comme il arrivera bien souvent par la suite, même en dehors du genre nécessairement populaire qu'est la prédication, l'ancien rhéteur et le philosophe néoplatonicien laissaient ici la parole à un fidèle meilleur lecteur que d'autres du texte sacré, sans autre ambition que de le servir avec la plus grande efficacité ; ce qui n'empêchait pas un certain lyrisme personnel d'ajouter son souffle à celui de la poésie biblique[b]. Dans ce premier essai, commençant à lire le texte princeps de l'Ancienne Alliance selon le sens figuré [19], en distinguant « histoire » et « prophétie », il remarquait à deux reprises que si l'hérésie est un mal, c'est un mal nécessaire, car l'obligation qui s'impose au fidèle de la réfuter et de la confondre stimule la vigilance intellectuelle et le désir de mieux comprendre les Écritures[c] ; il y avait donc un bon usage de l'hérésie et des hérétiques. Ce disant, Augustin anticipait sur le rôle qu'il allait bientôt jouer dans l'Église.

Œuvre apologétique également, mais d'une tout autre portée, et dans le même temps synthèse provisoire de sa pensée religieuse, est le traité *Sur la vraie religion*, écrit pour Romanianus. Avec ce livre était accomplie une promesse qui remontait à l'automne de 386. À cette époque, on s'en souvient, Augustin, tout en regrettant l'absence de son ancien patron aux entretiens de Cassiciacum, lui en avait dédié les premiers résultats, le *Contra Academicos*. Mais, prévoyant dès lors que ce premier « protreptique » ne réussirait pas à dissiper en Romanianus toute « erreur religieuse » – *superstitio* : lisons « hérésie manichéenne » –, il lui laissait entrevoir, pour parfaire sa conversion, l'envoi d'un autre texte[d]. Maintenant, dans une lettre écrite autour de 390, il lui annonçait l'expédition prochaine de ce texte qu'il venait d'écrire [20]. Et, en quelques phrases, il rappelait sa promesse ancienne, assurait son correspondant de son inquiète sollicitude et désignait ceux dont il lui fallait se détourner : « Puisqu'il

---

a. *Ibid.*, I, 40-41. Première formulation augustinienne de la périodisation de l'histoire du monde.

b. Voir les images de *Gn. adu. man.*, I, 43, qui amplifient celles du texte biblique : *Gen.*, 1, 20-21.

c. *Gn. adu. man.*, I, 2 ; II, 3. Écho, déjà, du « *oportet haereses esse* » (*I Co.*, 11, 19), qu'il citera littéralement dans le *De uera religione*, 15.

d. *Contra Acad.*, II, 8 : « *aliqua disputatio de religione* ».

y a quelques années je t'avais promis, mon très cher Romanianus, de t'écrire ce que je pense de la vraie religion, le temps m'en semble maintenant venu, car l'affection qui me lie à toi ne saurait souffrir plus longtemps de te voir flotter sans fin en de passionnées interrogations. Rejetant donc tous ceux qui ne sont ni philosophes dans leur pratique religieuse ni religieux dans leur philosophie ; rejetant aussi ceux qui, orgueilleusement butés dans leur fausse conviction ou leur dissentiment, se sont détournés de la règle de foi et de la communion catholique ; rejetant enfin ceux qui ont refusé la lumière des saintes Écritures et ce qu'on appelle la Nouvelle Alliance, la grâce du peuple spirituel – attitudes dont je viens d'esquisser aussi brièvement que j'ai pu la critique –, il nous faut nous attacher à la religion chrétienne[a]... » C'était identifier claire-ment, à l'usage de Romanianus et de tout lecteur potentiel de ce « bel essai sur l'essence du christianisme[21] », trois catégories d'adversaires : en premier lieu les sectateurs d'un paganisme ordi-naire et en troisième lieu les manichéens, auxquels son ami était encore alors inféodé. Entre les deux, comment ne pas reconnaître les tenants d'un certain néoplatonisme ? Il y aurait ainsi dans le *De uera religione* deux « couches rédactionnelles », l'une visant le manichéisme, l'autre, en quelque sorte superposée, étant une criti-que plus précisément orientée contre Porphyre[22].

Sans doute, mais sous ces deux « strates », et plus profondément, au-delà de la fustigation d'un certain orgueil philosophique, ce qui fait le fond du livre, c'est l'expression d'un accord entre platonisme et christianisme. Rappelons-nous ce qu'Augustin disait à Cassicia-cum, à l'automne de 386, de sa « confiance de pouvoir trouver, *pour le moment*, chez les platoniciens, des doctrines qui ne soient pas opposées à nos mystères[b] ». Ce « moment » durait encore à Tha-gaste, quelques petites années plus tard. Toutefois, la pensée d'Augustin s'était sensiblement précisée et infléchie à la fois : il lui apparaissait maintenant de façon plus claire qu'une fois venus les « temps chrétiens » – *christiana tempora* –, le platonisme s'était accompli dans le christianisme. Il faut lire dans le *De uera religione* la page qui fait dialoguer avec Platon l'un de ses disciples en qui l'on peut reconnaître Augustin lui-même. Le philosophe est repré-senté en train d'enseigner comment, en se détachant du sensible, on peut se hausser au niveau de l'intelligible et du divin, chose inac-cessible à un être demeuré esclave de ses sens et de son imagination,

a. *De uera rel.*, 12. La brève présentation critique des trois attitudes rejetées a été faite en I, 1-VI, 11.
b. *Contra Acad.*, III, 43.

et qui ne pourra que susciter ses railleries. « Supposons, continue le texte, que, tandis que le Maître lui prêchait cette doctrine, le disciple lui ait demandé : "Au cas où il existerait quelqu'un, un homme d'une grandeur divine, capable de persuader aux peuples de *croire* au moins en ces vérités, dans la mesure où ils ne peuvent les *comprendre*, ou dans la mesure où ceux qui pourraient les comprendre, même dégagés des idées fausses de la masse, étouffent sous le poids des erreurs communes, si cet homme donc existait, le jugerais-tu digne d'honneurs divins ?" Platon, je crois, eût répondu que c'était là œuvre impossible à un homme, à moins que la vertu même de Dieu et sa sagesse ne l'eussent soustrait à la loi de la nature, à moins qu'autrement que par le magistère des hommes elles ne l'eussent, dès le berceau, éclairé par une illumination intérieure, à moins qu'elles ne l'eussent doté d'une grâce si grande, d'un ascendant si fort, enfin d'une telle majesté que son mépris de tout ce que les méchants désirent, sa patience à endurer tout ce qu'ils redoutent, son accomplissement de tout ce qu'ils admirent donnent à son amour et son autorité extraordinaire les moyens de convertir le genre humain à une foi si salutaire[a]. » C'est le dernier mot qui est le plus porteur de sens, et qui résume le passage – en fait un véritable *saut* dans le domaine du spirituel – qu'Augustin était prêt à mettre à l'actif de Platon, à supposer que ce dernier eût vécu les *christiana tempora*. Mais ce que Platon n'avait historiquement pu faire quatre siècles avant la diffusion des Évangiles, ses disciples l'avaient parfois fait deux siècles après cette diffusion.

Augustin reviendra souvent sur cet accomplissement du platonisme dans le christianisme. Vers 410, dans sa longue « Lettre à Dioscorus[b] », il ira plus loin, proposant à son correspondant de voir comme deux phénomènes simultanés, l'un et l'autre dus à la venue du Christ et à sa prédication, d'une part la grande émergence du platonisme tardif sous la forme des écoles néoplatoniciennes, et d'autre part la conversion au christianisme de nombreux tenants du néoplatonisme. « Certains d'entre eux, écrira-t-il en pensant plus précisément à l'école de Plotin, reconnurent que le Christ personnifiait la vérité même et la sagesse qu'ils s'efforçaient d'atteindre, et s'enrôlèrent sous sa bannière[c]. » Dans ce cheminement, Augustin retrouvait la démarche qui avait été sienne depuis sa lecture des *libri*

a. *De uera rel.*, 3. Voir sur cette page le commentaire de A. Mandouze, *Saint Augustin*, pp. 491-494.

b. C'est la lettre 118, longue réponse faite à un jeune homme d'origine grecque qui se dit frère du nouveau *magister memoriae*, Zenobius, peut-être le dédicataire du *De ordine* : cf. *supra*, p. 125.

c. *Ep.* 118, 33.

Platonicorum au printemps de 386 à Milan. Dans le *De uera religione*, il écrit qu'il est primordial pour l'homme en quête de son salut de croire fermement que « la philosophie, c'est-à-dire l'amour de la sagesse, n'est pas une chose, et la religion une autre chose[a] ». S'il n'y a pas antinomie ou altérité, il n'y a cependant pas équation entre les deux : il n'y a pas identité entre vraie philosophie et vraie religion. Toujours dans la « Lettre à Dioscorus », l'évêque affirmera nettement, avec le poids de l'autorité épiscopale, que, s'ils veulent pratiquer religieusement leur philosophie, « même les évêques de la famille platonicienne doivent, modifiant quelque peu leur attitude, sur les points que la doctrine chrétienne n'approuve pas, courber pieusement la tête devant le seul roi à jamais victorieux, le Christ[b] ». Vingt ans auparavant, à la différence près d'une formulation alors moins « missionnaire », Augustin était déjà dans cette ligne, lorsqu'il remarquait qu'il ne s'en fallait que de « quelques petits changements dans le langage et dans la pensée » pour que bien des philosophes païens de son époque devinssent chrétiens, et suivissent ainsi une évolution qui avait été celle des néoplatoniciens à une époque récente[c]. Mais ce peu de chose, ce presque rien, n'était autre que l'essentiel, la reconnaissance du Verbe incarné, l'acte de foi qui faisait passer d'une philosophie de l'au-delà à une religion du salut[23].

Augustin a consacré toute la seconde partie de son traité à montrer comment la « vraie religion » réalise ce programme de salut. Il requiert à la fois « l'autorité qui exige l'intervention de la foi et prépare l'homme à l'intervention de la raison » et « la raison, qui mène à la compréhension et à la connaissance ». Et si en fin de compte l'évidence de la vérité est « l'autorité suprême », à des êtres de chair, immergés dans le temps, le recours à la foi s'impose en premier lieu presque comme une nécessité pédagogique. Il faut d'abord une *temporalis medicina* : « C'est sur la place où l'on est tombé qu'il faut s'appuyer pour se relever[d]. » Cette pédagogie de l'autorité concerne l'individu, mais elle s'est appliquée au genre humain à travers l'histoire. Et ici Augustin reprend, avec une plus ample orchestration que dans le *De Genesi contra Manichaeos*, la revue des « âges du monde », qui correspondent analogiquement aux âges de l'homme, et qui manifestent à l'échelle de l'histoire de l'humanité l'existence d'un dessein divin, lequel accompagne et guide le « vieil homme » dans son effort pour devenir « l'homme

---

a. *De uera rel.*, 8.
b. *Ep.* 118, 21.
c. *De uera rel.*, 7 : « paucis mutatis uerbis et sententiis *christiani fierent* ».
d. *De uera rel.*, 45.

nouveau, l'homme intérieur, l'homme céleste[d] ». Et l'on voit pour la première fois se dessiner nettement l'image de deux peuples : « l'un, constitué par la foule des impies, qui portent l'image de l'homme terrestre, du début des temps jusqu'à la fin ; l'autre, fait des générations vouées au Dieu unique, mais qui, d'Adam à Jean-Baptiste, mena la vie de l'homme terrestre avec une sorte de justice servile : son histoire s'appelle l'Ancien Testament. C'est, en somme, la promesse d'un royaume terrestre ; mais cette histoire, dans son ensemble, ne fait que tracer l'image du nouveau peuple et du Nouveau Testament, promesse du royaume céleste[b] ». Première apparition d'un thème promis à de magnifiques développements ; car, quelques années plus tard, les « deux peuples » deviendront « deux amours » et deux cités[c] – Babylone et Jérusalem –, et leur confrontation le fondement du chef-d'œuvre du vieil évêque, la *Cité de Dieu*.

UN « INTELLECTUEL » EN NUMIDIE

Au fil des années, depuis sa renonciation à la chaire de rhétorique de Milan, l'été de 386, d'ancien professeur Augustin était devenu un « intellectuel », presque au sens où nous entendons ce mot, avec tout de même les différences de statut qu'impliquent une tout autre conception de la vie publique et de sa « médiatisation[24] ». La vie à Thagaste ne pouvait être seulement « contemplative ». En Italie, à Rome comme à Milan, Augustin n'avait fait que fréquenter des milieux intellectuels, platonisants ou chrétiens, où il était reçu et admis comme peut l'être un universitaire en année sabbatique à l'étranger. Maintenant, il était chez lui, et son rayonnement était perceptible au-delà du cercle étroit des familiers, Romanianus ou Nebridius, auprès desquels son influence s'apparentait à la direction de conscience que l'on peut exercer au bénéfice de proches, éventuellement par voie épistolaire.

Précisément, on voit alors intervenir dans ces échanges de nouveaux correspondants, étrangers à l'entourage immédiat d'Augustin, et qui s'adressent à lui comme à un maître à penser. C'est le cas de Caelestinus, qui a reçu sur sa demande des textes antimanichéens – à cette date probablement les deux livres du *De moribus* –, et qui se voit adresser en prime une brève mais dense consultation sur la

---

a. *De uera rel.*, 48-49.
b. *De uera rel.*, 50.
c. *Cité de Dieu*, XIV, 28.

différence de nature qui distingue le corps, l'âme et Dieu[a]. De même, à un certain Gaius avec qui Augustin s'est entretenu lors d'un séjour qu'il a fait chez lui[25], est envoyée par porteur toute une série d'ouvrages desquels on attend de lui une lecture attentive et critique, propre à lui faire rejoindre les rangs d'une Église dont le sépare sans doute encore un reste de manichéisme. La lettre chaleureuse adressée à Antoninus, à cette même époque, laisse percer quelque inquiétude que la tentation schismatique ne puisse produire une fissure au sein de cette famille chrétienne[b].

Cependant, l'échange le plus révélateur de la « fonction intellectuelle » tout à la fois reconnue à Augustin en son pays numide et assumée par lui est celui qu'il eut alors avec un grammairien de Madaure du nom de Maxime, assez âgé à la date de ces lettres pour avoir été l'un des maîtres de l'enfant dans les années 365-368. Sans doute Maxime avait-il eu vent de son retour au pays et de sa jeune célébrité, mais c'est Augustin, semble-t-il, qui avait pris l'initiative de cet échange par une démarche amicale et prévenante. Dans la lettre de lui conservée, le vieux grammairien mettait un amphigouri platement prétentieux au service d'une profession de foi hénothéiste : le monde, disait-il, était plein de dieux, à commencer par le forum de sa bonne ville de Madaure ; il croyait cependant à un Dieu unique, père de tous les mortels, invoqué par toutes les nations sous des vocables différents, ajoutant, platitude qui ne tirait pas à conséquence, que « Dieu était un nom commun à toutes les religions[c] » ; certes. Mais cela ne l'empêchait pas de demander à Augustin de l'éclairer sur ce Dieu des chrétiens dont le culte, prétendait-il, se déroulait en des « lieux secrets[d] », sans se dispenser par ailleurs d'ironiques allusions aux martyrs locaux dont les noms indigènes – un Miggin, un Namphamo – lui paraissaient indignes d'être comparés à la majesté de Jupiter, de Junon ou de Minerve[e]. Il tombait mal, et pour deux raisons. D'abord Augustin n'admettait pas qu'en sa qualité d'Africain s'adressant à un autre Africain – et alors qu'ils se trouvaient tous les deux en Afrique – Maxime tournât en dérision des noms puniques, survivances parmi d'autres d'une vieille culture, antérieure à Rome, dont les apports avaient été tels qu'il n'y avait pas lieu d'en rougir ; première occasion pour lui d'afficher une « conscience africaine »

a. *Ep.* 18, 1 et 2.
b. *Ep.* 20, 3.
c. *Ep.* 16, 1.
d. *Ep.* 16, 3.
e. *Ep.* 16, 2.

qu'il ne ressentira jamais comme antinomique à sa romanité foncière. Et puis, si Maxime était d'humeur à plaisanter avec l'onomastique sacrée, il avait suffisamment de quoi rire avec les noms donnés au petit personnel divin de la religion païenne traditionnelle, avec Stercutius, Cloacina et la Vénus chauve[a]. Avec cette dernière tirade, Augustin s'attaquait pour la première fois de front au paganisme, en exploitant avec verve une veine qu'il reprendra beaucoup plus tard en évoquant plus longuement les multiples *numina* de la religion romaine dans la *Cité de Dieu*[26].

Se référant aux années de Thagaste, Possidius, son biographe, dira d'Augustin que « par ses entretiens et ses livres, il enseignait présents et absents[b] ». On vient de voir les absents – auxquels il faudrait sans doute ajouter rédacteurs et destinataires de lettres perdues, dont quelques noms sont donnés par le même Possidius[27]. Les présents, eux, en dehors du petit groupe des fidèles – Alypius, Evodius, auxquels s'était peut-être déjà joint Severus, « pays » et condisciple d'Augustin en leurs jeunes années –, sont anonymes. Mais nombreux durent être ceux qui vinrent à Thagaste en consultation. De ces consultations, il est resté, mieux que des traces, des enregistrements. C'est le recueil intitulé *De diuersis quaestionibus LXXXIII*, publié quelques années plus tard par rassemblement de notes d'abord dispersées, comme l'évêque le précisera dans ses *Révisions* : « Ces questions se trouvaient dispersées sur un grand nombre de feuillets, parce que, dès les premiers temps qui suivirent ma conversion et mon retour en Afrique, mes frères m'interrogeaient quand ils me voyaient disponible[c]. » Sténographiées par un *notarius*, puis mises au net, les réponses d'Augustin avaient été conservées sans ordre ; par la suite, l'évêque avait ordonné de les réunir et d'en former un livre en les numérotant pour en faciliter la lecture. Ces textes, qui se situent dans la grande tradition antique des « questions et réponses » – illustrée entre autres par les *Propos de table* de Plutarque –, ne datent pas tous des années de Thagaste ; mais on retrouve dans nombre d'entre eux, notamment parmi les premiers, l'écho des thèmes qui occupaient l'esprit d'Augustin à cette époque, en particulier dans ses polémiques antimanichéennes : ainsi les réponses relatives à la nature de l'âme, au libre arbitre, à l'origine du mal, ou encore à la personne du Christ[d]. Parmi les questions de cette première série,

---

a. *Ep.* 17, 2. Stercutius est le dieu des fosses à purin, mais Cloacina est tout de même autre chose que la déesse des égouts qu'Augustin semble voir en elle exclusivement.

b. *Vita Aug.*, III, 3.

c. *Retract.*, I, 26, 1.

d. *De diu. qu.*, 1, 2, 3, 4, 6, 7, 8, 9, 10, 13, 14, 16, 18, 21, 22, 23, 24.

singulière est la *Question 12*, intitulée « Question d'un sage ». Les *Révisions* s'en expliquent : « Elle n'est pas de moi, mais c'est moi qui l'ai fait connaître à quelques frères qui alors m'interrogeaient sur ces sujets avec beaucoup de curiosité. Elle est d'un nommé Fonteius, de Carthage, qui a écrit "Sur la purification de l'esprit pour voir Dieu", alors qu'il était encore païen ; mais il est mort chrétien après avoir reçu le baptême »[a]. D'où l'on voit, d'une part que les ascèses spirituelles de type néoplatonicien préoccupaient toujours Augustin et son entourage, et d'autre part qu'il était lui-même alors en relation étroite avec des cercles philosophiques à Carthage.

LES DISCUSSIONS AVEC ADEODATUS (LE *DE MAGISTRO*)

Augustin avait définitivement renoncé à la carrière professorale. Pourtant, professeur, il devait l'être encore une fois, pour traiter du langage, des maîtres et du Maître – et à l'usage d'un disciple de choix, son propre fils.

Très vif était resté en lui le souvenir de cette ultime pédagogie quand il écrivait les *Confessions* : « Il est un de nos livres qui a pour titre *Le Maître*. Adeodatus y dialogue avec moi. Tu sais bien, toi, qu'elles sont de lui, toutes les pensées qui y figurent comme émises par la personne de mon interlocuteur, alors qu'il était en ses seize ans[28]. Je sais de lui bien d'autres choses plus étonnantes. Une telle intelligence m'effrayait. » Émouvant hommage rendu par un père à ce « fils inaccompli » dont il pouvait dire, avec la plus grande conviction, que, « dans cet enfant, hormis le péché, il n'y avait rien à lui ». Et il ajoutait : « Sans doute nous le nourrissions de ton enseignement, mais c'est toi qui nous l'avais inspiré, personne d'autre[b]. » Tout l'esprit du *De magistro* tient dans cette phrase.

À l'âge qu'avait alors Adeodatus, Augustin était parti faire sa rhétorique à Carthage. Demeuré auprès de son père à Thagaste, le fils y poursuivait ses études sous sa direction. Après tout, il était à bonne école. Dès le printemps milanais de 387, on s'en souvient, Augustin avait mis en chantier ces *Disciplinarum libri* par lesquels il rebâtissait tout l'édifice doctrinal de l'enseignement universitaire de son temps[c]. L'édifice était resté inachevé, mais au moins avec le livre VI du *De musica*, écrit précisément pendant les années de

---

a. *Retract.*, I, 26, 2.
b. *Conf.*, IX, 14.
c. Cf. *supra*, pp. 165-166.

Thagaste, et sans doute à leur début[29], on avait idée du couronnement que son auteur avait l'ambition de lui donner. Avec ce livre, on passait véritablement « des choses corporelles aux choses incorporelles[a] ». Adeodatus serait le premier utilisateur de ce cursus redéfini, et le premier bénéficiaire de cette *exercitatio animi*.

On s'est beaucoup évertué sur le plan du *De magistro*[30]. Ce plan est pourtant obvie, au moins dans les grandes masses, avec deux parties bien distinctes. Après de brefs préliminaires, le dialogue s'ouvre sur les finalités du langage. Augustin et Adeodatus s'entendent vite pour affirmer que le but du langage est d'enseigner, ou mieux de dire, d'évoquer ou de remémorer les choses[31], au moyen de *mots* qui sont *signes des choses*. Là-dessus, le père cite au fils un vers de l'*Énéide* (II, 659) que ce dernier reconnaît aussitôt, et lui demande de le décomposer en mots. Mais ce n'est pas de grammaire qu'il s'agit, mais bien de philosophie de la communication verbale ; une communication qui pourrait être gestuelle, car on peut à la rigueur « montrer » les choses sans utiliser de mots, comme le font les sourds-muets et les mimes[b]. Cependant, une « distinction tripartite » opérée par Augustin permet de clarifier les questions et de recentrer la discussion sur le langage. Suivent alors entre le père et le fils des échanges « métalinguistiques » d'une étourdissante virtuosité, notamment lorsque les deux interlocuteurs en viennent à analyser « les signes qui signifient des signifiables » : ainsi du mot *homo*, un « nom » qui se décompose phonétiquement en deux syllabes, mais qui est entendu comme signifiant un « homme » en vertu de la loi naturelle du langage qui fait qu'à l'audition des signes l'attention se porte aux choses signifiées[32].

Vers la fin de cette première partie du *De magistro*, il semble acquis qu'il n'y a rien qui puisse être enseigné – ou dont on puisse être informé – sans signes, et puisqu'il s'agit du langage, sans l'aide des mots[c]. Mais le retournement dialectique est proche. Pour le préparer, Augustin sème le doute dans l'esprit d'Adeodatus et amorce la dissociation qu'il va opérer entre le *signum* et la *res* – entre le mot et la chose – par l'évocation d'une activité à laquelle il s'était livré lui-même enfant dans la campagne de Thagaste[d] : pour savoir comment s'y prend l'oiseleur avec ses baguettes, il suffit de le voir faire. Il y a donc des choses qui s'apprennent – ou dont on

---

a. *De musica*, VI, 2 : « *ut a corporeis ad incorporea transeamus* ».
b. *De magistro*, 5.
c. *De magistro*, 31.
d. *De quantitate animae*, 36.

est informé – sans signes[a]. Pour aller plus loin, Augustin rompt alors avec la formule du dialogue et, comme on a vu qu'il le faisait déjà parfois lors des entretiens de Cassiciacum, se lance dans un exposé suivi (*oratio continua*). À un examen plus attentif, poursuit-il, on ne trouve rien qui s'apprenne par son signe : car, le langage étant fait de signes, quand on émet l'un de ces signes en énonçant un mot, ou bien la chose dont le mot est le signe est déjà connue de l'inter-locuteur, et donc il n'en est pas informé par le signe, ou bien il ne connaît pas la chose dont le mot est le signe, et donc il n'en est pas davantage informé. « Ainsi, dit-il, c'est le signe qui s'apprend par la connaissance de la chose, plutôt que la chose par l'émission du signe[33]. » Les mots, donc, n'ont au mieux qu'une fonction de remé-moration, si nous savons déjà les choses dont ils sont le signe, ou d'avertissement, si nous les ignorons.

On objectera que cette argumentation ne vaut vraiment que dans le domaine du sensible, quand la communication vise des objets matériels ou des conduites pratiques. Mais c'est également vrai, dit Augustin, dans le monde des idées, et c'est alors qu'il fait pénétrer son lecteur dans une première formulation de sa théorie de la connaissance, avec la doctrine du « maître intérieur ». Si un disciple recevant le discours de son maître comprend le sens de l'idée que celui-ci s'efforce de lui transmettre, cela signifie – paradoxalement – que le maître ne lui a rien appris. Car, pour que le langage professoral ait un sens pour le disciple, il faut que ce disciple ait ce sens déjà présent à l'esprit, et c'est ce sens qu'il possède déjà qui informe les mots entendus[b]. Ainsi dans le *Ménon* de Platon Socrate pouvait-il, en l'interrogeant sur des questions de géométrie, faire découvrir à un esclave ignorant des réalités intelligibles qui se trouvaient dans son esprit avant même qu'il ne l'interrogeât. Mais Augustin ne pen-sait plus maintenant qu'« apprendre, c'est se ressouvenir », comme il l'admettait encore naguère[c]. Du platonisme, il conservait au moins ce qui lui semblait un acquis essentiel, que l'homme ne fait pas la vérité : il la trouve. Mais, à l'innéisme du savoir, à la théorie de la réminiscence, il substituait celle – promise à un bel avenir jusqu'à saint Bonaventure au XIIIᵉ siècle – de l'illumination de l'homme intérieur par la Vérité qui préside à l'âme même, et qui est le Christ, sagesse immuable et éternelle de Dieu[34].

Il n'y avait donc pas communication horizontale du savoir, ni des

---

a. *De magistro*, 32 : « *nullo significatu, sed re ipsa* ».
b. *De magistro*, 40.
c. Cf. *Soliloques*, II, 35 ; *De quantitate animae*, 34 ; *Ep.* 7, 2 (à Nebridius) : cf. *supra*, p. 192.

consciences, et la pédagogie devait être tenue à une saine humilité. « Qui donc serait assez sottement curieux pour envoyer son fils à l'école afin qu'il apprenne ce que le maître pense ? Mais lorsque les maîtres ont exposé avec leurs mots les disciplines qu'ils font profession d'enseigner, alors ceux qu'on appelle les disciples examinent en eux-mêmes si ce qui a été dit est vrai, en considérant la Vérité intérieure, à proportion de leurs forces. C'est alors qu'ils apprennent ; et lorsqu'ils ont découvert intérieurement qu'on leur a dit la vérité, ils louent les maîtres, sans savoir qu'ils louent des enseignés plutôt que des enseignants – à condition encore que ceux-ci sachent ce dont ils parlent[a]. » Et Augustin concluait en se référant à *Matthieu*, 23, 10 : « *N'appelez personne notre maître sur la terre parce que le seul Maître de tous est au ciel*[35]. »

En fait, la vraie conclusion était tirée par Adeodatus, qui reprenait la parole *in extremis* : les mots, reconnaissait-il, ne font qu'avertir l'homme pour qu'il apprenne. Ce disant, il ne condamnait pas le langage, pas plus que son père ne l'avait fait. Et comment Augustin aurait-il condamné ces mots dont il ferait pendant si longtemps encore vivre les auditeurs de ses prêches, les destinataires de ses lettres, les lecteurs de ses ouvrages ? Mais lui qui avait acquis une totale maîtrise de la parole, et qui avant de s'en retirer avait fait carrière dans « la foire au bavardage[b] », était bien placé pour mesurer les déficiences du langage, ses ruses et ses perversions. Au début des *Confessions*, évoquant le fatras mythologique dont son adolescence studieuse avait été encombrée, il dira : « Je n'accuse pas les mots, qui sont comme des vases choisis et précieux, mais le vin de l'erreur que nous y versaient des maîtres enivrés[c]. » Il y avait un bon usage des mots, et les mots avaient leur utilité, comme il le reconnaissait à la fin du *De magistro* : cette utilité n'était pas petite, et il se promettait d'y revenir un jour[d]. Il avait encore quarante ans de vie pour en faire la preuve.

Quarante années pendant lesquelles il lui faudrait aussi vivre avec le souvenir de ce fils trop tôt disparu. Car Adeodatus mourut à une date indéterminée, peu après ces entretiens, et avant le début de 391. Il avait alors au plus dix-huit ou dix-neuf ans. À la mort de Monique, on s'en souvient, Augustin s'était fait violence pour refouler « ce qui restait en lui de l'enfance[e] » et il avait finalement fondu en larmes

---

a. *De magistro*, 45.

b. *Conf.*, IX, 2 : cf. *supra*, p. 146.

c. *Conf.*, I, 26.

d. *De magistro*, 46.

e. *Conf.*, IX, 29 : « *meum quiddam puerile, quod labebatur in fletus* ».

à l'issue d'une pénible coercition. À la mort d'Adeodatus, une foi si forte l'a-t-elle alors sauvé d'une trop humaine détresse ? Il le suggère dans le *De uera religione*, en écrivant, sans doute peu après cette mort : « L'homme qui aime Dieu de tout son cœur ne s'afflige de la mort de personne, sachant que ce qui ne meurt pas pour Dieu ne meurt pas pour lui[a]. » Or il ne pouvait pas douter du salut de son fils. Dans les *Confessions*, s'adressant à Dieu, il lui dit : « Tu t'es hâté de l'enlever à la vie de la terre, et c'est avec plus de sécurité que je me souviens de lui, sans crainte désormais pour son enfance, ni pour son adolescence, ni plus du tout pour sa vie d'homme[b]. » Comme à la même époque le cher Nebridius, Adeodatus était maintenant en sûreté « dans le sein d'Abraham » : le baptême accompli, il avait été retiré de ce monde « *de peur que la malice n'altérât son intelligence* » (*Sg.*, 4, 11)[c]. L'évêque dira bien plus tard que « c'est un don de Dieu que l'on finisse sa vie avant de passer du bien au mal[d] ». Le père pouvait-il pourtant oublier dans sa chair ce « fils inachevé » ? Qu'il ait vécu jusqu'au soir de sa vie avec le poignant regret de ces promesses inaccomplies, dans la pensée de cet enfant qu'il admirait, douloureusement présent dans l'absence, comme un membre perdu, c'est ce que dévoile une phrase de son dernier livre, où Cicéron parle pour lui : « Ce mot de Cicéron à son fils ne vient-il pas des entrailles de tous les pères, lorsqu'il lui dit dans une lettre : "De tous tu es le seul par qui je voudrais être surpassé en toutes choses[e]" ? »

---

a. *De uera relig.*, XLVII, 91.

b. *Conf.*, IX, 14. Cf. *De correptione et gratia*, 13, sur ceux qu'une prompte mort, après qu'ils ont reçu la grâce, soustrait aux dangers de cette vie.

c. Cf. *De gratia et libero arbitrio*, 45, vers 426/27, où le souvenir d'Adeodatus semble sous-jacent.

d. *De correptione et gratia*, 19.

e. *Contra Iulianum opus imperfectum*, VI, 22, qui citait une lettre perdue de Cicéron. Le livre, postérieur aux *Révisions*, est de la période 428-430.

II.

L'ÉVÊQUE D'HIPPONE

CHAPITRE XVI

Hippo Regius : la prêtrise

À la fin de 390, Augustin avait eu trente-six ans. En peu d'années – en moins de cinq ans –, il avait opéré sur lui-même des transformations qui en avaient fait un tout autre homme. Il se trouvait maintenant à la veille d'un autre tournant. La mort de Monique, en 387, puis la disparition de Nebridius et surtout celle de son fils – pour ne rien dire de l'éloignement brutal, dès 385, de la mère d'Adeodatus – avaient successivement coupé les amarres affectives qui stabilisent d'ordinaire le commun des mortels. Mais ses réactions à la mort de sa mère avaient révélé une trempe d'âme hors du commun ; et il avait trouvé une autre stabilité dans cette vie quasi monastique à Thagaste, en la compagnie des amis qui lui restaient, et avec qui sa communion était profonde, Alypius, Evodius, Severus : on vient de voir combien ce climat d'échange amical avait été propice à l'élaboration de quelques œuvres importantes.

Mais précisément, les ouvrages composés durant ces trois années, auxquels il faut ajouter les premiers essais italiens – partiellement révisés à Thagaste – commençaient maintenant à circuler. Leur diffusion était celle, restreinte, de l'écrit à une époque où les « circuits de distribution » dépendaient strictement de l'initiative privée des quelques lecteurs intéressés ou de l'auteur lui-même, et où cette diffusion elle-même, liée à la reproduction manuelle de l'œuvre, était moins tributaire de l'existence de bons copistes que de celle du « papier » (*charta*), qui manquait souvent [1]. Pour limitée qu'elle fût, la circulation des premiers ouvrages d'Augustin, probablement surtout dans un axe Thagaste-Carthage, et sans doute aussi avec un certain rayonnement local en Numidie, était d'autant plus remarquable et remarquée qu'elle se produisait, autant que nous sachions, dans un vide doctrinal dont n'émergeait alors, après la mort d'Optat de Milev, que la figure singulière d'un donatiste hors norme, Tyconius, dont Augustin reconnaîtrait bientôt la valeur de l'apport exégétique.

La notoriété personnelle qui en rejaillissait sur Augustin attirait sur lui l'attention plus qu'il ne l'aurait souhaité. Dans un rayon de cent kilomètres autour de Thagaste, et plus particulièrement vers l'est, dans l'axe de la vallée de la Medjerda en direction de Carthage, nombreux étaient les évêchés où siégeaient souvent, comme on le verra, des évêques de plus de foi que de culture. Un pasteur de la qualité d'Augustin était l'objet de convoitises, et l'intéressé n'ignorait pas la pratique alors assez courante des élections épiscopales faites au corps défendant de l'intéressé : l'exemple d'Ambroise, bien connu de lui, était là pour le mettre en garde, et c'est pourquoi il prenait soin d'éviter, lors de ses déplacements, les lieux où le siège de l'évêque était vacant[a]. Ce n'était pas le cas d'Hippone, principale cité et principal débouché sur la mer de cette Numidie qu'on appelait « Proconsulaire » parce que, à la différence de la Numidie continentale dont Constantine et Lambèse étaient les pôles, elle était rattachée à la vieille province d'Afrique, gouvernée par le proconsul en résidence à Carthage, d'où il détachait à Hippone l'un de ses « légats » : la ville ajoutait ainsi quelque importance politique à un poids économique réel.

Au cours de l'hiver 390-391, Augustin se rendit à Hippone. Comme il le dira lui-même bien plus tard, il y allait pour rendre sur sa demande visite à un ami dont il pensait hâter la conversion à la vie monastique[b]. Possidius ajoutera l'intéressante précision qu'il s'agissait d'un *agens in rebus*, l'un des membres de ce corps de la police impériale chez qui la violence d'État qu'ils servaient semble avoir souvent fait naître, on l'a vu, des états d'âme[c]. Quand il rencontra cet ami, Augustin trouva sa belle ardeur un peu refroidie ; il fallut multiplier entretiens et exhortations. Il avait cependant en arrivant à Hippone une autre idée en tête, celle d'y trouver un lieu pour y installer un véritable monastère[d]. Il n'imaginait pas le prix qu'il aurait à payer pour parvenir à ses fins.

---

a. *Serm.* 355, 2 ; *Vita Aug.*, IV.
b. *Serm.* 355, 2.
c. *Vita Aug.*, III, 2 ; cf. *supra*, p. 168.
d. *Serm.* 355, 2 : « *Quaerebam ubi constituerem monasterium et uiuerem cum fratribus meis.* »

Hippo Regius

Hippone est l'un de ces établissements côtiers où la mer avec ses fureurs et les fleuves avec leurs alluvionnements, conjuguant des efforts pourtant contraires, semblent avoir pris un malin plaisir à défigurer ce que les hommes avaient bâti sans se soucier des contraintes naturelles.

Si, au milieu du xviie siècle, les Messieurs de Port-Royal, ravis à la pensée de découvrir que le nom d'Hippo Regius était déjà sous une autre forme celui de leur célèbre abbaye, ainsi vouée de toute éternité à abriter leur combat doctrinal, avaient pu visiter le site africain qu'ils croyaient éponyme du leur[2], ils n'y auraient rien vu de plus que ce qu'y virent ceux qui commencèrent à s'y intéresser deux siècles plus tard. Déjà, au début du xviiie siècle, le Dr Th. Shaw, chapelain de la petite colonie anglaise d'Alger, s'était fait montrer à « Bona » l'« emplacement et les débris du couvent de saint Augustin[3] » : en fait les vestiges des grands thermes, dont les archéologues savent bien que les hautes et massives structures de blocage, à la fois très solides et peu aptes au remploi, sont partout des îlots de résistance à l'action du temps et des hommes. Encore au début de ce siècle, dans ces ruines sises entre les deux oueds qui ferment le site, la Seybouse à l'est et le Bou Djemaa à l'ouest, on voulait toujours voir la *Knissia* : la « basilique de la Paix », pour les Européens, alors le seul indice visible en surface d'une ville dont la disparition, au début des temps islamiques, s'était faite en marge de l'histoire[4]. De la mer et des fleuves, c'étaient ces derniers qui avaient eu le dessus, recouvrant d'une épaisse couche d'argile et de limons un site dont n'émergeaient plus que les deux buttes qui le ponctuent, la colline dite de Saint-Augustin et le « Gharf el-Artran », ainsi redevenus les îlots qu'ils étaient sans doute à l'aube des temps humains.

Relativement récente est la reconquête du site antique d'Hippone. Elle fut décidée par une société savante, l'académie d'Hippone, et fut l'œuvre d'un homme qui lui consacra vingt ans de sa vie, Erwan Marec. On vit successivement réapparaître le quartier de villas du front de mer, limite est de la cité sur le rivage antique, le forum, le théâtre, un marché, un réseau de rues, deux autres établissements de bains s'ajoutant aux grands thermes déjà connus, enfin le groupe épiscopal, sur lequel on reviendra. Les dimensions de la grande place publique, quelques beaux éléments de statuaire, la qualité des mosaïques mettaient sous les regards une importance urbaine et une prospérité pour lesquelles plaidaient les textes. Comme souvent, cependant, l'archéologie promettait d'abord plus qu'elle ne pouvait finalement tenir : les murs « cyclopéens » à superbes bossages des villas du front de mer n'étaient pas « phéniciens » et n'attestaient pas la très grande ancienneté que suggéraient certaines sources, et qui restait seulement probable. C'étaient des murs de soutènement, rebâtis à plusieurs reprises sur de successives lignes de rivage entre le Iᵉʳ siècle avant notre ère et le IIᵉ siècle après [5]. La première Hippone, l'Hippone préromaine, reste encore à trouver. Elle s'épaulait peut-être sur la « colline de Saint-Augustin », que l'on a malencontreusement décapitée dans les premières années de ce siècle, mais sur ces terrains profondément modifiés à maintes reprises par les apports alluviaux depuis le début des temps historiques seule une campagne de prospection de grande envergure, à la fois géomorphologique et archéologique, permettrait d'en redéfinir l'emprise.

La ville que découvrait Augustin peu avant la fin du IVᵉ siècle avait bénéficié d'une longue fortune liée d'abord à des facilités portuaires naturelles, avec des atterrages commodes dans les estuaires des deux fleuves et des mouillages abrités par les contreforts du cap de Garde des coups de vent d'ouest, les plus redoutés en ces parages. C'est dans ce port que l'allié de César, Sittius, avait capturé la flotte des Pompéiens en 46 av. J.-C. [6] Dès l'époque d'Auguste, la ville avait acquis le statut de municipe, avant de bénéficier de l'honorariat pour devenir colonie romaine probablement au temps des Flaviens. La conséquence en fut que dès cette époque tous ses citoyens furent de plein droit citoyens romains. La grand-place porte témoignage de cette reconnaissance politique : l'esplanade du forum, l'une des plus vastes d'Afrique, est aussi l'une des plus anciennes, datée qu'elle est par la gravure sur son dallage de la dédicace monumentale du consul C. Paccius Africanus, proconsul en 78 apr. J.-C.

Au moins autant que ses qualités naturelles, c'est sa finalité qui fait l'importance d'un port. Les richesses auxquelles celui d'Hippone servait d'exutoire étaient principalement agricoles. Si l'on excepte les forêts du massif de l'Edough, qui surplombait la ville, les basses terres de l'arrière-pays, surtout en direction du sud-ouest, vers Calama (Guelma), étaient de bonnes terres à blé. Au-delà encore, passé la petite barrière des Alpes Numidiques, sur les contreforts desquelles s'étageaient vignes et oliviers, on parvenait aux vastes emblavures du Constantinois, et plus loin encore aux plaines céréalières de la région de Sétif. À l'époque d'Augustin, en faisant transiter leur production par les ports qui assuraient la liaison avec Ostie, et dont les principaux étaient Rusicade (Philippeville, aujourd'hui

Skikda) et Hippone, elles étaient la première source de ravitaillement de Rome. À Hippone était en poste un haut fonctionnaire impérial chargé des achats de blé pour l'approvisionnement de la Ville éternelle[7]. C'était l'aboutissement d'une histoire qui avait commencé lorsque Néron avait décidé que l'Afrique, plus proche, prendrait le relais de l'Égypte pour fournir à la capitale de l'Empire les deux tiers de sa subsistance. Il s'était donné sans faiblesse les moyens de cette décision en confisquant les immenses domaines de quelques grands propriétaires qu'il avait fait mettre à mort[8]. En son temps, ces *latifundia* ainsi entrés dans le patrimoine impérial et soumis à une monoculture céréalière extensive étaient surtout situés en Afrique Proconsulaire – en gros le territoire de l'actuelle Tunisie, augmenté de toute une frange orientale de l'Algérie, suivant une ligne allant d'Annaba, au nord, aux confins algéro-tunisiens, au sud. Puis, à partir de la fin du Ier siècle de notre ère, les avancées de la romanisation vers l'ouest avaient progressivement libéré ces territoires anciennement acquis à Rome de leur statut colonial et les avaient rendus à une polyculture équilibrée, si bien illustrée souvent par les mosaïques[9]. Le blé nécessaire à Rome – et à son armée depuis l'instauration par Septime Sévère d'un nouvel impôt en nature, l'« annone » – sera de plus en plus fourni par la mise en valeur de terres nouvelles, récupérées en Numidie et plus loin encore vers l'ouest sur les anciens terrains de parcours de tribus cantonnées et sédentarisées[10].

Le monde agricole qui en était né dans les vastes régions jadis librement parcourues par les Musulames, par les Suburbures et les Nicives était caractérisé par une stratification sociale complexe et très inégalitaire. Les petits propriétaires, parmi lesquels figurait Patricius, le père d'Augustin, en constituaient la classe moyenne[11], certainement nombreuse à côté d'une oligarchie de très gros possédants qui s'était reconstituée après les confiscations néroniennes, mais très minoritaire au regard d'une masse de petits colons qui vivaient pauvrement d'un système de métayage, avec un droit d'usage sur des terres louées ou conquises sur des friches[12]. Plus gravement encore, au fil des temps, l'essor démographique avait favorisé la naissance, à la frange de cette petite paysannerie nécessiteuse mais stable, d'un véritable prolétariat agricole qui louait sa force de travail suivant les saisons et selon les besoins. L'instabilité sociale de ces ouvriers agricoles aux conditions d'existence précaires ne pouvait manquer d'avoir ses incidences locales dans l'histoire de ce temps où les luttes religieuses recrutaient souvent leurs troupes dans la marginalité. Il n'y avait pas à aller très loin dans la campagne autour d'Hippone pour rencontrer de tels marginaux derrière le décor des belles mosaïques et, devenu évêque, Augustin en fera l'expérience.

PRÊTRE PAR SURPRISE

De passage à Hippone pour rencontrer un ami qui désirait l'entretenir de sa vocation monastique, Augustin dut à ses hésitations, on l'a vu, d'y prolonger son séjour. Il y fréquentait l'église et assistait aux offices sans être sur ses gardes, puisque l'évêché était dûment pourvu d'un titulaire. Mais cet évêque, Valerius, était âgé ; Grec de naissance, il était médiocre orateur en latin et il ignorait tout du punique, dont il était bon de savoir au moins quelques mots à l'intention des fidèles de la campagne, qui utilisaient en guise de patois ce qui restait de l'ancienne langue de Carthage, bien abâtardie [13]. Dans un texte qui date de cette époque, Augustin rapporte un trait de son évêque, très significatif à cet égard : dans une conversation entre paysans, Valerius avait entendu le mot *salus* – ou du moins quelque chose d'approchant – et avait demandé à l'un d'entre eux qui savait aussi le latin ce que signifiait ce mot ; et l'autre avait répondu « trois » (*tria*) ; et Valerius de s'extasier sur l'admirable rencontre, d'une langue à l'autre, du « salut » et de la Trinité [a] !

En outre, la communauté chrétienne à la tête de laquelle se trouvait Valerius n'était pas alors en bonne posture. Les manichéens prospéraient à Hippone, sous la conduite d'un « prêtre » du nom de Fortunatus, qu'Augustin avait connu autrefois à Carthage au temps de leur compagnonnage dans la secte [b], et dont l'habile prosélytisme avait fait des adeptes parmi les citoyens de la ville ainsi qu'au sein de la petite colonie étrangère [c]. Parallèlement, la communauté elle-même était divisée : les donatistes y étaient en position de force, et leur évêque, Faustinus, pouvait se permettre un geste aussi grave et aussi symbolique que celui d'interdire aux boulangers de cuire le pain pour la minorité catholique [d]. Valerius n'était manifestement pas de taille à leur tenir tête, encore moins à redresser la situation. Augustin ignorait-il alors cet état de choses ? Les fidèles d'Hippone, eux, en étaient bien conscients, et lorsque le vieil évêque déclara dans son prêche qu'il lui fallait un prêtre capable de le seconder, ce

---

a. *Ep. ad Rom. inchoata expositio*, 13. Mais la rencontre n'était pas fictive comme entre « Hippo Regius » et « Port-Royal » : en hébreu, *shalosh* signifie « trois ».

b. POSSIDIUS, *Vita Aug.*, VI, 4.

c. *Vita Aug.*, VI, 1.

d. *Contra litt. Pet.*, II, 184.

ne fut qu'un cri dans l'assistance : aussitôt reconnu, entouré, entraîné dans l'abside auprès de l'évêque en sa chaire, Augustin fut ordonné prêtre séance tenante[a].

Il n'avait pu s'opposer physiquement à cette ordination forcée. Il fondit en larmes et, rapportera plus tard Possidius, il y en eut dans l'assistance pour se méprendre sur le sens de ces larmes et n'y voir que le dépit d'entrer dans la cléricature par la petite porte, au lieu d'accéder directement à l'épiscopat[b] ! Ces pleurs avaient, bien sûr, une tout autre signification : comme le dit aussi Possidius, qui transcrit ce que l'intéressé a plus tard confié à ses amis, Augustin, anticipant sur sa quasi inévitable élévation à l'épiscopat, « pressentait la multiplicité et l'immensité des périls qu'allaient faire peser sur sa vie la direction et le gouvernement d'une église[c] ». Là encore, même si Hippone n'était pas Milan, l'image qui s'imposait à lui, emblématique d'une si lourde charge, était celle d'Ambroise, qu'il avait vu si occupé, confronté à des responsabilités si importantes. Mais il y avait autre chose encore à l'origine de la boule d'angoisse qui s'était formée dans son cœur : ce qu'un changement de destin si brutal impliquait, c'était l'adieu à ce qui était depuis Milan et Cassiciacum, en 386, une aspiration réfléchie, dont le *deificari in otio*, bien entendu, de la lettre à Nebridius disait la forte exigence spirituelle, une vie de l'esprit et une vie de prière dans un cadre monastique, qui n'excluait pas le service des autres, mais ne le posait pas en termes institutionnels. Au soir de sa vie, en en dressant le bilan dans un sermon devant ce peuple à qui il l'avait consacrée, l'évêque dira : « J'avais dit adieu à toutes les espérances du siècle et, ce que j'aurais pu y être, je n'ai pas voulu l'être ; mais je n'ai pas pour autant cherché à être ce que je suis[d]. » Mais, dès ce jour du début de l'année 391, ayant déjà derrière lui quelques beaux livres, mais portant en gestation dans sa tête une œuvre immense, il savait que désormais les journées ne lui suffiraient plus, qu'au travail des jours il lui faudrait ajouter la veille des nuits : « *in die laborans et in nocte lucubrans* », écrira Possidius[e].

Augustin disposait déjà d'une assez solide formation théologique, et il ne risquait pas de se trouver véritablement dans la situation qu'avait vécue Ambroise, de devoir apprendre en même temps qu'enseigner, mais il n'ignorait pas que Valerius avait fait appel à

---

a. *Serm.* 355, 2 : « *Apprehensus, presbyter factus sum.* »
b. *Vita Aug.*, IV, 2. On se souvient (*supra*, p. 104) que telle avait été l'ordination d'Ambroise, porté à l'épiscopat alors qu'il était laïc, et pas même encore baptisé.
c. *Vita Aug.*, IV, 3.
d. *Serm.* 355, 1.
e. *Vita Aug.*, XXIV, 11.

lui tout particulièrement pour le ministère de la prédication[a]. Et, pour la première fois de sa vie, lui qui savait parler devant les grands de ce monde, s'adresser à un public cultivé, écrire à des correspondants qui étaient à peu de chose près ses pairs, il devait envisager de prendre la parole devant le petit peuple d'Hippone, devant des pêcheurs (*piscatores*), qui étaient aussi des pécheurs (*peccatores*), pour qui le Christ était venu plus que pour les philosophes et les savants, et qu'il fallait toucher avec leurs mots. On lui avait déjà reproché la difficulté d'accès de certains de ses ouvrages[b] : autant que de compléter ses lectures scripturaires, il avait besoin d'apprendre à parler en termes simples – *ad usum populi* – de choses aussi compliquées que l'âme, Dieu, ou la Trinité. À peine ordonné, il demanda donc un congé, un congé à la fois d'étude et de réflexion.

Nous avons conservé la lettre qu'il adressa à son évêque. Rien, disait-il d'abord, n'est plus flatteur que la fonction d'évêque, de prêtre et même de diacre, mais rien n'est plus misérable aussi que de l'exercer pour la seule gloriole du statut social qui lui est attaché. Et rien n'est plus difficile que de le faire avec la pleine conscience de la haute mission qui est confiée à un évêque, à un prêtre et même à un diacre[c]. « J'ai été ordonné, continuait-il, alors que je songeais à me donner du temps pour connaître les divines Écritures, et j'avais pris mes dispositions de manière à bénéficier de l'*otium* nécessaire à ce *negotium*. Et, ce qui est vrai, c'est que je ne savais pas encore ce qui me manquait pour cette tâche, qui maintenant me tourmente et m'écrase... Peut-être ta Sainteté objectera-t-elle : "Je voudrais bien savoir ce qui manque à ton instruction." Je réponds que les connaissances qui me manquent sont si nombreuses que je pourrais plus facilement énumérer celles que je possède que celles que je désirerais avoir. J'oserai dire que je sais et que je tiens d'une foi ferme ce qui concerne mon propre salut ; mais comment pourrais-je faire servir ce savoir au salut des autres, *en cherchant non ce qui m'est utile mais ce qui est utile au plus grand nombre pour son salut* [cf. *I Co.*, 10, 23] ? Et il y a peut-être, ou plutôt il y a sans aucun doute, écrits dans les saints livres, des conseils grâce à la connaissance et la méditation desquels l'homme de Dieu puisse améliorer son service dans les affaires ecclésiastiques et même, entre les mains des pécheurs, soit vivre sans manquer à sa conscience, soit mourir, mais

---

a. Ce faisant, Valerius innovait : ce n'était pas l'usage dans l'Église occidentale, et on le lui reprocha (cf. *Vita Aug.*, V, 3) ; mais il fit école et peu après Aurelius de Carthage permit aux prêtres de prêcher en sa présence (*Ep.* 41, 1).

b. *Supra*, p. 194.

c. *Ep.* 21 (à Valerius), 1.

sans perdre cette vie qui seule vaut que des cœurs chrétiens, humbles et pleins de mansuétude, soupirent après elle. Mais comment cela pourrait-il s'obtenir sinon comme le dit le Seigneur lui-même : *en demandant, en cherchant, en frappant à la porte* [cf. *Mt.*, 7, 7 ; *Lc*, 11, 9] ? C'est-à-dire à force de prières, de lectures et de larmes. C'est dans ce but que j'ai voulu demander à mes frères d'obtenir de ta très sincère et vénérable Charité un peu de temps, jusqu'à Pâques, et que je le désire maintenant par la présente requête[a]. »

Augustin obtint de Valerius quelques semaines de liberté. Peut-être pas toutefois jusqu'à la date de Pâques, qui tombait cette année-là le 6 avril, car il est au moins un sermon prononcé par le nouveau prêtre, qui entre dans la série des sermons de catéchèse « quadragésimale », pour attester que son ministère presbytéral débuta bien à Hippone dès mars 391 [14]. Où se retira-t-il, pour ce bref supplément de formation ? Sans doute à Thagaste, chez lui, ou plutôt dans le « monastère » qu'il laissera à Alypius. Car il lui fallait bien régler ses affaires, avant d'organiser à Hippone sa vie et celle de ses futurs compagnons dans le véritable monastère dont il avait obtenu de Valerius la possibilité matérielle : l'évêque lui avait en effet donné une maison avec jardin à proximité de l'église-cathédrale [15]. Au prix de l'acceptation de la prêtrise, et d'une assez lourde aliénation, Augustin avait atteint le but auquel il aspirait depuis plusieurs années. On aura l'occasion de revenir sur les réalités concrètes comme sur les développements et les dispositions réglementaires de cette vie monastique qu'il vivra pendant près de quarante ans à Hippone.

ENCORE CONTRE LES MANICHÉENS

C'en était vraiment fini de la vie contemplative. D'un point de vue proprement ecclésiastique, les trois premières années de cette prêtrise culmineront, on le verra, avec le rôle, extraordinaire pour un prêtre en Occident, que jouera Augustin lors du concile général qui se réunira à Hippone le 8 octobre 393 ; mais elles furent très occupées [16]. D'abord, et toujours, par le combat contre les manichéens. Il repartait à la charge, avec maintenant des motivations pastorales : la secte était influente à Hippone. Mais en outre, de ceux qu'il avait entraînés autrefois dans l'erreur, restait encore à tenter de sauver un dernier compagnon de sa jeunesse, Honoratus, qui

---

a. *Ep.* 21 (à Valerius), 3 et 4.

n'avait pas, lui, suivi l'itinéraire italien. Il lui écrivit, comme une longue lettre, le *De utilitate credendi*.

Ce qui fait le charme unique de ce petit livre, c'est à la fois la forme et le ton. Il s'agit d'un pseudo-dialogue, au cours duquel Augustin imagine les objections de son ami et fait à la fois les questions et les réponses, avec de feints échanges souvent pressants, de rythme vif, et dont l'artifice ne lasse jamais[a]. Pour toucher Honoratus et l'inciter au même examen de conscience, Augustin revient sur le parcours qu'ils avaient suivi ensemble durant leurs années carthaginoises ; ainsi, avant les *Confessions* et pour faire suite à une petite page autobiographique du *De beata uita*, ce retour en arrière est un premier éclairage porté sur les exigences rationnelles de leur commune jeunesse et sur les conséquences qu'elles entraînèrent[b]. L'insistance d'Augustin sur son propre itinéraire n'avait ici rien de gratuit : avant d'argumenter, il voulait montrer par son exemple comment la foi l'avait sauvé des pièges, des doutes ou des apories de la seule intelligence ; l'exposé de son cas avait valeur pédagogique. Honoratus était un homme cultivé : Augustin lui parlera de l'Ancien Testament comme on leur parlait de Virgile en leur adolescence. Il n'était pas question de se lancer dans Virgile, ni dans Térence, sans guide ; il y fallait des initiateurs, et même de bons initiateurs, et si le grammairien, embarrassé par quelque obscurité, ou quelque finesse, préférait critiquer le poète, au lieu d'avouer son embarras, il aurait peine à garder ses élèves, même en les payant ! Il en était de même pour les Écritures, qu'il était aussi sot de piétiner avant d'avoir fait l'effort de les comprendre qu'il pouvait l'être de piétiner sur le sol un rayon de soleil passant à travers la fenêtre pour réfuter les manichéens ; elles requéraient un commentaire avant toute lecture[c].

Honoratus était aussi un bon intellectuel, fier du pouvoir et des prestiges de la raison : c'était là qu'il fallait à son interlocuteur patience et habileté. On insistait peu sur le problème du mal, provisoirement laissé de côté, comme pour une suite qui ne vint pas[d]. Sur le point crucial, le nécessaire primat de la croyance en matière de religion, Augustin avançait avec prudence, évitait de heurter de front son correspondant, jouait avec le mot « raison ». « Peut-être, écrivait-il, est-ce sur ce point-là que tu cherches à te faire une raison,

---

a. Sur le mode du « Mais, diras-tu » ou du « Tu vas sans doute me dire » : cf. *De util. cred.*, 16, 17, 21, 23, etc.

b. *De util. cred.*, 2, 3 et 20.

c. *Ibid.*, 13 ; cf. aussi 17.

d. *Ibid.*, 36 ; pour la suite envisagée, cf. aussi *Retract.*, I, 13, 8.

pour bien te convaincre que tu ne dois pas, pour t'instruire, mettre la raison avant la foi[a]. » On brusquerait encore moins ce manichéen-là que ceux auxquels on s'était adressé de façon impersonnelle au début du *De moribus*[b]. Augustin admettait donc – ou feignait d'admettre – qu'un petit nombre d'hommes, dont son ami faisait partie, étaient capables d'accéder au divin par une démarche rationnelle[c]. Mais fallait-il pour autant donner au grand nombre un exemple de témérité et l'abandonner à sa faiblesse ? Au demeurant, croire et être crédule étaient deux attitudes d'esprit différentes. Augustin montrait à Honoratus que la croyance était une démarche normale de la pensée, qui par exemple conditionnait l'équilibre des rapports sociaux et d'abord familiaux[d]. Transposée au plan religieux, cette disposition de « confiance », préalable à la croyance, revenait pour la grande masse des humains à s'en remettre à un sage, médiateur entre l'homme et Dieu ; or quel sage était plus grand que le Christ, à l'autorité duquel les manichéens eux-mêmes se référaient[e] ? Dans la dialectique de la raison et de la foi, telle qu'Augustin l'avait expérimentée lui-même et l'exprimait maintenant avec netteté, Honoratus, comme naguère aussi Romanianus[f], n'avait encore accompli qu'une petite partie du chemin. L'exercice de la raison l'avait sans doute préparé à l'intellection des choses divines ; il lui fallait maintenant accomplir l'acte de foi, avant de faire servir sa raison à l'intelligence du contenu de cette foi. À l'usage des simples fidèles, qui des intellectuels n'avaient pas l'approche rationnelle – mais ils n'en avaient pas non plus la superbe –, Augustin résumera plus tard la démarche dans une de ces formulations synthétiques dont il émaillera souvent ses textes : « Si tu ne peux comprendre, crois pour comprendre ; la foi précède, la compréhension suit[17]. » Il ne semble pas que l'ami ainsi admonesté ait suivi immédiatement cette démarche.

Le *De utilitate credendi* s'adressait au seul Honoratus et, sans entrer dans une critique métaphysique du manichéisme, portait essentiellement sur la foi. À la même époque, en 391/92, Augustin éprouva le besoin de s'exprimer dans une sorte de lettre circulaire à l'adresse de tous les amis de son adolescence et de sa jeunesse

---

a. *Ibid.*, 22.
b. Cf. *supra*, pp. 177-178.
c. *De util. cred.*, 24.
d. *Ibid.*, 26.
e. *Ibid.*, 28-33.
f. Avec des nuances, qui tiennent aux différences de personnalités, l'argumentation du *De utilitate credendi* rejoint naturellement celle du *De uera religione* : cf. *supra*, pp. 197-198.

qui avaient partagé son erreur[a]. C'est le petit livre auquel il donna pour titre *De duabus animabus* – « Des deux âmes » –, au prix, il faut bien le dire, d'une interprétation inexacte de la doctrine manichéenne, qui reconnaissait dans l'homme non pas deux « âmes », mais la coexistence – et le conflit – de deux « natures » : l'âme et le corps, la lumière et les ténèbres. Pour le ton, ce texte est un long mea-culpa. À l'âge où l'on est sans méfiance, les manichéens avaient facilement exercé leur enjôleuse séduction sur un jeune homme que grisaient par surcroît ses succès dans ses joutes avec des « chrétiens ignorants » : c'est ainsi qu'il avait suivi trop longtemps « des hommes qui préféraient une belle tige de blé à une âme vivante[b] ». Revivant en pensée ces années où il fut leur compagnon de route, il trouve sur le tard toutes les réponses qu'il aurait dû faire à leur matérialisme et à leur dualisme. Toutefois, pour sa défense, il affirme qu'il n'avait pas encore, alors, entendu parler de la façon dont s'était fait le mélange du bien et du mal, de la lumière et des ténèbres, ni quelle en avait été la cause, et donc que son ignorance des détails du mythe manichéen du « temps médian » lui dérobait des arguments à opposer aux tenants de la secte[c]. Tout naturellement, cette critique rétrospective était centrée sur le problème du mal, et sur les fausses solutions qu'en donnait le manichéisme. On ne péchait, réaffirmait encore une fois Augustin, que par la volonté, définie comme « un mouvement de l'âme, exempt de toute contrainte, tendant soit à ne pas perdre, soit à acquérir quelque chose[d] ». S'ensuivait aussi comme définition du péché – « le péché est donc la volonté de retenir ou d'obtenir ce que la justice [au sens d'action moralement irréprochable] défend et dont on peut librement s'abstenir[e] » – une formule qu'il allait bientôt utiliser terme pour terme dans son débat avec Fortunatus.

Cette discussion avec le « prêtre » manichéen d'Hippone eut lieu à la demande de la communauté chrétienne de la ville, catholiques et donatistes pour une fois rassemblés, inquiète des succès croissants de Fortunatus. La rencontre se déroula en public[18] et, suivant un choix qu'on retrouvera en d'autres circonstances, elle se tint en un lieu à la fois « neutre » et suffisamment vaste : des thermes, en l'occurrence les « bains de Sossius[19] ». Et les échanges entre les

---

a. *De duabus animabus*, 24.

b. *Duab. an.*, 11.

c. *Duab. an.*, 16 : « À la vérité, je n'avais pas encore entendu expliquer de quel mélange il s'agissait. »

d. *Duab. an.*, 14.

e. *Duab. an.*, 15, définition approuvée par les *Révisions*, I, 15, 4, souvent critiques par ailleurs pour ce livre.

deux champions furent datés – les 28 et 29 août 392 – et enregistrés à la façon d'actes publics, et il apparaît que leur publication sous forme de livre par les soins d'Augustin n'en a pas altéré la fraîcheur[a]. C'est surtout cela – car Fortunatus fit piètre défense et ne poussa pas son interlocuteur à s'employer beaucoup pour le confondre – qui en fait l'intérêt. On y saisit sur le vif tout à la fois, face à l'exceptionnelle maîtrise du langage dont faisait preuve Augustin, la gaucherie du manichéen et ses dérobades, cette façon, dûment relevée par son adversaire, de ne pas répondre, ou de répondre par une autre question, chaque fois qu'il était dans l'embarras[b]. Il était convenu que le débat porte non pas sur les mœurs des uns et des autres mais sur les articles de leurs fois respectives. Fortunatus était arrivé non avec les écrits canoniques des manichéens, mais avec les Évangiles et saint Paul : car ce n'est pas de mémoire qu'il citera une longue page de l'Apôtre[20]. Augustin lui donnait la réplique avec les mêmes textes – qu'il possédait mieux que son interlocuteur[21] –, en lui reprochant de jouer avec un florilège de citations coupées de leur contexte, qu'il était trop facile de faire se contredire entre elles[c]. Mais enfin la discussion s'engageait et d'emblée Augustin attaquait Fortunatus sur le statut réservé à Dieu dans la secte, théoriquement réputé par elle incorruptible et inviolable, mais en fait en butte à la violence et à la corruption dans le développement de sa cosmogonie. C'était, on s'en souvient, le premier volet de l'« argument de Nebridius », dont Augustin appréciait depuis longtemps l'efficacité ; il le complétait peu après pour enfermer son interlocuteur dans un dilemme : « Mon argument sera donc bref et, je crois, parfaitement clair pour tous. Si Dieu n'a pu pâtir en rien du fait de la nation des ténèbres, parce qu'il est inviolable, c'est sans raison qu'il nous a envoyés ici-bas pour que nous endurions le mal. Si au contraire il a pu pâtir de quelque façon, il n'est pas inviolable et vous trompez ceux à qui vous dites qu'il est inviolable[d]. » Fortunatus répondait à côté et Augustin repartait en vain à la charge ; son interlocuteur se dérobait de nouveau en demandant quel était l'avis du catholique sur l'origine de l'âme : sans doute savait-il que c'était là une question sur laquelle son vis-à-vis hésitait, et hésiterait toujours[e]. On revenait au problème du mal, et Augustin reprenait la définition du péché

a. *Retract.*, I, 16, 1.

b. *Contra Fort.*, 10-11 ; 25.

c. C'était, semble-t-il, la méthode courante des manichéens : cf. *Contra Adimantum*, III, 3, et XIV, 1-2.

d. *Contra Fort.*, 7.

e. *Ibid.*, 9-10 ; sur les hésitations d'Augustin sur l'origine de l'âme, cf. *supra*, p. 183.

qu'il avait bien présente à l'esprit telle qu'il l'avait proposée naguère dans son texte « Des deux âmes[a] ». Le débat de cette première journée dérivait bientôt sur la nature du Christ et s'achevait dans la confusion, dans le vacarme aussi fait par l'assistance qui n'appréciait guère l'usage que le manichéen faisait des Écritures.

Le lendemain, la discussion reprenait sur le problème du mal. Augustin réaffirmait que le mal provenait du péché volontaire de l'âme, à qui Dieu avait donné le libre arbitre. Fortunatus marquait cependant un point, en retrouvant l'objection présentée par Evodius à la fin du livre I du *De libero arbitrio* : si le péché provenait de l'action volontaire de l'âme dotée du libre arbitre, Dieu était complice du mal, lui qui était l'auteur de cet octroi à l'âme du libre arbitre[b]. Le manichéen n'en tirait cependant pas la conséquence et revenait à la position centrale de la secte en la matière, à l'affirmation d'un dualisme fondamental, qu'il prétendait appuyer sur des textes pauliniens, lesquels, à lecture rapide et coupés de leur contexte, semblaient plaider pour la coexistence en l'homme de deux natures[c]. C'était pain bénit pour Augustin, qui n'avait pas de peine à lui montrer que la description anthropologique paulinienne s'appliquait non au premier homme, premier pécheur par le jeu de sa libre volonté, mais à ses descendants, vivant selon la chair et selon « la prudence de la chair, ennemie de Dieu » (*Rm.*, 8, 7) et soumis à la nécessité – il dira aussi à l'« habitude[d] ». Les faibles défenses de Fortunatus tombaient les unes après les autres. Il finissait par avouer – c'était au cœur du mythe des « trois temps » de Mani – que Dieu avait été contraint pour se défendre d'envoyer l'âme, donc qu'il était sous l'empire de la nécessité. Il se rétracta pourtant et son adversaire dut, pour le confondre, faire lire le « sténogramme » du débat[e]. Une dernière fois, Augustin lui opposait l'« argument de Nebridius », et l'autre était réduit à quia : son silence faisait écho à d'autres silences, déjà rencontrés par Nebridius et ses amis lors de débats de ce genre. À titre personnel, Fortunatus s'avouait vaincu, sinon convaincu : il se réservait de rapporter à ses supérieurs l'argumentation de son adversaire. Nous savons par les *Révisions* qu'il ne devint pas catholique pour autant ; mais il quitta Hippone[f].

Pour la première fois, avec ce débat public, l'« intellectuel » était entré dans l'arène, celle de ces joutes où la déroute de l'adversaire,

---

a. *Ibid.*, 17 = *Duab. an.*, 15.
b. *Contra Fort.*, 20 ; cf. *Lib. arb.*, I, 35, et *supra*, p. 186.
c. *Contra Fort.*, 21, citant *Rm.*, 8, 7, *Ga.*, 5, 17 et *Rm.*, 7, 23-25.
d. *Contra Fort.*, 22.
e. *Contra Fort.*, 27-28.
f. *Retract.*, I, 16, 1.

enregistrée par les « notaires », était consacrée par l'assentiment souvent bruyant de l'assistance. L'ancien rhéteur devenu prêtre, bientôt évêque, n'était pas dupe de cette « médiatisation ». Il était bien conscient que, parmi ceux qui s'étaient pressés là, beaucoup étaient venus pour le spectacle, comme au théâtre. Ainsi, quelques années plus tard, qualifiera-t-il l'attitude de la foule qui était accourue pour assister à sa rencontre avec Fortunius, l'évêque donatiste d'une ville voisine, Thubursicu Numidarum (Khamissa) : la plupart étaient venus, non pour entendre discuter d'une cause avec le sage désir d'y voir plus clair, mais pour apprécier la performance de deux acteurs[a]. Augustin savait qu'il devrait à l'avenir, sans vaine complaisance, tirer parti dans ces joutes d'un talent que tous lui reconnaissaient et dont il était bien conscient lui-même. Il était désormais sur une scène, que jusqu'à sa mort il ne quitterait plus.

DISCIPLINA

On se souvient qu'à son retour d'Italie, à l'automne de 388, Augustin avait rencontré à Carthage l'un des diacres de la grande cité, Aurelius[22]. Sans passer par la prêtrise, ce dernier était devenu évêque de Carthage, et donc primat d'Afrique, sans doute au cours de l'année 392[23]. Peu après son ordination, il écrivit à Augustin une lettre perdue, mais dont la teneur nous est partiellement dévoilée par la réponse qu'il en reçut. Nous savons ainsi que le nouveau chef spirituel de l'Église d'Afrique s'était recommandé aux prières de son correspondant, qu'il avait accepté qu'Alypius demeurât à Thagaste en vivant exemple de l'idéal ascétique qu'il avait vécu avec son ami – ce qui suggère qu'Alypius avait dû être sollicité par d'autres églises pour une accession soit à la prêtrise, soit à l'épiscopat –, qu'il avait même fait don d'une terre aux *fratres* de Thagaste[24]. Abordait-il dans sa lettre le problème des agapes dans les cimetières ? Ce fut en tout cas le sujet presque exclusif de la réponse d'Augustin. Pour stigmatiser le scandale collectif qu'elles représentaient à ses yeux lui revenait spontanément le texte de saint Paul dont la lecture, faite sur une « divine » inspiration, dans le jardin de Milan, avait en lui dissipé les derniers nuages[b]. Rien n'était plus urgent pour le nouveau prêtre que d'extirper de la masse des fidèles de son Afrique des pratiques qui faisaient d'eux, plus que symboliquement, des hommes « charnels ». Pour ce qui était des « coucheries » et des « impudicités », cela allait

---

a. *Ep.* 44, 1.
b. *Ep.* 22, 2, citant *Rm.*, 13, 13-14 ; cf. *supra*, pp. 142-144.

sans dire[a]. Mais les « beuveries » et les « ivrogneries » en l'honneur des bienheureux martyrs, non seulement à leurs anniversaires, mais pratiquement tous les jours ? Augustin faisait valoir dans sa lettre que ces coutumes, soit qu'elles n'eussent jamais existé, soit qu'elles eussent été réprimées, étaient inconnues dans les Églises d'outre-mer et en Italie[25], avec lesquelles les communautés des provinces africaines étaient à cet égard en fâcheux contraste. Et, de fait, l'archéologie atteste à foison la présence de ces « tables d'agapes » – les *mensae* – dans les sites paléochrétiens d'Afrique du Nord[26].

Augustin savait qu'il avait sur ce chapitre un allié en la personne d'Aurelius, quelqu'un qui était dans les mêmes dispositions d'esprit et avait la même volonté de les faire prévaloir. Il pouvait compter, pour mettre un terme à ces pratiques, sur un primat qui, simple diacre dans son église, les condamnait déjà[b]. C'était à l'église métropolitaine de donner l'exemple et elle s'y employait. Mais le mal était si répandu et si profond qu'il fallait pour le faire disparaître l'autorité d'un concile[c] : c'est ce qu'Augustin suggérait dans sa lettre avec une liberté surprenante de la part d'un prêtre, par surcroît d'ordination récente, ce qui atteste clairement de quel prestige personnel il jouissait déjà dans ce milieu ecclésiastique où il était encore tout neuf. On ne peut se fonder sur ce seul texte pour affirmer que le concile général qui se réunit de fait à Hippone le 8 octobre 393 fut alors décidé entre Aurelius et Augustin ; force est cependant de constater que dans la série des conciles généraux africains celui-ci fut le premier à se tenir en dehors de Carthage ; et la tenue d'un concile général en dehors de la métropole restera toujours exceptionnelle : sous la primatie d'Aurelius, on ne peut citer ensuite que celui qui se tint en Numidie à Milev (Mila) en 402, puis de nouveau chez Augustin en 427[d]. Le choix d'Hippone en 393 était tout sauf une simple coïncidence avec la récente ordination presbytérale d'Augustin.

Lors du concile d'Hippone, dont on verra plus loin qu'il fut largement consacré à la restauration de la discipline, en particulier chez les clercs, un canon fut de fait édicté, prohibant les banquets dans les lieux de culte et alentour, et ce canon fut rappelé par la suite[27]. Mais, en cette matière comme en d'autres, le rappel d'une décision conciliaire révèle surtout la difficulté de faire entrer la règle dans les faits. À Carthage même, les efforts d'Aurelius ne furent pas tout de suite couronnés de succès. Au fil des temps, les fêtes en l'honneur

---

a. *Ep.* 22, 3, *initio.*
b. *Ep.* 22, 4, *in fine.*
c. *Ep.* 22, 4.
d. Cf. *infra*, p. 664.

de saint Cyprien, les 13 et 14 septembre, étaient devenues, autour de son tombeau, aux *Mappalia*[28], l'occasion de ripailles et de danses, sur fond de petites chansons grivoises[29]. En 401 encore, la prohibition de ces danses avait suscité une émeute. À Hippone, Augustin était toujours prêtre lorsqu'il dut s'employer sans faiblesse à mettre un terme à des débordements qui étaient l'équivalent local des dérives carthaginoises du culte cyprianique. Ils avaient lieu en l'honneur du saint patron de la cité, saint Leontius, lors d'une fête qui se déroulait dans la basilique fondée par celui-ci, au début du IVe siècle, la *basilica Leontiana*[30]. Les 2, 3 et 4 mai de chaque année étaient trois journées de réjouissances qui portaient le nom significatif de *Laetitia*, « la Liesse ».

En 395, Augustin entreprit d'y mettre bon ordre. Les trois jours de la *Laetitia* coïncidaient cette année-là avec l'Ascension : ce furent pour lui trois rudes journées dont il raconte les péripéties dans une lettre à Alypius, depuis peu évêque de Thagaste et qui venait de passer par Hippone[a]. Augustin n'avait pas fait mystère, quelques jours auparavant, de son intention de s'opposer cette fois-ci aux excès habituels, mais il savait qu'on s'agitait parmi les fidèles et qu'une partie de ceux-ci étaient décidés à passer outre. Son prêche du 2 mai, vigile de l'Ascension, qui avait pris notamment pour texte un verset de l'Évangile de Matthieu particulièrement bien adapté[b], ne fut prononcé que devant un petit nombre d'assistants. Le lendemain, jour de l'Ascension, l'assistance au prêche était nombreuse ; Augustin fit donner lecture du texte de *Matthieu*, 21, 12, sur le geste de Jésus chassant les marchands du Temple, puis il relut lui-même le verset et le commenta : avec quelle indignation, combien plus violente, le Seigneur aurait chassé les ivrognes de son église[c]. C'était l'exorde d'un sermon qui faisait alterner lecture et commentaire d'un florilège de textes soigneusement choisis, clos sur quelques lignes de l'*Épître aux Galates* : « On sait bien ce que sont les œuvres de la chair : fornication, impuretés, débauches, idolâtrie, sortilèges, inimitiés, tensions, rivalités, animosités, discussions, hérésies, haines, enivrements, ripailles et choses semblables ; je vous dis d'avance, comme je vous l'ai déjà dit, que ceux qui font cela ne posséderont pas le royaume de Dieu. » La lecture était interrompue une minute pour que le prédicateur demande à ses auditeurs comment on pourrait reconnaître des chrétiens « au fruit de leur ivresse », puisque le

---

a. *Ep.* 29, 2.

b. *Mt.*, 7, 6 ; « Ne donnez pas aux chiens ce qui est sacré et ne jetez pas vos perles devant les porcs. »

c. *Ep.* 29, 3.

Seigneur avait ordonné qu'on les reconnût à leurs fruits, puis elle reprenait : « Quant aux fruits de l'esprit, ce sont charité, joie, paix, longanimité, bienveillance, bonté, fidélité, douceur, maîtrise de soi[a]. » La journée s'acheva sur un pic de dramatisation, atteint lorsque Augustin tira des larmes à ses auditeurs en lisant et commentant deux versets du *Psaume* 88, qui proclame que Dieu punit les manquements à sa loi, mais ne retire pas sa miséricorde[b]. À la fin de son sermon, le prédicateur était lui-même en larmes, mais pouvait penser la partie gagnée.

La nuit pourtant n'avait pas porté conseil dans le sens qu'il espérait. Le lendemain, vendredi 4 mai, était le jour anniversaire de la « déposition » – la mise en terre – de saint Leontius : c'était pour ce jour-là que « se préparaient les gueules et les ventres », comme l'écrit crûment Augustin[c]. On lui annonce que de ses auditeurs de la veille certains regimbent, et en viennent à lui opposer les pasteurs qui l'ont précédé : ils n'étaient donc pas chrétiens, ceux qui auparavant n'élevaient pas ces interdictions ? Pour eux, ce prêtre à la spiritualité exigeante ne pouvait être qu'un funeste rabat-joie. Un instant désemparé, il envisage de se retirer, après avoir dégagé sa responsabilité en citant librement *Ézéchiel*, 33, 9 : « La sentinelle est absoute, si elle met en garde contre le danger, même si ceux qu'elle met en garde refusent de s'en garder. » Mais alors qu'il allait prendre place dans le chœur, ceux-là mêmes dont il avait appris la réluctance viennent à lui et se laissent gagner à de meilleurs sentiments. Alors, au lieu du texte d'*Ézéchiel*, Augustin se lance dans un sermon qui faisait une part à la rétrospective historique. Quand le christianisme avait pris son essor, après les persécutions, il avait fallu faire des concessions aux gentils récemment convertis : les festivités en l'honneur des martyrs étaient une manière de compenser le sacrifice qu'était l'abandon des fêtes païennes[31]. Puis Augustin exhorte les fidèles à imiter plutôt les églises d'outre-mer, d'où ces pratiques étaient absentes ; et il s'attarde un instant sur le cas de Saint-Pierre de Rome, dont il explique l'exception[d]. Là-dessus, les fidèles sont invités à se rassembler l'après-midi pour faire alterner lectures sacrées et chants de psaumes, à la place des réjouissances habituelles ; on verrait bien ainsi, ajouta Augustin, « qui suivait son esprit, et qui son ventre[e] ».

---

a. *Ga.*, 5, 19-21 et 22-23, cité dans *Ep.* 29, 6.
b. *Ps.* 88, 31-34 ; *Ep.* 29, 7.
c. *Ep.* 29, 8, *initio.*
d. *Ep.* 29, 10 ; cf. *supra*, pp. 180-181.
e. *Ep.* 29, 10, *in fine* : « *qui mentem, et qui uentrem sequeretur* ».

Ainsi fut-il fait l'après-midi, en présence de l'évêque et de son prêtre. Augustin voyait avec quelque soulagement approcher de son terme une journée pour lui si périlleuse, quand Valerius lui demanda de prendre encore une fois la parole, ce dont il se serait bien passé. Loin pourtant de faiblir, il saisit dans cet ultime et bref sermon l'occasion d'opposer la *spiritalis celebratio* des catholiques aux beuveries des donatistes, dont on pouvait entendre les échos venant de leur basilique[32]. Puis il ajouta deux citations pauliniennes – *Ph.*, 3, 19, et *I Co.*, 6, 13 – à sa panoplie de textes de l'Écriture, ses seules armes, outre sa foi et sa force de conviction personnelles, en face de nombreux « demi-chrétiens » arrivés à la religion nouvelle souvent avec les oripeaux de l'ancienne, passés du paganisme au christianisme sans avoir accompli intérieurement leur révolution culturelle. « Rude tâche, dira-t-il plus tard, que celle qui consiste à détruire les idoles en son cœur[a]. » Dans la nuit qui commençait à s'épaissir sur le quartier chrétien d'Hippone, des chants d'hymnes continuaient à monter de la foule mêlée des hommes et des femmes[b]. En eût-il jamais douté, Valerius savait maintenant qu'il avait un successeur.

LE CONCILE D'HIPPONE (8 OCTOBRE 393)

Deux ans avant le mémorable épisode de la *Laetitia* de mai 395, où Augustin avait affirmé des qualités pastorales qui faisaient de lui le successeur tout désigné de Valerius, avait eu lieu à Hippone un événement qui avait attiré sur lui l'attention de l'ensemble de l'épiscopat africain, cette fois-ci sur un plan théologique. Le 8 octobre 393, sous la présidence d'Aurelius de Carthage, s'y était réuni le concile général de l'Église d'Afrique, le premier, depuis les origines de cette Église, à tenir ses assises en dehors de Carthage. Les évêques s'assemblèrent dans le *secretarium* de la basilique de la Paix, église cathédrale des catholiques[33]. Le *secretarium* était une salle à usages multiples : « sacristie », local destiné à la réception des fidèles par le clergé, probablement aussi l'endroit où l'évêque exerçait sa juridiction ecclésiastique, et qui pouvait abriter la bibliothèque[34]. On a supposé que ce lieu devait avoir des dimensions considérables pour avoir pu abriter un concile plénier[35] ; mais en fait les évêques réunis alors à Hippone ne durent pas être très nombreux. À cette époque, les provinces ecclésiastiques occidentales – les Maurétanies Siti-

a. *Enarr. in Psalm. 80*, 14 : « *Magnum opus est* intus *haec idola frangere.* »
b. *Ep. 29*, 11, *in fine.*

fienne et Césarienne –, encore rattachées à la Numidie, n'avaient pas d'existence statutaire, ni de primats, et donc n'envoyaient pas de délégués au concile[36]. La Tripolitaine, qui ne comptait que cinq évêchés, était représentée au mieux par un évêque et, statutairement, les provinces régulièrement constituées d'un point de vue ecclésiastique – outre l'Afrique Proconsulaire, la Numidie et la Byzacène – se faisaient entendre au concile général par le biais de trois délégués. En considérant que la Numidie, province d'accueil cette année-là, devait avoir une représentation plus importante, on peut admettre qu'une vingtaine d'évêques, probablement pas davantage – mais il faut y ajouter les secrétaires qui enregistrèrent les débats – occupèrent le 8 octobre 393 le *secretarium* de la basilique de la Paix.

Ils n'en firent que du meilleur travail. Les discussions et les canons proprement dits de ce concile général n'ont été conservés que très partiellement[37], mais l'essentiel, c'est-à-dire les dispositions qui furent prises, a été préservé dans un abrégé, dit bréviaire d'Hippone, dont la quarantaine d'articles a constitué par la suite la base de la législation conciliaire de l'Église d'Afrique, notamment en matière de discipline ecclésiastique et a été comme telle souvent reproduite ou au minimum citée lors des conciles postérieurs[38]. Le souci de reprendre en main les clercs de tous ordres, des lecteurs aux évêques, s'y lit avec évidence, ainsi que celui de redéfinir leur attitude vis-à-vis d'une part des païens, d'autre part des donatistes. La préoccupation aussi d'éviter des situations anarchiques, de longs litiges nés en particulier des empiétements des uns et des autres. L'Église d'Afrique était maintenant un grand corps dont il fallait assurer la cohésion en face des schismatiques ; c'est pourquoi l'une des premières décisions du concile d'Hippone fut d'instaurer un concile général annuel, auquel les différentes provinces régulièrement constituées devaient, sous l'autorité de leurs primats, envoyer trois légats choisis au sein de leurs propres conciles provinciaux. Certes, il arriva, pour des raisons diverses, qu'il y eut d'assez nombreuses années sans concile plénier ; mais, très certainement sous l'impulsion du primat de Carthage, l'Église africaine s'était avec cette disposition forgé un outil institutionnel dont Aurelius sut se servir efficacement – notamment pour maintenir ses positions vis-à-vis du siège de Rome –, bien secondé par quelques grands évêques, au premier rang desquels Alypius et Augustin.

Pour l'heure, à Hippone, en octobre 393, il ne fait aucun doute que ce dernier, en sa qualité de prêtre, ne fut pas admis à participer aux travaux du concile. Mais il le marqua cependant de sa présence, car l'honneur insigne – et sans précédent, que nous sachions – lui échut, après récitation du symbole de Nicée, de prononcer le discours sur le dogme devant les évêques. C'était, de leur part, la reconnaissance d'une éminente supériorité intellectuelle humblement mise au service de la pastorale chrétienne. C'était sans doute aussi, de la part d'Aurelius, l'occasion d'officialiser l'innovation de Valerius, qui avait pu choquer. Augustin dira lui-même qu'il publia cet exposé doctrinal sur les instances de quelques évêques présents[a], en un livre auquel il donna pour titre *De fide et symbolo* – « De la foi et du symbole ». C'était une synthèse rapide de la doctrine catholique, faite en suivant les articles du *Credo*. On a pu relever dans ce texte des hésitations ou des faiblesses, notamment pour ce qui est de sa caractérisation du Saint-Esprit dans l'ensemble trinitaire[39]. On préférera ici souligner la note si personnelle sur laquelle Augustin terminait en reprenant les derniers mots de son discours, qui résumaient son propre credo, celui auquel l'avaient conduit son expérience et sa longue réflexion sur cette expérience, mots qu'il faut citer comme il les a prononcés pour en éprouver la magnificence : « *Quae pauca uerba fidelibus nota sunt ut* credendo *subjugentur Deo, subjugati recte uiuant, recte uiuendo cor mundent, corde mundato* quod credunt intelligant[b]. » Les évêques qui entendirent ce jour-là Augustin ne purent s'y tromper : faisait désormais partie de leur Église un génial manieur de paroles, comme l'Afrique n'en avait plus connu depuis deux siècles, depuis Apulée et Tertullien.

---

a. *Retract.*, I, 17.

b. *De fide et symbolo*, 25 : « Ces quelques mots sont notifiés aux fidèles afin qu'en les croyant ils se soumettent à Dieu, qu'en se soumettant ils mènent une vie droite, qu'en menant une vie droite ils purifient leurs cœurs, et que, leur cœur ainsi purifié, ils comprennent ce qu'ils croient. »

Chapitre XVII

Le donatisme

Le mot est moderne, mais les réalités qu'il recouvre, à la fois religieuses et sociales, parfois même politiques, furent des plus pesantes en Afrique du Nord tout au long du IVe siècle et au Ve siècle, avant l'invasion vandale. Sur un si vaste territoire – l'Algérie et la Tunisie actuelles, et la frange côtière occidentale de la Libye –, ses manifestations ne furent naturellement pas homogènes. À la fin du IVe siècle, un chrétien moyen de Tacape (Gabès) aurait presque pu ignorer ou du moins ne connaître que par ouï-dire ce qui avait une existence si obsédante pour un habitant par exemple de Thamugadi (Timgad) ou de Caesarea (Cherchell).

Contrastées dans l'espace, les situations le furent aussi dans le temps : ainsi dans le cas de la patrie d'Augustin, Thagaste. Lors des confrontations souvent orageuses de la conférence de Carthage, en juin 411, Alypius, qui en était l'évêque, s'écriera fièrement que sa cité « jouissait de longue date de l'unité » – dans l'Église catholique, bien sûr –, et fera le vœu qu'il en soit de même partout ailleurs[a]. Mais il n'en avait pas toujours été ainsi. Dans une lettre écrite vers 407/08, Augustin reconnaîtra que sa ville natale avait été autrefois entièrement donatiste, et il attribuait à la crainte des lois impériales un retournement de la situation si complet qu'il n'hésitait pas à dire qu'on y avait perdu le souvenir du schisme[b]. On peut vraisemblablement dater ce tournant de la grande répression des *tempora Macariana*, au milieu du IVe siècle[1] : la jeunesse d'Augustin s'était donc déroulée dans l'ignorance d'un mouvement religieux dont il avait tout au plus pu entendre parler, du moins pendant ses années numides ou carthaginoises, car son départ pour l'Italie l'avait ensuite soustrait

---

a. *Gesta coll. Carth.*, I, 136 (*Sources chrétiennes*, vol. 195), Paris, Éd. du Cerf, 1972, pp. 784-785.
b. *Ep.* 93, 17.

à l'actualité africaine. Au fond, il n'avait découvert le donatisme et ses réalités qu'en arrivant à Hippone et en devenant lui-même un homme d'Église. Le manichéisme, qu'il avait beaucoup combattu parce qu'il avait infecté sa jeunesse et qu'il combattrait encore en raison des dangers qu'il continuait de présenter pour d'autres, était une affaire extérieure à cette Église ; mais maintenant il découvrait une vieille querelle de famille – les pires, comme on sait – et il se trouvait devant tout un fatras de rancœurs ressassées et de haines recuites. Il lui fallait d'urgence se saisir de ce dossier tout nouveau pour lui, et il le fit avec cette extraordinaire aptitude, qu'il montrait en tout, à assimiler rapidement les nombreuses données d'un problème complexe. Pour pouvoir le suivre dans les débats et les polémiques qui l'occuperont très longtemps, jusqu'en 411 et au-delà, il nous faut refaire avec lui ce chemin, en ayant pour guides, ou peu s'en faut, ceux auxquels il recourut lui-même.

Préhistoire d'un schisme

Historiquement, tout avait commencé dans la grande tourmente de la persécution de Dioclétien et de Maximien, en 303, qui avait, en Afrique et ailleurs, mis les chrétiens en face de choix dramatiques. Mais beaucoup de faits historiques ne parviendraient pas à leur plein développement sans « terrains » favorables, sur différents plans, économique, social, culturel. Ainsi peut-on dire qu'il y a une « préhistoire » du donatisme, marquée par le jeu imprécis d'un substrat, à la fois social et religieux, et aussi une « histoire précédente », dont les clivages naissants se sont ouverts par la suite en larges fractures.

Un substrat est par définition mal saisissable. Dans l'ordre économique et social, celui qu'on peut déceler comme sous-jacent au donatisme, en ses manifestations les plus brutales, qui se situent à sa marge, a été évoqué plus haut en quelques mots[a]. On a vu que le mode d'économie rurale qui prévalait, surtout en Numidie et en Maurétanie Sitifienne, depuis au moins la fin du IIᵉ siècle de notre ère, avait entraîné l'émergence, à côté d'une classe de petits paysans pauvres mais rivés à la glèbe, d'un sous-prolétariat fait d'ouvriers agricoles saisonniers et nomadisants. Les « circoncellions », dont on reparlera, seront une masse de manœuvre pour la fraction la plus dure de l'Église schismatique, et il leur arrivera, au milieu du IVᵉ siècle, de jouer leur jeu propre, en de véritables jacqueries. Plus difficile encore à apprécier est l'incidence de ce qu'on a appelé *the religious*

---

a. Cf. *supra*, p. 215.

background[2] du donatisme, le fait que dans une large mesure, et surtout dans les campagnes, les païens d'Afrique du Nord sont parvenus au christianisme par la médiation d'un culte, celui de Saturne, hérité de celui du Baal-Hammon punique[3]. Les textes montrent que jusqu'en plein IVe siècle, sous le nom de Saturne, on a adoré en fait un dieu cosmique, maître du ciel et de la terre comme de l'au-delà infernal, qui continuait à s'imposer dans la religion populaire au moment où le christianisme gagnait de plus en plus de terrain. À ce dieu prééminent sinon unique, on continuait d'immoler des victimes animales – agneaux et capridés –, suivant un rite de substitution. Mais le sacrifice humain qu'on pratiquait jadis en offrande au grand dieu punique et à sa parèdre Tanit demeurait sous-jacent ; et cette tradition sacrificielle pourrait pour partie rendre compte des étranges épidémies de suicides, quasi rituels, qu'on observera au milieu du IVe siècle, notamment en Numidie, parmi les circoncellions[4].

De manière plus directe et plus précise, car ils se situaient sur le plan même de la pratique chrétienne, retentissaient encore dans les consciences, au début du IVe siècle, les échos des querelles nées un demi-siècle auparavant sous l'épiscopat de Cyprien[5]. La persécution de Dèce, en 250, avait préfiguré ce qui se passerait en Afrique deux générations plus tard. Sommés de sacrifier aux dieux de l'Empire, beaucoup de fidèles et même des clercs, évêques compris, s'étaient exécutés, ou encore avaient acheté des « certificats » – *libelli* – attestant le sacrifice. La tourmente de la persécution passée, au printemps de 251, Cyprien, qui s'était momentanément éloigné de son siège épiscopal de Carthage pour donner moins de prise à la persécution et garder un chef à cette Église, se trouva devant le grave problème suscité par la masse de ceux qui avaient failli. Pris entre l'impudence, bien souvent, de ces *lapsi* et l'arrogance des « confesseurs » qui voulaient imposer face à l'évêque l'autorité que leur conférait leur résistance, Cyprien renvoya aux conciles tenus en 251, puis en 252, la solution de ces difficultés : un large pardon fut accordé aux renégats, à qui était interdit seulement le sacerdoce.

L'évêque n'était cependant pas au bout de ses peines. Fomenté par cinq prêtres qui déjà s'étaient opposés à son ordination, un schisme était né à la faveur de la persécution et de ses séquelles, au demeurant parallèle à celui qui, à Rome, opposait Novatien au pape Corneille, et non sans liens avec lui. Cyprien triompha de ses opposants novatianistes, mais, tout comme la persécution avait engendré l'affaire des *lapsi*, et le problème de leur réconciliation, de la résorption du schisme sortit une controverse lourde de conséquences : fallait-il rebaptiser les hérétiques ou schismatiques repentants ? Alors qu'à Rome on se contentait de la pénitence et de l'imposition des mains, la pratique africaine, déjà invétérée, était le rebaptême. Dans une longue lettre[a], Cyprien avait arrêté sa position : les hérétiques, qui étaient sortis de l'Église, avaient *ipso facto* perdu la grâce du baptême et ne pouvaient dès lors le conférer aux autres ; il fallait donc réitérer celui qu'ils avaient donné. Cette doctrine fut confirmée, en 255 et 256, par deux conciles qui consacrèrent ainsi un désaccord formel avec l'Église de Rome et le pape Étienne. Deux ans plus tard éclatait la persécution de Valérien et, en septembre 258, Cyprien subissait à Carthage un martyre dont le sceau glorieux allait marquer rétrospectivement tous ses actes.

LA GRANDE PERSÉCUTION

La grande persécution qui secoua tout l'Empire au début du IVe siècle trouvait donc en Afrique un terrain en quelque sorte miné par ces antécédents. Paradoxalement, des différents édits qui constituèrent les chefs de poursuite, ce ne fut pas cette fois-ci le dernier, publié au printemps de 304, et qui prescrivait pour tous les chrétiens l'obligation du sacrifice, qui fut le plus lourd de conséquences pour les communautés africaines[6]. Ce fut le premier édit, qui parvint en Afrique au printemps de 303 : il enjoignait de livrer, à réquisition des autorités municipales, qui en déféraient aux gouverneurs, en cas de refus, les Écritures saintes et les objets du culte. Ce texte ouvrit la période noire que l'on appela par la suite les *dies traditionis* – les « journées de la livraison », mais aussi de la « trahison », en vertu d'un implicite et inévitable jeu de mots[b].

Les réactions furent diverses, traduisant sans doute autant les particularismes locaux que les différences des tempéraments personnels. À Carthage, l'évêque Mensurius remplaça les Écritures par des livres hérétiques qu'il laissa emporter, attitude habile mais peu glorieuse, qui lui fut vite reprochée. À Cirta (Constantine), en Numidie, l'évêque Paulus ne fit aucune difficulté pour livrer les objets liturgiques ; mais, à Thibiuca, en Proconsulaire, sur les bords de la Medjerda, où l'édit avait été affiché le 5 juin 303, l'évêque Felix refusa de remettre les livres saints au « curateur » de la cité ; il fut jeté en prison à Carthage et, comme il persistait dans son refus, fut décapité sur l'ordre du proconsul. Ce dernier, le célèbre Anullinus, n'était probablement pas le sinistre bourreau doté du don d'ubiquité

---

a. *Ep.* 69 (à Magnus).

b. Augustin lui donnera souvent l'appellation de *persecutio codicum tradendorum*, la « persécution tendant à faire livrer les livres [sacrés] ».

que les écrits hagiographiques ont fait de lui : plutôt un haut fonctionnaire qui appliquait sans états d'âme ni méchanceté particulière
les ordres venus d'en haut. Mais il est vrai qu'en cette année 303-304
on le vit sévir un peu partout en Afrique Proconsulaire.

Une main heureuse vient de retrouver dans la bibliothèque du
séminaire épiscopal de Gorizia, à la frontière italo-slovène, provenant
du fonds capitulaire d'Aquilée et conservé dans un manuscrit du
XIIIᵉ siècle, un nouveau témoignage des exploits d'Anullinus [7]. Le
proconsul s'était transporté à T(h)imida Regia, petite cité très proche
de Carthage, dans la basse vallée de la Miliana ; là étaient cités à
comparaître une bonne vingtaine de fidèles, dénoncés par les habitants du lieu pour avoir célébré la messe ensemble. Ils avaient pour
porte-parole un certain Gallonius et c'est avec lui que le gouverneur
eut un dialogue qui constitue l'essentiel de ces « Actes ». Quand
Anullinus lui demanda de livrer les Écritures, Gallonius répondit
qu'il les avait cachées en un endroit de lui seul connu [8], et il n'en
démordit pas, même quand, sur le chevalet de torture, sa chair subit
la griffure des ongles de fer. Le proconsul s'impatientait : ces chrétiens, avec leurs misérables cachotteries, lui faisaient perdre son
temps [9]. Comme on lui demandait d'où il venait, Gallonius dit fièrement : « de Nazareth », ce que ses compagnons reprirent en chœur.
De fait, ils n'étaient pas originaires de T(h)imida Regia, mais de
divers lieux ruraux dont l'un fut nommément précisé [10] ; leur présence
dans la petite ville était donc épisodique ou circonstancielle.

L'épilogue de ce jugement en première instance fut la condamnation de ce petit groupe – dont six femmes – à la peine capitale,
pour réunion illicite. Deux de ses membres, qui avaient aggravé leur
cas par des propos sacrilèges envers les empereurs, Dioclétien et
Maximien, furent condamnés au bûcher, la peine qui punissait le
crime de lèse-majesté. Quant à Gallonius, en sa qualité de
« meneur » – mais rien cependant dans le texte n'indique qu'il ait
été clerc, même simple lecteur, ce qu'il devait être –, il fut conduit
dans la ville voisine, Uthina (Oudna), où d'autres fidèles, hommes
et femmes également mêlés, attendaient qu'on statuât sur leur sort.
Devant Anullinus qui les avait rejoints, Gallonius soutint sans faiblir
de nouvelles tortures ; et alors que ses coreligionnaires étaient
condamnés à la décapitation, il subit lui aussi sa « passion » sur le
bûcher où le proconsul l'envoya sans motivation pénale, méritant
ainsi cette réputation de cruauté que la postérité lui a faite souvent
avec moins de justification. Telle qu'elle vient d'être publiée, cette
« passion » daterait du 31 décembre 303 ; mais dans le calendrier
de Carthage, les martyrs *Timidenses* sont mentionnés à la date du
31 mai [11], et c'est sans doute la date qu'il faut rétablir pour ces Actes,

au début de l'été, plus compatible avec la présence de ces ruraux, peut-être des saisonniers – de la graine de circoncellions ? – dans cette petite ville du nord de la Proconsulaire [12]

NAISSANCE DU SCHISME

La tempête de la persécution fit rage en Afrique toute une année encore, et prit fin au début de 305. Elle avait laissé des traces profondes. Les « confesseurs », lorsqu'ils avaient survécu – ce qui était en soi suspect –, c'est-à-dire les « purs », ou prétendus tels, rejetèrent les *traditores* – « livreurs » et « traîtres » –, véritables ou supposés : parmi ces derniers, faussement accusés, Felix, l'évêque d'une bourgade de Proconsulaire au sud de Carthage, Abthugni (Henchir es-Souar), qui ne doit d'être sortie de son obscurité qu'à l'incessante mise en cause de son pasteur tout au long du siècle qui suivit l'événement. Les divisions avaient commencé à se faire jour au fond des prisons où les « confesseurs », vrais ou faux, jetaient déjà l'anathème contre les « traditeurs ». À l'heure des règlements de comptes, il apparut parfois que les situations étaient loin d'être claires et tranchées. Ainsi, à Cirta (Constantine), au printemps de 307, une réunion préliminaire à l'élection d'un successeur à l'évêque Paulus, qui avait failli, mit en évidence des comportements pour le moins troubles de la part des évêques numides réunis autour de leur primat, Secundus de Tigisis, pour un examen de conscience [13]. Ce clivage « confesseurs »/« traditeurs », souvent ambigu et fallacieux, se doubla d'une opposition marquée, et sans doute ancienne, entre Numides et Carthaginois, qui eut notamment l'occasion de se manifester lors de l'élection d'un successeur à l'évêque Mensurius [14]. Fut élu sur le siège de Carthage l'un des diacres de l'évêque disparu, Caecilianus, aussitôt ordonné par trois évêques voisins, dont Felix d'Abthugni. Les contestations commencèrent, diversement motivées. Caecilianus etait localement peu populaire ; on lui reprochait sa raideur à l'égard des « confesseurs » emprisonnés lors de la persécution[a] ; de plus, en contrecarrant sa dévotion suspecte, il s'était fait une ennemie d'une dame influente et intrigante, Lucilla ; en outre, Caecilianus fut immédiatement en butte aux menées de deux personnages, apparemment des prêtres, qui avaient ambitionné d'être élus à sa place et qui firent contre lui cause commune avec des notables, dépositaires infidèles, et démasqués dans cette infidélité, des trésors de l'église de Car-

---

a. Cf. *Acta Saturnini*, 20 ; AUG., *Breu. coll.*, III, 26.

thage, à eux confiés par le défunt Mensurius[a]. Pour animer cette coterie, on ajoutera l'action d'un prélat numide d'abord resté dans l'ombre, « Donat des Cases-Noires », qu'il faut sans doute identifier avec l'évêque éponyme de la secte, en dépit des hésitations d'Augustin sur ce point. Les Numides, précisément, tenaient pour une coutume que l'évêque de la métropole africaine fût consacré par leur primat. Secundus de Tigisis rameuta à Carthage soixante-dix évêques de sa province : tenant pour nulle l'ordination de Caecilianus au motif qu'un de ses consécrateurs, Felix d'Abthugni, était lui-même un « traditeur », ce concile élut et consacra à sa place un ancien lecteur de l'évêque Mensurius ; ce lecteur, Maiorinus, était un familier de la riche Lucilla, qui aurait acheté son élection ! Le schisme était ainsi consommé, en 308/09, au moment où l'usurpation impériale de Domitius Alexander ouvrait en Afrique une sorte de « vide événementiel » pour les historiens.

L'Église schismatique naissante s'insère plus nettement dans l'histoire dès le début du règne de Constantin. Au début de l'année 313, l'empereur prit parti en faveur de Caecilianus, et le chargea de répartir les subsides qu'il lui envoyait « entre les serviteurs de la sainte religion catholique [15] ». Peu après, le proconsul Anullinus – homonyme et sans doute parent du persécuteur – reçut de Constantin une lettre précisant que les clercs bénéficiaires des exemptions de *munera ciuilia* – précieuses dispenses de lourdes charges municipales – seraient ceux qui dépendaient de l'autorité de Caecilianus[b]. Ainsi méconnus et tenus à l'écart, les schismatiques réagirent vite : le 15 avril 313, ils remirent au proconsul, pour transmission à l'empereur, un « libelle de l'Église catholique sur les crimes de Caecilianus, adressé par le parti de Maiorinus[c] ». Ceux qu'on allait bientôt appeler les donatistes passaient ainsi à l'offensive, avec cette première mise en cause qui inaugurait l'immense développement de l'« affaire Cécilien » – la *causa Caeciliani*. Ils demandaient des juges : un tribunal ecclésiastique réuni à Rome au Latran le 2 octobre 313 vit s'opposer Caecilianus et Donatus, ce dernier apparaissant alors en pleine lumière comme chef de la secte. Caecilianus fut disculpé, mais les donatistes ne se tenaient pas pour battus, et on ira dès lors d'appel en appel : déjà à Arles, le 1er août 314, lors d'un concile important qui eut entre autres pour résultat celui de faire abandonner aux Africains leur tradition du rebaptême des héré-

---

a. OPTAT, I, 18 ; AUGUSTIN, *Ep.* 43, 17.
b. EUSÈBE, *Hist eccl.*, X, 7, 2 ; *Gesta conl Carth.*, III, 216, *S. C.*, vol. 224, p. 1158.
c. *Gesta conl. Carth.*, III, 220, *S. C*, vol. 224, pp. 1160-1162 ; cf. AUG., *Ep.* 88, 2.

tiques[16]. Felix d'Abthugni sera bientôt absous à Carthage le 15 février 315[17]. Les schismatiques en appelèrent cependant à l'empereur, à Rome, à Brescia, enfin à Milan, à l'automne de 316. Le 10 novembre 316, Constantin notifiait son jugement définitif et l'absolution de Caecilianus au vicaire d'Afrique Eumalius[a].

L'ÈRE CONSTANTINIENNE ET LES « *TEMPORA MACARIANA* »

La répression du schisme suivit immédiatement. Au plus tard au début de l'année 317 tombait une loi qui ordonnait la dissolution des communautés donatistes et la confiscation de leur basiliques au profit des catholiques, sous peine d'exil pour les récalcitrants. Exécutée sans faiblesse, cette loi entraîna des évictions brutales, notamment à Carthage et au lieudit Avioccala, où l'évêque fut tué devant son autel, ainsi que plusieurs fidèles : les donatistes avaient leurs premiers martyrs. Ils s'adressèrent de nouveau à l'empereur qui répondit par un geste d'apaisement : au rescrit, libérant les évêques donatistes de leur exil, qu'il envoya le 5 mai 321 au vicaire d'Afrique Verinus, s'ajoutait une lettre circulaire aux évêques catholiques d'Afrique, qui était en fait un véritable édit de tolérance. Constantin hésitait entre fermeté et indulgence. En 330, sa lettre à un groupe d'évêques catholiques de Numidie était un long aveu d'impuissance face aux schismatiques, qui s'étaient emparés à Constantine – l'ancienne Cirta, rebaptisée du nom de l'empereur – d'une église pourtant construite sur son ordre : Constantin leur abandonnait cette église et promettait en compensation aux catholiques la construction d'une autre basilique aux frais du fisc[18]. Au fil des ans, durant cette période, l'Église schismatique s'était étoffée au point de pouvoir réunir à Carthage, probablement en 336, un concile général rassemblant deux cent soixante-dix évêques[b].

C'est en Numidie, on vient de le voir, que les donatistes étaient les mieux implantés et les plus actifs ; ce fut aussi dans cette province que commencèrent à se manifester des troubles, et qu'apparut un mouvement, rural dans ses origines comme dans ses développements. Vers 340, on vit pour la première fois des bandes de « circoncellions » parcourir les campagnes[19]. Ils agissaient sous la conduite de deux meneurs, Axido et Fasir, que leurs troupes appelaient les « chefs des saints », appellation révélatrice d'une inspiration qui se voulait en son principe religieuse – mais en maints

a. *Contra Cresc.*, III, 82.
b. *Ep.* 93, 43.

contextes historiques les hors-la-loi ont aimé et aiment encore se parer d'une auréole de sainteté – et leur action prit la forme d'une révolte paysanne dirigée contre les propriétaires terriens, contraignant les créanciers à détruire leurs reconnaissances de dettes et les *domini* à affranchir leurs esclaves : ceux qui s'y refusaient étaient roués de coups, voire mis à mort. D'autres faisaient les frais de la mise en scène d'une inversion sociale : on attaquait leurs attelages, on y installait leur domesticité et on les forçait à courir devant les voitures comme des piqueurs. À ces faits qu'il connaissait comme nous par la lecture d'Optat de Milev (III, 4), Augustin ajoutera quelques détails qui allaient dans le même sens, montrant certains de ces maîtres attachés à la meule et contraints de la faire tourner comme des bêtes de somme, sur fond de fermes incendiées[a]. Ces jacqueries en vinrent au point que les évêques donatistes de la région, débordés par un mouvement qu'ils ne contrôlaient pas, durent se résoudre à faire appel au bras séculier – celui du « comte » d'Afrique, Taurinus – contre ces révoltés qui se réclamaient d'eux. Une rencontre avec les troupes du comte, au lieudit Octava, fit parmi les circoncellions beaucoup de victimes, considérées par la suite comme autant de martyrs, en même temps que de façon très inconséquente les donatistes en vinrent à compter Taurinus au nombre des persécuteurs[20].

Peu après, entre 343 et 345/48, le successeur de Constantin, son fils cadet Constant, dépêcha en Afrique deux commissaires, Paulus et Macarius. Ils devaient préparer le rétablissement de l'unité religieuse en distribuant des secours aux communautés. Cette manière « douce » fut mal accueillie par les donatistes, et d'abord par le chef de la secte, Donat, qui formula sèchement sa doctrine de non-immixtion d'un pouvoir persécuteur dans les affaires de son Église[b], et adressa à toutes ses communautés une circulaire leur enjoignant de ne rien accepter. En Numidie, l'hostilité à la tournée des deux commissaires impériaux vira à l'affrontement armé lorsqu'un autre Donatus, l'évêque schismatique de Bagaï (Ksar Baghai), vraie forteresse de l'opposition religieuse au cœur de la province, fit appel aux circoncellions, qui envahirent les marchés et les localités voisines, et transformèrent la basilique locale en camp retranché. Dans la même région, et peu après, dix évêques donatistes mandatés par un concile de la secte voulurent rencontrer Macarius à Vegesela (Ksar el-Kelb). Mal leur en prit ; le commissaire les fit arrêter et fouetter, et garda prisonnier l'un d'eux, Marculus, qui fut exécuté

---

a. *Ep.* 185 (à Bonifatius), 15.
b. Optat, III, 3 : « Qu'a à voir l'empereur avec l'Église ? »

après quatre jours de détention au lieudit Nova Petra, non loin de Diana Veteranorum (Aïn Zana). Il aurait été poussé dans le vide du haut d'un rocher. Les catholiques, dont plus tard Augustin, y virent plutôt l'effet d'un suicide rituel, qui n'était pas sans exemple à l'époque[a]. Ce qui est sûr, c'est que ce « martyre », célébré par une « Passion » datée du 29 novembre 347, valut à « domnus Marculus » une longue vénération[21]. Peu auparavant, au cours de cette même année, l'empereur Constant avait publié un « édit d'union » et le proconsul d'Afrique, en août, fit afficher à Carthage une ordonnance d'application de cet édit. En déchirant publiquement ce texte, un fidèle donatiste, Maximianus, trouva l'occasion d'un martyre partagé par l'un de ses compagnons, Isaac, qui s'associa à son geste : l'épisode est connu par une « Passion »[22] écrite par un certain Macrobius, qu'il faut identifier avec le quatrième titulaire du siège épiscopal des donatistes à Rome : la communauté donatiste de Rome devant probablement son développement à cette époque à l'exil qui frappa alors nombre d'évêques et de clercs schismatiques. D'autres se rallièrent à l'unité – ce fut le cas, on l'a vu plus haut, de la ville natale d'Augustin – et parfois dans leurs diocèses négocièrent avec leurs collègues catholiques des partages de « paroisses » – *plebes* – qui préfiguraient les solutions mises en œuvre, souvent laborieusement, pour résorber le schisme dans les premières années du Ve siècle[23]. Les communautés catholiques semblent avoir alors coulé des jours paisibles jusqu'à l'avènement de l'empereur Julien, et ce fut dans ces années que Donat sortit de l'histoire, un peu obscurément, comme il y était entré[24].

LES TRENTE ANNÉES DE LA PRIMATIE DONATISTE DE PARMENIANUS

Les deux petites années de règne de Julien furent une aubaine pour les donatistes : la réaction païenne leur convenait parfaitement. À peine intronisé, au début de 362, le nouvel empereur reçut de leurs évêques une supplique réclamant qu'il fût mis fin à leurs exils, et que leurs lieux de culte leur fussent restitués ; et satisfaction leur fut donnée par un rescrit impérial[b]. Cette liberté rendue se traduisit par des débordements et des massacres, notamment à Tipasa en Maurétanie Césarienne, où deux évêques donatistes venus de Numidie, Felix d'Idicra et Urbanus de Forma, furent les instigateurs de violences, avec la complicité passive du gouverneur de la pro-

---

a. *C. litt. Pet.*, II, 32, 46 ; *C. Cresc.*, III, 54.
b. *C. litt. Pet.*, II, 224 ; *Ep.* 105, 9.

vince[a]. La Proconsulaire et la Maurétanie Sitifienne ne furent pas épargnées par les troubles mais, peu après, c'était encore dans la lointaine Maurétanie Césarienne que la situation était la plus préoccupante. Après la mort de Julien l'Apostat, en juin 363, le « comte » Romanus, chef de l'armée d'Afrique jusqu'en 372, suscita par sa politique brutale la révolte armée d'un prince maure, Firmus, qui s'empara d'Icosium (Alger) et de Caesarea (Cherchell) ; mais il ne put entrer dans Tipasa, protégée par sa patronne locale, sainte Salsa, dont il invoqua vainement le secours.

Firmus avait partie liée avec les donatistes, comme il apparut à Rusicade (Skikda, ex-Philippeville), en Numidie, où il profita de la complicité de l'évêque schismatique de la ville pour s'en faire ouvrir les portes[b]. Les donatistes alliés à Firmus – on les appelait les Firmiani – persécutaient les fidèles d'une fraction assez peu nombreuse de l'Église donatiste – elle était limitée géographiquement à la frange littorale la plus occidentale de la Maurétanie Césarienne : celle des « rogatistes », ainsi désignée du nom de son chef de file, Rogatus, évêque de Cartennae (Ténès) entre 371/72 et 407/08. Augustin affirmera à plusieurs reprises la réalité de la persécution de ces dissidents, mais ses modalités demeureront imprécises[c] ; et de même les caractéristiques du « rogatisme » – refus de la violence, revendication d'une Église presque immatérielle – resteront assez floues : Augustin leur donnera acte de leur différence, tout en moquant leur petit nombre[d].

Dès le lendemain de la mort de Firmus, défait par le « comte » Théodose, père du futur empereur, l'attitude impériale se raidissait contre les schismatiques. Édits et lois se succédèrent à un rythme soutenu : texte adressé le 20 février 373 au proconsul d'Afrique, interdisant l'itération du baptême et ordonnant la déposition de tout évêque contrevenant[25] ; constitution de Gratien en date du 22 avril 376, confisquant les lieux de réunion des « hérétiques[26] » ; édit du même empereur, daté du 17 octobre 377, confirmant le précédent ; mais il était adressé à Nicomaque Flavien, alors « vicaire » d'Afrique – c'est-à-dire gouverneur général de tous ses territoires –, et les catholiques soupçonnaient ce grand seigneur païen d'une indulgence complice à l'égard des donatistes[27]. Avec l'avènement de Théodose, en 379, la répression se renforçait. Pendant une douzaine d'années, toute une série de lois seront promulguées, visant les « hérétiques »,

---

a. OPTAT, II, 18.
b. *Ep.* 87, 10.
c. *C. ep. Parm.*, I, 16, 17 ; *C. litt. Pet*, II, 184.
d. *Ep.* 93, 49 : « *uestrum greqiculum* ».

la dernière en date étant celle qui, le 15 juin 392, frappera d'une amende de dix livres d'or – une somme considérable – les clercs « hérétiques[28] ». Mais, s'adressant à Parmenianus, le chef de la secte des années 372/73, aux environs de 390, l'évêque catholique de Milev (Mila), Optat, distinguait nettement les donatistes, à ses yeux des schismatiques, des véritables hérétiques[a]. Il fallait donc attendre que le schisme fût assimilé à l'hérésie pour que tout cet arsenal de lois devînt opérant.

LES PREMIÈRES INITIATIVES ANTIDONATISTES D'AUGUSTIN PRÊTRE

À peine élu successeur de Parmenianus, vers 390/91, le nouvel évêque donatiste de Carthage, Primianus, créa les conditions d'une division au sein de son Église en excommuniant l'un de ses diacres, Maximianus, pour des raisons demeurées obscures, qui tinrent peut-être à la compétition des deux hommes pour la succession de l'évêque décédé. Augustin s'emparera de cet épisode avec d'autant plus d'empressement – presque de gourmandise – qu'à ses yeux c'était l'histoire même des origines du schisme qui se répétait, avec cette particularité tout à fait semblable, image d'un « déjà-vu », que, comme jadis Lucilla l'avait fait pour Maiorinus, c'était aussi une riche dévote qui, à Carthage, appuyait Maximianus[b]. Après avoir éconduit brutalement une quarantaine d'évêques venus pour enquêter des régions voisines, et particulièrement de Byzacène, dans le sud de la Proconsulaire, Primianus fut condamné le 24 juin 393 par un concile qui réunit à Cebarsussi, en Byzacène, plus de cent évêques originaires de cette province, et qui choisit Maximianus comme évêque de Carthage[29]. Si la condamnation de Primianus avait été surtout byzacénienne, la réaction se produisit en Numidie. Le 24 avril 394, à Bagaï, trois cent dix évêques venus de toutes les provinces africaines, mais surtout de Numidie et des Maurétanies, condamnèrent Maximianus et ses douze consécrateurs[c]. Sur la base de cette condamnation, des évêques maximianistes furent déposés, et les primianistes s'adressèrent aux magistrats et aux tribunaux pour obtenir la dévolution à leur profit des basiliques détenues par leurs adversaires. Ce sera pain bénit pour les catholiques et pour Augustin, qui ne se feront pas faute de s'autoriser de cet exemple pour faire appel au bras séculier contre les donatistes[30].

---

a. OPTAT, I, 12.
b. *Ep.* 43, 26 ; *C. Cresc.*, IV, 8-9 ; *Gesta cum Emer.*, 9.
c. *C. ep. Parm.*, II, 7 ; *C. Cresc.*, III, 59 ; *Gesta cum Emer.*, 10-11.

C'est en Numidie, on vient de le voir, berceau depuis les origines des éléments les plus radicaux de la secte, que la réaction primianiste avait été la plus forte. Le donatisme militant y avait maintenant sa base principale à Thamugadi (Timgad). À partir de cette base, dès 388, un évêque du nom d'Optatus y fit régner la terreur, allié aux circoncellions ; mais ce qui faisait surtout sa force était l'appui qu'il recevait d'un prince maure, Gildon, frère cadet de Firmus, qui, d'abord pendant une dizaine d'années « comte » d'Afrique et donc chef de ses armées, finit par se dresser contre Rome, comme son frère l'avait fait un quart de siècle auparavant[31]. La mort de Gildon, en 398, entraîna la chute d'Optat de Timgad, qui mourut en prison après avoir symbolisé pendant ces dix années ce qu'Augustin appellera le « gémissement de l'Afrique[a] ». Et l'on verra que dans la « Numidie d'Hippone » également, dont la situation est particulièrement bien connue grâce à Augustin, les dernières années du IVᵉ siècle et le début du Vᵉ retentirent des éclats et des agressions des circoncellions et du clergé donatiste.

Augustin avait vite évalué les dangers de cette division invétérée, une fracture difficile à réduire parce qu'elle mettait en jeu non des subtilités théologiques – qui n'auraient pu séduire qu'un petit nombre d'adhérents –, mais des schémas simplificateurs qui pouvaient trouver un large écho dans l'âme populaire ; et d'abord cette opposition manichéenne – au sens moderne du mot ! – entre les « purs » et ceux qui avaient failli, et leurs descendants spirituels, à jamais marqués d'un second péché originel plus grave encore que le premier. Avant d'entreprendre la réfutation des « ténors » du donatisme, des anciens – Donat lui-même, puis Parmenianus – comme des contemporains – Petilianus de Constantine, Emeritus de Caesarea, le grammairien Cresconius –, le plus urgent était de s'adresser à ceux dont l'adhésion affective faisait la plus grande force du schisme. Le génie d'Augustin en cette affaire fut d'avoir eu d'emblée l'intuition qu'il fallait rompre le charme qui avait mis une grande partie des simples du côté des donatistes. Rédigeant ses *Révisions*, trente-cinq ans plus tard, le vieil évêque avait toujours bien présente à l'esprit l'inspiration juste qu'il avait eue en 393 pour ce premier ouvrage contre les schismatiques : « J'ai voulu, écrivait-il, que la cause des donatistes parvienne à la connaissance du peuple le plus humble, des ignorants et des illettrés, et qu'elle se grave dans leur mémoire autant qu'il était en notre pouvoir. J'ai donc composé, pour qu'ils le chantent, un psaume selon l'ordre des lettres latines, du

---

a. *C. ep. Parm.*, II, 4 : « *Optatum Gildonianum decennalem totius Africae gemitum.* »

genre qu'on appelle "abécédaire" ; mais je n'ai pas dépassé la lettre V. J'ai laissé de côté les trois dernières lettres, et à leur place j'ai ajouté en tout dernier lieu un épilogue, comme si l'Église leur mère s'adressait à eux. De même le refrain que l'on reprend et le prologue, qui doit aussi être chanté, ne sont pas dans l'ordre des lettres... J'ai voulu que ce psaume ne soit pas écrit à la manière d'un poème classique, pour n'être pas contraint par les exigences de la métrique à employer des mots dont n'use guère le peuple[a]. »

On ne pouvait mieux à la fois formuler les intentions et décrire le procédé mis en œuvre dans cette étonnante pièce d'un peu moins de trois cents « vers libres ». Il y avait sans doute des précédents : il semble que Parmenianus, justement, un peu avant lui, ait composé de ces psaumes en vers sinon rimés, du moins plus ou moins assonants[b] ; et Augustin gardait dans l'oreille le souvenir des hymnes inventés par Ambroise pour soutenir le courage de ses fidèles lors des luttes du printemps milanais de 386[32]. Il apparaît pourtant comme le véritable inventeur, sinon d'un genre, du moins d'une forme de versification qui marquait une rupture totale avec la métrique latine classique, et que l'on doit considérer comme à l'origine de la poésie romane ; et il dut en coûter au fin lettré qu'il était, qui recevait et commentait à la même époque les hexamètres impeccables de son jeune ami Licentius, en souhaitant que sa vie fût aussi ordonnée que ses vers[c] ! Mais il n'était pas question pour Augustin de proposer aux braves gens d'Hippone et d'ailleurs, pour qu'ils se la missent en tête, une poésie savante structurée par la quantité, d'autant plus qu'il était le premier à observer que l'oreille de ses compatriotes avait du mal à percevoir la longueur ou la brièveté des voyelles[33]. En revanche, la prévalence, déjà ancienne à cette époque dans la langue parlée, d'un accent d'intensité marqué – comme en italien par exemple – donnait dans une audience populaire toutes ses chances à un vers rythmé par les temps forts, de structure syllabique et non plus métrique. Pour simplifier encore le travail de mémorisation, chaque vers de seize syllabes, divisé par une forte césure en deux hémistiches de huit syllabes, rimait ou plutôt « assonait » avec le suivant, avec lequel il formait une unité de sens[d]. Ainsi conçu, ce *Psaume contre le parti de Donat* se composait, outre un épilogue de trente vers, de vingt strophes de douze vers chacune,

---

a. *Retract.*, I, 20.

b. *Ep.* 55, 34 ; Praedestinatus, *De haeresibus*, 43.

c. *Ep.* 26, 4 (datée de 394).

d. L'assonance est uniformément en -e, ce qui sur près de 300 vers représente un tour de force. Il arrive que l'unité de sens (ou phrase) soit limitée à un vers, rarement à un hémistiche de huit syllabes.

dont le premier vers commençait par une lettre de l'alphabet, de A à V, et entre chaque strophe revenait, comme une ritournelle, un *hypopsalma* que tout le peuple devait reprendre en chœur : « Vous tous qui aimez la paix, jugez maintenant de la vérité[34]. »

De parallélismes en antithèses et de jeux de mots en chiasmes, Augustin avait mis son étourdissante jonglerie verbale[35] au service d'un propos bien simple : montrer que les donatistes fondaient leur conception fausse de l'Église sur une histoire elle-même faussée. Leur ecclésiologie aberrante était la volonté de ne compter dans l'Église que les purs, d'en exclure les pécheurs ; leur erreur historique était de charger autrui, exclusivement, de fautes qu'ils avaient eux-mêmes commises pendant la persécution. À cela s'ajoutait une faute encore plus grave, cette déchirure dont toute la responsabilité incombait aux schismatiques. Pour en faire la démonstration, Augustin suivait et résumait celui qui était encore, alors, sa source unique, Optat de Milev et son *Traité contre les donatistes*[36].

Le « psaume abécédaire » était un opuscule *ad usum populi*, à l'usage surtout de la communauté catholique, invitée à le psalmodier à l'église ; c'était en son principe de la littérature orale, mais on peut penser que des copies en circulèrent aussi du côté des fidèles donatistes. Dans le même temps, l'intellectuel rompu aux techniques de la réfutation par ses controverses antimanichéennes commençait à s'en prendre aux positions des schismatiques aussi sur un plan doctrinal. C'est ainsi qu'il rédigea, à la fin de l'année 393 ou au début de 394, un *Contra epistulam Donati*. Ce faisant, il agissait par ordre, et doublement : car s'attaquer d'emblée au fondateur de la secte était de bonne méthode, et c'était aussi, au début d'une campagne dont il pouvait prévoir qu'elle serait longue, prendre les choses dans l'ordre chronologique. Car la « Lettre sur le baptême » dont il entreprenait la critique était un texte écrit par Donat vraisemblablement peu après le concile qui, en 336, avait réuni deux cent soixante-dix évêques schismatiques[a]. Lors de cette réunion, le chef de la secte avait subi un revers, dans la mesure où il avait dû s'incliner devant une majorité animée par des évêques des Maurétanies, hostiles au rebaptême[b]. Le primat donatiste avait éprouvé le besoin de justifier sa position ; ce fut l'objet de cette « Lettre », malheureusement perdue, de même que nous n'avons pas conservé la réfutation qu'en fit Augustin ! Mais la notice qui lui est consacrée dans les *Révisions* permet tout à la fois de restituer dans les grandes lignes la teneur

---

a. Cf. *supra*, p. 239.

b. *Ep.* 93, 43. Ces particularismes des communautés schismatiques des provinces occidentales revivront plus tard chez les « rogatistes » : cf. *supra*, p. 242.

du texte de Donat et de constater qu'à l'époque où il s'en empara le prêtre d'Hippone avait encore des progrès à faire dans la connaissance de ce dossier. Notamment quant il s'agissait de l'itération du baptême : il avouera dans les *Révisions* en avoir prêté indûment à Donat l'innovation[a]. En réalité, dans ce domaine, les donatistes restaient fidèles à la doctrine de saint Cyprien, alors que le reste de l'Église africaine y avait renoncé à la suite du concile d'Arles, en 314. Sans doute avaient-ils aggravé l'erreur de Cyprien en prétendant que, non seulement les dissidents – les hérétiques –, mais aussi les pécheurs administraient un baptême sans valeur. Il fallait cependant reconnaître loyalement que les fondements de la théologie baptismale des donatistes se trouvaient déjà dans les écrits de l'évêque martyr. Dans le développement de la controverse qu'Augustin entretiendra longuement avec les schismatiques, ce ne sera pas sa tâche la plus facile[b].

Dès cette époque aussi, Augustin s'engageait dans une voie qu'il suivrait inlassablement pendant un quart de siècle, jusqu'à la mémorable rencontre avec Emeritus à Caesarea (Cherchell), durant l'été de 418[c]. L'ancien professeur, l'homme qui avait autrefois confondu le manichéen Fortunatus et l'avait poussé à quitter la ville, devait tout naturellement rechercher le dialogue direct avec ces autres adversaires. Justement, une occasion s'en présentait, liée précisément à un cas très récent d'itération du baptême. Un diacre catholique venait, disait-on, d'être rebaptisé par un évêque du nom de Maximinus, titulaire donatiste d'un évêché limitrophe de celui d'Hippone. Ce diacre était en fonction dans un secteur rural éloigné, la *uilla Mutugenna*[d]. Augustin s'était aussitôt rendu sur les lieux ; il n'avait pu rencontrer le diacre en question, mais il avait appris par ses parents qu'il était maintenant bel et bien diacre dans l'église donatiste. En l'absence de Valerius, il s'adressait donc à Maximinus pour ne pas laisser le temps « refroidir », comme il l'écrivait, cette affaire qui lui paraissait grave. Pourtant il se gardait bien d'agresser son correspondant ; il l'invitait à un échange exempt de part et d'autre de toute argumentation polémique : laissons de côté, proposait-il, toi les « *tempora Macariana* », moi les cruautés des circoncellions ; c'était de la cause de l'Église qu'il entendait débattre avec Maximinus. Nous ignorons quel succès eut dans l'immédiat cette

---

a. *Retract.*, I, 20, 3.

b. Dans le *De baptismo*, en particulier, écrit en 400/01, Augustin examinera longuement le problème de l'autorité de saint Cyprien dans la controverse baptismale ; cf. *infra*, p. 399.

c. Cf. *infra*, pp. 494-497.

d. *Ep.* 23, 2.

initiative ; mais elle eut sa récompense plus tard : Maximinus se rallia par la suite et devint l'évêque catholique du *castellum Sinitense* [37]. Retenons aussi que dans cette affaire Augustin agissait déjà en évêque : « Je ne puis passer sous silence, écrivait-il, le rebaptême de notre diacre : je sais en effet combien ce silence me serait funeste. Car je n'ai pas l'intention de passer dans les honneurs ecclésiastiques un temps de pure vanité, mais bien celle de rendre au prince de tous les pasteurs compte des ouailles qui m'auront été confiées [a]. » En s'exprimant ainsi, il ne faisait qu'anticiper de peu l'événement.

a. *Ep.* 23, 6.

CHAPITRE XVIII

L'élévation à l'épiscopat

Possidius, qui s'en ira bientôt lui-même prendre la charge de son évêché à Calama (Guelma), vers 397, mais qui vivait alors dans le monastère des laïcs à Hippone, témoignera du véritable renversement de situation dont l'Église commençait déjà d'être redevable à Augustin : elle qui naguère encore gisait à terre, écrasée par la majorité donatiste triomphante, relevait maintenant la tête[a]. C'était vrai d'abord à Hippone même ; mais le bruit de l'action vigoureusement entreprise par Augustin et sa renommée gagnaient de proche en proche, dans cette « Numidie d'Hippone » qui correspondait aux territoires de l'actuel nord-est constantinois, et aussi dans un axe Hippone-Carthage. Pourtant, si pour l'homme d'Église la lutte contre les donatistes était devenue une obligation et même une priorité, pour le chrétien l'adversaire principal demeurait toujours le manichéisme, peut-être même plus, chose éventuellement pour nous surprenante, que le paganisme. Dans le même temps – mais cette préoccupation allait de pair avec la lutte antimanichéenne –, Augustin ressentait le pressant besoin d'être plus au clair avec la Bible, sur l'Ancien comme sur le Nouveau Testament. Il lui fallait revenir à la *Genèse*, pour achever de réfuter les disciples de Mani, mais d'abord pour fixer sur la Création sa propre doctrine par rapport aux idées néoplatoniciennes qui avaient nourri sa jeunesse ; il lui fallait aussi aller plus loin dans saint Paul, pour les besoins de sa pastorale, sans doute, mais d'abord afin d'approfondir, pour lui-même, l'intelligence de sa foi.

a. *Vita Aug.*, VII, 2.

LA GENÈSE ET LES PSAUMES

Tous les spécialistes de saint Augustin ont fait ce constat : il n'a cessé de méditer le récit biblique de la Création, qu'il a commenté à cinq reprises [1]. Il l'avait abordé une première fois dans la perspective de sa controverse contre les manichéens, pour soustraire le texte sacré à leurs sarcasmes [a] ; il y reviendra dans les derniers livres des *Confessions* ainsi que dans le livre XI de la *Cité de Dieu* et surtout, à partir de 400/01, il lui consacrera les douze livres de son traité *De la Genèse, selon la lettre*. Mais il portait déjà cette œuvre majeure dans sa tête durant les années de la prêtrise. Il commença même à la dicter, et de ce premier essai subsiste ce « livre inachevé » sur lequel il s'est expliqué dans les *Révisions*. Il y rappellera qu'il avait d'abord, à l'encontre des manichéens, traité du récit de la Genèse au sens allégorique ; ce qui n'était pas pleinement satisfaisant, car si le texte supportait cette interprétation, l'appelait même, s'y cantonner pouvait paraître vouloir éluder certaines difficultés. Il désirait l'expliquer *ad litteram*, « selon la lettre » : non pas, bien sûr, au pied de la lettre, mais en comprenant ce récit non comme une parabole ou un mythe explicatif, mais bien comme l'« histoire » d'une genèse. Cependant, ajoutera-t-il, « mon inexpérience dans l'explication des Écritures me fit succomber sous le fardeau [b] ». Arrivé à la création de l'homme au sixième jour (*Gn.*, I, 28), il avait laissé son commentaire inachevé, non publié et voué à la destruction, après que par la suite il eut mené à bien cette tâche en douze livres. Pourtant, lorsqu'il révisa ces pages en 427, il eut à cœur d'y ajouter quelques lignes – les paragraphes 61 et 62 –, sans cependant aller jusqu'au bout du commentaire de ce « sixième jour », mais pour donner à son essai une chute plus acceptable. Et tout en recommandant qu'on lise plutôt sur le sujet l'*opus* en douze livres, il avait voulu que ce *liber imperfectus* fût cependant conservé comme témoin de ses premières tentatives : comme s'il eût pensé à ses futurs exégètes, souvent si attentifs – trop, peut-être – à retracer eux-mêmes, dans ses divers aspects, la « genèse » de son œuvre !

De fait, ce texte court, d'une admirable densité [2], montre bien l'évolution accomplie depuis 389, date du *De Genesi aduersus manichaeos*. De façon inattendue – mais son auteur était maintenant prêtre et venait de prononcer le discours dogmatique devant l'assemblée

---

a. C'est le *De Genesi aduersus manichaeos* : cf. *supra*, pp. 195-197.
b. *Retract.*, I, 18

des évêques à Hippone –, il s'ouvrait sur une profession de foi : c'était dire avec clarté que ce qui allait suivre s'inscrivait strictement dans le cadre de cette foi. Augustin abordait le texte sacré avec d'infinies précautions, marquait les limites humaines de son intelligence[a], donnait à entendre qu'au-delà du sens allégorique, déjà explicité par lui dans son essai de 389, le premier chapitre de la *Genèse*, avec ses six journées, ses matins et ses soirs, était conçu pour les besoins de notre pauvre imagination[b] : en fait, comme le disait un autre texte, sans contradiction avec ce récit « historique », « celui qui réside dans l'éternité avait tout créé en même temps » (*Sirac.*, 18, 1). La Création s'était faite en un « éclair » – l'*ictus condendi*[c], qui préfigure notre hypothétique « big bang » et en est la formulation métaphysique –, en un temps sans durée puisque le temps naissait lui-même avec cette création. Le premier mot de la *Genèse*, le fameux *in principio*, était ainsi à double et même à triple entente : c'était à la fois « le premier soleil sur le premier matin », comme dira Péguy, l'affirmation d'un ordre suivi dans la Création – une priorité, en quelque sorte, qu'il analysera plus tard dans les *Confessions* (XII, 40) – et aussi cette source de sagesse divine, cette cause initiale, le Verbe d'où tout était issu : c'est ce troisième sens, mais sans exclusion des deux autres, qui sera privilégié dans le *De Genesi ad litteram*. Augustin acceptait la richesse ambiguë de cette polyvalence, et se demandait où placer la création des anges, dans cet accomplissement dans le temps d'une parole située hors du temps[d].

Il enregistrait cependant des acquis définitifs. Ainsi Dieu n'était pas, comme le croyaient naguère encore les platoniciens, un « démiurge » façonnant de son mieux, tel un donné mis à sa disposition, une matière informe. Il fallait là résister à un texte de la *Sagesse*[e], lointain écho du *Timée*, et affirmer, suivant une voie que Porphyre, commentateur du *Timée* de Platon, avait déjà indiquée, que Dieu avait créé la matière. Mais qu'entendre par « le ciel et la terre » ? « La terre » était-elle matière informe et inorganisée, mais riche de développements potentiels, alors que « le ciel » était une matière spirituelle déjà « formée » au moment de sa création[3] ? Ces

---

a. *Gn. litt. imp.*, 8 : « *res enim secretissima est et humanis coniecturis impenetrabilis* ».

b. *Ibid.*, 28, *in fine*.

c. Le mot sera prononcé dans le *De Genesi ad litteram*, IV, 51, mais le concept est déjà impliqué ici.

d. *Gn. litt. imp.*, 7. Le commentaire final gardera cet aspect « aporétique » d'interrogation ouverte.

e. *Sag.*, XI, 18 (cf. *Timée*, 51a) citée et contredite par *Gn. litt. imp.*, 10.

exégèses se préciseront par la suite, au livre XII des *Confessions*, et dans le grand commentaire qui sera élaboré pendant une quinzaine d'années ; mais en 393, Augustin hésite toujours ; il ne se sent pas encore assez instruit des Écritures, pas assez sûr de lui : il ne faudrait rien, dit-il, affirmer à la légère[a].

Mais un verset de la Genèse lui a inspiré alors un développement qu'il ne reprendra pas par la suite dans un autre commentaire, et qui justifierait à lui seul que le vieil évêque n'ait pas jeté au feu ce petit livre inachevé. Ce sont les quelques pages qui commentent la *Genèse*, I, 26 : « Et Dieu dit : Faisons l'homme à notre image et à notre ressemblance. » Le lien qui lie la création à son créateur est un lien de ressemblance. Mais les deux mots, image et ressemblance, seraient-ils simple redondance ? Il faut donc s'interroger sur ce qu'est l'image, et ce qu'est la ressemblance. Les images qui composent l'univers créé par Dieu expriment une Ressemblance en soi, en vertu de laquelle tout ce qui existe peut participer de Dieu[b]. Mais comment la Ressemblance – la *similitudo dei*, par laquelle tout avait été fait – pouvait-elle imposer aux choses leurs formes ? Il y avait là, disait Augustin, un problème qui dépassait de loin l'entendement humain[c]. Pourtant, on pouvait s'en faire quelque idée en considérant que dans la Création la ressemblance était une image de l'unité, qui n'appartenait qu'à Dieu. C'était vrai des choses ou des êtres animés, où il n'y avait d'unité dans les espèces que par la ressemblance des individus entre eux. Il en était de même de l'âme, qui n'était une et qui n'était heureuse que dans la mesure où la similitude constante de ses actions et de ses vertus lui conférait une apparence d'unité. Et cette méditation s'achevait dans la fugitive échappée d'un discours esthétique ; le beau dans la nature, concluait provisoirement Augustin, reposait avant tout sur l'harmonie et la proportion des parties entre elles, expression de leur ressemblance et de leur rapport à l'unité créatrice de Dieu[d] ; il en était de même dans les productions de l'art humain, dont la beauté tenait à la convenance entre eux des éléments d'une même composition, et où la symétrie notamment était le gage d'une harmonieuse unité[e].

Exception faite du récit de la création, pour lequel il avait une attention spécifique, initialement liée à ses entreprises de réfutation du manichéisme, s'il était dans l'Ancien Testament un corps de

---

a. *Gn. litt. imp.*, 10, *in fine* et 29.

b. *Gn. litt. imp.*, 57, *in fine*.

c. *Ibid.*, 59, *initio*.

d. *Ibid.*, 59, *in fine*.

e. Cf. *De uera rel.*, 59, sur la symétrie des deux arcs.

textes qui avait très tôt suscité, plus encore que l'intérêt d'Augustin, sa pleine adhésion d'âme et de cœur, c'était bien les *Psaumes*, qu'il lisait dès l'époque de Cassiciacum. Il écrira dans les *Confessions* : « Quels cris, mon Dieu, j'ai poussés vers toi, en lisant les psaumes de David, chants de foi, accents de piété où n'entre aucune enflure de l'esprit[a] ! » Ce psautier qu'il s'était très probablement procuré à Milan, dans l'entourage d'Ambroise, et qui depuis ne le quittait guère, qui était au chevet de Monique à Ostie et dont Evodius s'était alors saisi pour chanter le *Psaume* 100[b], il l'avait rapporté en Afrique, et c'est sur la base de cet exemplaire que dès les premiers temps de sa prêtrise il avait conçu le projet d'en faire un commentaire continu. Entre 391/92 et 394/95, Augustin composa des commentaires suivis sur les trente-deux premiers *Psaumes*, pris dans l'ordre. Il s'agit non d'explications librement improvisées devant les fidèles, au fur et à mesure que le lecteur progressait dans le texte, mais de commentaires « dictés », le plus souvent assez courts, et qui se distinguent nettement des grandes *enarrationes* où le prédicateur apparaîtra souvent si présent, presque physiquement, jusqu'à rendre sensible dans le texte son corps-à-corps avec son auditoire. De n'avoir pas été prononcés devant le peuple leur vaut une allure plus élaborée, parfois même un ton savant, avec des références au texte grec[c] ; mais on y retrouve les préoccupations actuelles du nouveau pasteur, son souci permanent de contrer les manichéens, mais surtout maintenant les donatistes et leurs alliés les circoncellions : c'est dans l'un de ces commentaires dictés que, s'en prenant à ces derniers, il évoque leurs terribles bâtons, ces « israëls » – comme les circoncellions les appelaient eux-mêmes –, dont il est aussi question à la même époque dans le « Psaume abécédaire[4] ».

Relisant ces chants qui l'avaient tant ému dans les mois qui avaient suivi sa conversion, Augustin était maintenant en état d'en développer les thèmes principaux. Significatif est l'accent qu'il met déjà sur l'humilité nécessaire au chrétien, à l'image de celle du Christ[d] ; significative aussi – et déjà annonciatrice peut-être d'une évolution qui ne tardera plus –, l'insistance sur les textes qui disent ou suggèrent qu'on ne peut aller vers Dieu par soi-même, qu'on ne peut se convertir sans son aide[e], que nos mérites pèsent peu au regard de la miséricorde divine[f]. Ainsi, c'est à Dieu seul que la gloire est due,

a. *Conf.*, IX, 8. Le *Psaume* 4, en particulier, l'avait transporté.
b. *Conf.*, IX, 31.
c. Ainsi dans *Enarr. in Psalm.* 3, 5 ; 4, 6 ; 9, 7.
d. *Ibid.*, 7, 5-7 ; 13, 7 ; 15, 10 ; 21, 7 et 30.
e. *Ibid.*, 1, 1 ; 4, 5 ; 18, 15.
f. *Ibid.*, 6, 5.

car c'est lui qui agit. Et Augustin de citer pour la première fois – mais sans en tirer alors toutes les conséquences – ce verset de saint Paul qu'il jugera bientôt décisif : « Qu'as-tu que tu n'aies reçu ? Et si tu l'as reçu, pourquoi te glorifier comme si tu ne l'avais pas reçu[a] ? »

LE SERMON SUR LA MONTAGNE ET SAINT PAUL

Augustin éprouvera vite le besoin d'approfondir sa lecture des épîtres pauliniennes mais, si l'on suit l'ordre qu'indiquent les *Révisions*, il ressentit d'abord celui de commenter le sermon sur la Montagne, non tel qu'on le lit chez Luc, où les béatitudes et leurs contraires apparaissent abruptement opposés dans un discours eschatologique, mais plutôt chez Matthieu, où les béatitudes tracent un programme de vie vertueuse couronnée par la promesse d'une récompense céleste : on y trouvera, dit-il, « la charte achevée de la vie chrétienne[b] ». Sans doute trouve-t-on aussi, dans les premières pages de ce texte, d'inattendues considérations arithmologiques, centrées sur le nombre des béatitudes dans *Matthieu*, 5, 3-10. Elles sont au nombre de huit ; mais, observe Augustin, la huitième – celle dont bénéficient ceux qui sont persécutés pour la justice – ne fait que porter la première – celle qui échoit aux humbles de cœur – à sa plus haute perfection[5]. On voit vite à quoi tend cette petite manipulation : les sept béatitudes qui sont ainsi retenues représentent les sept degrés de l'ascension de l'âme vers Dieu, et l'on retrouve ici, avant de le découvrir bientôt repris dans le *De doctrina christiana*, le « schéma scalaire » déjà mis en œuvre à Rome, en 388, dans le *De quantitate animae*[c]. Et, poursuit Augustin, à ces sept degrés correspondent les sept dons de l'Esprit saint, librement interprétés sur la base d'*Isaïe*, 11, 2-3[d]. Ici également, l'attitude d'humilité est mise en vedette : n'est-elle pas la voie d'accès à la première des béatitudes ? Et dans ce commentaire du sermon sur la Montagne aussi on voit apparaître la première citation d'un texte qui deviendra vite un texte clef : « Dieu résiste aux superbes, mais donne sa grâce aux humbles[6]. » Dans le même temps, l'affirmation croissante de la nécessité de la grâce divine, sinon encore de sa primauté, ne va pas

---

a. *Ibid.*, 3, 3, citant *I Co.*, 4, 7.
b. *De sermone domini in monte*, I, 1 : « *Inveniet in eo* [...] *perfectum uitae christianae modum.* »
c. *S. dom. m.*, I, 3, 10 ; cf. *supra*, p. 184.
d. *S. dom. m.*, I, 4, 11.

sans l'amer constat que l'homme en quête de progrès spirituel est condamné à traîner, avec la *consuetudo peccati*, une chaîne dont la résistance et le poids augmentent avec le temps de façon quasi automatique. On n'en a jamais fini de dépouiller le vieil homme ; Augustin le sait mieux que quiconque : il lui suffit de se remémorer des années passées encore bien proches. Mais il avait trouvé son salut dans saint Paul, et c'est encore l'Apôtre qu'il propose à celui qui sent regimber en lui « une violence indomptée qui le tient en esclavage » : « Que celui qui sent se révolter en lui, contre la volonté droite, l'attrait de la volupté charnelle due à l'habitude du péché [...] se rappelle, autant qu'il le peut, quelle paix il a perdue par son péché, et qu'il s'écrie : "Malheureux homme que je suis ! Qui me délivrera de ce corps de mort ? La grâce de Dieu par Notre-Seigneur Jésus Christ ![7]" »

Il fallait lire et relire saint Paul, et maintenant se risquer à le commenter, plus particulièrement cette *Épître aux Romains*, à jamais liée, dans le souvenir d'Augustin, aux heures décisives de l'été de 386, dans le jardin de Milan. La première occasion en fut une série d'entretiens qu'il eut avec des fidèles à Carthage, où il s'était rendu pour le concile réuni le 26 juin 394[8]. Ses interlocuteurs le pressèrent de laisser enregistrer ses propos[a] ; il en sortit un petit livre intitulé *Commentaire de quelques propositions de l'Épître de l'Apôtre aux Romains*. Sur sa lancée, de retour à Hippone, Augustin rédigea un *Commentaire de l'Épître aux Galates*, et entreprit même un commentaire d'ensemble du texte intégral de l' *Épître aux Romains* ; mais il dira dans les *Révisions* comment, s'étant lancé dans une longue digression sur la très difficile question du péché contre l'Esprit saint (*Mt.*, 12, 32), il avait renoncé, effrayé d'avance de la longueur que promettait d'atteindre son commentaire, et s'était contenté d'expliquer les premières lignes du texte (*Rm.*, 1, 1-7). Mais, avec ce premier petit « corpus » d'exégèses, auxquelles s'ajoutent quelques-unes des dernières réponses du *De diuersis quaestionibus*, il se rangeait déjà dans ce qu'on a proposé d'appeler « la génération de saint Paul[9] ».

À vrai dire, avant d'en être bientôt et d'en rester pour la postérité le représentant le plus marquant, il en avait d'abord fermé la marche. Le premier commentateur latin de saint Paul avait été, au début de la seconde moitié du IVe siècle, Marius Victorinus, et l'on se souvient de l'ébranlement qu'avait été pour Augustin, quelques semaines avant sa propre conversion, le récit, entendu de la bouche de Simplicianus, de celle du grand rhéteur romain[10]. Au temps du pape

a. *Retract.*, I, 23, 1.

Damase, en Italie, dans les années 366-384, un anonyme auquel les érudits, à la suite d'Érasme, ont donné par commodité le nom d'Ambrosiaster avait commenté l'ensemble des épîtres pauliniennes. Il fallait aussi compter avec Jérôme : au début de son installation à Bethléem, quelques années auparavant, il avait donné une explication de l'*Épître aux Galates*, laquelle parvint à Hippone en 394. Augustin n'acceptait pas l'interprétation « lénifiante » que proposait Jérôme de l'incident entre Pierre et Paul à Antioche (*Ga.*, 2, 11-14) et il lui demandait de tenir compte de sa critique[a]. Mais cette première lettre ne parvint jamais à destination, et une seconde lettre, écrite vers la fin de 397, qui reprenait les mêmes griefs et suggérait non sans maladresse à Jérôme de chanter sur ce point la « palinodie[b] », était allée s'égarer à Rome, en avait fait le tour en passant de main en main avant de finir par tomber dans celles du destinataire en Palestine. Il n'est guère surprenant qu'avec de tels débuts les relations épistolaires aient mis quelque vingt ans à se stabiliser entre les deux hommes. Et, à peine amorcé, leur dialogue sur saint Paul avait tourné court. Il continuera cependant, comme on sait, en dépit des traverses et, face à l'ombrageuse susceptibilité de Jérôme, l'évêque infléchira un peu son initiale raideur[c], mais sans rien concéder au fond. Augustin tenait à sa réfutation de l'interprétation hiéronymienne de l'*Épître aux Galates*, 2, 11-14 : on le voit encore dans un sermon inédit récemment publié, prononcé à Carthage en 397, où il s'en prenait à ceux – dont Jérôme, qui n'était pas nommé – qui pensent que la dispute entre Pierre et Paul était simulée et destinée à la galerie[d].

Ce dialogue sur saint Paul, Augustin ne put l'avoir en Afrique même avec Tyconius, car il semble bien que dans les toutes dernières années du IVᵉ siècle le savant et subtil théologien donatiste n'était plus de ce monde. Tyconius trouvait absurde et parfaitement contraire aux promesses divines d'universalité faites à l'Église la prétention de ceux de sa secte, limitée à ce petit recoin d'Afrique, à la représenter à eux seuls ; et il aggravait beaucoup son cas, aux yeux de sa hiérarchie, en contestant par surcroît qu'il n'y eût que des « purs » dans ses rangs. Cette indépendance d'esprit lui avait valu de recevoir du primat donatiste, alors Parmenianus, une lettre de réprimande dont le contenu nous est connu dans les grandes lignes par la réfutation qu'en fit plus tard Augustin[e]. Ce dernier saluera la

---

a. *Ep.* 28, 3-4 (datée de 394/95).
b. *Ep.* 40, 7
c. Voir les protestations d'amitié de l'*Ep.* 82, 28-33 (datée de 404).
d. *Sermon Dolbeau 10 (M. 27)*, 4, dans F. DOLBEAU, *Vingt-Six Sermons [...]*, 1996, p. 47.
e. C'est le *Contra epistulam Parmeniani*, datable entre 400 et 404/05.

vive intelligence de Tyconius[a] et, s'il attendit la fin de sa vie pour se livrer à un examen complet du *Liber regularum* du théologien donatiste[b], plus de trente ans auparavant il en avait lu assez pour avoir une idée de sa pénétration d'esprit et pour en être aidé dans sa propre élucidation des textes pauliniens.

Notamment par la « règle » que Tyconius avait intitulée *De promissis et lege*. Cette troisième règle était une longue méditation sur la théologie paulinienne de la justification par la foi, non par les œuvres ; Tyconius s'interrogeait en particulier sur la fonction de la Loi, en évoquant l'histoire d'Abraham (*Gn.*, 12 et 15). Le patriarche avait reçu la Promesse et il avait été justifié par la foi. Il fallait donc se demander « pourquoi, après la promesse de la foi, qui ne peut d'aucune manière être détruite, avait été donnée la Loi, qui ne procède pas de la foi et par les œuvres de qui personne n'est justifié[11] ». La réponse était donnée par saint Paul : la Loi, jusqu'à la venue du Christ, avait eu un rôle pédagogique (*Ga.*, 3, 24). Elle devait révéler le péché, et de fait elle l'avait fait abonder ; mais elle avait été imposée en vue de la grâce, que seule la foi obtient et qui seule délivre du péché. Tyconius rassemblait son commentaire autour d'images belles et fortes : « Nous avons supporté l'enfermement de la prison, ainsi que la Loi qui nous menaçait de mort et nous entourait de tous côtés d'un mur infranchissable dont l'enceinte n'avait qu'une porte, la grâce. À cette porte la foi se tenait en gardienne, pour que personne ne s'enfuît de cette prison, à moins que la foi ne lui ouvrît. Celui qui ne frappait pas à la porte mourait à l'intérieur de la clôture de la Loi. » Et il concluait par ces mots : « Nous avons supporté la Loi comme un *pédagogue*, qui nous poussait à rechercher la foi, et qui nous poussait vers le Christ. »

Bien qu'Augustin se soit montré sévère envers cette « troisième règle » dans la présentation qu'il en a faite au soir de sa vie, en disant qu'elle lui paraissait plus être « une grande question posée qu'une règle à utiliser pour résoudre des questions[c] », il n'est pas douteux qu'elle lui ait été de quelque secours dès l'époque de ses premières exégèses pauliniennes. Mais il est vrai que sa pensée est plus ferme. En s'inspirant de Paul, mais avec l'aide des commentaires de Tyconius, Augustin divise l'histoire humaine en trois phases, avant la Loi

---

a. *C. ep. Parm.*, I, 1.

b. Au début de la partie du *De doctrina christiana* contemporaine des *Révisions* : III, 42-56.

c. *Doctr. chr.*, III, 46. Il lui rend cependant hommage par cette autre phrase : « La troisième règle porte sur "les Promesses et la Loi" ; on peut lui donner un autre titre, "L'Esprit et la lettre", comme nous l'avons fait quand nous avons écrit un livre sur ce sujet. »

(*ante legem*), sous la Loi (*sub lege*), sous la grâce (*sub gratia*) – auxquelles s'ajoute le temps eschatologique : *in pace* –, et développe l'idée qu'en aucune de ces époques l'homme n'a pu – ou ne peut – se glorifier en lui-même et par lui-même. Avant la Loi, il est livré tout entier à la concupiscence et au péché ; sous la Loi, il a la connaissance du péché et en transgresse l'interdit (*Rm.*, 7, 7-11) ; sous la grâce, il reçoit le don de bien agir, et ne peut donc s'en enorgueillir [12].

Augustin savait certes par expérience, depuis l'été de 386, ce que pouvait peser l'action de Dieu dans le devenir spirituel de l'homme. Ces premières méditations sur saint Paul, avec Tyconius pour guide, l'acheminaient maintenant vers une mise en forme de sa propre théologie de la grâce. Mais des doutes demeuraient, et des interrogations. À lire certains textes de saint Paul, Dieu ne faisait-il pas bon marché de la liberté humaine ? Augustin se trouvait ainsi devant l'*Épître aux Romains*, 9, 11-13, reprenant la *Genèse*, 25, 23, et *Malachie*, 1, 2-3 : « J'ai aimé Jacob et j'ai haï Ésaü. » Que signifiaient l'élection de Jacob et la réprobation d'Ésaü avant même leur naissance ? « Quelques-uns, commentait Augustin, s'émeuvent en pensant que l'Apôtre a fait ici litière du libre arbitre de la volonté [a]. » Sa réponse, provisoire, consistait à faire entrer en jeu la prescience divine : Dieu avait élu Jacob parce qu'il savait que Jacob croirait, et réprouvé Ésaü parce qu'il savait qu'il refuserait de croire ; et cela avant même qu'ait pu se manifester en eux la volonté libre de l'homme qui répond ou ne répond pas à l'appel que Dieu lui lance [b]. Cependant, dans un autre commentaire datable de cette même époque, et inspiré lui aussi d'un verset de l'*Épître aux Romains* (9, 20), Augustin allait plus loin en citant spontanément – et pour la première fois – ce qui deviendrait plus tard (mais avec une tout autre orchestration) un des textes clefs de la controverse pélagienne : « Et, puisqu'on ne peut pas même vouloir si l'on n'est prévenu ou appelé, soit dans l'intime de son cœur, où nul homme ne voit, soit extérieurement, par une parole audible ou par quelque signe visible, il s'ensuit que ce "vouloir même, c'est Dieu qui l'opère en nous" » (*Ph.*, 2, 13) [c].

ETIAM PECCATA

Mirages de l'« intertexte » ! Épinglés par Claudel en épigraphe à son *Soulier de satin*, ces deux mots, deux notes échappées d'une

---

a. *Exp. qu. prop. ex epist. ad Rom.*, 60, *initio*.
b. *Ibid.*, 61 et 62.
c. *De diu. quaest. LXXXIII*, 68, 5

immense symphonie, ont acquis, hors contexte, une étrange autonomie de sens, et surtout combien incertaine : même les péchés ?
Vraiment ? Le pire serait de les faire suivre de trois points de
suspension, de les laisser dans le flou d'un discours potentiel, si
peu augustinien.

C'est au livre III du *Traité du libre arbitre* qu'on rencontre cet
« *etiam peccata* », qui date donc des tout derniers temps de la prêtrise
d'Augustin [13]. Et le paradoxe [14] est que ces deux mots qui nous paraissent, par la grâce de Claudel, si « augustiniens », figurent dans une
phrase où Augustin formule, avant de la réfuter, une objection qui
pourrait lui être faite : « Si notre malheur lui-même rend achevée la
perfection de l'univers, il aurait manqué quelque chose à cette perfection si nous avions toujours été heureux. Donc, si l'âme ne tombe
dans le malheur que par le péché, *nos péchés eux-mêmes* sont nécessaires à la perfection de l'univers que Dieu a créé [a]. » La réponse était
facile : le péché n'étant qu'un déficit, un manque d'être, ni les péchés
eux-mêmes ni le malheur en tant que tel n'étaient nécessaires à la
perfection de l'univers, mais bien les âmes en tant qu'âmes. Et il
ajoutait : « Pourvu que ne manquent pas les âmes elles-mêmes, qui,
pécheresses, tombent dans le malheur, et, non pécheresses, obtiennent le bonheur, l'univers a toujours sa plénitude et sa perfection [b]. »
Un peu plus tard, en 397/98, cet « *etiam peccata* » lui reviendra, à
propos des grands hommes dont les fautes sont rappelées pour leur
caractère exemplaire [c], et dans un contexte théologique qui rejoint
celui du *De libero arbitrio* : ce ne sont pas nos péchés qui se trans-
forment en grâces ; mais nos péchés peuvent être l'occasion dont
Dieu se sert pour assurer le salut de ceux qu'il a choisis. Et c'est sans
doute ce dont Claudel avait eu la juste intuition, la certitude même
si *De libero arbitrio*, III, 46 lui était tombé sous les yeux : « J'affirme
qu'on ne peut trouver aucun moyen d'imputer nos péchés à Dieu
notre créateur, quand je le trouve digne de louange jusqu'à propos
de ces péchés mêmes, non seulement parce qu'il les punit, mais aussi
parce qu'on ne les commet qu'en s'écartant de sa vérité. »

On se souvient que dans les premiers mois de 388, à Rome, sous
la forme d'un dialogue où son interlocuteur était Evodius, Augustin
avait entrepris d'analyser le libre arbitre de la volonté humaine, avec
le propos initial de faire pièce aux allégations des manichéens, sur
le mal et son origine [d]. Devenu prêtre à Hippone, et dans les derniers

---

a. *De libero arb.*, III, 26.
b. *Ibid.*
c. *Doct. chr.*, III, 33.
d. *Supra*, p. 185.

temps de sa prêtrise, il avait repris cet ouvrage interrompu[15]. Les perspectives avaient changé, l'état d'esprit aussi. On parlerait de désenchantement, si le mot n'était si platement profane ; mais le bel optimisme du nouveau converti de la fin des années 380 s'était quelque peu assombri, au contact des créatures plus que des Écritures[16]. Comment demeurer le même, quand le dur souci du salut des autres a pris le pas sur la recherche de son propre salut ?

Evodius, avant de devenir bientôt évêque d'Uzalis (El Alia), non loin d'Utique, vivait ces années-là dans le monastère d'Hippone[a]. Pour la suite du *De libero arbitrio*, il était resté naturellement le partenaire d'Augustin. Au début du livre II, il faisait rebondir la discussion en priant son ami de lui expliquer pourquoi Dieu avait donné à l'homme le libre arbitre de la volonté : n'était-ce pas ce don qui était à l'origine du péché ? Entamé par cette question, l'échange les entraînait loin, car c'était l'existence même de Dieu, pensait Augustin, qui de proche en proche était en cause, et qu'il fallait d'abord établir. Presque toute cette section de l'ouvrage sera consacrée à rechercher une évidence intellectuelle, et sur Dieu, et sur les « biens supérieurs » qui en découlent. On pouvait alors, *in fine*, revenir au libre arbitre de la volonté : la volonté libre de l'homme est elle aussi un bien, mais un « bien moyen[b] ». Elle peut aspirer au meilleur comme au pire, se tourner vers le bas, et alors mourir à Dieu : « Ainsi, l'homme, devenu orgueilleux, curieux, sensuel, est saisi par une autre vie qui, en comparaison de la vie supérieure, est une mort[c]. » Mais d'où vient donc, alors, « ce mouvement de détournement dont nous reconnaissons qu'il constitue le péché[d] ? » Quelle est donc l'origine du péché ?

Augustin passera une grande partie de ce qui lui reste de vie à répondre à cette question, mais cette réponse occupe déjà la dernière section de ce dialogue. L'âme ne tombe pas dans le péché comme la pomme tombe de l'arbre ; son mouvement n'est donc pas « naturel », ni nécessaire, mais volontaire et donc coupable. Là-dessus, Evodius dit son trouble : Dieu, qui a la prescience de tout événement futur, sait d'avance tout péché à venir ; cette prescience n'est-elle pas en soi une nécessité incompatible avec une volonté libre[e] ? Augustin se débarrassait de cette objection. Une argumentation serrée – dans une petite merveille de dialogue véritablement « platoni-

a. *Ep.* 158, 9.
b. *De libero arb.*, II, 52.
c. *Ibid.*, II, 53.
d. *Ibid.*, II, 54
e. *Ibid.*, III, 4.

cien » en sa forme[a] – faisait admettre à Evodius que, Dieu ayant tout créé une fois pour toutes – et rien par des créations renouvelées –, il savait d'avance ce que serait une volonté à venir, potentiellement, mais non nécessairement inscrite dans l'ordre des choses. Son indiscutable prescience n'empiétait donc pas sur notre volonté[b]. Le très long développement qui suivait, sur le bien de la Création, achevait de faire du *De libero arbitrio*, dans son ensemble, une « théodicée », comme on l'a dit [17]. Evodius avait écouté en silence l'exposé suivi d'Augustin, et se disait enfin convaincu qu'il n'y avait en effet aucun fondement à ce que nous imputions à Dieu nos péchés. Lui restait pourtant en tête une dernière objection : le péché a pour cause la volonté mauvaise de l'homme, mais quelle est la cause de la volonté ? D'Augustin, pressé maintenant d'en finir avec cette longue discussion et d'aborder un autre aspect de son sujet, la condition malheureuse de l'homme, il s'attirait une réplique un peu ironique : si je puis, disait son ami, te trouver cette cause, n'iras-tu pas chercher encore la cause de cette cause[c] ?

De tous les ouvrages écrits à cette époque, le *Traité du libre arbitre* est, avec *Les Deux Âmes*, celui que le vieil évêque reprendra plus tard dans les *Révisions* avec la plus grande attention. C'est que Pélage s'était payé le luxe d'appeler à la barre, à l'appui de sa doctrine, entre autres témoins Augustin lui-même, en citant dans son *De natura* un passage du livre III[d]. Il aurait pu tout aussi bien relever telle ou telle phrase des *Deux Âmes*, comme celle où il était affirmé que c'était dans la volonté seule qu'il pouvait y avoir péché[e]. En forçant considérablement le trait, jusqu'au paradoxe, on a pu écrire que « vraiment, à cette époque, Augustin était, sur le papier du moins, plus pélagien que Pélage [18] ». Mieux eût valu dire, d'ailleurs, pélagien avant la lettre. On sait comment l'intéressé s'en est défendu. Il écrira dans les *Révisions* : « Dans toutes ces formules, la grâce de Dieu n'est pas mentionnée, parce qu'il ne s'agissait pas d'elle à ce moment[f]. » Peut-être aurait-il pu plus justement dire qu'au moment – malheureusement pour nous imprécis – où il achevait son livre III du *Libre arbitre* il n'avait pas encore suffisamment approfondi sa

---

a. *Ibid*, III, 6-8.

b. À la même époque, ou peu après, Augustin allait déjà plus loin en commentant l'*Épître aux Romains*, 9, 11-13, et la prescience de Dieu relative à Jacob et à Ésaü : cf. *supra*, p. 258.

c. *De libero arb.*, III, 47-48.

d. *Ibid.*, III, 50.

e. *De duab. an.*, 12. Julien d'Éclane, un peu plus tard, ne s'en privera pas : cf. *infra*, pp. 589-590.

f. *Retract.*, I, 9, 4.

réflexion sur la grâce. Ou plutôt, il n'avait fait, en entamant son étude des textes pauliniens, que commencer sa gestation d'une doctrine dont la définition n'apparaîtrait nettement qu'avec ses réponses à Simplicianus, quelque temps plus tard. Pourtant, même dans ce livre III du *De libero arbitrio* où Pélage avait cru pouvoir trouver des arguments en faveur de ses idées, se faisaient déjà jour au moins des linéaments d'une ligne qui serait bientôt distinctement tracée. La liberté de choix demeurait préservée, mais le « mérite » de la créature face au Créateur était contesté ; elle lui devait déjà l'existence, et elle ne devait pas se faire un mérite de sa conversion : « Quel mérite y a-t-il à te tourner vers celui dont tu tiens l'existence, afin qu'il te rende meilleur après t'avoir donné l'être[a] ? » La conversion apparaissait déjà comme un devoir de réponse à l'appel de la grâce.

L'ORDINATION ÉPISCOPALE

Le vieil évêque d'Hippone, Valerius, avait pleine conscience d'avoir en Augustin une perle qui attirait regards et convoitises, en particulier celles des communautés dont l'évêché se trouvait vacant. Possidius dira qu'il arriva même, en ces années, que Valerius, prévenu d'une tentative concertée pour lui enlever son prêtre, le dissimula en le cachant en un lieu tenu secret[b] ! Ce n'était toutefois pas une solution. Aussi, l'âge et le délabrement de sa santé aidant, Valerius se résolut-il au seul parti possible s'il voulait, de son vivant, garder Augustin à l'église d'Hippone : il écrivit à Aurelius de Carthage une lettre confidentielle[c] où, alléguant âge et santé, il priait qu'Augustin fût ordonné évêque à Hippone, avec le rang de « coévêque », en attendant de lui succéder. Ce faisant, Valerius s'adressait certes à la plus haute autorité de l'Église d'Afrique, mais négligeait imprudemment la hiérarchie locale, la primatie provinciale, dont il dépendait. Lisons la suite dans Possidius : « Son souhait et ses instances reçurent une réponse favorable. Par la suite, en présence de Megalius, évêque de Calama, alors primat de Numidie, qu'il avait invité à venir à Hippone, aux évêques qui se trouvaient là par hasard, à tout le clergé d'Hippone et à l'ensemble des fidèles il annonce inopinément son intention. Alors que tous l'écoutaient et le félicitaient et disaient à grands cris leur désir qu'il fût ainsi fait, le prêtre

---

a. *De libero arb.*, III, 45.
b. *Vita Aug.*, VIII, 1.
c. *Ibid.*, VIII, 2.

refusait de recevoir l'épiscopat, contre l'usage de l'Église, du vivant de son évêque. Mais, tous lui assurant que c'était l'usage et lui citant des exemples empruntés aux églises d'outre-mer et d'Afrique, il céda et reçut l'ordination au grade supérieur[a]. » Il y a beaucoup à dire sur ce curieux récit du bon Possidius. On ne croira pas facilement que les évêques – dont la présence était indispensable à l'ordination d'Augustin [19] – se soient trouvés là « par hasard » (*forte*) pour être confrontés sans avertissement aux secrets desseins de Valerius, en même temps qu'un primat de Numidie invité sous un prétexte fallacieux, tandis que le protagoniste, apparemment surpris lui aussi, se récusait d'abord – avec de bonnes raisons, on va le voir –, pour finir par céder aux pressions et accepter sa promotion sous la contrainte[b]. Visiblement, Possidius, de façon plus ou moins consciente, a narré la scène conformément à la typologie de l'élection à la fois « tumultuaire » et forcée, suivant un schéma qui rappelait ce qui s'était passé quelques années auparavant : de même que son héros avait été ordonné prêtre à son corps défendant, il se voyait maintenant imposer l'élévation à l'épiscopat. Il a donc mis l'accent sur la surprise, et sur une apparente improvisation.

Ce qu'on ne peut cependant mettre en doute c'est la résistance d'Augustin ; non à sa promotion cléricale : il s'y préparait depuis son accession à la prêtrise et nous avons vu qu'à bien des égards il était déjà *de facto* le « coadjuteur » de Valerius. Mais il trouvait à redire aux conditions dans lesquelles cette promotion intervenait. À juste titre. On avait beau, pour l'apaiser, lui dire qu'il y avait des précédents[c], ailleurs et même en Afrique, il se doutait bien, sans être très versé dans le droit canon, que cette ordination, dans une chaire qui avait encore un titulaire, n'était pas alors très régulière. De fait, il apprendra, peu après son ordination, qu'en 325 le concile de Nicée avait interdit que deux évêques fussent ordonnés dans le même siège [20]. Possidius nous en informe scrupuleusement, et Augustin lui-même le confirmera lorsqu'en 426, désignant pour lui succéder après sa mort le prêtre Eraclius, il s'abstiendra de le faire ordonner évêque, pour éviter que son épiscopat ne soit entaché par la faute qui avait été commise dans son propre cas à son insu et, ajoutera-t-il, à l'insu aussi de Valerius[d].

Reste Megalius, le primat – c'est-à-dire le « doyen [21] » (*senex*) –

a. *Ibid.*, VIII, 3-4.
b. *Vita Aug.*, VIII, 4 : « *compulsus atque coactus succubuit* ».
c. Il rappellera dans une lettre à Paulin de Nole qu'on avait ainsi apaisé ses scrupules : *Ep.* 31, 4.
d. *Vita Aug.*, VIII, 5 ; *Ep.*, 213, 4 (26 septembre 426).

de Numidie et le rôle qu'il joua dans cette affaire. Le brave Possidius, qui lui succéda dans le siège de Calama, n'a pas voulu charger sa mémoire. Nous savons pourtant que le primat numide se fit tirer l'oreille et que l'ordination d'Augustin, rondement menée dans le beau récit de la *Vita Augustini* et présentée comme ayant suivi immédiatement l'élection, fut en fait une histoire à épisodes. Megalius s'était d'abord opposé à l'ordination du prêtre de Valerius et il avait exposé ses griefs et ses motifs dans une lettre qui, bien des années plus tard, circulait encore dans les milieux donatistes[a]. Megalius s'était emporté, dira Augustin, il avait agi dans un moment de colère[b]. Mais qu'y avait-il donc derrière cette colère ? La lettre est perdue et nous en sommes réduits aux hypothèses. Augustin n'avait pas que des amis, et ses ennemis ne se situaient pas tous du côté des donatistes ou des manichéens. Mais, précisément, on lui faisait grief d'avoir été manichéen, et ses anciens amis avaient beau jeu de jeter de l'huile sur ce feu. Les *Confessions* n'avaient pas encore fourni aux adversaires d'Augustin de quoi faire des gorges chaudes, mais le passé du prêtre d'Hippone était connu de beaucoup ; et puis son génie faisait de l'ombre et suscitait des jalousies dans son propre camp. Il n'était pas nécessairement donatiste, ni manichéen, celui qui avait fait courir le premier cette ridicule histoire de philtre d'amour qu'Augustin aurait donné à une femme, au su d'un mari, et même avec sa complicité ! Si l'on ajoute que la susceptibilité du prélat numide a pu s'offusquer d'un arrangement qui lui paraissait s'être préparé, au-dessus de sa tête, directement entre Valerius et Aurelius de Carthage, on comprend mieux l'opposition de Megalius. Pourtant, le primat de Numidie était revenu sur sa position ; il avait fait amende honorable auprès d'un concile de son attitude hostile envers Augustin[22], et finalement avait procédé à son ordination.

Une dernière incertitude subsiste, et non des moindres : la date de cet événement, majeur dans la vie d'Augustin. Il se situe nécessairement entre mai 395, date à laquelle – ou peu après laquelle –, encore prêtre, il détaille dans une lettre à Alypius déjà évêque la façon dont il a repris en main les fidèles d'Hippone à l'occasion de la *Laetitia*, et le 28 août 397, date du concile général réuni à Carthage, auquel il assista en qualité d'évêque. À l'intérieur de cette « fourchette », un seul texte indique, sinon une date précise, du moins une année, mentionnée selon les consuls éponymes : 395. Mais ce texte, la *Chronique* de Prosper d'Aquitaine[23], est souvent récusé pour ses inexactitudes, si bien que pour dater l'ordination

a. *Contra Cresc.*, III, 92.
b. *Contra litt. Pet.*, III, 19.

d'Augustin, on en est réduit à scruter la chronologie relative qui découle des échanges épistolaires de cette époque entre Alypius et Augustin, d'une part, et d'autre part Paulin de Nole, le grand seigneur bordelais, disciple d'Ausone, lui-même poète, ordonné prêtre en 393/94 et fixé peu après en Campanie, à Nole, où il mènera une vie monastique et deviendra évêque en 409. Un examen attentif de cette correspondance, notamment de la lettre adressée par Paulin et Therasia à Alypius, alors évêque de Thagaste, avant la fin d'une année qui ne peut guère être que l'année 394[a], et de celle par laquelle Augustin lui-même fait part de son nouveau statut à ses amis de Nole[b], a conduit de nombreux exégètes à situer durant l'été de 395 cette ordination épiscopale à Hippone[24]. Le dernier mot sur cette épineuse question de dates n'est sans doute pas dit et d'autres supputations laissent une chance à l'année 396[25]. Mais, outre qu'une datation de l'épiscopat d'Augustin à l'été de 396 obligerait à placer en l'espace de quelques mois les premiers ouvrages recensés au début de la deuxième section des *Révisions* – y compris l'essentiel du *De doctrina christiana* –, la séquence de noms qu'on peut lire dans une autre lettre de Paulin de Nole, adressée celle-là à Romanianus, incite fortement à situer la promotion épiscopale d'Augustin à Hippone moins d'une année après celle d'Alypius à Thagaste[26]. Or ce plus cher compagnon, cet autre lui-même devint évêque dans sa ville natale au plus tard au début de l'hiver 394-395.

Lorsque Augustin accéda à l'épiscopat, il avait depuis peu passé le cap de la quarantaine : le milieu de la vie, l'âge où, dans l'Antiquité, parvenu aux années terminales de la *juventus*, l'homme, dans la plénitude de ses facultés, se tenait plus ou moins longtemps sur un palier – la *grauitas*, l'âge mûr – avant d'entamer en descente le versant de la *senectus*. Augustin avait bien besoin de toutes ses forces. Les œuvres majeures étaient encore à écrire, alors que mille tâches l'attendaient et qu'il aurait bientôt à supporter seul le fardeau – la *sarcina episcopatus* – que Valerius avait placé sur ses épaules.

---

a. *Ep.* 24 = Paulin, *Ep.* 3.
b. *Ep.* 31, 4.

CHAPITRE XIX

396-397

Il y a, dans les vies les mieux remplies, des saisons privilégiées, où les mois et parfois même les années semblent avoir compté double, dans une dilatation du temps qui ouvre un large espace aux actes et aux œuvres. Dans l'existence si peu oisive d'Augustin, les deux premières années de son épiscopat sont de celles où la chronologie même la plus aérée – car il y a parfois, on vient de le voir, des incertitudes, et donc des choix à faire – peut faire état des bilans les plus riches, aussi bien dans le domaine pastoral que dans l'élaboration des textes fondamentaux.

Augustin s'est saisi avec détermination d'une charge épiscopale qu'il ne paraît pas avoir longtemps partagée avec le titulaire du siège. On ignore la date exacte de la mort de Valerius, nécessairement antérieure à l'apparition officielle de son successeur dans les Actes de l'Église d'Afrique, en août 397. On s'accorde habituellement à placer le décès du vieil évêque au cours de l'année 396 [1] ; mais on constate que de réelles responsabilités pesèrent sur son « coadjuteur » dès son ordination. Que Valerius ait fait pleine confiance à son coévêque et lui ait donné large délégation de pouvoirs est chose certaine, en particulier dans un domaine où son âge et son état de santé ne lui permettaient plus de les assumer lui-même, la représentation.

C'est ainsi qu'Augustin, à peine ordonné évêque, eut pour la première fois l'occasion de participer à une consécration épiscopale. Ce fut au bénéfice de son ami Profuturus : ce dernier, sans doute de peu d'années son cadet, vivait à ses côtés dans le monastère d'Hippone. C'est ce « frère » qu'il avait choisi, alors qu'il était encore lui-même prêtre, pour aller porter à Jérôme, à Bethléem, la fameuse lettre où il lui signifiait, entre autres, son désaccord sur le sens de l'*Épître aux Galates*, 2, 11-14 [a]. La renommée de Jérôme était déjà considérable et

a. Cf. *supra*, p. 256.

le voyage de Palestine avait d'autres motivations que le port des lettres. Alypius avait déjà fait ce voyage avant son accession à l'épiscopat, en 393/94, et, recommandant Profuturus à Jérôme, Augustin ne manquait pas de lui dire combien il en espérait pour la formation de son ami : jouant même sur son nom, il ajoutait qu'il n'en serait que plus « profitable[a] » ! Il ne savait pas alors que le « futur » de Profuturus n'excéderait pas quelques petites années. Et quand, au début de 397, dans une lettre écrite d'Hippone, il lui parlait librement de sa santé, alors mauvaise, comme on peut le faire en s'adressant à un « autre soi-même[b] », il ne se doutait pas qu'il ne le reverrait plus.

Profuturus ne fit pas le voyage de Palestine, parce qu'il fut désigné comme titulaire du siège de Cirta (Constantine), très probablement au cours de l'été de 395 ; et à la fin de cet été ou à l'automne de cette même année, Augustin se rendit à Cirta en compagnie d'Alypius pour procéder à sa consécration. Au passage, les deux amis s'arrêtèrent à Thubursicu Numidarum (Khamissa), à une quarantaine de kilomètres à l'ouest de Thagaste, auprès de l'évêque donatiste du lieu, Fortunius. Un petit groupe de fidèles donatistes qui résidaient à Thiava, et qui dépendaient du diocèse de Fortunius[2], leur avait ménagé un entretien avec ce dernier. L'évêque donatiste était de bonne composition et réprouvait les violences des siens ; le long débat qu'eut avec lui Augustin fut très ouvert et fut surtout un débat de fond sur la *causa ecclesiae*, bien qu'à l'occasion les griefs historiques se soient parfois fait jour[3]. Ce qu'il faut retenir surtout de cette rencontre, car c'était en son principe la disposition essentielle d'une confrontation que l'évêque d'Hippone recherchera encore pendant quinze ans avant de l'obtenir, c'est que son interlocuteur acceptait l'idée d'une conférence contradictoire réunissant dix évêques de chaque partie[c] ; mais Fortunius n'engageait que lui-même et le dialogue en resta là.

En ces années, Augustin apprenait à ses dépens combien ce dialogue était difficile à maintenir. La réserve, pour ne pas dire plus, de la hiérarchie donatiste à son égard tenait à ses succès auprès des fidèles de la secte, à Hippone et dans les environs. Possidius dira que, devenus auditeurs de l'évêque catholique, ils en rapportaient les propos à leurs propres pasteurs, lesquels, s'ils voulaient rétablir leur vérité, se voyaient réfuter par leurs ouailles, qui rapportaient

---

a. *Ep.* 28, 1 : « *fratrem Profuturum quem nostris conatibus, deinde adiutorio tuo uere* profuturum *speramus* ».

b. *Ep.* 38, 1 : « quia mihi es alter ego, *quid libentius tecum loquerer, nisi quod mecum loquor ?* »

c. *Ep.* 44, 12.

leurs réponses à Augustin[a]. Ce n'était plus tenable ! On comprend dans ces conditions que les ouvertures faites à Proculeianus, l'évêque donatiste d'Hippone, aient rapidement tourné court. Evodius s'était chargé des travaux d'approche ; rencontré par lui en terrain neutre – une maison amie –, Proculeianus avait déclaré vouloir bien discuter avec Augustin en présence de quelques personnes de bonne volonté[b]. Valerius était alors absent d'Hippone mais son « coadjuteur » se faisait fort à l'avance de son accord. Par lettre, il proposait au donatiste plusieurs formules : un débat contradictoire à plusieurs participants, dûment enregistré, ou sinon un simple dialogue à deux, ou encore un échange de lettres[c]. Il fallut cependant déchanter. Proculeianus multiplia bientôt les dérobades. Il dit d'abord accepter le principe d'une conférence opposant dix évêques de chaque partie, mais ensuite suggéra à Augustin d'aller pour cela à Constantine, où le donatiste pouvait compter sur des amis sûrs – parmi lesquels peut-être déjà le fameux Petilianus –, ou du moins à Milev (Mila), où se préparait, disait-il, un concile de son Église. Mais entre-temps Valerius était mort ; Augustin avait désormais seul la responsabilité de l'évêché d'Hippone, et c'était là, sur place – sans sortir des limites territoriales imparties à sa charge – qu'il devait mener le débat avec Proculeianus[d]. Si ce dernier redoutait d'être mis en état d'infériorité par la supériorité culturelle de l'ancien rhéteur, Augustin voulait bien laisser sa place à son collègue du lieudit Turres, un voisin alors en visite à Hippone[4] : Samsucius n'avait aucune culture profane, mais il était solide en matière de foi[e].

L'affaire était mal engagée, et il suffit d'un incident pour la faire capoter sans recours. Augustin avait dû, sur ces entrefaites, faire la leçon à un jeune homme de confession catholique, en fait un vilain garnement qui battait sa mère et qui, par dépit et par provocation, menaçait de rejoindre l'église schismatique : « Je passerai au parti de Donat et je boirai ton sang[f] ! » Il avait mis la menace à exécution – du moins pour la première partie du programme – et venait d'être rebaptisé. De cela, Augustin avait porté plainte devant les autorités municipales en même temps que par lettre il en faisait témoin un dignitaire d'Hippone, Eusebius, prié de servir d'intermédiaire. Mais Eusebius, probablement le curateur païen de la cité, qui bénéficiait de sympathies dans les deux camps,

a. *Vita Aug.*, IX, 4.
b. *Ep.* 33, 2.
c. *Ep.* 33, 4.
d. *Ep.* 34, 5.
e. *Ep.* 34, 6.
f. *Ep.* 34, 3.

ne se souciait pas de s'ériger en juge entre les deux évêques et, quant à Proculeianus, il refusait à l'avenir de recevoir les lettres de son adversaire : ne pas répondre aux lettres de l'évêque d'Hippone sera par la suite l'attitude constante des responsables donatistes, comme le confirmera Possidius[a]. En ces mêmes jours, comme il passait dans une communauté rurale de son diocèse, Augustin dut subir les injures d'un de leurs prêtres, qui officiait pourtant sur les terres d'une noble dame catholique. Il devenait bien clair que la lutte contre l'Église schismatique serait une course de fond, et qu'elle ne serait pas de tout repos.

L'*AD SIMPLICIANUM* ET LE PRIMAT DE LA GRÂCE

On n'a pas oublié Simplicianus et son rôle décisif au début de l'été de 386, en ces semaines où Augustin hésitait encore, au bord de la conversion[b]. Le vieux prêtre de Milan, dix ans plus tard, se rappelait au souvenir de celui à qui il avait révélé saint Paul. Dix ans plus tard : c'est prendre parti sur la date de ces retrouvailles épistolaires ; il le faut bien, si incertaine soit souvent cette chronologie. Dans les *Révisions*, les réponses faites aux interrogations de Simplicianus sont présentées comme le premier ouvrage consécutif à l'ordination épiscopale, que nous avons située pendant l'été de 395. Et, d'autre part, de l'adresse de la lettre par laquelle Augustin a accompagné son envoi, on ne peut inférer que le destinataire avait maintenant rang d'évêque à Milan, ce qui sera le cas après la mort d'Ambroise, en avril 397. Ce qui s'y exprime, comme dans le corps de la lettre, c'est, en dehors de tout rapport hiérarchique, la déférence et même l'affectueuse révérence que l'on peut avoir à l'égard d'un père spirituel[c]. On datera ainsi, sans plus de précision, le *De diuersis quaestionibus ad Simplicianum* des premiers mois de l'année 396[5].

Simplicianus avait eu communication, probablement par l'entremise de Paulin de Nole, d'écrits récents d'Augustin, et plus particulièrement du premier petit corpus d'exégèses pauliniennes[d]. Les questions qu'il posait portaient d'une part sur différents textes du *Livre des Rois*, d'autre part et surtout sur certains passages difficiles

---

a. *Ep.* 35, 1. *Vita Aug.*, IX, 3-4.
b. Cf. *supra*, p. 133.
c. *Ep.* 37, *initio* : s'adressant à un aîné respecté, Augustin ne fait pas état de son propre rang épiscopal.
d. *Supra*, p. 255.

de l'*Épître aux Romains*, et ce fut sur les textes de saint Paul que l'évêque d'Hippone donna réponse en premier lieu. Les interrogations du prêtre de Milan sur les versets 7, 7-25 et 9, 10-29 de cette épître rejoignaient l'insatisfaction qu'Augustin ressentait à la suite de son premier commentaire. Il écrivait dans sa préface : « Non satisfait de mon étude et de l'explication précédente, j'ai scruté avec plus de prudence et plus d'attention les paroles apostoliques et la teneur de ces phrases[a]. »

De ces nouvelles réflexions d'Augustin sur ces passages de saint Paul, les plus lourdes de conséquences sont assurément celles qu'il développe à propos de la deuxième question qui lui est posée, sur *Rm.*, 9, 10-29. Mais, prenant la lettre dans l'ordre, il s'attardait d'abord longuement sur *Rm.*, 7, 7-25. Il semble que Simplicianus ait souhaité que son correspondant éclaircisse à son intention la difficulté suivante : comment se fait-il que l'Apôtre, qui est personnellement « sous la grâce » – et qui s'exprime comme tel à la fin de sa lettre : *Rm.*, 12, 3 –, parle en ce passage comme s'il était « sous la Loi » ? Il était aisé pour Augustin de répondre que saint Paul s'était, ce disant, mis à la place de l'homme qui vit « sous la Loi[b] » et qui voudrait accomplir le bien que la Loi ordonne, mais est impuissant à le faire sans le secours de la grâce. Il citait l'Apôtre : « *En effet le vouloir est à ma portée, mais je ne trouve pas le pouvoir d'accomplir le bien* » (*Rm.*, 7, 18), et il commentait : « À ceux qui ne les comprendraient pas bien, l'Apôtre semblerait par ces paroles supprimer le libre arbitre. Mais comment le supprime-t-il, quand il dit : "le vouloir est à ma portée" ? Il est certain, en effet, que le vouloir lui-même est en notre pouvoir ; mais qu'accomplir le bien ne soit pas en notre pouvoir cela tient au démérite dû au péché d'origine[c]. » Et il ajoutait : « Cette impuissance ne tient pas à la première nature de l'homme, mais elle est la peine du péché, peine dont est sortie notre condition mortelle, comme une seconde nature de qui la grâce du Créateur nous délivre quand nous lui avons été soumis par la foi. » Notons que ces textes[d] sont les premiers d'Augustin où l'on rencontre le *peccatum originale* : « péché d'origine », ou « péché originel » ? Les deux traductions sont possibles[6] et peuvent, non sans excessive subtilité, être mises au service de deux lectures différentes, entre lesquelles les théologiens continuent de se partager[7].

---

a. *Ad Simplicianum*, I, *praefatio*.
b. *Ad Simpl.*, I, qu. 1, 1 et 9.
c. *Ibid.*, I, qu. 1, 11.
d. Cf. aussi *Ad Simpl.*, I, qu. 1, 10.

Il semble pourtant qu'à cette époque Augustin insistait plus sur la « peine » (*poena*) qui pèse sur la créature du fait de son « péché d'origine » que sur une culpabilité (*reatus*) originelle, et que sa conception du péché, *hic et nunc*, était celle d'un péché personnel. On aura l'occasion de revenir sur la théologie du péché originel à propos des vastes développements du débat antipélagien. En attendant, Augustin sauvait le libre arbitre. Mais qu'en demeurait-il ? Lisons ce qu'il dit encore un peu plus loin dans son commentaire de *Rm.*, 7, 24-25 : « Il ne reste donc plus à l'homme vaincu, condamné, enchaîné, non pas vainqueur, en dépit de la Loi, mais bien transgresseur, qu'à s'écrier humblement : *"Malheureux homme que je suis ! Qui me délivrera de ce corps de mort ? La grâce de Dieu par Jésus-Christ Notre-Seigneur."* Ce qui reste en effet au libre arbitre en cette vie mortelle, ce n'est pas que l'homme puisse accomplir la justice quand il le veut, mais qu'avec une piété suppliante il se tourne vers Celui par le don de qui il pourra accomplir cette justice[a]. » Mais était-il donné à tous de recevoir ce don ?

La réponse à cette question essentielle venait avec celle qu'Augustin réservait aux interrogations de Simplicianus sur *Rm.*, 9, 10-29. On se souvient que dans les « 83 questions diverses », vers 393/94, commentant déjà *Rm.*, 9, 16 – « *Cela* [le salut] *ne dépend ni de celui qui veut, ni de celui qui court, mais de Dieu qui fait miséricorde* » –, Augustin insistait, en citant aussi *Ph.*, 2, 13, sur l'action de Dieu, antérieure, par appel (*uocatio*), à la volonté humaine[b]. Nul ne pouvait, ajoutait-il, se prévaloir d'avoir été appelé : mais il admettait qu'on pût se prévaloir d'avoir répondu à l'appel[c]. C'était encore trop attribuer au mérite. Il relisait maintenant l'Apôtre en annonçant d'emblée qu'il entendait suivre sa pensée maîtresse (*intentio*), qui était que personne ne devait se glorifier du mérite de ses œuvres[d]. Et ainsi la foi, c'est-à-dire la réponse à l'appel, devait-elle être elle aussi mise à l'actif de Dieu. Augustin reprenait la *Première Épître aux Corinthiens*, 4, 7, mais il en tirait maintenant toutes les conséquences : « Si quelqu'un se vante d'avoir mérité miséricorde en croyant, qu'il sache que celui qui lui a donné de croire est celui qui fait miséricorde en inspirant la foi ; et qu'il a eu pitié de lui, en lui faisant entendre son appel, tandis qu'il était encore infidèle. C'est alors en effet que le fidèle est distingué de l'impie. En effet, dit l'Apôtre, *"qu'as-tu que tu n'aies reçu ? Et si tu l'as reçu, pourquoi*

a. *Ad Simpl.*, I, qu. 1, 14.
b. Cf. *supra*, p. 258.
c. *De diu. quaest. LXXXIII*, 68, 5.
d. *Ad Simpl.*, I, qu. 2, 2.

te glorifier, comme si tu n'avais rien reçu[a] *?"* » Mais alors, si la foi elle-même était un don de Dieu, Dieu serait-il donc injuste en faisant ce don à celui-ci, et non à celui-là ? On retombait sur le problème de l'élection de Jacob et de la réprobation d'Ésaü. On n'a pas perdu le souvenir de la solution qu'en avait d'abord proposée Augustin dans son premier commentaire de l'*Épître aux Romains*[b] : elle consistait à prendre en considération la prescience divine ; Dieu avait élu Jacob parce qu'il savait que Jacob croirait, et il avait réprouvé Ésaü parce qu'il savait qu'il refuserait de croire, avant toute manifestation en l'un comme en l'autre d'une volonté libre qui répond ou ne répond pas à l'appel qui lui est lancé.

Augustin, reprenant cette problématique, s'interrogeait longuement en face du texte paulinien. Rien n'est moins sèchement dogmatique que les pages de cette réponse à la seconde question de Simplicianus : il y a beaucoup d'inquiétude, presque de l'angoisse dans les tâtonnements du commentaire[c]. Il y a même quelque chose de poignant à voir le commentateur, pour sauvegarder autant que possible le libre arbitre, envisager des modalités différentes d'« appel » – c'est-à-dire des types distincts de grâce ; et ainsi, s'il y a, selon la formule évangélique, « *beaucoup d'appelés, mais peu d'élus* » (*Mt.*, 22, 14), c'est, dit Augustin, que seuls sont élus ceux qui reçurent un appel approprié à leur nature. Et, de Siméon à Nathanaël, les exemples ne manquent pas de ceux qui ont répondu à l'appel après avoir été touchés par des admonitions différentes. « Qui oserait prétendre, ajoutait Augustin, qu'ait manqué à Dieu un moyen d'appel pour amener l'esprit d'Ésaü, avec le concours de sa volonté, à cette foi par laquelle Jacob fut justifié[d] ? » La réponse étant négative, et l'hypothèse d'une injustice de Dieu résolument à exclure, Augustin était amené, en désespoir de cause, à admettre que si tous ne sont pas également appelés de manière à vouloir, c'est que certains sont laissés à leur condamnation. Ici intervient la sombre image[e] de cette « masse de boue » (*massa luti*), « masse de péché » (*massa peccati*) que forme l'humanité depuis Adam ; de cette masse, comme un potier qui est maître de son argile (*Rm.*, 9, 20-21), Dieu tire soit des vases de luxe, soit des vases à usage commun, sinon sordide. Et de même que le vase ne peut reprocher au potier l'usage pour lequel il a été fait, de même la créature ne discutera pas l'œuvre

---

a. *Ibid.*, I, qu. 2, 9.

b. *Supra*, p. 258.

c. Par exemple dans les reprises et les incessants questionnements d'*Ad Simpl.*, I, qu. 2, 8-11.

d. *Ad Simpl.*, I, qu. 2, 14.

e. Déjà esquissée dans *De diu. quaest. LXXXIII*, 68, 3.

du Seigneur, qui tantôt condamne l'un, tantôt justifie l'autre, pris tous deux dans la même pâte^a.

Une fois encore, Augustin voulait affirmer la valeur du libre arbitre. Mais, entre la réponse à la première question de Simplicianus et cette réponse à la seconde, sa pensée sur le sujet avait irrémédiablement évolué. La seule finalité du libre arbitre, disait-il peu auparavant, était pour l'homme en cette vie de se tourner vers Dieu pour demander sa grâce^b. Au terme de la réflexion sur *Rm.*, 9, 10-29, le libre arbitre n'avait plus qu'une existence virtuelle : « Le libre arbitre de la volonté, disait-il encore, a une grande importance ; il existe, certes, mais que peut-il chez des hommes vendus au péché ? » Quel pouvait donc être le point d'application de ce libre arbitre ? Car dans la même page Augustin continuait en disant : « Quand nous attire ce qui doit nous porter vers Dieu, c'est par sa grâce que cela nous est inspiré et accordé ; ce n'est obtenu ni par notre volonté, ni par notre activité, ni par nos mérites^c. » Relisant ces pages trente ans plus tard, le vieil évêque aura cette formule qui, autant que le résultat acquis, résume assez bien l'épreuve qu'avait été ce corps-à-corps spirituel avec saint Paul : « Dans la solution de cette question, je me suis beaucoup évertué en faveur du libre arbitre de la volonté humaine, mais la grâce de Dieu l'a emporté^d. »

Que dans le débat augustinien entre grâce et libre arbitre ces pages de l'*Ad Simplicianum* marquent un tournant est une évidence ; et que cette inflexion, encore accentuée par la suite, et parfois mal comprise, soit à l'origine des durcissements de l'augustinisme post-augustinien, n'est pas davantage discutable. Ce qui nous importe, ici, c'est de tenter de l'expliquer en le replaçant dans le contexte des situations alors vécues par Augustin et, si possible, de la comprendre sans excessive dramatisation. Il nous semble que n'ont pas tort ceux qui, comme Gustave Bardy, ont fait valoir l'incidence qu'a pu avoir alors sur le cours des pensées d'Augustin l'expérience qu'il vivait depuis peu, comme pasteur d'Hippone, d'une communauté de fidèles où les effets du péché s'illustraient plus souvent que ceux de la grâce⁸. La perception directe et privilégiée qu'il en avait ne donnait que plus de force au rappel de ses propres souvenirs : il avait été lui-même, jusqu'au jardin de Milan, un « charnel », éternellement repentant, puis « relaps », asservi à la concupiscence, qu'il savait maintenant être la peine due au « péché d'origine ». Et cette

a. *Ad Simpl.*, I, qu. 2, 21.
b. *Ad Simpl.*, I, qu. 1, 14 ; cf. *supra*, p. 271.
c. *Ad Simpl.*, I, qu. 2, 21.
d. *Retract.*, II, 1, 1.

deuxième lecture de saint Paul lui avait douloureusement révélé, ou confirmé, ce qu'il savait dans sa chair depuis les affres de l'avant-conversion : notre libre arbitre – c'est-à-dire notre humaine volonté –, qu'il avait eu raison d'affirmer inlassablement contre les manichéens, était suffisant pour faire le mal, pour se détourner de Dieu ; mais pour faire le bien, pour se tourner vers Dieu, il était besoin de la grâce, qui n'était qu'entre les mains de Dieu.

Faut-il pour autant penser que cette étape ait été vécue par Augustin comme un drame personnel, que ce pessimisme bien réel, sur le plan de la doctrine, se soit en lui accompagné d'un profond désenchantement [9] ? On quitterait là le domaine de l'exégèse pour entrer dans celui de la divination, car l'auteur de l'*Ad Simplicianum* ne donne aucune prise à cette hypothèse. Est-il même licite d'y voir une rupture, pas seulement dans l'équilibre psychologique et moral d'Augustin, mais plus fondamentalement encore dans son système de pensée ? On a pu ainsi écrire qu'en 396 le philosophe s'était mué en théologien [10], ou encore que, rompant alors avec la tradition philosophique suivie jusque-là, Augustin avait substitué à la recherche spéculative une régression dans le mythe [11]. En fait, s'il avait conservé son armature intellectuelle néoplatonicienne, c'était dix ans plus tôt, en 386, qu'il avait cessé d'espérer un salut dans le néoplatonisme. Mais on ne dira pas facilement qu'avait consenti à un déficit de rationalité, dans sa réflexion sur l'homme et son histoire, le futur auteur de la *Cité de Dieu*, ou tout simplement celui qui, se désignant lui-même, avançait à la fin de son exégèse paulinienne de 396 que « tout homme à l'esprit pénétrant et rompu aux études libérales peut paraître éligible à la grâce [a] ». L'*exercitatio animi* si souvent prônée ne pouvait nuire, bien au contraire. Mais il ajoutait aussitôt que les personnes les plus estimables se voyaient quotidiennement surpassées, dans l'ordre de l'espérance, de la foi et de la charité, par des courtisanes ou des histrions soudainement convertis. Le salut était d'un autre ordre. Cela, il le savait depuis que dans le jardin de Milan il avait amèrement constaté que des ignorants gagnaient le ciel, tandis qu'avec leur « science sans cœur » Alypius et lui « roulaient encore dans la chair et dans le sang [b] ». Le vrai débat, auquel il reviendrait, on le verra, trente ans plus tard [c], n'était pas entre le libre arbitre et la grâce, il était entre la liberté et la grâce. La liberté, disait-il dans le *De libero arbitrio*, était le fait des hommes heureux

a. *Ad Simpl.*, I, qu. 2, 22.
b. *Conf.*, VIII, 19.
c. Cf. *infra*, p. 597 *sq.*

qui s'attachent à la loi éternelle[a]. Mais il ne dirait plus maintenant que la volonté bonne était un bien qu'il suffisait de vouloir pour le posséder. Il avait appris depuis peu que l'accès à une telle véritable liberté n'était pas donné à tous et son anthropologie se ressentirait désormais de cette exigence théologique qu'il n'était que trop facile de ressentir, sur le plan moral, comme un irréductible pessimisme.

À CARTHAGE EN 397

L'année 397 fut une année de deuil pour la chrétienté occidentale. Martin disparut le 8 novembre à Candes, aux confins du Poitou et de la Touraine, et son corps fut ramené à Tours pour y être inhumé le 11 novembre. Au cours des âges, saint Martin donnera son nom à des millions d'hommes, et à des milliers de lieudits en ce qui sera bientôt la France, et l'anniversaire de sa déposition restera pendant un millénaire et demi l'une des fêtes les plus populaires de la Fille aînée de l'Église, jusqu'à ce que cette célébration vienne en notre siècle à s'effacer sous les strates d'autres souvenirs. La fin de Martin, prestigieux évêque-moine, aurait eu de quoi toucher Augustin ; mais elle est probablement passée inaperçue de lui. En revanche, il n'a bien sûr pas ignoré celle d'Ambroise, qui survint le 4 avril. Il accédait, lui, à l'existence officielle dans l'Église au moment où quittaient ce monde deux des évêques les plus marquants de la génération précédente.

L'année 397 avait pourtant mal commencé pour Augustin. Vers la fin de l'hiver, il écrivait à son ami Profuturus qu'il était cloué au lit par une crise d'hémorroïdes – une de ses rares disgrâces –, qui ne lui permettait ni de marcher, ni de se tenir debout, ni d'être assis[b]. De l'âme d'Augustin, nous savons à peu près tout, mais il nous faut imaginer son corps. Est-ce bien nécessaire ? eût-il sans doute protesté. Et il est vrai qu'à la différence d'un Montaigne ou d'un Rousseau, qui laissent peu à deviner de leurs misères, il se livre à cet égard bien chichement à notre curiosité ; en quoi il est le digne héritier d'une longue tradition antique qui répugnait à l'autoportrait physique. Du moins savons-nous par lui cette affection, apparemment pulmonaire, qui lui avait fourni un bon prétexte pour démis-

---

a. *De libero arb.*, I, 32.

b. *Ep.* 38, 1 : « *Ego in lecto sum, nec ambulare enim, nec stare, nec sedere possum,* rhagadis *uel* exochadis *dolore et tumore.* » La médecine était grecque et grecs étaient les mots pour dire les maux ; le premier des deux termes employés évoque une fistule, le second désigne clairement des hémorroïdes externes.

sionner de sa chaire à Milan[a], son seul point faible nettement iden-
tifiable[12], déjà révélé dans l'enfance par cette crise d'étouffements
qui avait un instant fait envisager un baptême *in extremis*[b], et peut-
être aussi par cette fièvre qui l'avait saisi à Rome[c]. Hormis cela, le
« patient » Augustin pouvait mettre une santé globalement bonne au
service d'une puissance de travail et d'une résistance morale et
psychologique exceptionnelles. Cette âme d'acier n'était toutefois
pas logée dans un corps tout à fait de la même trempe : et c'est un
regret qu'on voit parfois lui échapper, comme dans cette lettre écrite
de Thagaste à Nebridius, où il dit à peu près à son ami – qui, lui,
se serait bien contenté d'une telle enveloppe corporelle – que son
pouvoir n'est pas à la hauteur de son *vouloir*[d].

Stendhal disait de M. Leuwen père qu'il ne redoutait au monde
que deux choses : les ennuyeux et l'air humide. Augustin, lui, détes-
tait les voyages et le froid. Pour ce qui est des premiers, il fut servi :
on l'a vu si souvent sur les routes qu'on a pu en faire le sujet d'un
gros livre[13]. Du moins évitait-il de voyager au milieu des froidures
hivernales. Qui n'a pas vu le squelette de pierre de Djemila ou de
Timgad émergeant en janvier d'un linceul de neige ne sait pas ce
qu'est l'hiver en ces hautes plaines parcourues par le vent. Et, sur
la côte, c'est alors une pénétrante humidité que les braseros antiques
chassaient aussi mal que les actuels « kanouns ». Bien naturellement,
cette difficulté à supporter les aigreurs de la mauvaise saison s'est
accrue chez lui avec l'âge ; dans une des nouvelles lettres récemment
publiées, il dira que, début mars – c'était en 420 –, il avait dû
renoncer à cause du froid à se rendre à un concile de sa province,
en Numidie centrale[e]. Et quelques mois avant sa mort – il avait
soixante-quinze ans –, il s'excusera auprès de son collègue l'évêque
Nobilius de ne pouvoir se rendre auprès de lui, en plein hiver, pour
une dédicace d'église ; il le fera avec bravoure, dans un délicieux
madrigal dont la traduction peine à rendre le jeu et la musique des
mots : « Je pourrais venir si ce n'était l'hiver ; je pourrais faire fi de
l'hiver si j'étais jeune : car ou bien la chaleur du jeune âge suppor-
terait la rigueur du temps, ou bien le froid de l'âge serait tempéré
par la chaleur de l'été[f]. »

---

a. *Conf.*, IX, 4 ; *supra*, p. 146.
b. *Conf.*, I, 17 ; *supra*, pp. 35-36.
c. *Conf.*, V, 16 ; *supra*, pp. 91-92.
d. *Ep.* 10, 1, avec un jeu de mots difficile à rendre : « *Huc accedit infirmitas
corporis, qua ego quoque, ut nosti,* non ualeo quod uolo, *nisi omnino desinam*
quidquam *plus uelle quam ualeo.* »
e. *Ep.* 22*, 1, *B.A.*, vol. 46 B, 1987, p. 346.
f. *Ep.* 269 : « *Possem uenire si hiems non esset ; possem hiemem contemnere si*

Pour en revenir au début de l'année 397, Augustin put se remettre de ses misères physiques en ne bougeant pas d'Hippone pendant les semaines du carême et pendant la célébration pascale qui suivit. Être au milieu de ses fidèles pour Pâques fut toujours pour lui une règle sans exceptions. Cette année-là, la fête tombait le 5 avril, le lendemain de la mort d'Ambroise. Ce fut seulement dans la seconde quinzaine du mois qu'il prit la route pour Carthage ; il y restera cinq mois, jusqu'à la fin de septembre. Qu'allait-il y faire ? Jusqu'à une date assez récente, la seule motivation qu'on connût à ce voyage était sa participation au concile général qui se rassembla fin août. Mais le reste du temps ? On doit à la perspicacité de deux savants bénédictins, dans les années trente de notre siècle, d'avoir montré qu'il fallait placer en 397 une série d'une trentaine de sermons que le catalogue de Possidius – ce qu'on appelle l'*Indiculum* –, qui les avait classés dans l'ordre liturgique, disait avoir été prêchés à Carthage entre l'Ascension et la fin d'août [14]. Une bonne partie de ces sermons avaient été identifiés, provenant notamment d'un manuscrit de la Grande-Chartreuse aujourd'hui perdu. Mais une douzaine de ces prêches manquaient encore à l'appel : ils viennent d'être retrouvés, entre autres, dans un sermonnaire des chartreux de Mayence, en Allemagne, où un manuscrit du XVe siècle les présente, reproduits par les copistes médiévaux sans beaucoup d'intermédiaires à partir du manuscrit conservé à Hippone [15].

Cette belle découverte confirme ainsi ce qui a motivé le long séjour d'Augustin à Carthage : la prédication. Il ne put la faire que sur l'invitation expresse d'Aurelius. Il n'est pas trace de cette invitation pour l'année 397, ni dans les sermons déjà identifiés par les savants bénédictins ni dans les « sermons Dolbeau ». Cependant, pour convaincre l'évêque d'Hippone d'abandonner ses fidèles pendant cinq mois, il faut bien qu'il y ait eu un appel fort, une démarche dont on peut imaginer le caractère pressant à la lumière de ce dont nous informe un autre sermon Dolbeau – appartenant celui-là à la collection « Mayence-Lorsch » –, datable de quelques années plus tard. Dans ce prêche prononcé un 23 janvier, en présence d'Aurelius et sans doute dans son église-cathédrale, la *basilica Restituta*, on apprend[a] de la bouche d'Augustin lui-même qu'il avait reçu de son primat, Xanthippus, une convocation à participer à Constantine aux assises d'un concile provincial fixé au 28 janvier. Et il n'omet pas

---

iuuenis essem : aut enim ferret rigorem temporis feruor aetatis, *aut temperaret frigus aetatis* feruor aestatis. »

a. Entre autres : ce texte, en dehors même de son contenu homilétique, est d'une prodigieuse richesse.

de rappeler qu'outre cette convocation il avait de bonnes raisons de se rendre à Constantine, où le pressait instamment de venir Fortunatus, l'évêque de la ville, ordonné dans ce siège après avoir été prêtre à Thagaste, et qui avait fait partie du premier cercle de ses disciples et amis. Et pourtant, poursuit Augustin, « une telle lettre m'est parvenue du frère Aurelius, votre évêque, d'une telle force et d'un tel poids, qu'elle a balayé toutes mes dispositions antérieures[a] ». C'était, ajoutait-il, à la volonté de Dieu qu'il obtempérait en se rendant aux instances d'Aurelius, bien que sa place fût plutôt au concile de Numidie, auprès de son primat, Xanthippus[16].

On ne peut que faire des hypothèses sur l'urgence qui avait suscité le pressant appel d'Aurelius en cet hiver, sans doute 403-404, et déterminé Augustin à entreprendre dans la mauvaise saison, en dépit des répugnances qu'on vient de voir, un voyage beaucoup plus long que celui qui l'aurait conduit à Constantine. On aura l'occasion de voir qu'elle était peut-être due à une concertation nécessaire dans une phase cruciale de la lutte antidonatiste. Au printemps de 397, le primat de Carthage souhaitait tout simplement faire bénéficier ses communautés et ses églises d'un talent qu'il connaissait bien depuis le concile d'Hippone en octobre 393. Il avait d'autant plus de raisons d'inviter à prêcher chez lui un brillant prédicateur qu'il avait lui-même autorisé ses prêtres carthaginois à prendre la parole en sa présence[b] : quel meilleur enseignement pour eux que l'exemple que pouvait leur donner Augustin ?

C'est ainsi que tout l'été de 397 l'évêque d'Hippone, suivi par des secrétaires qui notaient ses paroles, a visité les régions ecclésiastiques de Carthage, prêchant dans ses églises urbaines et suburbaines en respectant un double calendrier, liturgique et martyrologique. Il entama cette campagne de prédication le 6 mai, jour anniversaire de la passion des martyrs de Lambèse, Jacques et Marien, victimes de la persécution de Valérien en 259[c]. Il prit la parole pour l'Ascension, le 14 mai, prêcha deux fois pour la Pentecôte, le 23 mai[d], et à plusieurs reprises en juin[e]. Le 26 juin, Aurelius réunit un synode qui semble avoir été provincial ; mais, bien qu'il ne concernât pas les évêques numides, il est très vraisemblable qu'Augustin y assista. La seule délibération qui en subsiste est le rappel de l'interdiction déjà

---

a. *S. Dolbeau* 2 (= *Mayence* 5), 2, dans *Vingt-Six Sermons au peuple d'Afrique*, pp. 328-329.

b. *Ep.* 41, 1.

c. *S.* 284, *in natali martyrum Mariani et Iacobi*. Sur ces martyrs, cf. Y. DUVAL, *Loca sanctorum Africae*, II, p. 702.

d. *S.* 266 et *S. Dolbeau* 8 (*Mayence* 21).

e. *S. Dolbeau* 9, 10 et 11.

faite aux évêques de voyager outre-mer – essentiellement pour en appeler au pape, à Rome, ou pour se rendre à la cour impériale – sans une autorisation de leur primat. Si son avis fut demandé à l'évêque d'Hippone, il ne put qu'être d'accord, lui qui s'élèvera toujours contre les appels à Rome et ne passera plus jamais la mer, laissant le soin des missions diplomatiques en Italie à ses amis, le plus souvent Alypius et Evodius. Le synode de fin juin eut peut-être aussi pour objet de préparer le concile général auquel deux mois plus tard, le 28 août, Augustin participa pour la première fois en qualité d'évêque délégué de sa province. Entre-temps, il avait prononcé une quinzaine de sermons, dont une petite moitié a été retrouvée dans le sermonnaire de Mayence [17]. Il demeura à Carthage au-delà de la date du concile, puisqu'on sait que les 13 et 14 septembre, veille et jour anniversaire de la passion de saint Cyprien, il prêcha à deux reprises [a], dans l'une des deux « basiliques cypriennes », sans qu'on puisse trancher si ce fut au lieu du martyre – donc sur la *mensa Cypriani*, au lieudit *ager Sexti* –, dans la grande banlieue nord de la ville, non loin de l'actuelle agglomération de La Marsa, ou bien dans la *memoria*, la basilique funéraire des *Mappalia*, qui était elle-même excentrique, en bordure nord de la cité, s'il faut, comme il semble, l'identifier avec le monument connu maintenant sous le nom de basilique Sainte-Monique [18].

On retrouve sans surprise dans ces prêches la trace des inflexions prises peu auparavant dans l'*Ad Simplicianum*. Ainsi pour ce qui est de l'acquisition de la foi, dont le caractère initial – et pour mieux dire « initiatique » –, préalablement à tout mérite dont on pourrait se prévaloir, est nettement formulé dans l'un de ces sermons, prononcé dans la seconde quinzaine de juillet 397. Avant de disparaître par la suite, ce sermon était connu en son temps – au début du VIIIe siècle – de Bède le Vénérable, et précisément le savant moine anglais en avait extrait, pour enrichir l'un de ses commentaires de l'Évangile, la phrase la plus marquante : « Ce n'est pas le mérite de tes bonnes œuvres qui t'a conduit à la foi, mais c'est la foi qui montre le chemin pour que tes bonnes œuvres suivent [b]. » Le texte de *I Co.*, 4, 7, commenté avec force dans la réponse à la deuxième question de Simplicianus [c], intervient dans cette prédication de l'été de 397 comme une référence fréquente. Par exemple

---

a. Les sermons *Denis* 11 et 22.

b. *S. Dolbeau* 14 (= *Mayence* 44), 2 (dans *Vingt-Six Sermons* [...], p. 108). L'extrait de Bède donnait au demeurant un texte plus satisfaisant que le manuscrit de Mayence (*fidem* dans Bède, au lieu de *finem*).

c. *Supra*, pp. 271-272.

dans le sermon prononcé le 21 août en l'honneur de la fête d'un martyr d'Utique, saint Quadratus, dont le nom (le « Carré », ou l'« Équarri ») se prêtait à quelques jolies variations. Mais c'est une autre image qui dans ce texte amène l'idée du don gratuit de la grâce. Pour être dans les ténèbres, dit Augustin, il suffit de fermer les yeux ; mais, pour y voir clair, il ne suffit pas de les ouvrir, il y faut la lumière, qui nous est donnée : « Qu'as-tu, conclut-il, que tu n'aies reçu[a] ? » Dans le *sermon* 160, daté du début de cet été de 397 [19], le texte paulinien bénéficiait d'une orchestration plus large et ce prêche apparaît très proche de l'inspiration qui animait Augustin dans les premières lignes de sa deuxième réponse à Simplicianus[b]. S'adressant aux fidèles de Carthage, il développait, comme il l'avait fait à l'intention du vieux prêtre de Milan, qu'il fallait éviter l'erreur du judaïsme, retranché dans sa prétention d'établir sa propre justice dans l'observance stricte de la Loi et restant ainsi irrémédiablement attaché au vieil homme, et en marge du salut. Plus encore que *I Co.*, 4, 7, la clef de voûte de ce sermon était *I Co.*, 1, 31 : « *Celui qui se glorifie, qu'il se glorifie dans le Seigneur* », associé à *Sg.*, 8, 21 : « *Personne ne peut atteindre à la continence, si ce n'est par un don de Dieu* [20]. »

Mais naturellement, dans ces paroles prononcées devant des fidèles ordinaires, il n'était pas question, comme on pouvait le faire en s'adressant à un vieil homme d'Église, saint personnage par surcroît, d'aller, s'agissant de la foi et de la grâce, jusqu'à ce fond des choses trop propre à pousser à la désespérance des hommes déjà trop enclins à s'y laisser aller. Et, il faut le dire en passant, le peuple de Carthage revit souvent dans le discours de ce prédicateur d'exception. Ces hommes et ces femmes qu'Augustin avait côtoyés sans se poser de questions à leur sujet au temps de sa jeunesse étudiante, qu'il avait revus avec un regard déjà autre, un peu plus distancié, de sa chaire de professeur, il les avait maintenant en face de lui, différenciés certes les uns des autres, mais, aux yeux du pasteur qu'il était devenu, globalement une *massa peccati* dangereusement exposée, qu'il fallait mener à son salut. Carthage était là avec ses multiples tentations de grande ville, qu'il avait éprouvées lui-même sans trop y céder. Mais pouvait-il ne pas replonger dans leur commune jeunesse et ne pas repenser à Alypius, quand il évoquait devant les ouailles d'Aurelius les fanatiques du cirque, qui confondaient l'amour avec leur dévo-

---

a. *S. Dolbeau* 18 (= *Mayence* 50), 5, citant *I Co.*, 4, 7 (dans *Vingt-Six Sermons* [...], p. 214).
b. *Ad Simpl.*, I, qu. 2, 2.

rante passion, et voulaient la faire partager aux autres, l'injure à la bouche pour ceux qu'elle laissait froids[a] ? La vie continuait comme il l'avait connue : les auriges attiraient toujours les foules, et aussi les « chasseurs » dans l'amphithéâtre, lors des grandes chasses dans l'arène – les *uenationes* –, qui commençaient tôt le matin, jamais assez tôt pourtant pour empêcher les vrais amateurs de s'arracher au sommeil, comme il le note avec malice[b]. Parmi ceux-là, que la vue du sang fascinait, comme elle avait aussi fasciné naguère Alypius à Rome, il y avait aussi des chrétiens, qui n'avaient guère dépouillé le vieil homme. Mais, dans le même temps, Augustin faisait aussi l'expérience à Carthage d'hommes et de femmes unis par le mariage et qui parfois, comme ses amis Paulin et Therasia en Italie, cherchaient à vivre cet état dans la continence ; or le mieux pouvait être l'ennemi du bien si cette sublimation n'était pas également recherchée par les deux conjoints : c'était l'occasion et le sujet d'un prêche où l'on voit mises à l'essai, sur « Le bien du mariage », des idées qui seront plus pleinement développées peu après[21].

Augustin savait que la vie était rude pour le petit peuple. Il fallait aussi le faire rêver, comme un évêque peut le faire, sans rien promettre, mais en faisant miroiter l'essentiel. Bien souvent alors, une mort prématurée – à l'aune de nos modernes espérances de vie – venait clore une vie de dur labeur. Augustin prenait l'exemple du soldat qui, lui, au moins, bénéficiait d'une chiche retraite, quand il devenait vétéran au bout de vingt années de service ; mais il lui arrivait rarement, même s'il faisait d'assez vieux os, d'être aussi longtemps au repos qu'il avait été à la peine[c]. Et, s'il mourait au combat, le soldat de ce monde perdait par là-même la récompense espérée, que le soldat du Christ gagnait par cette même mort. Et quelle récompense ! Non pas celle d'un temps de repos égal – ou double, en mettant les choses au mieux – de celui de la peine, mais une récompense hors de toute durée : « En effet, nous nous reposerons non pas là où le temps sera long, mais là où il n'y aura plus du tout de temps. » C'était, bien sûr, de la couronne du martyre que parlait ici le prédicateur, mais il faisait entrevoir à ses auditeurs ce qui suivrait le modeste martyre de leurs vies souvent difficiles, si leur charité leur faisait gagner le ciel.

---

a. *S. Dolbeau* 11 (*Mayence* 40), 8 et 9, dans *Vingt-Six Sermons* [...], pp. 63-64. Cf. *supra*, p. 76, sur Alypius et le cirque.

b. *Ibid.*, 11.

c. *S. Dolbeau* 15 (*Mayence* 45), 4. La durée de service – vingt ans – n'avait pas changé depuis des siècles.

LA MESURE D'AIMER DIEU EST D'AIMER SANS MESURE

Cet amour-charité était précisément le thème d'un des plus beaux sermons de cet été de 397. La lecture de ce jour-là, à la fin de juin ou au début de juillet, avait été la réponse faite par Jésus au Pharisien qui l'interrogeait sur le plus grand commandement : « *Tu aimeras le Seigneur ton Dieu de tout ton cœur, de toute ton âme et de tout ton esprit* », avait répondu Jésus en reprenant les mots de Moïse[a], et c'était, disait-il, le premier et le plus grand commandement. Mais il avait ajouté un second commandement : « *Tu aimeras ton prochain comme toi-même* » ; à ces deux commandements se rattachaient toute la Loi et les Prophètes[b]. Quant à l'Apôtre, dont on avait aussi donné lecture de ce passage de l'*Épître aux Romains*, il disait de son côté que le précepte interdisant de commettre l'adultère, de tuer, de voler et de convoiter se résumait – ainsi que tout autre précepte – en cette parole : « *Tu aimeras ton prochain comme toi-même*[c]. » Au lieu de se compléter, les deux commandements ne risquaient-ils pas de paraître incompatibles ? Et l'insistance de saint Paul sur le second ne revenait-elle pas à vider le premier de sa substance ? Pour résoudre cette difficulté, la démonstration d'Augustin consistait à mettre en évidence qu'il fallait d'abord aimer Dieu pour s'aimer véritablement soi-même, pour aimer non son corps, ni le service en soi des passions, mais son âme : c'est alors qu'on est en mesure d'aimer aussi véritablement son prochain, et de l'entraîner vers des fins dont on ne puisse rougir[d]. Là était la charité : à la fois dans l'amour de Dieu et dans celui du prochain ; l'un ne pouvait aller sans l'autre[e]. Mais, ce double amour, encore faut-il l'avoir, car ce n'est pas un donné humain, mais un don divin. « Gémis, crois, implore, obtiens », dit l'évêque au fidèle en manque de cet amour ; et d'ajouter : « Ce que la loi ordonne, la foi le donne » ; et de citer encore une fois *I Co.*, 4, 7 : « *Que n'as-tu que tu n'aies reçu ?* » mais sans mettre l'accent sur la gratuité d'un don qui pourrait laisser certains en marge de l'élection divine.

Quant à l'amour de Dieu, si la foi nous le donne, il ne connaît pas de limite ; ou plus exactement pas de mesure. De cette nécessaire

---

a. *Dt.*, 6, 5.
b. *Mt.*, 22, 37-40.
c. *Rm.*, 13, 9.
d. *S. Dolbeau* 11 (*Mayence* 40), 11 (*Vingt-Six Sermons* [...], p. 65).
e. *Ibid.*, 13, p. 66.

démesure de l'amour quand il s'agit de Dieu, on avait lu depuis long-temps l'affirmation chez un proche d'Augustin, son concitoyen et ami Severus, dans une lettre que celui-ci lui avait écrite de Milev (Mila), où il avait été ordonné évêque peu après qu'Augustin l'eut été à Hippone. « En cet amour, disait Severus, nulle mesure ne nous est imposée, puisque la mesure de cet amour est d'aimer sans mesure[a]. » De ce mot si augustinien, dont on connaît un écho – qui pourrait être une rencontre – chez saint Bernard, on soupçonnait depuis longtemps aussi que son auteur pouvait bien être Augustin lui-même. Et, de fait, c'est dans le sermon ci-dessus brièvement analysé que se trouve la formulation originale[b] de ce qui, dans la lettre de Severus, est une citation, faite – on s'en assure aisément si l'on relit la lettre – après lecture de ce sermon reçu par lui – et probablement par d'autres aussi – en même temps que les autres prêches de cette campagne de prédication de l'été de 397, diffusés par les soins d'Aurelius, plutôt que par ceux d'Augustin. Il ne fallait pas que cet enseignement par l'exemple bénéficiât au seul clergé carthaginois.

Qui visite aujourd'hui le site de Tipasa, une fois parvenu à la limite ouest de la ville antique, à la hauteur de la grande basilique chrétienne, franchit le rempart par une poterne au bord de la falaise. Devant lui, fermant l'horizon, le Chenoua s'allonge dans la mer. La basilique funéraire de l'évêque Alexandre n'est pas loin. Le visiteur chemine maintenant au milieu des pins et des lentisques dans le domaine des morts, partout présents, mais « rentrés dans le jeu » et ici si peu crédibles en tant que morts. C'est là, dans cette terre si charnellement fascinante pour les vivants, qu'à un détour du sentier il voit surgir des armoises une simple stèle de pierre portant gravés ces quelques mots : « Je comprends ici ce qu'on appelle gloire : le droit d'aimer sans mesure[c]. » Peu après sa disparition, les amis d'Albert Camus avaient ainsi voulu pérenniser le témoignage de celui qui, jeune homme, avait lu saint Augustin[22], mais venait à Tipasa reconnaître le parfum des dieux dans l'odeur des absinthes, et goûter comme Sisyphe « l'eau et le soleil, les pierres chaudes et la mer ». Naturellement, l'auteur de *Noces* n'avait pu lire le *sermon Dolbeau* 11, et pour cause. Et il y a peu de chances que la lettre de Severus lui soit tombée sous les yeux[23]. « Le droit d'aimer sans mesure » qu'il affirmait à Tipasa était parfaitement profane. Est-il

---

a. *Ep.* 109, 2 : « *In quo iam nullus nobis amandi modus imponitur, quando ipse modus est sine modo amare.* »

b. *S. Dolbeau* 11, 9 (*Vingt-Six Sermons* [...], p. 64) : « *Amandi deum modus est sine modo <amare>. Ama ergo* »... Il faut restituer *amare*, que le copiste de *M* a sauté (saut du même au même) devant *ama ergo*.

c. A. Camus, *Noces*, Gallimard, 1950, p. 19.

pourtant permis de l'identifier comme l'écho lointain, exténué et réfracté dans une conscience délibérément agnostique[24], comme l'avatar appauvri d'une parole magnifique à qui sa réduction aux strictes dimensions de l'humain a fait perdre sa fulgurance ?

LA CULTURE CHRÉTIENNE

C'est également en cette période de si effervescente activité, probablement à l'automne de 396 et dans l'hiver qui suivit, qu'Augustin s'attela à une tâche dont il reconnaissait lui-même qu'elle était « grande et ardue[25] », sans savoir encore qu'il ne la mènerait pas immédiatement à son terme. Il est assuré qu'il était déjà parvenu au printemps de 397 à la fin du livre II de son *De doctrina christiana* puisque, y citant ceux qui, de Cyprien à Hilaire de Poitiers, avaient su faire leur miel du meilleur du paganisme, en passant, dit-il, sous silence les vivants[a], il omet Ambroise de Milan, qui disparaîtra le 4 avril, et dont il apprendra la mort quelques semaines plus tard en arrivant à Carthage.

Augustin s'était mis au travail à l'instigation d'Aurelius. Bien que le titre de l'ouvrage n'y soit pas mentionné, il est quasi certain que c'est du *De doctrina christiana* qu'il s'agit dans la lettre que l'évêque d'Hippone adressait – en s'associant Alypius – dans le courant de 396 à l'évêque de Carthage : « Je ne néglige pas ce que tu m'as ordonné et, au sujet des sept Règles ou Clefs de Tyconius, j'attends, comme je te l'ai souvent écrit, de connaître ce que tu en penses[b]. » On sait ce qu'Augustin devait déjà à Tyconius, découvert dès l'époque où il était encore prêtre[c]. Bien que son indépendance d'esprit l'eût fait condamner par les siens, Tyconius sentait quand même un peu le soufre. Dans le contexte de la lutte antidonatiste qui mobilisait l'Église catholique et exigera d'elle vis-à-vis des gens de la secte une forte discipline au moins jusqu'en 411, Augustin devait se montrer prudent, et plus encore Aurelius. D'une réponse de ce dernier aux demandes réitérées de l'évêque d'Hippone à propos des « Règles » de Tyconius, nous n'avons pas trace. Et Augustin attendra 427 et le complément qu'il donnera alors à son ouvrage pour se livrer à une longue analyse critique du *Liber regularum* du théologien donatiste. Ce qui ne l'empêchera pas, entre-temps, de le citer et parfois de recommander sa lecture[26].

a. *Doctr. chr.*, II, 61.
b. *Ep.* 41, 2.
c. *Supra*, pp. 256-257.

Avec ce livre, après s'être essayé à plusieurs reprises, et avec des succès divers, à l'exégèse de l'Ancien et du Nouveau Testament, et après avoir fait les débuts éclatants qu'on vient de voir comme praticien de la prédication chrétienne, Augustin redevenait professeur. Mais l'intitulé de la chaire avait changé. Les textes au programme n'étaient plus ceux de Cicéron ou de Virgile, ni même des néoplatoniciens ; c'était la Bible, et c'était d'herméneutique chrétienne qu'il s'agissait. Mais si l'auteur à expliquer n'était plus Virgile, il fallait toujours, et peut-être plus que jamais, un bon guide pour y entrer. Quatre ou cinq ans plus tôt, on s'en souvient, Augustin avait insisté à l'adresse de son ami Honoratus sur la nécessité d'une introduction magistrale aux Écritures[a]. Il faut croire que dans l'entourage du nouvel évêque on supportait parfois mal ce magistère, ou tout au moins qu'on n'en voyait pas toujours l'utilité. Ainsi s'expliquerait le ton parfois surprenant de l'« avant-propos » du livre : l'auteur y disait son intention de livrer des règles d'interprétation à ceux qui se montreraient « désireux et capables » de les apprendre[b]. Ce qui voulait dire, mais c'était précisé immédiatement, qu'on s'attendait à des réticences et à des critiques. Des détracteurs qu'il prévoyait, Augustin récusait particulièrement, avec autant d'évidente ironie que de révérence affichée, ceux qui, forts d'une inspiration divine, prétendaient lire les textes sacrés sans le secours d'aucune règle : ces « charismatiques » avaient pourtant bien appris leur langue maternelle à force de l'entendre, et le grec et l'hébreu, s'ils savaient aussi ces langues, pour les avoir étudiées. Libre à eux de ne pas faire apprendre ces langues à leurs enfants, dans l'espérance qu'il leur adviendrait, comme il était advenu aux apôtres, remplis de l'Esprit saint sur eux descendu, de parler eux aussi sans effort les langues de toutes les nations[27] !

Passé cet « avant-propos », les premières lignes de l'ouvrage en livraient le plan d'ensemble. Pour traiter des Écritures, disait l'auteur, il faut d'abord déchiffrer ce qu'elles donnent à entendre, puis envisager la manière de rendre ce qu'on a compris. D'abord donc la découverte, ensuite l'expression[c]. Il n'abordera pourtant aux modalités de cette dernière qu'à la fin de sa vie, quand, trouvant au beau milieu de ses *Révisions* son ouvrage inachevé, il en terminera toutes affaires cessantes le troisième livre, qu'il avait laissé en suspens, et écrira dans le même élan un livre supplémentaire pour venir

---

a. *De utilitate credendi*, 13 ; *supra*, p. 220.

b. *Doctr. chr.*, prologus, 1 : « *Haec tradere institui uolentibus et ualentibus discere* ».

c. *Doctr. chr.*, I, 1.

à bout du projet élaboré trente ans auparavant : « J'ai ajouté, écrira-t-il, encore un dernier livre et j'ai ainsi achevé cet ouvrage en quatre livres : les trois premiers aident à comprendre l'Écriture, le quatrième à exposer ce qu'on a compris[a]. » Très remarquable fidélité à ses engagements d'un vieil homme recru de fatigues – il avait alors soixante-treize ans –, qui avait entre-temps répondu par la pratique, par toute une vie d'action pastorale et de prédication, aux questions qu'il posait sur un plan théorique au début de son épiscopat. Le livre IV du *De doctrina christiana* se présentera ainsi à nous avec toute la richesse que comporte le bilan d'une longue expérience[b].

Pour en rester provisoirement à ce qui en fut écrit en 396/97, il y a bien des lectures à faire des deux premiers livres et du début du troisième[28]. En sa visée originelle, il s'agit certes d'un « manuel » destiné plus particulièrement à la formation des clercs, et c'est dans cet esprit qu'Aurelius pouvait en « passer commande » à l'auteur. Mais il est vrai que l'élargissement qui se dessine dans le livre II peu après son commencement et qui, s'accentuant par la suite, amène Augustin à faire entrer dans le champ de son « Institution chrétienne » les sciences et les disciplines profanes suggère avec force que les « jeunes gens studieux et bien doués, craignant Dieu et en quête de vie heureuse » auxquels s'adresse alors l'auteur[c] débordent le cadre étroitement compris d'un « séminaire », au sens ecclésiastique. Et ainsi H.-I. Marrou n'a pas eu tort d'y voir, plus largement, un programme de culture chrétienne, ou plutôt, peut-être, un programme de « culture traditionnelle classique *in usum christianum conuersa*[29] ». Cela supposait une appropriation adéquate de l'héritage culturel du paganisme. Augustin illustrait ce thème avec éclat en reprenant l'exégèse des textes de l'*Exode* qui avaient déjà retenu son attention quelques années auparavant : à leur départ d'Égypte, mettant à profit les conseils de Moïse, les enfants d'Israël avaient emporté les bijoux d'or et d'argent que les Égyptiens leur avaient confiés imprudemment (*Ex.*, 3, 22 et 12, 35-36). Il en avait d'abord donné une exégèse littérale, qui consistait à dire que Dieu avait permis que le peuple d'Israël reçût ainsi compensation du labeur et des peines supportées en Égypte[d]. Mais maintenant, la justification du geste rapporté dans l'*Exode* était plus profonde : de ces richesses les Égyptiens avaient fait mauvais usage, et il était légitime qu'elles passassent aux mains de meilleurs possesseurs. Il en était de même

---

a. *Retract.*, II, 4, 1.
b. Cf. *infra*, pp. 644-648.
c. *Doctr. chr.*, II, 58.
d. *De diu. quaest. LXXXIII*, qu. 53, 2.

des arts libéraux, dont la « récupération » était licite et justifiée[a]. Peu après, se remémorant dans les *Confessions* comment il avait « converti » à son usage l'apport des *libri Platonicorum*, qu'il venait de lire, Augustin reprendra cette métaphore de l'or égyptien, qui appartient en dernier ressort à Dieu, où qu'on le trouve[b].

Même compte non tenu des compléments apportés par Augustin à l'époque des *Révisions*, la foisonnante richesse du *De doctrina christiana* autorise des angles d'attaque très variés. Essentielle est toutefois la perception de l'armature conceptuelle qui fournit à l'ouvrage sa solide charpente. Deux binômes, l'un distinctif, l'autre normatif, structurent en interférant entre eux l'ensemble des deux premiers livres, dès les premiers chapitres. Le premier est l'opposition *res/signa*, les choses et les signes : parmi les choses figurent au premier chef les réalités qui sont l'objet de l'enseignement chrétien, le contenu et les articles de la foi, longuement développés et détaillés dans le premier livre ; quant aux signes, dont Augustin donne au début du livre II une définition théorique qui permet parfois de le présenter comme le « père de la sémiotique[30] », ils sont constitués par le langage scripturaire, qu'il faut savoir lire – d'abord au premier degré – et souvent déchiffrer pour parvenir aux réalités du christianisme. Mais intervient aussitôt le second couple, la distinction essentielle du *frui* (la jouissance) et de l'*uti* (l'usage). Les choses, dit Augustin, réalités matérielles et spirituelles mêlées, se proposent à l'homme. Mais il lui appartient, avec l'aide de la grâce, de faire le départ entre celles dont il peut jouir et celles dont il doit seulement user, et seules les réalités spirituelles qui sont de l'ordre du divin sont aussi de l'ordre du *frui*[c]. S'ensuit dès les premières pages de l'ouvrage une forte intrication entre dogme et morale. Aux vérités dogmatiques relatives à Dieu – un et trine, intemporel et immuable – répondent les vérités morales que l'homme met en pratique dans sa vie, si, au lieu de s'en servir pour elle-même, il s'en sert en vue de la seule jouissance qui vaille[d]. Mais – faut-il l'ajouter ? – la jouissance de ce bien suprême n'est pas de ce monde. Les fins dernières, dont les textes bibliques, bien entendus, fournissent les clefs, ne seront atteintes que dans la « patrie ». Augustin reprenait la métaphore du voyage, dont il s'était souvent servi, après d'autres, pour illustrer son propre parcours[e], mais maintenant infléchie par sa lec-

---

a. *Doctr. chr.*, II, 60-61.
b. *Conf.*, VII, 15.
c. *Doctr. chr.*, I, 2-4 et 20.
d. *Ibid.*, I, 20, 37, 39.
e. Cf. *supra*, pp. 63 et 154.

ture de saint Paul (*II Co.*, 5, 6). Il ne fallait surtout pas confondre l'exil et le royaume, mais se préparer par un « usage » judicieux de cet exil terrestre au retour vers la « patrie », et à des jouissances dont le monde sensible, créé par Dieu, n'offrait que des images si imparfaites[a]. On était décidément bien loin du temps de la dix-neuvième année, quand la lecture de l'*Hortensius* avait lancé l'étudiant carthaginois à la poursuite d'un *summum bonum* à goûter sur cette terre, avec l'aide de la raison.

Dans ce cadre « téléologique » et théologique si fortement agencé, Augustin avait placé dès l'origine de son entreprise un contenu « pédagogique » dont le succès sonnera le glas des pratiques les plus contestables du paganisme ordinaire[31], et dont la diffusion aboutira tantôt à banaliser, au moins à « séculariser » la culture classique traditionnelle[32], tantôt à en donner une interprétation chrétienne, pour finalement nourrir pendant des siècles le Moyen Âge occidental[33]. Mais qu'en fut-il dans l'immédiat ? De l'aveu même d'Augustin, lors de l'inventaire de sa bibliothèque en 426, l'exemplaire de cet ouvrage qui y figurait fut trouvé par lui non seulement inachevé, mais arrêté au beau milieu d'un développement, après une citation de *Luc*, 13, 21[b]. En cet état, le livre était à coup sûr impropre à la publication. On le voit cependant cité une fois, dans le *Contra Faustum*, pamphlet antimanichéen qu'on date de 398/99 : il fallait donc bien qu'il eût bénéficié d'un minimum de diffusion. L'étude de la tradition manuscrite du *De doctrina christiana* confirme une édition d'abord limitée aux deux premiers livres, qui figurent dans un manuscrit de Saint-Pétersbourg – écrit à Carthage vers le milieu du Ve siècle –, à la suite des trois premiers ouvrages composés par Augustin après son ordination épiscopale[34]. On est ainsi porté à penser qu'au printemps de 397, partant pour Carthage, il avait emporté avec lui, transcrite sur un *codex* par les soins du *scriptorium* ecclésiastique d'Hippone, toute sa production depuis son élévation à l'épiscopat, notamment ce qu'il avait pu, à cette date, mener à bien de son dernier ouvrage[c], dont l'élaboration lui avait été au moins suggérée par Aurelius. Là-dessus avait commencé sa brillante campagne de prédication, poursuivie durant tout l'été. L'évêque de Carthage, pourtant à l'origine du traité théorique, a-t-il voulu privilégier la diffusion des sermons, préférant l'éclatante démonstration du prédicateur aux leçons du professeur, dont le « manuel » était resté

---

a. *Doctr. chr.*, I, 4.

b. *Retract.*, II, 4, 1. L'ouvrage s'arrêtait alors à III, 35.

c. Avec une transcription volontairement interrompue à la fin du livre II pour d'évidentes raisons de présentation.

incomplet et apparaissait par surcroît alourdi des raideurs peu diplomatiques de son « avant-propos » ? C'est une hypothèse qu'on peut
formuler[35].

Demeurée assez confidentielle, la « version courte » du *De doctrina christiana* n'a pas été perdue. Au milieu du Ve siècle, un clerc
la retrouva dans la bibliothèque épiscopale d'une Carthage devenue
entre-temps vandale, et en fit faire une copie. Et c'est cette copie –
au reste assez fautive – qu'un autre clerc, échappant par l'exil aux
persécutions ariennes, fit un peu plus tard – fin du Ve, début du
VIe siècle ? – passer en Europe, où elle séjourna longtemps dans les
collections de l'abbaye de Corbie, avant d'échouer à Saint-Pétersbourg. Mais, vers la même époque, peu après la mort d'Augustin,
survenue en 430, l'ensemble de la bibliothèque épiscopale d'Hippone fut transporté à Rome et, parmi les livres ainsi sauvés, figurait
l'exemplaire original en quatre livres du *De doctrina christiana*,
achevé par son auteur en 426/27, et qui n'avait guère eu le temps
de circuler beaucoup en Afrique même. Sur ce fabuleux transfert, si
lourd de conséquences pour la formation intellectuelle du monde
médiéval, on aura l'occasion de revenir.

Chapitre XX

Les *Confessions*

Les grands livres viennent à leur heure, surtout lorsqu'ils sont dépositaires d'une parole irremplaçablement personnelle qui prend son plus grand sens dans le cadre d'un moment étroitement circonscrit d'une vie. Tel est bien le cas des *Confessions*. N'aurait-on pour les dater que les *Révisions*, et le créneau chronologique imprécis qui par elles leur est assigné, qu'on n'imaginerait pas de les placer sensiblement plus tard dans les années vécues dans l'épiscopat par un homme qui ne s'appartenait plus et qui, passé l'éclat d'un dévoilement qui ne comporte aucune vaine complaisance à soi-même, renoncera pour toujours à prendre son *ego* pour sujet d'un discours à la première personne, si ce n'est dans ses lettres, et pour la part que toute correspondance laisse à la confidence et à la réflexivité. Pour nous, et depuis des siècles, et pour une large gamme de lecteurs, entre ceux qui les parcourent hâtivement pour y retrouver le fil d'une existence et y surprendre des confidences sur « un cœur mis à nu », et ceux qu'émerveille l'héroïque accomplissement d'une âme d'exception dans son dialogue avec Dieu, les *Confessions* sont le livre majeur de saint Augustin. À juste titre, et sans encore parler de la dimension incantatoire de ce long poème. Mais aux yeux de son auteur lui-même, resté malgré tout homme de lettres, mais si peu « gendelettre », tenant, sinon pour nulle, du moins pour dépassée et vaine son *historiola* personnelle à partir du moment où il en avait témoigné ? À peu de mois de sa mort, il constatait que de toutes ses œuvres celle-là était celle qui avait rencontré l'audience la plus large, et la plus favorable[a] ; mais pour savoir de quel œil le vieil évêque relisait ses *Confessions*, le mieux est encore d'ouvrir les *Révisions* à la courte page qui leur est consacrée : une notice parmi les plus brèves. Avec un recul de près

---

a. *De dono perseuerantiae*, 53.

de trente années, il ne les reniait certes pas, mais n'éprouvait pas non plus le besoin, évident dans le cas de beaucoup d'autres œuvres, d'y revenir longuement, ni pour les justifier ni pour y trouver à redire[a].

Il en retenait ce qui lui paraissait toujours l'essentiel, une louange de Dieu propre à tourner vers lui l'esprit et le cœur des hommes : telle avait été sa motivation en écrivant et tel était encore l'effet qu'il en ressentait à la relecture. Ce qu'en pensaient les « autres », comme il dit, c'est-à-dire les incroyants, le laissait indifférent, l'important étant pour lui que ces treize livres des *Confessions* aient plu et continuent à plaire à de nombreux « frères[b] ». Mais, au soir de sa vie, l'évêque n'aurait certainement pas écrit ce témoignage dont il avait éprouvé l'impérieuse nécessité à mi-parcours de sa vie. Au beau milieu de ses *Révisions*, il avait fait une pause, nous l'avons vu, pour compléter son *De doctrina christiana* laissé inachevé. Et reprenant son livre avec l'analyse des *Règles* de Tyconius, il en arrivait au commentaire évangélique – dans *Luc*, 17, 28-33 – de l'erreur commise par la femme de Lot lorsqu'elle était retournée en arrière. Et il glosait ainsi l'interdiction qu'elle avait transgressée pour sa perte : ne pas regarder en arrière, c'est-à-dire ne pas soumettre à examen la vie à laquelle on a renoncé[c]. Pour l'évêque septuagénaire, un regard rétrospectif sur son parcours personnel, qui touchait à sa fin, en ce monde, n'était plus de saison. Plutôt que de s'engager dans une entreprise qui se fût alors apparentée à des « Mémoires », il y avait mieux à faire, maintenant que l'œuvre était achevée ou en passe de l'être : faire porter sur elle ce regard rétrospectif, embrasser l'ensemble du monument qu'il s'apprêtait à léguer, en faire l'autocritique, le défendre aussi et le justifier parfois. Comme on a pu le dire d'un mot juste, « les *Révisions* sont les *Confessions* de la vieillesse d'Augustin[1] ». Le paradoxe est qu'il y ait été si rapide et si discret sur l'œuvre de sa maturité qui lui assure une place unique dans la littérature universelle, laissant à ses lecteurs le soin d'y trouver les raisons pour lesquelles il s'en était fait, au début de son épiscopat, une ardente obligation.

---

a. Si ce n'est pour reprendre l'expression, qui lui paraît maintenant « amphigourique », de sa douleur lors de la perte d'un ami de jeunesse (*Conf.*, IV, 11) et pour revenir sur la définition qu'il donnait alors du « firmament » dans la Création divine (*Conf.*, XIII, 47) : cf. *Retract.*, II, 6, 2.

b. *Retract.*, II, 6, 1.

c. *Doctr. chr.*, III, 54. Même idée déjà sur ce thème en *Cité de Dieu*, X, 8.

LA DATE ET LA GENÈSE DES *CONFESSIONS*

On s'accorde à dater, de façon large, les *Confessions* entre la fin de 397 et 401[2]. Premier terme de cette « fourchette » : la mort d'Ambroise, mentionné comme défunt lorsque Augustin, au début du livre VIII, évoque le rôle joué par Simplicianus dans sa propre conversion[a] ; or nous savons que la mort de l'évêque de Milan est intervenue le 4 avril 397, et les mois qui suivirent immédiatement sont exclus, car Augustin, occupé par sa prédication à Carthage jusqu'au début de l'automne cette année-là, n'a pu se lancer avant son retour à Hippone dans une entreprise aussi absorbante. On admet ainsi aisément que la partie « autobiographique », c'est-à-dire les neuf premiers livres, qui composent un ensemble « narratif » homogène, a pu être rédigée en l'espace de quelques mois à partir de la fin de l'année 397. Augustin a-t-il alors marqué un temps d'arrêt ? Au début du livre X, il fait clairement allusion à l'effet – bénéfique – de ses *Confessions* sur ceux qui les lisent ou qui les entendent : elles remuent le cœur, elles l'empêchent de s'endormir dans le désespoir et de dire : « je ne puis » ; quant aux « bons », ils prennent plaisir à entendre parler des fautes commises dans le passé par ceux qui en sont désormais libérés[b]. C'est pour ceux-là qu'il consentira à se révéler tel qu'il est maintenant[c], en négligeant d'autres lecteurs, « race curieuse de connaître la vie d'autrui, paresseuse à corriger la sienne[d] ! » Par là même, il faisait savoir que l'œuvre, au point où il l'avait menée, était parvenue à la connaissance d'un public à deux visages, ce qui suppose un début de diffusion, par la circulation d'un exemplaire mis au net, accessible à plusieurs catégories de lecteurs, et probablement aussi d'un nombre limité de copies. Mais il ne s'ensuit cependant pas que l'auteur se soit pour autant longuement arrêté dans son travail de rédaction.

Certains indices engagent même à penser que le livre X, où il se révèle tel qu'il est à présent, et les livres XI à XIII, consacrés aux Écritures, n'ont pas tardé à suivre. Il faut revenir à cet échange de lettres entre Augustin et son ami Severus, l'évêque de Milev (Mila), dont on a vu qu'il est consécutif à la prédication carthaginoise de l'été de 397, mais sans en être dans le temps aussi éloigné qu'on a

---

a. *Conf.*, VIII, 3.
b. *Conf.*, X, 4.
c. « *Indicabo me talibus* », trois fois répété en *Conf.*, X, 5-6.
d. *Conf.*, X, 3.

pu le penser. D'une tout autre trempe qu'Alypius, le doux Severus n'était pas moins cher à Augustin. Recevant de lui une lettre à la fois rhétorique et touchante, Augustin répondit en termes bien propres à mettre un peu de baume au cœur de Severus, qui supportait assez mal la distance qui le séparait de son soleil : leurs âmes, lui disait-il, n'en faisaient qu'une[a] ; et il faut croire que cette façon pour lui si valorisante qu'avait l'évêque d'Hippone de s'adresser à son ami était notoire, puisqu'un des correspondants d'Augustin demeurés anonymes, lui écrivant à cette époque son regret de n'avoir pu le rencontrer, se consolait en ajoutant qu'ayant du moins trouvé Severus il avait trouvé « la moitié de son âme[b] ». Au-delà des réalités affectives, le mot était éminemment littéraire : c'est celui qu'Horace avait employé à l'égard de son ami Virgile, dans l'inquiet pressentiment d'une mort qui de fait avait frappé le poète à son retour de Grèce, et c'est bien ce même mot qui dans les *Confessions* revenait sciemment à Augustin quand il pleurait au livre IV la perte à Thagaste d'une amitié qui lui avait été chère[c]. Mais il y a dans l'écriture des *Confessions* d'autres points de contact avec cet échange épistolaire des lettres 109 et 110, qu'il apparaît licite de dater au plus tard de l'année 398[3]. Particulièrement remarquables sont dans la réponse faite par Augustin à son ami des formules qui font écho, très précisément, aux préoccupations qui sont les siennes au début du livre XI, et à la façon dont il les exprime. On le voit ainsi regretter de manquer de temps pour rendre grâces à Dieu de l'avoir fait apte à prêcher sa parole : « *Les gouttes de temps*, dit-il, me coûtent cher », et un peu plus loin, il dira qu'il ne veut pas que servent à autre chose qu'à la méditation et à l'exposition de la parole divine les heures où il se trouve libéré du *service* qu'il doit aux hommes[d]. C'est presque terme pour terme qu'il s'excuse auprès de son ami Severus de ne pouvoir lui adresser une plus longue lettre : « Tu sais, lui écrit-il, qu'en raison des *nécessités de mon service* bien peu nombreuses sont *les gouttes que le temps distille* pour moi[e]. » À défaut d'indications précises et irréfutables, les présomptions sont donc fortes qu'ait été mené à son terme sensiblement avant 401 l'ouvrage commencé à la fin de 397.

Même s'il n'échappe à personne que pareille œuvre, plus qu'aucune autre, a été dictée par une exigence intérieure, on s'est

---

a. *Ep.* 110, 4 : « *cum sis altera anima mea, immo una sit anima tua et mea* ».
b. *Ep.* 270.
c. *Conf.*, IV, 11.
d. *Conf.*, XI, 2.
e. *Ep.* 110, 5.

parfois efforcé d'en retracer la genèse et donc d'en déceler les causes prochaines, sinon, de façon plus hasardeuse, les motivations circonstancielles. C'est là que la chronologie reprend ses droits et qu'il faut y replacer tout ce qui dans la vie d'Augustin put alors avoir une action initiatrice ou incitative ; entre autres et surtout ses relations avec Paulin de Nole. Depuis quelques décennies, grâce aux travaux de Pierre Fabre et de Pierre Courcelle notamment[4], on connaît mieux la naissance de cette amitié, les fantaisies et les lenteurs postales qui, entre Nole en Campanie et Hippone, *via* Carthage, la contrarièrent, et les raisons probables du long silence de Paulin, dont Augustin souffrit, et qui dut jouer son rôle dans une première diffusion de la longue première partie des *Confessions*.

C'est Alypius, apparemment touché d'abord par une première initiative épistolaire de Paulin, qui avait jeté les bases de ces relations en lui adressant, en 394, cinq écrits antimanichéens d'Augustin ; il demandait en échange à Paulin de lui faire tenir une copie des *Chroniques* d'Eusèbe de Césarée, qu'il savait accessibles à son correspondant. Paulin s'y prêta de bonne grâce et demanda qu'en retour Alypius voulût bien lui écrire l'histoire de sa vie selon les règles habituelles des biographies : en précisant ses origines familiales et locales, les étapes de sa formation, comment et par quelles voies il s'était converti et était parvenu au sacerdoce[a]. Il n'y avait aucun risque que celui qui était ainsi sollicité y vît une indiscrétion incongrue, ni l'effet d'une simple curiosité « mondaine » : ces hommes en quête de la « vie parfaite » éprouvaient un besoin sincère d'échanger entre eux des récits « édifiants » sur leurs itinéraires respectifs et leurs expériences religieuses. Là-dessus, en dépit de quelques contretemps dus aux inévitables retards de transmission et aux chassés-croisés qu'ils entraînaient, des relations épistolaires directes s'étaient établies entre Paulin et Augustin, un peu avant l'accession de ce dernier à l'épiscopat. La longue lettre que Paulin reçut vers la fin du printemps de 395 n'est pas seulement un superbe morceau de littérature épistolaire, c'est aussi un bel exemple de cette communication des consciences que l'attention portée à un autrui que l'on ne connaissait pas, mais que l'on savait spirituellement très proche, pouvait établir avec des mots. Augustin recommandait à son correspondant son cher Licentius, dont il désespérait un peu[b] ; et comme Alypius n'osait, par modestie, écrire l'autobiographie demandée, il assurait Paulin qu'à la prière de l'intéressé il s'acquitterait lui-même

a. PAULIN, dans AUG., *Ep.* 24, 4.
b. *Ep.* 27, 6.

de cette tâche[a]. Là-dessus était intervenue l'ordination épiscopale à Hippone, suivie d'un long silence du côté de la Campanie. La phrase par laquelle Paulin, dans une lettre adressée à Romanianus, a salué, comme il le dit, non une « succession », mais une « accession » à l'épiscopat du vivant même du titulaire – « qui aurait pu le croire, dit-il, avant que cela ne se fît[b] ? » – traduirait-elle, plus que de la surprise, une véritable réprobation ? On l'a pensé, sur des bases fragiles, tout de même qu'on a supposé que s'étaient fait sentir jusqu'à Nole les remous causés par cette ordination, le mauvais vouloir affiché par Megalius, ainsi que les commentaires déplaisants issus des milieux donatistes dès l'époque de l'événement[5]. Ce qui est certain, c'est que de ce silence Augustin souffrit jusqu'à une impatience qu'un court billet porté par Severus en Campanie vers la fin de l'été de 397 laisse percer : était-il possible de le laisser, lui et son entourage, dans une telle « soif », pendant deux étés, deux étés africains, par surcroît[c] ?

Quoi qu'il en soit des raisons de cette intermittence, elle semble bien avoir pris fin assez rapidement. Il n'est guère douteux que Paulin ait figuré, sans doute dès 398, parmi les destinataires de l'édition limitée qu'Augustin donna, nous l'avons vu, à la première partie « autobiographique » des *Confessions* : il était évidemment du nombre de ces ascètes, épargnés dans leur jeunesse par les débordements dont s'accuse l'auteur, qui, dit-il, riront souvent de lui – avec indulgence et affection, espère-t-il – à la lecture de son texte[d]. Et, de fait, lisant les *Confessions*, Paulin y trouva à peu près ce qu'il avait demandé quelques petites années auparavant à Alypius : une « notice biographique » de l'évêque de Thagaste, insérée certes dans la propre trame biographique d'Augustin, mais comme un excursus, comme un texte ayant en soi sa justification, pour la partie du moins de leur commune jeunesse où l'aîné pouvait jeter sur le cadet un regard encore extérieur[e] ; car ensuite, que ce fût encore en Italie ou après le retour en Afrique, leurs cheminements s'étaient à ce point confondus qu'Augustin ne pouvait plus parler de son ami sans parler aussi de lui-même. Dans la mise en œuvre de cette synergie entre grâce et libre arbitre qu'étaient la conversion, puis le choix de la « vie parfaite », Alypius lui avait été étroitement associé, et son cas ne pouvait être traité à part.

---

a. *Ibid.*, 5.

b. Paulin, dans Aug., *Ep.* 32, 2.

c. *Ep.* 42.

d. *Conf.*, V, 20, *in fine*. Cf. aussi II, 15, où l'on peut voir comme un portrait du *spiritalis* qu'était Paulin.

e. *Conf.*, VI, 11-16.

En la personne de Paulin de Nole et par le biais de ses désiderata, le milieu ascétique italien peut ainsi être considéré comme à l'origine des *Confessions*, dans l'une de ses motivations circonstancielles. Mais on peut déceler dans l'histoire de toute grande œuvre de tels facteurs déclenchants ou incitatifs dont la prise en considération éclaire la genèse, mais laisse intact le problème de la signification. Sans doute aussi peut-on dire, de façon plus fondamentale, qu'Augustin n'aurait pas conçu ce livre de la même façon avant le grand tournant qu'ont été pour lui l'*Ad Simplicianum* et la révélation du primat de la grâce, que les *Confessions* illustrent si magnifiquement. En revanche, il faut résister résolument aux suggestions de ceux qui ont voulu y voir un plaidoyer *pro domo* : Augustin s'y serait défendu contre ceux qui contestaient la réalité de son baptême, puis la validité de son ordination épiscopale, et le vilipendaient pour son passé manichéen. Singulière apologie de soi-même que celle d'un homme qui toujours s'accuse au lieu de s'excuser[6] ! En réalité, ce fut le récit des *Confessions* qui donna des armes aux détracteurs d'Augustin en Afrique, singulièrement les donatistes. Et l'auteur en était parfaitement conscient.

STRUCTURE ET FINALITÉ DES *CONFESSIONS*

Dans les *Révisions*, Augustin a indiqué la perception qu'il avait de l'œuvre dans son ensemble : « Du premier livre au dixième, dit-il, il est question de moi ; dans les trois autres livres, il est question des Écritures saintes, depuis ces mots : "Au commencement Dieu fit le ciel et la terre", jusqu'au repos du sabbat[a]. » Aujourd'hui le lecteur[7], d'accord avec l'auteur pour mettre à part les livres XI à XIII, introduit légitimement une distinction entre les livres I à IX, qui constituent une partie rétrospective, « autobiographique », embrassant une tranche de vie nettement délimitée – de la première à la trente-troisième année –, et le livre X, « introspectif » et notant au présent l'état de l'âme d'Augustin au moment où il écrit les *Confessions*. Il discerne donc, dans une œuvre qui présente une indiscutable unité de fait, trois parties inégales par le volume et l'importance. En termes de « plan », se présente à lui un ensemble qu'il peut juger déséquilibré, au moins hors norme, s'il l'aborde pour ainsi dire de l'extérieur, et selon les canons classiques.

On s'est ainsi beaucoup évertué sur le « plan » des *Confessions* en les considérant comme un « objet littéraire » parmi d'autres dans

---

a. *Retract.*, II, 6, 1.

le vaste champ des littératures de l'Antiquité. Et d'abord dans leur globalité : pourquoi treize livres, distribués en 9+1+3 ? Rapportée aux préoccupations arithmologiques qui avaient encore largement cours à l'époque et qui avaient aussi occupé l'esprit d'Augustin[8], cette distribution apparaît étrange et irréductible aux schémas habituels, binaires, ternaires, décimaux ou duodécimaux. On pense alors aux *Métamorphoses* d'Apulée, l'enfant de Madaure bien connu de l'enfant de Thagaste, et à leur composition non moins « anormale » en 10 livres + 1. Le rapprochement est facilité par ce que les deux œuvres ont en commun. L'une et l'autre sont chacune à sa manière un récit de « conversion », et l'on retrouve dans l'une comme dans l'autre de semblables moteurs pour entraîner dans leur chute les héros respectifs, Lucius dans la métamorphose en âne, Augustin dans la « région de dissemblance » : de part et d'autre, même accent mis sur ces principes de perdition que sont la *concupiscentia* et surtout la *curiositas*[a]. Il peut ainsi venir à l'esprit, en première approximation, que les trois livres terminaux des *Confessions* sont à l'égard de ceux qui les précèdent dans le même rapport – le plan du divin par rapport au plan de l'humain –, que le livre XI des *Métamorphoses*, où la grâce d'Isis vaut à Lucius sa renaissance, à la suite des dix livres où sont narrées ses errances et ses tribulations. Mais, outre que de part et d'autre, dans les livres « narratifs », les rythmes et les contenus sont totalement dissemblables, les différences de perspective théologique sont telles que la confrontation apparaît difficilement pertinente[9].

Ou bien encore, et là l'exercice semble de prime abord plus justifié, la subtilité du philologue s'est exercée sur le « sous-ensemble » véritablement unitaire que constituent les neuf premiers livres des *Confessions*. Il s'agit alors de rendre compte de cette « ennéade », soit pour y voir une « Énéide[10] », soit pour tenter de déceler son principe de composition dans une autre « ennéade » célèbre, certainement bien connue d'Augustin, *Les Bucoliques* du même Virgile, où l'on s'accorde en général à lire les églogues comme se répondant deux par deux de part et d'autre d'un axe de symétrie constitué par la cinquième Bucolique. Et, suivant cette construction, l'axe de l'œuvre serait aussi le livre V, où nous voyons Augustin aller de Carthage à Milan en passant par Rome, et ce « livre romain » serait « le pivot de l'ouvrage, tout comme la ville de Rome est elle-même le pivot géographique de l'itinéraire qui conduit Augustin de Carthage à Milan[11] ». Mais, de l'aveu même de son auteur, ce système

---

a. Augustin n'y ajoutera que la *superbia*. Sur le péché de curiosité chez Apulée et Augustin, cf. déjà P. COURCELLE, *Les* Confessions [...], pp. 101-109.

ingénieux est bancal et présente des dissymétries voyantes, qui rompent une ordonnance conçue en fonction d'une axialité elle-même douteuse. L'erreur de cette vision « architecturale » (ou de toute autre d'inspiration similaire) est de vouloir à toute force reconnaître dans les *Confessions* une unité littéraire qu'elles n'ont pas – et qu'Augustin n'a pas cherché à y mettre –, en privilégiant une approche trop strictement « autobiographique » des neuf premiers livres. Que cette œuvre unique dans les littératures de l'Antiquité soit une œuvre d'art est une évidence, mais elle est une œuvre d'art par surcroît. La forte unité des *Confessions* est d'ordre psychologique et théologique, et leur beauté ne doit rien à une harmonie de composition consciemment imposée en suivant des recettes inspirées par des canons proprement esthétiques.

« *Tu es grand, Seigneur, et très digne de louange ; grande est ta puissance et ta sagesse est sans mesure.* Et, te louer, c'est ce que veut l'homme, simple parcelle de ta création, l'homme qui porte partout avec lui sa condition mortelle, qui porte partout avec lui le témoignage de son péché et le témoignage de *ta résistance aux superbes* : et pourtant, te louer, c'est ce que veut l'homme, simple parcelle de ta création. C'est toi qui le pousses à prendre plaisir à te louer, parce que tu nous as faits orientés vers toi et que notre cœur est sans repos jusqu'à ce qu'il commence à reposer en toi [*et inquietum est cor nostrum, donec requiescat in te*][a]. » Dès les premiers mots de cette invocation liminaire, le lecteur sait que les *Confessions* – ce titre, au pluriel, est d'Augustin lui-même[b] et ne signifie pas plus que la multiplicité de l'expérience qu'il confesse et de la louange qu'il prodigue[12] – vont prendre la première forme apparente d'un dialogue avec Dieu, auquel s'adressera souvent en langage inspiré sinon « divin » – avec les mots poétiquement et liturgiquement consacrés des *Psaumes*[13] – une de ses créatures particulièrement consciente de ce qu'il y a en elle de finitude et même de non-être – la mortalité, le péché –, et pénétrée de la conviction que la plénitude de l'être ne lui appartiendra qu'à sa fin dernière, et par la grâce d'une « conversion » qui en est la condition, dès cette vie.

Le discours à Dieu sera donc un discours de reconnaissance, d'abord une confession de louange ; mais celui qui dans ce texte est « à tu et à toi » avec Dieu ne s'enferme pas avec lui dans un tête-à-tête exclusif[14]. « *Notre* cœur est sans repos », dit Augustin, témoi-

---

a. *Conf.*, I, 1 ; en italique, les citations ou références scripturaires : *Ps.* 47, 1 ; 95, 3 ; 144, 3 et *I P.*, 5, 5.

b. Outre *Retract.*, II, 6, 1, cf. le témoignage de *C. Faustum*, I, 1 et *C. litt. Pet.*, III, 20.

gnant au nom de tous les hommes dans une humilité fraternelle et utilisant pour dire le siège de cette inquiétude existentielle ce mot de « cœur » qui, venu des *Psaumes*, fait si souvent irruption dans son texte pour désigner le centre moral de la personne humaine, à la fois corps et âme, en un sens pascalien avant la lettre [15]. Et remarquons dès l'abord qu'à l'expression comme dans un cri de cette inquiétude fondamentale répond à l'extrême fin du livre la prière où Augustin demande à Dieu « la paix du repos, la paix du sabbat, la paix qui n'a point de soir » : si, ajoute-t-il, Dieu s'est reposé le septième jour, « c'est pour nous dire d'avance par la voix de son livre qu'au terme de nos œuvres nous aussi, au sabbat de la vie éternelle, nous nous reposerons en lui [a] ». Ainsi avait été posée, dès les premières lignes des *Confessions*, comme la dynamique d'écriture de l'ensemble de l'œuvre, une tension essentielle qui sera résolue à la fin du livre XIII par une lecture eschatologique du premier chapitre de la *Genèse*. L'ancien rhéteur n'a peut-être pas disposé d'un « plan » à l'origine de son travail, mais le *seruus Dei* n'a pas entrepris cette confession de louange sans avoir en tête la cohérence théologique qui lui donnait tout son sens.

La confession de louange est également la confession d'une vie d'homme mortel et pécheur, donc un acte de contrition et de pénitence, dont on peut attendre aussi éventuellement les effets bienfaisants d'une « psychothérapie [16] ». Augustin « passe aux aveux », il se raconte, d'une manière inouïe pour ses contemporains. Bien sûr, l'Antiquité tardive n'avait pas complètement ignoré le regard rétrospectif sur soi-même. Mais, qu'il s'agisse de Philon d'Alexandrie ou de Dion de Pruse, ou, plus proches d'Augustin, de saint Cyprien – dans l'*Ad Donatum* – ou d'Hilaire de Poitiers – dans les premières pages de son *De Trinitate* –, ces écrits décrivaient uniquement des itinéraires intellectuels ou spirituels, la quête de la vérité ou celle de Dieu. Et Augustin avait déjà jeté sur son passé encore récent de tels brefs regards [b]. Mais pour la première fois, sans complaisance et sans essai de justification, un homme parmi les plus grands de son temps dans l'ordre de l'esprit – et qui en avait conscience –, un évêque devenu en peu d'années un point de mire pour une partie de la chrétienté prenait le risque de jeter sa vie en pâture. Non à Dieu, qui savait tout cela de reste, et qui connaissait la suite [c], et à qui

---

a. *Conf.*, XIII, 50 et 51.

b. Dans le *De beata uita*, I, 1-4, à l'automne de 386 et en 391/92 dans le *De utilitate credendi*, 2, 3 et 20 : cf. *supra*, pp. 63 et 220.

c. *Conf.*, X, 2 : « Qu'y aurait-il en moi qui te serait caché même si je refusais de te le confesser ? »

n'allaient que l'acte de contrition, la profession de foi et la confession de louange, mais bien aux hommes, à tous les lecteurs ou auditeurs éventuels de l'œuvre, quitte à donner des armes à ceux d'entre eux qui pourraient s'en servir à des fins polémiques ou de dénigrement. C'est en toute connaissance de cause et de risque, pesé au livre X comme en une « postface[a] », que le choix a été fait de « raconter » cette vie.

La réflexion d'Augustin sur ce parti qu'il a pris n'a pas cessé avec l'écriture des *Confessions*. Dans un commentaire sur les *Psaumes* qui date d'une douzaine d'années plus tard, il est revenu d'une façon éclairante sur ce qu'il appelle l'*enuntiatio uitae*. Il faut, dit-il, « raconter sa vie » (*enuntiare uitam suam*), non pour se complaire à soi-même, ou être utile à soi-même, mais pour être utile aux autres, « de manière à inviter les autres à recevoir la vie qu'on a reçue soi-même[b] ». Raconter sa vie est donc un « service », qui en tant que tel accompagne la confession de foi et de louange pour être la seconde motivation du livre, sinon la première. À l'orée du livre X, au moment de dire l'état actuel de son âme, Augustin écrira : « Je veux "faire la vérité" dans mon cœur, devant toi par la confession, mais aussi dans mon livre, devant de nombreux témoins[c]. » Si ces témoins ne sont pas malveillants, ils seront bénéficiaires, dans l'intention d'Augustin. Non qu'il considère sa vie comme en soi « édifiante » : il ne la dévoile pas comme un bien précieux entre tous et un modèle à suivre, comme l'avait fait Sénèque qui, au moment de se donner la mort, condamné par Néron, disait aux amis qui l'entouraient qu'à défaut d'autre chose il leur léguait du moins l'essentiel, « l'image de sa vie[d] ». Elle n'est à ses yeux édifiante que dans la mesure où elle montre comment, la grâce aidant, et à la condition d'une réceptivité active à ses appels, l'homme peut sortir de la « région de dissemblance » et se tourner vers Dieu. La vie d'Augustin n'a d'exemplaire que les voies de sa conversion et ainsi les *Confessions* sont un protreptique chrétien fondé, non sur un discours d'édification philosophique ou spirituelle, mais sur des données autobiographiques.

Pourtant, si l'on se réfère à une définition récente de l'autobiographie qu'on peut juger acceptable – « un récit rétrospectif en prose qu'une personne réelle fait de sa propre existence lorsqu'elle met

---

a. *Conf.*, X, 3 ; cf. *supra*, p. 292.
b. *Enarr. in Psalm.* 55, 14 : « *ut alios etiam inuites ad accipiendam uitam quam et tu accepisti* ».
c. *Conf.*, X, 1.
d. TACITE, *Ann.*, XV, 62 : « *imaginem uitae suae relinquere testatur* ».

l'accent sur sa vie individuelle [17] » –, on ne dira pas facilement que le propos d'Augustin est, primordialement, autobiographique [18]. S'il est vrai que les *Confessions* sont irremplaçables pour nous faire connaître la première vie de leur auteur, jusqu'à sa trente-troisième année, la lecture de celui qui les lirait en diagonale pour se saisir avidement de l'anecdotique en sautant le reste serait vite achevée [19]. Et, dans ce que ce texte comporte de proprement biographique, on a souvent noté les omissions ou les silences, infiniment plus nombreux que les blancs qui parsèment presque inévitablement tout texte qui se veut autobiographique à titre principal. De la famille d'Augustin, seule émerge – mais avec quel relief ! – la figure de sa mère, pour ne pas revenir ici sur l'escamotage mémoriel de la mère d'Adeodatus, sur lequel on s'est déjà expliqué[a] ; et de ce fils même, tendrement chéri et douloureusement perdu, on ne saurait guère que le nom – tardivement et parcimonieusement prononcé[b] –, si le *De beata uita* et surtout le *De magistro* n'avaient esquissé le portrait intellectuel de sa merveilleuse précocité. La chronologie, par ailleurs, n'a rien de rectiligne dans le récit, et l'on peut y relever divers anachronismes, au demeurant bénins et qui n'ont rien de bien surprenant dans une mobilisation des souvenirs qui n'a pas pour premier objectif d'alimenter une narration suivie et homogène d'un vécu repensé [20].

Dans une page célèbre du livre X, Augustin a dit par images cette mobilisation des souvenirs, tenus en réserve et rangés par classes dans les vastes « palais » de la mémoire. « Quand je suis dans ce palais, j'appelle les souvenirs pour que se présentent tous ceux que je désire. Certains s'avancent à l'instant ; certains se font chercher assez longtemps et comme arracher à des sortes d'entrepôts plus secrets ; certains arrivent par bandes qui se ruent et, alors que c'est un autre que l'on demande et que l'on cherche, ils bondissent en plein milieu avec l'air de dire : "Peut-être que c'est nous ?" Et la main de mon cœur les chasse du visage de ma mémoire, jusqu'à ce que se dégage de l'obscurité celui que je désire et que sortant de sa cachette il s'avance sous mes yeux. D'autres souvenirs se portent devant moi sans difficulté, en files bien rangées et dans l'ordre ; ceux qui apparaissent les premiers cèdent la place aux suivants et se tiennent en réserve, prêts à reparaître à mon gré. Voilà exactement ce qui se passe quand je raconte quelque chose de mémoire [21]. »

---

a. Cf. *supra*, p. 51.

b. Au moment de rappeler son baptême à Milan au printemps de 387 et d'évoquer sa mort prématurée, sans doute à Thagaste, peu d'années plus tard : cf. *Conf.*, IX, 14 et *supra*, pp. 167 et 207.

Ainsi affichée, la maîtrise augustinienne de la remémoration est impressionnante ; elle a sûrement comporté des failles, que l'auteur des *Confessions* reconnaît parfois : il est arrivé, admet-il, que sa mémoire l'ait trahi. Ainsi il ne sait plus (*Conf.*, IV, 20) si son *De pulchro et apto* comprenait deux ou trois livres ; il se demande maintenant (V, 11) si la personnalité intellectuelle de Faustus avait vraiment le charme qu'il lui prête ; il ne se souvient plus (VIII, 14) pourquoi Nebridius était absent quand Ponticianus leur fit visite à Milan, et il a oublié (IX, 27) les réponses faites à Monique lors de leur dernier entretien dans le jardin d'Ostie.

Mais le plus souvent cette mémoire a été délibérément sélective, écartant de la remontée des souvenirs les moins significatifs dans la perspective de la « confession ». Ainsi écrira-t-il, après l'évocation du rêve fait par Monique lorsqu'elle désespérait de le voir un jour s'affranchir des manichéens : « Je passe sous silence bien des choses, dans ma hâte d'en arriver à celles qui me pressent pour que je te les confesse[a]. » Et, comme pour excuser son remarquable mutisme sur les mois passés à Cassiciacum, qui lui paraissaient avec le recul du temps bien trop marqués encore par « la superbe de l'école », il dira sa hâte de passer à de plus importants épisodes[b]. C'est cette même hâte, due au sentiment que le temps lui était strictement mesuré qui, reconnaîtra-t-il seulement au début du livre XI, l'avait empêché de prolonger jusqu'au temps de son accession à l'épiscopat cet examen de sa vie passée[c] : désormais, pris qu'il était par ses charges, « chaque goutte de temps lui coûtait cher » et il préférait employer ces heures qui lui étaient comptées à méditer sur l'Écriture pour achever ses *Confessions*, suivant en cela un projet d'ensemble dont nous avons vu plus haut la cohérence théologique. Il ne dira donc pas « les exhortations, les consolations et les directions » par lesquelles Dieu l'a amené à prêcher sa parole et à dispenser ses sacrements au peuple[22]. Le temps qui le presse est la seule raison qui nous est donnée du parti adopté de taire les années passées dans le sacerdoce à partir de 391, mais aussi les années d'*otium* à Thagaste depuis le retour d'Italie, et même la petite année vécue à Rome après la mort de Monique à la fin de l'été de 387. Cependant, le regard rétrospectif d'Augustin ne s'est pas arrêté à sa renaissance, au printemps de 387, par le baptême reçu des mains d'Ambroise, terme auquel on pouvait s'attendre, aussi bien dans la perspective du témoignage que dans

---

a. *Conf.*, III, 21.
b. *Conf.*, IX, 7.
c. *Conf.*, XI, 2.

celle de la confession de louange. Les derniers souvenirs mobilisés sont ceux des pleurs versés à Ostie sur la tombe de la mère disparue, cette dernière faiblesse humaine avant l'entrée dans le monde héroïque des *serui Dei*. Et même, *in fine*, Patricius, le père par ailleurs si peu présent, est associé à Monique dans l'appel à la prière pour « ceux par la chair de qui tu m'as introduit dans cette vie, j'ignore comment[a] ». Les *Confessions* sont toujours tellement plus que la démonstration d'un théologien !

Il est ainsi plusieurs façons de les lire et, si certaines sont plus réductrices que d'autres, il n'en est pas de vraiment mauvaises. Mais la meilleure, ou plus exactement celle qui répond au souhait de l'auteur, est de les lire comme le témoignage d'un homme qui a passionnément désiré mettre son expérience au service d'une « pédagogie de la transmission de la foi[23] ». Cette volonté de faire servir la narration à des fins protreptiques est constamment présente dans le texte[24]. Au début du livre II, au moment de faire revivre l'année noire de ses seize ans à Thagaste, Augustin fait une parenthèse : « Je raconte cela, dit-il, mais à qui ? Ce n'est pas à toi, mon Dieu ; mais devant toi je le raconte à ma race, à la race humaine, si petite que puisse être la portion de ceux qui tomberont sur cet écrit. Et pourquoi cela ? Évidemment pour que moi et mon lecteur éventuel nous considérions de quelle profondeur il faut crier vers toi[b]. » Et quand, parvenu au terme de son récit, après une première publication des neuf premiers livres, il saura par les réactions des premiers lecteurs que ses *Confessions*, « quand on les lit et qu'on les entend, remuent le cœur et l'empêchent de s'endormir dans le désespoir[c] », et qu'il y a chance, donc, que le but puisse être atteint, il renchérira dans l'affirmation de la fin qu'en écrivant il s'était assignée : « Que l'âme de mes frères aime en moi ce que tu enseignes à aimer, et qu'elle déplore ce que tu enseignes à déplorer [...] qu'ils respirent à la vue de mon bien, qu'ils soupirent à la vue de mon mal[d]. » La plus riche lecture des *Confessions* est sans aucun doute une lecture d'« imitation » et de communion spirituelle. Ainsi les lira encore Pétrarque, qui gardera toujours à portée de main l'exemplaire qu'un ami lui avait offert, et dira que le livre avait fait sur lui autant d'impression que l'*Hortensius* de Cicéron sur Augustin lui-même[25].

Est-ce à dire que sont exclus de cette lecture ceux qu'Augustin

---

a. *Conf.*, IX, 37.
b. *Conf.*, II, 5.
c. *Conf.*, X, 4.
d. *Conf.*, X, 5.

appelle avec les mots du Psalmiste les « enfants étrangers[a] », c'est-à-dire ceux qui sont en marge de la foi à laquelle il avait adhéré ? Du moins s'exclut d'elle-même d'une pleine lecture des *Confessions* « la race curieuse de connaître la vie d'autrui, paresseuse à corriger la sienne[b] » : l'étiquette s'appliquait du vivant de l'auteur à une mince frange de lecteurs malveillants, principalement recrutés dans le milieu donatiste ou manichéen ; elle couvrirait aujourd'hui un lectorat potentiel beaucoup plus vaste, alléché par la singularité espérée d'une vie hors du commun ou, pis encore, par quelque parfum de scandale à tort subodoré : un lectorat dans les deux cas mal rassasié et vite déçu, et également récusé par Augustin[c]. Mais, en dehors de ceux pour qui Augustin a écrit plus particulièrement, ses concitoyens à venir dans la « Cité de Dieu », le livre trouvera à jamais large audience chez ceux qu'émerveillera toujours le parcours accompli par l'enfant de Thagaste, même si, dans cette « aventure de la raison et de la grâce », ils demeurent parfois, n'en déplaise à Augustin, plus sensibles à l'effort de la première qu'à l'action de la seconde. Ceux-là lui sauront toujours gré d'avoir placé l'honneur d'être homme à son plus haut niveau d'exigence dans l'ordre de l'esprit.

L'ÉCRITURE DES *CONFESSIONS*

Dans l'abondante iconographie augustinienne admirablement rassemblée et commentée par Jeanne et Pierre Courcelle, des vitraux, miniatures et peintures des XIVe et XVe siècles jusqu'aux grandes compositions du XVIIIe [26], on discerne trois grandes séries : l'imagerie souvent pieusement naïve de la conversion, la geste du prédicateur et du polémiste pourfendeur des manichéens et des donatistes, l'image enfin de l'auteur de l'œuvre la plus volumineuse – la plus scrupuleusement conservée aussi – que nous ait léguée l'Antiquité. Saint Augustin écrivain, donc saint Augustin « écrivant », figuré, dans cette imagerie médiévale et postmédiévale, un instrument graphique en main, devant une table ou un pupitre. Cette représentation est une métaphore, comme celles qui nous viennent spontanément, de façon souvent anachronique, quand nous l'imaginons « jetant »

a. *Ps.* 143, 7, cf. *Conf.*, X, 5, et *Enarr. in Ps.* 55, 16 et 20.
b. *Conf.*, X, 3.
c. Ceux-là, Augustin les visait par avance, en disant : « [Cette confession], je ne la fais pas avec les mots de la chair et ses cris, mais avec les mots de l'âme et la clameur de la pensée, que connaît ton oreille » (*Conf.*, X, 2).

ses idées « sur le papier », d'une « plume » alerte. Et il a pu arriver à Augustin lui-même de sacrifier à cet usage métaphorique de l'outil d'écriture[a]. Mais la métaphore n'en est pas moins assez largement éloignée d'une réalité que quelques mots, dans le « prologue » des *Révisions*, font clairement apparaître : pour l'évêque, « écrire » (*scribere*), c'était dicter[b].

Pour nous, loin des tourments causés jadis par les plumes Sergent-Major, leurs crachotis et leurs griffures, et leur pernicieuse propension à se délester sans crier gare de leur charge d'encre en d'intempestifs « pâtés », écrire n'est plus autre chose que faire courir sans effort, sur les surfaces lisses d'un papier dont la surabondance égale la qualité, des instruments graphiques totalement « désacralisés », mais merveilleusement pratiques. Ou encore, c'est pianoter sans plus d'effort sur le clavier d'une machine qui facilite les repentirs et restitue visuellement sur un écran les effets du geste dactylographique. Parce qu'écrire n'est plus en soi un travail, nous avons peine à nous figurer l'engagement physique qu'était encore l'acte graphique à la fin de l'Antiquité. Était toujours en usage, pour l'accomplissement des tâches initiales – les enregistrements sténographiques et la rédaction en toutes lettres de textes courts, notamment pour la correspondance –, un matériel de base pesant et peu maniable en dépit de son format réduit[27] : les tablettes enduites d'une mince couche de cire sur lesquelles la pointe sèche d'un stylet traçait son sillon. À un stade ultérieur d'élaboration, le texte était déposé au moyen d'un calame[c] trempé dans l'encre sur un support moins rustique, mais rare et coûteux, que ce fût une feuille de papyrus préparé – la *charta*, l'ancêtre de notre papier – ou un morceau de parchemin – la *membrana* – qui présentait l'avantage, du fait de son épaisseur, de pouvoir être réutilisé après lavage ou raclage. Le prix de ces supports, la difficulté, souvent, de se les procurer, qui excluait tout maladroit gâchis, ainsi que celle de parvenir, avec des instruments graphiques rudimentaires, à des écritures normalisées recommandaient d'en laisser le plus souvent l'utilisation à des professionnels, scribes ou secrétaires – les *notarii* –, ainsi qu'à de véritables artisans du livre, les *librarii*. Les grands de ce monde abandonnaient l'acte graphique à ces praticiens ; leurs propres écrits autographes étaient des raretés, signalées comme telles, et l'empereur Titus était

---

a. Par exemple quand il dit, au début du livre X, « *in stilo meo* » – le *stilus* est le poinçon pour écrire sur les tablettes – pour dire « dans mon livre » (*Conf.*, X, 1).

b. *Retract.*, *prol.*, 2, où les textes résultant d'allocutions prises au vol sont distingués de ceux qu'il a dictés : ceux-là seuls sont des textes « écrits ».

c. Plus rarement d'un pinceau ; quant à la plume, elle n'intervient qu'à l'extrême fin de l'Antiquité.

en son temps considéré comme un phénomène parce qu'il s'amusait à rivaliser de vitesse avec ses sténographes et à contrefaire des écritures[a]. Une génération plus tard, un Pline le Jeune racontait sa propre pratique : l'été, dans sa villa de Toscane, tôt éveillé, dans le silence et l'obscurité de sa chambre aux fenêtres closes, il composait mentalement, phrase après phrase, le texte qu'il avait en tête, puis appelait son secrétaire qui faisait entrer le jour et prenait en note la phrase élaborée, le manège se reproduisant autant de fois qu'il était souhaité. Au fil de la journée, les secrétaires accompagnaient ainsi leur maître, avec leur nécessaire à écrire, dans ses promenades à pied ou en voiture[b]. Fantaisie de grand seigneur, qui remédiait par ces artifices aux défaillances de l'inspiration et emportait ses tablettes à la chasse pour y tuer le temps à défaut de sanglier.

Entre Pline le Jeune, l'un des hommes les plus riches de son temps, et Augustin, qui ne possédait rien en propre, sinon son génie, il y avait ce point commun que l'évêque d'Hippone n'était pas plus démuni de bons secrétaires que l'ancien consul ami de l'empereur Trajan. Cela, il le devait à l'organisation ecclésiastique qui, soit formait elle-même son secrétariat, soit encore le recrutait au sein de l'administration impériale. Alors évêque d'Uzalis, Evodius avait ainsi auprès de lui le fils d'un prêtre d'une bourgade voisine, bon tachygraphe – *strenuus in notis* –, copiste consciencieux – *scribendo bene laboriosus* –, qu'il avait remarqué alors que le jeune homme était greffier dans les bureaux du proconsul à Carthage[c]. Titulaire d'un diocèse important, siégeant dans l'une des premières villes d'Afrique, où les tâches de l'*episcopalis audientia*, nous le verrons, étaient particulièrement lourdes, Augustin était en permanence assisté par une petite escouade de secrétaires, attachés non à sa personne, mais à l'église d'Hippone, dont ils constituaient le personnel non clérical[d] ; mais certains d'entre eux étaient détachés à son service personnel, pour des besoins rédactionnels qui n'étaient guère, la plupart du temps, séparables de la fonction épiscopale proprement dite. Augustin était certainement capable, comme avant lui César et comme plus tard Napoléon, d'occuper plusieurs secrétaires à la fois. Dans le calme de la nuit tombée, à la lueur de la lampe, venaient se relayer auprès de lui les *notarii* qui prenaient à

a. SUÉTONE, *Titus*, III, 3.

b. PLINE LE JEUNE, *Lettres*, IX, 36, 2-3.

c. *Ep.* 158, 1 (vers 414) ; Evodius eut la peine de le perdre à l'âge de vingt-deux ans, ce qui implique que le jeune *notarius* avait dû commencer sa carrière dans l'administration alors qu'il était encore adolescent.

d. Ils seront mentionnés comme tels – *notarii ecclesiae* – dans les *Acta ecclesiastica* qui enregistreront le procès-verbal de sa succession en 426 (*Ep.* 213, 2).

la volée ce qui occupait l'esprit de leur évêque, et d'abord les travaux les plus urgents, les réponses à faire. Pour ces hommes dont la disponibilité n'avait pas de limites, et qui embrassaient des tâches immenses, les longues nuits d'hiver représentaient un temps de travail précieux. Ils n'avaient pas inventé la *lucubratio* – la veille studieuse à la « petite lumière » (*lucubrum*) de la lampe –, mais c'est à la fin de l'Antiquité qu'on voit cette veille devenir chez ces hommes d'Église un des modes constitutifs de leurs vies héroïques et la condition *sine qua non* de l'élaboration de leurs œuvres[a]. Un saint Jérôme en plaisantait : devant répondre à l'un de ses adversaires – qui s'appelait Vigilance : on imagine le jeu de mots ! –, il affirmait qu'il lui suffirait d'une seule « petite veille de rien » (*una lucubratiuncula*) pour réfuter ses « niaiseries »[28]. Nous en plaisantons nous aussi, quand nous parlons de façon péjorative d'« élucubrations », sans plus avoir présentes à l'esprit les grandes œuvres qui sont nées de ces heures arrachées au sommeil, prises en dictée à la lueur fumeuse des lampes à huile.

Augustin a ainsi vécu pendant trente-cinq ans, « travaillant le jour, veillant la nuit », comme le dira Possidius[b]. À l'extrême fin de sa vie, après 426, quand il se fut déchargé sur Eraclius du plus gros de la *sarcina episcopalis*, il ne cessa pas pour autant de *lucubrare* : simplement, le jour vint s'ajouter à la nuit pour la mise en œuvre des travaux « littéraires » ! Dans une lettre à Quodvultdeus – le diacre qui succédera à Aurelius sur le siège de Carthage après le bref interrègne de Capreolus –, qui lui demandait de s'atteler à un *De haeresibus*, il répond que quand il en aura fini avec Julien d'Éclane[c], il consacrera ses journées à ce traité ; ses nuits, ajoute-t-il, sont suffisamment occupées par ses *Révisions*[d]. Mais, pendant tout le temps de son épiscopat « actif », une fois qu'il s'était acquitté du service liturgique, de ses obligations de juge ecclésiastique, de la réception des visiteurs, des tournées pastorales et de la prédication le samedi et le dimanche, il restait dans la journée peu d'heures disponibles. Alors, le soir venu, s'ouvraient de longues plages de tranquillité, qu'il mettait à profit avec ses secrétaires.

Si l'on voulait faire un florilège des textes, tirés de ses lettres, où il dit à la fois sa surcharge et la contrainte où il se trouve d'utiliser ses nuits pour faire face à des tâches urgentes, on n'aurait que

---

a. Déjà Pline l'Ancien, gros travailleur, se couchait tôt, mais se mettait au travail peu après minuit : PLINE LE JEUNE, *Lettres*, III, 5, 8.

b. *Vita Aug.*, XXIV, 11.

c. Le dernier champion du pélagianisme ; il s'agit du fameux *Opus imperfectum*, que la mort d'Augustin laissera inachevé : cf. *infra*, p. 584.

d. *Ep.* 224, 2.

l'embarras du choix. On citera par exemple cette lettre qu'il écrivit au début de 412 au tribun et notaire Marcellinus, devenu son ami après la grande confrontation entre catholiques et donatistes qu'il avait arbitrée au printemps précédent à Carthage, et qui le poursuivait de ses interrogations sur des questions essentielles : « Si je pouvais te rendre compte de toutes mes journées et de toutes mes veilles dépensées à d'autres tâches indispensables, tu en serais attristé et tu t'étonnerais du nombre d'affaires qui me tourmentent et qui ne peuvent absolument pas être différées et qui m'empêchent de faire ce que tu me réclames... Il ne me manque pas de travaux à *dicter* en priorité, qui se présentent en des circonstances telles qu'ils ne souffrent pas de délai. Ainsi l'abrégé des Actes de notre conférence, travail assez pénible que j'ai dû faire, parce que je voyais que personne ne voulait se mettre à lire ce monceau de papiers, ainsi aussi la lettre que j'ai adressée aux laïcs donatistes au sujet de cette même conférence, que je viens de terminer au prix de quelques veilles[a]. » À cela s'ajoutaient dans le même temps plusieurs longues lettres, dont l'une, adressée à Honoratus, avait la dimension d'un livre[b]. Quelques années plus tard, dans une lettre écrite à Possidius au mois de décembre 419, et récemment retrouvée, il énumérait tout ce qu'il avait dicté en quelques semaines depuis son retour de Carthage, où il avait prêché tout l'été et jusqu'au début de l'automne après avoir participé au concile général, à la fin de mai : à ses sermons sur l'*Évangile de Jean* il avait consacré particulièrement, disait-il, ses nuits du samedi et du dimanche ; et il concluait : « Au total, depuis que je suis arrivé, c'est-à-dire du 11 septembre au 1er décembre, j'ai dicté environ six mille lignes[29]. » Il s'agissait là, le plus souvent, de travaux prioritaires, qui l'empêchaient « de se consacrer à des dictées auxquelles il aspirait davantage », comme il le disait dans sa lettre à Marcellinus[c].

C'est-à-dire pour la composition des grands ouvrages, qu'il portait dans sa tête et pour lesquels ne lui manquait que le temps. C'est ainsi que la dictée d'une de ses œuvres majeures, le *De Trinitate*, s'est faite par bribes, échelonnée sur de longues années : environ un quart de siècle, entre 399/400 et les années 420-426[d]. Certes, l'extrême difficulté du sujet, et le sentiment aigu de la responsabilité qu'il prenait en s'exprimant sur une matière théologiquement si

a. *Ep.* 139, 3. Sur cette lettre, et sur l'ensemble des échanges entre Augustin et Marcellinus, on lira M. Moreau, *Le « Dossier Marcellinus » dans la Correspondance de saint Augustin*, Paris, Ét. aug., 1973.
b. *Ep.* 140 = *De gratia noui Testamenti*.
c. *Ep.* 139, 3.
d. Cf. *infra*, pp. 516-517.

.délicate eussent suffi à eux seuls à lui suggérer d'éviter toute précipitation. Dans l'une de ses lettres à Marcellinus, datée du printemps
de 412, pressé par son ami, mais aussi par d'autres, comme Florentius, évêque d'Hippo Diarrhytus (Bizerte), de publier sans plus attendre son *De Trinitate* – ainsi que son grand commentaire sur la
Genèse –, il disait ses raisons de ne pas se hâter inconsidérément[a],
et il citait ce mot d'Horace qui lui pinçait le cœur comme un avertissement : « Nulle parole une fois prononcée ne saurait être rengai-
née[30]. » Un mot qui était vrai à la lettre dans ces littératures parlées
avant que d'être écrites. Mais, précisément, cette façon de travailler
et la discontinuité que ses occupations le forçaient par ailleurs à
introduire dans la rédaction d'une œuvre de longue haleine avaient
bien failli être cause qu'elle ne vît jamais le jour. Augustin connais-
sait-il les signes – *notae* – sténographiques ? Dans son *De doctrina
christiana*, il en avait dit l'utilité et en avait recommandé l'étude[b] ;
et nous savons qu'existaient alors des écoles où s'en enseignait la
technique[31]. Mais, même s'il avait des lumières sur ce système codé,
les inévitables variantes personnelles d'un *notarius* à un autre lui
auraient difficilement permis de se « relire » directement sur la
tablette. Au demeurant, nous savons par Possidius quelle était sa
pratique : d'abord la réflexion ou méditation sur la matière à traiter,
puis la dictée, puis le travail de correction – *emendatio* – sur un
texte dûment transcrit en toutes lettres[c], et lisible. Lisible du moins
pour l'auteur[32], mais certainement lourdement fautif, quelles que
fussent les qualités des secrétaires d'Augustin. À la même époque,
Jérôme, qui avait la dent dure, n'envoyait pas dire le mal qu'il pensait
des copistes d'un de ses amis espagnols, dont les fautes commises
dans la transcription de ses propres ouvrages l'avaient fait frémir,
surtout lorsque ces fautes étaient dues, manifestement, à la volonté
de corriger des erreurs supposées[33]. Augustin avait donc corrigé au
moins sur un exemplaire les premiers livres de son *De Trinitate* ;
mais très occupé par ailleurs, et soucieux de ne rien précipiter, il
n'avait pu prendre le temps de revoir l'ensemble, de procéder à sa
révision, et d'éliminer les inévitables disparates ou discordances
d'une composition étirée sur de si longues années, quand, vers 415,
il s'était aperçu que la partie déjà rédigée du traité – les livres I à
XI, et partie du livre XII – lui avait été soustraite, sans doute – il ne

---

a. *Ep.* 143, 4.

b. *Doctr. chr.*, II, 40.

c. *Vita Aug.*, XXIV, 11 : « *Vel de inueniendis diuinis rebus cogitaret, uel de iam
inuentis aliquid dictaret, aut certe ex iam dictis atque* transcriptis *aliquid emenda-
ret.* »

précise pas les auteurs du détournement – par des clercs d'Hippone qui savaient par son *scriptorium* l'existence de ce texte et n'avaient pu résister à l'envie d'en prendre connaissance. Très affecté – il le dit dans une lettre adressée à Aurelius de Carthage[a] –, il avait été tenté de dénoncer ce vol dans une lettre circulaire, de faire savoir qu'une éventuelle édition de ce texte non revue par ses soins n'était pas de son fait, et même de renoncer à en poursuivre l'élaboration. Mais, cédant à de multiples instances et obéissant aux ordres de son primat, il avait finalement décidé de compléter et d'achever cette œuvre, qu'il publiera quelques années plus tard.

Le lecteur s'étonnera peut-être de ce long détour, pour en arriver à l'écriture des *Confessions*. Il n'était pas inutile, afin de lui rendre plus sensible quel exploit intellectuel cela pouvait être de « parler » ainsi une œuvre longue, de la garder longtemps en tête dans son unité vivante, avant de la voir mise noir sur blanc à travers deux transcriptions. Bientôt, demain peut-être, une technologie dont les progrès se bousculent mettra à notre disposition des machines à reconnaissance vocale qui transcriront d'elles-mêmes sur écran un « premier jet », sans qu'il soit plus besoin de la moindre opération graphique. Alors, si du moins sont déjoués quelques pièges redoutables, comme ceux de l'homophonie, on se croira revenu aux conditions de travail d'un saint Augustin. Mais – au prix tout de même d'un gros déficit de « convivialité » dans un monde que la technique déshumanise de plus en plus – avec une facilité et une rapidité d'utilisation qu'Augustin eût trouvées bien enviables. Car si la main-d'œuvre dont il disposait était à sa dévotion, elle n'avait ni la permanente disponibilité ni surtout la passivité et l'objectivité d'une machine. Saint Jérôme dit quelque part qu'il est difficile de faire une pause pour réfléchir en face d'un secrétaire au port d'arme, le « style » en arrêt, dans l'attente de la parole à venir. Et Augustin, qui a commenté le *Psaume* 44, devait, sans se prendre pour Dieu, être habité par ce mot du Psalmiste : « *Lingua mea calamus scribae uelociter scribentis*[b]. »

Les *Confessions* se ressentent heureusement d'avoir été cette coulée de parole. Augustin n'avait pas besoin, comme plus tard Flaubert, de faire passer ses phrases par son « gueuloir » : elles étaient passées par sa bouche avant de se figer dans la cire des tablettes, elles avaient été musique avant de devenir partition. De son oralité native, le texte tient une grande part de son charme, assurément plus sensible dans l'original qu'à travers une traduction, si réussie soit-elle[34]. Préci-

---

a. *Ep.* 174.
b. *Enarr. in Psalm.* 44, 6 : « Ma langue est le roseau d'un scribe agile. »

sons : il y a oralité et oralité. Si tous les textes d'Augustin – à l'exception de courts billets autographes[35] – ont été dictés et donc d'abord « parlés », en leur premier jet, celui des *Confessions* s'en distingue en ce qu'il est un discours à Dieu, auquel on ne s'adresse pas avec des paroles ordinaires, mais, sinon toujours avec les mots qui sont les siens – ceux de la Bible, ceux des *Psaumes*, notamment –, du moins, dans l'invocation, la louange ou l'action de grâces, avec le sentiment toujours présent de la distance qui tout à la fois sépare et unit, comme les deux pôles d'un arc électrique, ce Dieu transcendant et son humble créature. Il en découle des pages d'un lyrisme soutenu – à forte intensité dramatique dans l'évocation des tribulations humaines –, qui s'exprime fréquemment par de petits poèmes faits d'une prose rythmée, parfois assonante, dont il n'est pas injustifié de donner une présentation typographique sous forme de « versets[36] », même si le traducteur échoue le plus souvent à en rendre la musique verbale.

Ce que le lecteur perçoit immédiatement dans maintes pages des *Confessions*, ce qui le séduit et le retient d'abord, c'est leur puissance incantatoire, qui s'affirme dès l'invocation liminaire[a]. Mais, même sans être spécialiste des littératures de l'Antiquité, il ne tarde pas à s'apercevoir qu'une des richesses du livre consiste dans la diversité des tons, dans l'étonnante aptitude de l'auteur à varier son « écriture » en fonction des divers aspects de son entreprise. Il n'y a pas « un style » des *Confessions*, mais toute une gamme de manières de dire – et donc en particulier d'élaborer des phrases –, selon que l'auteur se fait narrateur, analyste de lui-même et des autres, métaphysicien ou exégète de la parole divine[37]. Principe unificateur, dans les neuf premiers livres – mais aussi dans le dixième –, cette constante et si lucide introspection, toujours menée sous le regard de Dieu – ah ! ce *tu scis* (« Tu le sais »), qui scande si souvent le texte –, qui garantit la cohérence d'une œuvre puissamment originale et à jamais inclassable.

Il se peut que les approches et les réalisations littéraires des *Confessions* nous touchent dans leur diversité parce que nous les sentons confusément « modernes », déjà au sens que Baudelaire donnera au mot au beau milieu de notre XIXe siècle. Il n'est pas anachronique de l'employer dans la mesure où Augustin se situait au point de jonction de deux mondes, avec la claire conscience de cette situation, comme le montrent bien des pages du *De doctrina christiana*. La « modernité » est toujours l'expression consciente d'un départ vers un ailleurs culturel, avec un élan dont la prise

---

a. *Conf.* I, 1 ; cf. *supra*, p. 298.

s'appuie sur des réalités dont on s'éloigne sans les renier complètement. La « modernité » d'Augustin dans les *Confessions* n'est pas
la table rase. En lui se nouent et s'unifient les fils d'un triple héritage : celui de la culture classique, qui affleure toujours[38] ; celui de
la Bible, en particulier des livres poétiques et sapientiaux ainsi que
des textes pauliniens ; une tradition plus récente s'y ajoute, celle des
premiers Pères de langue latine, les Tertullien, Cyprien, Hilaire de
Poitiers, Ambroise enfin, qui fut après Cicéron son véritable maître :
tous avaient commencé avant lui à « convertir la culture antique ».
Lorsque au livre X il s'écrie : « Tard je t'ai aimée, beauté si ancienne
et si nouvelle, tard je t'ai aimée », dans une invocation admirable si
souvent reprise au cours des siècles et pour finir retournée[a], ce n'est
certes pas du canon d'une esthétique nouvelle qu'il salue la découverte, avec le regret de l'avoir faite si tard : c'est de la trop tardive
rencontre avec Dieu qu'il s'agit. Mais on a pu sans excès de subtilité
montrer qu'ici l'inspiration du *Cantique des cantiques* vient recouvrir, sur l'amour de la Beauté contre les beautés, les thèmes néo-
platonisants de l'Augustin encore aspirant au baptême, à Cassiciacum[39]. Dans l'ordre de l'esprit – mais aussi dans celui de l'art –,
les gains nouveaux se sont faits chez lui sans perte, la conversion
est intervenue sans rupture, dans une enrichissante combinaison des
successifs apports culturels.

Pour dire encore un mot des *Confessions* : elles restent l'œuvre
« grand public » d'Augustin, aisément accessible à tous les lecteurs,
à tous ceux du moins qui ont du goût pour les grandes aventures
humaines[40]. Et certes, redisons-le, tous ne se situeront pas au même
niveau de lecture. Mais c'est le sort des œuvres d'art parmi les plus
belles – et cela vaut aussi pour les œuvres de l'esprit – de séduire
par là-même où elles restent en deçà de la finalité poursuivie par
ceux qui les ont conçues. Certaines compositions de Raphaël ou de
Poussin nous attachent ainsi par des prestiges secondaires qui laissent l'œil en marge des intentions du peintre, souvent à peine devi-
nées. Le propre du génie est de pouvoir plaire au plus grand nombre,
en réservant à quelques-uns le privilège d'en jouir à la plus fine
pointe de lui-même.

---

a. *Conf.*, X, 38. Le « retournement » est le fait de Renan, dont l'itinéraire avait
été l'inverse de celui d'Augustin, dans la fameuse *Prière sur l'Acropole*.

CHAPITRE XXI

Un moine en ses monastères

Au cours de l'été de 399, Augustin reprit le chemin d'Hippone, venant de Carthage où il avait séjourné presque aussi longtemps que deux ans auparavant. Il y avait, à la fin d'avril, participé aux travaux d'un concile général qui, entre autres, avait décidé l'envoi auprès d'Honorius d'une délégation chargée d'obtenir du jeune empereur une loi garantissant le respect de l'asile dans les églises[a]. Un tel privilège existait déjà *de facto*, mais encore sans reconnaissance officielle, du moins en Occident, et il y était analogique de celui dont bénéficiaient traditionnellement les temples des cultes païens. Mais, précisément, il y avait de ce côté, depuis peu, du nouveau. Après une résistance longue de près d'un siècle, les beaux jours du paganisme étaient maintenant comptés. Le 8 novembre 392, Théodose avait signé son arrêt de mort, interdisant dans tout l'Empire la fréquentation des temples et les sacrifices, même dans le cadre de pratiques privées[b]. Toutefois, édictée en Orient, cette loi n'avait pas été appliquée tout de suite en Italie et, en Afrique, la politique largement indépendante de Gildon, tout-puissant maître de la milice depuis 386, et en révolte ouverte à partir de l'été 397, l'ayant laissée lettre morte. Mais Gildon avait succombé un an plus tard et, succédant en Occident à son père Théodose lui-même mort en 395, le jeune Honorius pouvait poursuivre sa politique religieuse sous la régence de Stilicon. Le 1ᵉʳ janvier 399 était entré en charge comme consul unique pour l'Occident Flavius Manlius Theodorus, le grand dignitaire chrétien qu'Augustin avait côtoyé à Milan en 386, et à qui il avait dédié son *De beata uita*[c] ; le 29 janvier, une nouvelle loi

---

a. *Concilia Africae*, CCL 149, pp. 193-194.
b. *C. Th.*, XVI, 10, 12.
c. *Supra*, p. 154.

d'interdiction des cultes païens était promulguée à Ravenne[a] et, quelques semaines plus tard, le 19 mars, à Carthage les comtes d'Afrique Gaudentius et Jovius, agissant sur ordre de l'empereur, démantelaient des temples et détruisaient des « idoles[b] ». Ce fut de plus probablement dès cette année-là, plutôt que quelques années plus tard, que pour la fête de Pâques – elle tomba en 399 le 10 avril – les fidèles catholiques, leur évêque Aurelius en tête, s'emparèrent du temple de Junon Caelestis, la patronne païenne de la ville dont vingt-cinq ans plus tôt l'étudiant Augustin suivait avec curiosité les festivités annuelles[1]. Il était temps, on le voit, qu'Epigonius et Vincentius, les deux évêques ambassadeurs, allassent exiger de l'empereur au bénéfice des églises d'Afrique la pleine reconnaissance d'un droit d'asile dont les temples, désormais abolis, ne pouvaient plus se prévaloir. Et l'on aura l'occasion de constater qu'Augustin fut toujours sourcilleux dans la défense de ce droit, souvent bafoué. Soit dit aussi en passant, mais on y reviendra, la mort politique du paganisme le laissait socialement et culturellement vivace : c'était pour l'évêque d'Hippone un nouveau dossier qui s'ouvrait, multiforme, une nouvelle implication personnelle, qui parfois ne sera pas seulement un combat d'idées.

Au printemps de cette année 399, Augustin avait à son habitude prêché à plusieurs reprises à Carthage. Dans cette prédication, on trouve, sans surprise, des échos de l'offensive impériale antipaïenne, notamment dans un sermon qui fait précisément allusion à la destruction des idoles : c'était dans le cœur des païens qu'il fallait d'abord les briser ; les chrétiens, ajoutait-il, s'interdisaient de faire pour les découvrir des perquisitions en dehors du domaine public. « Beaucoup de païens, disait-il, ont de ces abominations dans leurs propriétés : est-ce que nous y allons pour les briser[c] ? » En fait, les propriétaires païens en question avaient souvent pris leurs précautions. Ils avaient mis à l'abri en lieu sûr leurs statues de culte, en y joignant parfois celles qu'ils avaient sauvées dans les temples promis à la destruction[d]. Seize siècles plus tard, Paul Gauckler, directeur des Antiquités de la Tunisie, eut la bonne fortune de mettre la main à Carthage même sur l'une de ces cachettes, profonde et soigneusement murée et d'en retirer un peuple de dieux et de déesses, dont

---

a. *C. Th.*, XVI, 10, 15.

b. *Cité de Dieu*, XVIII, 54.

c. *Sermon* 62, 17.

d. Mention de ces enfouissements dans l'un des nouveaux sermons récemment publiés, datable de peu après 400 : *S. Dolbeau* 4 (*M.* 9), 8, dans *Vingt-Six Sermons au peuple d'Afrique*, 1996, p. 519, l. 207.

les marbres font maintenant partie des collections du musée du Bardo[2].

Sur le chemin du retour, Augustin, remontant la vallée de la Medjerda, s'était arrêté à Bulla Regia (Hammam Darradji), où Epigonius, sans doute déjà rentré de sa mission en Italie[3], avait sa chaire épiscopale. Il y était le 1er août et les fortes chaleurs[4] ne l'avaient pas empêché de prononcer un sermon en l'honneur des Maccabées. On l'y voit faire la leçon aux fidèles de la ville, trop enclins à son gré à prendre encore goût aux spectacles païens[a], ce qui montre bien que dans les cités de l'intérieur, pour ne rien dire des campagnes, l'implantation culturelle du paganisme était toujours forte. Mais il n'y avait pas que la canicule pour l'inciter à rentrer à Hippone, où la brise de mer aidait à passer le mois d'août. Il lui fallait terminer ses *Confessions*, commencer à mettre en chantier le *De Trinitate*, et cela sans préjudice des tâches épiscopales qui étaient dans l'ordinaire des jours son pain quotidien.

CONTINENTIA

À cette époque qui est celle de la rédaction du livre X des *Confessions*, Augustin s'est désormais placé humblement et tout entier sous l'empire de la grâce. L'introspection à laquelle il se livre sans complaisance est souvent marquée par le doute. À la suite de son effusion lyrique sur « la beauté si ancienne et si nouvelle », trop tardivement aimée, il note : « Il y a lutte entre mes joies, dont je devrais pleurer, et mes tristesses, dont je devrais me réjouir ; et de quel côté se tient la victoire, je ne sais... Il y a lutte entre mes tristesses mauvaises et mes joies bonnes ; et de quel côté se tient la victoire, je ne sais[b]. » Et, après avoir évoqué ce qu'est la vie humaine avec les mots de Job, il a cet élan de soumission en termes qui feront bientôt sursauter Pélage : « Toute mon espérance ne réside que dans la grandeur immense de ta miséricorde. Donne ce que tu commandes et commande ce que tu veux (*"Da quod iubes et iube quod uis"*)[c]. » Plus concrètement, l'évêque qui se sait faillible attend de Dieu des secours plus précis. « Tu nous ordonnes la continence », poursuit-il. *Continentia*, dans le texte : le mot excède de beaucoup en compréhension

---

a. *Sermon Denis* 17, 7.
b. *Conf.*, X, 39.
c. *Conf.*, X, 40. Le mot était déjà préfiguré dans la prière initiale des *Soliloques* (I, 5) : « Iube, *quaeso*, atque impera quidquis uis, *sed sana et aperi aures meas, quibus uoces tuas audiam.* »

sa traduction française ; cette *continentia*, commente Augustin lui-même en usant toujours d'un vocabulaire plotinien, est « ce qui nous rassemble et nous ramène à l'unité, dont nous avons dévié en glissant dans le multiple » ; c'est-à-dire en nous fourvoyant dans l'amour de la création et des créatures, qui nous éloigne de l'amour de Dieu, cet amour dont nous devons pour notre salut accepter l'exigence exclusive : « Car il t'aime moins, celui qui aime en même temps que toi quelque chose qu'il n'aime pas à cause de toi[a] ! »

C'est avec les mots de *I Jean*, 2, 16 qu'Augustin résume les trois concupiscences dont il lui faut encore et toujours se garder : « Tu me commandes assurément de me contenir devant *la concupiscence de la chair, la concupiscence des yeux et l'ambition du siècle*[b]. » Il n'est pas d'une égale faiblesse en face de ces trois tentations. Il y a beau temps, dit-il, une douzaine d'années, bien avant son ordination sacerdotale, qu'il a renoncé à toute satisfaction charnelle consciemment poursuivie. Mais dans « les vastes palais de sa mémoire » en subsistent les images qu'une longue pratique antérieure (*consuetudo*) y a fixées ; sans force à l'état de veille, ces images l'assaillent pendant son sommeil, au point, dit-il, de le faire parvenir non seulement au plaisir, mais même au consentement à ce plaisir dans une réplique exacte de l'acte lui-même. Ces libertés prises par ce que l'on appellera beaucoup plus tard l'inconscient le troublent ; même s'il n'y voit pas faute, il prend mal son parti de ces vacances nocturnes de la raison. Dieu ne pourrait-il pas, par quelque surcroît de sa grâce, éteindre aussi les mouvements lascifs de son sommeil, le dégager entièrement de « la glu de la concupiscence » ? Ou bien lui faudra-t-il attendre l'heure où « *la mort aura été engloutie dans la victoire*[c] » ?

Satisfaire les appétits du corps en ses convoitises, c'est aussi manger et boire. Augustin a appris à user des aliments comme de médicaments ; mais le rassasiement est lui-même jouissance, et il s'en inquiète : l'âme n'est que trop encline à « voiler sous le prétexte de la santé une affaire de volupté[d] » ! Il avoue même céder parfois à un excès de gourmandise[e]. Quant à la boisson, elle n'avait jamais été un des faibles de cette nature foncièrement sensuelle ; et on sait quelle était sa détestation des « pieux » ivrognes qui tenaient leurs assises sur les tombes ; sans doute aussi le récit que

a. *Conf.*, X, 40.
b. *Conf.*, X, 41.
c. *Conf.*, X, 42, *in fine* (*I Co.*, 15, 54).
d. *Conf.*, X, 44 : « *ut obtentu salutis obumbret negotium uoluptatis* ».
e. *Conf.*, X, 45. Il emploie, en le différenciant de l'*ebrietas*, le mot *crapula*, qui signifie ici une réplétion excessive, dans l'ordre du manger plutôt que du boire.

Monique lui avait fait de ses jeunes exploits de *meribibula* avait-il sonné pour lui comme un avertissement précoce. Pour ce qui est des parfums, l'auteur des *Confessions* dit n'y pas tenir, ne pas les rechercher, être prêt à s'en passer s'il le faut de façon définitive. Il notera pourtant à leur sujet qu'il n'est pas sûr de sa détermination[a]. Plus manifeste est son embarras quand il s'agit des sons ; l'évêque gardait un grand souvenir des fortes émotions éprouvées dans l'église d'Ambroise à Milan au temps de sa conversion. Aujourd'hui encore, dit-il, il arrive que la musique l'enchante par elle-même, et qu'il se sente pécheur d'être plus touché par elle que par les paroles[b]. Il est alors partagé : il aurait tendance à approuver Athanase, qui à Alexandrie faisait chanter les psaumes avec une inflexion de voix si légère qu'on était plus près de la récitation que du chant ; pourtant, tout en se défendant de vouloir légiférer en la matière, l'entraînement émotionnel de la mélodie lui paraît tout compte fait un bénéfice pour la religion[c]. Les donatistes, il le note vers la même époque, reprochaient aux catholiques une excessive sobriété dans le chant d'église[d].

« Reste la volupté de ces yeux de ma chair[e]. » C'est par elle qu'Augustin en termine avec, comme il dit, « les tentations de la convoitise charnelle ». Mais c'est avec elle qu'il est le plus difficile d'en finir ! Comment faire pour que ce qui fait les délices des yeux ne retienne pas aussi l'âme ? Augustin oppose la lumière intérieure qui guidait Tobie, Isaac et Jacob à la lumière qui inonde le monde, sculpte les formes, donne aux choses leur couleur et fait valoir l'art des hommes, cette « lumière corporelle qui de sa douceur séduisante et dangereuse assaisonne la vie des aveugles amants du siècle[f] ». Il a beau faire, il ne peut « empêcher ses pas de s'attacher à ces beautés ». Du moins a-t-il depuis longtemps vaincu les curiosités vulgaires ; le théâtre lui-même ne l'attire plus, et s'il se reproche des distractions futiles, comme de suivre des yeux, s'il est à la campagne, un chien qui court après un lièvre, ou, assis dans sa cellule, un lézard en train de gober des mouches, il s'efforce de les tourner à la louange du Créateur, qui a aussi voulu et réglé cela[g].

Demeure enfin l'*ambitio saeculi*, la place qu'on tient en ce monde,

---

a. *Conf.*, X, 48.
b. *Conf.*, X, 49.
c. *Conf.*, X, 50.
d. *Ep.* 55, 34.
e. *Conf.*, X, 51.
f. *Conf.*, X, 52.
g. *Conf.*, X, 57.

aux yeux et dans l'esprit des hommes. Augustin a renoncé à faire carrière un jour d'août à Milan, il y a de cela treize ans. Mais, qu'il le veuille ou non, il est devenu, à Hippone, à Carthage, un peu partout dans son Afrique, et bientôt aussi au-delà des mers, un personnage en vue, ce que nous appelons une « vedette ». Et ainsi il lui est advenu, aussi sûrement que s'il était un rhéteur célèbre, un poète de cour, ou un haut fonctionnaire impérial, d'être admiré, d'être soumis à la tentation de tirer joie et vanité d'« être craint ou d'être aimé des hommes[a] ». Or dans cet orgueil gît la plus lourde faute, et la plus difficile peut-être à éviter. Augustin en est parfaitement conscient : « La langue des hommes est notre fournaise de tous les jours[b]. » Mais comment y échapper ? Pour nous soustraire à la louange, faudra-t-il renoncer à la vie vertueuse et aux œuvres bonnes, qui l'attirent ? D'autre part, s'il nous faut supporter la louange – et il s'y reconnaît sensible[c] –, comment ne pas tomber dans la vaine gloire, qui s'en nourrit ? À cet égard plus qu'à tout autre, Augustin sait que pour demeurer dans la *continentia* il a besoin de la grâce : c'est à cette fin surtout qu'il y aspire, c'est en ce domaine de particulière vulnérabilité que Dieu doit « donner ce qu'il commande, commander ce qu'il veut[d] ».

MOINE AVANT TOUT : LE MONASTÈRE DES FRÈRES LAÏCS À HIPPONE

Augustin n'aurait sans doute pas écrit ces pages du livre X des *Confessions* comme on vient de les lire s'il était resté, conformément à son vœu initial, simple *seruus Dei*, que ce fût à Thagaste ou à Hippone, où il n'était pas allé, on l'a vu, chercher fortune sacerdotale, mais de quoi fonder un monastère. Avec une rare prescience, écrivant à Rome en 387 son *De moribus ecclesiae catholicae*, il terminait son diptyque sur les moines, qui sont hors du siècle, et les clercs, qui y sont exposés, par cette note lucide : « Il est très difficile ici [dans la situation des clercs] d'observer le mode de la vie parfaite et de garder son âme apaisée et tranquille. En un mot, ces derniers [les clercs] sont là où l'on apprend à vivre, les autres [les moines] là où l'on vit[e]. » À Hippone, en 391, l'acceptation de la cléricature avait été le prix à payer pour la fondation du monastère. Et Augustin

a. *Conf.*, X, 59.
b. *Conf.*, X, 60 : « *Cotidiana fornax nostra est humana lingua.* »
c. *Conf.*, X, 61, *initio*.
d. *Conf.*, X, 60.
e. *De mor. eccl. cath.*, I, 69.

était entré dans une situation évolutive : d'abord « moine-prêtre », il s'était fait « moine-évêque » en devenant coadjuteur de Valerius, avant d'entrer, à la mort de ce dernier, dans une vie d'« évêque-moine[5] ». Responsable à part entière d'un évêché considérable autour d'une ville importante, d'un grand port, il ne pouvait plus, surtout avec la conception exigeante qu'il se faisait de l'épiscopat – un service et une charge sans limites[6] –, continuer à vivre sans aménagements une vie strictement monastique. Il s'en est expliqué à la fin de sa vie, en 425, dans un texte émouvant – à la fois bilan et testament –, sur lequel on aura l'occasion de revenir : « Je parvins à l'épiscopat. Je vis qu'un évêque devait se montrer à tout instant plein d'humanité à l'égard de ceux qui venaient ou qui passaient [...]. Mais pareille hospitalité ne pouvait être tolérée dans un monastère où elle ne serait pas convenable. C'est pourquoi je voulus avec moi, dans cette demeure épiscopale, un monastère de clercs[a]. »

Pour ne rien dire ici du couvent de moniales dont l'établissement semble postérieur et dont l'emplacement demeure incertain[7], à partir de 397 deux institutions ont coexisté autour d'Augustin à Hippone : l'*episcopium*, c'est-à-dire le monastère des clercs, rassemblés dans la maison de l'évêque et dans ses dépendances, et le monastère des frères laïcs, établi dès l'origine dans un jardin, propriété de l'église d'Hippone, que Valerius avait concédé à Augustin[b]. Cette congrégation, qui avait succédé en 391 au « quasi-monastère » de Thagaste[c], en était-elle différente par le statut ? Comme à Thagaste, on y vivait ensemble sur le pied de résolutions communes, plutôt que sur des « vœux ». Possidius, qui en avait été lui-même l'un des premiers membres, a mis l'accent sur cette continuité entre Thagaste et Hippone dans la mise en pratique d'une « règle » qui reposait principalement sur la communauté des biens : « Que personne dans cette société ne possédât rien en propre, que toutes choses leur fussent communes et fussent distribuées à chacun selon ses besoins : ainsi avait-il fait déjà une première fois quand, rentrant d'outre-mer, il était revenu au pays[d]. » Augustin, prêtre puis coadjuteur de Valerius, a vécu là de cette façon pendant quelques années, en compagnie, entre autres, de quelques familiers eux-mêmes personnages d'exception qui le quittèrent les uns après les autres pour accéder directement à l'épiscopat : avant le départ pour Calama (Guelma) de Possidius lui-même en 397/98 et celui d'Evodius pour Uzalis vers la même

---

a. *Sermon* 355, 2.
b. *Supra*, p. 219.
c. *Supra*, pp. 189-190.
d. *Vita Aug.*, V, 1.

époque, ce sera le cas, entre 395 et 397, de Profuturus, parti pour
Cirta (Constantine), et de Severus, qui occupera le siège de Milev
(Mila). Possidius a évalué à une dizaine le nombre de ces évêques,
demeurés aussi tel Augustin des moines, qui sont sortis du *monasterium* d'Hippone comme d'un séminaire[a].

Lorsqu'il quitta lui-même cette communauté en raison de ses
nouvelles contraintes d'évêque titulaire, il se peut, comme on l'a dit,
qu'Augustin ait souhaité « compenser par la présence de sa Règle
sa propre absence physique dans le premier monastère d'Hippone[8] ».
Et l'on a pu reconstituer, avec des marges d'incertitude qui sont
surtout relatives aux dates, la genèse de cette Règle. On s'accorde
à penser que les premiers linéaments en sont sans doute dus à Alypius qui, lui-même évêque-moine à Thagaste, en 395, et s'inspirant
de quelques principes retenus lors d'une visite faite à Jérôme à
Bethléem peu auparavant, avait rédigé un *Ordo monasterii* dans le
style duquel sa marque propre serait sensible[9]. Communiqué à
Augustin et approuvé par lui, ce texte est adopté et appliqué à
Thagaste, tandis que dans le même temps ou peu après l'évêque
d'Hippone, suivant l'exemple de son ami, met par écrit un enseignement oral qu'il avait commencé depuis quelques années à donner
aux frères laïcs de son monastère. Ce sera le *Praeceptum*, dont
Alypius à son tour prendra connaissance, dont il fera faire une copie
et qu'il combinera avec l'*Ordo monasterii* pour en faire un premier
Codex regularum : le premier noyau de la « règle de saint Augustin »
qui, par l'intermédiaire d'abord de Paulin de Nole, se répandra en
Italie puis dans tout l'Occident chrétien[10].

Paulin de Nole sera à l'origine de la diffusion initiale de la Règle.
À l'inverse, comme on a pu le montrer, il avait d'abord contribué à
fixer le climat spirituel de la première congrégation augustinienne,
en faisant dans l'une de ses lettres, adressée à Augustin en 395/96,
référence à l'esprit qui animait celle qu'il avait instituée lui-même
en Campanie avec Therasia[11]. Du texte fondateur que sont les *Actes
des apôtres*, 4, 32-35, il citait particulièrement 32a : il n'y avait dans
la multitude des croyants *qu'un cœur et qu'une âme*[b]. On retrouve
dans le *Praeceptum* – et le constat de cette réception vaut indice
chronologique – cette péricope 32a, qui y figure en tête, juste après
la phrase introductive, pour fonder en esprit la charte du monastère :
« Le premier point – ce qui est la raison de votre rassemblement –
est de vivre unanimes à la maison, et que soient en vous une seule

a. *Vita Aug.*, XI, 3.
b. Paulin de Nole, dans Aug., *Ep.* 30, 3.

âme et un seul cœur tendus vers Dieu[a]. » Du coup, l'obligation fondamentale du « tout en commun », réaffirmée, se chargeait d'un autre sens : « Ne donnez à rien le nom de "bien propre", mais que toutes choses vous soient communes, et qu'à chacun d'entre vous le vivre et le couvert soit prodigués par votre supérieur, non pas de façon égale pour tous, parce que vous n'êtes pas égaux en santé, mais plutôt à chacun selon ses besoins. Vous lisez en effet dans les *Actes des apôtres*[b] que toutes choses leur étaient communes et qu'on distribuait à chacun selon ses besoins. » On a risqué, et non sans bonheur, le terme de « communisme spirituel » pour qualifier le style de vie cénobitique imaginé et mis en œuvre par Augustin[12]. Dans ce communisme-là, ce qui bénéficiait à tous sans limite, et sans considération des besoins individuels, c'était la communauté d'âme et de cœur.

L'attachement personnel d'Augustin à la vie monastique, foncier et indéfectible, ne l'a pas empêché d'en évaluer avec lucidité les exigences, parfois incompatibles avec les faiblesses personnelles de certains novices, ou avec les contraintes exercées par leur entourage. Tel était le cas de Laetus, qui avait posé problème dans les toutes premières années du fonctionnement du monastère des frères laïcs[13]. Laetus semble avoir eu une vocation sincère ; mais il avait quitté le monastère pour régler des affaires de famille et la lettre que son supérieur lui adresse en réponse à celle – non conservée – que, dans son désarroi, il avait écrite aux frères de sa communauté montre clairement que si le jeune novice avait sacrifié l'attrait de la vie parfaite à la protection d'intérêts matériels, c'est qu'il était sous l'emprise de sa mère. Avec une remarquable « rudesse spirituelle », Augustin lui expliquait qu'au-delà du dénuement volontaire il fallait pour vivre en communauté consentir à une désappropriation plus radicale, affective, faire aller le renoncement jusqu'à la rupture des liens familiaux. Pour commencer, il citait *Luc*, 14, 26 : « Si quelqu'un vient à moi et ne hait pas son père, sa mère, son épouse, ses enfants, ses frères, ses sœurs, et même son âme, il ne peut être mon disciple[c]. » Et il commentait : « Tous ces biens propres en effet sont des entraves qui empêchent d'obtenir, non pas les biens propres qui passent avec le temps, mais les biens communs qui demeurent pour

---

a. *Praeceptum*, 2, éd. L. Verheijen, *La Règle de saint Augustin, I*, Paris, 1967, p. 417.

b. *Act.*, 4, 35.

c. *Ep.* 243, 2. Ajoutons quand même pour le lecteur moins familier de ces textes que dans *Luc*, 14, 26, « haïr » (*odisse*, en latin) est une mauvaise traduction, malheureusement traditionnelle, d'un terme hébreu qui signifie « se détacher », « prendre ses distances ».

l'éternité. Par le fait même qu'une femme est ta mère, elle n'en est pas une pour moi. Ce sont là choses qui sont dans le temps et qui passent, comme tu vois qu'est déjà passé le fait qu'elle t'a conçu, qu'elle t'a porté dans son ventre, qu'elle t'a mis au monde, qu'elle t'a nourri de son lait. Mais, sœur dans le Christ, elle l'est et pour toi et pour moi, et pour tous ceux à qui est promis l'unique héritage céleste, et Dieu pour père et le Christ pour frère, dans la même société d'amour [...]. Tu peux observer cela très facilement dans le cas précis de ta mère. En effet d'où vient qu'elle t'entortille après t'avoir maintenant pris dans ses filets[a], et qu'après avoir ralenti l'élan que tu avais pris elle te dévie et te détourne, si ce n'est du fait qu'elle est ta propre mère ? Car, en tant qu'elle est la sœur de tous ceux qui ont Dieu pour père et l'Église pour mère, elle n'est pas pour toi un empêchement, non plus que pour moi et pour tous nos frères, qui avons pour elle non une affection privée, comme toi dans votre maison, mais une affection publique dans la maison de Dieu [...]. Ce que je viens de dire de ta mère doit s'entendre de toute parenté de cet ordre. Et même, que chacun s'interroge aussi au sujet de son âme pour haïr aussi en elle un sentiment privé qui sans aucun doute est temporel, et pour aimer en elle cette communion et cette société dont il est dit : *"Ils n'avaient qu'une âme et un cœur tendus vers Dieu"* [Ac., 4, 32a]. De la sorte en effet ton âme ne t'est pas propre : elle aussi celle de tous tes frères, dont les âmes sont aussi tiennes, ou plutôt dont les âmes unies à la tienne sont, non plus des âmes, mais une seule âme, l'âme unique du Christ[14]... »

On ne sait comment Laetus entendit ces lignes, ni ce qu'il advint de lui. Mais, en les lisant, on ne peut pas ne pas repenser à la relation qu'Augustin lui-même entretenait avec sa mère, une *mater propria*, s'il en fut. Mais Monique n'était pas la mère de Laetus ; avant même que sa mort à Ostie, quelque dix ans plus tôt, ne laissât d'elle que l'essentiel, une image sublimée, elle avait su accompagner son fils dans sa trajectoire, dépouiller déjà de son vivant son enveloppe de mère charnelle pour être pour son fils une sœur en Jésus-Christ, et, comme il l'écrivait à la fin du livre IX des *Confessions*, « une concitoyenne dans la Jérusalem éternelle[b] ». Le souvenir des derniers mois de la vie terrestre de Monique flotte dans cette objurgation à Laetus.

Augustin eut parfois avec ses moines des déboires plus sérieux encore, le plus souvent dus à leur instabilité ou à leur « arrivisme ». C'est ce dernier ressort qui semble avoir été à l'origine de la

---

a. *Ep.* 243, 4.
b. *Conf.*, IX, 37, *in fine*.

désertion de deux frères qui, à l'époque dont nous parlons, avaient quitté le monastère d'Hippone pour aller chercher fortune dans la cléricature à Carthage. Un peu précipitamment et sans prendre le temps de s'informer, Aurelius avait ordonné l'un d'eux, un nommé Donatus ; mais, saisi de scrupule, il avait écrit à Hippone avant de prendre une décision sur le second. À regret, Augustin avait pris acte de l'ordination de Donatus, en suggérant à son primat, de façon aussi claire que discrète, de ne pas répéter cette erreur à propos du frère[a]. Et, sans faire la leçon à Aurelius, il argumentait sur cette erreur : c'était, disait-il, faire grave injure au clergé que d'admettre dans la cléricature les déserteurs des monastères, donc les mauvais moines, alors que la coutume est de faire accéder aux ordres les meilleurs d'entre eux ; et le risque n'était-il pas que le bon peuple allât dire : « Mauvais moine, bon curé ! » comme il disait : « Mauvais flûtiste, bon chef d'orchestre ! » ? Il faut croire que cette protestation fut entendue, puisque le concile général du 13 septembre 401 prit une décision qui interdisait cette pratique[b]. Mais ce canon, comme bien d'autres, était fait pour être tourné, et Augustin l'apprit encore à ses dépens quelque temps après, quand un autre de ses moines, un certain Donantius, après un stage assez bref dans son monastère, réussit à se faire ordonner diacre par le primat de Numidie de l'époque, Xanthippus de Thagura. Mis au courant de la situation, ce dernier avait renvoyé Donantius à Hippone, et Augustin, ne sachant plus que faire de lui, en avait fait le portier de Saint-Théogène ; mais il n'était pas même digne de cet office pourtant modeste et les prêtres responsables de cette chapelle l'avaient chassé[c]. Pour finir, bien des années plus tard, Donantius s'était fait réclamer comme diacre par les fidèles de sa petite cité d'origine, située non loin de Thagaste, et qui dépendait alors d'un nouveau ressort épiscopal créé par Augustin à Thiava aux confins sud de son propre diocèse : l'évêque d'Hippone écrivait à son collègue, Honoratus, en le mettant en garde contre la personnalité douteuse de ce Donantius, qui retenait bien malgré lui son attention depuis une quinzaine d'années[15] !

Augustin était tout le contraire d'un naïf et il était sans illusion sur la nature humaine. Il savait pertinemment qu'il y avait de faux moines, comme il y avait de faux prêtres et de faux fidèles[d]. De même que c'était dans les monastères qu'on pouvait rencontrer les

---

a. *Ep.* 60, 2.
b. *Concilia Africae, CCL*, 149, p. 204.
c. *Ep.* 26*, 1, *B.A.*, 46 B, 1987, p. 390.
d. Cf. *Enarr. in Ps.* 132, 4, 1.

plus belles âmes et constater les meilleures réussites spirituelles, c'était là que l'on pouvait enregistrer les chutes les plus dures[a]. Elles étaient à la mesure des attentes : « qui veut faire l'ange fait la bête », dira Pascal. L'évêque d'Hippone se méfiait particulièrement de ceux que saint Benoît appellera un peu plus tard les « gyrovagues », ces individus qui « sous des dehors de moines circulent à travers les provinces, envoyés nulle part, fixés nulle part, résidant nulle part, domiciliés nulle part », colportant phylactères et douteuses reliques, vivant de mendicité[b]. Il savait par expérience qu'entre eux et les circoncellions la différence, si elle existait, n'était qu'une moindre nocivité. Et, déplorant le tort qu'ils faisaient aux *congregati* par le fait de leur commune dénomination de *monachi*, il mettait dans le même sac tous ces *uagantes*, à quelque Église qu'ils appartinssent[c]. Certains de ces vagabonds de Dieu se signalaient par leur longue chevelure, qu'ils laissaient pousser « de peur qu'une sainteté tondue fît moins d'effet qu'une sainteté chevelue[d] » ; ils se réclamaient de la tradition des patriarches de l'Ancien Testament, Samuel et Samson, et comme ils prétendaient couvrir leur répugnance à tout travail du discours évangélique sur « *les oiseaux du ciel qui ne sèment ni ne moissonnent* » (*Mt.*, 6, 26), Augustin se moquait de ces oiseaux noirs qui condamnaient les barbiers aux chômage, par crainte d'être plumés et de ne plus pouvoir voler !

Au tournant des IVᵉ et Vᵉ siècles, ces moines errants réfractaires à toute occupation pullulaient apparemment en Afrique tout autant qu'en Orient, où ils s'attiraient les sarcasmes de Jérôme[e]. Et, dans les monastères mêmes, trop nombreux étaient ceux qui prétendaient ne vivre que des offrandes qu'ils estimaient dues à leur piété. Cette situation détermina Aurelius à prier Augustin d'écrire quelque chose à ce sujet. Ce fut, en 400/01, le petit livre intitulé *Le Travail des moines*. L'évêque d'Hippone s'appuyait sur le précepte paulinien : « *Celui qui ne veut pas travailler ne doit pas manger non plus* » (*II Th.*, 3, 10) ; mais, dans une remarquable approche sociologique du recrutement des monastères, il tenait compte des différences sociales et des réalités économiques. Il n'était pas question de contraindre à un travail manuel au-dessus de leurs forces – et difficilement compatible avec leur condition et leur éducation – de

a. Cf. *Ep.* 78, 9.
b. *De opere monachorum*, 36.
c. *Enarr. in Ps.* 132, 3, 10.
d. *De opere monach.*, 39.
e. JÉRÔME, *Ep.* 22, 28.

nobles personnages qui avaient apporté à la communauté où ils allaient finir leur vie des richesses parfois considérables ; d'autres tâches pouvaient leur être utilement confiées[a]. Mais ces moines qui venaient de l'élite de la société du temps – grands propriétaires, sénateurs, hauts dignitaires de l'Empire – étaient très minoritaires. Augustin notait que les *serui Dei* étaient massivement d'extraction très modeste, souvent même d'origine servile : des affranchis ou des esclaves à qui leurs maîtres accordaient la liberté pour leur ouvrir les portes du monastère. Les plus nombreux étaient issus de la petite paysannerie[b], ou encore des rangs du petit peuple des artisans des villes. Ceux-là étaient accoutumés au labeur physique ; ils n'avaient aucune raison de s'y soustraire et d'y trouver un obstacle à la méditation et à l'oraison.

MOINE MALGRÉ TOUT : LE MONASTÈRE DES CLERCS

Parvenu à l'épiscopat, Augustin, on l'a vu, avait dû renoncer à mener une existence cloîtrée, au minimum retirée, proprement monastique[c]. Mais il n'était pas homme à renier pour autant son idéal de vie communautaire : la solution alternative consista à ouvrir le « palais épiscopal » à tous les clercs d'Hippone, dont il prohiba l'habitation distincte. Le *monasterium clericorum* était né, certainement une première dans l'Afrique de ce temps[16]. Cela impliquait d'abord pour les clercs mariés – il pouvait y en avoir parmi les plus âgés, car les règles relatives au célibat étaient alors assez récentes[17] – l'obligation de se séparer physiquement de leurs femmes, avec lesquelles au demeurant ils vivaient dans la continence. Ils s'obligeaient aussi et surtout à renoncer à tous leurs biens, au profit de l'église d'Hippone ou d'une autre église, ou encore en faveur de leurs propres familles, si la situation l'exigeait, pour faire avec leur évêque demeure et table commune, nourris et vêtus aux frais de la communauté[d].

Possidius, commensal occasionnel du maître après son ordination épiscopale à Calama, et témoin de cette vie au jour le jour au moins jusqu'en 397, nous en a laissé un tableau tracé après la mort d'Augustin avec des mots simples que le mieux est de reproduire.

---

a. *De opere monach.*, 33.

b. « *Ex uita rusticana* » : *ibid.*, 25 : il faut bien en croire Augustin, quoi que nous sachions par ailleurs de la difficulté pour la majeure partie d'entre eux d'échapper aux astreintes héréditaires de la condition rurale.

c. Cf. *supra*, pp. 318-319.

d. *Vita Aug.*, XXV, 1.

« Sa table était frugale et modeste ; quelquefois, aux légumes verts ou secs [18] on ajoutait de la viande, s'il y avait des hôtes ou s'il se trouvait des malades ; mais il y avait toujours du vin, car il savait et enseignait que, comme le dit l'Apôtre, *"tout ce que Dieu a créé est bon, et aucun aliment n'est à proscrire, si on le prend avec l'action de grâces : la parole de Dieu et la prière le sanctifient"* [*I Tm.*, 4, 4][a]... Pour ce qui est du vin, on connaît le mot de l'Apôtre écrivant à Timothée et disant : *"Cesse de boire uniquement de l'eau, mais prends un peu de vin pour ton estomac et tes fréquents malaises"* [*I Tm.*, 5, 23]. » Possidius ajoutera plus loin que la consommation de vin était codifiée, avec un nombre de coupes strictement fixé pour chacun, et que le règlement stipulait que tout juron échappé par inadvertance était sanctionné par la perte d'une rasade : on devait sans doute prendre bien garde de ne pas se laisser aller, car dans l'entourage de l'évêque ces douceurs trop humaines étaient des raretés. Il poursuit ainsi sa description de ces repas en commun : « À sa table, les cuillers seules étaient d'argent ; on servait dans des récipients de terre cuite, de bois ou de marbre, non par l'effet de la pauvreté, mais par celui d'une règle volontaire. Mais Augustin pratiqua toujours l'hospitalité [19]. À sa table, il préférait la lecture et la discussion au manger et au boire, et contre ce fléau si répandu chez les hommes, il avait fait écrire dans le réfectoire :

"Quiconque aime s'en prendre à la vie des absents
par ses médisances
Sache que sa propre vie n'est pas digne de cette table[20]."

Ainsi avertissait-il tous les convives d'avoir à s'abstenir de racontars excessifs et méchants. Un jour que quelques-uns de ses proches, ses collègues dans l'épiscopat, avaient oublié cette inscription et y contrevenaient par leurs paroles, il les reprit dans son émotion avec rudesse, au point de leur dire qu'il ne lui restait plus qu'à faire effacer ces vers, ou qu'à se lever de table et se retirer dans sa chambre. Je fus témoin de cette scène pour avoir, avec d'autres, participé à ce repas[b]. »

Naturellement, on aimerait en savoir plus, sortir avec Possidius de la salle à manger et visiter avec lui le reste de l'*episcopium*. Il ne nous fera pas entrer dans la chambre de l'évêque, ni dans les cellules de ses clercs et, plus soucieux de fixer son image morale que de détailler son image physique, il se contentera de souligner la simplicité de bon aloi de sa mise et de sa couche : « Pour ce qui est de ses vêtements, de ses chaussures et de son lit, il restait dans

---

a. *Vita Aug.*, XXII, 2.
b. *Vita Aug.*, XXII, 7.

la mesure et dans la convenance, sans recherche excessive ni affectation de négligence : car à l'ordinaire, lorsque les hommes affichent à cet égard soit souci de paraître, soit à l'inverse négligence, dans l'un et l'autre cas *"ils recherchent leur intérêt propre, non celui de Jésus-Christ"* [*Ph.*, 2, 21]. Mais lui gardait le juste milieu, *"n'inclinant ni à droite ni à gauche"* [*Nb.*, 20, 17][a]. » Il n'y a, pour éclairer ou préciser ce texte édifiant, que peu de précisions à glaner chez Augustin lui-même. Ce qu'il dit de sa vêture dans des textes qui datent de ses dernières années confirment les propos de Possidius, par exemple lorsqu'il se défendra d'accepter un *byrrhus* – un manteau d'hiver à capuchon – trop précieux (bon peut-être pour un évêque, ajoutera-t-il, mais non quand cet évêque s'appelle Augustin !), ou de recevoir en cadeau une tunique de lin à titre particulier : mais il la portera comme la portera n'importe quel frère à qui elle pourra tout aussi bien être attribuée[b]. Et c'est dans le même esprit qu'il remerciera Palatinus, un fidèle qui lui avait offert tout un lot de cilices, ces manteaux en poil de chèvre qui pouvaient servir indistinctement à tous les membres de la communauté d'Hippone[c].

La renonciation à toute propriété personnelle et le partage de la vie commune, dans un dénuement librement accepté, étaient, on l'a vu, la base matérielle du monastère des clercs comme ils l'étaient de la congrégation des laïcs. Ils en étaient aussi le fondement spirituel : « Celui qui veut vivre avec moi possédera Dieu[d] », disait Augustin. Vis-à-vis de l'ensemble de la communauté catholique d'Hippone, la fidélité à cet engagement était aussi l'article fondamental d'une charte morale. Augustin, surchargé par ailleurs de responsabilités pastorales et civiles, répugnait à toute gestion comptable. Possidius dira qu'il faisait confiance, pour l'administration des biens de l'Église, aux clercs les plus capables, qui en recevaient délégation : on ne le voyait jamais clefs en main, ni anneau sigillaire au doigt[e] : c'est dire qu'il n'avait jamais songé à vérifier personnellement si les membres de son clergé avaient bien, à leur entrée dans les ordres, liquidé intégralement leur fortune.

À la fin de l'année 425 – Augustin venait d'avoir soixante et onze ans –, une vérité désagréable se fit jour : l'évêque eut l'occasion de

---

a. *Vita Aug.*, XXII, 1.
b. *Sermon* 356, 13. Il fera cependant exception pour la tunique que la moniale Sapida avait confectionnée pour son frère Timothée, diacre à Carthage, mort avant d'avoir pu la porter ; il acceptera ce cadeau personnel et adressera à Sapida une lettre d'une exquise délicatesse : *Ep.* 263.
c. *Ep.* 218, 4.
d. *Sermon* 355, 6.
e. *Vita Aug.*, XXIV, 1.

s'apercevoir qu'un de ses prêtres avait à son insu conservé l'administration de biens personnels. Ce fut un choc. Januarius – c'était le nom de ce prêtre – gérait une petite fortune au nom et à l'intention de sa fille encore mineure, qui vivait dans un monastère proche, en attendant que celle-ci pût en disposer. C'était à la rigueur admissible. Mais l'approche de la mort l'avait fait changer de dispositions et, comme s'il considérait cet argent comme sien, il venait par testament de le léguer à l'église d'Hippone : il mettait le vieil évêque dans une situation impossible. D'abord, en agissant ainsi, il avait ouvertement bafoué la règle de pauvreté ; ensuite, en déshéritant sa fille au profit de l'Église, il attirait sur cette Église la douteuse réputation de s'enrichir par des procédés contestables.

La réaction d'Augustin fut à la mesure du scandale qui menaçait. Le 18 décembre 425, en chaire, devant une assemblée nombreuse, qui comprenait, outre son clergé et les *seniores* de la communauté chrétienne d'Hippone, une bonne partie de cette communauté, il traita de l'affaire dans tous ses détails et fit connaître ses décisions. Bien sûr, il refusait cet héritage[a]. Et il s'expliquait sur sa pratique : oui, il lui arrivait d'accepter des legs ; par exemple il avait accepté l'héritage de Julianus, parce que ce dernier était mort sans enfants ; mais il avait refusé celui de Bonifatius, un gros armateur, d'abord parce que Bonifatius avait déshérité son fils, mais aussi pour des raisons de « déontologie » ecclésiastique, parce que l'acceptation dans ce cas eût transformé « l'Église du Christ en société de transports maritimes », avec les profits mais aussi les risques inhérents à ce genre d'entreprise, que la communauté ne pouvait assumer en cas de revers : et il rappelait qu'elle n'avait pas de réserves, tout étant donné aux pauvres[21]. Puis il en venait à la question de fond qu'à ses yeux posait l'attitude de Januarius. Il s'agissait de savoir si le vœu de pauvreté devait être pour les membres de l'*episcopium* une règle absolue, ou si elle pouvait comporter des accommodements. Augustin n'en voulait pas pour lui. Mais, quoi qu'il lui en coûtât, car c'était sa conception, maintenant vieille de trente ans, du monastère épiscopal qui était en cause, il lui semblait qu'il valait mieux revenir sur une décision prise que faire semblant de la tenir : il ne voulait pas avoir d'hypocrites auprès de lui[b]. Il acceptait donc, à l'avenir, qu'on pût rester clerc dans son église tout en conservant le libre usage de ses biens et la disposition d'une résidence privée. Mais il n'était pas question de laisser cette option indéfiniment ouverte. Augustin donnait à ses clercs un délai de quelques jours

---

a. *Sermon* 355, 3.
b. *Ibid.*, 6

pour choisir entre la simple cléricature et la « vie parfaite » en communauté. On était à quelques jours de Noël : l'Épiphanie fut la date fixée pour la prise par chacun de ses résolutions.

Au début de janvier 426, on se retrouva pour l'Épiphanie dans la cathédrale d'Hippone. Peu après être monté en chaire, Augustin réclama de l'assistance une attention particulière et fit lire par le diacre Lazare le texte fondateur, l'idéal tracé par les *Actes des apôtres*, 4, 31-35. Et comme le diacre rendait après lecture le livre à son évêque, Augustin tint à relire lui-même ces versets, et il ajouta : « Vous venez d'entendre ce qui est notre idéal : priez Dieu qu'il nous rende capables de l'atteindre[a]. » Puis il annonça la bonne nouvelle : « Voici un grand sujet de joie : tous mes frères clercs qui habitent avec moi, prêtres, diacres, sous-diacres, y compris mon neveu Patricius, je les ai trouvés tels que je les désirais[b]. » Tous avaient renouvelé le vœu de pauvreté et d'engagement à la vie commune que l'évêque souhaitait entendre solennellement confirmé. Suivit un long rapport qu'il jugeait indispensable pour arrêter, en prenant à témoin l'ensemble d'une communauté qu'il savait parfois critique, les dispositions auxquelles chacun s'obligeait pour se mettre parfaitement en règle. Augustin commençait par les diacres, gestionnaires traditionnels des biens ecclésiastiques. Valens avait encore quelques biens en indivision avec son frère, lui-même sous-diacre de Severus à Milev : une fois la succession réglée, il affranchira ses esclaves et fera don de ses terres à l'Église. Patricius, le neveu, qui vient de perdre sa mère, est en train de procéder au partage avec son frère et ses sœurs et il abandonnera sa part, qui reviendra à l'église d'Hippone. Faustinus, un ancien militaire, renonce en bonne et due forme à la moitié de ses biens au profit de ses frères et fait don du reste à l'église de sa bourgade natale. Le diacre Sévère, aveugle, a encore quelques lopins de terre dans son pays : il en fera don à l'église locale, qui est pauvre. Quant à Eraclius, c'est, dit Augustin, un clerc modèle, dont les fondations sont bien connues : c'est lui qui a fait édifier à Hippone, à ses frais, la chapelle de saint Étienne ; la petite maison qu'il a fait construire à côté de la cathédrale, initialement destinée à sa mère, il vient d'en faire don à l'Église et il se dispose à affranchir séance tenante ses esclaves qui vivent au monastère[c]. Il y a peu à dire, poursuit Augustin, des sous-diacres : ils sont tous pauvres. Restent les prêtres. Augustin tient à dissiper à leur sujet quelques médisances, en commençant par Leporius, qui avait fait

a. *Sermon* 356, 1-2.
b. *Ibid.*, 3 : « *tales inueni quales desideraui* ».
c. *Sermon* 356, 7.

don de tous ses biens avant même d'entrer dans le clergé ; on lui doit, ajoute Augustin, la construction, grâce à des dons de fidèles, de la basilique des Huit-Martyrs et d'une hôtellerie (*xenodochium*) ; il avait acheté une maison, comptant en utiliser les matériaux pour la réalisation de la basilique[22], mais, comme il n'en a pas eu besoin, cette maison est maintenant louée au profit de l'Église ; et Augustin d'enfoncer le clou : « Il est inexact de dire, comme vous le faites, "vers la maison du prêtre, devant ou derrière la maison du prêtre", car elle ne lui appartient pas[a]. » Quant à Barnabas, il est faux de dire qu'il a acheté une maison avec un terrain au dénommé Eleusinus : il l'a reçue en don et en a fait lui-même don au monastère qui y a été construit ; et la gestion de ce monastère, qu'il a exercée pendant un an, ne lui a valu que des dettes[b]. Bref, Barnabas était irréprochable.

Augustin était sans illusion. Il terminait ce long compte rendu de mandat en prédisant qu'il ne mettrait probablement pas un terme aux racontars ; il se promettait d'y revenir, s'il en était besoin. Mais, en attendant, il réaffirmait avec force une autorité épiscopale que toute absence de compromission personnelle avait laissée intacte : tout manquement au vœu réaffirmé entraînerait une exclusion irrévocable. « S'il se trouve, concluait-il, un de mes clercs pour conserver un bien en propre, pour vouloir en disposer par testament, je le raye de la liste des membres de mon clergé. Il pourra en appeler contre moi à mille conciles, s'embarquer pour la destination qu'il voudra pour aller se plaindre de moi[23], avec l'aide du Seigneur il ne sera plus jamais clerc là où je suis évêque[c]. »

Cette mémorable journée de l'Épiphanie de 426 avait cependant les couleurs crépusculaires d'une fin de règne. Quelques mois plus tard, en septembre 426, rééditant le processus dont il avait lui-même « bénéficié » trente ans auparavant – mais en évitant la faute qu'avait commise Valerius en le faisant accéder à l'épiscopat de son vivant –, Augustin fera acclamer Eraclius, le diacre parfait devenu entre-temps prêtre, sur qui il se déchargera d'une partie de ses tâches, et qu'il désignera comme son successeur à sa mort[d].

---

a. *Sermon* 356, 10.
b. *Ibid.*, 15. Comme le passage relatif à Leporius, le développement concernant Barnabas sera repris dans les *Actes* du concile de Carthage des 5 et 6 février 525 : *Concilia Africae*, *CCL*, 149, pp. 280-281.
c. *Sermon* 356, 14.
d. *Ep.* 213, 5.

CHAPITRE XXII

Un évêque en ses églises, à Hippone

Texte émouvant et précieux à plus d'un titre, le *sermon* 356 l'est en particulier parce qu'il est aussi, à peu d'années de sa mort, un bilan des constructions ou aménagements réalisés ou voulus par l'évêque au long de son épiscopat. Nous ne connaissons que par ses indications ce que fut l'activité de bâtisseur d'Augustin en tant qu'évêque. Elle fut au demeurant assez modeste, et l'on peut la résumer aisément en suivant l'ordre chronologique.

LES ACQUISITIONS D'AUGUSTIN DURANT SON SACERDOCE

On sait déjà que la première initiative, antérieure à l'épiscopat, fut la fondation, nécessairement suivie de l'édification de bâtiments, du monastère des laïcs, dans un terrain – un « jardin » – cédé par l'évêque Valerius. Citons la phrase par laquelle, à la fin de 425, Augustin rappelait le geste fait par son prédécesseur près de trente-cinq ans auparavant : « Ayant appris mon projet et mon désir, le vieux Valerius, de sainte mémoire, me donna le jardin dans lequel est actuellement le monastère[a]. » Et Possidius ajoutera une indication topographique non négligeable, en dépit de son ambiguïté : « *Monasterium* intra ecclesiam *mox instituit*[b]. » Possidius, bien évidemment, n'a pas voulu dire que le monastère avait été établi « dans l'église » ; son *intra ecclesiam* signifie que le « jardin » donné par Valerius était, non seulement un domaine ecclésiastique, ce qui va sans dire, mais plus précisément un bien-fonds situé très probablement dans le péri-mètre qui enfermait la basilique et ses annexes[1]. Bien entendu, aucun

---

a. *Sermon* 355, 2. La formulation prouve bien, s'il en était besoin, que ce monas-tère coexistait toujours alors avec le monastère des clercs.
b. *Vita Aug.*, V, 1.

« état » des effectifs de ce monastère, si tant est qu'il en ait jamais existé, n'est parvenu jusqu'à nous ; mais nous pouvons supposer qu'il a pu rassembler, au moins à certaines périodes, beaucoup de monde. Car, outre les moines proprement dits, il lui est arrivé d'héberger des indigents sans domicile, comme le petit Antoninus, le futur et malencontreux évêque de Fussala, qui y vécut plusieurs années avec son beau-père[2], tandis que sa mère, qu'on avait séparée de son amant, était de son côté prise en charge dans un hospice des pauvres – *matricula pauperum* –, autre fondation qu'une nouvelle lettre d'Augustin récemment publiée fait connaître[a], et qui ajoute sa matérialité, qu'on aimerait bien situer sur le terrain, à celle du monastère des laïcs.

Le monastère des clercs, lui, est facile à évaluer dans sa réalité concrète, au moins pour une époque donnée : en 425/26, il rassemblait autour d'Augustin une petite quinzaine de personnes, prêtres, diacres, sous-diacres, lecteurs, troupe modeste, individuellement peu dévoreuse d'espace, et qui a pu sans trop de difficultés trouver place dans les annexes de la maison de l'évêque. Quant au couvent de moniales, dont la date de fondation nous est inconnue et qui eut un temps pour supérieure la propre sœur de l'évêque[b], il était à coup sûr matériellement séparé des autres congrégations et son emplacement à Hippone même n'est pas certain. À une date imprécise, entre 411 et la mort d'Augustin en 430[3], ce couvent fut secoué par une révolte des religieuses contre leur supérieure, Félicité, qui avait succédé à la sœur d'Augustin, révolte apparemment due à la nouveauté que constitua alors l'arrivée d'un supérieur homme, nommé Rusticus : à cette petite sédition, l'évêque répliqua par une réprimande fort sèche, la fameuse *obiurgatio*, en préambule à l'énoncé détaillé – *informatio* – de prescriptions propres aux moniales, qui forment l'une des composantes de la *Regula Augustini*[4].

On a vu plus haut qu'Augustin mettait à l'actif d'Eraclius, son futur successeur sur la chaire d'Hippone, alors encore diacre, la construction d'une *memoria* – ou « chapelle » – à saint Étienne. De façon très surprenante, à peine le corps du protomartyr avait-il été « inventé » près de Jérusalem, en 415, que des reliques en parvenaient en Afrique du Nord, aussitôt diffusées, « diluées », pourrait-on dire, et suscitant un peu partout une ferveur plus grande encore qu'en Orient. Elles avaient touché les côtes de l'actuel Maghreb d'abord par l'est, et à Uzalis, non loin d'Utique, autour de 420, Evodius les avait abritées dans une *memoria* très vite devenue

---

a. *Ep.* 20*, 2, p. 294, lignes 27-28.
b. *Vita Aug.*, XXVI, 1.

un centre actif de pèlerinage et le théâtre de nombreux miracles qui reçurent aussitôt une double publicité[5]. Dans la Numidie d'Hippone elle-même on constate une étonnante dissémination des reliques du protomartyr : à Calama (Guelma), chez Possidius, où elles firent merveille, à Aquae Thibilitanae (Hammam Meskoutine), au Castellum Sinitense et dans plusieurs églises rurales dépendant de l'évêché d'Hippone, qui avaient leur chapelle dédiée à saint Étienne ou, à défaut, au moins un reliquaire[a]. Il fallait qu'Hippone eût aussi sa *memoria*, pour recueillir quelques restes du saint vénéré : « un peu de poussière, dira l'évêque, pour rassembler beaucoup de monde[b] ». Ce fut l'une des bonnes œuvres d'Eraclius, qui la fit aménager à ses frais, et l'on en fit la dédicace, semble-t-il, au début de l'été de 425[6]. Elle était donc encore dans son neuf quand, le jour de Pâques 426, Paulus, un pèlerin originaire de Césarée de Cappadoce, venu là après avoir visité en vain plusieurs autres sanctuaires, y trouva la guérison de ses maux – d'incoercibles tremblements –, ainsi que sa sœur Palladia, deux jours plus tard, le 13 avril 426[7].

Il faut s'arrêter un peu aux circonstances précises de ces deux guérisons miraculeuses, telles qu'Augustin les a relatées, car elles ne sont pas sans enseignement topographique. Le frère et la sœur étaient arrivés à Hippone une quinzaine de jours avant Pâques ; ils se rendaient chaque jour à l'église et « ils y étaient particulièrement assidus à la chapelle du très glorieux Étienne[c] » : la phrase d'Augustin formule sans ambages une intériorité de la *memoria* par rapport à l'*ecclesia* dont il faudra se demander si elle est métaphorique ou véritablement spatiale. La suite peut nous y aider. Le matin du dimanche de Pâques, « le jeune homme, dit Augustin, se tenait en prière cramponné à la balustrade du saint lieu où se trouvait la relique du martyr[d] » ; le voici soudain qui s'effondre à terre, comme endormi, mais sans plus trembler – car auparavant il tremblait même dans son sommeil –, puis il se relève de lui-même, guéri. Dans l'église, ce sont aussitôt cris de joie et chants d'action de grâces. On se précipite, dit Augustin, « à l'endroit où j'étais assis, comme je m'apprêtais à aller voir[e] » : c'est-à-dire là il où se trouvait liturgiquement pour célébrer bientôt l'office de Pâques, en sa chaire

---

a. *Cité de Dieu*, XXII, 8, 11-17.

b. Cf. *sermon* 317, 1 : « *Exiguus puluis tantum populum congregauit : cinis latet, beneficia patent.* »

c. *Cité de Dieu*, XXII, 8, 22 : « *Ecclesiam quotidie et in ea memoriam gloriosissimi Stephani frequentabant.* »

d. *Ibid.* : « *cum* [...] *loci sancti cancellos ubi* martyrium *erat idem iuuenis orans teneret* ».

e. *Ibid.* : « *Inde ad me curritur, ubi sedebam iam processurus.* »

épiscopale, dans l'abside surélevée de l'église-cathédrale – car il ne pouvait célébrer ailleurs l'office pascal –, la *basilica Pacis*, encore dite *basilica maior*, comme nous le verrons bientôt[8]. Avant même qu'il ait eu le temps de se lever pour aller voir ce qui se passait du côté de la chapelle, le jeune miraculé le rejoint, se jette à ses genoux et se relève pour recevoir le baiser de l'évêque. Puis ils font tous les deux quelques pas en direction des fidèles, que l'évêque salue, au milieu des acclamations. Le silence revenu, lecture est donnée des textes scripturaires habituels pour la fête pascale ; à leur suite, Augustin, remonté en chaire, ne dira que quelques mots : les faits parlaient d'eux-mêmes[a].

La relation du processus miraculeux dont devait bénéficier Palladia le surlendemain confirme dans le détail les indications topographiques de celle du premier miracle. Augustin, le dimanche de Pâques, avait retenu Paulus à sa table et lui avait fait raconter son histoire, dûment enregistrée par les secrétaires de l'évêque. Le lendemain lundi, il avait pris très brièvement la parole[b], pour annoncer aux fidèles la lecture, le jour suivant, mardi, du *libellus* consignant le récit fait par Paulus et de ses tribulations précédentes et de sa guérison miraculeuse[9]. Pendant qu'Augustin le lisait, le mardi matin, le frère et la sœur se tenaient debout sur les marches de l'abside, pour qu'on les vît bien, le jeune homme droit et calme, la malheureuse toujours secouée par ses tremblements. La lecture achevée, les deux jeunes gens avaient quitté l'abside et l'évêque avait commencé à traiter de leur cas, quand au beau milieu de son discours il fut interrompu par des clameurs[c] : Palladia, après avoir descendu les degrés de l'abside, s'en était allée prier à la *memoria* de Saint-Étienne ; or à peine avait-elle touché la balustrade qu'elle était, comme son frère, tombée en catalepsie, avant, de même que lui, de se relever guérie. Relatant dans la *Cité de Dieu* les faits peu après leur déroulement, Augustin dira qu'après avoir entendu les cris qui s'élevaient de la chapelle Saint-Étienne, il avait vu les fidèles qui rentraient avec la jeune fille dans la basilique, venant de la *memoria* du martyr[d]. Ce qui oblige à redéfinir la relation spatiale de la chapelle et de la basilique : la *memoria* de Saint-Étienne n'était pas, à strictement parler, située à l'intérieur de l'église, comme une notation

---

a. Ce seront les quelques lignes du sermon 320, où Augustin s'excuse de sa fatigue ; n'oublions pas qu'il a plus de soixante-dix ans.

b. C'est le très bref sermon 321.

c. *Sermon 323, 4* : « *Et, cum haec diceret Augustinus, populus de memoria sancti Stephani clamare coepit.* »

d. *Cité de Dieu, XXII, 8, 22* : « *Ingressi sunt cum illa in basilicam in qua eramus, adducentes eam sanam de martyris loco.* »

précédente de ce chapitre de la *Cité de Dieu* le donnait à entendre ; mais elle était contiguë, adjacente, avec une communication aisée et rapide avec la basilique proprement dite, sur l'un des bas-côtés de laquelle elle donnait visiblement. On s'en souviendra lorsqu'on tentera de confronter les données des textes avec celles de l'archéologie, sur le site.

Eraclius avait effectué l'aménagement de la chapelle Saint-Étienne à ses frais. Le prêtre Leporius, lui, bien qu'il fût né dans une famille aisée, ne pouvait en faire autant, puisqu'il s'était dépouillé de tous ses biens en entrant dans le clergé. Il s'était donc, sur ordre de son évêque, fait collecteur de fonds pour réaliser ses desseins de bâtisseur. D'abord pour construire une hôtellerie – *xenodochium* –, peut-être rendue nécessaire par l'afflux des pèlerins auprès de la *memoria* de Saint-Étienne : au début de janvier 426, cet hospice venait juste d'être terminé[a]. Avec les sommes qu'il avait rassemblées pour les besoins de cette entreprise, il avait acheté une maison – au lieudit Carraria, sans doute un faubourg d'Hippone –, comptant en réutiliser les matériaux pour une autre construction commandée par l'évêque, celle de la basilique des Huit-Martyrs ; mais ces remplois n'avaient pas été nécessaires. La basilique, elle aussi, était flambant neuve aux premiers jours de 426 : nous avons le bâtiment devant les yeux, disait Augustin[b]. Peut-être cette basilique était-elle la réfection en plus grand d'une chapelle plus modeste : dans un sermon qu'on date de 410 environ, prononcé un 10 décembre, pour l'anniversaire de sainte Eulalie, la martyre espagnole, Augustin célèbre leur culte, en les associant aux Vingt Martyrs, ainsi qu'à Crispine de Théveste (Tébessa) et Cyprien de Carthage[c]. Et l'on peut penser que la construction du *xenodochium* fut nécessitée, non seulement par l'arrivée des reliques de saint Étienne, mais aussi par le développement des cultes martyrologiques locaux, suivant un processus qu'on constate alors un peu partout en Afrique du Nord[10]. Ces cultes, comme celui de sainte Salsa à Tipasa, exerçaient une large attraction, alimentant des flux de pèlerinages qui excédaient largement les circuits locaux ou strictement nord-africains[11].

Si l'on tient compte de la longue durée de son épiscopat – près de trente-cinq ans –, les réalisations d'Augustin bâtisseur paraissent

---

a. *Sermon* 356, 10 : « *Habebat xenodochium aedificandum, quod modo uidetis aedificatum.* »

b. *Ibid.* : « *Opus ante oculos habemus* » ; ce qui ne signifie pas nécessairement qu'on avait vue sur cette basilique des Huit-Martyrs de l'église-cathédrale.

c. *Sermon Morin* 2.

modestes, et l'on constate que, hormis le monastère des laïcs, qui fut une exigence initiale, les aménagements augustiniens datent de la fin de son sacerdoce. Mais Augustin avait reçu de Valerius un assez beau patrimoine monumental et, à partir de 405 au plus tôt, de 412 au plus tard, la basilique des donatistes et ses éventuelles annexes étaient venues s'y ajouter.

LE PATRIMOINE IMMOBILIER DE l'ÉGLISE D'HIPPONE À L'ARRIVÉE D'AUGUSTIN

Lorsque Augustin devint prêtre à Hippone en 391, la communauté catholique y comptait deux églises principales, urbaines[a]. Ce statut était sans aucun doute celui, on y reviendra plus loin, de la « basilique de la Paix » ; mais c'était très probablement aussi le cas de la basilique Léontienne, la plus ancienne des deux.

C'est dans cette *basilica Leontiana*, au début du mois de mai 395, qu'Augustin avait vécu les heures cruciales qui avaient décidé de sa vie de clerc. Il s'était alors, on s'en souvient, trouvé sur le fil du rasoir, prêt à « secouer la poussière de ses vêtements » et à quitter la place, devant l'obstination des fidèles qui ne voulaient pas rompre avec leurs orgies habituelles à l'occasion de la fête de saint Leontius[b]. L'église que sa détermination et son charisme avaient alors soustraite à ces pratiques avait été élevée, sans doute dans la première moitié du IVe siècle, en l'honneur de cet évêque qui lui avait donné son nom, sans qu'il fût assuré que cette éponymie signifiât la consécration d'un martyre qui demeure mal attesté[12]. Par la suite, Augustin y prêcha à plusieurs reprises, à différentes époques[c] et, le 24 septembre 427, il y accueillait encore Aurelius, venu en sa qualité de primat d'Afrique présider un concile général[13]. Il est donc certain que, sans être l'église-cathédrale, la basilique Léontienne a continué d'être en service tout au long de l'épiscopat d'Augustin. Des textes qui la concernent, peu de détails émergent de nature à nous faire voir l'édifice et à le situer dans la cité. Nous savons qu'il était spacieux, mais par une formule plus rhétorique que délibérément descriptive[d], et un mot d'Augustin permet d'affirmer qu'on accédait à son abside en gravissant quel-

---

a. On les distinguera ainsi des basiliques cimetériales, dont on constatera plus loin l'existence.

b. *Supra*, p. 228.

c. *Sermons* 148, 260, 262 (entre 401 et 411).

d. *Ep.* 29, 6 : « *totum tam magnae basilicae spatium* ».

ques degrés[a] ; mais cette différence de niveau avec celui de la nef est un dispositif banal. Et pour ce qui est de sa situation en topographie relative, le butin est mince : rien n'autorise à dire, comme on l'a avancé parfois, qu'elle était voisine de la maison de l'évêque[14] ; en revanche, il est bien vrai qu'elle était assez proche de l'église qui à la fin du IVᵉ siècle était encore aux mains des donatistes pour qu'on pût de l'intérieur de ses murs entendre les bruyantes beuveries des fidèles de la secte rivale[b]. Mais on voit tout de suite les limites de ces considérations, puisque nous ignorons tout de l'emplacement de la basilique donatiste[c].

Un mot encore sur la basilique Léontienne, à propos d'une lettre d'Augustin qui rend parfaitement, avec des mots, la situation d'enclavement et de compénétration du public et du privé, des biens d'Église et du domaine particulier, qui caractérise la topographie ecclésiastique d'Hippone, et dont le report en plan des fouilles du « quartier chrétien » nous donne, nous le verrons bientôt, semblable image graphique. À la fin de l'année 408 ou au début de 409, l'évêque profita de la présence à Hippone de son intendant pour adresser une lettre à Italica, noble Romaine et riche propriétaire en Afrique. Les vives alarmes qu'on avait alors dans la Ville éternelle[d] n'empêchaient pas dame Italica de mettre ses bons offices – et peut-être aussi son aide financière – au service d'une transaction qui était en cours entre l'évêque et un jeune homme de rang sénatorial, du nom de Julianus. Ce dernier possédait à Hippone une maison dont l'évêque dit qu'elle était « adjacente à ses murs[e] », c'est-à-dire, comme on le verra bientôt, aux murs de l'église-cathédrale. Bien sûr, Augustin convoitait cette maison ; mais il semble qu'il n'était pas en état de l'obtenir de son propriétaire – ou plutôt de ses représentants légaux – autrement que par voie d'échange ; or les deux parties ne s'entendaient pas sur la monnaie d'échange. « Car, dit un peu plus loin l'évêque, la maison que nous pouvons donner [en échange], ils n'en veulent pas ; et celle qu'ils veulent, nous ne pouvons la donner. En effet, elle n'a pas été laissée à l'Église par mon prédécesseur, comme ils l'ont entendu dire à tort, mais elle constitue une enclave privée dans son ancien domaine foncier, et

---

a. *Ibid.*, 8 : « *namque ante horam qua* exedram ascenderemus *ingressi sunt* »...
b. *Ep.* 29, 11 ; cf. *supra*, p. 229.
c. À moins, bien sûr, de l'identifier avec la basilique découverte par E. Marec. On y reviendra plus loin.
d. Alaric avait mis le siège devant Rome et le Sénat dut acheter, très cher, son départ.
e. *Ep.* 99, 1 : « [...] *de domo clarissimi et egregii iuuenis Iuliani, quae nostris adhaeret parietibus* ».

elle est contiguë à l'une de nos deux églises, l'ancienne, tout de même que celle dont il s'agit est contiguë à l'autre église[a]. » Cette situation de blocage ne sera dénouée qu'à la fin de la vie de l'évêque si, comme on l'admet généralement, il faut identifier Julianus à l'homonyme dont Augustin dira, fin 425, qu'il a accepté son héritage – la fameuse maison ? – parce qu'il n'avait pas laissé de descendance[b]. Il convient donc de reconnaître la basilique Léontienne dans cette *antiqua ecclesia* contre laquelle s'accotait la maison privée qui ne pouvait évidemment pas être une monnaie d'échange pour l'acquisition de la maison de Julianus. Et, de son côté, de façon non moins évidente, cette maison de Julianus si convoitée jouxtait l'autre église principale, la *noua* par rapport à l'*antiqua*, c'est-à-dire la *basilica Pacis*.

La basilique de la Paix avait été le théâtre de deux événements qui, à plus de trente ans de distance, avaient encadré toute la vie sacerdotale d'Augustin. En septembre 393, c'était dans le *secretarium* de la basilique de la Paix que, très exceptionnellement pour un prêtre parlant devant des évêques réunis en concile, il avait prononcé l'exposé dogmatique *De fide et symbolo*[c]. Et, le 26 septembre 426, c'est dans l'église elle-même, en présence de tout son clergé et de deux évêques voisins, Martinianus et Religianus, que l'évêque, qui revenait de Milev où il avait réglé la succession de son cher Severus, fera acclamer par tous les fidèles rassemblés le nom du prêtre Eraclius comme celui de son futur successeur[d]. Entre-temps, en décembre 404, c'est dans cette même église que pendant deux jours il avait débattu, pour finalement le confondre, avec le manichéen Felix[e]. La mention plutôt rare – limitée à trois occurrences – de cette appellation officielle (et énigmatique [15]) de « basilique de la Paix » ne doit pas masquer le fait que, plus encore que l'« ancienne » église – la Léontienne –, l'église « neuve » était le principal lieu de culte de la communauté catholique d'Hippone : c'est évidemment elle que recouvre aussi la désignation, fréquemment attestée et apparemment plus populaire, de « basilique Majeure [16] ». C'était l'église-cathédrale de la ville. Augustin, qui y a tant de fois prêché, et à qui les lieux étaient si familiers, ne s'est pas soucié de nous en laisser les éléments d'une description précise. Il dit bien quelque part[f] qu'elle était d'une longueur double de sa

a. *Ep.* 99, 3.
b. *Sermon* 355, 4 ; cf. *supra*, p. 328.
c. *Supra*, p. 231.
d. *Ep.* 213, 1, *initio*.
e. *Contra Felicem*, II, 1, *initio*.
f. *Tract. in Epist. Ioh.*, IV, 9.

largeur, mais si l'on veut en tirer argument dans une confrontation avec le monument retrouvé dans les fouilles, il faudra se souvenir que ce rapport pratiquement égal à 2/1 entre longueur et largeur est assez banal dans les églises paléochrétiennes d'Afrique du Nord. On sait aussi par la relation de la guérison miraculeuse de Paulus et de Palladia qu'on accédait à son abside en gravissant quelques degrés[a]. En outre, la formule introductive de prière finale qu'on observe dans un certain nombre de sermons dont on sait de façon sûre qu'ils ont été prononcés dans la basilique de la Paix, ou basilique Majeure, pourrait bien donner une indication précieuse sur l'orientation de l'édifice. Ce sont les mots : *conuersi ad dominum* (« tournés vers le Seigneur »), qui font à ces textes une chute un peu abrupte, faute d'une transcription par les copistes de la courte prière qui suivait[b]. « Tournés vers le Seigneur » : c'est-à-dire tournés vers l'est. Mais l'injonction doit-elle être prise au pied de la lettre ? Impliquait-elle réellement un mouvement du corps ? On a souvent pensé que ce mouvement était tout spirituel, les fidèles s'associant en pensée au célébrant qui de fait, parlant d'une abside axée en direction de l'ouest, faisait face à l'autel et, au-delà, à la façade de l'église, donc à l'est[17]. Le passage final d'un nouveau sermon d'Augustin récemment publié met un terme à ces hésitations. Peu avant l'invite à la prière finale, avant la sortie des catéchumènes, l'évêque s'adresse à l'ensemble de son auditoire en jouant sur le double sens du mot « conversion ». Il ne s'agit pas seulement, dit-il, de regarder vers l'orient, quand un instant avant on était face à l'occident ; cela, c'est chose facile. C'est à l'intérieur de soi-même qu'il faut faire ce mouvement : « Tu tournes ton corps d'un point cardinal à l'autre : tourne ton cœur d'un amour vers un autre amour[c] ! » Ainsi se trouve confirmée la réalité d'une « conversion » physique à cent quatre-vingts degrés, et du même coup l'« orientation » – c'est-à-dire la situation face à l'est – de la façade de l'église où les fidèles entendaient en fin de sermon cette exhortation. C'est, on l'a vu, le cas de la basilique de la Paix, ou basilique Majeure, et l'on en tiendra compte au moment de mettre les données des textes en relation avec celles du terrain.

À ce patrimoine cultuel urbain s'ajoutaient les chapelles cimetériales, sises hors les murs. On connaît déjà celle de Saint-Théogène, où l'évêque avait placé un temps comme portier l'un de ses anciens

---

a. Cf. *supra*, p. 334.

b. Elle est cependant parfois conservée : ainsi dans le *sermon* 34.

c. *S. Dolbeau* 19 (*Mayence* 51), 12 (*Vingt-Six Sermons au peuple d'Afrique*, Paris, Ét. aug., 1996, p. 164, texte commenté par F. Dolbeau, *ibid.*, pp. 171-175).

moines, instable et assez mauvais sujet[a]. Évêque d'Hippone au milieu du IIIe siècle, Théogène avait dû, comme Cyprien de Carthage lui-même, succomber à la persécution de Valérien[18]. Sa *memoria* ne tient pas une grande place dans la prédication d'Augustin et son culte ne semble pas avoir été très populaire. Beaucoup mieux attestée dans les textes est la chapelle des Vingt-Martyrs. Autant l'histoire et la personnalité de ces martyrs restent floues, autant leur *memoria* semble avoir été l'objet d'un culte assidu, au dire même d'Augustin[b], qui rapporte notamment dans la *Cité de Dieu* un miracle dont elle fut le théâtre, dans une relation qui suggère que cette chapelle, où l'évêque prêcha à maintes reprises, devait être située non loin du rivage.

LES RÉALITÉS ARCHÉOLOGIQUES

Disons-le tout de suite : plus encore qu'à Carthage, où l'on a déjà beaucoup de mal à faire coïncider les deux séries parallèles de la documentation relative à la ville des temps chrétiens, celle des textes et celle des monuments, l'une et l'autre abondantes, à Hippone on est bien en peine de relier les données du terrain, plus maigres, à des attestations textuelles plutôt pléthoriques. Car les œuvres de l'évêque, d'où ces indications sont toutes issues, ont pleinement survécu, tandis que la survie de sa cité s'est accompagnée de sa dégradation au fil des quelques siècles sur lesquels elle s'est étalée : en fait, une longue mort. Même si les vestiges d'Hippo Regius étaient intégralement exhumés – car il s'en faut de beaucoup que la ville antique tout entière ait été mise au jour –, il serait plus difficile de les lire dans la pleine cohérence du tissu urbain dont ils témoigneraient que ceux d'autres sites comparables, par exemple Timgad ou Djemila : des cités abandonnées après leur mort violente et rapide, protégées par le linceul de leur propres ruines, et dont, à la fouille, la parure monumentale est apparue largement conservée, le réseau de rues intact, avec des maisons qui avaient gardé, non seulement l'ossature de leur gros œuvre, mais aussi, dans bien des cas, non retouchée, la décoration mosaïquée qu'une basse Antiquité souvent florissante y avait déposée en dernier lieu.

---

a. Donantius : *supra*, p. 323.

b. *Cité de Dieu*, XXII, 8, 10 : « *Ad uiginti martyres quorum memoria est apud nos celeberrima* » ; suit l'histoire du miracle dont bénéficia le pauvre tailleur Florentius.

L'archéologie fait partout la preuve que rien n'est plus néfaste aux cités qu'une lente agonie.

C'est ce qui s'est passé à Hippone où, après la mort d'Augustin et la chute de la ville dont s'étaient emparés les Vandales en 431, l'occupation humaine s'est prolongée pendant des siècles ; certainement dans de bonnes conditions lors des quelques années durant lesquelles le roi barbare victorieux, Geiséric, en fit sa capitale avant de s'installer en 439 à Carthage. Mais de l'Hippone du siècle de la présence vandale il ne reste que des tombes, et l'arrivée de Bélisaire à la tête de l'armée byzantine ne semble pas avoir stoppé un inexorable déclin, bien que la ville soit demeurée, au moins nominalement, un évêché. Plus tard encore, la cité, restée en dehors des axes de la pénétration arabe, au début du VIIIe siècle, n'eut pas à souffrir des combats de l'invasion, et il semble bien que la communauté chrétienne d'Hippone ait survécu à la conquête musulmane, comme cela se fit en plusieurs centres d'Ifriqiya et même à Bougie, jusqu'au début du XIe siècle ; mais d'une existence larvée, et en marge d'une histoire qui ne se ressaisit de la ville que lorsque Bûna al-Haditâ (« Bône la Neuve ») se transporta à quelque distance plus au nord, sur le site de l'actuelle Annaba ; non sans que ses fondateurs y aient emporté, prélevé dans ce qui restait de la ville agonisante, tout ce qui pouvait encore servir aux nouvelles constructions. Usée jusqu'à la corde, probablement déjà à moitié recouverte par les alluvions de ses deux fleuves, la vieille cité avait fait plus que son temps.

Dans les fouilles d'Hippone, maints remaniements et rapiéçages trahissent ces cinq siècles de vie végétative. En particulier dans le « quartier chrétien », où les murs ont en partie disparu[a], où les sols sont troués par des sépultures grossièrement aménagées. Il faut cependant ajouter, pour être juste, et pour restituer toutes les dimensions d'une réalité archéologique complexe, que les difficultés de lecture de ces pauvres vestiges ne sont pas toutes dues aux dégradations de l'« après-Augustin ». À la différence de ce qui s'est passé ailleurs – par exemple à Tipasa et à Djemila, pour rester dans la même région du monde antique –, où l'église principale a trouvé place sur des terrains disponibles à la marge d'un centre urbain trop encombré pour l'accueillir, à Hippone la basilique découverte grâce aux fouilles d'Erwan Marec s'est insérée tant bien que mal parmi des constructions préexistantes dans un « îlot » en forme de polygone irrégulier, et ici aussi dans un quartier périphérique, non loin de la bordure maritime. L'analyse des structures mises au jour a fait apparaître qu'à une date nécessairement postérieure à la paix

---

a. C'est notamment le cas du mur de façade de la basilique à trois nefs.

de l'Église (312)[19] la communauté chrétienne avait dû, dans cet îlot, acquérir, si elle n'en était pas déjà propriétaire, une maison centrée sur une cour à portiques dont l'emprise au sol représente en superficie la moitié antérieure de la future basilique ; des annexes la prolongeaient au nord et vers l'est, et notamment, dans cette dernière direction, un groupe de salles où sera installé le complexe du baptistère[20]. Sur l'emplacement de la maison rasée – mais on conserva ses mosaïques, remployées pour la décoration du nouvel édifice, et d'autres s'y ajouteront non sans de maladroits raccords[21] – on édifia une basilique à trois nefs, dans un axe nord-ouest/sud-est – l'abside au nord-ouest, dans la profondeur de l'îlot – imposé par le voisinage[a]. Les architectes obtinrent ainsi un vaisseau qui, avec ses 37 m de longueur (abside non comprise) pour 18,50 m de largeur[b] entre dans la catégorie des basiliques de grandes dimensions, sans pour autant pouvoir rivaliser avec les plus vastes églises de cette région du monde chrétien[22]. Mais les archéologues sont unanimes à noter l'aspect un peu « bricolé » de la construction, la modestie, pour ne pas dire la pauvreté de la décoration, et même l'impression d'inachèvement qu'elle laisse. À H.-I. Marrou en visite sur le site est revenu en mémoire le début d'un sermon prêché à Carthage sur le thème du *Psaume* 25, 8 : « Seigneur, j'ai aimé la beauté de ta maison. » Dans l'église où il parlait, il suffisait à Augustin de lever les yeux pour admirer « la splendeur des marbres et des lambris dorés[c] » ; mais il avertissait ses auditeurs de rechercher plutôt la beauté de la maison de Dieu chez ses fidèles et ses saints. À Hippone, dans cette basilique à trois nefs, les chrétiens ne risquaient pas d'être abusés par ces vains prestiges.

Mais cette basilique à trois nefs est-elle l'église-cathédrale de la ville, la « basilique de la Paix », ou « basilique Majeure » ? L'analyse attentive des indices chronologiques permet d'affirmer que le bâtiment a été construit et aménagé vers le milieu du IVe siècle, et comme sa durée de vie a largement excédé la date (431) de la prise d'Hippone par les Vandales, il a donc été en usage pendant toute la durée de l'épiscopat d'Augustin. Il ne s'ensuit pas pour autant qu'il ait été son église-cathédrale pendant ces trente et quelques années : en toute rigueur, on peut seulement dire que cet édifice a appartenu à la communauté catholique à partir du moment – au plus tard le début de

---

a. Avec cependant par rapport à la maison initiale une légère différence angulaire dont témoigne encore un mur antérieur curieusement conservé à l'angle sud-est : cf. fig. 1, p. 344.

b. Soit un rapport 2 /1, soulignons-le (cf. *supra*, pp. 338-339).

c. *Sermon* 15, 1.

412 – où les églises qui étaient aux mains des donatistes lui furent dévolues. Rien dans la typologie de ces bâtiments ni dans leurs aménagements liturgiques ne différenciait les basiliques des uns et des autres. On ne peut donc, sur seuls critères internes, exclure que le vaisseau à trois nefs ait été édifié par la communauté schismatique dans les années assez nombreuses de la seconde moitié du IVe siècle où la politique religieuse des empereurs et de leurs représentants en Afrique lui ont laissé une relative liberté d'action[a]. Alors, basilique donatiste – transférée aux catholiques après 412 – ou église-cathédrale catholique ? Pour trancher, il ne suffit pas d'observer que l'édifice cultuel en question se trouve dans une situation d'inclusion qui correspond bien aux termes employés par Augustin dans sa lettre 99 pour décrire l'environnement des deux basiliques catholiques : les conditions du développement de la cité ont fort bien pu amener la secte à aménager ses lieux de culte avec les mêmes contraintes. On ne peut non plus exciper de l'existence du baptistère pour conclure à l'identification avec l'église-cathédrale catholique : les donatistes, qui baptisaient eux aussi – et qui rebaptisaient, les catholiques s'en plaignaient assez ! –, avaient nécessairement leur propre baptistère. On voit combien la marge est mince pour se faire une opinion. Plus que le rapport 1/2 entre largeur et longueur de l'édifice évoqué par Augustin parlant de son église dans l'un de ses textes[b], un élément pourrait cependant faire pencher la balance : l'axe de la basilique à trois nefs, avec sa façade à l'est – plus précisément à l'est-sud-est –, donc avec une orientation, au sens propre, qui obligeait les fidèles, au moment de l'exhortation à la prière qui clôturait le sermon (*conuersi ad dominum*), à faire un demi-tour pour se trouver, comme leur évêque, face à l'est[c]. On s'en tiendra à cette hypothèse, qui nous place donc, avec ces vestiges mis au jour par E. Marec, en présence de la « basilique de la Paix », sans s'aveugler sur sa fragilité[d].

Si le lecteur veut bien l'admettre avec nous, il en tirera les conséquences. Car il s'agit maintenant de tenter de préciser la relation avec cette « basilique de la Paix », localisée sur le terrain et reportée en plan (fig. 1), des différents locaux que les textes examinés plus haut mettent en rapport avec elle, de façon explicite (chapelle de Saint-Étienne, « maison de Julianus ») ou implicite (la maison commune de l'évêque et de son clergé, ou « monastère des clercs »).

---

a. Cf. *supra*, pp. 241-243.

b. *Supra*, pp. 338-339.

c. *Supra*, p. 339.

d. Il n'est pas certain que le *sermon Dolbeau* 19 soit antérieur à l'époque – au plus tard 412 – où tous les lieux de culte devinrent strictement catholiques.

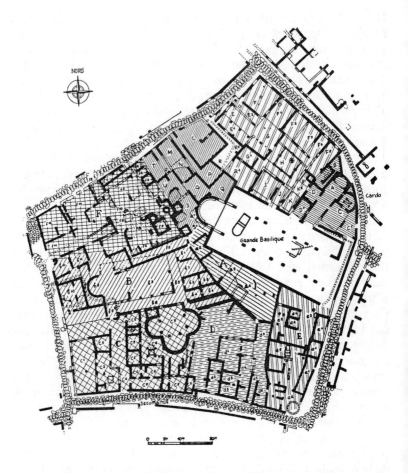

Fig. 1 – Le « quartier chrétien » d'Hippone. Relevé d'Ed. Stawski sur les vestiges mis au jour par E. Marec (*Monuments chrétiens d'Hippone*, fig. 1).

E. Marec voulait situer la *memoria sancti Stephani* dans le petit bâtiment à plan trilobé – noté *c7* sur la fig. 1 – qui s'ouvre sur un portique double, dans les annexes de l'ouest[23]. C'est, plus encore qu'improbable pour des raisons typologiques[24], impossible si l'on tient compte des données spatiales très précises du récit de la guérison miraculeuse de Paulus et de Palladia[a]. Il en découle que la *memoria* de Saint-Étienne communiquait de façon directe avec la basilique et qu'elle n'était pas très distante de son abside : une petite

---

a. *Supra*, pp. 333-335.

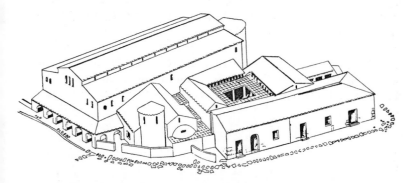

Fig. 2 – La grande basilique et ses annexes du nord-est, vues de l'est.
Au premier plan, le baptistère. Essai de restitution axonométrique de R. Naz
(*Monuments chrétiens d'Hippone*, fig. 19).

chapelle ouvrant sur le bas-côté droit de l'église a pu abriter les reliques vénérées[a]. La « maison de Julianus » pose un autre problème : pour le fouilleur, il faudrait la reconnaître dans l'ensemble de salles, dont une petite cour à portiques, qui flanque la basilique au nord[25]. On se souvient qu'Augustin n'est entré en possession de cette demeure que vers 425 ; elle n'a donc pu, avant cette date, être la *domus episcopi*, fonction pour laquelle, à considérer seulement le plan, elle semble si bien adaptée. Et si l'on regarde ce plan attentivement, on se convainc avec H.-I. Marrou que cet ensemble de salles communiquait dès l'origine avec le collatéral droit de la basilique à trois nefs, et qu'elle a fort bien pu abriter l'évêque et son clergé dès les débuts de l'épiscopat d'Augustin[26]. Il faudrait alors reporter sur un autre bloc d'habitations l'étiquette *domus Iuliani* : pourquoi pas le complexe de salles, qui semble bien communiquer avec la basilique, qui lui est contigu au sud[27] ? Beaucoup d'interrogations, on le voit, et peu de certitudes. Une chose cependant est sûre : si elle n'est pas, contrairement à ce que nous croyons, la basilique de la Paix attestée dès 393, en mettant les choses au pis, dans cette basilique à trois nefs devenue édifice du culte catholique comme tous les ensembles cultuels d'Hippone à partir de 412, Augustin a nécessairement officié, il a prêché ; ses pas ont foulé les mosaïques, il y a passé de longues heures avec son peuple.

L'archéologie la plus inventive – et ici la plus fervente – ne peut restituer plus que les hommes n'ont laissé. Dans l'abside de la

---

a. Nous la verrions volontiers dans le local *D1* qui jouxte le complexe du baptistère et qui s'ouvre sur le collatéral droit : fig. 1.

basilique à trois nefs, le *synthronos* ou banquette en maçonnerie qui bordait en demi-cercle le mur du fond s'interrompt en son milieu, laissant béante la place de la chaire épiscopale[a]. Il nous reste à rêver, devant ce négatif, à l'impression de plénitude que devait produire dans les âmes des fidèles cet homme vêtu de noir qui, lorsqu'il siégeait là, leur parlait d'eux-mêmes, du monde et de Dieu comme personne ne l'avait encore fait en cet Occident de langue latine.

---

a. Elle était sans doute en marbre, et sa matière a été cause de sa disparition.

CHAPITRE XXIII

Un évêque en son diocèse

Augustin savait-il, lorsqu'il devint « coadjuteur » de Valerius, en 395, qu'il allait bientôt hériter de lui un diocèse parmi les plus vastes, sinon le plus vaste, de l'Église africaine de ce temps ? Oui sans doute, car, citoyen de la cité dont le territoire s'amorçait à la limite sud de celui d'Hippone, il était bien placé pour en connaître les dimensions. Et il ne pouvait ignorer ce que nous, historiens, avons fini par apprendre, que le domaine imparti à un évêque coïncidait le plus souvent dans l'espace avec les frontières civiles de sa cité épiscopale et parfois même en débordait. Il savait ainsi que la charge qui lui incomberait serait d'autant plus lourde.

Au printemps de 411, Carthage sera envahie par des centaines d'évêques, répartis pour moitié entre catholiques et donatistes, venus de toutes les contrées de l'Afrique du Nord pour assister à la grande conférence qui devait, nous le verrons, trancher le débat entre les deux Églises. En dépit de cette affluence, tous n'étaient cependant pas présents et si, au nombre des absents, on ajoute celui des chaires alors vacantes, on parvient pour l'ensemble des provinces africaines à un total impressionnant de l'ordre de quelque six cents évêchés au début du ve siècle[1]. À la grande diversité personnelle des titulaires répondait la non moins grande disparité des évêchés : disparité des effectifs réels des fidèles, considérables dans les grandes villes, comme Carthage, Cirta (Constantine) ou Sétif, mais parfois réduits à quelques ouailles, voire, dans les cas extrêmes, à un seul interlocuteur en face de l'évêque[2] ! Disparité aussi des statuts de ces circonscriptions épiscopales qui reflétaient à leur manière l'histoire différenciée, dans l'ordre politique, économique et social, de ces vastes territoires. Le contraste était grand entre extrême ouest et extrême est, entre les Maurétanies et l'arrière-pays de Carthage entendu au sens large, cette « petite Mésopotamie » qui se développait à partir de la métropole vers le sud-ouest, entre la Medjerda et l'oued Miliane, où cités petites et moyennes se succédaient souvent tous les cinq kilomètres. Là, la densité urbaine était telle que plusieurs dizaines de ces villes ne furent jamais sièges épiscopaux, les évêchés de cette région regroupant parfois les territoires et les populations de deux ou trois cités[3]. Cette densité était à peine moindre sur la bordure maritime de la Byzacène, l'actuel Sahel tunisien. À l'inverse, à la double exception de la Numidie centrale, où l'institution épiscopale avait profité du développement urbain suscité par une colonisation militaire ancienne, et des hautes plaines autour de Sétif, où elle bénéficiait de leur richesse agricole, les évêchés, souvent de type rural ou semi-rural, apparaissent clairsemés d'une part à l'intérieur de la Byzacène (maintenant la steppe tunisienne), d'autre part et surtout dans les vastes étendues de la Maurétanie Césarienne (l'Algérois et l'Oranais)[4]. C'est dans ces régions, et notamment tout au long de la large façade maritime de l'actuelle Algérie, qu'étaient situés les diocèses de plus grande superficie.

UN DIOCÈSE RICHE, MAIS TROP VASTE

L'évêché d'Hippone faisait partie de ces circonscriptions épiscopales largement ouvertes sur la côte méditerranéenne, avec une belle profondeur d'hinterland, limité au sud-ouest, vers Calama (Guelma), par les Alpes Numidiques, au sud et au sud-est, du côté de Thubursicu Numidarum (Khamissa) et de Thagaste (Souk-Ahras), par les hauteurs d'où s'échappait la Medjerda, à sa source et en son haut cours. On peut, un peu plus précisément, en esquisser les contours en considérant les documents qui fixent ponctuellement, à l'ouest, au sud-ouest et à l'est, les limites du territoire civil d'Hippo Regius et déterminent donc sur ces points l'enveloppe minimale de l'évêché correspondant. Vers l'ouest, cet *ager publicus* avait sa frontière marquée par une borne située à une trentaine de kilomètres à vol d'oiseau d'Hippone (point 1 sur la fig. 3). Passé ce point, on entrait dans le territoire de l'ancienne Confédération cirtéenne dont Rusicade, la ville la plus proche, sur la côte, était une colonie ; et, quand on franchissait cette limite, on quittait aussi, au civil, la province d'Afrique Proconsulaire pour entrer dans la province de Numidie[a]. Vers le sud-ouest, deux documents épigraphiques autorisent à situer de

---

a. Cela ressort entre autres nettement d'une lettre d'Augustin (*Ep.* 115) relative à un certain Faventius, intendant d'un grand domaine, qui s'était réfugié à Hippone pour échapper à l'autorité du gouverneur consulaire de Numidie ; ce domaine était le *saltus Paratianensis* (cf. *Paratianis* sur la carte de la fig. 3).

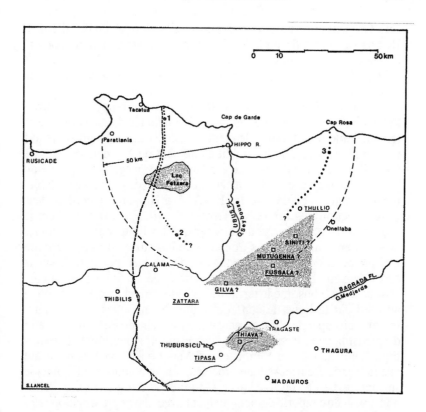

Fig. 3 – La « Numidie d'Hippone », arrière-pays du siège épiscopal d'Augustin.
Le tracé en pointillé figure les limites probables du diocèse, balisées par des bornes
(points 1, 2, et 3) limitant l'*ager publicus* d'Hippo Regius. Les localités indiquées par
des cercles ont été identifiées et sont précisément localisées ; les carrés notent des
localisations hypothétiques. Les noms des évêchés sont écrits en lettres capitales et
ces noms sont soulignés lorsque ces localités n'étaient pas encore évêchés à la fin du
ive siècle. Les zones ombrées (autour de *Fussala* et autour de *Thiava*) figurent les
marges d'incertitude pour les localisations proposées (schéma S. Lancel).

façon approximative la limite qui séparait le territoire d'Hippone de
celui de Calama (point 2 sur la fig. 3). Enfin, vers l'est, à une
quarantaine de kilomètres à vol d'oiseau d'Hippone, une borne-
limite a permis de fixer un point de la frontière qui séparait le
territoire municipal d'Hippone de celui de Thabraca (Tabarka)
(point 3 sur la carte de la fig. 3)[5]. De ce côté-là, la ligne que l'on
peut tracer à partir du cap Rosa en direction du sud devait passer à
l'ouest du territoire de Thullio (Kef Beni Feredj), désigné comme
municipium (donc comme commune de plein exercice) par Augus-

tin[a]. On peut ainsi reporter sur une carte les limites civiles d'Hippo Regius – en pointillé sur la fig. 3 – avec une assez grande probabilité à l'est comme à l'ouest, en laissant toutefois en blanc le tracé relatif à la partie méridionale, de part et d'autre du cours moyen de la Seybouse.

Sur la situation des limites ecclésiastiques par rapport à ces frontières civiles, on tirera d'abord parti de quelques données immédiatement exploitables. Ainsi, le contexte du passage d'Augustin relatif au *municipium* de Thullio établit clairement qu'à la date de ce texte (vers 420) l'évêque d'Hippone avait un prêtre en cette cité qui n'était pas alors siège épiscopal[b]. Du vivant d'Augustin, et vraisemblablement durant tout le Ve siècle, l'évêché d'Hippone débordait dans cette direction des limites du territoire civil. En revanche, vers le sud-ouest, rien n'autorise à supposer que les limites ecclésiastiques ne se superposaient pas aux frontières civiles aux confins du territoire d'Hippone et de celui de Calama : de façon bien perceptible sur la carte, le petit bassin du cours supérieur de la Seybouse, orienté est-ouest, qui constitue le territoire de cette dernière cité, est délimité au nord par la ligne de crête des Alpes Numidiques. Aucun autre ressort épiscopal ne s'interposant entre l'évêché de Possidius et celui d'Augustin, cette frontière naturelle devait être une limite ecclésiastique tout autant qu'une limite civile. Vers l'ouest, on a vu plus haut que la frontière entre Afrique Proconsulaire et Numidie, qui coïncide sur une partie de son tracé avec la limite civile du territoire d'Hippone, peut être reportée graphiquement avec une approximation relativement satisfaisante ; mais, du point de vue ecclésiastique, on reste dans la province de Numidie de part et d'autre de cette ligne, et rien n'empêche donc a priori que l'évêché d'Hippone se soit étendu au-delà vers l'ouest. Le plus proche évêché connu de ce côté est celui de Rusicade (Skikda, ex-Philippeville) : les localités antiques de la presqu'île de Takouch (ex-Herbillon) qui peuvent être situées avec précision, comme Tacatua et Paratianis (fig. 3), ne figurent sur aucune liste épiscopale ; la vraisemblance la plus forte est qu'elles aient dépendu du siège de Rusicade. C'est vers le sud, dans les deux grands axes qui ouvraient sur la Numidie profonde, du côté de Thagaste (Souk-Ahras) et de Thubursicu Numidarum (Khamissa), que nos incertitudes sont les plus grandes. C'est aussi dans cette région de montagne dont nos documents suggèrent, on va le voir, qu'elle était d'un point de vue pastoral une région à problèmes, que

---

a. *De cura pro mortuis gerenda*, 15 : « [...] municipii Tulliensis, *quod Hipponi proximum est* ».
b. *Ibid.*

la situation apparaît la plus mouvante, avec, du vivant même d'Augustin, la création de nouveaux évêchés pour donner aux problèmes qui se posaient de meilleures réponses.

Si l'on excepte, immédiatement à l'ouest de la ville, les successifs escarpements qui s'échelonnaient à partir du cap de Garde dans la presqu'île tourmentée d'Herbillon, le diocèse ainsi délimité occupait pour l'essentiel les plaines alluviales créées par les apports de deux fleuves très actifs, l'oued el-Kébir à l'ouest et la Seybouse à l'est. C'est surtout dans ces bassins fertiles qu'étaient implantés les domaines (*uillae*, *fundi*, *possessiones*) qui sont mentionnés, au nombre d'une vingtaine, dans les divers textes augustiniens qui nous éclairent un peu sur le contenu réel de cet évêché, et sur un paysage rural qui n'a pas laissé de trace épigraphique, et qui échappe ainsi, presque toujours, à l'identification sur le terrain. Car le corps social des cultivateurs (*coloni*), régi par un gros propriétaire (*dominus* ou *domina*) ou encore par un fermier (*conductor*), ne constituait pas un corps politique susceptible d'une expression publique conservée pour nous par des inscriptions révélatrices de ces lieudits et de leurs dénominations, et c'est pourquoi le repérage et la possibilité du report sur une carte de ces grandes propriétés rurales sont exceptionnels. C'est la raison pour laquelle, Hippo Regius (Annaba, ex-Bône) mis à part, la grande plaine d'Hippone, de part et d'autre du cours de l'oued Seybouse, ainsi que, vers le sud, le piémont des Alpes Numidiques, apparaissent sur la carte comme un blanc (fig. 3). Mais ce blanc ne doit pas être interprété comme un vide : simplement, les vestiges archéologiques, demeurés anonymes et aussi moins denses et moins apparents qu'ils ne le sont dans un contexte urbain, sont le plus souvent passés à travers les mailles d'une prospection jadis trop lâche et peu adaptée à son objet.

On aura l'occasion de voir plus loin qu'au cours de ses visites pastorales jusqu'aux limites les plus reculées de ce vaste diocèse Augustin fut parfois en danger de périlleuses rencontres avec les auxiliaires laïcs du clergé donatiste, les circoncellions, recrutés à la marge du prolétariat agricole. Nombreux étaient sans doute ces lieudits ruraux dont la population comprenait des fidèles des deux bords sans toutefois posséder un seul édifice du culte, comme la *uilla Titiana*, un domaine modeste proche de Thubursicu Numidarum, où Augustin avait proposé en 395 à son collègue Fortunius de tenir conférence[a]. Mais beaucoup aussi de ces centres agricoles

---

a. *Ep.* 44, 14 : l'absence de toute église en faisait un endroit neutre et apparemment relativement tranquille.

avaient leur église, ou au minimum une chapelle[a], où officiaient des diacres et des prêtres. Augustin faisait plus que garder un œil sur ce clergé rural, qu'il fallait éviter de laisser abandonné à lui-même, d'autant plus que ses membres se montraient souvent instables ou indisciplinés. Au titre du premier de ces griefs, l'évêque d'Hippone avait ainsi, en 401/02, dû régler l'affaire compliquée de Timotheus. Ce dernier était depuis peu sous-diacre au lieudit – pour nous non localisable – Subsana, après avoir été lecteur successivement dans quatre communautés : à Subsana même, puis dans trois autres lieudits du diocèse d'Hippone ; après quoi il s'était rendu à Milev (Mila), auprès de Severus pour être pris à son service dans son diocèse ; mais Severus avait sagement renvoyé Timotheus à Subsana[b]. L'affaire avait fait jurisprudence, car, peu après, le concile général réuni précisément à Milev le 27 août 402 avait édicté l'interdiction à l'avenir, à quiconque avait été lecteur – ne fût-ce qu'une fois – dans une église de pouvoir être retenu pour la cléricature dans une autre église[6].

Instabilité ou indiscipline, c'était tout un. Augustin se méfiait de ces clercs campagnards, cette « troupe rustique et illettrée[c] », comme il les appellera dans une lettre de l'année 420. On voit défiler dans sa correspondance maintes figures de sous-diacres, diacres ou prêtres exerçant leur ministère en milieu rural, et sur qui leur conduite attire l'attention de l'évêque. Ainsi de Rusticianus, le bien nommé, que son prêtre avait dû se résoudre à excommunier pour mauvaises mœurs. Rusticianus avait de surcroît fait des dettes et pour échapper tout à la fois à ses créanciers et à l'autorité ecclésiastique il s'était réfugié auprès de l'évêque donatiste d'Hippone, Macrobius, en sollicitant de lui un nouveau baptême[d]. Cela se passait en 410, à une époque, de peu antérieure à la décisive conférence de Carthage, où les donatistes, encouragés par une récente mesure libérale, agissaient assez librement au grand jour. Mais ces pratiques de désertion de clercs ruraux pris en faute étaient anciennes. Augustin avait été mis en face de ces situations dès les premiers temps de son épiscopat[7] : en 395, encore « coadjuteur », il avait dû régler le cas de Primus, un autre sous-diacre

---

a. Une *memoria* des martyrs milanais Gervais et Protais est signalée par Augustin à la *uilla Victoriana*, à moins de 30 milles d'Hippone : *Cité de Dieu*, XXII, 8, 8.

b. *Ep.* 62 et 63.

c. *Ep.* 202, 7 : « *Rustica et minus instructa clericorum turba* » ; c'était à peu près l'époque où Augustin vivait la cuisante expérience de Fussala : cf. *infra*, p. 356.

d. *Ep.* 108, 19 ; cf. aussi 106, 1.

en poste dans un domaine – l'*ecclesia Spaniensis*[a] –, qui avait du goût pour les religieuses : il avait fallu l'exclure des rangs du clergé catholique. Primus était donc passé de l'autre côté, entraînant avec lui deux moniales qui travaillaient sur le même domaine, pour rejoindre avec elles un groupe de circoncellions et se livrer en leur compagnie à toutes sortes d'excès[b]. Ces clercs en délinquance ne passaient cependant pas tous à l'Église rivale. Abundantius par exemple était un assez mauvais sujet ; prêtre d'une « paroisse » rurale – le *fundus Strabonianensis* – du diocèse d'Hippone, il avait commencé par se rendre coupable d'un détournement d'argent au détriment d'un de ses fidèles, puis il avait aggravé son cas en déjeunant et en dînant, la veille de Noël 401, avec une femme de mauvaise vie chez qui il avait passé la nuit. Augustin l'avait suspendu *a divinis*, sous réserve d'appel devant un tribunal ecclésiastique, et il avait écrit au primat de Numidie, pour l'avertir qu'il ne pouvait prendre le risque de laisser à la charge d'un tel prêtre une communauté particulièrement exposée, « au milieu des abois des chiens enragés[c] » du donatisme.

Dans ces textes, auxquels se sont ajoutés ceux des nouvelles lettres récemment découvertes, on voit que les affaires de mœurs dont doit s'occuper l'évêque d'Hippone se produisent dans les contextes ruraux de son diocèse. Non qu'il faille en conclure nécessairement que les campagnes en avaient l'exclusivité : simplement, elles y étaient sans doute à la fois facilitées et plus voyantes. Si des religieuses en étaient souvent victimes, elles n'impliquaient pas que des clercs : au *saltus Hispaniensis*, c'est un intendant (un *procurator*, et Augustin dira qu'il doit être « dégradé » comme le serait un clerc dans le même cas) qui fait violence à une moniale venue d'une autre *uilla* pour faire de la laine[d]. Ailleurs, c'est une autre sanctimoniale et un prêtre qui sont sur une terrasse, par une *midsummer night*, les héros d'un « nocturne » joliment campé, auquel ne manque pas même l'orage providentiel (et salvateur pour la vertu de l'une comme de l'autre) ; et Augustin note à cette occasion que les clercs doivent éviter de déambuler seuls dans les campagnes lors de leurs tournées, pour échapper aux tentations[e].

---

a. Très probablement le *saltus Hispaniensis* que l'on retrouvera plus loin dans une affaire analogue.
b. *Ep.* 35, 2.
c. *Ep.* 65, 1.
d. *Ep.* 15*, 3 et 4, *B.A.*, t. 46 B, pp. 266-269 et 497 pour le commentaire.
e. *Ep.* 13*, 1 et 3, *B.A.*, t. 46 B, pp. 256-261.

L'INÉVITABLE MORCELLEMENT DU DIOCÈSE D'HIPPONE

En 395, Augustin avait pris la charge du diocèse d'Hippone avec l'allant intact d'une quarantaine encore neuve. Dix ans plus tard, sans être devenu *senex*, il était déjà physiquement moins disponible. Dans le même temps, la pression donatiste, forte un peu partout dans son évêché, s'était renforcée, pour atteindre, nous le verrons, un « pic » dans les années 404-405, nécessitant des réponses appropriées sur des fronts multipliés. Dans le même temps, l'évêque d'Hippone était de plus en plus sollicité à l'extérieur de son diocèse, que ce fût pour prêcher – notamment à Carthage – ou pour intervenir en divers lieux, et en particulier aux réunions conciliaires [8]. C'est la prise de conscience assez rapide des divers éléments de cette situation qui a amené Augustin, avec la bénédiction de la primatie provinciale de Numidie, à rééquilibrer son diocèse par la promotion épiscopale de petits centres ruraux situés dans les secteurs les plus éloignés et les plus malaisément accessibles de ses confins sud et sud-est.

Sur la dizaine de sièges épiscopaux que la carte (fig. 3) met en évidence aux limites sud et sud-est du diocèse d'Hippone, la moitié n'étaient pas encore des évêchés à la fin du IVe siècle. Ces localités ne sont malheureusement pas toutes précisément localisées et leur report graphique comporte des incertitudes. Le site de l'une d'entre elles est cependant bien connu : c'est le municipe de Zattara (Kef ben-Zioune) à peu de distance au sud-est de Calama. Il ne se trouvait pas sur l'un des axes routiers les plus fréquentés, ceux qu'empruntait Augustin lors de ses déplacements en Numidie, et cette raison peut déjà expliquer qu'il ne figure pas sur les documents augustiniens qui nous sont parvenus. Le silence de ces textes demeure cependant étonnant : car Zattara est siège épiscopal à la date de la conférence de Carthage en 411, où l'on voit siéger son évêque, et l'évêché est bien attesté par la suite, à l'époque vandale et à l'époque byzantine. Il peut donc paraître surprenant que l'évêque de Zattara ne figure jamais parmi les parties intéressées ou les participants à des litiges ou à des débats à l'occasion desquels on voit intervenir aux côtés d'Augustin ses collègues les plus proches géographiquement : Alypius de Thagaste (en particulier lors des discussions – en 395 – avec le donatiste Fortunius de Thubursicu Numidarum, puis, en 402, lors du règlement de l'épineuse affaire de l'héritage d'Honoratus, prêtre de Thiava), Samsucius de Turres,

« consultant » ordinaire d'Augustin dans les années 395-407[a], Possidius de Calama et Xanthippus de Thagura (Taoura), le primat de Numidie à partir de 401 ; et en face de lui, du côté donatiste, Fortunius de Thubursicu Numidarum et Crispinus de Calama. Le silence sur l'évêché de Zattara à propos d'affaires concernant souvent la région au centre de laquelle se trouvait la localité, et dans des dossiers qui prennent place, chronologiquement, entre la fin du IVe siècle et les toutes premières années du Ve pourrait s'expliquer par une création épiscopale tardive. À la conférence de Carthage, en juin 411, le titulaire du siège de Zattara, Licentius, n'a pas de compétiteur donatiste ; il est en 105e position sur la liste catholique, donc avec une ancienneté probable de sept ou huit ans qui situerait son ordination vers 403/04[9]. On peut faire l'hypothèse que Licentius ait été le premier évêque de Zattara, et la création d'un évêché dans cette zone montagneuse au sud-est de Calama – qui n'a guère pu se faire sans l'accord aussi de Possidius – serait ainsi l'une des premières réalisations de nouveaux ressorts épiscopaux qu'on va voir, dans cette région, s'échelonner au fil des ans, le plus souvent pour renforcer la présence pastorale dans des districts distants d'Hippone, d'accès difficile et sollicités de surcroît par l'Église schismatique.

Parmi ces créations, l'une, celle de l'*ecclesia Mutugennensis*, est un peu antérieure à la conférence de Carthage. On se souvient que, prêtre encore, en 394/95, Augustin avait réagi sans retard à la nouvelle du rebaptême d'un diacre catholique en fonction dans une communauté rurale du diocèse d'Hippone, la *uilla Mutugenna*[b]. Le responsable de ce rebaptême était un évêque du nom de Maximinus, alors donatiste, mais qui se ralliera quelques années plus tard et ramènera avec lui dans le giron de l'Église catholique son évêché du *castellum Sinitense*. On sait par Augustin lui-même que ce *castellum* – on traduira par « bourgade » – était situé sur les marches du territoire civil d'Hippone[c], et d'un passage voisin du même texte[d] on peut inférer que Siniti ne devait pas être très éloigné de Fussala, dont il sera bientôt question, et donc situé comme cette dernière localité dans les parages montagneux des confins sud-est du territoire d'Hippone[10]. Le premier titulaire catho-

---

a. De cet évêque Augustin se plaisait à dire, pour marquer sa confiance en son jugement, qu'il était peu lettré sur le plan profane mais bien instruit en matière de foi.

b. Cf. *supra*, p. 247.

c. *Cité de Dieu*, XXII, 8, 11 : « [...] *in castello Sinitensi quod Hipponiensi coloniae uicinum est* ».

d. *Ibid.*, XXII, 8, 7.

lique de ce nouveau siège sis à la *uilla Mutugenna*, Antonius, signa en 166ᵉ position le mandat de son Église à la conférence de 411, rang qui autorise à estimer à environ trois ans son ancienneté dans l'épiscopat à cette date[a]. Son rival, l'évêque Splendonius, était, lui, 257ᵉ sur la liste des évêques donatistes, ce qui signifie que la réaction de l'Église schismatique à la création du nouvel évêché au sein de l'Église catholique était très récente à la date de la conférence. Visiblement, les donatistes ne voulaient pas céder sans combattre un terrain sur lequel ils avaient été longtemps en situation de force.

LA DÉSASTREUSE AFFAIRE D'ANTONINUS DE FUSSALA

À l'automne de 411, Augustin était de retour de Carthage où il venait de passer plusieurs mois. Il y avait longuement prêché pendant l'été, terminant comme à l'ordinaire ce cycle de prédication lors de la célébration de la Saint-Cyprien, les 13 et 14 septembre. Mais l'événement de l'année avait été la réunion, au mois de juin, de la conférence qui s'était soldée par la défaite des donatistes. Certes, tous n'avaient pas désarmé et l'on continuait à déplorer d'assez graves violences résiduelles du fait des circoncellions[b] ; cependant, la condamnation sans ambiguïté de l'Église schismatique et la fermeté retrouvée des autorités civiles à son égard suscitèrent en ses rangs de nombreuses conversions. En l'espace de quelques mois, la physionomie religieuse de maintes bourgades, à la campagne et à la montagne, changea de façon spectaculaire. Tel fut le cas du *castellum* de Fussala, dans une région, dit Augustin, depuis longtemps très majoritairement acquise à l'Église donatiste, au point que la bourgade elle-même ne comptait pas un seul catholique[c]. Le revirement, ajoute Augustin dans une lettre au pape Célestin écrite une douzaine d'années plus tard, ne s'était pas fait sans mal, ni sans grandes souffrances endurées par les prêtres catholiques qu'on avait établis là pour accompagner et consolider le retour à l'unité. À la fin de l'année 411, il devenait urgent d'y ordonner un évêque pour prendre la charge de ces terres reconquises – mais où la paix religieuse était encore fragile –, trop lointaines pour ne pas échapper un peu à l'attention pastorale de l'évêque d'Hippone.

---

a. *Actes de la conférence de Carthage en 411*, I, 133, *S. C.*, vol. 195, p. 756.
b. Cf. *infra*, pp. 425-426.
c. *Ep.* 209, 2, au pape Célestin.

Où se trouvait Fussala ? Le *castellum*, dit Augustin, avait une
limite commune avec le territoire d'Hippo Regius, auquel il était
extérieur, tout en faisant partie, du point de vue ecclésiastique, du
diocèse d'Hippone[a]. Il ajoutera seulement qu'il était distant de sa
ville épiscopale de quarante milles, soit un peu moins de soixante
kilomètres[b]. Ce chiffre, qu'Augustin a précisé dans sa lettre au pape
Célestin pour bien lui montrer qu'un tel éloignement imposait de
nommer là un évêque, n'est malheureusement assorti d'aucune indication de direction ; il s'agit en outre, bien évidemment, d'une distance réelle, routière : converti en distance à vol d'oiseau, ce chiffre
doit être ramené à quarante-cinq ou cinquante kilomètres, au maxi-
mum. Si, à l'aide d'un compas, on reporte sur une carte la ligne des
cinquante kilomètres à partir d'Hippone, on remarque que vers
l'ouest/nord-ouest on empiète sensiblement sur le territoire de localités littorales de la presqu'île d'Herbillon, comme Paratianis (fig. 3).
Or ces localités sont nettement en dehors du territoire d'Hippone. Il
y a donc peu de chances qu'il faille chercher Fussala dans cette
direction, d'autant plus que dans ces parages les eaux stagnantes du
lac Fetzara ont dû limiter les établissements dans l'Antiquité autant
qu'à l'époque moderne. Vers le sud-ouest, le rayon des cinquante
kilomètres déborde, tout de même, sensiblement, la frontière qui
sépare le territoire d'Hippone de celui de Calama ; ce n'est donc
pas non plus de ce côté qu'il convient de rechercher Fussala. Enfin,
vers l'est, la ligne des cinquante kilomètres passe largement au-delà
du tracé, connu en un point (point 3 de la fig. 3), probable de part
et d'autre de ce point, de la limite territoriale d'Hippo Regius. Il
apparaît donc que c'est plutôt en limite sud et sud-est du territoire
d'Hippone qu'il convient de porter l'investigation, dans le vaste
triangle dont les pointes sont Calama à l'ouest, Thullio au nord et
Thagaste au sud. Et, dans la large zone ainsi délimitée, divers indices,
dont les plus significatifs découlent des données topographiques de
l'enquête épiscopale menée au printemps de 421 sur les malversa-
tions d'Antoninus de Fussala[11], conduisent à localiser vraisemblablement le siège épiscopal dont il fut le premier titulaire dans la
région montagneuse du Reguegma, à l'est du cours moyen de la
Seybouse (fig. 3)[12].

Augustin, on le sait, disposait dans son monastère de clercs d'une
véritable pépinière de futurs évêques. Pour ce nouvel évêché à pour-

---

a. *Ep.* 209, 2 ; *Ep.* 20*, 3 : « [...] *in quodam Fussalensi castello quod Hipponiensi
cathedrae subiacebat* ».

b. *Ep.* 209, 2 : « *Ab Hippone memoratum castellum milibus quadraginta seiun-
gitur.* »

voir d'urgence, il avait jeté son dévolu sur un prêtre qui présentait l'avantage d'avoir de suffisantes connaissances de la langue punique, alors une sorte de patois, avatar abâtardi de la langue de Carthage, dont l'usage était nécessaire encore en maints endroits, en particulier dans de larges zones rurales de la Numidie d'Hippone [13]. Une date avait été fixée pour son ordination, et le primat de Numidie, venu de loin, était présent au jour dit [a] à Fussala pour y présider, quand au dernier moment le prêtre pressenti fit faux bond. Que faire ? Augustin pouvait-il laisser repartir son primat, un vieil homme, après un voyage long et pénible, effectué en vain ? Pouvait-il surtout décevoir l'attente des fidèles locaux, ramenés depuis peu au bercail catholique et dont il savait le fort besoin d'encadrement pastoral ? Il avait auprès de lui, dans ce déplacement, un jeune lecteur du nom d'Antoninus. Cet Antoninus était un peu son fils. Il était arrivé tout enfant à Hippone avec sa mère et l'homme avec qui sa mère s'était remariée ; dans leur dénuement de personnes déplacées, probablement d'origine paysanne, ils avaient eu recours à l'aide matérielle de l'Église, qui les avait pris en charge. Mais Augustin, sachant que la mère d'Antoninus s'était remariée alors que le père de l'enfant vivait encore, avait séparé le couple : elle avait été accueillie à l'hospice des pauvres secourus par l'Église [14], tandis que l'enfant et son beau-père avaient trouvé refuge dans le monastère. Les années avaient passé, sobrement résumées par l'évêque dans un raccourci : « Il mourut, elle vieillit, l'enfant grandit [b]. » Antoninus était devenu un jeune homme qui donnait toute satisfaction dans son office de lecteur, au point que le supérieur du monastère des clercs, le prêtre Urbanus, futur évêque de Sicca Veneria (Le Kef), avait songé, agissant sur ordre d'Augustin alors absent, à le désigner pour la prêtrise dans un grand domaine du diocèse d'Hippone. Mais, comme mû par la prescience d'une destinée plus haute, Antoninus avait refusé. À Fussala, ce jour-là, il était toujours lecteur, et figurait en cette qualité dans la suite de son évêque, et il était disponible. Et lui aussi savait le punique, atout maître dans un endroit comme Fussala. Augustin hésita-t-il ? Il insistera plus tard, pour s'en accuser, sur le caractère exceptionnel d'une telle promotion, qui faisait un évêque d'un lecteur âgé de vingt ans, sans la moindre expérience de la cléricature. Mais, pris de court, il imposa un tel pasteur aux fidèles de Fussala, qui lui faisaient confiance. Dans le sermon qu'il prononça à l'occa-

---

a. Ce primat était alors Silvanus, évêque de Summa, très probablement en Numidie centrale.

b. *Ep.* 20*, 2 : « *Ille obiit, illa senuit, puer creuit.* »

sion de cette ordination[a], il en arriva pour conclure à envisager l'éventualité qu'un évêque fût de mauvaise conduite, tout en prêchant le vrai : le cas, dit-il, avait été prévu par l'Évangile ; et de citer *Matthieu*, 23, 3 : « *Faites ce qu'ils vous disent, mais ne faites pas ce qu'ils font.* » Paroles hautement prophétiques, comme la suite allait le montrer.

D'abord saisi d'une courte épouvante devant l'ampleur d'une telle responsabilité, le jeune homme prit vite la mesure de l'autorité qui lui avait été confiée et du parti matériel qu'il pouvait en tirer. Un *castellum* était une bourgade sans statut municipal [15], sans autres institutions, au mieux, qu'un conseil des anciens (*seniores*), à l'image de la djemaa en pays berbère. S'il savait s'entourer d'une équipe d'auxiliaires dévoués et efficaces, un évêque pouvait s'y assurer pratiquement tous les pouvoirs. Antoninus n'y manqua pas. Pour commencer, il ordonna prêtre à ses côtés un ex-secrétaire de l'entourage d'Augustin, chassé du monastère après avoir reçu le fouet pour avoir frayé avec des religieuses, et un diacre qui lui avait été attribué selon la procédure normale ne tarda pas à révéler, dans un tel milieu, sa capacité de nuisance[b]. Le pire fut cependant le troisième acolyte qu'il se choisit, un ancien soldat, sans doute un déserteur qui, décoré du titre de « défenseur de l'Église » (*defensor ecclesiae*), prit la tête d'une milice de surveillance recrutée par ses soins. En peu de temps, Antoninus avait prêté ses traits à la figure de l'*episcopus* ou *clericus tyrannus* qu'on trouve esquissée dans les délibérations conciliaires de l'Église d'Afrique [16], à l'image aussi de l'évêque chef de bande, bien présente également dans la tradition africaine, et illustrée peu d'années auparavant par l'évêque donatiste Optat de Timgad.

Des *defensores ecclesiae* en poste permanent avaient été institués par une loi de l'empereur Honorius datée du 15 novembre 407 [17] ; ils avaient, comme leur nom l'indique, charge de défendre les intérêts des églises auxquelles ils étaient affectés. Antoninus détourna l'institution à son profit personnel et utilisa les services du *defensor ecclesiae* et de ses sbires pour dépouiller ses fidèles. Dans sa lettre de l'automne de 422 au pape Célestin, Augustin avait pudiquement résumé les méfaits de son ancien protégé, énoncés cependant plus au long dans l'annexe qui accompagnait sa lettre[c]. Mais, dans celle

---

a. *Sermo Guelferbytanus* 32, 9, dans *Miscellanea Agostiniana*, I, Rome, 1930, p. 571.

b. *Ep.* 20*, 5.

c. *Ep.* 209, 4 et 6. Nous n'avons pas cette annexe, dont le contenu est repris dans la lettre à Fabiola.

qu'il adressait à peu près dans le même temps à la dame Fabiola, la pieuse, riche et influente aristocrate romaine auprès de qui s'était réfugié Antoninus en quête de soutiens, il entrait dans les détails. Le jeune évêque avait été assez facilement absous de quatre accusations de viol mal fondées : le stupre apparemment l'appâtait moins que le lucre. Mais, de ce côté-là, tout lui était bon : « Argent, mobilier, vêtements, bétail, récoltes, bois et pierres à bâtir enfin, tout était perdu pour quiconque était tombé entre ses mains [18]. » C'étaient surtout les acquisitions immobilières – en fait des spoliations : l'un des vendeurs avait été séquestré pour lui faire céder son bien à bas prix – qui motivaient Antoninus. Comme souvent dans l'Antiquité quand les matériaux étaient rares, on achetait une vieille bâtisse pour en faire servir les pierres à la construction d'une neuve[a]. C'est ainsi, de démolitions en remplois, qu'il s'était fait bâtir dans le bourg de Fussala une belle maison (*domus*) dont Augustin dira qu'il n'y avait en elle « rien qu'on ne pût montrer prélevé sur le bien d'autrui en désignant du doigt l'endroit du prélèvement[b] » ! Au-delà de la nécessité réelle où il se trouvait, lui, premier évêque de Fussala, de se loger, Antoninus avait réalisé le rêve du petit paysan pauvre transplanté tout enfant à la ville. C'est évidemment pour conserver cette maison « bourgeoise », symbole de son pouvoir et monument de sa réussite temporelle, qu'il se cramponnait si fort à son siège épiscopal.

Car, en dépit d'une loi du silence sans doute durement imposée, les méfaits d'Antoninus avaient fini par se savoir. Mais exactions et déprédations avaient duré près de dix années. Au début de 421, les plaintes des fidèles de Fussala provoquèrent la réunion à Hippone d'un tribunal épiscopal jugeant en première instance, où siégèrent Augustin et Alypius, entourés en principe d'une dizaine d'évêques très probablement du voisinage[c]. Antoninus avait en effet la chance, même pour ce que nous appellerions des délits de droit commun, de bénéficier au pénal du « privilège du for [19] ». Ses pairs le jugèrent avec une assez grande mansuétude : il conserva son rang épiscopal, échappa à l'excommunication en dédommageant partiellement ses victimes, mais perdit son autorité sur la bourgade même de Fussala, où peu après le concile provincial de Numidie fit procéder à l'ordination d'un autre évêque. La solution, dictée par le

---

a. On a vu plus haut (*supra*, p. 330) que c'était le parti auquel songeait initialement Leporius pour bâtir une basilique à Hippone.

b. *Ep.* 20*, 31.

c. Le nombre de douze évêques était statutairement requis pour juger un de leurs pairs.

respect de la règle interdisant les transferts[a], consista en un partage des communautés entre les deux titulaires du siège ainsi démembré : à Antoninus étaient maintenues huit *plebes* qui lui paraissaient moins hostiles ; mais il voulut qu'on y ajoutât une autre, proche du bourg, dans un domaine rural où il désirait établir sa résidence épiscopale[b]. Or les paysans de ce domaine avaient eu à souffrir d'Antoninus ; ils écrivirent à leur maîtresse – leur *domina* – que, si elle permettait cela, ils la quitteraient tous immédiatement[20].

En fait, Antoninus entendait être réintégré pleinement dans sa charge épiscopale. Il ne lui restait donc plus qu'à passer la mer pour faire appel au pape Boniface, ce qu'il fit avant la mort de ce dernier, le 4 septembre 422. Il faut croire que, même en son petit recoin montagneux de la Numidie d'Hippone, il avait eu vent des dispositions arrêtées par le concile général réuni à Carthage en mai 419, à propos d'une autre affaire retentissante, celle du prêtre Apiarius, du diocèse de Sicca ; à titre transitoire elles autorisaient l'appel au siège apostolique[21]. Antoninus avait habilement – et mensongèrement – obtenu de son primat, Aurelius de Macomades, une lettre de recommandation auprès de Boniface, à qui il présenta les faits à sa manière. Le pape ordonna un supplément d'instruction. Quels que fussent les sentiments d'Augustin à l'égard de l'appel à Rome, il ne pouvait traiter celui-ci par le mépris, car sa responsabilité personnelle initiale était lourdement engagée ; il accepta l'intervention du siège romain d'autant plus facilement que Boniface avait confié à des évêques africains, et non à des légats pontificaux, le soin de cette seconde phase de la procédure.

Parmi la trentaine de lettres de l'évêque d'Hippone découvertes il y aura bientôt vingt ans par un savant viennois à la Bibliothèque nationale, à Paris, et dans le fonds des manuscrits de la bibliothèque municipale de Marseille, la lettre 20*, à Fabiola, est le document le plus inattendu, et le plus passionnant. On y suit pas à pas les pérégrinations de la commission épiscopale qui, sans doute à l'été ou l'automne de 422, tint ses premières assises dans une petite cité de Numidie appelée Tegulata – pour nous un simple nom. Alypius et Augustin en faisaient naturellement partie. Ce dernier, dans son compte rendu très complet, ne cache pas les sentiments qui l'animaient, horrifié par la conduite et la rouerie d'Antoninus, tout prêt cependant à plaider l'indulgence pour peu que l'intéressé manifeste le désir de s'amender et accepte la solution de conciliation proposée

---

a. Cette interdiction des translations d'un siège à un autre était une spécificité de l'Église d'Afrique.

b. C'est-à-dire pour en faire sa *matrix* ou *principalis ecclesia* : *Ep.* 20*, 8-9.

en première instance. Mais le jeune évêque de Fussala était un personnage retors. Entend-on en audition un prêtre de Fussala qui se fait le porte-parole d'une opposition déterminée à sa personne de la part du clergé et des fidèles de la petite cité, il le récuse et tient pour des faux les lettres dont ce prêtre est porteur[a]. On décide donc de se transporter à Fussala pour en avoir le cœur net : s'il s'avère que les habitants ne veulent plus de leur évêque, Antoninus recevra les huit communautés qui lui étaient déjà proposées, plus cinq autres qu'Augustin lui avait promises officieusement ; le cas de Thogonoetum, le domaine qui avait fait connaître si vigoureusement son hostilité, était en suspens. À Fussala, quelques jours plus tard, la commission réunie autour du primat provincial ne comprenait plus Alypius, qui était rentré chez lui à Thagaste, ni Augustin, qui avait douloureusement conscience de n'être pas *persona grata* en cet endroit où les villageois le considéraient comme la source de tous leurs malheurs[b]. L'enquête sur les lieux mêmes fit apparaître toute la réalité du terrorisme exercé par l'évêque sur ses fidèles ; confrontés avec lui, ils persisteront dans leur refus, exprimé par des cris et des huées.

La commission épiscopale n'était cependant pas au bout de ses peines et de ses surprises ; Antoninus s'était appliqué à brouiller les cartes. Ainsi avait-il dit désirer obtenir la communauté rurale de Thogonoetum tout en sachant pertinemment que la *domina* de cette propriété le jugeait indésirable, et lui-même avait conseillé à la dame de n'y point consentir. C'était donc de sa part une manœuvre, comme le confirma bientôt une lettre de cette aristocrate, doublée par son témoignage oral[c]. Augustin ne savait plus que faire. Pour tenter de fléchir Antoninus, il en était à proposer qu'on lui accorde deux communautés de plus, mais les autres commissaires s'y opposaient. Et, pour ne rien arranger, les fidèles de Thogonoetum, qui avaient rudement interpellé le primat de Numidie, avaient été excommuniés par lui. Augustin redoutait que ne les fît sombrer leur « désespérance de paysans » – leur *tristitia rusticana*, comme il dit[d] –, que le désarroi spirituel de ces êtres frustes, laissés à eux-mêmes à peine arrachés au schisme, ne les menât à leur perte. Il put mesurer l'ampleur des dégâts causés dans cette petite communauté. Pour aller à Fussala, où l'on avait décidé de procéder à une nouvelle audition des anciens fidèles d'Antoninus, mais cette fois-ci hors de la présence de son

---

a. *Ep.* 20*, 13.
b. *Ep.* 20*, 15.
c. *Ep.* 20*, 17-19. La *domina* était de rang « clarissime », donc de noblesse sénatoriale.
d. *Ep.* 20*, 20.

successeur, il fallait passer par Thogonoetum. Arrivée le soir, la commission vit le lendemain matin les fidèles rassemblés dans l'église. Harangués en langue punique par le primat, Aurelius de Macomades, et sommés par lui de préciser leurs griefs contre Antoninus par dépositions individuelles consignées au procès-verbal, ils s'y refusèrent obstinément, par crainte, dirent-ils, de donner ainsi des armes contre eux à de nouvelles persécutions de la part de leur ancien évêque. Et comme on insistait, ils quittèrent l'église comme un seul homme, religieuses comprises, plantant là les membres de la commission. Ils ne revinrent pour la célébration de l'office que sur la promesse du primat de ne rien faire contre leur volonté en leur donnant un évêque.

De là, les commissaires se rendirent à Fussala. Il avait été prévu d'en interroger encore une fois les habitants, pratiquement tous des paysans, en prenant à part les *coloni* de chaque domaine, en présence de leurs intendants (*actores*) et de leurs « procurateurs » (*procuratores*), qui étaient de condition servile, mais hors de la présence de leurs fermiers (*conductores*), qui étaient, eux, des hommes libres[a]. Un fermier était un *quasi dominus* – l'un d'entre eux avait été en position de demander au primat et aux évêques de se rendre auprès de lui[b] –, et l'on se méfiait des pressions qu'il pouvait exercer, au même titre qu'un *dominus* ou une *domina*, sur ses paysans. Au contraire, le témoignage devant le tribunal épiscopal de ces « agents de maîtrise » qu'étaient les intendants, en contact permanent avec les paysans, que ce fût sur un domaine privé ou sur des terres impériales, ne suscitait aucune réticence. Ils étaient là moins comme témoins des exactions d'Antoninus ou en tant que garants des titres de tenure des *coloni* spoliés (car ces *coloni* n'avaient pas tous des doléances individuelles à présenter) que pour « encadrer » leurs paysans, pour assurer en quelque sorte leur comparution devant le tribunal épiscopal[22]. La précaution n'était pas de trop ; en effet, comme à Thogonoetum, les fidèles se montrèrent plus que réticents à l'idée de devoir déposer à titre individuel, et il ne fut pas facile de vaincre leur répugnance. Ils compensèrent ce qu'ils ressentaient comme une contrainte dangereuse pour eux en incriminant souvent Augustin, qui vivait en ces journées l'épreuve la plus pénible de sa vie de pasteur[c].

Le dénouement eut pour théâtre un bourg proche de Fussala (fig. 3,

---

a. *Ep.* 20*, 20 ; on lira « *cum actoribus uel procuratoribus sine* [et non : *siue*] *conductoribus suis* ».
b. Cf. *Ep.* 20*, 19.
c. *Ep.* 20*, 23.

p. 349), le *castellum Giluense*, où une affaire ecclésiastique urgente avait amené le primat à se rendre[23]. Le rapport du tribunal épiscopal était accablant pour Antoninus, d'autant plus qu'y avaient été associés aussi des évêques choisis par lui. Sa réaction fut surprenante : comme on lui suggérait que sa seule possibilité, s'il voulait demeurer évêque, était d'accepter sans plus faire d'histoires le gouvernement des communautés qu'on lui avait désignées, il répondit qu'il n'en voulait pas même et qu'il « avait le ferme propos de s'établir en lieu très retiré, loin du monde, à l'écart de l'envie, en serviteur de Dieu[a] ». Espérait-il, par cette attitude d'humilité, pouvoir désarmer ses juges, obtenir leur pardon, revenir au *statu quo ante* ? Mais cette contrition était feinte. Pressé par Augustin de manifester sa sincérité en faisant état dans les procès-verbaux de sa volonté de paix, ou tout au moins par un écrit quelconque, il s'y refusa absolument et pour finir, jetant bas le masque, il s'écria, « d'un air et d'un ton de voix terribles », que rien ne pourrait le faire renoncer à rentrer dans son église de Fussala. Et, se levant avec emportement, il annonça qu'il partait pour Rome faire de nouveau appel au siège apostolique[b].

Il ne restait plus qu'à instruire ledit siège en rassemblant tous les procès-verbaux et en les transmettant, avec un rapport du primat de Numidie ; ce qui fut fait, dit Augustin, avec toute la célérité possible. Dans le même temps, sans doute à l'automne de 422, qu'il adressait au successeur de Boniface, le pape Célestin, une lettre où rien n'était dissimulé de la responsabilité qu'il avait prise par cette ordination précipitée, il écrivait à la dame Fabiola, auprès de qui il savait qu'Antoninus chercherait sans doute de nouveau refuge[c], une relation de l'affaire plus circonstanciée, afin de l'aider à mieux cerner la personnalité morale de son protégé et de lui permettre ainsi de mieux ajuster la direction de conscience qu'il lui demandait d'exercer à son endroit[d]. Qu'advint-il de lui, de son second appel à Rome, quel fut l'épilogue de cette affaire, nous l'ignorons. De même que nous ignorons tout du successeur d'Antoninus sur son siège, et si cet évêque, ordonné avec non moins de hâte que celui qu'il remplaçait, put s'y maintenir. Une phrase d'une lettre adressée par Augustin, entre 421 et 427, à Quodvultdeus, diacre et futur évêque de Carthage, donne à penser que l'évêque d'Hippone s'était de nouveau chargé de la *cura pastoralis* de Fussala, au moins à titre tem-

---

a. *Ep.* 20*, 24.

b. *Ep.* 20*, 25.

c. Ses terres en Afrique, probablement, étaient voisines de Fussala, et l'évêque pouvait avoir eu des occasions de la rencontrer.

d. *Ep.* 20*, 27

poraire, en qualité d'*interuentor*[a]. L'entreprise de morcellement d'un trop vaste diocèse avait provisoirement trouvé ses limites. Mais l'évêché créé pour et par Antoninus n'avait cependant pas cessé d'exister. À la fin du ve siècle, un évêque de Fussala figurait sur les registres de la province de Numidie[24]. Ironie de nos documents, sinon ironie de l'histoire : il s'appelait Melior !

---

a. *Ep.* 224, 3. Augustin recommandait à Quodvultdeus un prêtre de Fussala en le priant de l'aider dans ses démarches à Carthage car il s'agissait, disait-il, d'affaires concernant des hommes « *qui* [...] *ad curam pertinent nostram* ».

CHAPITRE XXIV

Un évêque dans le siècle

L'histoire, qu'on vient de lire, d'Antoninus de Fussala est certes celle d'un cas limite, dans des conditions particulières. Elle illustre cependant bien, fût-ce jusqu'à la caricature, la place que pouvait alors tenir un évêque dans le siècle, et l'importance du rôle qu'il pouvait jouer, pour le pire comme pour le meilleur. À cette fonction séculière, Augustin ne s'est pas dérobé, au point qu'elle est rapidement devenue pour lui l'une des plus absorbantes. En 400/01, exhortant les moines au travail manuel dans le petit livre que lui avait commandé Aurelius de Carthage, il soupirait : « Pour ce qui est de mes aises, je préférerais de beaucoup faire chaque jour quelque travail manuel à heures fixes, comme il est établi dans les monastères bien réglés, et profiter des autres moments pour lire, prier ou étudier les divines Écritures, plutôt que d'être en butte aux tumultueuses embrouilles [*perplexitates*] des chicanes d'autrui, lors d'affaires séculières qu'il faut terminer par un jugement ou trancher par une intervention[a]. » Mais, ajoutait-il, ces tâches n'étaient pas de celles auxquelles un évêque pouvait se soustraire, puisque l'Apôtre – *I Co.*, 6, 4-6 – avait prescrit que des chrétiens jugent des chrétiens, plutôt que de voir leurs causes déférées aux tribunaux païens.

Encore fallait-il que la puissance publique admît la juridiction épiscopale et que celle-ci entrât dans le domaine légal. C'était chose acquise depuis que l'empereur Constantin l'avait en 318 légalisée en principe en obligeant les juges séculiers à la reconnaître[b]. Par la suite, cependant, cette *episcopalis audientia* avait vu sa compétence se restreindre au fil des années[1]. À l'extrême fin du IVe siècle, une

---

a. *De opere monachorum*, 37. Cf. aussi *Enarr. in Psalm. 118, sermon* 24, 3, où il admet, non sans quelque regret, que l'évêque ne peut être, comme le Christ, au-dessus de la mêlée (cf. *Lc*, 12, 14).
b. *C. Th.*, I, 27; 1.

loi d'Arcadius pour l'Orient et une constitution analogue de son frère Honorius pour l'Occident avaient limité la portée de cette juridiction épiscopale, écartée du traitement des causes criminelles. Le même Honorius, un peu plus tard, en 408, précisera qu'en matière civile le jugement de l'évêque ne peut être qu'une procédure d'arbitrage, valable si les deux parties sont d'accord pour y recourir[a]. À l'époque où Augustin était évêque, l'*episcopalis audientia* n'était une juridiction souveraine et exclusive de toute autre que dans le domaine où s'exerçait à plein le « privilège du for », c'est-à-dire dans les causes qui impliquaient un clerc, comme on vient de le voir dans l'affaire d'Antoninus de Fussala[2]. Mais, au civil, l'immense champ d'application de l'arbitrage et, au pénal, son pouvoir d'intercession faisaient de l'évêque un acteur de premier plan dans le jeu social.

L'ÉVÊQUE ACTEUR DE LA SOCIÉTÉ CIVILE : LA POURSUITE DE l'INJUSTE ET LA DÉFENSE DU FAIBLE

Possidius a dit comment l'évêque d'Hippone, jour après jour, s'obligeait, entouré de ses secrétaires, à tenir séance dans le *secretarium* de son église, le matin jusqu'à l'heure du déjeuner, souvent en sautant le déjeuner[b]. Il n'y avait pas que les chrétiens pour l'assiéger[c]. Et lui qui ne disposait pas, pour lui servir d'armure, de l'appareil intimidant d'une cour de justice ni du rempart du bras séculier, savait que dans bien des cas son arbitrage lui vaudrait la rancœur durable d'une des parties. Chacun des deux plaideurs aime le juge avant qu'il ne juge, observait-il ; et il était sans illusion sur la réception de la sentence. Le plus riche des deux a-t-il eu satisfaction ? Le juge-évêque en a reçu un cadeau, ou bien il a craint de l'offenser. Est-ce le pauvre qui a eu gain de cause ? Le juge a agi ainsi pour ne pas avoir l'air d'être hostile aux pauvres, il a sacrifié la justice à l'opinion publique ; bref, il a pratiqué, comme nous dirions, une justice de classe à l'envers[d]. En fait, cette dernière orientation de la pratique judiciaire était bien celle d'Augustin, et il ne s'en défendait pas. Significative est à cet égard la distinction qu'il faisait, à propos d'un même forfait, par exemple un vol, entre riche et pauvre, ce dernier pouvant seul bénéficier de circonstances atté-

a. *C. Th.*, I, 27, 2.
b. *Vita Aug.*, XIX, 3.
c. *Enarr. in Psalm.* 46, 5.
d. *Ibid.*, 25, *sermon* 2, 13.

nuantes, sinon absolutoires : « C'est une chose de pécher dans la nécessité, une autre de pécher dans l'abondance. Un pauvre mendiant commet un vol, sa faute procède de sa maigreur. Un riche qui regorge de tant de biens, pourquoi pillerait-il le bien d'autrui[a] ? »

Si, dans l'œuvre d'Augustin, ce sont les *Sermons* surtout qui nous renseignent sur l'esprit de sa pratique judiciaire, ce sont essentiellement les *Lettres* qui nous donnent des exemples concrets de ses interventions. Et, dans le volumineux corpus de cette correspondance, le lot d'une trentaine de lettres inédites retrouvées il y a une vingtaine d'années est particulièrement précieux pour le jour que certaines d'entre elles jettent sur le regard inquiet que portait l'évêque sur des aspects alarmants de la société de son temps, dans la dernière décennie de sa vie et de son épiscopat, où se situe chronologiquement le dossier publié[b]. L'une de ces lettres, datée du printemps de 420 et écrite à Alypius alors en mission en Italie, nous introduit au cœur des préoccupations sociales de l'Augustin d'alors. Dans la première partie de cette « Lettre 22* », il faisait un double constat. D'abord celui d'une sclérose de plus en plus marquée de cette société, qui nuisait d'abord au corps qu'il représentait lui-même, à l'Église. Un concile qui venait de se tenir en Numidie et auquel la saison froide – c'était le début du mois de mars – l'avait empêché de participer lui avait transmis ses doléances : il était de plus en plus difficile de recruter des clercs, à cause d'une législation qui fixait héréditairement chacun dans sa catégorie sociale[3]. En son temps, Augustin, fils de curiale[c], avait pu s'en évader. Mais, en même temps que les difficultés économiques s'accroissaient, s'était raidie l'attitude de ceux – en premier lieu les « curateurs » des cités – qui veillaient à ce que personne ne se dérobât aux charges et à leurs incidences financières. Pour sortir les clergés locaux de ces situations de blocage, qui les menaçaient à terme d'extinction, l'évêque proposait, dans chaque communauté, l'instauration d'un quota d'individus susceptibles de bénéficier d'immunités de charges et donc d'accéder aux ordres cléricaux[d].

Mais c'étaient surtout les incidences économiques de cette situation sociale, particulièrement la lourdeur de la fiscalité et les injustices commises dans sa perception, qui motivaient la seconde réaction d'Augustin dans ce texte. L'Église, disait-il, était assaillie par

---

a. *Enarr. in Psalm.* 72, 12.

b. On les cite dans l'édition traduite et commentée : *B.A.*, vol. 46 B, Paris, Ét. aug., 1987.

c. Cf. *supra*, p. 23.

d. *Ep.* 22*, 2, *B.A.*, 46 B, p. 348.

les plaintes des citoyens pauvres qui se tournaient vers elle pour tenter d'échapper à la tyrannie de malhonnêtes détenteurs de l'autorité municipale, qui les pressuraient[a]. Augustin touchait là, à son grand regret, les limites de son pouvoir judiciaire, ou plutôt de sa capacité de protection (*tuitio episcopalis*) : les percepteurs abusifs, qui avaient tendance à dégrever les notables et les riches au détriment des faibles, lui riaient au nez, car ils savaient bien que l'évêque n'avait pas qualité pour engager contre eux des actions[b] ; et ils avaient beau jeu de se plaindre à l'autorité supérieure (celle des gouverneurs de province) des interventions de l'évêque, en disant que ce dernier faisait entrave aux nécessités du service public.

Bien heureux encore quand ces bureaucrates, même au niveau local, ne faisaient pas trop de difficultés pour le recevoir. Ils n'y mettaient guère d'empressement, et la susceptibilité d'Augustin en souffrait autant que le souci bien légitime qu'il avait de faire respecter sa dignité épiscopale. Dans un sermon prêché à Hippone durant l'été de 409, il s'explique sans fard sur les humiliations auxquelles il s'exposait pour ses fidèles. Il lui fallait, dit-il, faire antichambre, voir passer avant lui de moins dignes que lui d'être reçus sans attendre ; et, enfin introduit, il lui arrivait plus souvent d'essuyer des rebuffades que d'obtenir satisfaction dans sa requête[c]. Le plus mortifiant, continuait-il, était encore qu'en cas d'échec les fidèles qui l'avaient sollicité ne lui savaient aucun gré de sa démarche et doutaient même qu'il l'eût entreprise ! Le texte est sans doute révélateur d'une des faiblesses d'Augustin – une sensibilité trop vive –, mais plus encore, comme on l'a dit très justement, des limites de la christianisation d'une cité africaine au début du Ve siècle[4], ou plus précisément des limites du pouvoir réel d'un évêque face à une administration parfaitement « laïque », au sens où nous entendons ce mot, et dont les représentants étaient jaloux de leur autonomie par rapport à une autre hiérarchie, même quand ils étaient eux-mêmes chrétiens.

Dans sa lettre datée du printemps de 420, Augustin ne voyait qu'un moyen pour réussir dans cette protection, là où il échouait lui-même : c'était de faire nommer à Hippone un *defensor ciuitatis*. On a vu plus haut qu'existaient par ailleurs des *defensores ecclesiae*, et comment un Antoninus avait pu, à Fussala, détourner la fonction au service de ses méfaits[d]. Comme son nom l'indique, le « défenseur de la cité » avait un rôle civil et à l'origine de l'institution il

---

a. *Ibid.*
b. *Ep.* 22*, 3, p. 350.
c. *Sermon* 302, 17.
d. *Supra*, p. 359.

incarnait un « contre-pouvoir », mis en place par les empereurs, en particulier par le grand Théodose[5], pour protéger le petit peuple des abus de pouvoir des puissants. Mais, déviée de son objectif initial, cette « défense » était devenue, là où elle existait encore, un simple rouage des institutions locales[6], au point que le concile général réuni à Carthage le 13 septembre 401 avait sollicité du pouvoir impérial la nomination de « défenseurs », avec des fonctions redéfinies[7]. Il faut croire que cette demande était restée sans effet, ou que toutes les cités n'en avaient pas eu le bénéfice, puisque vingt ans plus tard Augustin renouvelait cette requête. Il fallait que le « défenseur », pour pouvoir se faire respecter, eût un rang social convenable et fût assuré de la confiance de ses mandants, les citoyens de la ville. Augustin avait ses candidats : un fonctionnaire impérial du nom d'Ursus, et deux fidèles catholiques d'Hippone, au cas où l'agrément pour cette charge serait refusé à un fonctionnaire, point sur lequel il était dans le doute[a]. Nous ignorons malheureusement ce qu'il advint de cette affaire.

En tant que citoyen de la cité terrestre, Augustin était un homme d'ordre[b]. Dût notre bonne conscience s'en effaroucher, en oubliant que nos sociétés ont été esclavagistes jusqu'au milieu du XIXe siècle, et parfois même au-delà, et qu'avant toute abolition l'Église, par la voix de Grégoire XVI, ne fit que condamner la traite, Augustin n'a pas été abolitionniste. Autour de lui, tout le monde avait des esclaves, y compris quelques-uns de ses propres clercs, qu'il poussait au demeurant à les affranchir[8]. Et, par le jeu d'un de ces « emboîtements » économiques et sociaux pour nous difficilement imaginables, il y avait même des « esclaves d'esclaves » – on les appelait des *serui uicarii* –, dont un sermon récemment retrouvé de l'évêque d'Hippone confirme la réalité en son temps[c]. Pour Augustin, l'esclavage était un mal – à ses yeux une des conséquences sociales du péché originel[9] – économiquement nécessaire, selon un équilibre des systèmes de production alors en vigueur qu'il ne songeait pas à récuser. Mais il ne pouvait accepter que ce mal dont il admettait le principe subît en son temps et à sa connaissance, autour de lui, extension ou recrudescence – sous des formes d'ailleurs diverses, dont certaines se situaient aux limites de la légalité. Et parfois Augustin, qui n'avait pas fait son droit et n'en avait que la connaissance empirique que sa pratique de juge épiscopal lui

a. *Ep.* 22*, 4.
b. Cf. *infra*, pp. 570-571.
c. *Sermon Dolbeau* 21 (= *Mayence* 54), 5, dans *Vingt-Six Sermons au peuple d'Afrique*, Paris, 1996, p. 275.

avait donnée, éprouvait le besoin de consulter : l'atteste l'une de ces nouvelles lettres, adressée à un jurisconsulte du nom d'Eustochius. Les questions posées avaient trait aux différentes manières dont une personne libre pouvait, de façon souvent insidieuse, se retrouver réduite en servitude. Il lui fallait s'informer de ces délicats problèmes de droit civil car, disait-il, « si nous pouvons, selon la doctrine apostolique, prescrire aux esclaves d'être soumis à leurs maîtres, nous ne pouvons imposer le joug de l'esclavage à des hommes libres[a] ». Certains de ces cas étaient litigieux, comme le point de savoir quel était le statut d'un enfant né d'un esclave et d'une femme libre, et la complexité d'une jurisprudence qui remontait en l'espèce à l'empereur Claude avait de quoi dérouter l'évêque. Mais une autre question témoignait par le seul fait de la poser de la dureté de cette société, aggravée par les difficultés de l'époque. Il s'agissait de savoir ce qui pouvait advenir des enfants dont les parents – sans doute eux-mêmes victimes de la misère – vendaient la force de travail pour un nombre déterminé d'années : la mort des parents qui les avaient « loués » mettait-elle fin au contrat en leur restituant leur liberté juridique ? Ou bien étaient-ils contraints d'accomplir le nombre d'années prévu[b] ? Le risque était grand que, parvenus à la majorité légale de vingt-cinq ans, les intéressés, si les parents avaient entre-temps disparu et qu'ils n'eussent pas eux-mêmes conscience de leur état, demeurent à jamais dans une situation servile de fait[10]. La complexité de la législation et le poids des habitudes rendaient assez floue la frontière entre esclavage de naissance et esclavage temporaire, en principe rachetable, ainsi qu'entre servitude par statut et servitude de fait. Augustin s'y perdait un peu, comme le montre, dans la même lettre, sa curieuse interrogation à Eustochius sur le point de savoir s'il était permis à un propriétaire terrien de réduire en esclavage ses paysans (*coloni*) ou les enfants de ses paysans : ces *coloni* jouissaient d'une liberté personnelle inaliénable, mais leur astreinte à la terre était une aliénation réelle, qui pouvait prêter à confusion[11].

En ces années, proches de l'invasion vandale en Afrique, de décomposition accélérée de l'empire d'Occident dont l'évêque d'Hippone est un témoin privilégié, il y avait pis cependant et plus brutal encore pour menacer la liberté des personnes. Des lettres d'Augustin nouvellement publiées, l'*Ep.* 10*, adressée à Alypius, qui se trouvait une fois de plus en mission en Italie, est le document le plus alarmant. On y perçoit chez son auteur, alors bientôt septua-

---

a. *Ep.* 24*, 1, *B.A.*, 46 B, p. 382 (sur la « doctrine apostolique », cf. *Tit.*, 2, 9).
b. *Ibid.*, p. 384.

génaire – la lettre est datée vers 422/23 – une lassitude sensible en face de faits qui l'accablaient d'autant plus que des chrétiens de son diocèse y étaient impliqués non seulement comme victimes mais aussi comme bourreaux. En ces années où la puissance publique faisait de plus en plus défection, l'Afrique tout entière, disait l'évêque, était devenue la proie de trafiquants d'esclaves, les *mangones*[a]. À leur service, des hommes de main accoutrés comme des soldats ou comme des Barbares parcouraient en bandes hurlantes les campagnes qu'ils terrorisaient, choisissant de préférence les lieux isolés. Ils y faisaient irruption la nuit, tuant les hommes, enlevant pour les vendre les femmes et les enfants. La suite de la lettre éclaire cette situation effrayante et en explique la genèse. Ces marchands d'esclaves, des Galates d'Asie Mineure, dont ce trafic était une spécialité[b], étaient de longue date à pied d'œuvre avec leurs bandes de rabatteurs en Afrique. Ils opéraient en temps ordinaire – et avec la bénédiction des autorités – sur les confins des territoires contrôlés par Rome, faisant des incursions au-delà du *limes* au sein des populations non romanisées et jusque dans les tribus sahariennes ; les Maurétanies, avec leur longue frontière perméable qui s'étendait des monts du Hodna jusqu'au Maroc actuel, étaient tout spécialement des pourvoyeuses d'esclaves[12]. Augustin connaissait ces pratiques et, dans la mesure où elles ne touchaient que des Barbares et des infidèles, il faut bien dire qu'il ne s'en émouvait guère[c]. Mais, avec le progressif effondrement de l'ordre impérial et l'insécurité grandissante non seulement dans les territoires de l'Ouest mais même en Numidie, la convoitise de ces marchands s'exerçait maintenant avec moins de risques en pays romain. Et pour comble – et c'était pour Augustin comme pour tout Romain le monde à l'envers –, il arrivait parfois que ce fût au tour des Barbares de se procurer ainsi des esclaves à bon compte[d] ! Les victimes de ces razzias étaient le plus souvent, cependant, rassemblées et parquées sur le littoral, avant d'être embarquées comme du bétail et déportées outre-mer. C'était d'autant plus affligeant que dans ces exils lointains elles perdaient toute faculté d'invoquer des témoignages pour prouver leur identité et ainsi tout espoir de recouvrer un jour la liberté.

En même temps qu'il lui communiquait copie d'une loi d'Hono-

---

a. *Ep.* 10*, 2, *B.A.*, vol. 46 B, p. 168.

b. Cf. *Ep.* 10*, 7, et AMMIEN MARCELLIN, XXII, 7, 8 (pour l'époque de Julien l'Apostat).

c. Dans sa lettre à Hésychius de Salone (*De fine saeculi*), vers 420, il faisait état des rapts de captifs barbares non chrétiens qui venaient grossir la domesticité servile des Romains : *Ep.* 199, 46.

d. *Ep.* 10*, 5.

rius réprimant de tels forfaits[a], l'évêque d'Hippone donnait à son ami Alypius quelques échantillons des agissements des Galates. Le cas le plus impressionnant, qui motivait surtout la démarche d'Augustin, remontait à quelques mois auparavant. Avertis de la détention, quelque part sur le rivage, près d'Hippone, de toute une troupe de captifs, originaires de plusieurs régions d'Afrique mais surtout de Numidie, des fidèles de la ville avaient monté une véritable action de commando pour les délivrer : environ cent vingt personnes avaient ainsi pu être libérées, parmi lesquelles on n'en pouvait compter que cinq ou six – tout de même ! – à avoir été vendues par leurs parents[b]. L'évêque prend soin de préciser qu'il était alors absent : s'il se félicite du résultat, il n'a pas couvert la méthode ; l'Église n'a pas à faire le coup de poing. Mais il reste inquiet pour la suite, car les *mangones* n'ont pas lâché prise. À Hippone, ils connaissent des personnages influents qui sont de mèche avec eux[c], au mépris de l'autorité proconsulaire, qui est du côté de la loi. Et Augustin se fait du souci pour ses protégés, car tous n'ont pu trouver refuge dans l'église, dont l'asile est inviolable et où ils sont en sécurité ; ceux qui sont hébergés en ville chez ses ouailles demeurent en danger. C'est cela qui explique l'envoi de cette lettre, avec la loi d'Honorius jointe, à Alypius : l'évêque compte sur son ami pour trouver à la Cour des appuis contre les menées des *mangones* et de leurs complices locaux.

S'il pouvait, tout en le blâmant pour la forme, tirer quelque fierté du coup d'éclat de ses fidèles, l'évêque avait également motif de mortification : il se trouvait aussi des brebis galeuses au sein de sa communauté. Un paysan (*colonus*) qui travaillait sur les terres de l'église d'Hippone, et qui n'était pourtant pas dans le besoin, avait vendu aux Galates sa propre épouse ! Et une bourgeoise de la ville attirait chez elle de pauvres femmes d'un pays de montagnes voisin, sous prétexte de leur acheter du bois, puis les séquestrait non sans mauvais traitements pour les vendre ensuite comme esclaves. Qui pourrait le croire ? commentait l'évêque[d]. Une telle audace, dans la cité où résidait le légat du proconsul d'Afrique, était en effet bien inquiétante. Elle en disait long sur la mise en échec d'un des acquis

---

a. *Ep.* 10* : 3-4, loi, élément d'un abondant arsenal répressif, qui ne nous est pas parvenue ; cf. la note de Cl. Lepelley, dans *B.A.*, vol. 46 B, pp. 472-474.

b. *Ep.* 10*, 7.

c. *Ep.* 10*, 8 : « *Non enim desunt* patroni *Galatis* » ; Augustin, par prudence, ne cite ni noms ni titres précis. Plutôt qu'à des fonctionnaires, on peut penser à de riches et puissants propriétaires terriens, complices des Galates pour éliminer de petits possédants, afin d'accaparer leurs terres.

d. *Ep.* 10*, 6.

majeurs de toute civilisation urbaine, la sûreté des personnes, à peu d'années de l'arrivée des Vandales.

DU CHÂTIMENT À L'INTERCESSION

Augustin haïssait la violence, mais il n'était pas laxiste. On vient de voir qu'il ne pouvait pas l'être dans une société civile dangereuse, on verra qu'il ne pouvait l'être non plus face à l'Église schismatique quand elle employait les moyens d'une guerre véritable. À cette guerre il faudrait rétorquer par les armes d'une guerre légale et, dans une lettre au vicaire d'Afrique Macedonius sur laquelle on aura l'occasion de revenir, l'évêque formulera un premier acquiescement de principe au châtiment, légitimé à ses yeux par sa fonction préventive : la crainte des lois et du bras séculier qui les applique est le commencement de la sagesse. « Ce n'est pas en vain, écrit-il, qu'ont été institués la puissance du roi, le droit au glaive du juge, les ongles de fer du bourreau, les armes du soldat, les règles de l'autorité, la sévérité même d'un bon père. Toutes ces choses ont leurs normes, leurs causes, leurs raisons, leur utilité. Quand elles inspirent de la crainte, les méchants sont tenus en respect et les bons vivent au milieu d'eux dans une plus grande quiétude[a]. » À propos de la conduite à tenir vis-à-vis des esclaves, Augustin notait que cette fonction préventive se doublait d'une action curative : « Le devoir de celui qui est exempt de faute doit donc être non seulement de ne faire de mal à personne, mais encore de prévenir la faute ou de la punir, afin de corriger par l'épreuve celui qui est frappé ou d'effrayer les autres par l'exemple[b]. » Le coupable châtié s'améliorait du fait de son châtiment et il en découlait un mieux-être social. Plus fondamentalement pour Augustin, la peine imposée par la justice des hommes, si cette justice est correctement rendue et appliquée, est aussi œuvre de justice divine ; car la peine restaure non seulement l'ordre social, mais aussi l'ordre divin que la faute tend à bouleverser. La peine est donc juste et constitue un bien, quoi qu'en pense celui qui en est frappé, en qui il importe surtout de faire naître le repentir, pour que la peine atteigne son but principal, qui est moral plus encore que social. Dans l'un de ses derniers textes, le vieil évêque condensera cette idée fondamentale sous la forme d'un rude syllogisme : « Le supplice est la peine du péché et juste assurément est la peine du péché ; juste par conséquent est le sup-

---

a. *Ep.* 153, 16.
b. *Cité de Dieu*, XIX, 16.

plice, et tout ce qui est juste étant un bien, le supplice est donc un bien[a]. »

Mais à la violence des hommes répondait l'inhumaine dureté de la loi. L'évêque était pris entre deux feux : la charité bien entendue impliquait la correction du pécheur, mais non son excessive souffrance, et elle ne pouvait qu'exclure sa mort. Sur le premier point, très explicite est le commentaire que faisait Augustin à propos de la loi d'Honorius dont il adressait copie à Alypius en annexe à sa lettre relative aux agissements des *mangones*. Il fallait, disait-il, rappeler l'existence de cette loi, en obtenir si nécessaire une republication officielle, agiter aux yeux des trafiquants et de leurs complices la menace du châtiment qu'elle prévoyait. Mais il demandait qu'ils n'en subissent pas la stricte application pénale, car la peine prévue, outre l'exil et la confiscation des biens, était celle du fouet plombé – à peu près l'équivalent du knout russe – qui souvent entraînait la mort du condamné dans de terribles souffrances[b]. Il n'avait de même qu'aversion pour les « ongles de fer du bourreau », qu'il mentionnait dans le passage plus haut cité de sa lettre à Macedonius parce qu'ils étaient le sinistre emblème d'une torture inquisitoriale dont les chrétiens avaient tant souffert au temps des persécutions. Déjà, il avait exhorté le tribun et notaire Marcellinus à tenir bon dans sa résolution de bannir tout cet attirail – le chevalet aussi, et l'usage du feu – pour obtenir des aveux : les verges devaient y suffire[c]. Il s'agissait alors de confondre les circoncellions criminels ; mais sa position était la même quand à Calama, en 408, l'émeute soulevée par les païens contre l'église et les clercs avait déclenché une action judiciaire. Augustin avait été alerté par Nectarius, un de ces notables locaux tenants d'un paganisme « éclairé » qu'on retrouvera par la suite. Nectarius lui représentait le sort de ses concitoyens qui risquaient de porter à jamais dans leur chair les stigmates de la question, rentrés chez eux « libres, mais après avoir subi la torture[d] ». Dans sa réponse, l'évêque reprenait cette phrase en citation et tentait d'apaiser son correspondant : « Loin de nous l'intention d'infliger ou de faire infliger rien de tel à aucun de nos ennemis[e]. » Et il le priait instamment de l'avertir d'une éven-

a. *Contra Iulianum opus imp.*, V, 26.
b. *Ep.* 10*, 4. Une « novelle » de Valentinien III, datée de 451, qui prévoyait pour punir de tels forfaits de très fortes amendes, semble répondre au souci exprimé par Augustin de l'adoucissement de la législation : cf. Cl. LEPELLEY, dans *CRAI*, 1981, p. 460.
c. *Ep.* 133, 2.
d. *Ep.* 103, 4.
e. *Ep.* 104, 1.

tuelle menace de tels sévices judiciaires, afin qu'il pût intervenir. Vers la fin de sa vie, Augustin revint dans la *Cité de Dieu* sur ce problème qui le tourmentait : le plus grave, dans la torture inquisitoriale, outre qu'elle impliquait la négation brutale du concept de présomption d'innocence, était que sa violence pouvait extorquer de faux aveux et amener des innocents à subir la peine capitale[a].

La peine de mort, précisément, était pour l'évêque un autre tourment. Il admettait en principe que la nécessité de maintenir l'équilibre social et de préserver l'ordre public imposât au juge, en dernier recours, l'ultime sentence[b]. Mais il y répugnait et on le voit souvent s'efforcer de dissuader le juge d'y recourir, afin d'éviter l'irréparable, plus précisément afin d'éviter la totale perdition du coupable en excluant de sa part toute possibilité de repentir. Car, s'il fallait châtier le coupable, il fallait sauver l'homme : « Que l'homme ne soit pas tué afin qu'il y ait quelqu'un qui se repente ; que l'homme ne soit pas tué, afin qu'il y ait quelqu'un qui s'amende[c]. » Dans la lettre à Marcellinus déjà citée, l'évêque adjure le juge impérial de ne pas faire appel, pour punir le crime qu'il a découvert, à un bourreau qu'il n'a pas sollicité pour le découvrir[d].

AUGUSTIN ET LE DROIT D'ASILE

Augustin soutenait que son devoir d'évêque était d'intervenir en faveur des coupables, et qu'il avait un sentiment d'échec et même d'offense quand il n'y parvenait pas, langage qu'un haut fonctionnaire comme Macedonius, pourtant chrétien, avait peine à comprendre[e]. Ce devoir d'intervention trouvait en particulier son application dans l'asile, dont l'évêque défendait le droit avec vigueur. La sauvegarde des innocents qui pouvaient y chercher refuge passait par l'inébranlable protection des coupables qui y trouvaient asile. « Mieux valait, disait-il, protéger même des coupables dans l'église que d'en voir arracher par la force des innocents[f]. » Sur ce chapitre, l'évêque d'Hippone était intrai-

---

a. *Cité de Dieu*, XIX, 6.

b. *Sermon* 302, 16.

c. *Sermon* 13, 8 : « *Homo non necetur, ut sit quem paeniteat ; homo non necetur, ut sit qui emendetur.* »

d. *Ep.* 133, 2, *in fine*.

e. *Ep.* 153, 1 : « *Quaeris a me cur officii sacerdotii nostri esse dicamus interuenire pro reis et nisi obtineamus offendi quasi quod erat officii nostri minime reportemus.* »

f. *Sermo Guelferbytanus* 25, dans *Miscellanea Agostiniana*, I, p. 528.

table : il le montra notamment dans l'affaire Faventius. C'était le nom d'un fermier (*conductor*) qui exploitait des terres dans un grand domaine situé aux confins ouest du diocèse d'Augustin [13]. Entré en conflit avec son propriétaire, un homme riche et puissant, il s'était réfugié dans l'église d'Hippone en attendant le résultat de l'intercession de l'évêque. Au bout de quelques jours, il s'était enhardi à sortir et, comme il venait de dîner chez un ami en ville, il avait été arrêté par une escouade commandée par un officier du comte d'Afrique, Florentinus ; et depuis il était introuvable. Augustin avait cependant retrouvé sa trace, mais le prêtre qu'il avait dépêché sur le lieu de la détention n'avait pu communiquer avec le détenu. Le lendemain pourtant, par l'intermédiaire d'un autre prêtre, l'évêque notifiait à Florentinus le texte de loi qui dans ce type d'affaire accordait aux accusés la faculté d'être interrogés par les autorités locales et leur donnait trente jours pour préparer leur défense dans un régime de liberté surveillée [a]. Peine perdue : Faventius avait quand même été transféré à Cirta (Constantine) [14]. Il ne restait plus à l'évêque d'Hippone qu'à alerter sur son cas son collègue dans l'épiscopat de la capitale numide, Fortunatus, ce qu'il fit en doublant cette lettre d'une requête adressée au gouverneur de la province, Generosus [b].

On ne sait ce qu'il advint finalement de Faventius. Une autre affaire d'asile illustre, dans un contexte différent, la ténacité et la générosité parfois mal récompensée de l'évêque. Un certain Fascius avait accumulé des dettes, jusqu'au total considérable de dix-sept sous d'or, et pour échapper à ses créanciers et à la contrainte par corps il avait trouvé refuge dans l'église ; mais la communauté chrétienne de la ville se voyait obligée de payer à sa place. Par respect humain, prétendait-il, Fascius répugnait à cette solution ; Augustin se résolut donc, pour le libérer, à emprunter la somme à un riche fidèle d'Hippone, Fascius s'engageant à rembourser à une date convenue. Mais on ne le revit plus : l'évêque dut faire une collecte parmi ses fidèles et en compléter le trop faible montant en puisant dans la caisse de l'église [c]. Dans ce cas précis, la pratique du droit d'asile s'était soldée par un abus et un mécompte. Ce n'était pas pour l'évêque une raison de ne pas maintenir ses exigences de principe. Il n'était pas rare, constatait-il vers 404, de voir un gendarme envoyé pour se saisir d'un délinquant dans une église s'arrêter sur le seuil : ce n'était toutefois pas le respect de la loi, mais la crainte

---

a. *Ep.* 115, à Fortunatus, évêque de Cirta (Constantine), vers 410.

b. *Ep.* 116.

c. *Ep.* 268, 3.

de Dieu qui l'empêchait d'entrer[a]. Il fallait donc faire confirmer une loi trop souvent bafouée. Une affaire d'ordre apparemment fiscal qui avait, vers la fin de l'année 419, conduit des fidèles à demander l'asile de l'église à Carthage fut pour Aurelius, Augustin et Alypius l'occasion de réclamer à la Cour le rappel de cette législation : une constitution d'Honorius y répondit alors dans un sens très libéral, en accordant à tous ceux qui se réfugieraient dans les églises une zone franche de cinquante pas alentour et en déclarant sacrilège quiconque ne la respecterait pas ; au terme de cette loi, l'évêque avait en outre licence de visiter les prisons pour soigner les malades, nourrir les pauvres et prendre connaissance de la cause des détenus pour pouvoir intervenir auprès de la juridiction compétente[15].

Bien des années plus tard, survint en dehors d'Hippone un incident sur lequel fut attirée l'attention d'Augustin et qui mit en lumière les limites à fixer dans l'exercice de ce droit. Un évêque du nom d'Auxilius, de siège inconnu, novice et inexpérimenté[b], avait collectivement frappé d'excommunication le comte Classicianus ainsi que sa famille, pour la raison que ce personnage de haut rang était entré dans son église avec une petite escorte pour en faire sortir quelques individus qui y avaient trouvé refuge. Tout le monde, dans cette affaire, s'était mis dans son tort : Classicianus, pour avoir violé l'asile de l'église avec des hommes en armes, Auxilius pour avoir inconsidérément étendu l'anathème à son entourage qui n'en pouvait mais et avoir concédé l'asile à des gens qui ne le méritaient guère, et ces hommes eux-mêmes, des parjures qui s'étaient réfugiés dans l'église pour se dérober à leurs engagements[16]. Augustin voulait en tirer une double leçon : il fallait soumettre à un prochain concile africain, et au besoin au siège apostolique, le problème des excommunications collectives, mais aussi le point de savoir s'il ne convenait pas d'exclure les hommes de mauvaise foi du bénéfice du droit d'asile. Mais Augustin était alors *senex*[17], dans les dernières années de son épiscopat et dans les derniers beaux jours de l'Église d'Afrique, et aucune suite, que nous sachions, ne fut donnée à ce projet.

LES LIMITES DE L'INTERCESSION : LE DRAME DE L'ÉTÉ 413

L'histoire de Classicianus montre que l'intercession d'Augustin pouvait bénéficier à de grands personnages. Dans ce cas précis

---

a. *Serm. Denis* 19, 2 dans *M. A.*, I, Rome, 1930, p. 99.
b. Cf. *Ep.* 250, 2 : « *collega necdum anniculus* » : il avait moins d'une année dans l'épiscopat.

cependant l'intervention de l'évêque était restée dans la sphère ecclésiastique et, quel qu'en fût le résultat, le crédit moral de l'évêque avait toute chance de demeurer intact et son âme exempte de trouble. Il en était tout autrement s'il se risquait à interférer avec les lourds enjeux du pouvoir politique : en 413, Augustin en fit l'amère expérience.

On verra bientôt que deux ans auparavant, à l'occasion de la conférence qui avait réuni à Carthage, pour une confrontation décisive, les deux Églises rivales, l'évêque d'Hippone s'était lié d'amitié avec celui que l'empereur Honorius avait désigné pour l'arbitrer, le tribun et notaire Flavius Marcellinus. Augustin avait découvert en lui un chrétien à la foi exigeante, curieux de théologie et de philosophie[a], avec une inquiétude intellectuelle assez persuasive pour avoir, sinon suscité, du moins stimulé la mise en chantier de la *Cité de Dieu*, dont les trois premiers livres lui seront dédiés[b]. L'amitié de l'évêque s'était étendue au frère du commissaire impérial, Apringius, dont le proconsulat, en cette même année 411, avait heureusement coïncidé avec la mission de Marcellinus. En ces années troublées, cependant, le principal pouvoir n'était pas celui du proconsul, d'ailleurs géographiquement limité à l'Afrique Proconsulaire, ni même celui du gouverneur dont l'autorité s'étendait à toutes les provinces africaines, le vicaire du préfet du prétoire, mais celui du chef de l'armée d'Afrique[18]. Depuis 408, ce rôle était tenu par le comte Heraclianus, qui l'avait reçu en récompense du meurtre de Stilicon ; et l'on verra que le général, au moment du plus grand péril, en 410, avait tenu l'Afrique à l'écart du désastre. Moins sans doute par fidélité à l'empereur que pour préserver et consolider ses propres chances. La fragilité du pouvoir d'Honorius suscitait les convoitises ; celles d'Heraclianus se firent jour en 413, l'année de son consulat. À la fin du printemps, il mobilisa tous les vaisseaux de la flotte qui ravitaillait Rome en blé et cingla avec cette armada sur l'Italie. Mais sa marche sur Ravenne fut stoppée en Sabine, à Otricoli, et Heraclianus fit retour en Afrique avec les débris de son armée. L'usurpateur était maintenant un ennemi public dont une ordonnance du 5 juillet 413 mettait la tête à prix en invitant civils comme militaires à le livrer, ainsi que ses complices[c].

Cet été-là, comme souvent, Augustin était à Carthage, où il prê-

---

a. Par exemple, il avait lu le *De peccatorum meritis*, et cette lecture avait fait lever en lui une question qu'il avait soumise à Augustin : telle avait été l'origine du *De spiritu et littera*, écrit en 412, et qui lui fut dédié (*Révisions*, II, 37).

b. Cf. *infra*, p. 554.

c. *C. Th.*, IX, 40, 21.

chait à l'invitation d'Aurelius, en mettant plus particulièrement l'accent sur la doctrine « orthodoxe » relative au baptême des enfants et au péché originel[a]. En politique, l'évêque d'Hippone était légitimiste et n'avait aucune faiblesse pour les usurpateurs. Mais il avait encore moins de goût pour la chasse à l'homme. Dans un sermon prononcé le 17 juillet pour la fête anniversaire des martyrs scillitains, Augustin s'engage sur le thème de la nécessaire amitié dans un développement que n'eût pas désavoué un Sénèque : tout homme, dit-il, est le prochain de tout homme[19]. Mais brusquement l'actualité la plus brûlante surgit ; l'évêque interpelle son auditoire, toujours sur le ton pressant de la diatribe : « Interroge la nature. C'est un inconnu ? C'est un homme. C'est un ennemi personnel ? C'est un homme. C'est un ennemi public ? C'est un homme[b]. » Tout le monde, dans la *basilica Nouarum* où était prononcé le sermon, avait compris et retenait son souffle ; mais le sort d'Heraclianus était scellé.

Celui de ses complices, vrais ou supposés, également. Les prisons de Carthage se remplissaient[c]. Entre autres s'y trouvaient Marcellinus et son frère Apringius. Pourquoi ? Augustin, qui les visite et les assiste, n'est pas clair sur les raisons de leur incarcération : des règlements de comptes sont probables et une vengeance des donatistes est évoquée à demi-mot[20]. Leur sort est entre les mains du comte Marinus, le vainqueur d'Heraclianus à Otricoli, et qui l'a aussitôt remplacé dans sa charge en Afrique. Marinus joue un cruel double jeu ; il autorise et même encourage une démarche épiscopale à la Cour, et fait entendre que rien ne sera fait avant qu'on en sache le résultat. Mais en même temps, il accomplit l'irréparable : il fait sortir les deux frères de leur prison la veille de la Saint-Cyprien, le 13 septembre, comme pour faire croire à une grâce ; mais c'est pour un jugement sommaire immédiatement suivi de l'exécution : les deux têtes roulent le 14 septembre. Augustin n'avait rien pu faire. Il dira longuement son déchirement et sa douloureuse impuissance, peu satisfait d'être assuré qu'au moins tous ceux que menaçait la répression et qui avaient trouvé refuge dans les églises y étaient physiquement en sécurité. Il dut quitter Carthage à la dérobée, pour se soustraire à des appels au secours auxquels il ne pouvait répondre[d]. Son départ était une fuite, et il en était bien conscient. Il

a. Thèmes principaux des *sermons* 293 et 294, datés du 24 et du 27 juin 413 : cf. *infra*, p. 468.

b. *Serm. Denis* 16, 1 : « *Inimicus est ? Homo est. Hostis est ? Homo est.* »

c. Il suffisait, dit Augustin, d'un seul délateur à qui on ne demandait pas de faire la preuve : *Ep.* 151, 4.

d. *Ep.* 151, 3 : « *Fateor : cum tantum malum nullo pectoris robore potuissem*

attendrait près de trois ans pour y retourner. Et dans une lettre écrite quelques mois après le drame, au printemps de 414, à ce Caecilianus, envoyé extraordinaire de l'empereur, qu'il soupçonnait de complicité avec le comte Marinus dans la mort de Marcellinus, il se croyait obligé de dire les raisons de son absence de Carthage : non, ce n'était pas pour éviter de le rencontrer, lui ; l'évêque alléguait sa fatigue, qui croissait avec l'âge ; et surtout il affirmait sa volonté de consacrer désormais le temps que lui laisserait le gouvernement de son diocèse à l'approfondissement de quelques grandes questions théologiques où il pouvait espérer laisser quelque chose d'utile aux générations futures[a]. Ce retour affiché à de « chères études » qu'il n'avait jamais délaissées ne pouvait manquer d'avoir, en de telles circonstances, la signification d'un repli.

L'acteur engagé qu'était Augustin dans une société civile sans tendresse, affectée par la décomposition du pouvoir politique et de plus en plus éprouvée par la crise économique qui touchait l'ensemble de ce monde antique finissant peut nous apparaître en porte-à-faux. Dix ans avant son accession à l'épiscopat, dans sa retraite de Cassiciacum, à l'automne de 386, il avait déjà pris la mesure du fragile équilibre du corps social, et du mal qu'il fallait admettre en lui comme inévitable. Le bourreau (un mot terrible en latin : *carnifex*) en était la figure emblématique : « Quoi de plus affreux ? Quoi de plus cruel, de plus dur ? Mais il occupe dans le cadre des lois une place nécessaire, il entre dans l'ordre d'une cité bien gouvernée et, s'il est en lui-même méchant (*nocens*), il est pour les autres le fléau des méchants[b]. » Plus tard, l'évêque s'efforcera de disputer ses proies au bourreau, mais il ne songera pas à le mettre définitivement au chômage. Il n'était pas question non plus de se retirer sur un Aventin d'angélisme. Par sa présence active dans la cité, le pasteur, plus encore que le simple fidèle, était certes impliqué dans une justice distributive plus ou moins équitable ; mais prendre ses distances vis-à-vis d'un siècle qu'il pouvait juger perverti, c'était se priver du moyen de l'améliorer. Sans trop se faire d'illusions sur son efficacité à y parvenir, comme l'avait montré la dramatique incapacité de l'Église à sauver le plus dévoué de ses fils en la personne de Marcellinus. La société des saints n'était pas sur cette terre, elle n'était même pas dans l'Église du temps présent, comme voulaient le croire les donatistes.

---

tolerare, discessi. » En cette affaire, le sens politique et aussi la fermeté d'un Ambroise lui ont cruellement manqué.
a. *Ep.* 151, 13.
b. *De ordine*, II, 12.

CHAPITRE XXV

L'unité de l'Église

Dans l'Antiquité tardive, les grandes querelles étaient religieuses. Dans une société figée, souvent assistée et étroitement surveillée, d'où toute revendication était exclue, où le jeu permis par les mécanismes économiques était faible ou nul, où le politique était confisqué au profit exclusif d'un pouvoir central absolu, et depuis peu ouvertement théocratique, et de celui de féodaux omnipotents à l'échelon local, la libre expression des individus et des groupes sociaux, et même des masses urbaines, était cantonnée dans la sphère des croyances et du rapport à la divinité. À l'âge de trente ans, à Milan, Augustin avait pu, au vu des heurts passionnés qui opposaient autour d'Ambroise catholiques et ariens, constater que le levier qui permettait de soulever les foules était bien alors l'appel à leur conscience religieuse. Devenu prêtre puis évêque, il en avait assez appris sur la tumultueuse histoire de l'arianisme dans les décennies précédentes pour savoir que dans ces combats sans armes, où les subtilités du dogme étaient entre les mains des habiles une singulière dynamite, on ne pouvait réduire l'adversaire qu'à la condition de lui faire reconnaître publiquement sa défaite. C'était ainsi qu'on le mettait hors d'état d'allumer des incendies et de déchaîner des violences. Telle était la leçon de tant de confrontations et de conciles tout au long du IVe siècle.

En ce début du Ve siècle, les adversaires de l'évêque Augustin étaient les païens et les donatistes. Le paganisme était désormais condamné par le pouvoir impérial ; toutefois, on ne pouvait le tenir pour mort aussi longtemps que quelques grands intellectuels, souvent aussi grands seigneurs, continuaient à chanter ses louanges et à vanter ses mérites idéologiques en face de la nouvelle religion populaire : Augustin ne pourrait éluder le débat avec eux. Mais la bataille qui s'imposait à lui en priorité depuis qu'il parlait « avec la voix de l'Église[a] » était celle qu'il fallait mener contre les donatistes. On a vu plus haut qu'il avait en peu de temps rétabli la situation à Hippone même[b] ; mais, dans les campagnes de son diocèse, le schisme était bien présent, souvent majoritaire. Plus largement, un peu partout en Afrique, le donatisme était au faîte de sa puissance à la fin du IVᵉ siècle. Il prospérait sur le terreau de la misère paysanne, que les prêtres schismatiques avaient beau jeu d'enchanter d'une ecclésiologie qui prônait bien haut le rejet de l'« impur », et donc, dans une libre traduction, de la compromission avec le siècle et avec le pouvoir temporel. Au tournant du Vᵉ siècle, le péril était grand que le schisme trouvât aussi vigueur dans la faiblesse progressive de l'Empire et dans ses divisions en Afrique même, comme l'avait montré pendant dix ans l'aventure de Gildon[c]. À terme, la mauvaise herbe (la « zizanie ») pouvait envahir tout le champ. Là aussi, lutter, c'était s'efforcer de convaincre les donatistes de leur erreur – et de prendre toute la chrétienté africaine à témoin de leur déroute –, sur le double plan d'une histoire qu'ils avaient faussée et d'une conception de l'Église issue des falsifications de l'histoire. Mais, vers 400, Augustin ignorait qu'il ne viendrait à bout du donatisme que par la coercition légale, et qu'il paierait ainsi son triomphe d'une défaite.

LA DERNIÈRE CROISADE ANTIMANICHÉENNE

Dans l'immédiat cependant il avait encore, n'ayons pas peur des mots, quelques comptes à régler avec les manichéens ; en fait, il ne les avait jamais perdus de vue depuis son entrée dans le sacerdoce. On se souvient de quelle magistrale manière, encore nouveau dans la prêtrise, il avait expédié Fortunatus, le « prêtre » manichéen d'Hippone, qu'on n'avait plus jamais revu : ç'avait été son premier duel dans l'arène[d]. C'était aussi avant son accession à l'épiscopat, en 394, qu'il s'en était pris, non pas cette fois-ci à un manichéen en chair et en os, mais à un fantôme plus redoutable, à un disciple direct de Mani, Adimante[1]. Cet « apôtre » de la doctrine du maître avait au milieu du IIIᵉ siècle séjourné en Égypte, où il avait fondé des monastères et laissé quelques ouvrages. Au temps de la prêtrise d'Augustin, certains des textes d'Adimante, venant sans doute

a. *Sermon* 129, 4 : « *Voce ecclesiae loquor* », dans un texte principalement anti-donatiste.
b. *Supra*, p. 249.
c. Cf. *supra*, p. 244.
d. *Supra*, pp. 223-224.

d'Alexandrie, étaient parvenus à Carthage ; on les avait transmis à Hippone, et Augustin s'était empressé de les réfuter. Il dira dans ses *Révisions* qu'à quelques *disputationes* du manichéen il avait donné la réplique dans des sermons prononcés à l'église, ce qui montre bien que dans son esprit la controverse faisait partie de son devoir pastoral : et en effet ces réfutations directes, *coram populo*, étaient sans doute la meilleure médecine qu'il pût proposer. Il avait aussi, pris par des tâches urgentes, dû laisser quelques réponses en souffrance et l'oubli, dit-il, avait fini par les recouvrir[a].

Le *Contra Adimantum* montre cependant qu'il n'était pas question de sa part de traiter par le mépris les commentaires du manichéen sur les Écritures. Augustin était bien placé pour savoir quel trouble pouvait faire naître, dans l'âme de chrétiens à la foi mal éclairée, cette façon qu'avait Adimante de confronter Ancien et Nouveau Testament en mettant leurs textes en opposition les uns aux autres. Ce n'était pas la première fois qu'Augustin corrigeait la lecture « charnelle » des manichéens par une lecture « spirituelle » : il s'y était déjà essayé à deux reprises à propos du récit de la Création[b] et il y reviendrait dans le *De Genesi ad litteram*. Mais il ne s'était pas encore appliqué à réfuter une entreprise au moins aussi pernicieuse que les *Antithèses* de Marcion au IIe siècle. La démonstration faite en 394 pour rétablir l'unité des Écritures paraîtra cependant un peu trop systématique au vieil évêque quand il la relira. Le prêtre avait écrit : « Il y avait [chez ce peuple qui avait reçu l'Ancien Testament] une telle annonce et une telle préparation du Nouveau Testament qu'on ne trouve dans l'Évangile et dans la prédication des apôtres aucun précepte, aucune promesse, si difficiles et si divins soient-ils, qui fasse défaut même à ces livres anciens[c]. » L'auteur des *Révisions* corrigera : « Il eût fallu ajouter "presque" et dire : "presque aucun précepte", "presque aucune promesse"[d]. » Comme autrefois Marcion, Adimante avait opposé Yahvé et Jésus, le Dieu de vengeance de l'Ancienne Alliance au Dieu de pardon des Évangiles, la loi de crainte à la loi d'amour. Augustin montrait par d'autres parallèles – et parfois en reprenant ceux d'Adimante – que « les paroles qu'il leur répugnait de voir attribuées à Dieu dans l'Ancien Testament étaient à ce point justes qu'on les trouvait dans le Nouveau, et que celles qu'ils louaient et célébraient dans le Nouveau Testament se retrou-

---

a. *Retract.*, I, 22, 1.
b. Cf. en particulier *supra*, pp. 194-196.
c. *C. Adim.*, III, 4.
d. *Retract.*, I, 22, 2.

vaient aussi dans l'Ancien[a] ». Ainsi rapprochait-il le *Psaume* 54, 23 de *Matthieu*, 6, 26 et 34 sur les « oiseaux du ciel qui ne sèment ni ne moissonnent ». Certes, il y avait pour le moins une différence de tonalité, d'atmosphère spirituelle, entre les deux séries de textes. Mais il y avait surtout, Augustin insistait là-dessus, un passage de l'ombre à la clarté. Il prenait l'exemple du repos de Dieu au septième jour et du sabbat. Les textes anciens avaient été élucidés en un sens spirituel, « le Seigneur n'avait pas aboli le sabbat pour détruire ce qu'il figurait, il l'avait dévoilé afin de mettre en lumière ce qu'il cachait[b] ». Jésus – et l'Apôtre à sa suite – avait « ouvert » les Écritures.

Quelques années plus tard – il était maintenant évêque et avait écrit les *Confessions* –, Augustin retrouva Faustus de Milev. Non point le conférencier qu'il avait, tout en le jugeant, apprécié dans sa jeunesse – il était mort –, mais un ouvrage de lui, qui était tombé entre ses mains après avoir été lu à Hippone par des « frères » qui demandaient naturellement à l'évêque de lui donner réponse[c]. Quand il parlait de Faustus dans ses *Confessions*, Augustin le voyait à travers ses souvenirs – d'assez indulgentes lunettes[d]. Le regard change dans le *Contra Faustum* ; le docteur manichéen n'y est plus qu'un laborieux phraseur, un « misérable babillard[e] ». S'il est tombé plus bas que terre, c'est qu'Augustin a lu ses *Capitula*, un ensemble de courtes controverses où le manichéen se donne à bon compte le beau rôle en mettant dans la bouche d'un adversaire catholique une objection faible ou gauchement présentée qu'il a beau jeu de balayer rapidement en ridiculisant son interlocuteur supposé ; le tout bien sûr sur la base de textes scripturaires que Faustus lisait à sa façon[2]. Sa raillerie portait surtout sur l'Ancien Testament, duquel il s'efforçait de prouver que les chrétiens partageaient le rejet avec les manichéens[f]. Mais il s'attaquait aussi à l'Évangile, au dogme majeur de l'Incarnation, et cherchait en particulier à susciter l'embarras en mettant en évidence les discordances relatives à la généalogie du Christ[g], qui de fait avaient gêné Augustin dans sa jeunesse. Sur le modèle d'un dialogue fictif – « *Faustus dixit* : *Augustinus respondit* » –, l'évêque d'Hippone répliquait avec vigueur, modulant le ton

---

a. *C. Adim.*, IV.
b. *C. Adim.*, II, 2.
c. *Contra Faustum*, I, 1.
d. *Supra*, p. 88.
e. *C. Faust.*, XXIII, 6.
f. Voir notamment *C. Faust.*, IV, 1 et VI, 1, sur les aspects matériels de l'ancienne Loi.
g. *C. Faust.*, II, 1 ; III, 1 ; VI, 1. Il y reviendra encore en XXIII, 1.

et le volume de sa réponse selon la gravité de la question soulevée par Faustus. Comme dans le *Contra Adimantum*, il accordait une importance spéciale à prouver la cohérence des Écritures, à insister sur l'accomplissement de l'une par l'autre. Il concluait ainsi l'une de ses répliques les plus développées : « Toute l'organisation des archives anciennes [*ueteris instrumenti*] concernant les générations, les faits, les dits, les sacrifices, les prescriptions, les solennités, toutes les proclamations des prophéties, et les histoires et les figures, tout cela était la gestation pour la venue du Roi qui allait régir et du Prêtre qui allait sanctifier ses fidèles, lui qui, plein de grâce et de vérité [cf. *Jn* 1, 14], aidant par sa grâce à l'exécution des préceptes et s'occupant par sa vérité de l'accomplissement des promesses, est venu non pour abolir la Loi, mais pour l'accomplir [cf. *Mt.*, 5, 17][a]. »

La valeur dogmatique de cet ensemble de réfutations faisait du *Contra Faustum* un livre auquel Augustin accordait une importance particulière, comme le montrent les renvois qu'il y fit par la suite[b]. Les confrontations et les débats avec les manichéens, qui l'avaient beaucoup occupé depuis sa conversion, touchaient cependant à leur fin. Les 7 et 12 décembre 404, il eut une dernière passe d'armes avec un « élu » de la secte[3]. Ce dernier, un nommé Felix, était venu à Hippone avec des textes manichéens pour y répandre la bonne parole. Mais les autorités municipales avaient saisi ses livres, et Felix, qui se disait « chrétien » en même temps qu'adepte de la loi de Mani, avait, sans doute par l'intermédiaire de fidèles de l'évêque, demandé l'intercession d'Augustin : la condition que l'évêque y avait mise était un débat en bonne et due forme[4]. Les deux hommes se rencontrèrent dans l'« église de la Paix », dont nous avons vu plus haut qu'elle était l'église principale d'Hippone, la « basilique Majeure[c] ». Augustin ne tarda pas à constater que son interlocuteur, pourtant peu cultivé, était un débatteur plus coriace que Fortunatus quelques années auparavant : il le trouva « retors[d] » ; et de fait Felix avait l'art, sommaire mais efficace au moins par ses effets retardateurs, de répondre à une question par une autre. D'entrée de jeu, il se plaignit de ne pouvoir défendre ses idées s'il était privé de ses livres, et Augustin lui tendit, pour qu'il la lût lui-même, la lettre de Mani dite

---

a. *C. Faust.*, XIX, 31, cité dans la traduction, légèrement retouchée, de G. MADEC, dans *Introduction aux « Révisions » et à la lecture de saint Augustin*, p. 86.

b. Notamment dans la *Cité de Dieu*, XV, 7, 2 ; XV, 26, 2 ; XVI, 41.

c. *Contra Felicem*, II, 1. Sur cette basilique, cf. *supra*, p. 338.

d. C'est le sens du mot *uersutior* : *Retract.*, II, 8.

Épître du Fondement[5], qui commençait par ces mots : « Mani, apôtre de Jésus-Christ par la providence de Dieu le Père ». Et comme l'évêque lui demandait de faire la preuve que Mani était bien un apôtre du Christ, l'autre lui répliqua en le sommant de prouver que le Christ avait bien envoyé l'Esprit saint Paraclet, comme il est dit dans *Jean* 16, 7-13 : le ton du débat était donné. Pour Felix, c'était Mani qui était le Paraclet, mais cette affirmation resta vaine face aux puissantes démonstrations d'Augustin, appuyées par des lectures massives de l'Évangile et de saint Paul. Le manichéen se disait impressionné par le rang épiscopal de son vis-à-vis, terrifié par la crainte des lois impériales ; il se sentait bien seul, cherchant du regard autour de lui des arbitres qui lui fussent favorables et n'en voyant pas[a]. Pressé par la redoutable dialectique de l'évêque, Felix demanda un délai pour fourbir ses réponses : Augustin lui donna jusqu'au lundi suivant, sous la garantie d'un fidèle choisi parmi ceux qui se tenaient au premier rang, accoudés au chancel[b].

Le lundi 12 décembre, le débat reprit dans l'église. Immédiatement, Augustin rappela à son adversaire la question clef qui l'avait laissé coi le mercredi précédent. C'était toujours le fameux « argument de Nebridius » : si l'on ne pouvait nuire à Dieu, pourquoi serait-il entré en guerre contre la nation des ténèbres, comme l'affirmaient les manichéens ? Et, si l'on pouvait lui nuire, il n'était pas le Dieu incorruptible que professait le christianisme et que prétendaient adorer aussi les manichéens[c]. Felix répondit en réclamant ses livres ! Puis, à la suite de l'affirmation par le manichéen de l'existence de deux natures, l'une bonne, l'autre mauvaise, la discussion dériva sur la nature du mal et le libre arbitre[d]. Mais, avec l'« argument de Nebridius », Augustin maintint la pression sur Felix. Fidèle à sa tactique, ce dernier répondit par une autre question ; cependant il fléchissait, finissant par admettre qu'il fallait jeter l'anathème sur quiconque disait Dieu corruptible[e]. Enfin, après une longue diversion sur la nature de l'âme et de nombreux échanges que le procès-verbal résumait partiellement, Felix s'avoua vaincu et signa de sa main, contre Mani et sa doctrine, une formule d'anathème sur un modèle que lui présenta Augustin. Si l'on en croit Possidius

---

a. *C. Felicem*, I, 15.
b. *Ibid.*, I, 20.
c. *Ibid.*, II, 1.
d. *Ibid.*, II, 2-8. Dans ses *Révisions*, l'évêque s'excusera de n'avoir pas abordé alors le problème de la grâce : ce n'était pas, dit-il, son propos.
e. *Contra Felicem*, II, 14.

– c'est du moins la conclusion que le biographe tirait de ces *Actes* –, le manichéen se fit catholique[a].

Fut-ce sur la lancée de cette dernière confrontation physique qu'Augustin rédigea, vers la même époque, son *De natura boni*, exposé doctrinal sur la nature de Dieu, Bien suprême, suivi d'une réfutation du dualisme manichéen ? C'était comme un petit manuel à l'usage de tous ceux, clercs ou simples fidèles, qui pouvaient avoir à rompre des lances contre les manichéens. Il écrivit encore un *Contra Secundinum*, comme son titre l'indique une réplique adressée à un « auditeur » de la secte qui, de Rome, lui avait envoyé une longue lettre alambiquée, où il ne craignait pas d'exhorter l'évêque à rejoindre les rangs des sectateurs de Mani ! Apparemment, il connaissait bien le passé de rhéteur et les erreurs de jeunesse de son correspondant[b]. Évidemment, il perdait son temps. Relisant son texte, le vieil évêque jugeait qu'il était le meilleur de tous ceux de cette veine[c] ; c'était en tout cas le dernier en date. Depuis quelque temps, la nécessité de donner, sur le plan de l'ecclésiologie comme sur celui des falsifications de l'histoire, la réplique aux ténors du donatisme avait pris le pas dans les préoccupations d'Augustin[6]. Et, sur le terrain même, la lutte contre les schismatiques était maintenant une urgence.

La diplomatie augustinienne face au donatisme

On a vu plus haut que tout un arsenal de lois répressives, dues notamment à Théodose le Grand, menaçait les donatistes à la fin du IVe siècle[d]. Formellement condamnés par le pouvoir impérial, ils ne s'en portaient pourtant pas plus mal. Quelques années plus tard, quand cette législation, aggravée, sera enfin appliquée, Augustin donnera en passant l'une des explications de ce paradoxe : « Les lois ne manquaient pas, mais c'était comme si elles avaient manqué : elles dormaient entre nos mains[e]. » Visant les hérétiques, elles étaient inopérantes aussi longtemps que le schisme n'était pas assimilé à l'hérésie, et l'on verra que cette assimilation sera le tournant majeur de la lutte antidonatiste. Mais ce n'était pas la seule explication : eussent-elles été applicables, il aurait fallu des juges pour

---

a. *Vita Aug.*, XVI, 4.
b. *Contra Secundinum*, XXIV.
c. *Retract.* II, 10.
d. *Supra*, p. 242.
e. *Contra Cresconium*, III, 51.

faire appliquer ces lois ; or, à l'extrême fin du IVᵉ siècle, les plus hautes autorités locales en Afrique n'étaient guère disposées à le faire. Pendant une dizaine d'années, principalement en Numidie, les chefs donatistes avaient pu compter sur la connivence, sinon sur l'appui, du comte d'Afrique, le tout-puissant Gildon, et sa dissidence vis-à-vis du pouvoir impérial les avait mis à l'abri de tout recours contre eux. En ces années – en 395, semble-t-il –, les catholiques s'étaient adressés en vain au vicaire d'Afrique, Seranus, pour faire condamner le fameux Optat de Timgad – protégé par Gildon – au terme de la loi du 15 juin 392 qui frappait les hérétiques d'une amende de dix livres d'or[a]. Devenu peu après proconsul d'Afrique, Seranus avait, dans le cas du siège épiscopal de Membressa (Medjez el-Bab), arbitré en faveur de l'aile dure de l'Église schismatique lors des règlements de comptes entre « primianistes » et « maximianistes » : l'évêque Salvius, un vieillard, avait été chassé de sa chaire et contraint de défiler honteusement dans les rues de sa ville, au milieu des danses et des cris, avec des cadavres de chiens attachés autour du cou[7].

On n'a pas manqué de noter qu'en cette dernière décennie du IVᵉ siècle l'appareil d'État n'était pas en Afrique moins favorable aux donatistes que dans les brèves années du règne de Julien l'Apostat[8] ; et les responsables locaux, même s'ils n'étaient pas de connivence, répugnaient souvent à s'impliquer dans cette lutte religieuse et à choisir leur camp. On se souvient des dérobades d'Eusebius à Hippone, prié par le coadjuteur de Valerius d'intervenir, et qui n'en avait rien fait[b]. Cette attitude d'attentisme persistera parfois même quand le pouvoir impérial aura clairement marqué à plusieurs reprises sa volonté d'en finir avec le schisme : l'édit du 12 février 405 menacera d'une amende de vingt livres d'or non seulement les gouverneurs de provinces qui négligeaient d'appliquer les sanctions, mais aussi pour le même motif les « défenseurs des cités » et les notables en général[c]. En 407 et 409, cette menace sera réitérée contre les autorités provinciales et municipales qui persistaient à fermer les yeux sur les menées des donatistes[9].

Il fallait aussi compter, localement, avec les autorités de fait qu'étaient les grands propriétaires terriens. Nombre d'entre eux étaient « donatistes », moins sans doute par conviction que par souci d'être au diapason de leur base paysanne, au sein de laquelle l'Église schismatique recrutait non seulement la majeure partie de ses fidèles,

---

a. *Contra litt. Pet.*, II, 184.
b. *Supra*, p. 268.
c. *C. Th.*, XVI, 6, 4, § 4.

mais aussi ses hommes de main, les circoncellions. Typique est à cet égard le cas de Celer, et l'histoire de son évolution. Augustin tenait à gagner à son Église ce personnage de rang sénatorial, qui avait des terres dans son diocèse, d'abord pour l'arracher à sa « liaison ancienne » (*consuetudo*) avec les donatistes[a], mais aussi pour obtenir de lui que par l'intermédiaire d'hommes à son service, Paternus et Maurusius, il agît en faveur de l'« unité catholique » dans la région d'Hippone[b]. L'évêque aura gain de cause et le donatisme reculera sur les terres de Celer ; mais la situation restait fragile : en 412, il suffira que son intendant, un nommé Spondeus, s'absente pour aller à Carthage pour que le schisme se réactive sur les domaines de Celer et que des églises donatistes s'y rouvrent[c]. La diplomatie personnelle de l'évêque d'Hippone à l'égard de ces hommes, localement influents mais souvent eux-mêmes engagés dans des parties difficiles, était une pièce essentielle de son jeu en ces années. À Pancarius, nouveau venu dans l'une des campagnes du diocèse – le lieudit Germaniciana –, et qui se fait l'écho de propos hostiles émanant des donatistes contre le prêtre catholique du lieu, Augustin écrit pour le mettre en garde et lui demander de faire en sorte qu'il n'y ait pas de schismatiques là où il n'y en avait pas avant son arrivée[d]. Parmi ces grands propriétaires, l'évêque avait aussi des amis sûrs, ce qui n'impliquait pas *ipso facto* que tous les hommes qui dépendaient d'eux fussent de bons catholiques ; mais il lui était plus facile d'exiger d'eux qu'ils pèsent de tout leur poids dans le bon sens : ainsi avait-il obtenu de Pammachius, le sénateur romain ami de Jérôme, qu'il ramenât au bercail ses paysans gagnés au donatisme, dans les immenses domaines qu'il possédait dans les hautes plaines de la Numidie centrale[e]. Et il lui suggérait de faire lire autour de lui, au sénat de Rome, la lettre de remerciements qu'il en avait reçue de l'évêque d'Hippone, pour inciter d'autres sénateurs à suivre son exemple sur les terres qu'ils possédaient en Afrique[f].

À la charnière du IVᵉ et du Vᵉ siècle, la vigilante fermeté d'Augustin à l'égard des schismatiques passait toujours par les voies de la diplomatie, et ce n'était pas de sa part simple attitude de circonstance : il avait a priori toute raison de croire aux vertus d'un dialogue qui ne lui avait pas si mal réussi avec les manichéens. Tout le problème était de parvenir à l'engager. On se souvient des dérobades

---

a. *Ep.* 56, 2.
b. *Ep.* 57, 2.
c. *Ep.* 139, 2.
d. *Ep.* 251.
e. *Ep.* 58, 1.
f. *Ep.* 58, 3.

de Proculeianus en 395/96 ; mais à la même époque le demi-succès de la rencontre avec Fortunius de Thubursicu Numidarum avait été somme toute un encouragement. Un peu plus tard, mettant à profit ce qu'un intermédiaire lui avait rapporté de son désir de correspondre, Augustin écrivit à l'un de ses collègues donatistes d'un diocèse proche d'Hippone, Honoratus, en l'engageant à lui répondre sur un point essentiel de leur différend ecclésiologique : comment était-il possible que l'Église du Christ, promise à se répandre à travers toutes les nations, ne fût plus représentée selon eux que par une partie des Africains[a] ? Des mêmes années est datable un échange de correspondance – il n'en reste que la lettre de l'évêque – entre Augustin et un sien parent, Severinus, vivement exhorté à ne pas demeurer un frère séparé, lui qui par surcroît était un frère par le sang[b].

Il fallait saisir toutes les occasions. L'évêque d'Hippone avait eu celle de rencontrer à Carthage, sans doute au printemps de 399, son collègue donatiste de Calama (Guelma), Crispinus, qui lui avait paru ouvert à la discussion et prêt à la poursuivre, selon la rumeur publique[c]. Augustin ne proposait pas de nouvelle rencontre et souhaitait s'en tenir à un échange de correspondance. Suspectait-il, en dépit de ses avances antérieures, la bonne foi de Crispinus[10] ? L'événement, en ce cas, lui donna raison, car peu après Crispinus agissait à l'inverse des bonnes intentions affichées en rebaptisant sous la contrainte les paysans d'un ancien domaine impérial, le *fundus Mappaliensis*, dont il venait de se rendre acquéreur sous la forme d'un bail emphytéotique. Poursuivi aux termes de la loi du 15 juin 392 qui n'avait pas encore été appliquée en Afrique, il risquait la peine prévue par elle, le paiement de l'amende de dix livres d'or : Augustin lui proposait une solution alternative, un débat contradictoire devant les paysans en cause, traduit en punique pour qu'ils pussent s'en faire les arbitres et dire vers quelle communion les portait leur libre volonté[d]. Crispinus s'y refusa, mais l'histoire n'était pas terminée et l'on reparlerait du personnage.

La genèse des grands traités antidonatistes

Chaque fois qu'on regarde de près les traces un peu précisément datées de la vie d'Augustin, on est saisi de vertige. Comme 397,

---

a. *Ep.* 49, 3. Cette lettre non datée est postérieure à 396.
b. *Ep.* 52, 1.
c. *Ep.* 51, 1.
d. *Ep.* 66, 2.

l'année 400 est une de ces années si bien remplies qu'en cas de doute
sur la chronologie on est plus tenté d'alléger le calendrier augustinien
que de l'alourdir. Pourtant cette année-là l'évêque d'Hippone ne se
rendit pas à Carthage, où il n'y eut pas de concile. On sait qu'avant
le concile, si celui-ci se tenait à la fin de l'été, ou après, s'il se
réunissait à la fin de mai ou en juin, Augustin cédait aux sollicitations
d'Aurelius pour une série de prédications qui le retenaient dans la
métropole plusieurs semaines, voire plusieurs mois. Peut-être profita-
t-il cette année-là de sa disponibilité estivale pour faire une de ces
longues tournées à travers les nombreuses églises de son diocèse,
comme celle qu'il évoque dans une lettre à Celer, déjà citée[a].

Outre ses obligations pastorales habituelles, Augustin était alors
très occupé par ses travaux littéraires. Il venait d'achever ses *Confessions*[b] et mettait en chantier deux ouvrages de longue haleine, le *De
Trinitate* et le *De Genesi ad litteram*. Son activité de polémiste se
partageait, comme on vient de le voir, entre sa volonté d'en finir avec
les manichéens et le souci plus récent de réduire le schisme donatiste,
avec un sentiment croissant de l'urgence de cette dernière tâche. La
mener à bien impliquait qu'il ne se satisfît pas de simples échanges
épistolaires, qu'il s'en donnât les moyens par la rédaction d'amples
réfutations, comparables à celles qu'il avait mises en œuvre – et qu'il
mettait encore en œuvre – contre les manichéens. Comme souvent
dans la vie d'Augustin, le passage à l'acte fut occasionnel.

On ne sait pour quelle raison, sans doute au printemps de cette
année 400, il se rendit à Cirta (Constantine). Peu auparavant, un
catholique de cette ville, Generosus, avait reçu une lettre étrange,
où un prêtre donatiste de cette même cité prétendait avoir reçu d'un
ange mission de le convertir[c]. Il s'en ouvrit à son évêque, Fortunatus,
le successeur de Profuturus prématurément disparu, et comme
Augustin accompagné d'Alypius se trouvait alors auprès de Fortunatus, Generosus reçut pour son édification une lettre signée des
trois évêques, où la main de celui d'Hippone est bien visible[d]. Et
comme on se trouvait à Cirta, haut lieu, dès les origines, de la
contestation anticatholique, mais aussi lieu de faillite lors de la
grande persécution, cette lettre rédigée comme un rapide aide-
mémoire à l'usage de Generosus n'avait garde d'omettre le procès-
verbal des saisies faites dans l'église de la ville le 19 mai 303, d'où

---

a. *Ep.* 56, 1 ; la date de 400 pour cette lettre n'est cependant pas certaine.

b. Sur la date d'achèvement des *Confessions*, cf. *supra*, p. 293.

c. *Ep.* 53, 1.

d. C'est la lettre 53, datable entre le 27 novembre 399 et le 19 décembre 401
par la mention du dernier pape alors en exercice, Anastase (*Ep.* 53, 2).

il ressortait que Silvanus, alors sous-diacre et sacré évêque quelques années plus tard, était bel et bien un « traditeur[11] ». De quoi, si besoin était, rabattre le caquet de Petilianus, l'actuel évêque donatiste de la ville, et champion, comme tous ses collègues, d'une Église « sans ride ni tache ». Petilianus en avait d'abord été la victime : jeune avocat, encore catéchumène dans la foi de ses parents catholiques, il avait subi un véritable rapt de la part des schismatiques, qui l'avaient rebaptisé de force et ordonné ensuite contre son gré[a]. Vingt ans plus tard, Petilianus était devenu l'un des chefs de son Église. Ce n'était pas un grand esprit, mais il était retors et pugnace ; on le verra donner la mesure de sa combativité en 411 dans les débats de la conférence de Carthage.

Justement, dans sa bizarre lettre à Generosus, le prêtre donatiste avait fait état d'une lettre pastorale écrite par Petilianus à son clergé en termes polémiques contre l'Église catholique. Cette lettre circulait aussi en ville parmi les fidèles catholiques : on la montra à Augustin qui entreprit incontinent de la réfuter[12]. Il le fit sous la forme d'une lettre adressée à ses propres fidèles d'Hippone, et cette première réfutation constitue le premier livre du *Contra litteras Petiliani*, dont il y a tout lieu de penser que la rédaction suivit immédiatement le retour chez lui de l'évêque. Mais on ne lui avait d'abord communiqué que la première partie du document ; on lui envoya par la suite le texte complet et, bien qu'à l'opinion d'Augustin ce complément n'ajoutât pas grand-chose, il se crut obligé d'en reprendre la critique dans les règles, et il le fit comme pour son *Contra Faustum*, à la manière d'un débat contradictoire, le texte cité de Petilianus étant immédiatement suivi d'une réfutation développée : telle était la matière du très long deuxième livre du traité[b]. Cependant l'évêque schismatique de Constantine eut connaissance du texte d'Augustin et y alla à son tour d'une *Epistula* où ne manquaient pas les attaques personnelles : entre-temps, les *Confessions* avaient été publiées et fournissaient bien des aliments à la calomnie, surtout à propos du passé manichéen de leur auteur ; Pétilien y défendait aussi sa théologie des sacrements et argumentait, assez faiblement, sur l'histoire du schisme. La réponse s'imposait ; ce sera le troisième livre du *Contra litteras Petiliani*, qu'Augustin ne put guère mener à son terme avant la fin de 402 ou de 403.

Dès ses débuts dans l'épiscopat, en 395, Augustin était en possession d'un dossier solide sur les origines du schisme et sur ses développements historiques tout au long du IVᵉ siècle, comme le

---

a. Cf. *Contra litt. Pet.*, II, 239 et *Sermo ad Caesar. eccl. plebem*, 8.
b. Cf. *C. litt. Pet.*, II, 1 ; *Retract.*, II, 25.

montrent, après le « Psaume abécédaire », les longues lettres 43 et 44, qui faisaient le point à la suite des entretiens avec Fortunius de Thubursicu Numidarum[a]. La constitution du dossier de ce qu'il appellera souvent la *causa ecclesiae*, la définition et la défense de la véritable Église, avec ses implications doctrinales, lui prit un peu plus de temps. Là aussi, il sut tirer parti des circonstances.

On se souvient de la forte impression que lui avaient faite les écrits de Tyconius, découverts au temps de la prêtrise, quand il avait trouvé dans le théologien donatiste un bon guide dans son approche de saint Paul. Tyconius, on le sait, était un esprit libre, qui n'acceptait pas les vues bornées de sa hiérarchie sur une « Église des purs » limitée à l'Afrique, ce qui lui avait valu de se faire taper sur les doigts par Parmenianus. En 394, Augustin ignorait la lettre de réprimande du primat donatiste. Lorsqu'il s'attela à la réfutation de cette lettre – dans le *Contra epistulam Parmeniani* –, ce document venait de lui tomber entre les mains : c'était une occasion rêvée – d'autant plus que le point de départ était fourni par une dissension doctrinale au sein même de l'Église schismatique ! – d'entreprendre au fond ce débat pour lequel l'évêque se sentait investi d'une mission pastorale[b]. Peut-on dater le début de cette entreprise ? Le livre I fait allusion aux « lois récentes » sur le bris des idoles et sur l'interdiction des sacrifices païens, lois portées par Honorius dans les premiers mois de 399[c]. On peut donc admettre qu'Augustin se mit à l'ouvrage en 400, ou en 401 au plus tard[13].

Il mènera la rédaction de ce traité parallèlement à celle du texte qu'il écrivait contre Petilianus. Les deux ouvrages ne faisaient pas double emploi : si le premier livre contre la lettre de Parmenianus, assez bref, était encore centré sur les torts historiques des donatistes, Augustin se montrait pressé d'en venir au dossier scripturaire[d], qu'il n'avait pas négligé dans ses réponses à Petilianus, mais dont la forme même du débat contradictoire avait donné une présentation « éclatée ». L'objet des livres II et III était une discussion suivie des *testimonia* sur lesquels s'appuyait Parmenianus. Relisant son traité à vingt-cinq ans d'intervalle, l'évêque en retenait ce qui lui en paraissait avec le recul l'essentiel ; en ce livre, écrivit-il dans les *Révisions*, « une question nouvelle est posée et résolue : les mauvais souillent-ils les bons dans l'unité et dans la communion des mêmes sacre-

a. *Supra*, p. 267.
b. *Contra epist. Parm.*, I, 1.
c. Cf. *supra*, p. 313.
d. Cf. *Contra epist. Parm.*, I, 21, *in fine*.

ments[a] ? » C'était, formulée après coup en peu de mots, la question centrale, à quoi se résumait le débat ecclésiologique principal. Mais on ne pouvait la résoudre qu'en traitant des questions « annexes » aussi importantes que celles relatives à la validité du baptême, quel qu'en fût le ministre. Augustin savait que sur ce problème il avait encore à définir ses positions et d'abord à clarifier pour lui-même celles de saint Cyprien, de l'autorité de qui se couvraient ses adversaires[14]. Au livre II du *Contre Parménien*, il renvoyait cette étude à plus tard[b]. En fait il n'attendit guère : on s'accorde à dater des deux ou trois premières années du Ve siècle les sept livres du *De baptismo*.

Rédigé en 405-406, le dernier grand traité antidonatiste d'Augustin, le plus volumineux aussi, est curieusement une suite inattendue des controverses menées contre Petilianus à partir de l'année 400. Le genèse de ce *Contra Cresconium* illustre bien les conditions de la diffusion de l'écrit à cette époque, ses lenteurs, ses restrictions et ses aléas. La première réponse faite par Augustin à la lettre pastorale de l'évêque schismatique de Constantine – le premier livre du *Contra litteras Petiliani* – était tombée entre les mains d'un laïc donatiste, grammairien de son état. Ce Cresconius eut-il à cœur d'y répliquer *proprio motu* ou bien lui fut-il suggéré de le faire par les prélats de la secte[c] ? Toujours est-il que, sans doute pendant qu'Augustin travaillait à sa deuxième réfutation de l'évêque de Constantine, Cresconius vint s'immiscer dans ce duel et rédigea un pamphlet de son cru à l'adresse de l'évêque d'Hippone[15]. Il mit si longtemps à parvenir à destination que dans la phrase initiale de sa réponse elle-même bien tardive Augustin se demandait quand son texte finirait par toucher Cresconius[d]. Comme il le précisera lui-même dans les *Révisions*, l'empereur Honorius avait déjà publié ses « lois contre les donatistes » quand il écrivit ses quatre livres[e]. Or ces lois, constitutives dans leur ensemble du fameux « édit d'union » dont on reparlera, datent du début de 405 ; et il fallut tout de même de longs mois à Augustin pour dicter, en plus de ses autres tâches, les cinq cents grandes pages du *Contra Cresconium*.

Il y reprenait inlassablement ses démonstrations sur l'inconséquence des schismatiques, qui reprochaient à leurs adversaires des

---

a. *Retract.*, II, 17.

b. *Contra epist. Parm.*, II, 32.

c. Augustin dit finement qu'en cas d'échec de Cresconius, un laïc, les évêques de la secte pouvaient toujours le désavouer : « Sa victoire serait nôtre, sa défaite est sienne » (*Contra Cresc.*, II, 7).

d. *Contra Cresc.*, I, 1.

e. *Retract.*, II, 26.

crimes de *traditio* dont ils s'étaient eux-mêmes rendus coupables, et d'avoir recherché du côté du pouvoir temporel des arbitrages qu'ils avaient eux aussi sollicités. S'ensuivaient des redites sur les faits eux-mêmes ; mais elles étaient inévitables à partir du moment où Augustin, en bon avocat et en pasteur responsable, estimait de son devoir de répondre à toute attaque. À supposer qu'une plus large circulation des textes lui en eût donné la possibilité matérielle, il eût considéré comme une dérobade de renvoyer un Cresconius à ses écrits antérieurs. En dépit de ces répétitions, la longue réplique au grammairien a sa physionomie propre. Son ton particulier tient pour partie à la personnalité de l'adversaire : pas plus que Petilianus, Cresconius n'épargnait à Augustin les attaques personnelles ; mais de l'évêque donatiste il n'avait ni la rouerie ni la cautèle. Il y a quelque jubilation de la part de l'évêque d'Hippone à le voir se découvrir parfois imprudemment. Ainsi quand le grammairien se risque à donner sa définition de l'hérésie et du schisme : « L'hérésie est la secte de gens qui suivent des doctrines différentes, le schisme une division entre tenants des mêmes doctrines[a]. » Cresconius considérait évidemment qu'il était, lui et ceux de son Église, non dans l'hérésie – condamnée par les lois impériales –, mais dans le schisme. Pourquoi alors rebaptiser ? lui rétorquait Augustin, qui s'imaginait sortant d'un trou de souris et débouchant inopinément au beau milieu d'une assemblée de donatistes pratiquant l'itération du baptême, et brandissant la lettre de Cresconius qui en démontrait l'inanité et l'absurdité[b]. Peu après Augustin livrait le fond de sa pensée sur l'hérésie : l'hérésie était « un schisme invétéré[16] ». Ce qu'on peut tenir pour une définition un peu trop commode. Mais n'oublions pas qu'on était alors en 405, que les débordements des circoncellions et de l'aile radicale du donatisme battaient leur plein, que les lois d'Honorius assimilant le schisme à l'hérésie du fait du rebaptême venaient d'être publiées, et admettons que les événements qu'il vivait ont pu infléchir la position de l'évêque d'Hippone.

Pouvait-on d'ailleurs toujours considérer le donatisme comme un simple schisme alors qu'il s'était récemment divisé lui-même en deux familles farouchement opposées ? Une dernière originalité du *Contra Cresconium* par rapport aux textes antidonatistes précédents était précisément l'exploitation systématique qui y était faite – tout le livre IV y était consacré – de ces dissensions au sein de l'Église rivale. On se souvient qu'au début de la dernière décennie du IVᵉ siècle les partisans de Primianus, primat de l'Église schismatique, et

---

a. *Contra Cresc.*, II, 6.
b. *Ibid.*, II, 7.

ceux de Maximianus, un diacre carthaginois excommunié par le primat, s'étaient durement affrontés. Pour Augustin, dans cette seule affaire, il y avait assez pour confondre les donatistes. D'abord, l'histoire même des origines du schisme maximianiste reflétait comme dans un miroir les origines du schisme donatiste : saisissante était l'impression de « déjà-vu [a] ». Ensuite, l'appel au bras séculier : les primianistes, donatistes dominants, qui avaient sans vergogne tiré parti contre leurs propres schismatiques des ressources répressives de la législation impériale, étaient mal venus de reprocher aux catholiques d'y avoir recours contre eux [b]. De même pour le rebaptême : en ne pratiquant pas l'itération du baptême à l'égard des maximianistes ralliés, les donatistes avaient par là même condamné leur pratique à l'égard des catholiques [c]. Enfin, si le « crime » de Maximianus n'avait pas souillé ses partisans, reçus par la suite dans la communion donatiste et réintégrés dans leurs honneurs, comment le « crime » de Caecilianus, à supposer qu'il fût prouvé, avait-il pu souiller l'Église catholique [d] ? Toute l'histoire de cette querelle prouvait ainsi qu'il fallait tolérer dans l'Église du temps présent les « mauvais » mêlés aux « bons », pour le bien de l'unité.

L'ÉLABORATION D'UNE THÉOLOGIE DE L'ÉGLISE

Entre 400 et 406, Augustin avait accumulé contre les donatistes des milliers de pages, et il faudrait encore y ajouter des dizaines de lettres et de sermons [17], sans oublier les livres perdus, que les *Révisions* signalent comme tels [e]. Ce « pilonnage » peut nous apparaître excessif, la dépense d'énergie démesurée, et il est de fait qu'il fallait la fabuleuse puissance de travail de l'évêque d'Hippone pour qu'il ne se fût pas englouti tout entier dans cette polémique. Nous avons peine à nous en représenter l'enjeu, en termes de défense et de protection d'une institution – l'Église – dont on peut dire qu'elle était l'une des principales armatures de la société d'alors ; mais nous verrons dans les pages qui suivent que le donatisme faisait courir à cette société un risque réel, et grave. Contre ce danger de subversion les écrits d'Augustin étaient par eux-mêmes inopérants : ils avaient une autre fonction, fondamentale, au bénéfice de l'Église, qui devrait

---

a. *Contra Cresc.*, IV, 63-77.
b. *Ibid.*, IV, 56-62.
c. *Ibid.*, IV, 13-32.
d. *Ibid.*, IV, 33-50.
e. *Retract.*, II, 19, 27, 28, 29.

à l'évêque d'Hippone un premier essai, poursuivi grâce à la controverse pélagienne, achevé ensuite dans la *Cité de Dieu*, de définition
de sa réalité spirituelle, au-delà de son corps terrestre et temporel.

On a dit d'Augustin, sous forme de boutade, que lorsqu'il écoutait
les donatistes il pensait à autre chose[18]. Il faut l'espérer pour lui,
tant leur discours était mornement répétitif, sombre et sans perspective. Quand ils ne ressassaient pas pour la énième fois les crimes de
traditio commis par les consécrateurs de Caecilianus au début du
IVe siècle, et surtout par l'un d'eux, Felix, un obscur évêque d'une
bourgade d'Afrique Proconsulaire (Abthugni, Henchir es-Souar, en
Tunisie) qu'ils avaient réussi à rendre célèbre[a], ils s'enfermaient
dans une Église qui ressemblait à un réduit assiégé. Ils avaient une
prédilection pour les images spatiales qui exprimaient l'idée de
fermeture, particulièrement pour celle qu'ils lisaient dans le *Cantique des cantiques* (4, 12) : l'Église était « le jardin bien clos, la
source scellée[b] ». L'arche où Noé s'était réfugié se prêtait au même
usage symbolique : un symbole certes universellement admis par les
chrétiens à la suite de l'apôtre Pierre (*I P.*, 3, 20-21) – et donc par
Augustin lui-même[c] –, mais dont les donatistes avaient gauchi la
signification en insistant sur l'étanchéité de l'habitacle. Un de leurs
évêques, racontait Augustin, disait à ses fidèles que ces assemblages
de bois avaient été goudronnés à l'intérieur comme à l'extérieur.
C'était vrai – cf. *Gn.*, 6, 14 –, mais la chose intéressante était
l'exégèse qu'en faisait le donatiste : de l'intérieur pour ne pas laisser
échapper les eaux salutaires du baptême, et de l'extérieur pour ne
pas laisser entrer les eaux souillées du dehors[19].

Ce à quoi songeait Augustin en écoutant les donatistes, c'était à
opposer à leur ecclésiologie une autre conception de l'Église. La
difficulté à laquelle il se heurtait était que ce vocabulaire d'intériorité
et d'extériorité, d'inclusion et d'exclusion, avait déjà été un siècle
et demi auparavant – dans le contexte il est vrai tout autre d'une
Église persécutée et durement assaillie – celui du grand martyr africain, Cyprien. Remarquable était le commentaire que l'évêque de
Carthage au milieu du IIIe siècle avait fait du texte ci-dessus cité du
Cantique des cantiques : « Si l'épouse du Christ qu'est l'Église est
un jardin fermé, une chose fermée ne peut être ouverte à des étrangers, à des profanes ; si elle est une fontaine scellée, celui-là n'y

---

a. C'est le fameux « Felix d'Aptonge » de Lenain de Tillemont et de la littérature
ecclésiastique subséquente, le nom de son siège ayant été écorché dans la tradition
manuscrite.

b. Cf. Parmenianus dans Optat, II, 13, et Cresconius dans *C. Cresc.*, I, 40 et
IV, 77.

c. *Enarr. in Psalm.* 103, 3, 2 ; *In Ioh. euang.*, IX, 11 et 14.

peut boire, ni y recevoir la marque du sceau qui, étant au dehors, n'a point accès à la fontaine. Et si un puits d'eau vive est unique et à l'intérieur, celui qui est dehors ne peut être vivifié et sanctifié par cette eau dont ceux-là seuls qui sont à l'intérieur peuvent user et boire[a]. » Augustin pouvait souscrire à la fameuse formule de l'évêque de Carthage, « *extra ecclesiam nulla salus* », mais non à la théologie des sacrements qui allait avec. Car il savait maintenant ce qu'il ignorait quand, encore prêtre, il avait écrit contre la lettre de Donat[b] : que Cyprien avait couvert de son autorité le rebaptême des hérétiques[20], et que le fondement de la théologie baptismale des donatistes se trouvait dans ses écrits, dont il ne songeait nullement à contester l'authenticité, à la différence de quelques catholiques de son temps[c].

Que faire ? On pouvait écrire des *Contra donatistas*, mais il n'était pas question d'écrire un *Contra Cyprianum* ; en tant qu'Africain et en tant que martyr, Cyprien était doublement intouchable. Dans le *De baptismo*, l'effort d'Augustin consistera à dissocier l'évêque de Carthage des donatistes, à arracher à ces derniers le patronage prestigieux dont ils se réclamaient. Ce n'était pas si facile : il fallait démontrer que, malgré son erreur[21], Cyprien demeurait un maître dont l'esprit avait été trahi par les schismatiques. Entre l'évêque de Carthage et les donatistes, Augustin pouvait d'abord enfoncer un coin sur le plan moral. Cyprien avait considéré le baptême des hérétiques comme nul, mais il n'avait pas voulu rompre pour autant la communion avec ceux qui en jugeaient autrement, estimant que des divergences sur ce point ne devaient pas être occasion de schisme[22]. S'ajoutait à cela, par rapport aux donatistes, une différence sur le plan doctrinal aussi, puisque, s'il rejetait comme eux le baptême des hérétiques, Cyprien reconnaissait la validité d'un baptême administré par des pécheurs. Augustin pouvait donc s'appuyer sur son autorité contre les schismatiques lorsqu'il affirmait que la communion avec les pécheurs ne ruinait pas l'appartenance à l'Église.

Priver les donatistes de leur support cyprianique dans leur théologie sacramentaire était une opération nécessaire mais non suffisante. C'était, sur la base d'une critique de la leur, une autre ecclésiologie qu'il fallait bâtir, en gardant des apports précédents, comme ceux d'Optat de Milev, mais en les dépassant. L'Église de Donat vivait depuis près d'un siècle sur des idées simples mais fortes,

a. CYPRIEN, *Ep.* 69, 2, 1.
b. *Retract.*, I, 21, 3.
c. *Ep.* 93, 39.

comme tous les slogans : elle était l'Église des martyrs et elle était l'Église des purs. La mystique du martyre était au cœur de la religion populaire des donatistes ; cette mystique avait eu naturellement ses pics de démonstration aux temps forts des affrontements avec le pouvoir temporel, au milieu du IVᵉ siècle, notamment, quand la présence de soldats rendait plus facile de provoquer le martyre en se faisant donner la mort, quand on ne se la donnait pas soi-même, seul ou en groupe[a]. À la même époque, l'un de leurs pamphlétaires, Vitellius Afer, avait écrit un petit livre dont le titre seul en disait long : « De la haine qu'inspirent au monde les serviteurs de Dieu ». Les donatistes présentaient toujours leur chef éponyme, Donat, comme un véritable héros, « auréolé de la gloire du martyre[23] » et se faisaient encore, un siècle après la paix de l'Église, honneur d'être « l'Église qui souffre persécution » : c'est ainsi qu'ils se désigneront, « officiellement », devant le juge impérial, à Carthage en juin 411[b]. À cela Augustin ne manquait jamais de répondre, en invoquant le discours sur les Béatitudes, qu'il ne suffisait pas, pour être sauvé, d'être persécuté, à supposer que ce fût vrai : encore fallait-il l'être pour la justice[c]. Cette Église des martyrs se proclamait aussi Église des purs, faite d'hommes irréprochables, dans le domaine de la vie éthique sans doute, mais surtout dans celui de la vie religieuse. L'Église devait être comme l'Épouse du Christ chez saint Paul, « sans tache ni ride » (*Ép.*, 5, 27), et cela ici et maintenant, sans distinction entre son état terrestre, historique, et son devenir céleste, eschatologique. Pour eux, le champ de la parabole n'était pas le monde, mais l'Afrique, leur Afrique[d], et ils ne voulaient pas attendre le temps de la moisson pour y voir le bon grain séparé d'une ivraie dont ils niaient chez eux l'existence parce qu'ils prétendaient avoir déjà fait le travail des anges moissonneurs[e]. On imagine la redoutable efficacité de tels discours sur des âmes simples.

Les catholiques n'avaient tout de même pas attendu, pour réagir, l'extrême fin du IVᵉ siècle et l'évêque d'Hippone. En 366/67, Optat, évêque de Milev (Mila), siège épiscopal qu'occupait maintenant le cher Severus, avait le premier entrepris de réfuter par écrit un recueil d'ouvrages de Parmenianus, alors chef de la secte, faute d'avoir pu obtenir de lui un débat de vive voix[24]. Et, une vingtaine d'années plus tard, il avait aux six livres de son *Traité contre les donatistes*

---

a. Cf. *supra*, pp. 240-241, l'histoire de « domnus Marculus » et la longue réputation de sainteté du personnage.

b. *Actes de la conférence de Carthage en 411*, III, 258, *S.C.*, 224, p. 1195.

c. Voir, entre autres textes, *Ep.* 185, 9, citant *Mt.*, 5, 10.

d. *Contra epist. Parm.*, II, 5.

e. Cf. *Mt.*, 13, 38, et *Contra epist. Parm.*, I, 21 et II, 5.

ajouté un septième, pour répliquer aux objections soulevées par ses adversaires contre les livres déjà publiés[a]. L'évêque de Milev avait eu aussi le grand mérite de rassembler en annexe à son ouvrage un recueil de documents officiels et de pièces d'archives, surtout relatifs aux origines du schisme, qu'il utilisait dans sa réfutation historique des accusations des donatistes, et qu'Augustin lui-même citera souvent[25]. Si l'on doit d'abord à Optat, et souvent à lui seul, le tableau des troubles graves qui eurent la Numidie pour théâtre au milieu du IV[e] siècle avec l'émergence du mouvement des circoncellions[b], il est aussi le premier à avoir opposé une position ecclésiologique cohérente aux thèses des schismatiques. Face aux prétentions donatistes à représenter à eux seuls la *catholica* alors qu'ils étaient confinés dans leur réduit africain[26], Optat avait revendiqué pour les siens le titre de « catholiques » au seul sens acceptable du terme, qui faisait référence – du grec *katholou* – à l'universalité de la communion, alors que les schismatiques voulaient l'entendre au sens de plénitude des sacrements. Et ils berçaient leur illusion géographique d'une lecture forcée et approximative du *Cantique des cantiques*, là où l'Épouse pose à l'Époux cette question : « Dis-moi, toi que mon cœur aime, où tu fais paître ton troupeau, où tu reposes, vers le midi[27]. » Ils comprenaient ainsi que le Christ avait mené son troupeau en Afrique ! Il était facile à l'évêque de Milev d'opposer à ces prétentions les textes, notamment tirés des *Psaumes*, qui laissaient clairement entendre que, en sa qualité de promise, l'Église devait se répandre dans tout l'univers[c]. À cet égard, Augustin ne fera que compléter le dossier scripturaire rassemblé par Optat.

À bien d'autres égards aussi, l'évêque d'Hippone apparaît comme l'héritier d'une théologie de l'Église déjà plus qu'esquissée par l'évêque de Milev quelques décennies plus tôt[28] ; mais l'héritage est affiné et enrichi. Optat avait défini l'Église comme un *corpus mixtum*, un mélange de bons et de méchants, de justes et de pécheurs. Augustin élargit le thème, met en œuvre pour l'exploiter tout un appareil de textes – surtout empruntés à l'Évangile selon saint Matthieu – que ne citait pas tous l'évêque de Milev : l'image du vannage et de la séparation de la balle et du grain au dernier jour (*Mt.*, 3, 12), la parabole du filet ramené au rivage, où se fera le tri des bons et des mauvais poissons (*Mt.*, 13, 47-50). C'est ainsi qu'au slogan donatiste de la pureté de l'Église, *hic et nunc* – à laquelle les schis-

---

a. OPTAT, VII, 1.
b. OPTAT, III, 3-4.
c. OPTAT, II, 1-13.

matiques se faisaient fort de parvenir en pratiquant le vannage ici-bas[a] ! –, Augustin opposait la distinction de deux états de l'Église, en rétablissant une tension entre son présent historique – « *ecclesia quae nunc est* » – et son devenir eschatologique – « *ecclesia qualis futura est*[b] ». Il y joignait, et c'était là surtout sa marque personnelle, une seconde distinction touchant l'Église du temps présent, qui n'était pas elle-même pour lui un monolithe, ni un lieu dans lequel on se situait tout entier une fois pour toutes, ou d'où l'on était exclu tout entier une fois pour toutes. Tout le monde pouvait constater qu'il y avait dans l'Église des pécheurs, et en dehors d'elle des justes. D'une réalité ecclésiale complexe les donatistes avaient par simplisme fait une secte. Ils posaient en principe une Église parfaitement homogène, composée de purs, d'*integri*, et qui, soigneusement séparée de l'autre, souillée, elle, par la progéniture des « traditeurs », était l'Épouse unique et parfaite du *Cantique des cantiques*, la Fontaine scellée qui dispensait seule les eaux salutaires du baptême. Augustin leur répondait en déterminant deux niveaux de réalité ecclésiale, dont l'un était bien l'institution sacramentelle avec, de la part des fidèles, la participation aux sacrements, ce qu'il appelait la *communio sacramentorum*[29]. Ce plan de la communion des sacrements, où se situaient les donatistes du fait d'un baptême parfaitement valide[30], tout comme les catholiques éventuellement mauvais, était un plan d'appartenance extérieure, ou corporelle, ou encore un plan d'apparence par rapport à une situation de vérité. « Bien des pécheurs, disait l'évêque, sont en communion de sacrements avec l'Église, sans être pour autant dans l'Église[c]. » Ou, en d'autres termes, s'ils étaient dans l'Église, physiquement, charnellement, ils n'étaient pas « de » l'Église, sur un plan de vérité spirituelle. Ils ne se situaient pas à l'autre niveau de la réalité ecclésiale qu'Augustin avait distingué, et qu'il appelait *societas* (ou *congregatio*) *sanctorum*[d], fait des fidèles « saints », unis dans la charité par la présence active de Dieu en eux. Comme l'a écrit un pénétrant exégète de l'ecclésiologie augustinienne, Augustin « poussait plus loin que les donatistes l'exigence de pureté : car eux ne s'attachaient qu'à une pureté ecclésiologique, celle d'une Église d'*integri* dont ils n'excluaient en fait que les défaillants à l'égard de l'Église : *lapsi*,

---

a. Parce que Parmenianus se prenait ainsi pour Dieu le Père, Augustin l'appelait « le Vanneur » (« *uentilator* » : *Contra epist. Parm.*, III, 18).

b. Cf. *Enarr. in Psalm.* 9, 12 ; la formule reparaîtra semblable dans *Cité de Dieu*, XX, 9, 1.

c. *Epist. ad cath.*, 74.

d. « *Societas sanctorum* » : *In Evang. Ioh.*, 26, 17 ; « *congregatio sanctorum* » : *De baptismo*, I, 26.

traditeurs, persécuteurs, excommuniés. Augustin s'attachait à la pureté *théologale*[31] ».

À l'occasion de cette réflexion sur l'Église à laquelle l'avaient amené ses controverses contre les donatistes, le thème des deux cités commençait à s'ébaucher dans l'esprit d'Augustin dès cette époque[a]. Rien ne pouvait, mieux que la discussion sur les pécheurs dans l'Église, mettre en évidence que jusqu'au jour du Jugement Babylone et Jérusalem étaient mêlées l'une à l'autre, et que, « au cours de son pèlerinage dans le monde, la cité de Dieu comptait en son sein des hommes unis à elle par la participation aux sacrements, mais qui ne partageraient pas avec elle la destinée éternelle des saints[b] ». L'Église elle-même, l'Église du temps présent, de la cité terrestre, en tiers passager entre Babylone et Jérusalem[32], faisait partie de ces « machines périssables » vouées à disparaître une fois achevé l'édifice destiné à demeurer : « *Architectus aedificat per machinas transitorias domum mansuram*[c]. » L'évêque qui prononçait ces mots à la fin de sa vie en montrant à ses fidèles d'Hippone les murs de la basilique où il prêchait recourait à cette image en pensant à l'incarnation de Jésus, à sa mort et à sa résurrection[d]. Mais elle valait aussi pour l'Église de la *ciuitas terrena*, transitoire instrument du salut des hommes.

---

a. Cf. *Contra Epist. Parm.*, II, 9, et la première apparition dans ce texte de l'opposition de Jérusalem et de Babylone.

b. *Cité de Dieu*, I, 35. À l'époque de la rédaction de ce texte, vers 412, la lutte antidonatiste est encore très proche dans le temps.

c. *Sermon* 362, 7.

d. La résurrection est le thème de ce grand et beau sermon.

CHAPITRE XXVI

La conférence de Carthage (411)

L'épiscopat catholique n'avait pas tardé à faire sienne la démarche personnelle de l'évêque d'Hippone dans ses tentatives de rencontres avec les évêques donatistes. En 401, le concile général réuni à Carthage le 13 septembre décidait de discuter avec l'épiscopat rival « dans un esprit de paix[1] ». Munie d'un mandat qui lui fixait les limites d'une éventuelle négociation, et dans les formulations duquel la marque personnelle d'Augustin était sensible, une délégation d'évêques devait aller de diocèse en diocèse prêcher la paix et l'unité et tenter de convaincre clercs et fidèles donatistes de l'inanité du différend qui les opposait à l'Église catholique. Il était aussi prévu d'exploiter contre les schismatiques leurs propres dissensions, en faisant dresser et publier par les gouverneurs des provinces des procès-verbaux des querelles entre primianistes et maximianistes. Ce projet d'ambassade itinérante échoua sans doute ; du moins n'en connaît-on pas de suite. Deux ans plus tard, il était, non pas repris, mais remplacé par les mesures beaucoup plus précises et contraignantes élaborées par le concile réuni à Carthage le 25 août 403.

LE PROJET DE RENCONTRE DE 403 ET SES SUITES

Ce fut comme une répétition générale des procédures qui devaient effectivement aboutir huit ans plus tard, en 411, mais avec cette considérable différence que c'était encore l'Église catholique, et non le pouvoir impérial, qui prenait l'initiative de la rencontre, et qu'il n'y était point prévu d'arbitrage. Cependant le concours de l'administration avait été requis, comme nécessaire : le 13 septembre, mandaté par le concile, Aurelius de Carthage demandait au proconsul Septiminus d'ordonner aux magistrats municipaux de se mettre dans chaque cité à la disposition de l'évêque catholique. Septiminus publia aussitôt un édit qui donnait satisfaction aux catholiques, avec des considérants partisans qui n'étaient pas faits pour engager les donatistes à répondre positivement à ces invites[2]. Des dispositions analogues émanant du vicaire d'Afrique donnaient aux catholiques semblables facilités dans les provinces autres que la Proconsulaire[3]. Fort de cet ordre, l'évêque catholique put ainsi, dans chaque cité ou localité, faire notifier à son homologue donatiste la formule de convocation rédigée par le concile du 25 août 403 ; la réponse de l'évêque schismatique devait être consignée par les magistrats municipaux dans des actes officiels qui, portant en annexe les édits des différents gouverneurs et le texte du *mandatum* catholique, composèrent à travers toute l'Afrique autant de *gesta municipalia* qu'il y avait de localités où catholiques et donatistes étaient face à face[4].

Le ton de la réponse de l'Église adverse fut donné par Primianus. Le primat donatiste fit lire par un diacre une déclaration qui exprimait en peu de mots une fin de non-recevoir catégorique, et tout à fait dans la ligne de l'ecclésiologie des schismatiques : il était indigne que se réunissent les fils des martyrs et l'engeance des « traditeurs[a] ». À l'occasion, le bouillant primat dénonçait aussi la collusion entre les catholiques et le pouvoir impérial. Peu après, pour arrêter avec ses collègues une position commune, Primianus convoqua un concile, qui refusa officiellement la confrontation[b]. Augustin ne fut pas alors plus chanceux avec Proculeianus qu'il ne l'avait été huit ans auparavant : l'évêque donatiste d'Hippone, convoqué par les soins d'Augustin devant les magistrats municipaux, excipa du concile que son Église devait tenir pour ajourner sa réponse ; au retour, convoqué de nouveau, il refusa la conférence[c]. Même jeu de la part de Crispinus, l'évêque de Calama, qui, comparaissant pour la seconde fois devant les magistrats en présence de Possidius, se distingua en exprimant son refus sous la forme d'un assemblage plutôt incohérent et assez risible de versets bibliques[d].

Le résultat le plus clair de cette initiative catholique appuyée par les autorités fut d'exacerber les passions de l'autre côté. Les donatistes se sentaient pris à la gorge et leurs réactions furent souvent très fortes. Le premier à en faire les frais fut Possidius : à Calama et dans le diocèse, les schismatiques avaient mal pris le ridicule que sa réponse alambiquée avait valu à leur vieil évêque. Un de ses

---

a. *Actes de la conférence de Carthage*, III, 116, *S. C.*, vol. 224, p. 1075 ; cf. aussi *Breu. conl.*, III, 4 et *Ad don. post conl.*, XVI, 20.

b. Allusions à ce concile, dont la date ne nous est pas connue, dans *Contra Cresc.*, III, 49 et 50 ; *Ep.* 76, 4.

c. *Ep.* 88, 7.

d. *Contra Cresconium*, III, 50.

prêtres, un homonyme qui était aussi un parent, voulut le venger en tendant peu après une embuscade à Possidius alors en tournée périlleuse dans un secteur où les schismatiques étaient très majoritaires[a]. Alerté à temps, l'évêque changea d'itinéraire et se réfugia dans une propriété où il pensait être en sûreté ; mais la vindicte de l'autre Crispinus l'y poursuivit. Augustin a raconté dans le détail, d'une façon vive et émue, comment dans cette maison[5], cernée par les incendies allumés par les hommes de main du prêtre, Possidius, rejoint par les assaillants, en butte aux outrages et aux coups, ne dut son salut qu'à la crainte de Crispinus de commettre l'irréparable devant tant de témoins. À Calama, on s'attendait à ce que l'évêque schismatique fît comparaître son prêtre devant son tribunal ecclésiastique pour le sanctionner ; mais il n'en fit rien. Convoqué par le proconsul à Carthage, il nia tout mais fut confondu par Possidius, qui cependant intercéda pour lui éviter de payer l'amende de dix livres d'or. Il aurait pu en rester là, avec l'approbation de ses collègues ; mais non, il crut devoir faire appel de la sentence du proconsul à l'empereur – alors Honorius –, qui l'en débouta par un rescrit du 8 décembre 405[6]. Si Crispinus avait pensé pouvoir s'acheter l'auréole du martyre au prix de dix livres d'or – une somme il est vrai rondelette –, il n'eut pourtant pas satisfaction : les évêques catholiques obtinrent encore qu'on lui en fît remise. De toute manière, ajoutait Augustin, « ce n'était pas la peine qui faisait le martyr, c'était la cause[b] ». Et celle de Crispinus était détestable.

Les choses en étaient arrivées entre les deux Églises au point que cette mansuétude ne pouvait pas être payante. Un peu auparavant, la mésaventure de Restitutus avait montré que les donatistes, soumis à la pression des catholiques, n'étaient pas disposés à se rendre. Restitutus était prêtre chez les schismatiques au lieudit Victoriana, une paroisse rurale du diocèse d'Hippone[c]. Ébranlé, dira Augustin, par la démonstration de la vérité, il était passé de son plein gré à l'Église catholique ; mal lui en avait pris. Ses anciens coreligionnaires, secondés par une bande de circoncellions, s'étaient emparés de lui par la force, et l'avaient roué de coups sur la place publique d'un bourg voisin devant tous les villageois rassemblés ; puis ils l'avaient roulé dans une mare de boue avant de le draper par dérision dans une natte de joncs et de l'exhiber de place en place en cet

---

a. Il se rendait au *fundus Figulinensis* (la « ferme des Potiers ») : *Ep.* 105, 4.

b. *Contra Cresc.*, III, 51. La formule apparaît à la même époque dans le même contexte dans *Ep.* 89, 2 et peu plus plus tard dans *Ep.* 108, 14.

c. *Ep.* 105, 3.

accoutrement[a]. Augustin avait en vain porté plainte auprès de Proculeianus. Dans le diocèse d'Hippone ces conversions douces, dues
à la force de persuasion de l'évêque, se multipliaient à cette époque,
mais les convertis risquaient leur vie : un dénommé Marcus, clerc
rural lui aussi, à Casphaliana, avait échappé à la mort de justesse.
Un autre prêtre n'avait dû son salut qu'à la fuite et ses adversaires
s'étaient vengés sur son sous-diacre, qu'ils avaient lapidé[b].

Si les nouveaux convertis – des renégats aux yeux des donatistes –
étaient particulièrement visés, les évêques catholiques n'étaient pas
à l'abri, comme on l'a vu déjà dans le cas de Possidius. Augustin
lui-même, qui à cette époque parcourait souvent les campagnes les
plus reculées de son diocèse, était très exposé. On savait déjà par
deux textes, dont l'un de Possidius[c], qu'il n'avait un jour dû qu'à
une erreur de son guide de ne pas tomber, lors de l'une de ces
tournées, dans une embuscade tendue par une bande de circoncellions ; mais ces deux textes se situaient hors de toute chronologie.
L'allusion très nette qu'il y fait dans l'un des nouveaux sermons
récemment publiés, et qu'on peut dater avec une quasi-certitude du
1er janvier 404, montre que c'est bien à cette époque – probablement
à l'été ou à l'automne de 403 – qu'il avait esquivé ce danger de
façon presque miraculeuse[7]. Certains furent moins chanceux, même
en Proconsulaire. À Thubursicu Bure (Teboursouk), au cœur du
sanctuaire anciennement urbanisé de la moyenne Medjerda, l'évêque
du lieu, Servus Dei, accompagné de son père, un vieux prêtre catholique, avait été agressé en pleine ville alors que, flanqué de ses
avocats, il attendait l'arbitrage du proconsul sur un bien d'église
indûment annexé par les schismatiques. Le vieux prêtre en était mort,
mais Servus Dei avait survécu à ses blessures ; il avait passé la mer,
autant pour se mettre en sécurité que pour témoigner personnellement en haut lieu des violences des circoncellions[d]. D'autres évêques
gravement molestés avaient fait de même.

Le cas le plus exemplaire était celui de Maximianus de Bagaï ; il
faut dire que ce Maximianus cumulait les titres à mériter l'ire des
donatistes et des circoncellions. On ne pouvait mieux faire : il avait
trahi les siens en passant du côté des catholiques, et cela à Bagaï
(Ksar Baghai), depuis des décennies l'une des citadelles du schisme
en Numidie profonde[8]. Et maintenant il militait en faveur de sa
nouvelle communauté, et par exemple il avait obtenu par décision

---

a. *Contra Cresc.*, III, 53 ; *Ep.* 88, 6.
b. *Ep.* 105, 3.
c. *Vita Aug.*, XII, 1-2. L'autre texte est d'Augustin lui-même : *Enchiridion*, 17.
d. *Contra Cresc.*, III, 47.

de justice que lui fût restituée une basilique établie dans un domaine rural, le *fundus Caluianensis*[9]. C'en était trop pour ses anciens amis. Il faut lire l'extraordinaire narration – en deux versions concordantes à plus de dix années d'intervalle[a] – qu'Augustin a laissée des attaques qu'ils lui firent subir et auxquelles il survécut par miracle. Surpris dans ladite basilique, Maximianus avait cru pouvoir trouver sous l'autel un refuge plus spirituel que matériel ; comme souvent alors, l'autel était en bois : les agresseurs brisent cet abri pourtant sacré, l'en extirpent et le frappent sauvagement avec les débris, ainsi qu'à coups de gourdin et d'épée. L'évêque perdait son sang en abondance, surtout d'une large blessure à l'aine à laquelle il ne succomba cependant pas parce que ses bourreaux, en le traînant à demi mort sur le sol de l'église, firent si bien que la poussière stoppa l'hémorragie. Des clercs catholiques se portent au secours de leur évêque et l'emmènent ; mais peu après Maximianus retombe entre les mains de ses agresseurs qui le maltraitent de nouveau et finalement, la nuit venue, le jettent du haut d'une tour. Mais la providence veillait : au pied de la tour, une couche de fumier amortit la chute ; un paysan qui passait par là s'écarte pour satisfaire à la nature, aperçoit une forme gisante, appelle sa femme qui portait une lanterne, reconnaît l'évêque, le transporte chez lui, mû par la pitié, mais peut-être aussi par l'espoir de quelque récompense[10]. « Bref, conclut Augustin, Maximianus guérit comme par miracle ; il vit et l'on compte sur son corps plus de cicatrices qu'il n'a de membres. »

À la cour impériale, où le rescapé avait rejoint Servus Dei, la vue de ses plaies mal refermées fit impression. Rien n'autorise à dire que ces victimes des donatistes et des circoncellions avaient passé la mer en service commandé, mais le fait est que ces vivantes[b] pièces à conviction en disaient plus qu'un long rapport. Précédèrent-elles auprès de l'empereur la délégation que dépêcha le concile général du 16 juin 404, qui ne put parvenir en Italie que durant l'été ? Il semble bien que oui, à lire Augustin : lorsque les deux légats de l'Église catholique africaine, Evodius d'Uzalis et Theasius, évêque de Memblone, non loin d'Utique, arrivèrent à la Cour, qui s'était transportée à Rome, le terrain était déjà préparé[11]. Plus n'était besoin pour eux de plaider longuement pour que les instructions très fermes dont ils étaient porteurs fussent prises en considération par un empereur qui savait déjà à quoi s'en tenir. Les catholiques africains lui réclamaient la remise en vigueur de la législation théodosienne contre les hérétiques et notamment l'appli-

---

a. *Contra Cresc.*, III, 47 (en 405/06) et *Ep.* 185, 27 (en 417).
b. À peine : Maximianus ne survécut pas longtemps à ses blessures.

cation aux donatistes de la fameuse amende de dix livres d'or en punition de violences ou d'infractions commises pour des raisons religieuses [12] ; ils demandaient aussi que les schismatiques tombent sous le coup d'une loi de 381 qui interdisait aux hérétiques de faire ou de recevoir des donations ou des legs [13] : à terme, c'était condamner l'Église rivale à l'extinction par asphyxie économique ; cette mort « douce » convenait fort bien à l'épiscopat catholique, à Augustin tout le premier.

L'« ÉDIT D'UNION » DE 405 ET LES RÉACTIONS DONATISTES

Mais la chancellerie impériale alla plus loin : elle prépara un train d'ordonnances qui parvint en Afrique au printemps de 405. Un très bref *edictum de unitate* adressé le 5 mars au proconsul Diotime [14] était en fait un ordre d'affichage des décrets pris dans les semaines précédentes, répartis entre plusieurs constitutions portant toutes la date du 12 février de cette même année . La réalité de cet « édit d'union » traduisait bien l'intention, affichée clairement dans l'exorde d'une de ces lois, de proscrire purement et simplement le donatisme [15]. Du fait du rebaptême, le schisme était assimilé à l'hérésie et se trouvait frappé rétrospectivement par l'ensemble de la législation qui la réprimait depuis l'époque de Constantin et de ses fils. Le rétablissement de l'unité religieuse en faveur des catholiques entraînait ainsi la confiscation à leur profit des lieux de culte de l'Église adverse, mais on verra qu'à Hippone du moins il fallut attendre encore deux ans pour l'application de ces mesures. Des sentences d'exil pouvaient même être prononcées à l'encontre des évêques et des clercs schismatiques : le texte de loi afférent à cette mesure ne nous est pas parvenu, mais le témoignage d'Augustin est sur ce point formel[a]. Honorius avait véritablement signé l'arrêt de mort légal du donatisme.

Le donatisme n'avait plus d'avenir, mais les donatistes étaient décidés à vendre chèrement leur présent. Les temps, certes, avaient changé, mais une histoire déjà longue leur avait enseigné qu'il y avait une marge entre la promulgation d'une loi et son application en tous lieux et en toutes circonstances. De fait, les suites de l'« édit d'union » furent diverses. À Carthage, l'unité avait été rétablie au début de l'été et, quand il se réunit le 23 août 405, le concile général s'en réjouit et en prit acte, en décidant notamment d'adresser à la

---

a. *Contra Cresc.*, III, 51 ; *Ep.* 185, 26 : « [...] *in episcopos uel ministros eorum exsilio constituto* ».

Cour deux clercs carthaginois porteurs d'une lettre de remerciements. Mais, parce qu'il constatait que ce n'était qu'à Carthage que l'unité avait été réalisée, le concile envoyait dans le même temps des missives aux gouverneurs pour les presser de s'activer à cette tâche à travers les provinces et dans toutes les cités[16]. Dans l'évêché d'Augustin, la situation était contrastée et globalement défavorable aux catholiques : à Hippone même, où la présence du légat du proconsul assurait que force reste à la loi, l'évêque schismatique, Proculeianus, avait dû s'incliner, sans cependant abandonner immédiatement son église. Dans les campagnes du diocèse, c'était encore une autre histoire. Dans une petite lettre qu'il adressait en 405/06 au vicaire d'Afrique, Caecilianus, tout en le félicitant, d'une façon appuyée qui sentait la *captatio beneuolentiae*, pour son action en faveur de l'unité un peu partout dans les provinces africaines, Augustin laissait clairement entendre qu'autour d'Hippone et dans les régions voisines, contiguës à la Numidie consulaire, il y avait encore beaucoup à faire[17]. L'évêque savait d'expérience qu'il ne fallait pas seulement compter sur les fonctionnaires impériaux pour obtenir satisfaction ; c'est pourquoi il s'adressait aussi à un gros propriétaire, Festus, pour qu'il pesât sur des gens à lui sur qui il avait barre[a]. Les donatistes, disait Augustin dans cette lettre, résistaient de deux façons : en sévissant, ou en faisant les morts[b]. À tout prendre, il préférait encore cette dernière manière ; car les sévices des circoncellions étaient cruels : une de leurs pratiques favorites était d'aveugler les clercs catholiques avec un mélange de vinaigre et de chaux[c] ; sur les domaines, ils incendiaient les maisons et les récoltes parvenues à maturité, ils brisaient les grandes jarres pour en répandre le contenu d'huile ou de vin.

À la tête de l'Église schismatique, on avait bien conscience de la nouvelle détermination de l'empereur et de l'administration impériale, et que l'attitude de hautain mépris traditionnellement affichée par la secte à l'égard du pouvoir séculier n'était plus de saison. Le réalisme commandait à ses chefs d'assouplir un peu cette raideur[18] et d'essayer, en parlant avec les détenteurs de ce pouvoir, d'infléchir leur politique. C'est ainsi qu'au début de l'année 406 une délégation d'évêques donatistes se rendit en Italie : à sa tête leur primat, Primianus, et dans ses rangs, semble-t-il, un évêque du nom de Maxi-

---

a. *Ep.* 89, 8.
b. *Ep.* 89, 6 : « *Resistunt autem duobus modis : aut saeuiendo, aut pigrescendo.* »
c. *Ep.* 88, 8 ; cf. aussi *Ep.* 111, I : les Barbares qui envahissaient alors le monde romain n'étaient pas pires.

minus, déjà rencontré[a] et que l'on reverra. Le 30 janvier, à Ravenne, elle fut reçue par le préfet du prétoire pour l'Italie et l'Afrique. La teneur exacte et complète des propos tenus de part et d'autre lors de cette audience nous échappe parce que, lors des débats de la conférence de 411, quand la lecture de ces procès-verbaux fut réclamée par les catholiques, les porte-parole donatistes s'y opposèrent avec une telle obstination qu'ils réussirent à empêcher leur production[19]. Mais les allusions d'Augustin en donnent une idée assez précise. Les évêques schismatiques présents à Ravenne avaient demandé au préfet de leur organiser une rencontre avec leurs adversaires : justement, disaient-ils, il y avait là en même temps qu'eux un évêque catholique du nom de Valentinus[20]. Mais ce dernier ne se trouvait pas à la cour à cette fin et il n'avait reçu aucun mandat de ses pairs ; et de son côté le préfet répondit que l'empereur seul avait autorité pour décider d'une telle confrontation : lui n'avait que celle de faire appliquer les lois aux termes desquelles les plaignants se disaient persécutés[b]. Dictée par un désarroi réel et donc fort compréhensible en son principe, mais mal préparée et inadaptée à son objet, la démarche de Ravenne se soldait dans l'immédiat par un échec pour l'Église schismatique et allait vite se révéler comme une imprudence sur un plan tactique. Elle avait mis le doigt dans un engrenage qui la happerait tout entière ; car les catholiques auront beau jeu de faire valoir, quand le débat s'instaurera enfin de façon officielle, que leurs adversaires avaient été, au moins cette fois-là, en position de « demandeurs » : dans les discussions procédurières du 8 juin 411, ce sera un tournant décisif.

DILIGE ET QUOD VIS FAC [21]

Bien que souvent accompagnées de réactions brutales, les conversions se multipliaient. Quand il s'agissait d'un clerc, a fortiori d'un évêque, elles impliquaient le ralliement plus ou moins massif de la communauté dont il était le pasteur. Du même coup commençaient à se poser pour l'Église catholique des problèmes d'« accueil » et d'intégration de ces communautés dans le cadre des ressorts épiscopaux existants. En 407, le concile général qui se réunit le 13 juin dut se saisir de la question. On distingua l'avant et l'après de l'édit d'union de 405, en décidant d'accorder en quelque sorte une « prime » aux évêques donatistes qui auraient su,

a. *Supra*, p. 247.
b. *Ep.* 88, 10.

avant toute coercition, convertir leurs communautés par la seule vertu de leur engagement personnel : ils pouvaient dans ce cas en conserver la direction pastorale et les lieux de culte[22]. En revanche, après l'édit d'union, ces communautés et leurs biens d'Église devaient passer sous la houlette de l'évêque catholique de ce même diocèse ou, s'il n'en existait pas, être rattachées à un évêché catholique voisin[23].

Tel aurait dû être le cas de ce Maximinus de Siniti avec qui Augustin avait eu maille à partir dès l'époque de sa prêtrise[a], et qui accompagnait Primianus à Ravenne au début de l'année 406. Maximinus s'était rallié après son retour d'Italie. Même tardif, ce ralliement n'était pas sans mérite, car la pression exercée par les circoncellions restait forte dans ces confins montagneux du sud-est du diocèse d'Hippone[24]. Les donatistes y avaient envoyé un crieur public (*praeco*) pour avertir la population : « Quiconque entrera en communion avec Maximinus verra sa maison incendiée[b] ! » L'un des sermons inédits d'Augustin récemment publié permet sans doute de dater plus précisément cette démarche courageuse qui était aussi un succès pour l'évêque d'Hippone. On y voit Maximinus accompagner ce dernier dans la tournée au cours de laquelle fut prononcé ce prêche. Augustin a plaisir à le présenter à l'assistance[c] et il évoque discrètement les difficultés que sa conversion – récente – a values à Maximinus, au milieu desquelles il l'a soutenu par sa présence à Siniti. Les deux évêques ont d'ailleurs fait route ensemble pour se rendre dans la ville où l'on entend ce sermon[25]. Mieux, Maximinus en personne, ouvrier de la onzième heure et fier de l'être[26], prend brièvement la parole pour une déclaration officielle de ralliement. Augustin, quant à lui, se félicite de ce que dans sa cité épiscopale l'unité soit désormais enfin acquise, non sans mal[d], encore un peu retardée dans les profondeurs du diocèse par la lenteur d'esprit (*rusticitas*) des campagnards[e]. Si l'on peut risquer une date pour ce sermon, et du même coup pour la conversion de Maximinus et sa propre allocution, c'est la mention du rétablissement de l'unité à Hippone même qui le permet ; or pour son évêque il n'y aurait pas d'unité aussi longtemps que les donatistes y détiendraient et y uti-

---

a. Cf. *supra*, p. 247.

b. *Ep.* 105, 4.

c. *Sermon Dolbeau* 27 (M. 63), 2, dans *Vingt-Six Sermons au peuple d'Afrique*, p. 312.

d. *Serm. Dolbeau* 27, 2 (p. 311) : « *In Hipponiensi ciuitate* [...] *diu parturiuimus, tandem uidimus unitatem* ».

e. *Ibid.*, p. 312. Augustin expérimentera un peu plus tard ces pesanteurs paysannes à Fussala : cf. *supra*, p. 362.

liseraient un lieu de culte. Il le dit dans un commentaire sur la première Épître de Jean que nous savons avoir été prêché dans sa ville épiscopale pendant la semaine pascale de 407 : « Si nous sommes dans l'unité, pourquoi deux autels dans cette ville[a] ? » Pour obtenir partout, et notamment à Hippone, la dévolution des églises donatistes aux catholiques, il faudra encore batailler, intervenir auprès du pouvoir central, comme on voit le concile carthaginois le faire en juin 407 et que, dûment sollicité, l'empereur adresse à son préfet du prétoire, le 15 novembre de cette même année, une ordonnance qui d'ailleurs frappait conjointement dans leurs biens les païens et la vaste nébuleuse des hérétiques, donatistes compris[27]. Plutôt que de l'automne de 406[28], on datera donc de l'année suivante la conversion de Maximinus et sa célébration un peu publicitaire dans le sermon retrouvé d'Augustin.

Mais, que cette conversion remonte à 406 ou qu'elle date de l'automne de 407, elle était de toute manière postérieure à l'édit d'union : selon les dispositions du concile de juin 407, Maximinus ne pouvait s'attendre à bénéficier d'un traitement de faveur. Il le dut à la volonté réconciliatrice d'Augustin, fortement exprimée par des mots et démontrée par des actes. Ce qu'il fallait éliminer, comme le disait la lettre au primat schismatique de Numidie, c'était « l'erreur, non les hommes chez qui elle se manifestait[b] ». À plus forte raison fallait-il garder les hommes qui l'avaient rejetée, fût-ce tardivement.

Le commentaire de la première Épître de saint Jean qu'Augustin avait entrepris en 407 pendant le temps pascal l'avait mené au-delà de Pâques, jusqu'à la fin de ce printemps. Le fameux « *Dilige et quod uis fac* » (« Aime et fais ce que tu veux ») qu'on trouve dans l'un des sermons de cette série[c], potentiellement trompeur et même alarmant s'il est détaché de son contexte – et surtout si l'on met l'accent sur la seconde partie de la formule ! –, retrouve le sens que lui a donné Augustin si on le replace dans le cadre de cette action réconciliatrice dans laquelle il s'était engagé tout entier à la suite de l'« édit d'union ». Il y avait une manière plus haute de justifier le recours au bras séculier que de dire – même si c'était également vrai – que ce recours n'était pas persécution, mais légitime défense,

---

a. *In epist. Ioh.*, III, 7.

b. *Ep.* 88 (à Januarianus), 10 : « [...] *ut, in quibus fuerit inuentus, non homines sed error ipse tollatur* ».

c. *In epist. Ioh.*, VII, 8 : « Aime et fais ce que tu veux ; si tu te tais, tais-toi par amour, si tu parles, parle par amour ; si tu corriges, corrige par amour ; si tu pardonnes, pardonne par amour ; aie en toi la racine de l'amour : de cette racine il ne peut rien sortir que de bon. »

comme il le faisait à cette même époque en écrivant à Emeritus, un personnage que nous retrouverons[a]. Si, dans toute action humaine, ce qui primait était l'intention « charitable » – au sens fort de *caritas* ou de *dilectio* –, la plus grande preuve d'amour qu'on pouvait donner à des frères séparés était de ne pas les laisser dans leur perdition : ainsi était justifiée la correction et même la coercition. Augustin dirait bientôt qu'il y avait une persécution « injuste », mauvaise, et une persécution « juste », dans laquelle on pouvait persécuter par amour[b]. Les grands brassages de personnes et d'idées dont serait cause la conférence de Carthage et les réactions qu'elle susciterait l'aideraient à définir son attitude.

LA CONFÉRENCE DE CARTHAGE (JUIN 411)

Le 23 août 408, Stilicon mourut à Ravenne de mort violente, victime des menées d'une coterie antigermanique – il était d'origine vandale par son père –, à un moment où l'empire d'Occident était affaibli par une usurpation qui, partie de Bretagne – c'est-à-dire d'Angleterre –, lui avait coûté la Gaule et l'Espagne, tandis que les Barbares danubiens forçaient la frontière rhénane et que la menace qu'Alaric de son côté faisait peser se précisait de plus en plus. C'était la fin d'une régence de fait qui durait depuis qu'à sa mort, en 395, Théodose avait confié le jeune Honorius, alors un enfant de onze ans, à la garde de celui qui était son généralissime. Quelques années plus tard, le mariage d'Honorius avec la fille de Stilicon avait encore renforcé le pouvoir du régent à la tête d'une administration divisée et faible.

Stilicon passait pour être l'inspirateur de la politique religieuse du jeune empereur. À la belle saison, les nouvelles allaient vite. À l'annonce de sa mort, les donatistes voulurent croire que les mesures prises contre eux en étaient rendues caduques, comme contraires à la volonté impériale ; ils allèrent même, semble-t-il, jusqu'à faire circuler un faux édit de tolérance[c]. S'ensuivirent immédiatement de nouvelles violences, particulièrement localisées dans le nord de la Proconsulaire, et dont furent notamment victimes deux clercs catholiques, Macarius et Severus, tandis que les deux pléni-potentiaires de l'été de 404, Evodius d'Uzalis et Theasius de Memblone, payaient de leurs blessures le prix de cette ambassade

a. *Ep.* 87, 8. Cf. *infra*, p. 494.
b. *Ep.* 185, 11.
c. *Ep.* 105, 6.

honnie par les donatistes ; leur voisin d'Utique, l'évêque Victor, fut lui-même sérieusement molesté. Au concile général réuni à Carthage le 13 octobre 408, le second cette année-là, après la réunion du 16 juin, on décida l'envoi à la cour d'une légation menée par Restitutus de Thagora et Florentius d'Hippo Dhiarrytus (Bizerte), mandatés pour intervenir sur les deux fronts qui mobilisaient alors l'épiscopat catholique, contre les païens et contre les donatistes[a]. Autour d'Augustin, on avait l'impression de revivre le cauchemar de l'année 404 : à l'exemple de Maximianus de Bagaï, des clercs catholiques passaient la mer pour se mettre à l'abri des circoncellions[b].

Heureusement pour l'évêque d'Hippone et ses amis, le nouvel « homme fort » de Ravenne, le maître des offices Olympius, était déterminé à suivre la même ligne que son prédécesseur. Au début de l'hiver 408-409, Augustin lui adressa un appel au secours, sous la forme d'une petite lettre écrite dans le style d'apparat dont il usait avec les grands de ce monde. Cette démarche toute personnelle doublait celle, officielle, des évêques envoyés par le concile et elle avait le même but[c] : obtenir la confirmation de la législation antérieure. Mais Olympius avait déjà agi avant que son correspondant eût pu en être avisé à Hippone : une ordonnance du 24 novembre prescrivait la peine de mort contre les donatistes surpris à troubler les cérémonies du culte catholique[29] ; au début de l'année suivante, le 15 janvier 409, un texte adressé au préfet du prétoire menaçait de lourdes sanctions les gouverneurs et les magistrats trop peu zélés dans la répression de l'hérésie, et du donatisme en particulier[30]. Tel n'était pas le cas du destinataire de l'ordonnance de la fin de novembre 408, le proconsul Donatus, et Augustin, qui l'avait connu jeune homme[d], avait sur lui assez d'ascendant pour pouvoir l'adjurer de ne pas appliquer la loi dans toute sa rigueur : il fallait réprimer les fautes, mais en laissant aux fautifs la possibilité du repentir[e]. On se souvient que ce fut toujours là, sur la peine de mort, la position de l'évêque d'Hippone.

Vis-à-vis des donatistes, on resta toute l'année 409 sur cette ligne, encore affirmée en juin de cette année par un nouveau texte dans le même sens[31] ; mais quelques mois plus tard cette politique religieuse

---

a. *Concilia Africae*, *CCL*, 149, p. 219.

b. *Ep.* 97, 2.

c. *Ep.* 97. Augustin joignait à sa lettre un aide-mémoire (*commonitorium*) destiné aux légats dépêchés par le concile, auquel il n'avait pas assisté, et il demandait à Olympius de le leur transmettre à leur arrivée : *Ep.* 97, 4.

d. *Ep.* 112, 1 et 3.

e. *Ep.* 100, 1 : « *Sic igitur eorum peccata compesce ut sint quos poeniteat peccasse.* »

était soumise aux vicissitudes d'un pouvoir central fortement désta-
bilisé par de grandissantes menaces extérieures. Olympius, partisan
de la résistance armée à Alaric, mais qui avait échoué à le contenir,
fut renvoyé. À la cour de Ravenne, les Germains étaient de nouveau
en faveur et se voyaient octroyer de hautes charges et, pour tenir
compte de leurs particularismes religieux – ils étaient ariens et parfois même païens –, Honorius dut abroger l'ordonnance qu'il avait
prise le 14 novembre 408 à l'instigation d'Olympius et qui réservait
le service du Palais aux seuls catholiques[a] ; dans le même temps
– au printemps de 410 – l'empereur adressait au chef de l'armée
d'Afrique, Heraclianus, un édit de tolérance, aux termes duquel la
liberté de culte était garantie aux hérétiques comme aux païens[32]. Il
se peut, comme on l'a pensé, que cette mesure ait été prise de façon
purement circonstancielle, pour apaiser les esprits et ressouder les
solidarités dans les provinces africaines à un moment où Alaric
songeait à s'en emparer pour couper Rome de son ravitaillement en
blé. Mais, à l'égard des donatistes, c'était faire retour à la situation
de carence légale antérieure à l'« édit d'union » de 405. On imagine
le désarroi de l'Église catholique. À Hippone, Augustin vit le nouvel
évêque schismatique récemment ordonné, Macrobius, faire son
entrée triomphale en ville, escorté, au milieu des chants, par des
bandes de circoncellions encadrés par leurs chefs. Il dut lui rétrocé-
der la basilique confisquée en 407, dont les clercs de Macrobius
lavèrent le pavement à grand renfort d'eau salée pour le purifier de
ses souillures[b] !

Les évêques donatistes n'avaient pas tardé à mettre à profit cette
liberté d'action retrouvée, une « liberté de perdition », comme
l'appellera plus tard Augustin[c]. À peine réinstallé dans sa basilique,
Macrobius avait rebaptisé un sous-diacre catholique, Rusticianus ;
ce n'était pas une perte, le clerc était une brebis galeuse[d], mais l'effet
était déplorable. L'évêque donatiste laissa sans réponse une longue
lettre d'Augustin, qui examinait posément l'ensemble du contentieux
qui opposait les deux Églises, et à laquelle la *captatio beneuolentiae*
ne faisait pourtant pas défaut[e]. Il était grand temps de réagir. Réuni
le 14 juin 410 à Carthage, le concile général décidait l'envoi à la
Cour de la plus importante délégation jamais dépêchée par l'Église
africaine à cette époque : quatre évêques passèrent la mer, et parmi

---

a. *C. Th.*, XVI, 5, 42.

b. *Ep.* 108, 14.

c. *Ep.* 108, 18 ; *Contra Gaudentium* (419), XXIV, 27.

d. Cf. *supra*, p. 352.

e. *Ep.* 108, 2 : Augustin avait ouï dire, écrivait-il, que Macrobius était « un jeune homme de bon naturel ».

eux Possidius de Calama, dont la désignation, certainement due à Augustin, présent au concile, répondait au besoin de faire entendre en haut lieu la situation dans la Numidie d'Hippone, particulièrement préoccupante. Les ambassadeurs catholiques furent d'autant plus facilement entendus qu'Honorius était délivré de tout souci du côté de l'Afrique après qu'eut échoué, grâce à la fidélité du comte d'Afrique Heraclianus, la tentative assez timide faite pour la contrôler par Flavius Attalus, le préfet de la ville de Rome en 409, dont l'usurpation de l'Empire avait été imposée au sénat romain par Alaric et soutenue par lui pendant quelques mois jusqu'à l'été de 410. Le 25 août, la chancellerie de Ravenne adressait à Heraclianus une ordonnance qui abrogeait le texte précédent et édictait la proscription et même la peine capitale contre les hérétiques convaincus du délit de réunion[33].

Mais l'ambassade catholique n'avait pas pour seule mission de faire rapporter la mesure de tolérance ; elle avait aussi mandat de réclamer à l'empereur la convocation d'une conférence entre les deux Églises, et sur ce point également elle obtint satisfaction. Un document daté de Ravenne, le 14 octobre 410, chargeait Flavius Marcellinus, un haut fonctionnaire du corps des « tribuns et notaires », d'organiser sans tarder entre les deux épiscopats la confrontation demandée par les catholiques[34]. À cette fin Marcellinus recevait d'Honorius délégation de pouvoirs judiciaires et l'assurance du concours actif des services administratifs en Afrique. Cependant les considérants du texte ne laissaient aucun doute sur les attentes de l'empereur et de ses conseillers. D'avance était dénoncée « la vaine erreur et le schisme stérile » des donatistes ; d'avance était condamnée leur hérésie (*superstititio*), alors qu'était déjà considérée comme établie, en vertu de l'opinion que s'en faisait Honorius, « l'entière vérité de la religion catholique ». Le but assigné au commissaire impérial était clairement défini, en termes qui excluaient toute possibilité d'arbitrage réel : il fallait que « la raison manifeste confond[ît] l'hérésie à l'issue des débats[35] ». Or les donatistes étaient d'avance déclarés hérétiques !

L'état de l'Italie après la prise de Rome par Alaric à la fin de l'été de 410 retarda quelque peu la mission de Marcellinus. Ce ne fut que le 19 janvier 411 que le commissaire impérial put faire afficher à Carthage et diffuser à travers toute l'Afrique son édit de convocation. Son texte faisait référence à l'ordre impérial, mais avec le visible souci d'en atténuer la brutale partialité. Il vantait les mérites d'une discussion ouverte et avait l'habileté de souligner que la réclamation d'une conférence n'était pas le seul fait des catholiques[36]. Il fixait pour l'ouverture des débats la date du 1er juin 411 ;

d'ici là, les magistrats municipaux et, en tous lieux, les autorités de fait qu'étaient les intendants, les procurateurs, les notables étaient requis de notifier la convocation à tous les évêques des deux parties et d'adresser un rapport au commissaire pour lui faire connaître les réponses. En échange de leur acceptation, Marcellinus promettait que seraient rendus aux donatistes les basiliques et les biens ecclésiastiques confisqués et suspendait à partir de la date de notification de son édit l'effet de toutes les lois répressives prises antérieurement contre les schismatiques[37].

C'est donc dans une atmosphère de trêve que les envoyés du commissaire impérial se lancèrent partout sur les routes africaines. Même si la tonalité partisane du texte d'Honorius, dûment porté à leur connaissance[38], n'était guère faite pour leur laisser beaucoup d'illusions sur leurs chances de faire durer encore la division de l'Église africaine, les évêques donatistes, à l'instigation de Primianus de Carthage, se déplacèrent en masse. Ils avaient en tête de faire nombre, et par ailleurs la récupération, même provisoire, des basiliques et des biens d'Église était un appât bien tentant. Pour les catholiques, la question de la participation ne se posait évidemment pas. Au sortir d'un hiver difficile, où la maladie puis la convalescence l'avaient forcé à prendre du champ et à séjourner au moins quelques semaines à la campagne[39], Augustin, après le temps pascal, s'était rendu à Carthage. Il y était en mai et put assister, le 18, au défilé ostentatoire des évêques donatistes. Ses collègues catholiques n'allaient pas tarder à arriver et il se souciait de leur hébergement[a] dans cette ville à l'ordinaire populeuse, mais alors encombrée de surcroît par le flot des réfugiés qui, l'automne précédent, avaient déserté Rome et fuyaient aussi l'Italie méridionale ravagée par les Goths d'Alaric. Parmi eux, l'évêque donatiste de Rome, Felix, qui ne semble pas avoir été un personnage considérable, et le moine breton Pélage, qu'Augustin entrevit une ou deux fois, trop préoccupé alors par les préparatifs de la conférence pour lui accorder attention[b]. Ces évêques dispersés dans la grande cité avaient leurs points de rassemblement dans leurs cathédrales respectives. Pour les donatistes, c'était la *Theoprepia*, l'église « de la Majesté-Divine[40] » ; les catholiques, eux, tenaient réunion dans la basilique *Restituta*, qu'on est tenté d'identifier avec les vestiges du monument très ruiné mis au jour ces dernières années au cœur de la ville antique, un peu au nord du quartier des ports[41].

Averti de l'arrivée des protagonistes, Marcellinus pouvait entamer

---

a. *Sermon* 357, 5 : Augustin y faisait appel à l'hospitalité des fidèles.
b. *De gestis Pelagii*, XXII, 46 ; cf. *infra*, p. 458.

la phase terminale de sa mission. Par un second édit publié entre le 18 et le 25 mai, il régla minutieusement la procédure de la conférence. Ne pourraient prendre part aux débats que sept évêques porte-parole désignés d'avance de part et d'autre, auxquels seraient adjoints sept évêques conseillers, tandis que chaque partie détacherait aussi un certain nombre d'évêques chargés de contrôler le travail des secrétaires et des tachygraphes dans l'élaboration des procès-verbaux. À défaut de participer aux débats, les mandants devaient ratifier d'avance, par lettre synodale revêtue de leurs souscriptions, tous les actes des évêques par eux mandatés[42]. À ce texte, les deux parties réagirent de façon différente. Tout en donnant mandat à leurs porte-parole, les donatistes demandèrent instamment au juge impérial d'avoir tous accès à la salle des séances : il était clair – ils le disaient expressément[43] – qu'ils voulaient faire étalage de leur nombre ; dans le même temps, l'épiscopat catholique consentait sans réserve à la procédure arrêtée par Marcellinus. Mais, plus importantes que cette adhésion, qui n'était pas douteuse, étaient les avances faites aux donatistes, qui avaient pour objet de désarmer leurs résistances en leur faisant entendre qu'il ne devait y avoir, dans l'hypothèse la plus probable – celle de la reconnaissance du bon droit et de la rectitude théologique de l'Église catholique –, ni vainqueur ni vaincu : il ne s'agissait pas de triompher, mais de se réconcilier, et l'épiscopat catholique envisageait les modalités concrètes de cette réconciliation. La proposition était en effet double : si les donatistes devaient avoir gain de cause, les évêques catholiques s'effaceraient aussitôt au bénéfice de ceux qui leur auraient fait connaître la vérité[44]. Dans le cas contraire, ils accueilleraient les donatistes ralliés à l'unité en partageant avec ceux-ci, qui ne perdraient ainsi ni leurs dignités ni leur pouvoir d'ordre, les responsabilités épiscopales ; en cas de non-acceptation par les fidèles de cette coexistence, les deux évêques se démettraient pour laisser la place à un nouveau pasteur[45]. Les catholiques avaient ainsi ouvert à leurs adversaires une porte de sortie honorable. La sincérité de ces propositions dans lesquelles on doit reconnaître la marque personnelle d'Augustin ne saurait être mise en doute ; mais elles étaient formulées dans une perspective irénique que le climat réel d'affrontement pouvait faire paraître irréelle.

On le vit bien à l'ouverture de la conférence, le 1er juin. Alors que du côté catholique seuls avocats, conseillers et préposés aux procès-verbaux – en tout dix-huit évêques – étaient présents, tous les évêques donatistes s'engouffrèrent en foule dans le *secretarium* des thermes de Gargilius[46], bien décidés à y imposer leur présence physique. Et, comme ils suspectaient les catholiques de fraude dans leurs souscriptions au mandat, ils réclamèrent aussi celle de leurs adversaires. De guerre lasse, le juge impérial fit droit à cette demande et fit entrer tous les évêques catholiques [47]. Ce fut ainsi, dans une atmosphère parfois houleuse, le défilé de centaines d'évêques, au cours duquel les donatistes eurent deux fois l'occasion d'affirmer leur présence : une première fois pour reconnaître leurs compétiteurs catholiques qui répondaient à l'appel de leurs noms après lecture de leur mandat. Après cette confrontation, les évêques s'étant retirés deux par deux, Marcellinus pouvait espérer, après lecture de la procuration donatiste, aborder enfin le débat au fond. Mais ce fut alors au tour des catholiques d'exiger la comparution individuelle de leurs adversaires [48]. Le juge impérial dut s'y résigner. Commença alors le long défilé des évêques donatistes, émaillé d'incidents et de contestations divers, qui mettaient parfois les schismatiques en difficulté, mais réalisaient pleinement leur souhait de s'éterniser en escarmouches dilatoires. La soirée était très avancée quand on se sépara sans avoir rien fait. Mais l'obstination des donatistes nous a valu ce document unique qu'est le procès-verbal de cette première journée : un tableau d'ensemble de l'épiscopat africain de ce temps, avec, schisme aidant, les effectifs d'une double hiérarchie, tous rassemblés à l'exception d'une petite minorité que l'âge ou la maladie avaient tenue à l'écart de cette rencontre, mais aussi la distance, qui explique à elle seule le relâchement des liens administratifs, sensible à mesure qu'on s'éloignait de Carthage vers l'ouest : dans la Maurétanie Césarienne occidentale (l'actuelle Oranie), des évêques ont pu n'être pas touchés par la convocation. Mais, là, la longueur du voyage était en soi un empêchement : entre Pomaria (Tlemcen) et la capitale africaine la route était d'environ mille deux cents kilomètres, et le procès-verbal signale que des évêques sont morts en chemin ! Pour aller de Tusuros (Tozeur) à Carthage il avait fallu une quinzaine de jours à l'évêque local.

Si incomplète soit-elle, l'historien tire ample profit d'une « photographie de groupe » beaucoup plus parlante qu'un « état » : elle l'éclaire sur l'importance numérique des deux Églises à cette date – quantitativement, elles s'équilibraient à peu près, avec un léger avantage pour les catholiques –, et sur leur implantation géographique [49]. Mais à ces données objectives s'ajoute ce que révèlent souvent les heurts et les altercations entre ces hommes qui pour la plupart vivaient ce 1er juin 411 comme le jour le plus important de leur vie, et qui ne se sont pas toujours contentés de répondre simplement à l'appel de leur nom et d'authentifier leur signature ; la physionomie particulière et l'histoire de maints évêchés en reçoivent un éclairage souvent exclusif de tout autre. Sur les individus eux-mêmes, on apprend peu ; mais dans la grande majorité des cas il y avait peu à apprendre : l'impression qui prévaut est celle d'une « piétaille » manœuvrée par quelques « généraux », aussi bien chez les donatistes que chez les catholiques [50], c'est-à-dire les états-majors constitués de part et d'autre pour le déroulement de la conférence, et au premier chef les porte-parole sur qui allait peser tout le poids du débat.

On n'avait guère entendu le son de la voix d'Augustin en cette première journée de piétinements et de tumulte, sinon pour appuyer son primat, Aurelius, qui s'opposait à l'introduction de tous les évêques donatistes et pour répondre à l'appel de son nom parmi les mandataires catholiques : son rival Macrobius et lui-même se reconnurent alors sans incident ni commentaire. À la reprise des débats, le 3 juin, seuls se trouvaient en lice les porte-parole, au premier rang desquels Augustin du côté catholique. Ce jour-là encore, cependant, la rouerie procédurière de Petilianus de Constantine – secondé par Emeritus de Caesarea (Cherchell) – empêcha qu'on en vînt à la discussion sur le fond. Petilianus commença par refuser de s'asseoir à côté des catholiques, obligeant par là même le juge impérial à se lever : finalement tout le monde resta debout ! Heureusement la séance – si l'on peut dire – dura peu, car les donatistes objectèrent qu'on ne leur avait pas encore fourni les procès-verbaux mis au net de la première séance [51]. Ils demandaient pour cette raison un ajournement : Augustin intervint pour que le juge fît droit à leur requête, même s'il ne lui échappait pas plus qu'à Marcellinus que la partie adverse ne cherchait qu'à gagner du temps [52].

Quelques jours plus tard, les donatistes étaient le dos au mur. Mais, à l'impatience du juge et des catholiques, pressés d'en venir au fond de l'affaire (*principale negotium*), Emeritus opposait tranquillement, le matin du 8 juin, la nécessité d'établir au préalable la « qualité des personnes [53] ». Aux yeux des donatistes il ne faisait pas de doute que l'adversaire était demandeur ; et de fait, par leur requête de l'été de 410 les catholiques avaient indubitablement assumé ce rôle : la mise en accusation et la charge de la preuve leur revenaient. Mais la malencontreuse démarche des donatistes auprès du préfet du prétoire en janvier 406 [54] autorisait Marcellinus à admettre que la conférence avait été réclamée par les deux parties. Si tel était bien le cas, le demandeur était celui des deux qui mettait l'autre en accusation [55]. C'était dans la discussion un tournant majeur : à la controverse sur un point de droit allait succéder en effet le recours aux documents d'archives. Les donatistes réussissaient à empêcher la lecture des actes préfectoraux de 406, mais au prix d'une proposition pour eux désastreuse, qui consistait à faire lire tous les documents relatifs au schisme dans l'ordre chronologique. Dévoyée de son cadre strictement juridique, la discussion *de persona* débouchait, par le biais de la recherche des responsabilités historiques, sur ce qui était au cœur même du débat[56].

Du côté catholique, épaulé par les autres porte-parole de son Église, principalement par Alypius, mais souvent aussi par Fortunatianus de Sicca, Augustin avait maintenant pris la direction des opérations. Il mettait clairement la partie adverse en face de l'alternative : il lui fallait choisir entre la cause de l'Église et l'« affaire Cécilien » ; les deux causes appelaient des procédures différentes, exclusives les unes des autres. Les catholiques ne demandaient qu'à fonder le débat sur les Écritures, mais encore fallait-il que la partie adverse ne les entraînât pas sur le terrain de l'histoire[57]. À défaut d'avancer, le débat se passionnait de plus en plus : Petilianus accusait l'évêque d'Hippone d'être « fils de Cécilien », Augustin répliquait en dissociant la cause de Cécilien, quelle qu'elle pût être, de celle de l'Église. Au milieu des interruptions, du tumulte et des cris, il avait ainsi l'occasion d'engager de nouveau, par un biais, le débat ecclésiologique sur la base des textes scripturaires[58]. Alors se situa l'instant le plus dramatique de cette confrontation, l'attaque *ad hominem* : brusquement Petilianus coupa Augustin pour le sommer de dire le nom de son consécrateur. Augustin ignora d'abord l'apostrophe, puis livra le nom de Megalius, en prenant soin de ne pas lier sa cause à celle de l'Église[59].

Les donatistes produisirent alors la lettre synodale qui engageait leurs porte-parole et Augustin entreprit aussitôt d'en réfuter les thèses sur l'Église, qui ne devait selon eux comporter que les bons et les purs : les schismatiques admettaient la pertinence de la parabole des filets (*Mt.*, 13, 47-50), mais ils soutenaient que par les mauvais poissons il fallait entendre les coupables cachés, ignorés des prêtres, inconnus des bons et comme tels hors d'état de leur porter préjudice[60]. À ce stade du débat, la lacune qui s'ouvre dans le manuscrit unique qui nous a transmis ces *Actes* nous prive de la parole vive de l'évêque d'Hippone, mais les abrégés qui en subsistent permettent de suivre jusqu'au bout le déroulement des discussions[61]. Augustin développait les thèmes majeurs du *mandatum* catholique : distinction des deux temps de l'Église, tolérance des mauvais au sein des bons dans les textes prophétiques, interprétation spirituelle, et non point matérielle et sociologique, de la discrimination des purs et des impurs dans l'Écriture[62]. Les donatistes, attachés à leur conception statique d'une Église historique « sans ride, ni tache », ne comprenaient pas ou feignaient de ne pas comprendre la distinction de deux états, encore moins la distinction de deux niveaux de réalité sur le plan même de l'Église visible, *hic et nunc*, accusant les catholiques de concevoir deux Églises, dont l'une eût été mortelle.

Le débat sur la cause de l'Église touchait à sa fin. Au lieu d'avoir été conclusif et réconciliateur, comme l'avait espéré Augustin, il n'avait été qu'une décevante parenthèse. Les deux parties se jetaient de nouveau à la face leurs persécutions mutuelles[63] et se battaient à grand renfort de pièces d'archives déposées les unes après les autres auprès du greffe. À ce jeu, les donatistes étaient nécessairement perdants, car il ne pouvait qu'aboutir à prouver la fausseté des accusations portées au début du IVᵉ siècle contre Caecilianus et la justification de ce dernier, à mettre aussi en évidence qu'au temps de la persécution il y avait eu de part et d'autre des purs et des impurs[64]. Au fil des heures, le désarroi des donatistes devenait déroute. Petilianus renonçait bientôt à plaider, vaincu par l'enrouement : enrouement diplomatique, insinuait-on du côté adverse[65]. Marcellinus donnait à leurs porte-parole demeurés en lice une dernière chance de fonder leurs griefs contre Caecilianus, en ouvrant le dossier de son consécrateur, l'évêque Felix d'Abthugni ; mais la lecture de ces procès-verbaux tournait également à leur confusion[66].

La partie était jouée et perdue pour les schismatiques. Une dernière fois le juge les pressa de produire quelque pièce à l'appui de leurs thèses ; puis il invita les uns et les autres à se retirer et rédigea sa sentence. Il faisait nuit noire quand Marcellinus donna lecture de ce jugement qui « tranchait en faveur de l'unité catholique[67] ». Le 26 juin, le commissaire impérial mettait un terme à sa mission. Un édit signé de lui assurait les donatistes, qui pouvaient rentrer chez eux sans rien redouter, qu'il ne tenait qu'à eux de goûter aux douceurs d'une unité assortie de la promesse – faite par les catholiques – d'un généreux partage, mais énumérait aussi les mesures prises à l'encontre de ceux qui refuseraient de se soumettre : interdiction de toute réunion cultuelle, restitution immédiate des basiliques et des biens d'Église, confiscation des domaines où l'on continuerait à tolérer les circoncellions. La victoire d'Augustin était complète ; mais elle était trop écrasante pour n'avoir pas un goût un peu amer.

COGITE INTRARE

La désignation de Marcellinus pour arbitrer la conférence s'était révélée judicieuse. Le commissaire impérial était un homme de parole et un homme de cœur : un vrai gentilhomme. Avant et pendant

la confrontation, son attitude à l'égard des donatistes avait été irréprochable, et sur le moment les intéressés s'étaient plu à le reconnaître[68]. Il avait même poussé l'élégance, avant l'ouverture des
débats, jusqu'à proposer qu'un assesseur, de rang égal ou supérieur
au sien, lui fût adjoint pour les diriger, au choix des donatistes[69] ;
ce que ces derniers avaient refusé, dans la logique de leur conduite
procédurière, puisqu'ils ne voulaient pas apparaître en position de
demandeurs[70]. Par la suite, cependant, leur vindicte avait poursuivi
le tribun et notaire. Ils l'accusèrent après coup d'avoir été soudoyé
par les catholiques[a] ! Pour eux, la connivence entre le haut fonctionnaire et l'évêque d'Hippone ne faisait pas plus de doute que dans
l'esprit de certains historiens modernes[71]. On a vu plus haut (p. 380)
que le malheureux Marcellinus paya sans doute de sa vie, en septembre 413, le jugement rendu par lui en juin 411.

Ce qui est certain c'est que les donatistes, durement frappés, ne
s'étaient pas encore résignés à considérer la sentence comme définitive. La conscience qu'ils avaient de leur nombre, seulement
entamé par les ralliements des années 405 et 406, leur suggérait
encore des audaces, comme celle de faire appel, à la Cour, du jugement de Marcellinus[72]. Mais dans leur isolement d'Africains ils se
rendaient mal compte qu'on ne pouvait plus, à Ravenne, laisser se
pérenniser, pour des raisons religieuses, un climat parfois insurrec-
tionnel dans le seul ensemble provincial qui était, encore pour un
peu moins de vingt ans, épargné par les grands mouvements qui
traversaient l'empire d'Occident et le réduisaient déjà un peu partout
à des situations de partage avec les Barbares. Dans son texte de
l'automne de 410, Honorius avait dénoncé la subversion dont le
schisme était cause pour l'Afrique, « c'est-à-dire pour la majeure
partie de l'Empire, fidèlement soumise à l'administration civile[73] ».
Après la prise de Rome par Alaric et le déferlement de ses hordes
à travers l'Italie, cette façon de dire était tout sauf une clause de
style. La réponse à l'appel des donatistes ne pouvait être différente
de celle qui s'exprima par l'ordonnance adressée le 30 janvier 412
au préfet du prétoire pour l'Afrique. Pour la première fois, la chancellerie impériale ne fulminait plus la peine de mort, mais édictait
des sanctions pécuniaires extrêmement lourdes[74] contre les adhérents
laïcs de l'Église schismatique, minutieusement répertoriés du haut
jusqu'au plus bas de l'échelle sociale, sans oublier les circoncellions,
qui fermaient la marche, considérés, fait sans précédent, comme un
corps parmi d'autres[75] et astreint en tant que tel au paiement d'amendes pénales que l'insolvabilité de ses membres ne pouvait que rendre

---

a. Cf. *Ad donatistas post conlationem*, I, 1 ; cf. aussi *Ep.* 141, 1 et 12.

illusoires. Quant à ceux que le texte ne considérait pas comme des personnes libres et responsables, les esclaves – mais aussi, assez curieusement, les paysans rivés à la glèbe (les *coloni*) –, il comptait sur la contrainte exercée par les maîtres (*domini*) pour les rappeler à l'ordre. Les évêques et les clercs enfin n'étaient pas oubliés : leur refus de se soumettre leur vaudrait un exil où ils seraient conduits *manu militari* après attribution de leurs lieux de culte et de leurs possessions ecclésiales aux catholiques [76].

L'éradication d'un schisme invétéré depuis plus d'un siècle n'était pourtant pas si facile. Le 17 juin 414, une constitution destinée au proconsul d'Afrique rappelait ces sanctions pécuniaires et les étendait à tous ceux, fermiers impériaux, fermiers privés, personnels de l'administration qui d'une manière ou d'une autre se rendraient coupables de complicité avec les donatistes, notamment en dissimulant les clercs insoumis promis à la déportation [77]. Des confiscations de biens pouvaient être prononcées à l'encontre des fidèles donatistes récalcitrants, privés par ailleurs de la possibilité de tester ou d'être partie dans un contrat, et ainsi frappés de mort civile. Dans les années 415-417, des îlots de résistance subsistaient encore çà et là parmi les communautés donatistes. De ces années date une lettre inédite récemment publiée que l'évêque d'Hippone adressait à son collègue Novatus, évêque de Sitifis (Sétif)[a] ; Augustin s'y réjouissait d'apprendre que dans une localité proche toutes les basiliques avaient été remises aux catholiques et que les schismatiques s'étaient convertis en masse, à l'exception toutefois d'un groupe de notables municipaux qui avaient réussi à tromper la vigilance du gouverneur – un vicaire d'Afrique resté inconnu – en obtenant de lui une « sentence interlocutoire » qui leur avait permis d'échapper aux poursuites.

Dans les mois et même dans les années qui avaient suivi la conférence, la capacité de nuisance des circoncellions et des clercs donatistes les plus déterminés était restée en maints endroits quasi intacte, en dépit de la réaffirmation de sanctions souvent difficilement applicables. Augustin en faisait l'expérience dans son diocèse, où Macrobius, interdit de séjour à Hippone même, parcourait les campagnes, à la tête d'une bande de fanatiques des deux sexes, et se faisait ouvrir de force les chapelles confisquées[b]. Encore heureux si ces fanatiques se contentaient de retourner leur violence contre eux-mêmes, comme ce Donatus, un prêtre schismatique de Mutugenna,

a. *Ep.* 28*, 1, *B.A.*, vol. 46 B, p. 402.
b. *Ep.* 139, 2.

qui avait choisi de se jeter dans un puits[a]. Elle prenait surtout pour cible les clercs catholiques, comme, dans l'entourage direct d'Augustin, un prêtre du nom de Restitutus, tué dans une embuscade, ou un autre du nom d'Innocentius, éborgné et mutilé[b]. Mais, comme tous les terrorismes, celui des donatistes hors-la-loi visait à combattre la peur des lois par une peur plus terrible et frappait par prédilection des convertis pour en faire des victimes exemplaires : tel fut le sort du malheureux Rogatus, évêque d'Assuras, à qui les circoncellions coupèrent la langue et une main[c].

À de tels crimes, il n'y avait pas d'autre réponse que la répression. Fidèle cependant à lui-même, Augustin excluait de rendre coup pour coup et, comme il l'avait fait en 408 à l'adresse du proconsul Donatus, durant l'hiver de 411-412, il écrivit à Marcellinus pour lui demander de ne pas appliquer la loi du talion aux bourreaux de ses clercs, Restitutus et Innocentius[d]. Deux ans plus tard, il intercédait de même auprès du vicaire d'Afrique Macedonius, et le « gouverneur général » des provinces africaines, très chrétien mais ceint de son baudrier de juge séculier[e], opposait à la mansuétude de l'évêque la nécessité de ne pas laisser le crime impuni. Mais cette correspondance des années 413-414 mettait aussi en évidence le chemin parcouru par l'évêque d'Hippone dans l'acceptation de la rigueur légale, à l'exclusion de la peine de mort[f]. Déjà, dans une lettre datée de 407/08, adressée à l'un des témoins de sa jeunesse à Carthage, Vincentius, évêque de Cartennae (aujourd'hui Ténès), un donatiste modéré, Augustin s'était expliqué très franchement sur son cheminement à cet égard. Il avait d'abord estimé, écrivait-il, qu'il ne fallait contraindre personne à l'unité religieuse, mais au contraire agir par la seule parole, vaincre par la seule raison : sinon le risque était grand de n'avoir que de faux catholiques à la place d'anciens hérétiques déclarés[g]. Ainsi pensait-il encore autour de 400, quand il multipliait les tentatives de rencontres et s'attelait à la rédaction de ses grands traités de réfutation de la secte.

Quelques années plus tard, les adhésions forcées risquaient toujours d'être fausses, mais l'évêque d'Hippone s'y était pourtant résigné ; l'expérience du pasteur avait eu raison de ses positions théo-

---

a. Il en avait réchappé, grâce aux catholiques, et cela lui avait valu une longue lettre d'Augustin : *Ep.* 173.

b. *Ep.* 133, 1 ; 134, 2.

c. *Gesta cum Emerito*, 9. ; cf. aussi la nouvelle lettre 28*, 7, *B.A.*, 46 B, p. 412.

d. *Ep.* 133, 1.

e. *Ep.* 155, 17 : « *in terreni iudicis cingulo* ».

f. Cf. déjà *supra*, p. 374.

g. *Ep.* 93, 17.

riques. Les réalités lui avaient montré que dans sa ville même la crainte des lois avait été plus forte que la discussion pour renverser une majorité naguère encore schismatique, et qu'il était besoin de leur aiguillon pour triompher souvent, non de réelles convictions religieuses, mais plutôt de véritables pesanteurs sociologiques : combien d'hommes et de femmes, à Hippone comme ailleurs, demeuraient dans le donatisme sans autre raison ni motivation que d'y être nés, si personne ne venait secouer leur inertie[a] ! Ceux-là, il fallait les bousculer (*cogere*) un peu, à condition de donner un sens à ce geste en joignant à l'obligation légale l'explication doctrinale[b] : ainsi se définissait la correction fraternelle à l'égard des schismatiques. On ajoutera que l'Église catholique s'était donné les moyens pastoraux de l'accueil et de l'absorption des nouveaux venus : on a vu que, dès les toutes premières années du Ve siècle, Augustin avait, au détriment de sa propre compétence territoriale, montré l'exemple d'une démultiplication de ses moyens de réception et de prise en charge par la création de nouveaux ressorts épiscopaux aux marges de son diocèse. Et puis, et peut-être surtout, l'affirmation croissante en lui du primat de la grâce l'aidait à passer outre à la crainte que ces adhésions forcées ne fussent des conversions faussées : un peu plus tard, à Gaudentius de Thamugadi qui refusait toute contrainte et menaçait de périr dans l'incendie de son église, il écrira que des récalcitrants comme lui se trompaient, « faute de connaître les Écritures et la puissance de Dieu qui fait vouloir les hommes alors même qu'on les pousse malgré eux[78] ».

Augustin n'a pas éprouvé le besoin d'élaborer une théorie de la coercition en matière religieuse, mais au moins celui de mettre ses idées au clair sur sa légitimité. Il l'a fait sur le tard, en 417, parce que les interminables séquelles du schisme ne lui permettaient pas de tourner plus tôt la page et l'obligeaient encore à justifier son attitude. De cette année-là date la longue lettre qu'il adressa à un jeune capitaine alors au début d'une exceptionnelle carrière, et dont la destinée devait longtemps longer la sienne, jusqu'au siège d'Hippone en 430[79]. Bonifatius était alors, en qualité de tribun militaire, en poste sur le *limes* numido-maurétanien, une des frontières les plus sensibles de l'Afrique romaine. Il y contenait avec succès les tribus maures qui en testaient la perméabilité, mais sa fonction le mettait aussi en relation avec des donatistes sur lesquels il avait

---

a. *Ep.* 93, 17, *in fine* : « [...] *ideo permanebant in parte Donati quia ibi nati erant* ».

b. Ainsi l'écrivait-il en 408 au proconsul Donatus : forcer (*cogere*) sans instruire (*docere*) était le fait d'un zèle plus dommageable qu'avantageux (*Ep.* 100, 2, *in fine*).

juridiction et cherchait à se faire une opinion. Un peu naïvement, il avait écrit à Augustin pour savoir de lui quelle différence il y avait entre eux et les hérétiques ariens[a] – bonne occasion pour l'évêque d'Hippone d'éclairer l'officier sur les raisons et les conséquences, non d'une hérésie, mais d'un schisme. Pour commencer, il lui recommanda la lecture de son abrégé des Actes de la conférence, que pourraient lui procurer, disait-il, soit l'évêque de Vescera (Biskra), son collègue Optatus, soit encore son ami Novatus de Sitifis (Sétif)[b] ; nous savons ainsi que Bonifatius patrouillait alors entre le piémont sud des Aurès et le chott el-Hodna ; c'est là qu'Augustin, accompagné d'Alypius, devait bientôt lui rendre visite, à Thubunae (Tobna).

Mais la lettre était surtout destinée à justifier la législation applicable par Bonifatius, et son auteur en profitait pour faire le point sur ses propres conduites, comme il l'avait fait en d'autres occasions, notamment dans une « adresse aux donatistes » (*Ep.* 105) qui datait de 409/10, et déjà dans la lettre à Vincentius déjà citée. On y trouvait, complétés et rassemblés dans un dernier mémoire, les articles d'un credo personnel élaboré en douze années de constats et de luttes qui l'avaient sans aucun doute, dans sa réflexion sur les chances des fidèles en général, et des schismatiques en particulier, de trouver par eux-mêmes leur salut, acheminé vers un réalisme foncièrement pessimiste. Il écrivait ainsi au jeune officier que l'enseignement valait sans aucun doute mieux que la crainte ou la peine du châtiment pour conduire les hommes à l'amour de Dieu, mais que l'expérience lui avait montré et lui montrait toujours que, tels des esclaves fugitifs, la plupart d'entre eux avaient besoin du fouet des peines temporelles[c] ! Il fallait donner au sage une occasion de progresser[d], et au faible une force qu'il ne pouvait trouver en lui-même, mais qu'il pouvait intérioriser, en faisant de nécessité, sinon vertu, du moins volonté propre[e]. La parabole de *Luc*, 14, 23 sur le maître qui, pour pallier la défaillance de ses invités, envoie ses serviteurs rassembler les passants et les faire entrer de force

a. *Ep.* 185, 1.

b. *Ep.* 185, 6. Dans la nouvelle lettre 28*, 2 (*B. A.*, 46 B, p. 406), Augustin avait, un ou deux ans plus tôt, attiré l'attention de Novatus sur l'intérêt pour son église de se procurer son *Abrégé* des *Actes* de 411.

c. *Ep.* 185, 21, où Augustin invoquait aussi le témoignage de Térence dans *Les Adelphes*.

d. Augustin citait le livre des *Proverbes* (9, 9) dans sa lettre à Vincentius pour justifier les revirements à Hippone et ailleurs (*Ep.* 93, 17).

e. *Sermon* 112, 8 : « *Foris inueniatur necessitas, nascitur intus uoluntas.* »

dans sa maison illustrait bien ce discours : « *Quoscumque inuene-ritis, cogite intrare*[a] ! »

C'était, comme nous dirions maintenant pour signifier l'intolérable, vouloir faire le bonheur d'autrui malgré lui ; c'est ce que disaient aussi les donatistes, qui affirmaient qu'il ne fallait pas être forcé au bien[b]. Et eux, qui avaient pour slogan d'être l'Église « qui souffre persécution, non celle qui l'exerce », trouvaient donc mauvaise et injuste la persécution légale dont ils étaient victimes à l'instigation des catholiques. Cependant, ce n'était pas le bonheur des donatistes que voulait Augustin, mais leur salut, ce qui était tout autre chose, ce salut dont, selon sa théologie de l'Église, étaient exclus ces chrétiens séparés, quelque valides que fussent leurs sacrements. Dans cette perspective eschatologique, la finalité de la contrainte la justifiait : elle était bonne si sa finalité était bonne. On retrouvait l'esprit du « *Dilige et quod uis fac* », qui inspirait déjà la lettre à Emeritus vers 407/08 : l'Église catholique persécutait « par amour[c] ». Cette alliance de mots volontairement provocatrice nous choque sans doute aujourd'hui plus encore qu'elle ne heurtait les donatistes, parce qu'elle a pris à travers les siècles des résonances parfois sinistres. Faut-il y insister ? Dire qu'il faut lire ces textes en gardant présente à l'esprit l'exigence qui les a dictés, qui ne fut jamais en son temps, ni directement ni indirectement, génératrice d'aucune atteinte physique, à plus forte raison d'aucune mort[80] ? Pas plus qu'il n'est père des augustinismes, Augustin n'est responsable de Torquemada.

---

a. *Ep.* 93, 5 ; 173 (au prêtre donatiste qui s'était jeté dans un puits), 10 ; 185, 24 ; *Contra Gaud.*, I, 28.
b. *Ep.* 185, 23 : « [...] *nec ad bonum se cogi oportere contendunt* ».
c. *Ep.* 185, 11 : « *Proinde ista [ecclesia] persequitur diligendo.* »

CHAPITRE XXVII

Le dialogue avec les païens

Inlassable Augustin ! On le croit tout entier occupé à raisonner les donatistes, après avoir réduit les manichéens, et dans le même temps on le voit aussi batailler contre les païens. Son activité multiple le rend rebelle à des découpages auxquels on ne se résout que pour les commodités de l'exposition. Présent sur tous les fronts, Augustin est ailleurs, tout autant que là où on l'attendait.

En l'espace d'un quart de siècle, les composantes religieuses du monde où il vivait avaient radicalement changé. Le paganisme qu'il avait vu, adolescent à Madaure, jeune homme à Carthage, très actif et parfois même provocateur, n'était plus, lors de son accession à l'épiscopat, que l'ombre de lui-même. Cinq ans plus tard, en 400, dans un ouvrage rédigé pour réfuter ceux qui accusaient les évangélistes de se contredire entre eux – le *De consensu euangelistarum* –, Augustin s'est complu à dresser le tableau d'un paganisme acculé sur tous les plans à la défensive. D'une manière concrète et matérielle d'abord, puisqu'en vertu de la législation édictée en 399 l'exercice des cultes païens était prohibé[a], et les « idoles » elles-mêmes en danger d'être détruites : leurs derniers sectateurs, désormais en petit nombre[b], en étaient réduits, disait-il, à se cacher, eux et leurs dieux, s'ils voulaient continuer leurs sacrifices. Mais ils étaient aussi, prétendait-il, frappés d'une sorte de timidité intellectuelle en face des chrétiens : à peine osaient-ils murmurer entre eux leurs calomnies antichrétiennes[c], contraints à ronger comme des rats leurs petites objections « tremblotantes et réchauffées », avec plus de peur d'être

a. Cf. *supra*, p. 313.

b. *De consensu euang.*, I, 21 : « [...] *pauci pagani qui remanserunt* »... Cf. aussi I, 29 et 39. Dans un sermon récemment publié, daté du début de 404, Augustin insiste encore sur ce petit nombre résiduel : *Sermon Dolbeau 25* (*Mayence* 61), 25 : « *Iam pauci foris remanserunt* » (*Vingt-Six Sermons au peuple d'Afrique*, p. 266).

c. *De cons. euang.*, I, 10.

entendus que de désir d'être crus[a]. Il faut évidemment faire dans ce propos la part du souci d'exorciser une résistance idéologique réelle. Ce qui, cependant, était globalement vrai, c'était l'inversion du rapport de forces. Augustin était obligé de réfréner l'ardeur icono-claste des fidèles ; en particulier à Carthage et dans sa région, où le petit peuple n'était que trop enclin à se laisser porter par une dyna-mique de persécution antipaïenne et à envahir les propriétés privées pour y détruire les autels et y saccager les bois sacrés. C'étaient là mœurs de bandits ou de circoncellions, reprochait Augustin. Les évêques avaient du mal à tenir leurs ouailles. Le 16 juin 401, la plèbe carthaginoise, qui savait que le concile général était convoqué dans sa ville ce jour-là, se répandait dans les rues en criant son impatience d'y voir tomber les idoles comme à Rome[b]. Le jour même, le concile réuni dans le *secretarium* de la *basilica Restituta* prenait acte de cette exigence et, pour éviter d'avoir à couvrir des actions illégales, les évêques réclamaient la suppression de tous vestiges de l'idolâtrie partout en Afrique, en soulignant qu'il en subsistait encore dans les localités littorales et dans les propriétés privées : il fallait que la loi prescrivît de les détruire, si du moins ils ne présentaient aucune valeur ornementale[1]. La restriction était d'importance et tenait compte autant de la volonté impériale, qu'on connaissait, de préser-ver la parure monumentale des cités que de l'attachement des muni-cipalités à leur patrimoine culturel. À plusieurs reprises, et dans les textes mêmes qui proscrivaient les anciens cultes, la chancellerie impériale avait ordonné de veiller à la conservation des bâtiments ; et la dépose des statues de culte devait être effectuée sous la respon-sabilité de l'administration[2]. Une loi prescrira bientôt que les temples désaffectés servent à des usages publics profanes[3] et leur trans-formation en basiliques chrétiennes fut, du moins à cette époque, rare et exceptionnelle. Pour s'opposer à une « révolution culturelle » qui aurait pu tout emporter, le pouvoir politique, central et local, sut en général faire valoir avec sagesse que dans les monuments païens il fallait dissocier la fonction cultuelle, périmée et fermement condamnée, de la valeur patrimoniale et du statut d'ornement pour les cités[4]. C'est ainsi qu'il put assurer la conservation d'un héritage qui, en Afrique, remontait le plus souvent à l'âge d'or de Septime Sévère et qui avait en bien des cas bénéficié des rénovations de l'époque valentinienne, dans la seconde moitié du IVᵉ siècle. Mais cette résistance culturelle témoignait aussi de la difficulté de faire changer les mentalités dans les cadres locaux.

---

a. *Ibid.*, I, 13.
b. *Sermon* 24, 6 : « *Utique hoc clamastis : "Quomodo Roma, sic et Carthago".* »

FACE AUX RÉSISTANCES LOCALES DU PAGANISME

Ce même été de 401, le proconsul en poste à Carthage avait permis qu'on rasât la barbe dorée d'une statue d'Hercule célèbre dans la ville et qu'Augustin avait remarquée en sa jeunesse. En termes d'atteinte à l'art, c'était moindre mal, et c'était tout aussi attentatoire à la dignité du dieu, comme le faisait remarquer narquoisement l'évêque qui, commentant cette action d'éclat, notait qu'il était, somme toute, plus ignominieux pour Hercule de perdre sa barbe que de voir tomber sa tête[a]. Mais ce qui, avec la connivence du gouverneur, était possible dans la capitale ne passait pas en province. Deux ans auparavant le même Hercule avait fait couler le sang à Sufes, petite ville de Byzacène, aujourd'hui Sbiba, dans les hautes plaines de Tunisie centrale. Des chrétiens avaient détruit la statue du dieu ; aussitôt avait commencé une chasse à l'homme au terme de laquelle on comptait soixante morts parmi la communauté coupable. Pour comble, les autorités municipales avaient porté plainte pour destruction de biens publics et exigeaient le remplacement de la statue ! Nous avons gardé la lettre brève, brûlante d'indignation et cinglante d'ironie, qu'Augustin[b] adressa aux responsables de la cité : il avait assez de marbre et de sculpteurs à sa disposition pour leur rendre la statue perdue ; mais lui rendraient-ils, eux, les soixante chrétiens morts à Sufes ? Il était en outre clair que les païens tenaient le haut du pavé dans cette petite ville : les notables étaient à la tête de l'émeute, et ceux qui s'étaient le plus distingués dans cette tuerie occupaient les premiers rangs au conseil municipal[c]. Ce n'était pas pour surprendre Augustin, qui savait déjà que la réaction païenne avait encore des bases solides à l'échelon local, et qui en aurait confirmation aux dépens d'autres communautés chrétiennes.

L'illustration la plus forte de cette situation, la plus paradoxale aussi, car elle se se fit jour dans la mouvance presque directe de l'évêque d'Hippone, eut quelques années plus tard pour cadre la petite ville de Calama (Guelma), dont l'évêque était Possidius. Le 15 novembre 407, la chancellerie impériale avait adressé au préfet du prétoire, pour exécution dans toutes les provinces, un texte qui

a. *Sermon* 24, 6 : « *Fratres, puto ignominiosius fuisse Herculi barbam radi quam caput praecidi.* »

b. Pourquoi lui ? Nous l'ignorons : Sufes, qui n'était pas même dans sa province, n'était en aucune manière sous sa juridiction épiscopale.

c. *Ep.* 50, datée de 399. L'affaire eut certainement des suites judiciaires, de nous inconnues.

marquait la ferme volonté d'en finir avec les derniers signes extérieurs du paganisme : les statues de culte encore en place devaient être déposées ; les temples relevant du domaine public ou situés dans les domaines impériaux devaient être affectés à des usages communautaires profanes, tandis qu'obligation était faite aux propriétaires de détruire leurs sanctuaires privés ; enfin toute manifestation publique à caractère païen – festin, fête ou procession – était rigoureusement interdite, et les évêques recevaient pouvoir d'en appeler en cas de manquement à la force publique[a]. Dans les grandes villes, et particulièrement à Carthage, la surveillance policière avait commencé à s'exercer à l'encontre des païens avant même la promulgation de cet édit. Dans l'un des nouveaux sermons récemment publiés, Augustin se faisait presque involontairement l'écho de cette répression : il n'y avait pas, disait-il, de persécution antipaïenne officielle, mais la police avait des yeux et des oreilles, et tel qui jurait par Mercure se rétractait bien vite à la vue de la pèlerine d'un planton en civil[b].

Nous savons que la loi de l'automne de 407 fut affichée un peu partout en Afrique au début de l'été de 408. Mais au mépris de la loi, le 1er juin 408, un défilé ostentatoire, bruyant et agrémenté de danses, parcourut les rues de Calama, en faisant un détour provocateur devant les portes de l'église, avec une audace, dit Augustin qui se souvenait sans doute des débordements dont il avait été enfant témoin à Madaure, qui surpassait celle dont faisaient preuve les païens au temps de Julien l'Apostat. Les clercs qui protestaient reçurent pour réponse une volée de pierres. Et comme quelques jours plus tard l'évêque Possidius s'était rendu à la curie pour notifier la loi impériale au conseil municipal et en réclamer le respect, l'église fut de nouveau lapidée. Dans les jours qui suivirent, des fanatiques y mirent même le feu et tuèrent un clerc ; le reste du clergé et Possidius lui-même ne durent leur salut qu'à la fuite. Tremblant dans sa cachette, ce dernier entendait ses poursuivants s'exciter les uns les autres en disant que, faute de mettre la main sur l'évêque, ils se seraient donné tout ce mal pour rien[c].

Cette dernière émeute avait duré de cinq heures de l'après-midi jusqu'à une heure très avancée de cette nuit d'été. Les autorités municipales, magistrats en exercice en tête, n'avaient rien fait pour

---

a. *C. Th.*, XVI, 10, 19.

b. *Sermon Dolbeau 4 (Mayence 9)*, 8 (*Vingt-Six Sermons au peuple d'Afrique*, 1996, pp. 519-520) : « *Confiteatur aliquis Mercurium* [...] *quando unum uel birratum stationarium uiderit :* "*Non feci, non interfui, non sacrificaui*" ». Le *birratus stationarius* est un planton en *birrus* (ou *byrrhus*), un vêtement civil.

c. *Ep.* 91, 8.

rétablir l'ordre ; le seul à porter secours, note Augustin, avait été un
étranger – un *peregrinus* – de passage dans la ville, à qui quelques
clercs devaient d'avoir la vie sauve. Il était évident, commentait
l'évêque, qu'en dehors des coupables eux-mêmes la non-intervention
des autres citoyens était due à leur crainte de déplaire à ceux qui
faisaient la pluie et le beau temps dans la ville, et qu'ils savaient
ennemis de l'Église[a].

L'évêque d'Hippone eut à cœur de s'occuper lui-même de cette
affaire qui s'était déroulée aux portes de son diocèse et avait mis en
péril l'un de ses disciples les plus chers. En réponse à un notable
de la ville, Nectarius, un païen modéré, il acceptait d'intervenir pour
que la réparation des dommages exclût les tortures et les supplices
prévus par la loi. Plusieurs mois plus tard, au printemps de 409, il
recevait à sa grande surprise une seconde lettre de son correspondant
qui l'adjurait de tout faire pour alléger les condamnations pécuniaires
qui avaient frappé les responsables des événements de l'année précédente. Dans sa première lettre à Nectarius, l'évêque lui avait signifié que, même touchés dans leurs biens, il resterait aux coupables
de quoi vivre, de quoi « mal vivre », ce qu'il entendait au sens moral,
car il ne se faisait pas d'illusions sur leur contrition. Mais l'autre
faisait mine de l'entendre au sens matériel et, revenant à la charge
auprès de l'évêque, il lui représentait qu'il était plus pénible de « mal
vivre que d'en finir par la mort avec ses maux[b] » ! En clair, la mort
était préférable à une vie misérable, conséquence de la confiscation
des biens, qui réduisait à l'indigence – l'*inopia* : c'est le mot des
textes de lois pour désigner cette peine – ceux qui en étaient punis :
preuve supplémentaire que le petit peuple de Calama n'était en
cette émeute antichrétienne que l'instrument de la riche aristocratie
locale.

Nectarius devait à son grand âge de n'être plus en charge d'une
responsabilité dans sa ville, comme il le dit dans sa première lettre ;
il était donc exempt de toute implication personnelle dans cette
affaire ; et il devait à sa culture classique d'avoir été choisi par ses
pairs pour cette intercession auprès de l'évêque d'Hippone. De ses
deux interventions, c'est la seconde qui nous intéresse le plus, car
elle met en lumière quelle autre sorte d'adversaire, en dehors des
tenants fanatiques des anciens rites et des vieilles festivités, s'opposait encore sur un plan idéologique à la christianisation en profondeur de la vie municipale. Nectarius chantait l'amour civique qu'on

a. *Ep.* 91, 9.
b. Nectarius, dans *Ep.* 103, 3 : « *Grauius est enim male uiuere quam mala morte
finire.* »

se doit d'avoir pour sa cité et il était clair que pour lui le patriotisme municipal allait de pair avec l'exercice modéré et courtois d'un paganisme éclairé, nourri de littérature : il n'aurait pas fallu le solliciter beaucoup pour lui faire avouer qu'il avait peu en commun avec les braillards qui avaient attaqué l'église. Mais d'un autre côté son attachement pour sa petite patrie impliquait sa fidélité à toute une tradition religieuse, au calendrier qui scandait depuis des siècles la vie locale ; tout cela lui interdisait de se reconnaître dans la religion nouvelle, beaucoup trop universaliste. Nectarius croyait au ciel, à sa façon, qui était à peu de chose près déjà celle de Cicéron dans son texte fameux, le *Songe de Scipion*, que relisaient tous les intellectuels au Bas-Empire. Il ne se forçait pas trop pour s'attirer – et attirer sur ses concitoyens – les bonnes grâces d'Augustin lorsqu'il lui disait avoir entendu son appel au culte du Dieu très haut (*deus exsuperantissimus*) et à la contemplation de la cité céleste, mais il précisait par quelle voie il espérait y parvenir, celle des mérites civiques : « Après la mort du corps, écrivait-il, il y a comme une promotion à la cité d'en haut au bénéfice des hommes qui ont bien mérité de leurs cités natales ; et ceux-là habitent avec Dieu qui ont assuré le salut de leur patrie par leurs conseils ou par leurs œuvres[a]. » Il pouvait ainsi à bon compte se croire du même monde que son correspondant, sur qui il attirait à la fin de sa lettre la bénédiction du « Dieu suprême », en termes habiles et assez ambigus pour laisser croire à son destinataire qu'il avait fait une recrue[b]. Au passage, cependant, il avait montré le bout de l'oreille, en invoquant l'opinion de ces philosophes – il ne les nommait pas, mais Augustin pouvait aisément y reconnaître les stoïciens – selon lesquels toutes les fautes étaient d'égale importance, et appelaient donc un égal pardon[5]. Il était facile à l'évêque de lui répliquer qu'à ce compte-là on serait inévitablement conduit à n'en pardonner aucune[c].

Nectarius et ses semblables au sein des élites municipales cultivées de cette Afrique romaine finissante pouvaient éprouver quelque fierté à correspondre avec un Augustin et à recevoir de lui de longues lettres ; mais ils n'avaient qu'éloignement pour la piété du petit peuple chrétien et son culte des martyrs, en particulier locaux : rappelons-nous les sarcasmes de Maxime, le grammairien de Madaure, pour Miggin et Namphamo et pour leurs sectateurs. Mais ils étaient

---

a. Nectarius, dans *Ep.* 103, 2, texte directement inspiré de Cicéron, *De Republica*, VI, 13.

b. Dans *Ep.* 103, 4 : « *Deus summus te custodiat et legis suae te conseruet praesidium atque ornamentum nostrum.* » C'est plus flatteur que vraiment chrétien ! Mais le père de Nectarius s'était converti à la fin de sa vie : *Ep.* 91, 2.

c. *Ep.* 104, 17.

à même distance des adeptes de la vieille religion populaire païenne, à leurs yeux assurément des « demeurés ». Sociologiquement, ils étaient sans racines et leur paganisme épuré n'avait guère d'avenir. Il pouvait même arriver, dans les villes où la majorité civique était en faveur des chrétiens, qu'ils abjurent leurs idées pour faire carrière : une belle fonction communale valait bien une messe ! C'était le cas à Hippone, bien sûr, où le bon peuple, au printemps de 401, soupçonnait un certain Faustinus de vouloir se convertir uniquement pour obtenir plus facilement la charge de percepteur municipal : Augustin lui-même n'était pas très sûr de la sincérité de cet aspirant au baptême[a]. Mais en attendant, le plus souvent, ils tenaient bon, face à l'église, dans leurs curies, bastions d'une sorte de « laïcité » vaguement spiritualiste où le sens civique faisait pour beaucoup office de sentiment religieux. Certes, l'Empire était officiellement chrétien, mais dans les provinces, au niveau des cités, un statut réel de séparation de l'Église et de l'État installait les responsables municipaux, vis-à-vis de l'évêque, dans un type de confrontation que nos pays connaissaient souvent il n'y a pas si longtemps, quand il y avait encore un curé dans chaque village : de la guerre ouverte à la paix armée, plus rarement l'entente cordiale.

On n'a pas eu de peine à montrer fort bien, en revenant sur quelques idées toutes faites qui avaient toujours cours chez nos historiens il y a moins d'un siècle[6], que, non seulement l'institution cléricale n'avait pas détrôné l'institution municipale pour se substituer à elle, mais que la curie et le clergé avaient constitué des hiérarchies parallèles et sans prise l'une sur l'autre[7]. Et, en poussant plus avant l'analyse, on a mis en évidence que, d'une façon qui n'est paradoxale qu'en apparence, saint Augustin en son temps vivait moins « en chrétienté » que nous ne faisons, nous, dans nos sociétés pourtant largement « déchristianisées[8] ». Entendons-nous : dans la communauté qu'il dirigeait, dans celle qu'il visitait si fréquemment à Carthage, et dans bien d'autres, sur lesquelles il témoigne aussi, on vivait en général le christianisme d'une façon très dense, avec une implication dans la liturgie devenue exceptionnelle maintenant. Mais, quand on sortait de l'église, on rentrait dans un monde où la religion nouvelle n'affichait nulle part ni sa marque ni son influence. « On ne peut même pas, écrit Claude Lepelley, trouver l'équivalent, dans l'Afrique de saint Augustin, des cérémonies qui persistent dans notre France d'aujourd'hui, officiellement laïque, telles les messes

---

a. *Sermon Morin* 1, dans *Miscellanea Agostiniana*, I, Rome, 1930, pp. 589-593. Il dit, dans *Enarr. in Psalm.* 7, 9, que seul Dieu, « qui scrute les reins et les cœurs », peut dans ce cas démêler le vrai du faux.

pour les morts au champ d'honneur commandées par les communes ou les bénédictions de navires[9]. » Même quand furent retombées – elles ne se firent guère sentir au-delà de la première décennie du Ve siècle – les dernières poussées de fièvre de la réaction païenne, la vie publique, dans les villes et les villages de l'Afrique romaine, ne fut pas pour autant christianisée. Augustin avait peine à imposer au plus grand nombre des fidèles le calendrier liturgique qui rythmait sa vie tout au long de l'année, efficacement concurrencé par un calendrier traditionnel demeuré très attractif. Honorius avait aboli dès 399 les « rites sacrilèges », mais il n'était pas question de supprimer les occasions de « liesse » populaire[10] : le peuple avait encore et toujours besoin de fêtes. Et ce qui le réjouissait le plus, à la fin du mois de décembre, ce n'était pas la naissance du Christ, mais les spectacles de grande attraction – les *munera* – qui se donnaient en cette période dans l'amphithéâtre, et qui vidaient les églises, au grand dam d'Augustin[11]. C'était en ces jours-là surtout qu'il vivait avec le plus de douleur sa situation d'exil et de captivité au sein de la cité terrestre[a].

LE DIALOGUE AVEC L'ARISTOCRATIE ROMAINE

On aura encore l'occasion de redire que la fin de 410 et l'année qui suivit furent un véritable tournant dans la vie d'Augustin. On a déjà vu que 411 fut l'année de la liquidation du donatisme, dans les décisions judiciaires et aussi très largement dans les faits. Elle fut de surcroît pour Augustin la saison de rencontres marquantes. Cette Rome qu'il n'avait guère fait qu'effleurer, jeune homme inconnu, en 385 et même en 388, allait maintenant à lui sous les espèces d'une noblesse souvent ancienne et toujours riche qui venait retrouver dans ses palais carthaginois et dans ses manoirs de l'intérieur, au milieu de ses terres, le confort que le sac de la Ville éternelle et la dévastation de l'Italie lui avaient fait perdre de l'autre côté de la mer. Au-delà des rivages africains, la renommée de l'évêque d'Hippone ne dépassait guère encore quelques cercles ascétiques, comme celui de Paulin à Nole, mais chez lui il était célèbre et l'éclat du rôle qu'il avait joué lors des journées de juin 411 à Carthage n'avait pu passer inaperçu. Les réfugiés, parfois chrétiens, dont certains portaient de grands noms, étaient pleins de curiosité pour cet évêque sur lequel la lecture des *Confessions* leur avait déjà beaucoup appris.

a. *Cité de Dieu*, XIX, 17 : « [...] *dum apud terrenam ciuitatem uelut captiuam uitam suae peregrinationis agit* ».

Ils avaient parfois des propriétés dans le pays même d'Augustin, dans la Numidie d'Hippone, et ainsi ni eux ni lui n'avaient besoin de se déplacer pour se rencontrer, si ce n'est sur de faibles distances. Durant l'hiver de 410-411, Augustin, malade, s'était absenté d'Hippone quelque temps et, à son retour, il avait été trop préoccupé par la situation de sa communauté, qui s'était détériorée en son absence, pour pouvoir accueillir lui-même des hôtes de marque. C'est ce qu'il écrivit au printemps de 411 dans une lettre adressée conjointement à Albina, à Pinianus et à son épouse Mélanie la Jeune[a].

Ces personnages comptaient parmi ce que la Rome de ce temps pouvait produire de plus illustre et de plus riche. Albina était une descendante des Ceionii – son père était Ceionius Rufius Albinus, préfet de la ville en 389-391 –, et elle avait pour frère Volusianus, qu'on retrouvera plus loin. Elle avait épousé Valerius Publicola, qui par son père descendait de l'antique famille des Valerii Maximi – il avait l'insigne honneur de porter le même nom que le collègue au consulat de Brutus, le fondateur de la république à Rome – et avait eu pour mère Mélanie l'Ancienne, qui venait de mourir en Palestine où elle avait fondé un monastère[12]. Seul enfant survivant du couple, Publicola en avait hérité une fortune considérable, en particulier constituée par d'immenses propriétés en Afrique, et notamment dans le pays des « Arzuges », dans les confins sahariens de l'actuel Sud tunisien ; il était de ce fait, lui ou plutôt ses fermiers, en contact plus ou moins direct avec des nomades barbares, et les craintes que cette « contagion » inspirait à ce grand scrupuleux l'avaient engagé à s'adresser à Augustin pour lui en faire part. Nous avons de lui une longue lettre – en fait toute une série de questions – et la réponse de l'évêque, échange daté vers 398[b].

Du mariage d'Albina et de Publicola étaient nés deux enfants, dont Mélanie la Jeune, qui était donc la petite-fille de Mélanie l'Ancienne. À l'âge de treize ans, cette seconde Mélanie avait épousé Valerius Pinianus, qui en avait alors dix-sept. Ce n'était pas une mésalliance : le jeune homme avait pour père Valerius Severus, le préfet de la ville de l'année 382. Ce très jeune couple avait eu deux enfants, l'un et l'autre morts en bas âge. Peu après, Pinianus accéda au vœu de Mélanie – elle avait alors vingt ans, et lui vingt-quatre – de vivre dans l'ascèse la vie des serviteurs de Dieu. Dès 408, Mélanie

---

a. *Ep.* 124.

b. *Ep.* 46 et 47. On a parfois contesté l'identification de ce Publicola correspondant d'Augustin avec Valerius Publicola. Au terme d'une analyse soigneuse des textes, elle est réaffirmée par M. Moreau, dans *Rev. des ét. aug.*, 28, 1982, pp. 225-238.

avait quitté Rome, en compagnie de son mari, de sa mère, Albina, et de Rufin d'Aquilée, le savant traducteur d'Origène, qu'elle avait pris sous sa protection. Tout ce petit monde, y compris les vierges consacrées qu'elle avait recrutées surtout parmi sa domesticité servile, s'était installé dans le luxueux palais que Mélanie avait conservé près de Messine, sur la côte sicilienne. C'est là qu'à la fin de l'été de 410 ils avaient appris la prise et le sac de Rome par Alaric, et que les Barbares dévalaient maintenant vers le sud avec l'intention d'envahir la Sicile. Là-dessus, Rufin mourut et ne fut pas le compagnon de la suite de l'équipée ; car, jetés par une tempête sur une île – sans doute Lipari – alors qu'ils voulaient gagner les côtes d'Afrique, ils durent payer rançon aux Goths qui s'étaient emparés d'eux, avant de trouver enfin un refuge sûr.

C'est ainsi qu'en cet hiver de 410-411 ils séjournaient à Thagaste, où la présence d'Alypius, grand ami de Paulin, leur ami commun, les attirait sans doute tout autant que le souci des intérêts matériels qu'ils avaient encore dans la région en y arrivant[13]. Mélanie disposait à sa naissance d'une fortune qui faisait d'elle « la plus riche héritière du monde romain » – on chiffrait son seul revenu annuel à cent vingt mille sous d'or, avant la liquidation de ses immenses domaines[14]. À peine arrivés en Afrique, elle et Pinianus avaient vendu les terres qu'ils y possédaient, en Maurétanie (l'actuelle Algérie occidentale et centrale), en Numidie (Algérie orientale) et en Proconsulaire (Tunisie et confins algéro-tunisiens). Pour éviter la dilapidation rapide des sommes obtenues par ces ventes, Augustin et Alypius, ainsi qu'Aurelius de Carthage leur avaient donné le conseil de les investir en fondations pieuses, en faisant bâtir des locaux avec des dotations pour leur entretien[15]. C'est naturellement Thagaste, point de chute du couple, qui avait en premier lieu bénéficié de cette manne, et en particulier l'église d'Alypius, bientôt habillée de tentures précieuses et dotée d'un beau matériel liturgique, des objets de grand prix, des objets aussi d'envie tout à la ronde, comme ne manquera pas de dire la *Vita Melaniae*. Car ce fastueux enrichissement fit sans doute plus de bruit alentour que les deux monastères établis également à Thagaste par Mélanie et Pinianus, et qui rassemblaient, l'un cent trente moniales, l'autre des moines au nombre de quatre-vingts[16], l'un et l'autre constitués avec des revenus suffisants pour leur subsistance. Que ce bruit ait vite touché Hippone n'est pas douteux. Il avait évidemment précédé Mélanie et Pinianus quand, au printemps de 411, accompagnés d'Alypius, ils allèrent, dans sa cathédrale, rendre visite à Augustin.

L'AFFAIRE PINIANUS

Nous devons à Augustin un récit détaillé[a] – alors que la *Vie de Mélanie* n'en souffle mot – de l'effervescence, du tumulte même qui remplit ce jour-là son église, et qui lui valut l'un des plus graves troubles de sa vie épiscopale. Car pendant l'office, juste avant le renvoi des catéchumènes, la foule des fidèles se mit soudain à réclamer à grands cris Pinianus comme prêtre : l'évêque voyait se reproduire la scène dont il avait été lui-même, vingt ans auparavant, la victime, mais avec cette grande différence que cette fois-ci celui qu'on voulait lui imposer comme prêtre n'était pas choisi, comme lui devant Valerius, en raison de ses mérites, mais bien pour ses richesses. Il avait sans doute anticipé cette éventualité, et promis à son hôte de résister à cette demande, car aux premiers cris il quitta sa chaire dans l'abside et s'avança vers la foule dans la nef, pour déclarer qu'il n'ordonnerait pas Pinianus malgré lui et que, s'ils insistaient pour l'avoir pour prêtre, ils ne l'auraient plus, lui Augustin, pour évêque[b]. Qu'à cela ne tienne, répondit la foule après un moment de flottement – « comme une flamme, dira-t-il, qu'un coup de vent fait un instant vaciller » –, qu'un autre évêque procède à son ordination ! Aux notables qui l'avaient rejoint dans l'abside, Augustin déclara qu'il n'y consentirait jamais et qu'ordonner Pinianus malgré lui était s'exposer à coup sûr à le voir quitter la ville à peine ordonné. Mais il avouera un peu plus tard dans sa lettre à Albina que les vociférations de la foule massée devant l'abside étaient telles qu'il ne savait plus que faire et qu'il craignait le pire pour Alypius, que la foule rendait responsable de ce blocage et abreuvait d'injures. Il dira même qu'il dut renoncer, après y avoir songé, à quitter l'église en compagnie d'Alypius, car il craignait que la foule dense à travers laquelle ils eussent dû se frayer un chemin ne fît à ce dernier un mauvais parti[c].

Alors Pinianus intervint lui-même pour une négociation délicate. Il fit savoir que s'il était ordonné malgré lui il quitterait l'Afrique, tandis qu'il resterait à Hippone si rien ne lui était imposé, mots qu'Augustin reçut comme une brise rafraîchissante, avant d'entendre

---

a. Sous la forme de deux lettres, l'une adressée à Alypius, que le peuple d'Hippone accusait de vouloir garder Pinianus dans son diocèse de façon intéressée (*Ep.* 125), l'autre à Albina, qui soupçonnait les gens d'Hippone et Augustin lui-même de vouloir, pour les mêmes raisons, attacher son gendre à leur église (*Ep.* 126).

b. *Ep.* 126, 1.

c. *Ep.* 126, 2.

d'Alypius, qu'il voulait associer à toute décision, un très sec : « Que personne ne me demande mon avis à ce sujet[a] ! » Quant à la foule massée dans l'église, d'abord déçue, elle se rangea à cette solution à condition que Pinianus s'engageât à ne jamais accepter la cléricature en dehors de l'église d'Hippone. Pendant ce temps, un peu à part, Pinianus et Mélanie mesuraient les conséquences d'un tel engagement et voulaient l'assortir de clauses résolutoires, par exemple une invasion ennemie, quelque incursion barbare qui les forcerait à quitter la ville. Mélanie voulait y ajouter les risques d'un climat malsain ou d'une épidémie, mais son mari la fit taire. Ils se mirent entre eux d'accord sur une formulation restrictive – oui à cet engagement, « sauf en cas de nécessité » – dont le seul énoncé fit rebondir le tumulte : Pinianus dut y renoncer, pour la plus grande joie de l'assistance[b].

On s'acheminait vers le dénouement de cette crise, mais, comme on va le voir, vers un dénouement singulier. Augustin était las d'une séance dont les rebondissements, la tension très forte, les attaques vives contre Alypius l'avaient mis à rude épreuve. Il se tint cependant aux côtés de Pinianus tandis que celui-ci se présentait devant le peuple pour répéter les termes de son engagement. Mais les fidèles, méfiants, exigeaient la signature d'un texte. L'intéressé s'y plia ; mais on demandait maintenant aux évêques – c'est-à-dire à Alypius et à Augustin – de le contresigner. Il n'était guère question que l'évêque de Thagaste obtempérât ; mais Augustin commençait à s'exécuter quand, bizarrement, Mélanie intervint et s'interposa ; et l'évêque d'Hippone demeura le calame en l'air, avec sa signature inachevée[c]. Plus bizarrement encore, plus personne n'insista pour que ce protocole fût achevé en bonne et due forme, et l'on se sépara après tant d'émotions sur une fin qui n'en était pas une. Et de fait Pinianus et Mélanie, horrifiés, quittèrent vite Hippone et n'y remirent plus les pieds. Nous savons qu'ils demeurèrent encore sept ans à Thagaste, avant de partir pour la Terre sainte. Partageaient-ils contre Augustin la colère d'Albina, qui de Thagaste adressa à l'évêque d'Hippone une lettre irritée pour lui reprocher sa passivité, et, de manière injuste, presque sa connivence avec une communauté manifestement cupide[17] ? Si oui, leur réaction s'estompa avec le temps : en 418, de Jérusalem où ils venaient de s'établir, ils écriront à

---

a. *Ep.* 126, 3. L'évêque de Thagaste voulait évidemment dégager toute responsabilité dans cette affaire.

b. *Ep.* 126, 4.

c. *Ep.* 126, 5 : « [...] *tamen obtemperaui, ac sic remansit mea non plena subscriptio* ».

Augustin pour lui rendre compte de leur rencontre avec Pélage, et l'évêque leur adressera aussitôt en réponse son texte *La Grâce du Christ et le Péché originel*, qu'il leur dédiera.

Les textes d'Augustin qui rapportent cette scène avec un tel souci de fidélité dans la transcription de ses péripéties, même strictement physiques et ambulatoires[18], en disent long sur les difficultés du gouvernement de la communauté chrétienne d'Hippone. Le petit peuple des campagnes du diocèse n'était pas seul à faire preuve de cette *rusticitas* dont leur pasteur faisait parfois l'amer constat[a]. En ville aussi les fidèles se montraient emportés, moralement mal dégrossis, facilement violents. Certes, ils respectaient leur évêque, mais Alypius avait bien failli faire les frais de leur colère et de leur déception. Ce n'était pas la première fois que les intérêts matériels de leurs diocèses respectifs opposaient les deux évêques. En 402, un prêtre du nom d'Honoratus était mort dans sa communauté de Thiava, qui dépendait encore alors du diocèse d'Hippone[b]. Mais auparavant Honoratus avait été moine à Thagaste, et il avait conservé ses biens propres à travers ces deux états successifs, si bien qu'à son décès son héritage avait créé un litige entre la communauté monastique qui dépendait d'Alypius et la communauté ecclésiale dirigée par Augustin[c]. Cependant, cette fois-ci l'enjeu était celui d'une immense fortune, qui avait commencé à se poser chez Alypius. Augustin était profondément ulcéré par l'animosité extrême qu'il avait vu et entendu s'exprimer dans son église contre son ami, mais en même temps il ne pouvait pas ne pas être sensible aux aspirations matérielles de ces hommes qu'il voyait si pauvres, mal portants, mal vêtus, mal logés dans leurs « gourbis » fumeux et enfumés[d]. Ainsi s'explique que, tout en affirmant nettement sa position de principe, hostile à une ordination forcée de Pinianus, il se soit aisément rangé à une solution – tout de même un peu extorquée à l'intéressé – qui laissait entrevoir la possibilité que cet homme si riche, qui n'avait pas tout donné à Thagaste, pût un jour être ordonné à Hippone et faire à sa mort bénéficier sa communauté d'une partie de son héritage[19]. Le précédent d'Honoratus de Thiava restait nécessairement présent à son esprit.

---

a. Cf. *supra*, p. 362.

b. Cf. *supra*, p. 354.

c. Voir les développements de cette contestation dans *Ep.* 83, particulièrement 83, 4.

d. *Sermon* 170, 4. Augustin y opposait les *domus fumosae*, *fumigatae*, habitées par les *boni* (les siens), aux *domus marmoratae*, *laqueatae* que possédaient les *iniqui*.

Les échanges avec Volusianus

Augustin aurait bien pu dire lui aussi ce mot si vrai qu'on prête à quelques autres : « Dieu me garde de mes amis, quant à mes ennemis, je m'en charge. » Car on va voir qu'il eut finalement moins de mal avec Volusianus, un païen, qu'avec sa sœur très chrétienne, Albina.

Rufius Antonius Agrypnius Volusianus était-il arrivé à Carthage avec le flot des réfugiés de la fin de l'été de 410 ? C'est le plus probable. Il appartenait à la noble famille des Ceionii, où l'on était préfet de la ville de Rome de père en fils depuis l'époque constantinienne, et son père avait même eu l'insigne honneur d'une itération de cette charge en 390/91. Ce père était païen – l'un des plus cultivés de son temps, selon Macrobe [20] –, mais la mère était chrétienne, et le couple illustrait ainsi cette situation de partage religieux dont nous avons déjà vu d'autres exemples [21]. Dans ces familles on était aussi, fût-ce depuis peu, chrétienne de mère en fille. Volusianus, lui, entre sa mère, sa sœur et sa nièce, qui n'était autre que Mélanie la Jeune, tenait bon pour l'instant dans un paganisme de bonne compagnie, évolué, et, comme on va le voir, plus ferme dans ses doutes relatifs aux dogmes majeurs de la religion nouvelle que positivement assis dans des convictions philosophiques traditionnelles.

Il était l'un des plus brillants représentants de ce que, une trentaine d'années plus tôt, Symmaque appelait sans rire « la meilleure part du genre humain[a] » : le sénat romain et les familles apparentées. Bon nombre de membres de cette élite descendaient des premières *gentes* de Rome et cultivaient en lettrés la nostalgie des temps bien lointains où leurs ancêtres exerçaient un pouvoir réel à la mesure de leurs vertus personnelles, de leur culture et de leur éloquence. Comme on l'a dit, le choix de leurs modèles, des poètes ou des philosophes, leur goût pour les célébrations stériles trahissaient leur résignation à une impuissance dorée [22]. Les charges que l'Empire continuait à leur confier en dehors d'une Rome devenue le musée de cette histoire ancienne jouissaient d'un prestige intact, mais n'avaient plus que les apparences d'une autorité partagée avec d'autres, coiffée par d'autres, dotés, eux, du vrai pouvoir, celui que conférait le commandement des armées. Ainsi du proconsulat

_____

a. « *Pars melior humani generis* » : Symmaque, *Lettres*, I, 52, lettre adressée à Agorius Praetextatus, l'un des « caciques » de cette classe sénatoriale, et le « pape » du paganisme en cette fin du ive siècle.

d'Afrique qu'il semble bien que Volusianus ait exercé jeune, antérieurement à 410, mais dont il ne subsiste aucune trace[23].

À Carthage, dans ces mois de l'année 411/12 où il entretint une correspondance avec l'évêque d'Hippone, Volusianus était apparemment parfaitement oisif, bien que, par déférence pour ce grand seigneur, Augustin, dans sa première lettre, fasse allusion à leurs occupations respectives, certainement beaucoup plus lourdes dans son propre cas[a]. Avec quelques autres beaux esprits de son rang, il avait à Carthage constitué un « cercle » informel, où chacun tenait sa partie dans le domaine de la rhétorique et de la poésie, principalement[b]. La lettre adressée par Volusianus à l'évêque – un petit monument de littérature épistolaire élégante et creuse – nous donne une idée de ces « nuits carthaginoises » : l'art de bien parler et ses recettes y tenaient toujours la première place, suivis de l'activité poétique ; et l'auteur de la lettre ne se faisait pas faute de rappeler au destinataire qu'il avait lui-même excellé dans l'un comme dans l'autre, moins certainement pour le flatter que pour lui signifier qu'au-delà des différences de condition – et même si l'évêque s'était regrettablement fourvoyé ! – ils faisaient tous les deux partie pour l'essentiel du même monde[c]. Il n'était pas, continuait Volusianus, jusqu'à la philosophie – objet elle aussi des doctes conversations de ce cénacle – qui ne fût aussi familière à son correspondant : et de citer le Lycée, l'Académie, le Portique, Épicure et ses suivants, pour avouer finalement qu'aucune de ces doctrines n'était véritablement satisfaisante pour l'esprit[d].

Puis Volusianus s'avançait masqué. Au milieu de ces incertitudes, continuait-il, l'un de nous avait posé sans plus de façons la question de savoir s'il existait quelqu'un d'assez versé dans la sagesse chrétienne pour le conforter dans son adhésion hésitante par des arguments vrais ou vraisemblables : succès garanti, stupeur et silence dans l'assistance. Augustin cependant n'aurait pas de peine à décrypter le procédé scolastique et à reconnaître Volusianus sous cet anonymat. Et il ne pouvait s'y tromper ; le personnage en effet était dans son propre entourage trop immergé dans le christianisme pour n'être pas lui-même un peu gagné par lui. Mais il tiquait sur des articles essentiels de cette foi, éternelles pierres d'achoppement des positivistes : comment admettre l'Incarnation, scandale rationnel

---

a. *Ep.* 132 : « [...] *propter occupationes uarias et meas et tuas* ».

b. *Ep.* 135, 1.

c. Voir l'objection, rapportée par Augustin, que faisaient les païens cultivés aux chrétiens cultivés : « *Magnus uir, bonus uir, litteratus, doctus : sed quare christianus ?* » (*Enarr. in Psalm.* 39, 26).

d. *Ep.* 135, 1.

encore aggravé par une mise au monde virginale[a] ? Et comment la transcendance divine pouvait-elle s'accommoder de la vie bien ordinairement humaine du Christ ? On faisait état de ses miracles, mais la guérison des possédés et même la résurrection de Lazare n'impressionnaient pas Volusianus[24]. Bref, le grand seigneur mettait l'évêque au pied du mur : il allait de sa réputation qu'il donnât une réponse satisfaisante ; et, comme naguère Nectarius, façon de montrer sa réceptivité religieuse, en fin de lettre il invoquait en faveur de son correspondant la protection de la Divinité suprême[b]. Mais l'évêque avait appris à se méfier de ces formules finales, ou initiales, et des fausses joies qu'elles pouvaient lui donner, comme celle qu'il avait eue en lisant un jour cette salutation : « À notre père Augustin, salut éternel dans le Seigneur », en tête d'une lettre dont tout le reste montrait que ses auteurs étaient indubitablement des infidèles[c].

Ce n'était pas la première fois qu'Augustin dialoguait avec l'un de ces nombreux païens éclairés de l'aristocratie sénatoriale romaine. À une date incertaine, mais antérieure à 408, année où mourut ce personnage – partisan de Stilicon, il fut massacré en même temps que lui –, il avait eu sur la personnalité divine du Christ un échange épistolaire avec un certain Longinianus, qu'on identifie formellement avec Flavius Macrobius Longinianus, préfet de la ville en 401/02, qui pratiquait un déisme de type néoplatonicien ; et l'évêque l'avait encouragé à poursuivre dans la recherche d'une perfection morale, en faisant l'économie des rituels de purification – ceux de l'orphisme et de la révélation d'Hermès Trismégiste – que lui citait son correspondant, lequel s'avouait tranquillement « païen » (*paganus*), preuve que l'étiquette n'était plus ressentie comme péjorative par ceux qui la portaient[25]. Et il était assurément plus facile à Augustin qu'à nous de reconnaître l'influence, dans la manière de voir le Christ d'un Longinianus ou d'un Volusianus, des thèses de Porphyre, telles qu'il les savait exprimées dans la *Philosophie des oracles* ou dans un pamphlet intitulé *Contre les chrétiens*[26]. Dans la première décennie du Ve siècle, il ne s'était pas dérobé à la discussion épistolaire avec ces adeptes des théologies néoplatoniciennes, d'autant que sa longue fréquentation de ces textes, en ses années de jeunesse, la lui facilitait. Vers 408, il avait ainsi, par l'intermédiaire d'un prêtre carthaginois du nom de Deogratias,

---

a. *Ep.* 135, 2. C'était une des objections les plus courantes. P. Courcelle a dressé le catalogue de ces critiques : « Propos antichrétiens rapportés par saint Augustin », dans *Recherches augustiniennes*, 1, 1958, pp. 149-186.

b. *Ep.* 135, 2, *in fine.*

c. *Ep.* 232, 2.

envoyé sa réponse à six questions inspirées des arguments antichrétiens de Porphyre, et posées, dira-t-il lui-même dans ses *Révisions*, par un « ami » qu'il souhaitait voir devenir chrétien[a]. Et l'on se souvient de quelle habile manière, dans sa lettre au jeune Dioscorus, en 410, Augustin avait tiré à soi le platonisme, en montrant comment il s'accomplissait, selon lui, dans le christianisme[b].

En face de ces grands aristocrates rassemblés en cénacle à Carthage, puissants et localement influents, l'enjeu était cependant d'une autre taille, et d'importance la partie à jouer. D'autant plus que l'évêque n'ignorait pas que nombre d'entre eux n'avaient pas les mêmes raisons familiales que Volusianus d'avoir pour les chrétiens au minimum quelque indulgence. Le regard qu'ils jetaient sur le christianisme, religion populaire, conjuguait généralement morgue sociale et orgueil intellectuel. Augustin ne force probablement pas la note quand dans l'un des sermons inédits récemment mis au jour, et daté du 1er janvier 404, il fait dire à l'un de ces notables païens : « Moi, devenir chrétien, pour être ce qu'est *ma concierge*, et non pas plutôt ce qu'était Platon, ce qu'était Pythagore[c] ! » Et pour décrire la superbe que leur valaient leurs exercices spirituels néoplatoniciens, il reprend dans ce texte la métaphore de la « patrie » et de la « voie » qui lui était venue à l'esprit dans la page finale du livre VII des *Confessions*[d] : comme lui-même l'avait fait jusqu'aux jours décisifs de l'été milanais, en 386, ils campaient sur la « montagne de leur orgueil » philosophique, d'où ils voyaient de loin la « patrie », bien incapables d'y accéder, car il faut d'abord descendre, prendre le chemin qui commence à l'humilité de la foi, pour pouvoir y monter[e].

Dans ce très beau texte, l'un des sermons les plus développés de l'évêque, dont les augustiniens n'ont pas fini de détailler les richesses, Augustin ne mettait cependant pas tous les païens dans le même sac. Parmi ces « orgueilleux », il distinguait deux espèces. Celle à qui il s'en prenait surtout éprouvait le besoin de recourir à un « médiateur » pour parvenir à ses fins mystiques : aux yeux de

---

a. Les *Sex Quaestiones contra paganos expositae* sont la matière de la lettre 102. Cf. *Retract.*, II, 31.

b. *Ep.* 118. Cf. *supra*, p. 199.

c. *Sermon Dolbeau* 26 (*Mayence* 62), 59 (*Vingt-Six Sermons au peuple d'Afrique*, p. 413) : « *Et hoc futurus sum quod est* ostiaria mea, *ac non potius quod fuit Plato, quod Pythagoras ?* »

d. *Conf.*, VII, 27 ; cf. *supra*, p. 135.

e. *Sermon Dolbeau* 26 (*Mayence* 62), 59 : « *Quid enim prodest illis quod de longinquo patriam uident superbientes ? Non inueniunt uiam, quoniam ad illam altitudinem patriae ab humilitate incipit uia.* »

l'évêque, celui qui se proposait comme tel à ces candidats à la vision divine en quête de purification ne pouvait être que le diable[a]. C'était le diable qui leur suggérait de trouver cette médiation dans la pratique de rites théurgiques, contraignants pour la divinité, ou encore par des initiations à divers mystères que certains ne manquaient pas d'additionner, comme l'avait fait naguère encore – il était mort en 384 – le célèbre Agorius Praetextatus, myste d'Éleusis, mais initié aussi aux mystères d'Hécate, de Cybèle et de Mithra[27]. Certes, ajoute l'évêque, comme ces cultes étaient maintenant prohibés, c'était en secret que ces rites ou ces initiations continuaient de s'accomplir. Cette clandestinité qui impliquait une part non négligeable de ce que la société romaine comptait de plus marquant lui paraissait toujours une menace, la possibilité que ce levain caché fît de nouveau un jour lever la pâte : crainte étonnante pour nous, qui l'estimons a posteriori mal fondée parce que nous connaissons la suite. Mais après tout un texte comme celui des *Saturnales* de Macrobe, qui célèbre la réaction païenne dans les milieux aristocratiques et fait revivre le « cercle de Symmaque », a été écrit et diffusé dans les dernières années de la vie d'Augustin.

Avec ceux-là, qu'il jugeait perdus et dont il redoutait encore la contagion pour les autres, l'évêque ne confondait pas les païens qui affirmaient l'inanité des rites sacrificiels : tel avait été jadis, disait-on, le cas de Pythagore[b]. Et comme l'action salvatrice du Christ a pu s'exercer avant même son Incarnation[c], certains sages de cette Antiquité préchrétienne avaient pu trouver leur salut dans leurs pratiques exemptes de toute médiation, en dépit de leur condamnable superbe. Dans une lettre écrite un peu plus tard à Evodius, Augustin dira à son ami que ce n'était pas de gaieté de cœur qu'il excluait du bonheur éternel les grandes âmes du paganisme, poètes et philosophes[d]. Mais depuis la naissance du Christ il y avait un vrai médiateur et, pour Augustin, il s'agissait de lui gagner ceux qui au moins s'étaient détournés du faux médiateur. Volusianus lui paraissait appartenir à cette catégorie, et l'inquiétude qu'il affichait pouvait être comprise comme un appel sincère, justiciable d'une action apologétique particulière, *ad hominem*. Dans le même temps, Marcellinus, le fidèle et dévoué juge impérial de la conférence, pressait Augustin de donner réponse à son ami païen et ne manquait pas, en

---

a. *Sermon Dolbeau* 26, 28, p. 387 : « *Cum ergo uiderent et quaererent purgationem, diabolus ille superbus superbe quaerentes et superbe se iactantes praeoccupauit et pro mediatore se opposuit, per quem uideretur eis animas suas posse purgari.* »

b. *Sermon Dolbeau* 26, (*M.* 62), 36, p. 394.

c. *Ibid.*, 38, p. 395.

d. *Ep.* 164, 4.

fin de lettre, de lui signaler que dans leur cercle figurait un très riche propriétaire de la région d'Hippone qui se répandait en compliments ironiques sur l'évêque et donnait à entendre que ses entretiens avec lui l'avaient laissé sur sa faim[a]. C'était une façon de suggérer à Augustin un objectif supplémentaire, en lui rappelant la règle « *cuius fundus, eius cultus* » (« telle possession, telle confession »), variante domaniale de l'adage « *cuius regio, eius religio* », vraie quand il s'agissait des clivages entre donatistes et catholiques, mais tout aussi valable dans le rapport paganisme/christianisme. Convertir l'un de ces beaux messieurs, c'était faire entrer dans l'Église quelques centaines de ses manants. La prime n'était pas négligeable, et comme il le faisait pour des donatistes plus ou moins repentis, l'évêque pouvait se dire que la grâce viendrait à point nommé donner un contenu à ces conversions un peu expéditives.

C'est ainsi qu'au printemps de 412 Volusianus reçut une belle et longue lettre, dont son auteur savait qu'elle ferait le tour des salons de Carthage, tout de même que celle qu'il écrivit ces mêmes jours à Marcellinus [28]. Augustin n'y éludait aucune des questions soulevées par l'un ou par l'autre, et sa réponse à Volusianus, notamment, allait bien au-delà de la solution d'objections matérielles – et matéria-listes – qui avaient pu le faire sourire, car il y retrouvait des difficultés conceptuelles qu'il éprouvait lui-même encore à Milan avant le printemps de 386 : par exemple sur le mystère de l'Incarnation, à propos duquel il proposait à son correspondant, en guise d'explication, la formule d'union « hypostatique » des deux natures, divine et humaine, dans l'unité de la « personne » du Christ, qui préfigure ce qui sera retenu plus tard lors des débats du concile de Chalcédoine[b]. En résulta un petit essai brillant, dont certaines pages préfiguraient des développements à venir dans la *Cité de Dieu*, la grande œuvre dont l'évêque entreprenait l'élaboration à cette même époque, et dont les lignes de force se dessinaient déjà dans son esprit. On y lira en particulier un magnifique abrégé d'histoire sainte, dont le souffle lyrique est l'une des belles réussites de ces textes dictés, dont le mouvement, l'abondance verbale, le rythme, le jeu des assonances, mis au service d'une chaleureuse volonté de convaincre, avaient tout pour séduire un grand seigneur cultivé comme Volusianus. L'évêque prenait pourtant la précaution d'avertir son lecteur : ce qu'il allait lui dire de l'économie du salut prédite par les Écritures avait en soi sa force d'entraînement, une capacité de persuasion ; mais il lui

---

a. *Ep.* 136, 3.
b. *Ep.* 137, 9-11. Sur les aspects christologiques de la lettre 137, cf. G. MADEC, *La Patrie et la Voie*, Paris, Desclée, 1989, pp. 228-234.

confirmait le primat de la foi dans la dialectique de l'intelligence et de la croyance : c'était cette dernière qui ouvrait un accès que fermait l'incroyance[a].

Nous ne savons malheureusement rien de la réaction de Volusianus, qui poursuivit une longue et belle carrière, laquelle le conduisit à la préfecture du prétoire en 428-429. En 436, il se rendit à Constantinople, où le jeune empereur d'Occident Valentinien III le dépêchait en ambassade pour arranger son mariage avec Eudoxia, fille de Théodose II. C'est là que, quittant Jérusalem et ses monastères, sa nièce Mélanie la Jeune vint le rejoindre, pour l'aider dans cette mission : au début de l'année 437, elle y trouva son oncle mourant, et elle le convertit sur son lit de mort. Peu avant, Volusianus avait reçu la visite de l'évêque de Constantinople, le patriarche Proclus, et l'histoire veut qu'il ait dit à Mélanie : « Si nous avions à Rome trois hommes tels que le seigneur Proclus, on n'y compterait pas un païen[b] ! » Augustin était alors loin de son souvenir, mais ses paroles avaient cheminé dans son âme.

Dans un sermon daté de 417 – cette année-là Volusianus était devenu préfet de la ville de Rome, comme avant lui son père et son grand-père –, l'évêque disait de la noblesse qu'elle aussi était désormais presque tout entière prise dans les filets de ces pêcheurs d'hommes, les disciples du Christ[c]. On a vu que sur l'extinction prochaine du paganisme au sein des hautes classes Augustin passait par des alternatives de confiance et d'inquiétude. Il était ce jour-là dans une phase d'optimisme.

DÉTRUIRE LES IDOLES EN SON CŒUR[d]

S'il n'y avait eu que les païens à convertir ! Entre les exigences spirituelles de l'évêque et les réalités du christianisme vécu par beaucoup de ses ouailles, il y avait souvent plus que des nuances. Mais Augustin pouvait aussi constater ce décalage et ces rémanences du paganisme chez les fidèles quand il prêchait à Carthage ou quand il était en visite au sein d'autres communautés en dehors de son diocèse.

Il était exceptionnel qu'il s'adressât en chaire à des païens. Les

---

a. *Ep.* 137, 15 : « [...] *intellectui fides aditum aperit, infidelitas claudit* ». Suivait, sur deux pages (chap. 15 et 16), une éblouissante démonstration de l'accomplissement de l'Ancien Testament par le Nouveau.

b. *Vita s. Melaniae*, vers. grecque, 53, *S. C.*, 90, p. 232.

c. *Sermon* 51, 4 : « *Intus est iam pene tota nobilitas.* »

d. *Enarr. in Psalm.* 80, 14 : « *Magnum opus est intus haec idola frangere.* »

sermons inédits récemment publiés en montrent cependant un exemple dans un prêche prononcé au début de 404 à Boseth – une petite cité de Proconsulaire difficile à localiser, peut-être proche de Tignica (Aïn Tounga)[29]. Chrétiens et païens y apparaissent mêlés dans l'auditoire avant qu'on ne fît sortir ces derniers pour la célébration liturgique. Juste avant de les voir quitter l'église, Augustin les pressait encore une fois de ne plus différer leur conversion, de ne plus dire : « Demain, je me ferai chrétien[30] », et de ne pas aller chez l'astrologue pour lui demander quel serait le meilleur jour pour se faire chrétien ! Et, se retournant vers les fidèles, il leur faisait comprendre que ce n'était pas seulement des paroles – les siennes, ou d'autres – mais leurs propres mœurs, c'est-à-dire l'exemple qu'ils donnaient eux-mêmes, qui étaient le meilleur encouragement à l'égard de ceux qui hésitaient encore[31].

Or cet exemple n'était pas toujours de nature à donner aux païens qui regardaient la communauté chrétienne l'image d'un véritable changement *in intimo cordis*. En son sein aussi, précisément, les astrologues continuaient à faire recette, ce que l'évêque déplorait, mais pouvait comprendre, lui qui leur avait été fidèle en sa jeunesse pendant plusieurs années. Il ne pouvait cependant admettre que des catéchumènes, pis, des baptisés infidèles à leur baptême, en fussent encore à recourir aux astrologues pour guider leur vies, comme des païens ordinaires[a]. La chose était malheureusement banale et il avait pu en faire la remarque dès le temps de sa prêtrise à Hippone, quand il voyait les fidèles éviter le jour qui suivait les calendes – le deuxième jour du mois – pour s'engager dans un voyage et ne prendre aucune décision sans avoir consulté les almanachs où étaient notés les jours néfastes selon la tradition « égyptienne[b] ». Un peu plus tard, vers 400, dans son livre *La Première Catéchèse*, l'insistance avec laquelle l'évêque mettait les aspirants au baptême en garde contre les astrologues montre combien le mal était répandu[c]. Les chrétiens, dira-t-il encore plus tard, allaient les consulter en cachette[d] ; c'est pourquoi, quand l'un d'entre eux venait à se convertir, l'évêque attirait tout spécialement l'attention sur son cas, on le montrait à la communauté et, comme il était advenu des livres des magiciens brûlés devant saint Paul à Éphèse, on faisait des siens un

---

a. C'est ce contre quoi il s'insurge dans le *sermon Dolbeau* 14 (*M.* 44), 7, (*Vingt-Six Sermons* [...], pp. 112-113), prêché à Carthage à l'été de 397. On y retrouve le fameux thème du *cras, cras*, comme dans le *sermon Dolbeau* 25, 27, cité un peu plus haut.

b. *Exp. in Ep. ad Galat.*, 35.

c. *De catechizandis rudibus*, 11 ; 48 ; 55.

d. *Tract. in Ioh. euang.*, VI, 17.

joyeux autodafé[a]. Augustin aurait bien voulu voir disparaître jusqu'aux noms des planètes, fonds de commerce de ces charlatans, et il suggérait à ses paroissiens d'abandonner les noms traditionnels des jours de la semaine en faveur des dénominations sabbatiques[32] : le « jour de Mercure » – notre mercredi – fût ainsi devenu le « quatrième jour après le sabbat » (*quarta sabbati dies*), et le « jour de la Lune » le « second[b] ». Mais ils se refusèrent à cette révolution culturelle auprès de laquelle l'adoption dans notre pays du calendrier républicain à l'extrême fin du XVIIIe siècle ne sera qu'une aimable mascarade. Et, n'en déplaise à la grande âme de leur illustre évêque, ils eurent raison !

Augustin pouvait en revanche trouver à bon droit déplorable la vigueur persistante, chez bon nombre de ses fidèles, du vieux fonds de superstition et de magie, qui avait toujours été le tiroir à peine secret du paganisme, particulièrement bien fourni en Afrique[33]. Toujours en pratique était la coutume de combattre les maux de tête à l'aide de bandelettes magiques – les bandelettes du diable, disait l'évêque[c] ; de guerre lasse, Augustin recommandait plutôt de s'appliquer sur le front les Évangiles, sans oublier de rappeler qu'ils n'étaient pas faits pour cela, plus destinés à la guérison des maux de l'âme qu'à celle des maux du corps[d]. Et que dire de l'hostie imposée sur les yeux d'un enfant dont les paupières étaient collées[e] ? Augustin constatait que lorsque la santé, sinon la vie, de leurs enfants était en jeu les parents retombaient dans leurs vieilles ornières. Vers 408, il eut l'occasion de répondre à des questions posées par son collègue dans l'épiscopat Bonifatius de Cataquas, qui se faisait l'écho des inquiétudes des pères et mères de tout-petits (*paruuli*) baptisés : y avait-il un risque de leur nuire, et lequel, si en cas de danger physique on avait recours aux sacrifices des démons ? Il était facile à Augustin de les rassurer : rien ne pouvait amoindrir l'efficacité salvatrice d'un sacrement contre lequel n'allait pas en l'occurrence la volonté de celui qui l'avait reçu[f]. Il ne lui échappait pas

---

a. *Enarr. in Psalm.* 61, 23 (*Ac.*, 19, 19) ; cf. aussi *Tract. in Ioh. euang.*, VIII, 8.

b. Notre lundi (le *lunedi* des Italiens, mais aussi le *Monday* anglais ou le *Montag* allemand), le premier jour de la semaine étant le dimanche (*dies dominica*), lendemain du sabbat.

c. *Sermon* 4, 36 : « *ligamenta diabolica* » ; cf. aussi *Enarr. in Psalm.* 70, 1, 17, sur les mères qui entourent le front de leurs fils de ces « bandelettes sacrilèges ».

d. *Tract. in Ioh. euang.*, VII, 12.

e. *Contra Iulianum op. imp.*, III, 162 : c'est l'histoire du petit Acatius, qui avait alors cinq ans.

f. *Ep.* 98, 1.

que les petits enfants étaient présentés au baptême d'abord pour leur conserver la santé ou la leur faire recouvrer. Mais ce n'était pas parce que cette intention – qui n'était pas la leur – n'était pas la bonne que sa valeur spirituelle en était atteinte[a]. Et si le baptême pouvait avoir une action curative aussi au bénéfice d'adultes, qui pouvait s'en plaindre, à condition bien sûr qu'il n'eût pas été entrepris comme une simple cure thermale[34] ?

L'évêque n'était pas dupe non plus des relents profanes qu'exhalaient les feux de joie de la Saint-Jean, vraie fête païenne du solstice d'été sous couleur de célébration du Baptiste, même s'il en défendait les siens contre les accusations narquoises du manichéen Faustus de Milev[b]. La lutte contre les dérives n'avait pas de fin. Nombreux étaient les chrétiens de fraîche date tentés, comme la femme de Lot, de regarder en arrière, et dont il fallait éviter la perdition. On se souvient du dramatique engagement du futur évêque au printemps de 395 dans l'affaire de la *Laetitia*. Augustin avait eu gain de cause, mais à cet égard le peuple des fidèles était toujours justiciable d'une action de formation continue. Le culte des saints et des martyrs était le champ permanent de cette pédagogie. Que de fois l'évêque s'est exprimé à Carthage soit sur le tombeau (*memoria*) de saint Cyprien, soit sur le lieu de son supplice (à sa *mensa*) ! En ce dernier lieu un autel avait été élevé, non pas comme à un dieu, se croyait obligé de préciser le prédicateur – c'était Cyprien lui-même qui était un autel au vrai Dieu[c].

À l'égard des miracles, enfin, en ces années qui tournent autour de 410 – et bien sûr dans les années antérieures –, Augustin était sensiblement en retrait par rapport à beaucoup de ses fidèles. Il s'en était expliqué, sans trop s'y attarder, dès le temps de sa retraite à Thagaste[d], puis dans les débuts de sa prêtrise, dans le *De utilitate credendi*. Les miracles, écrivait-il alors, avaient été utiles dans les premiers temps de l'Église, indispensables même pour accréditer la prédication chrétienne : le Christ, dira-t-il dans un sermon, n'avait pas fait des miracles, même aussi éclatants que la résurrection du fils de la veuve (*Lc*, 7, 11-17), pour faire des miracles[e]. Face aux prodiges du monde païen, ce merveilleux chrétien avait fait son œuvre. Mais point trop n'en fallait : « Ces miracles ne toucheraient personne s'ils n'étaient étonnants ; et ils ne seraient pas étonnants

a. *Ep.* 98, 5.

b. *Sermon* 196, 4 ; *sermon Morin* 1, 4 ; *sermon Frangip.* 8, 5 ; c. *Faustum*, 20, 4, pour les critiques du manichéen.

c. *Sermon Denis* 14 (prêché en 401), 5.

d. Dans le *De uera religione*, 47.

e. *Sermon* 98, 3.

s'ils étaient habituels[a]. » Ainsi pensait-il vers 390/91. Et dans *La Première Catéchèse*, une dizaine d'années plus tard, il conseillait au pasteur à qui venait se confier un néophyte attiré à la religion par un miracle ou quelque songe de ne pas tarder à l'engager sur « la voie plus solide des Écritures[b] ». L'évêque évoluera beaucoup sur ce sujet et l'on aura l'occasion d'y revenir. Il n'avait pas connu l'expérience du miracle, sinon peut-être un jour d'août dans le jardin de Milan[35] ; mais il lui arrivait, il l'avoue dans les *Confessions*, d'éprouver le besoin – qu'il ressentait presque comme diabolique ! – de demander à Dieu de lui faire signe. Et quel signe plus manifeste Dieu pouvait-il adresser qu'un miracle ? Mais il repoussait cette tentation et se contentait de ce qu'il pouvait plaire à Dieu de lui donner, la grâce[c].

---

a. *De utilitate credendi*, 34.
b. *De cath. rud.*, 10.
c. *Conf.*, X, 56 : « Un signe de toi, Seigneur, [...] que de machinations n'ourdit pas en moi l'*ennemi* pour me suggérer de te le demander ! » On pense à Bernanos. Et un peu plus loin : « Tu fais ce que tu veux, et tu me donnes et me donneras de te suivre volontiers. »

III.

LE DOCTEUR DE LA GRÂCE

CHAPITRE XXVIII

Pélage

Le monde est petit. Il l'était bien plus encore au temps d'Augustin et, de tous les chemins qui menaient à Rome et en sortaient, certains, à l'automne de 410, après la prise de la ville par Alaric, étaient plus empruntés que d'autres : ceux qui canalisaient l'exode des fugitifs en quête de terres d'accueil, en direction du sud, vers la Sicile et surtout vers l'Afrique. La voie la plus courte vers le salut était la *via Ostiensis* ; à Ostie, plus encombrée que jamais, on pouvait s'embarquer pour Carthage, mais aussi pour Hippo Diarrhytus (Bizerte), pour Thabraca (Tabarka), et pour Hippone. C'est à Hippone que toucha terre l'un de ces réfugiés, Pélage. Choisit-il cette destination de propos délibéré ? Probablement pas ; comme tous ceux qui étaient là, et dont la terre italienne alors brûlait les pieds, il monta sans doute sur le premier navire en partance, qui se trouvait aller chez Augustin[1]. Le monde antique était petit ; pourtant, en cette fin d'automne de 410, Pélage et Augustin ne se croisèrent pas à Hippone. Non que l'évêque se soit dérobé à une rencontre que la simple curiosité suffisait à lui faire désirer. Il a tout simplement ignoré alors l'arrivée de Pélage à Hippone et pour la raison que nous savons : il était en ces semaines souffrant, ou convalescent, et absent de sa ville épiscopale[a]. Au reste, le réfugié ne s'y attarda pas et, comme le dit encore Augustin, il n'eut ni le temps ni l'occasion d'y faire quelque bruit[b]. De son passage à Hippone, Pélage ne remportera que le petit billet prudent, mais attentionné et plus que courtois, par lequel l'évêque lui avait souhaité la bienvenue en sa ville et dont il dira plus tard qu'il était

a. *Supra*, p. 418. À cette même époque, Consentius, venu tout spécialement des Baléares pour voir Augustin, devra renoncer à le rencontrer : *Ep.* 119, 1.
b. *De gestis Pelagii*, XXII, 46.

porteur de son grand désir de voir ce visiteur inattendu et de s'entretenir avec lui[2].

Ce rendez-vous manqué, organisé par la grande histoire et refusé
par la petite, a quelque chose de frustrant, au minimum de paradoxal,
si l'on songe que dans les vingt années qui lui restent encore à vivre
l'évêque d'Hippone investira le plus clair de son énergie et de ses
ressources intellectuelles dans ce débat contre Pélage et ses disciples
qui le fera sortir de son Afrique, en termes de renommée, et dont
procédera l'apport augustinien le plus marquant, qui traversera les
siècles et éclipsera souvent, pour la postérité, les autres aspects d'une
grande œuvre et les autres facettes d'une telle figure. Ces deux
hommes dont l'affrontement spirituel fut si fort s'aperçurent à peine,
alors que la destinée avait d'abord tout fait pour les mettre face à
face ; car Pélage s'était hâté de rejoindre Carthage où il savait pouvoir retrouver une partie de cette noblesse chez qui il avait ses entrées
à Rome, comme autrefois Jérôme avant son départ pour la Palestine.
Et de son côté Augustin avait quitté Hippone pour la métropole au
printemps, pour préparer avec Aurelius et ses collègues la grande
confrontation avec les donatistes. Nous savons qu'il y était en mai
411, et il nous dit lui-même qu'il entrevit alors une ou deux fois le
moine d'origine bretonne (c'est-à-dire « britannique ») qui, même
physiquement, ne passait pas inaperçu[3] ; mais il était en ces jours
de fin mai et de début juin beaucoup trop occupé par les préparatifs
de la conférence pour lui accorder attention[a]. Lui qui n'était pas
d'ordinaire gêné d'avoir plusieurs fers au feu était trop requis par
cette partie d'importance capitale pour pouvoir se disperser. Le 8 juin
au soir, l'évêque était de nouveau libre de son temps, mais Pélage
avait déjà repris la mer pour se rendre en Palestine, où Jean de
Jérusalem allait lui réserver le meilleur accueil.

Nul doute qu'Augustin ait regretté de n'avoir pu mettre à profit
pour une rencontre ce passage intempestif et trop rapide, car il
connaissait déjà de réputation depuis une dizaine d'années celui dont
il avait des raisons de penser qu'il serait à l'avenir son principal adversaire. Même s'il n'avait pu suivre pas à pas les progrès de Pélage dans
les palais de l'aristocratie romaine, tout particulièrement au sein de
la puissante famille des Anicii, et sous le patronage d'un prêtre qui
deviendra plus tard le pape Sixte III[4], Augustin avait eu sur lui des
informations, notamment grâce à Paulin de Nole, qui était lié avec le
moine, sans partager ses idées, pour lesquelles il avait cependant quelque curiosité. On se demande encore quel est le « frère et collègue
dans l'épiscopat » qui un jour à Rome, vers 404/05, avait eu l'occa-

---

a. *De gestis Pelagii*, 46.

sion de citer devant Pélage le mot fameux du livre X des *Confessions*, « Donne ce que tu ordonnes et ordonne ce que tu veux[a] », tellement significatif de la soumission de son auteur à la grâce divine : l'autre avait bondi et s'était aussitôt lancé avec passion dans la réfutation[b]. On peut penser à un vieux compagnon d'Augustin, Evodius, évêque d'Uzalis, qui passa plusieurs semaines en mission à Rome durant l'été de 404[5] ; ce pourrait être également Paulin de Nole lui-même[6], à qui Pélage avait ensuite adressé, pour définir à l'égard de la grâce sa propre doctrine, une longue lettre qui avait fini par aboutir entre les mains de l'évêque d'Hippone : à sa lecture Augustin estimera qu'il réduisait vraiment la grâce à la portion congrue[c]. À peu près à la même époque, Pélage écrivait et publiait son *Commentaire aux treize Épîtres de saint Paul*, dont une explication de l'*Épître aux Romains* qui affirmait la possibilité pour l'homme, grâce à son baptême, de ne pas pécher et de vivre en fils de Dieu : l'auteur connaissait visiblement les textes augustiniens sur l'Apôtre datant de la prêtrise et leur donnait une réponse, ainsi qu'aux commentaires adressés à Simplicianus au début de l'épiscopat d'Augustin[7]. En 411, l'évêque d'Hippone savait donc en principe à quoi s'en tenir sur la façon qu'avait Pélage de situer la liberté humaine dans le rapport de l'homme à Dieu, même s'il n'avait pas encore connaissance du texte du moine breton auquel on le verra bientôt s'attacher particulièrement, le *De natura*, dont on proposerait maintenant de dater la rédaction aussi des années 405/06[8]. Les ménagements de l'évêque n'en sont que plus remarquables à l'égard de celui dont il citera pour la première fois le nom, dans son premier texte antipélagien, au début de 412, avec des éloges, comme celui d'un chrétien d'éminente vertu[d] : prescience sans doute d'avoir devant lui la perspective d'un long combat où le respect d'un adversaire dont il reconnaissait la qualité spirituelle s'imposait à lui comme un préliminaire.

LES PREMIERS DÉVELOPPEMENTS DE LA CONTROVERSE ANTIPÉLAGIENNE

Pélage a quitté l'Afrique, mais c'est en Afrique que se joue d'abord le destin de ce qui n'est pas encore le pélagianisme. Car Pélage, en partant, avait laissé derrière lui quelques disciples ;

---

a. *Conf.*, X, 40 ; cf. *supra*, p. 315.

b. *De dono perseuerantiae*, 53.

c. *De gratia Christi*, I, 38, qui situe chronologiquement la lettre (vers 405/06) et nomme Paulin de Nole.

d. *De peccatorum meritis et remissione*, III, 1.

ceux-ci ne tardèrent pas à propager des idées qui, avant même de s'opposer à celles de l'évêque d'Hippone, étaient à contre-courant des opinions communément répandues dans les communautés chrétiennes locales. Entre autres, celui qui apparaîtra en ces années son principal lieutenant, un Romain d'origine aristocratique du nom de Caelestius : un homme « à l'intelligence très aiguë », dira plus tard Augustin[a], mais qui n'avait ni la prudence ni la modération de son maître[9]. C'est sans doute lui qui en cet été de 411 se répandait dans Carthage en tenant, sur le baptême des petits enfants, baptisés selon lui « non en vue de la rémission des péchés, mais pour être sanctifiés dans le Christ », des propos qui étaient parvenus aux oreilles de l'évêque d'Hippone[b]. Celui-ci les avait jugés choquants, mais comme ils émanaient, dit-il, d'hommes sans grande autorité, il n'avait pas jugé bon de les réfuter autrement que par des allusions, dans des sermons ou des conversations[c]. Caelestius s'était déjà beaucoup dévoilé ; il commit en outre l'imprudence de se mettre en avant en se portant candidat à la prêtrise au sein du clergé carthaginois. Mais l'orthodoxie veillait en la personne d'un autre de ces réfugiés qui faisaient de la métropole africaine, en 411, la provisoire capitale *bis* de l'Empire d'Occident : ce fut le diacre milanais Paulin, ami d'Augustin – c'est à sa demande qu'il écrira peu après une *Vie de saint Ambroise*[10] – qui se chargea de citer Caelestius à comparaître devant un tribunal épiscopal.

L'audience eut lieu à l'automne, en octobre ou novembre[11], et Augustin, rentré à Hippone après une absence de plusieurs mois, n'y participa pas ; mais il eut naturellement communication du procès-verbal, et ce qu'il en citera sept ans plus tard dans son traité *Sur le péché originel* nous restitue les paroles échangées dans le climat tendu de cette séance[d]. Caelestius avait résumé sa pensée dans un texte court, qui fut lu à l'audience, et de son côté l'accusateur, Paulin de Milan, avait, en six propositions qu'il voulait entendre condamner par l'accusé, ramassé l'essentiel des thèses qui lui étaient attribuées. Caelestius aurait enseigné qu'Adam avait été créé mortel, et qu'il était, pécheur ou non, voué à la mort ; que son péché n'avait fait de tort qu'à lui-même, et non au genre humain ; que les enfants sont à la naissance dans la situation où était Adam avant la chute ; que le genre humain dans sa totalité ne meurt pas par la faute du péché d'Adam, ni ne bénéficie de la résurrection grâce à celle du

---

a. *Contra duas epist. pelag.*, II, 5.
b. *De peccat. meritis et remissione*, III, 12.
c. *Ibid.*, et *Retract.*, II, 33, *initio*.
d. *De gratia Christi et de peccato originali*, II, 2-4.

Christ ; que la Loi donne accès au ciel au même titre que l'Évangile ; enfin, que même avant l'arrivée du Christ il y eut des hommes exempts de péché [12]. Ces textes attestaient de façon évidente que l'essentiel du pélagianisme avait déjà pris forme à cette date.

L'audience fut présidée par l'évêque de Carthage, Aurelius, qui précisa les enjeux et s'efforça de détendre un peu l'atmosphère ; mais Paulin de Milan ne ménagea pas Caelestius. Pressé de questions, notamment sur la deuxième proposition, relative au péché originel, l'accusé tergiversa un peu, avoua seulement être dans l'incertitude sur la transmission du péché d'Adam au reste du genre humain, parce qu'il avait, dit-il, entendu soutenir sur ce sujet des opinions diverses par des prêtres catholiques. « Des noms ! » le coupa rudement Paulin. Caelestius livra celui du « saint prêtre Rufin », dans lequel, parmi les divers porteurs de ce nom si courant alors, et illustré par plusieurs, les modernes ont su reconnaître Rufin le Syrien, auteur d'un *Livre sur la foi*, qu'on s'accorde à peu près à identifier avec un prêtre homonyme, moine de Bethléem et familier de saint Jérôme [13]. Mis en difficulté, l'ami de Pélage crut pouvoir s'en tirer en professant que le baptême était nécessaire aux enfants[a], mais le tribunal n'était pas disposé à se contenter de cette concession qui, pas plus que l'affirmation diplomatique de son doute sur le péché originel, ne le sauva de la condamnation et de l'excommunication. Contre cet arrêt, il protestera et fera appel au siège de Rome. Cependant, sans même soutenir cet appel, il s'était embarqué pour Éphèse, où il parviendra à se faire donner une place dans le corps des prêtres.

À cette époque – l'hiver de 411-412 –, Augustin était absorbé par des tâches qui ne pouvaient souffrir aucun retard, parce qu'elles étaient des suites, auxquelles il ne pouvait se soustraire, de la conférence avec les donatistes du mois de juin précédent. Les *Actes* en avaient été affichés à Carthage à la fin de juin, et adressés à l'église cathédrale de différents diocèses, dont Hippone, mais l'évêque était le premier à reconnaître que personne ne voulait se mettre à lire pareil monceau de papiers [14]. Au début de l'hiver de 411-412, il en fit donc un « abrégé » – le *Breuiculus conlationis* – qui fut doublé peu après par une grande lettre-circulaire adressée aux fidèles donatistes, avec le dessein de dissocier la base de la secte de sa hiérarchie, en faisant apparaître leurs évêques, et tout particulièrement leurs représentants à la conférence, comme de mauvais bergers et des hommes de mauvaise foi, incapables de reconnaître leur faillite [15]. Augustin avait aussi l'esprit occupé par les problèmes soulevés par Volusianus et

a. *De gratia Christi et de pecc. orig.*, II, 3.

les solutions à leur donner[a] ; il céda pourtant aux sollicitations du tribun et notaire Marcellinus, inquiet des progrès, qu'il constatait à Carthage, des idées semées par Caelestius à propos du péché originel ; il semble même qu'il y avait cédé, sinon au courant de l'été, du moins à l'automne de 411, en adressant à son ami ce qu'il appelle dans une lettre les *libri de baptismo paruulorum* – « Sur le baptême des tout-petits » – qui sont une réponse à diverses questions posées par Marcellinus, à qui ces textes sont dédiés. Après les avoir reçus, le destinataire lui en avait fait retour, et au milieu de toutes ses préoccupations l'évêque ne se souvenait plus pour quelles raisons[b]. Mais en les relisant il les avait jugés défectueux et il avait attendu, pour les reprendre et les compléter, d'en trouver le temps. Telle est, entre l'automne de 411 et le printemps de 412, la genèse de la première œuvre antipélagienne d'Augustin, le *De peccatorum meritis et remissione*[c].

De toutes les œuvres de l'évêque d'Hippone, celle-ci est peut-être la moins inattendue, puisque l'auteur, sur ces sujets, n'avait guère besoin de stimulations : « Il avait, a-t-on pu dire, réfuté Pélage avant même de le connaître [16]. » On pourrait ajouter, sans trop de paradoxe, qu'elle est aussi la moins originale, du moins dans ses motivations théologiques et ecclésiologiques, dans la mesure où elle épouse, sur la nécessité du baptême des petits enfants, des idées qui avaient cours dans l'Église dès la fin du IVe siècle [17] ; dans la mesure aussi – mais c'est là ce qu'elle a de moins augustinien – où elle allait au-devant d'une aspiration, largement répandue dans la masse des fidèles, à une sorte de garantie « automatique » de la rémission des péchés : c'est ainsi qu'un chrétien très moyen pouvait comprendre la grâce. Mais ce qui fait la puissante originalité du *De peccatorum meritis* c'est que dès ce premier ouvrage, alors qu'il n'a encore qu'une connaissance incomplète des écrits de Pélage, Augustin a une claire conscience des enjeux théologiques du débat qui s'engage et de toutes ses implications. Il n'est guère surprenant que le livre I, après rassemblement des textes relatifs à la rédemption dans l'Ancien et dans le Nouveau Testament, s'appesantisse longuement sur le problème du baptême des jeunes enfants. À plusieurs reprises déjà, Augustin l'avait retourné dans son esprit. Dans le *De baptismo*, une dizaine d'années auparavant, il s'était posé la question de son

a. Cf. *supra*, pp. 445-446.
b. *Ep.* 139, 3, *initio*.
c. C'est-à-dire *Des peines méritées par les péchés et de leur rémission et du baptême des petits enfants*, pour reprendre le titre complet qui figure dans les *Révisions* (II, 33).

opportunité, ou plutôt de sa justification : le petit enfant était dans une situation différente à la fois de celle du bon larron qui avait fait acte de foi et avait reçu la grâce sans baptême, et des adultes baptisés mais pécheurs qui ont souvent le sacrement sans la foi[a]. Il y était revenu, en 408, dans sa longue lettre à Bonifatius de Cataquas : c'était la foi de ceux qui présentaient l'enfant au baptême qui s'ajoutait au sacrement, pour le rendre opérant[b]. Dans le présent livre, allant plus loin, il assignait à la foi collective de la communion des fidèles, à l'Église, cette vertu opératrice du sacrement au bénéfice de l'enfant trop jeune pour exprimer sa volonté propre[c]. Avec une sorte de pragmatisme qui grandira en lui avec les années, au lieu de voir dans l'institution du baptême des tout-petits la conséquence ecclésiologique de la doctrine du péché originel, il y voyait à l'inverse la preuve de la vérité de cette doctrine ; et si les pélagiens concédaient qu'il fallait procéder à leur baptême, ils devaient également concéder que les petits enfants avaient besoin eux aussi de la médiation du Christ à travers le sacrement[d]. Sur le sort *post mortem* des enfants morts sans baptême, les pélagiens avaient une position « généreuse » mais ambiguë : ils leur déniaient l'accès au Royaume, comme à tous les non-baptisés, mais leur accordaient le bénéfice d'une incertaine vie éternelle. À Pélage interrogé sur leur destin, et pressé de dire où ils allaient après leur mort, on prêtait ce mot : « Où ils ne vont pas, je le sais ; mais où ils vont, je ne le sais pas[e]. » Manière de dire qu'ils n'allaient pas au royaume des cieux, mais pas non plus à la mort éternelle, et suggérant sans l'affirmer un « troisième lieu » qui pourrait préfigurer le « *limbus puerorum* » de la théologie médiévale[f]. Fidèle à lui-même, Augustin ne les excluait pas de cette mort éternelle, même s'il envisageait pour eux la forme de damnation la plus douce possible [18].

L'orientation antipélagienne de l'ouvrage se précisait au livre II, longue dissertation sur l'*impeccantia*, déclinée en quatre points. Celui d'abord de savoir si en cette vie on pouvait être sans péché : la réponse, rapidement expédiée, était oui, l'homme avait virtuellement cette possibilité, s'il en avait la volonté, avec l'aide de la grâce de Dieu[g]. Mais, deuxième point, était-il arrivé sur terre, arrivait-il

---

a. *De baptismo*, IV, 31.

b. *Ep.* 98, 7.

c. *De pecc. mer.*, I, 38.

d. *Ibid.*, I, 39.

e. *De gratia Christi et de pecc. orig.*, II, 23.

f. Augustin reviendra sur ce *locus medius* des pélagiens dans le *De natura et origine animae*, I, 11. Sur ces problèmes, cf. *infra*, pp. 627-629.

g. *De pecc. mer.*, II, 7

sur terre que, quelque grand, juste, courageux, sage, pieux, miséricordieux qu'on pût être, on fût absolument sans péché ? Dûment
argumentée sur la base de textes scripturaires, la réponse était non[a].
Alors, troisième point, étant donné que l'homme avait la possibilité
d'être sans péché, si la volonté divine venait au secours de sa propre
volonté, comment se faisait-il qu'il ne l'était pas ? La raison en était
que les hommes ne voulaient pas accomplir ce qui était juste, soit
parce que cela leur échappait, soit parce que cela ne leur plaisait pas[b].
Au demeurant – quatrième point –, à supposer que quelqu'un fût
sans péché personnel, il ne pourrait être dans l'« impeccance », à
cause du péché d'origine transmis dans toute la descendance charnelle d'Adam, le seul qui en fut exempt étant notre unique médiateur,
le Christ, qui a pris pour nous sauver l'apparence de la chair de
péché[c].

La structure composite de l'œuvre est mise en évidence par le
début du livre III, dont l'intitulé épistolaire reflète l'origine, une
longue lettre adressée par l'évêque à Marcellinus, en complément
des deux premiers livres. Augustin lui disait qu'il venait de découvrir
des « écrits de Pélage » : il s'agissait des commentaires du moine
breton sur saint Paul. Il y lisait une négation nette et claire du péché
originel, qu'il n'avait pas, écrit-il, réfutée dans les deux volumes
précédents, parce qu'il n'avait pu lui venir à l'esprit qu'on pût penser
ou dire des choses pareilles[d] ! Et naturellement il s'attaquera à cette
réfutation dans les pages qui suivent, mais sans s'en prendre à
Pélage, en admettant, ou feignant d'admettre, que celui-ci rapportait
les thèses de tiers[e] : Pélage, on l'a dit plus haut, sera longtemps
ménagé à titre personnel.

À la fin de cet hiver de 411-412, à peine libéré de ses soucis et de
ses obligations pastorales dans la lutte antidonatiste, Augustin apparaît tout entier mobilisé pour la défense de la grâce. Dans sa lettre
déjà citée à Marcellinus – *Ep.* 139, 6 –, entre autres travaux en
chantier il faisait état d'un « livre » en train destiné à « notre cher
Honoratus », l'ami de jeunesse déjà dédicataire du *De utilitate credendi*, qui lui avait demandé la solution de cinq questions sur des
textes évangéliques ou pauliniens. L'évêque le fit sous la forme
d'une lettre développée – *Ep.* 140 –, qui figure dans son œuvre sous
le titre significatif de *Livre sur la grâce du Nouveau Testament*. Et,

---

a. *Ibid.*, II, 8-25.

b. *Ibid.*, II, 26-33.

c. *Ibid.*, II, 34-59.

d. *De pecc. mer.*, III, 1.

e. Voir par exemple une formule comme celle-ci : « [...] *quae Pelagius insinuat
eos dicere*, qui contra originale peccatum disputant » (*ibid.*, III, 4).

comme il le soulignera lui-même dans ses *Révisions*, sans éluder de répondre précisément à Honoratus sur les points soulevés par lui, il y ajouta le traitement d'une sixième question sur la grâce de la Nouvelle Alliance, « en ayant en vue la nouvelle hérésie, ennemie de la grâce de Dieu[a] ». À la fin de cette longue lettre, Augustin avait pour qualifier les « adversaires de la grâce » des mots qui les désignaient comme des adversaires respectables : ils n'avaient rien de méprisable, ils vivaient dans la continence et méritaient des louanges pour leurs œuvres ; ils n'avaient rien de commun avec les manichéens et quelques autres hérétiques, et le Christ qu'ils honoraient était le vrai Christ, égal et coéternel au Père. Ils n'avaient qu'un défaut, mais de taille ! Ils ignoraient la justice de Dieu, qu'ils remplaçaient par la leur[b]. Et Augustin les comparait aux vierges folles, qui avaient oublié de se munir d'huile, et devant qui la porte s'était refermée...

Mais l'évêque avait en la personne de Marcellinus un interlocuteur exigeant dont certaine sensibilité, qu'on peut soupçonner, aux thèses pélagiennes avivait encore l'inquiétude spirituelle. À la lecture du *De peccatorum meritis et remissione* – en particulier du livre II –, Marcellinus était resté profondément troublé par les affirmations d'Augustin relatives, d'une part, à l'« impeccabilité » virtuelle de l'homme, si sa volonté propre n'allait pas à l'encontre du secours divin, et d'autre part à la négation de son « impeccance » historique : il lui semblait « absurde que l'on dise que puisse exister quelque chose dont il n'est pas d'exemple[c] », alors qu'il ne doutait pas, ajoutait l'évêque, qu'il ne se fût jamais produit qu'un chameau passât par le chas d'une aiguille, bien que le Christ eût dit que cela était possible à Dieu. À ces nouvelles questions de son ami, Augustin répondit, au printemps de 412, par le *De spiritu et littera* (« De l'esprit et de la lettre »).

Le titre en était emprunté à un mot paulinien fondamental : « *La lettre tue, mais l'Esprit vivifie* » (*II Co.*, 3, 6), dont le livre proposait un commentaire approfondi, en retenant moins son sens obvie pour l'exégèse allégorique que le rapport qu'il exprime entre les deux alliances, entre la « Loi des œuvres » (le judaïsme de l'Ancien Testament) et la « Loi de la foi » (le christianisme du Nouveau)[d]. Augustin se souvenait sans doute ici de la troisième règle de Tyconius, *De promissis et lege*, qu'il avait découverte peu avant son

---

a. *Retract.*, II, 36.
b. *Ep.* 140, 83.
c. *De spiritu et littera*, 1 ; cf. aussi *Retract.*, II, 37.
d. *De spiritu et littera*, 21.

ordination épiscopale, et qu'on aurait pu appeler *De spiritu et littera*, comme il le dira plus tard au livre III, 46, de *La Doctrine chrétienne*. Il recourait à des images et à des mots forts pour différencier l'une de l'autre. Ce que la Loi des œuvres commandait en menaçant, la Loi de la foi l'obtenait en croyant ; le mot des *Confessions* devenu fameux depuis que Pélage l'avait épinglé à Rome revenait ici pour illustrer l'attitude du fidèle en quête de la grâce dans la Nouvelle Alliance : dans l'ancienne, Dieu disait : « Fais ce que j'ordonne », tandis que dans la Loi de la foi on s'adresse à lui en lui disant : « Donne ce que tu ordonnes [19]. » Augustin insistait sur cette distance qui sépare les deux Testaments, l'un imposant une Loi tout extérieure, comme les tables de pierre qui portaient les commandements, l'autre une Loi tout intérieure, inscrite dans les cœurs, suscitant la délectation et provoquant l'amour par l'esprit qui vivifie, alors que l'autre, la Loi ancienne, suscitait la crainte et provoquait la transgression par la lettre qui tue [20]. À la fin de son livre, l'évêque faisait retour à son propos initial, ou plutôt à la remarque inquiète de Marcellinus, qui avait relancé sa réflexion, cette contradiction qui le troublait entre l'affirmation d'une « impeccabilité » virtuelle et la négation d'une « impeccance » réelle. Il n'y avait pas contradiction ; tout était possible à Dieu. Quant à l'homme, pour ne jamais tomber dans le péché, il fallait que sa volonté, soutenue par la grâce, fût assez forte et éclairée pour que rien de ce qui concernait la justice ne lui restât caché et n'échappât à son appétence [a]. Seul le Christ avait accompli cette perfection.

Ce dernier texte avait-il satisfait la foi exigeante du dédicataire ? Sur ce sujet, les échanges qui se poursuivirent encore entre les deux hommes demeurent silencieux, mais Augustin n'en avait pas encore fini avec les stimulations intellectuelles de son ami, qui furent, en ces années 411-412, telles qu'on a pu tracer de Marcellinus le portrait, sinon d'un inspirateur, du moins d'un instigateur, et parler de son « compagnonnage » spirituel avec l'évêque [21]. Dans une lettre qu'il lui adressa au printemps ou pendant l'été de 412, Augustin lui répondit sur une question qui portait sur des considérations relatives à l'origine de l'âme dans le livre III du *Traité du libre arbitre*, un texte déjà ancien datant d'une époque où l'auteur aurait pu passer pour un pélagien avant la lettre [b]. L'évêque se défendit d'avoir alors écrit sur pareil sujet quelque chose de définitif [c], mais surtout il devait être reconnaissant à son correspondant de lui avoir donné l'occasion

---

a. *Ibid.*, 61-64.
b. Cf. *supra*, p. 261.
c. *Ep.* 143, 5.

de dire quelle était son attitude à l'égard de son œuvre : un regard critique permanent. Il lui disait : « J'avoue que je m'efforce d'être au nombre de ceux qui écrivent à mesure qu'ils progressent et qui progressent à mesure qu'ils écrivent[a]. » Il préférait se corriger plutôt que de traîner avec lui des « compagnons d'erreur ». Et, chose pour nous assurément surprenante, avec une quinzaine d'années d'avance, il avait déjà le projet très nettement dessiné de cette révision critique qu'il n'entreprendra qu'en 426/27 avec les *Retractationes* : « Rassembler et dénoncer, dans un ouvrage *ad hoc*, tout ce qui dans mes livres me déplaît à juste titre. » Et il ajoutait qu'on verrait alors qu'il n'avait nulle bienveillante partialité à l'égard de lui-même.

Quand il reçut cette lettre, Marcellinus n'avait guère plus qu'une année à vivre avant la fin dramatique qu'on a relatée plus haut[b]. Augustin, qui pleura cette mort faute d'avoir pu l'empêcher, n'oubliera jamais l'impulsion qu'il avait reçue de son ami dans l'élaboration de sa pensée sur ces problèmes difficiles. En 415, dans le *De natura et gratia*, un peu plus tard, dans le *De gestis Pelagii*, il fera référence à ses échanges avec Marcellinus « de bienheureuse mémoire », l'associant ainsi à cette partie de son œuvre qui le place au premier rang dans l'histoire de la théologie en Occident.

L'AFFRONTEMENT DIRECT AVEC PÉLAGE

Dans ses *Révisions*, qu'il avait en projet dès 412, Augustin dira précisément à propos du *De spiritu et littera* qu'il y avait « combattu avec acharnement les adversaires de la grâce de Dieu[c] ». Dans ses premiers écrits contre ces « adversaires de la grâce » – encore une fois moins directement Pélage que ceux, parmi lesquels Caelestius, dont il voulait croire que le moine breton ne faisait que rapporter les propos –, il avait d'emblée saisi toute l'importance de l'enjeu. Il lui apparaissait que par cet effort de fonder la « justice » – c'est-à-dire une vie exempte de péché – sur les seules forces de la conscience humaine[d], le risque était grand que l'ascèse prônée par ces gens, estimables par ailleurs, et d'autant plus dangereux, ne laissât plus rien à l'action de la grâce, telle qu'il la concevait, lui : un secours surnaturel et personnellement accordé au chrétien par la médiation

a. *Ep.* 143, 2 : « *Fateor me ex numero eorum esse conari qui proficiendo scribunt et scribendo proficiunt.* »
b. Cf. *supra*, p. 380.
c. *Retract.*, II, 37 : « *In quo libro, quantum deus adiuuit, acriter disputaui contra inimicos gratiae dei.* »
d. Cf. *De pecc. mer.*, II, 6.

nécessaire et exclusive du Christ. Et il était à redouter aussi que le Christ, même si son statut divin n'était pas mis en cause, ne fût plus lui-même qu'un modèle de vie ; ce qui était à ses yeux la négation du christianisme.

La publication et la diffusion de ces premiers textes antipélagiens avaient eu pour effet, au moins localement, en Afrique, de convaincre quelques-uns de ces « adversaires de la grâce », et de réduire les autres à plus de discrétion : ceux qui restaient, notamment à Carthage, « marmonnaient » désormais dans leur coin[a]. Augustin n'avait pas baissé sa garde. À la demande d'Aurelius, il avait fait du baptême des petits enfants et du péché originel le thème principal d'un sermon prêché le 27 juin 413 dans la *basilica Maiorum*[b]. L'année suivante, en 414, il adressera à Anicia Juliana un petit traité intitulé *De bono uiduitatis* (« Du bien du veuvage »). Juliana était l'une de ces grandes dames romaines que le malheur des temps avait amenées en Afrique avec leurs familles, du moins, dans son cas, ce qui en subsistait, car elle avait peu auparavant perdu prématurément son époux, le noble Anicius Hermogenianus Olybrius, le consul de l'année 395. Mais elle avait près d'elle sa belle-mère, Anicia Faltonia Proba, ainsi que sa fille, Demetrias – comme Mélanie la Jeune l'une des plus riches héritières du monde romain. La jeune fille avait, en 413, décidé de prendre le voile. Dans un milieu aussi en vue, l'événement ne pouvait passer inaperçu et les plus grands noms de la chrétienté de langue latine – dont le pape Innocent et Jérôme[c] – s'étaient mobilisés pour aider de leurs conseils cette prestigieuse moniale. Quant à Augustin, il avait salué cette *velatio* par une petite lettre de félicitations envoyée à la mère et à la grand-mère, en recommandant à Demetrias la lecture de son *De sancta uirginitate*, écrit vers 400[d]. Sur les demandes réitérées de Juliana, il avait écrit sur le veuvage cette longue lettre qui s'adressait aussi à l'entourage de ces pieuses femmes, et dans ce texte il n'avait pas manqué de mettre en garde ses correspondantes contre ceux qui, dans leur exaltation du libre arbitre de la volonté humaine, en venaient à abolir de fait le recours à la prière[e]. Précaution ou pressentiment : car cette même année 414, Pélage, de l'Orient où il vivait alors, envoya à

---

a. *Ep.* 157 (datée de la fin de 414), 22 : « [...] *iam* occulte mussitant, *timentes ecclesiae fundatissimam fidem* ».

b. *Sermon* 294, notamment 19 ; cf. *De gestis Pelagii*, XI, 25.

c. Ce dernier lui adressera sa longue lettre 130, un véritable traité sur la virginité.

d. *Ep.* 150, écrite en « beau style » : « *Haec est uberior fecundiorque felicitas non uentre grauescere, sed mente grandescere, non lactescere pectore, sed corde candescere* »...

e. *De bono uiduitatis*, 21-22.

Demetrias alors rentrée à Rome avec Juliana et Proba une lettre
fameuse – l'un des rares textes de lui, et par lui reconnus, conservés[22] – où il explicitait clairement sa pensée. Augustin n'en aura
connaissance que deux ou trois ans plus tard.

Entre-temps, les idées pélagiennes avaient commencé à essaimer.
En 414 encore, Augustin recevait de Sicile, plus précisément de
Syracuse, un court billet où un nommé Hilarius lui faisait part des
idées qui circulaient autour de lui sur l'« impeccance » et sur
l'absence de péché chez les enfants[a]. L'évêque lui adressera en
réponse une longue lettre (*Ep.* 157) qu'il considérera comme une
suite ou un IVe livre du *De peccatorum meritis*, et qui comme tel
fera partie du dossier de ses traités antipélagiens, au même titre que
le livre *Sur la perfection de la justice de l'homme*, envoyé à deux
évêques espagnols, Eutropius et Paulus : Augustin en avait reçu une
sorte de « tract » (*chartula*) dans lequel, sous le titre de « Définitions », il avait reconnu le style de Caelestius[23].

Mais déjà – on devrait dire enfin ! – et surtout, peut-être dès l'automne de cette année 414 où tout rebondissait, Augustin avait reçu
le *De natura* de Pélage des mains de deux *serui Dei*, Jacobus et
Timasius[b]. L'un et l'autre devaient au moine breton d'avoir abandonné leurs espérances en ce monde et de vivre en serviteurs de
Dieu[c]. L'un d'eux, Timasius, semble bien avoir fait partie de l'entourage de Pinianus et, sauf homonymie toujours possible mais ici
improbable, avoir joué un petit rôle dans la fameuse scène dans
l'église d'Hippone que nous avons relatée plus haut[d]. Si l'on suit
l'hypothèse qui situe dans le temps la rédaction par Pélage de son
De natura bien avant le départ de son auteur pour la Palestine, on
admettra aussi facilement que Jacques et Timase ne l'envoyèrent pas
à l'évêque d'Hippone de la Terre sainte, mais qu'ils le lui remirent
en Afrique, où ils étaient restés comme Pinianus et Mélanie eux-
mêmes, probablement dans les parages de Thagaste[24]. On s'étonnera
seulement que les deux jeunes gens, qui dans cette hypothèse
connaissaient Augustin au moins depuis l'hiver de 410-411, aient
attendu quatre ans pour lui communiquer un ouvrage qui devait être
anciennement en leur possession.

Comme on peut bien le penser, Augustin, lui, n'attendit pas aussi
longtemps pour le réfuter. Sa réplique, le *De natura et gratia*, ne

a. *Ep.* 156.
b. *De gestis Pelagii*, 47.
c. *Ep.* 177, 6. La lettre 19* confirme qu'ils en étaient les élèves très chers : *Ep.*
19*, 3, *B. A.*, 46 B, p. 291.
d. *Ep.* 126, 6 ; cf. *supra*, pp. 440-441.

sera cependant pas prête avant la fin du printemps de 415. Cette date se déduit de la chronologie attribuable aux allées et venues entre Hippone et la Palestine, ces deux pôles de la lutte antipélagienne en 415, d'un jeune prêtre espagnol nommé Paul Orose. Attiré par sa renommée, Orose s'était rendu auprès d'Augustin pour lui soumettre quelques problèmes théologiques[25]. Il était, semble-t-il, surtout soucieux du constat qu'il faisait de certaines survivances en son pays du priscillianisme, et l'évêque d'Hippone écrira à son intention un petit livre, *Contre les priscillianistes et les origénistes*[a]. Mais l'évêque qui élaborait alors sa réponse à Pélage était beaucoup plus soucieux, lui, des progrès de ce qu'il tenait pour une nouvelle et redoutable hérésie. Il adressa le jeune prêtre à Jérôme, en lui confiant une longue lettre destinée à l'ermite de Bethléem, dans laquelle il s'inquiétait en particulier de savoir, à propos de l'origine des âmes, si le « créatianisme » – la création des âmes par Dieu « au coup par coup » – était bien compatible avec la doctrine du péché originel[b]. Orose partit pour la Palestine en emportant aussi à l'intention de Jérôme, outre le dossier de la condamnation de Caelestius à Carthage à l'automne de 411, toute une série d'ouvrages d'Augustin : les trois livres du *De peccatorum meritis et remissione* et la lettre à Hilarius de Syracuse, mais non le *De natura et gratia* auquel l'évêque travaillait encore et dont Orose ne pourra qu'annoncer la rédaction en cours quand il arrivera auprès de Jérôme au début de l'été de 415[26].

Toutes affaires cessantes, Augustin s'était saisi avec une hâte inquiète du livre reçu de Jacques et de Timase et il l'avait lu avec une extrême attention[c]. Jusque-là, excepté quelques commentaires des épîtres pauliniennes, en principe proprement « pélagiens », mais où il voulait voir rapportées par l'auteur des thèses qui n'étaient pas siennes, il avait eu entre les mains des textes émanant de disciples qui répandaient la doctrine du maître tout en protégeant sa personne. Maintenant, il avait sous les yeux les mots mêmes de Pélage. Et il découvrait, selon ses propres termes, « un homme enflammé d'un zèle très ardent contre ceux qui, au lieu d'imputer leurs péchés à la volonté humaine, incriminent plus volontiers la nature humaine[d] ». Autrement dit, Pélage était positivement « naturaliste » ; il pensait que Dieu avait créé en l'homme une nature

---

a. *Retract.*, II, 44.

b. *Ep.* 166, 7-10. Jérôme avait adressé à Marcellinus une opinion en ce sens : *Ep.* 169, 13.

c. *De nat. et gratia*, 1.

d. *Ibid.*, et plus loin, 7.

bonne, exempte de péché, dotée d'un libre arbitre qui permettait à la créature humaine de choisir entre le bien et le mal. S'il s'agissait d'Adam avant la chute, Augustin pouvait en être d'accord[a]. Mais maintenant, quand il parlait de nature, il parlait de la nature déchue, corrompue par le péché. Or, pour Pélage, la nature n'avait pas été affaiblie par le péché, qui n'était pas, disait-il, une « substance », mais simplement un acte parmi d'autres[b]. Ce n'était qu'un accident, qui ne pouvait être par lui-même générateur d'autres péchés, ni affecter durablement l'exercice d'une volonté qui conservait intacte la possibilité de choisir le bien. Pélage se refusait à penser une faiblesse morale découlant d'une faute initiale et il était donc résolument opposé à l'idée de la transmission du péché d'Adam. Tout au plus accordait-il que la faute se transmettait de génération en génération par le fait de l'imitation[c], par la vertu – si l'on peut dire ! – de l'exemple, qui faisait aussi que, dans la mesure où les hommes étaient pécheurs comme Adam, ils étaient comme lui mortels[27]. Un tel système d'idées aboutissait à amoindrir, sinon à nier, la portée surnaturelle de la rédemption et à réduire l'apport du Christ à un rétablissement de la justice originelle. À de tels propos, Augustin réagit avec force, avec indignation même. À la nature et au libre arbitre de Pélage, il appliquait ce que l'Apôtre avait dit de la Loi : si l'homme pouvait être justifié grâce à la loi naturelle et au libre choix de sa volonté, alors « *le Christ était mort pour rien* » (*Ga.*, 2, 21) ; alors la Croix était abattue, tenue pour inexistante[d].

Pourtant, la vigueur de la réaction n'excluait pas une approche mesurée et prudente d'un interlocuteur qu'on se refusait encore à nommer. Augustin dira l'année suivante dans le *De gestis Pelagii* qu'il n'avait pas mentionné le nom de l'auteur dans la réfutation de son livre, « estimant qu'il réussirait mieux si, en sauvegardant son amitié, il ménageait l'honneur de celui dont il ne devait plus ménager les écrits[e] ». Il arrivait même que, pour mieux éviter encore l'attaque *ad hominem*, l'évêque mît les propos qu'il citait au compte d'une pluralité de personnes[f] ; mais on le voit aussi s'adresser à cet adversaire innommé, le prendre fraternellement à partie[g], enregistrer des points d'accord avec lui que la suite du discours

---

a. Cf. *De libero arbitrio*, III, 52. Augustin renvoyait d'ailleurs Pélage à ce texte : *De nat. et gratia*, 81.
b. *De nat. et gratia*, 21.
c. *Ibid.*, 10.
d. *Ibid.*, 1 ; 2.
e. *De gestis Pelagii*, 47.
f. *De nat. et gratia*, 10 : « *Non damnatur,* inquiunt, *quia* [...] ».
g. *Ibid.*, 22 : « *O frater ! Bonum est ut memineris te esse christianum.* »

dément malheureusement juste après[a]. Ce n'était pas là de la part d'Augustin simple habileté tactique ou pure convention littéraire. La sincérité de ses intentions s'est trouvée confirmée par la publication récente d'une lettre restée inédite qu'il adressa à l'été de 416 à Jérôme. Il y regrettait certes les petites ruses mises en œuvre par Pélage pour sa défense mais, revenant sur sa réfutation de l'année précédente, il justifiait encore l'omission dans son texte du nom de l'adversaire : « Je désirais, dit-il, le corriger comme un ami, chose que je désire encore, je l'avoue, et que je ne doute pas que ta Sainteté veuille aussi[b]. » Ces derniers mots pour tenter d'exorciser la hargne jalouse de l'ermite de Bethléem, bien connue d'Augustin. Espérait-il vraiment amener Pélage à résipiscence ? Il savait du moins qu'il n'y avait entre eux pas plus d'accommodements possibles qu'il n'y en a entre l'eau et le feu.

LES ÉVÉNEMENTS DE PALESTINE

Entre-temps, autour de Jérôme, il s'était passé beaucoup de choses en Palestine. À Jérusalem, où il était établi depuis deux ou trois ans, Pélage avait d'abord trouvé bon accueil auprès de l'évêque, Jean. Mais il n'y avait pas que des amis ; ses idées dérangeaient, et Jérôme n'avait pas tardé à prendre en grippe un homme dont il avait été autrefois l'ami. Sa lettre à Ctésiphon, un riche protecteur de Pélage, son plus ferme appui sur place, était un manifeste[c] et il ne cachait pas avoir mis en chantier, sous forme de « Dialogues », un réquisitoire contre les pélagiens. L'arrivée d'Orose, porteur de tout un dossier informatif – même s'il impliquait plus Caelestius que Pélage lui-même – cristallisa toutes ces hostilités. Le prêtre espagnol réussit à obtenir de l'évêque de Jérusalem la réunion, le 28 juillet 415, d'une assemblée ecclésiastique où il relata les événements qui avaient amené la condamnation de Caelestius à Carthage en 411 et produisit les documents qui la concernaient. Jérôme en était absent, mais tous le sentaient dans les coulisses. Introduit sur sa demande, Pélage s'en tira à bon compte en reconnaissant la nécessité de la grâce divine pour que l'homme parvienne à la perfection[28] ; c'était un peu court, mais on ne lui en demandait pas plus. Dans ce milieu oriental, où la langue d'usage était le grec, Orose, exclusivement latinophone, n'était pas à son avantage. L'assemblée, de guerre lasse,

---

a. *Ibid.*, 52.
b. *Ep.* 19*, 3, dans *B.A.*, 46 B, p. 290.
c. JÉRÔME, *Ep.* 133, notamment 5-13.

finit par déclarer qu'il s'agissait d'une hérésie latine, justiciable d'instances latines. Il fut donc convenu de faire rapport au pape Innocent[a].

On s'était séparé sur des paroles de paix, mais dans une atmosphère assez lourde. La séance de la fin de juillet avait laissé des traces, et la rédaction par Jérôme de ses *Dialogues contre les Pélagiens*, qui commençaient à circuler, n'était pas faite pour les effacer. À l'automne, Orose, qui était venu présenter ses devoirs à Jean de Jérusalem à l'occasion des Encénies, s'entendit vertement rabrouer par l'évêque : on lui reprocha d'en avoir trop dit, d'avoir blasphémé en affirmant que, même avec la grâce de Dieu, l'homme ne pouvait s'abstenir de pécher. L'accusateur était mis en posture d'accusé ! Il répondit par le *Liber apologeticus*, qui était tout à la fois un compte rendu de l'assemblée de juillet, un plaidoyer *pro domo* et un pamphlet contre Pélage et contre Jean de Jérusalem. Entre-temps, dûment saisi de l'affaire, le pape Innocent avait chargé de l'accusation deux évêques provençaux, Heros, ancien évêque d'Arles, et Lazare, ancien évêque d'Aix. Il se trouvait que l'un comme l'autre étaient en exil en Terre sainte, après avoir été déposés pour leur implication dans l'entreprise de l'usurpateur Constantin, qui avait établi son éphémère résidence à Arles en 408. Ce choix discutable[29] donnait effectivement, sinon des « juges latins », du moins des procureurs latins à une « hérésie latine », mais, puisque Pélage résidait en Palestine, ce fut au métropolite de cette province, Eulogius de Césarée, que fut adressé par Heros et Lazare le libelle d'accusation. Et l'instance chargée de l'examiner se réunit fin décembre 415 près de Césarée, à Diospolis (maintenant Lydda) : elle rassemblait, outre le métropolite lui-même et Jean de Jérusalem, une douzaine d'évêques, très majoritairement orientaux[b]. Devant ce synode, Pélage eut à répondre d'un dossier hétéroclite hâtivement composé par Orose et Jérôme, fait de phrases ou d'extraits de textes isolés, dont la paternité était au demeurant attribuable plus à Caelestius qu'à lui-même[30]. Il n'eut pas trop de peine à se défendre, dissociant sa position de celle de son disciple, répondant sur les points les plus importants de façon nuancée et avec l'évident souci d'alléger le poids doctrinal de ses propos. Ainsi sur le point de savoir si l'homme peut, s'il le veut, être sans péché et suivre les commandements de Dieu : il fit observer habilement que cette « impeccabilité » n'était acquise à personne tout au long d'une vie et de façon définitive, et qu'elle résultait du

---

a. Orose, *Liber apologeticus*, 6.

b. Augustin en donnera les noms dans son *Contra Iulianum*, I, 32. Heros et Lazare étaient absents, du fait de la maladie de l'un d'eux : *De gestis Pelagii*, 2.

jeu simultané des efforts personnels et de la grâce divine[a]. Mais Pélage ne pouvait échapper à l'ambiguïté, voire à ce qui ressemblait fort à une rétractation s'il voulait sortir indemne de ce procès. Il y parvint en se désolidarisant de Caelestius sur un chapitre fondamental, quand il jeta l'anathème sur « ceux qui disaient » – il s'agissait de son disciple, mais il contestait l'attribution de ces propos – que « la grâce et l'aide de Dieu ne nous sont pas accordées pour chacun de nos actes, mais résident dans le libre arbitre ou encore dans la Loi et la doctrine[b] ». Le moine breton avait fait plus que « se cacher derrière d'habiles paravents de mots », comme l'écrira un peu plus tard Augustin[c]. C'était en fait en consentant un démenti à un principe essentiel du pélagianisme que Pélage avait obtenu du synode de Diospolis un jugement qui l'absolvait de l'accusation d'hérésie et proclamait son appartenance à la communion de l'Église[d]. Jérôme n'était pas un ange de miséricorde, mais il avait vu clair dans le jeu de Pélage quand, à l'époque de ce « lamentable synode [31] », il écrivait à Augustin que « cette très pernicieuse hérésie simule toujours le repentir pour garder licence d'enseigner dans les églises, de peur, si elle se produisait au grand jour, de mourir une fois expulsée dehors[e] ».

Entre Carthage et Rome

Pélage n'avait pas tardé à exploiter les dividendes de son succès douteux en adressant à Augustin, dès l'hiver de 415-416, un compte rendu de sa façon des *Actes* de Diospolis, où il avait soigneusement gommé tous les anathèmes prononcés par lui contre les thèses de ses propres partisans, de manière à apparaître blanchi par le synode sans avoir fait de concessions [32]. Mais, avant même de recevoir ce texte, et surtout, quelques mois plus tard, copie des documents originaux de Diospolis, Augustin savait déjà à quoi s'en tenir. Au printemps de 416, lui étaient parvenus trois messages de Jérôme, dont l'un par l'intermédiaire de Lazare, l'un des accusateurs de Pélage en Palestine[f]; il avait eu aussi la visite d'Orose, qui n'avait

---

a. Cf. *De gestis Pelagii*, 16. Un bon exposé des débats chez G. de Plinval, *Pélage*, pp. 286-292.

b. *De gestis Pelagii*, 30.

c. *Ep.* 4*, 2 (à Cyrille d'Alexandrie), *B.A.*, 46 B, p. 108 : « [...] *cum sese callidis uerborum latibulis occultasset* ».

d. *De gestis Pelagii*, 44.

e. Jérôme, *Ep.* 134, 1 (= Aug., *Ep.* 172, 1).

f. *Ep.* 19*, *B.A.*, 46 B, p. 286.

pas tout à fait perdu son temps en Orient puisqu'il en avait rapporté des reliques de saint Étienne assez miraculeusement découvertes au moment où siégeait l'assemblée de Diospolis[33]. Augustin écrira à Jérôme qu'il avait « beaucoup appris[34] » d'Orose. Ce dernier s'était d'abord arrêté à Carthage, où son arrivée avait coïncidé avec la réunion du concile ordinaire de la province de Proconsulaire, sans doute en mai. Aux évêques africains réunis, il avait communiqué une lettre d'information, signée d'Heros et de Lazare, dont il était porteur[a]. Ainsi mis au courant, Aurelius et ses collègues avaient vivement réagi contre un jugement qui leur paraissait annuler à la légère celui qui avait été porté contre Caelestius par l'assemblée ecclésiale de Carthage à l'automne de 411 et redonner toutes ses chances à la propagation de l'hérésie naissante.

Pendant ce temps, à Hippone, vers la mi-mai, Augustin recevait des mains de Palatinus, un citoyen d'Hippone qui servait comme diacre en Orient, un petit écrit de justification – c'est la *Chartula defensionis* que l'évêque pourra comparer plus tard aux *Actes* authentiques de Diospolis – que Pélage lui avait remis, mais sans joindre la moindre lettre d'accompagnement : le procédé était cavalier et autorisait, commentait Augustin, toute dénégation ultérieure[b]. Devant ses fidèles, l'évêque en faisait état, en ajoutant qu'il attendrait de recevoir les *Actes* authentiques pour répondre. Il informait aussi ses auditeurs d'une nouvelle alarmante que Palatinus venait de lui apprendre, ou de lui confirmer, c'est-à-dire l'incendie de deux monastères à Bethléem, lors d'émeutes qui avaient notamment visé l'établissement où résidaient Eustochium, la fille de Paula, et Jérôme lui-même. Ces mouvements populaires avaient probablement une inspiration plus xénophobe et précisément « antilatine » que proprement pélagienne, mais leur survenue peu après les débats de Diospolis pouvait suggérer une corrélation. Retenons que cette prise de parole de l'évêque en chaire marquait un tournant dans son attitude non à l'égard de l'hérésie – il l'avait immédiatement identifiée comme telle et s'y était aussitôt opposé –, mais à l'égard de son initiateur et auteur, Pélage, nommé et dénoncé ès qualités[c]. Subsistait cependant encore le mince espoir de correction fraternelle qui venait de s'exprimer dans la lettre 19* à Jérôme.

Quelques semaines plus tard, au début de l'été de 416, les évêques

---

a. *Ep.* 175, 1 (lettre synodale des évêques de Proconsulaire au pape Innocent).

b. *Sermon* 348 A, 7, selon le texte intégral qu'on doit depuis peu à la sagacité de F. Dolbeau, « Le sermon 348 A de saint Augustin contre Pélage », dans *Rech. aug.*, 28, 1995, pp. 37-63 (p. 57 pour ce passage).

c. *Sermon* 348 A, 6, *ibid.*, p. 56.

de la province de Numidie se réunissaient dans la ville épiscopale de Severus, Milev (Mila), et leur lettre synodale au pape Innocent appuyait celle de leurs collègues de Proconsulaire, en reprenant leurs arguments et en soulevant de surcroît, par une allusion explicitée par la citation – très augustinienne – de *Rm.*, 5, 12 et de *I Co.*, 15, 22, la question du péché originel[a]. Pour faire bonne mesure, dans le même temps le pape était aussi gratifié d'une longue missive cosignée par Aurelius, Alypius, Evodius et Possidius, et naturellement Augustin lui-même, dont la marque personnelle était bien reconnaissable dans la forme comme dans le détail de l'argumentation. Pour l'édification d'Innocent, y était jointe une série d'annexes : les *Actes* de la condamnation de Caelestius à Carthage en 411, le *De natura* de Pélage et sa réfutation par Augustin, le texte du compte rendu très tendancieux qu'avait fait Pélage de la séance de Diospolis et une première réplique augustinienne que le pape était prié de transmettre au destinataire[b].

De son côté, Jérôme n'était pas en reste. Il avait terminé ses *Dialogues contre les Pélagiens* et les avait envoyés en Afrique, bien sûr, mais aussi à la cour de Ravenne, et Augustin l'assurait dans sa lettre de l'été de 416 qu'il savait par ouï-dire que ces textes ainsi diffusés dans la sphère du pouvoir avaient produit leur effet d'intimidation : le nombre des partisans de Pélage y diminuait à vue d'œil[c]. Au déploiement de toute cette artillerie, l'évêque d'Hippone s'apprêtait à joindre sa propre canonnade. Pour être plus précisément informé il avait, par lettre datable de ces mêmes mois de la mi-416, demandé à Jean de Jérusalem de lui envoyer une copie authentique des *Actes* de Diospolis[d]. Ce ne fut toutefois pas de Jean, qui mourut quelques mois plus tard, qu'il la reçut, mais de Cyrille d'Alexandrie, le futur « héros » du concile d'Éphèse (431), comme nous l'a appris un document récemment retrouvé[35], et au plus tard à la fin de l'hiver de 416-417 : Pinien et Mélanie avaient pu en prendre connaissance avant leur départ d'Afrique au printemps de 417e. Dès réception, Augustin s'était mis au travail. Il en sortira, au début de 417[36], le *De gestis Pelagii*, où était minutieusement démonté le mécanisme par le jeu duquel Pélage s'était mis à l'abri à Diospolis : il avait été

a. *Ep.* 176 (lettre synodale des évêques de Numidie : § 2 pour la citation de *Rm.*, 5, 12 et de *I Co.*, 15, 22).

b. *Ep.* 177 (§ 15 sur le dernier point).

c. *Ep.* 19*, 2. Pour la date de la lettre, cf. M.-F. BERROUARD, dans *Rev. des ét. aug.*, 27, 1981, pp. 265-267.

d. *Ep.* 179, 7.

e. Cf. *De gratia Christi et de pecc. orig.*, II, 11, et la note d'A.C. DE VEER, dans *B.A.*, 22, p. 684.

personnellement blanchi mais, derrière les nuages de fumée dont il l'avait entouré, le pélagianisme, lui, n'avait pas été condamné et conservait sa virulence, en dépit de quelques précautions de langage. Et le ton était désormais plus sévère : les petites habiletés de Pélage, indignes d'une grande figure, avaient eu raison des ménagements initiaux d'Augustin.

Le *De gestis Pelagii* avait été rédigé à l'intention d'Aurelius, pour sa gouverne[a]. Naturellement, communication en sera donnée à Innocent, mais la religion du pape était déjà faite et il n'avait attendu ni les *Actes* authentiques de Diospolis ni la démonstration d'Augustin pour prendre sa décision. Trois lettres datées du 27 janvier 417 parvenaient en Afrique au début du printemps, en réponse aux deux lettres synodales de l'année précédente et à la lettre signée par Aurelius et Augustin et leurs trois collègues ; tout en affirmant avec force les droits du siège de Rome, elles approuvaient l'action des évêques africains, refusaient d'entériner les *Actes* de Diospolis et, en vertu de l'autorité apostolique, elles déclaraient Pélage et Caelestius exclus de la communion jusqu'à résipiscence[37]. Innocent n'avait pas jugé utile de publier une sentence d'excommunication signifiée aux intéressés, ni de convoquer un synode pour confirmer l'assentiment du siège de Rome à la position exprimée par l'épiscopat africain ; et lui-même disparut le 12 mars 417 en laissant à son successeur, Zosime, la charge d'examiner d'éventuels recours que la procédure papale avait laissés ouverts. La mort d'Innocent fut évidemment vite connue à Carthage et à Hippone. Mais, pour Augustin, la question avait été tranchée par le siège apostolique, comme il convenait qu'il le fît[b], et il n'envisageait pas qu'on pût y revenir. À la fin de l'été de 417, il prêchait à Carthage, et le 23 septembre il fit entendre son fameux « *Causa finita est* » : à ses yeux, les rescrits du pape avaient mis à l'affaire un point final ; il ne restait plus qu'à souhaiter qu'à l'erreur aussi fût mis un point final[c].

Il ne pouvait évidemment savoir ce jour-là que l'avant-veille, le 21 septembre, le nouveau pape avait dicté et expédié à destination de l'épiscopat africain une lettre qui annonçait que le synode romain avait prononcé l'absolution de Caelestius d'abord, puis celle de Pélage. Le premier des deux à faire appel, Caelestius, s'était tiré d'affaire devant Zosime en donnant les mains, sur le baptême des

---

a. *De gestis Pelagii*, 1.
b. Il s'exprima là-dessus dans une lettre adressée à Paulin de Nole durant l'été de 417 : *Ep.* 186, 2, *in fine*.
c. *Sermon* 131, 10.

enfants et sur le libre arbitre, à toutes les opinions exprimées sur ces sujets par Innocent lui-même[a]. Le successeur ne pouvait que s'en satisfaire. Quant à Pélage, fidèle à une tactique qui ne lui avait pas mal réussi déjà à Diospolis, il avait présenté une profession de foi – *libellus fidei* – somme toute rassurante, si l'on se contentait de ce qu'il disait sans le pousser dans ses retranchements. Il affirmait ainsi l'existence du libre arbitre, mais en ajoutant que « nous avons toujours besoin de l'aide divine[b] ». Il avait dû se montrer devant les instances romaines aussi équivoque et prudent qu'il l'était dans ses conversations durant l'été de 417 avec Pinianus et Mélanie, telles que ces derniers les avaient rapportées à Augustin, en particulier sur la grâce, lorsqu'il déclarait jeter l'anathème « sur ceux qui admettaient que la grâce n'était pas nécessaire, non seulement à chaque heure et à chaque instant, mais même pour chacun de nos actes[c] ». Au vu de telles déclarations il était difficile à Zosime de ne pas conclure que le moine breton avait été calomnié – notamment par ces évêques provençaux, Heros et Lazare, que le nouveau pape tenait en piètre estime – alors que son orthodoxie n'était pas douteuse. Zosime terminait sa lettre en s'imaginant la joie des évêques africains à apprendre que Caelestius et Pélage ne s'étaient jamais éloignés de la communion et de la vérité de l'Église catholique[38] !

Portée par un diacre romain, la lettre de Zosime était parvenue à Carthage au début de l'automne et y avait produit l'effet d'une bombe. Paulin de Milan, l'accusateur de Caelestius six ans auparavant, y résidait toujours : il était invité par le pape à se rendre à Rome pour y soutenir son accusation initiale. Il s'y refusa : l'affaire, dit-il, dépassait sa personne et concernait désormais l'Église tout entière. Il ajoutait que Caelestius n'était pas fondé à faire de nouveau appel, lui qui n'avait pas soutenu celui qu'il avait interjeté après sa condamnation de l'automne de 411[39]. Quant à la réponse propre de l'épiscopat africain, elle s'organisa dans la hâte. On était maintenant en octobre-novembre et le temps pressait : il y eut apparemment, entre la curie romaine et le siège de Carthage, d'intenses échanges de lettres et de messagers avant l'interruption hivernale des communications maritimes, et sans doute alors même que la mer était théoriquement fermée, à partir du 11 novembre[40]. Compte tenu de l'urgence, Aurelius n'avait pu réunir autour de lui un concile, mais une simple « cellule de crise » à laquelle Augustin fut sans doute

---

a. Cf. *Contra duas ep. pelag.*, II, 6. Voir aussi, sur les réponses de Caelestius à Rome, *De gratia Christi et de pecc. orig.*, II, 5-6.

b. PÉLAGE, *Libellus fidei*, 13 (*P. L.*, 45, 1718).

c. Cf. *De gratia Christi et de pecc. orig.*, I, 2.

associé par courriers interposés. Les textes qui à l'issue de cette concertation furent adressés à Rome étaient une ferme opposition de caractère juridique – une *obtestatio* – à la procédure suivie par Zosime dans cette affaire. Le pape prit son temps pour répondre : la période de *mare clausum* lui laissait tout l'hiver. Mais celle-ci à peine achevée, il adressait le 21 mars à l'épiscopat africain une lettre dont les déclarations fort raides sur l'autorité juridictionnelle du siège de Rome couvraient mal les revirements : il acceptait maintenant ce qu'il avait refusé à l'automne précédent, que l'Église d'Afrique fût pleinement associée au règlement de l'affaire pélagienne[41]. Il est probable, bien que ce point soit toujours discuté[42], que le parti pris par le pouvoir impérial ait pesé dans la balance papale. L'intervention d'Honorius dans le débat se concrétisera le 30 avril 418 par la publication d'un édit qui condamnait les thèses de Pélage et envoyait Caelestius en exil avec ses partisans[a] ; ce faisant, il répondait sans doute aux Africains qui lui avaient demandé son appui, mais en se souciant moins de théologie que de la préservation de la paix publique, qu'il estimait menacée par la poursuite de la querelle. La veille de cette publication, le 29 avril, la lettre du pape était parvenue à Carthage, alors que les évêques convoqués par Aurelius pour le concile général étaient en train de se rassembler. L'assouplissement qu'elle manifestait ouvrait la voie aux décisions que ce concile allait prendre, le 1er mai.

Ce jour-là, dans le *secretarium* de la *basilica Fausti*[43] se réunirent plus de deux cents évêques, venus de toutes les provinces africaines, à l'exception de la Maurétanie Césarienne, sur la situation de laquelle on reviendra. L'ordre du jour de ce concile était chargé, car il avait aussi à examiner et à résoudre de délicats problèmes de discipline et de compétences pastorales et territoriales, séquelles matérielles de l'unité recouvrée à la suite de la conférence de 411, dont la solution ne pouvait plus être différée. Mais les évêques rassemblés se saisirent d'abord des questions doctrinales qui motivaient en premier lieu leur réunion et, en quelques canons, définirent sans équivoque les positions qui vaudraient rupture de la communion ecclésiale à ceux qui les soutiendraient : sur la nature « mortelle » d'Adam, sur la non-nécessité du baptême des petits enfants, sur une conception minimale ou réductrice de la grâce[b]. Ces textes furent adressés sans tarder au siège de Rome, accompagnés d'une lettre

---

a. Édit d'Honorius du 30 avril 418 : *Collect. Quesnelliana*, 14, *P. L.*, 56, col. 490-493.

b. *Concilia Africae*, *CCL*, t. 149, pp. 69-77 et 220-223. Ces textes constituent l'apport doctrinal le plus important du volumineux corpus canonique africain.

synodale rappelant l'excommunication prononcée par Innocent, qui devait demeurer jusqu'à ce que Caelestius et Pélage eussent fait de claires professions de foi sur la nécessité et le véritable rôle de la grâce divine. L'épiscopat africain restait cependant mobilisé, mais pour éviter de retenir plus longtemps loin de leurs sièges tous les évêques présents, on décida d'élire, pour suivre entre autres cette affaire et rester en contact avec Rome, une petite commission inter-provinciale ; pour la Numidie, Augustin en faisait partie, ainsi qu'Alypius et un évêque du nom de Restitutus, choisi pour sa grande ancienneté [44]. Mais cette fois-ci l'affaire semblait bien terminée d'un point de vue ecclésiastique et pour ce qui concernait Caelestius et Pélage : à la fin de juin, Zosime adressa à toutes les Églises, pour diffusion et souscription, une longue lettre-circulaire (*tractoria*) qui sanctionnait de façon définitive la condamnation de Caelestius et de Pélage [45].

LA GRÂCE ET LE PÉCHÉ ORIGINEL

Tandis que Caelestius, chassé de Rome, puis bientôt banni d'Italie, transmettait en Occident le flambeau du pélagianisme à Julien d'Éclane, et rejoignait Pélage dans un Orient toujours disputeur, Augustin avait, cette année 418, acquis une dimension « planétaire », en ce temps où le monde clos dans lequel il vivait se limitait encore aux rivages méditerranéens. On l'a vu correspondre avec Cyrille d'Alexandrie, on sait aussi depuis peu qu'il était en relation avec Atticus de Constantinople [46]. À la curie romaine, on tenait maintenant pour acquis qu'il fallait compter avec lui, comme avec le solide trio qu'il formait avec Aurelius et Alypius. Le prêtre Sixtus, le futur pape, qui avait eu un temps des faiblesses pour l'hérésie pélagienne, avait jugé bon de doubler par de siennes lettres à Aurelius et à Augustin lui-même le rescrit papal portant condamnation. Et l'évê-que d'Hippone, qui n'était pas économe de sa peine pour la bonne cause, répondra à son court billet par une missive de vingt bonnes pages de nos éditions [a]. Mais le vrai sacre de son triomphe lui était venu de Jérôme, qui lui écrivait que l'univers entier chantait sa louange, que les catholiques le vénéraient et le respectaient comme le restaurateur de l'antique foi, et que la détestation dans laquelle le

a. L'*Ep.* 194, condensé de la doctrine augustinienne de la grâce gratuite, dont la circulation imprévue en Afrique même sèmera le trouble dans la communauté monastique d'Hadrumète : cf. *infra*, p. 599.

tenaient tous les hérétiques était désormais le signe le plus manifeste de sa gloire[a].

Pour clore cette première phase du combat antipélagien, Augustin avait eu un très long dernier mot. À Carthage, où nous savons qu'il était resté après le concile général du 1er mai, il avait reçu, sans doute vers la fin de juillet, une lettre que de Jérusalem, où ils étaient arrivés l'année précédente, lui avaient écrite Albina, Mélanie et Pinianus, heureux de lui faire savoir sans retard qu'ils avaient rencontré Pélage et s'étaient efforcés, non sans succès, leur semblait-il, de le ramener à la vraie foi. Ils ignoraient évidemment les derniers développements de l'affaire, et la *tractoria* de Zosime, qui mit un certain temps à parvenir en Orient, en cet été de 418. À Carthage, Augustin était plus occupé encore que chez lui à Hippone, mais il ne voulait pas différer sa réponse et, comme le messager était pressé de repartir, il dicta sans désemparer la bonne centaine de pages qui compose les deux livres du *De gratia Christi et de peccato originali*.

Pour détromper ses amis et réfuter Pélage, Augustin avait maintenant à sa disposition mieux que des on-dit, des paroles ou des écrits provenant de ses disciples, ou des textes récusés par leur auteur[47]. Comme l'avait prophétisé élégamment Jérôme, « le rat s'était trahi par sa propre trace[b] ». Dans les trois dernières années avant sa condamnation, le moine breton avait de fait multiplié défenses ou textes doctrinaux dont il revendiquait la paternité : surtout la « profession de foi » – *libellus fidei* – et la lettre d'accompagnement adressées au pape Innocent – et lues par Zosime après la mort du destinataire –, la lettre à Demetrias, et un traité, le *Pro libero arbitrio*, daté de 416[48]. Augustin maintenant s'en tenait scrupuleusement à ces textes et sa réfutation y gagnait en précision et en solidité.

Sur la conception augustinienne de la grâce, l'ouvrage dicté à Carthage l'été de 418 ajoutait peu à une doctrine qui s'était fait jour dès la rédaction de l'*Ad Simplicianum* en 396[c], et paraît fixée au début de la controverse antipélagienne, notamment avec le *De peccatorum meritis*, au début de 412[49]. Mais l'accent mis lors de la controverse sur la nécessité du baptême des petits enfants, les discussions sur l'*impeccantia*, l'insistance sur le péché originel avaient un peu fait perdre de vue que le grief majeur de l'évêque d'Hippone contre Pélage et ses disciples était qu'il voyait en eux des ennemis

---

a. Jérôme, qui avait toujours quelque peine à ne pas parler de lui-même, ajoute qu'il participait de cette gloire en partageant avec Augustin cette haine des hérétiques à leur endroit : *Ep.* 141 (= *Ep.* 195 d'Augustin).

b. Jérôme, *Ep.* 133 *(ad Ctesiphontem)*, 11, *in fine*.

c. Cf. *supra*, pp. 270-274.

de la grâce. La doctrine était ici réaffirmée avec des formules fortes, pauliniennes d'inspiration, mais spécifiquement augustiniennes dans la forme, comme celle-ci sur la gratuité de la grâce : « La grâce de Dieu ne sera grâce d'aucune façon, si elle n'est gratuite de toute façon[a]. » Cette gratuité est pour Augustin le fondement même de la grâce : l'esprit souffle où il veut, sans être précédé, appelé par des mérites. La grâce d'autre part est donnée à l'homme intérieurement, et non « par la Loi et la doctrine », comme le voulait Pélage[b]. Augustin s'élevait aussi avec force contre la tripartition opérée par le moine dans son analyse des ressorts humains dans l'accomplissement « des commandements divins » – nous dirions de l'acte moral – qui lui faisait distinguer le « pouvoir d'être juste », la « volonté d'être juste » et l'« agir juste » lui-même. Pour Pélage, le premier élément seul, la capacité virtuelle, était une donnée ontologique, octroyée à notre nature par le créateur, qui pouvait la renforcer en nous par une grâce « adjuvante[c] ». Les deux autres éléments, la volonté et l'action elle-même, appartenaient à l'homme, étaient des développements existentiels de sa liberté[d]. Il était facile à Augustin de répliquer que cette attitude était contraire à celle de l'Apôtre qui avait écrit aux Philippiens que c'était Dieu qui opérait en eux le vouloir et l'agir (cf. *Ph.*, 2, 13). Pélage n'ignorait pas cette affirmation de saint Paul, mais il ne reconnaissait à « l'opération de Dieu » qu'un rôle incitatif[e]. Il n'évacuait cependant pas totalement la grâce, mais il la cantonnait dans une définition restrictive, en la faisant consister dans la seule rémission des péchés[f] ; ou encore en ne lui accordant qu'un rôle pédagogique, au mieux une fonction d'illumination, ou la valeur d'un signal[g] ; ou bien encore en ne voyant en elle qu'une aide « pour que les hommes puissent accomplir plus facilement ce que leur volonté libre leur donne l'ordre de faire[h] ». Rien ne répugnait plus à Augustin que cet orgueil de l'ascète, du spirituel, qui dans le tréfonds de son cœur substitue sa propre « justice » à celle de Dieu : ce qu'il appelait une « *superba impietas* » lui paraissait une ingra-

---

a. *De gratia Christi et de pecc. orig.*, II, 28, *in fine*.
b. *Ibid.*, I, 33 ; 45.
c. *Ibid.*, I, 15, *in fine* : « [gratia] *qua ipsa possibilitas adiuuatur* ».
d. *Ibid.*, I, 4, 5 et 7.
e. Cf. *De gratia Christi*, I, 11, citant le *Pro libero arbitrio* de Pélage.
f. *Ibid.*, 1, 2.
g. *Ibid.*, I, 8, citant des phrases du *Pro libero arbitrio* de Pélage.
h. *Ibid.*, I, 30, citant textuellement une phrase du *Pro libero arbitrio* ; cf. aussi I, 23 et 28, citant la *Lettre à Démétriade*, 25 (*P.L.*, 30, col. 40) et s'insurgeant contre le *facilius* qui minimise le rôle de la grâce.

titude envers Dieu[a]. Avec des mots plus simples, le pasteur disait la
même chose que le théologien ; dans un sermon prêché en 416,
l'évêque s'écriait : « Si Dieu t'a fait homme et si toi-même tu te fais
juste, alors tu fais mieux que n'a fait Dieu[b] ! » À quoi faisait écho l'une
des phrases finales du livre I du *De gratia Christi* sur la grâce « en
laquelle [Dieu] nous fait justes non par notre justice mais par la sienne,
si bien que notre justice véritable est celle qui nous vient de lui[c] ».

En 418, la question de la grâce et celle du péché originel sont
liées dans l'esprit d'Augustin, comme ils le sont dans le titre de
l'ouvrage. Il le dit de façon formelle : « C'est pourquoi quiconque
prétend que la nature humaine n'a pas besoin du médecin, le second
Adam, sous prétexte qu'elle n'a pas été viciée dans le premier Adam,
est convaincu d'hostilité envers la grâce divine, non dans une question où le doute ou l'erreur sont permis sans atteinte à la foi, mais
dans la règle même de la foi qui nous constitue chrétiens[d]. » Et dans
cette page de son livre – terminale avant l'énoncé des corollaires
proprement sacramentaires (sur le baptême et le mariage) de ses
démonstrations –, il concluait en citant encore une fois le texte
décisif de saint Paul : « Et donc, du jour où *par un homme le péché
entra dans le monde et par le péché la mort, et* qu'*ainsi il passa à
tous les hommes, [par celui] en qui tous ont péché*[50], du coup toute
la "masse de perdition" est devenue la proie de celui qui allait la
perdre. Ainsi personne, absolument personne, n'a été, n'est, ne sera
libéré de là si ce n'est par la grâce du Rédempteur[e]. »

Sur cette question cruciale, c'était là, comme on l'a bien montré[51],
l'aboutissement – maintes fois réaffirmé dans les années qui sui-
vront – d'un cheminement dont l'*Ad Simplicianum* avait, comme
dans la conception de la grâce, marqué la première étape. On se
souvient qu'alors – en 396 (cf. *supra*, p. 270) –, dans ces textes où
apparaissait pour la première fois ce mot de *peccatum originale*,
Augustin insistait plus sur la peine (*poena*) qui pèse sur la créature
du fait de son « péché d'origine » que sur une culpabilité (*reatus*)
originelle ; pour lui, à cette époque, même s'il était acquis avec les
paroles de l'Apôtre que tout homme tient d'Adam une chair condamnée à la mort qui alourdit son âme, le péché demeurait encore strictement personnel. Mais, dans ces mêmes textes, la sombre image de
la « masse de péché » – *massa peccati* – agglomérée depuis Adam

a. *De pecc. mer.*, II, 28.
b. *Sermon* 169, 13.
c. *De gratia Christi*, I, 52, où « juste » et « justice » doivent, comme dans tous
ces textes, s'entendre au sens de vie moralement irréprochable, et même sainte.
d. *De gratia Christi et de pecc. orig.*, II, 34.
e. *Ibid., loc. cit.*

par une concupiscence charnelle commune à tous les hommes amorçait un tournant dans la pensée d'Augustin.

La réflexion sur la situation de l'enfant vis-à-vis du péché a joué un grand rôle dans la maturation de la doctrine augustinienne. On se souvient du regard pessimiste rétrospectivement jeté par l'évêque sur sa propre enfance dans un texte du livre I des *Confessions* de peu postérieur à l'*Ad Simplicianum*[a]. Quelques années plus tard, vers 408, les questions posées par Bonifatius de Cataquas sur le baptême des enfants sont pour Augustin l'occasion, dans une réponse que nous avons déjà citée[b], de préciser le statut du premier âge dans la « *massa peccati* » : né d'une chair pécheresse, l'enfant est dit pécheur, « *peccator ex peccatore* », mais le péché qui l'habite, la *libido* de laquelle et avec laquelle il est né n'existe encore en lui que de façon présomptive, à l'état de germe, avant de donner chez l'adulte ses « fruits de mort ». Augustin, on l'a déjà dit et on y reviendra, penchait plutôt, sur l'origine de l'âme, vers un « traducianisme » – une transmission par la génération – assez traditionnel en Afrique depuis Tertullien, qui favorisait l'expression d'une doctrine rigoureuse sur le péché originel. Il avait cependant fallu, on l'a vu, précipitant une évolution dont on a parfois perçu les cheminements dans son expérience pastorale[52], l'irruption des pélagiens sur cette scène spirituelle pour l'amener à en formuler pour la première fois la notion même dans le *De peccatorum meritis*, et à reconnaître chez l'enfant le péché contracté de naissance comme péché de pleine acception, avec les irrémédiables conséquences qu'il entraîne s'il n'est pas racheté par le baptême. Sur ce point, le texte de l'été de 418 stabilisait une position sans rien y apporter de nouveau. Mais, pour l'évêque, le plus difficile restait sans doute à faire : définir les conditions dans lesquelles se transmet le péché originel et, en affirmant toujours la nécessité de la grâce divine, sauvegarder ce qu'il pouvait rester de liberté humaine après l'acceptation du plus grave des déterminismes, le déterminisme de la prédestination. C'est à cela – et à s'approcher lui-même des frontières de l'hérésie – qu'il sera amené par les rebondissements de la controverse avec Julien d'Éclane.

Pour conclure sur Pélage, ce dernier valait mieux que les ambiguités et les désaveux peu glorieux derrière lesquels il s'était caché à Diospolis parce qu'il savait bien qu'un hérésiarque reconnu et condamné comme tel était en son temps non seulement exclu de l'Église, mais pratiquement voué à la mort civile. Et notre époque areligieuse pourrait avoir de l'inclination pour Pélage dans la mesure

---

a. Cf. *supra*, p. 32. Pour la date des *Confessions*, cf. *supra*, p. 292.
b. *Ep.* 98 ; cf. *supra*, pp. 451 et 463.

même où Augustin avait de l'aversion, non pour sa personne, mais pour ses idées, et pour les mêmes raisons ! Mais de façon bien imprudente, sans voir sous les séduisants dehors d'une attitude « prométhéenne » les très réelles rigueurs d'un implacable ascétisme. Récuser le péché originel, c'était pour le moine breton n'en autoriser ni en excuser aucun autre, c'était déclarer la guerre à tous les autres. Il suffit pour s'en convaincre de lire la « Lettre à Démétriade », qui n'exalte les forces de la nature humaine[a] et n'affirme la capacité de la liberté humaine à choisir toujours le meilleur[b] que pour faire l'apologie de l'effort et du dénuement, dont Job, « le plus illustre des athlètes de Dieu », était pour lui la figure emblématique[c] ; Pélage prônait une robuste « méritocratie » religieuse[d], au regard de laquelle les exhortations de Jérôme, plus modestes et plus convenues, pouvaient passer pour celles d'un abbé de cour[e]. Pélage reprochait à Augustin une doctrine de la grâce inhumaine, mais c'était pour prêcher une morale surhumaine[53].

Surhumain ou non, l'évêque d'Hippone ne pouvait y voir qu'un moralisme qui tendait à saper les bases mêmes du christianisme, l'incarnation et la rédemption. À lire Pélage, il pouvait se croire revenu lui-même trente ans en arrière, au temps où la philosophie lui proposait ascèse et sagesse sans révélation ni aide divine. Dans sa lettre écrite durant l'été de 417 à un Paulin de Nole lui-même un peu suspect de sympathie pour le pélagianisme, il déclarait sans détours que les pélagiens – de beaux esprits, certes[f] – lui faisaient le même effet que les philosophes « de ce monde » qui s'efforçaient de se persuader et de persuader les autres qu'on pouvait parvenir à la « vie heureuse » – au sens élevé du mot : *beata uita* – par les seules forces de sa volonté propre[g]. Et la séduction qu'ils étaient en leur temps susceptibles d'exercer sur les âmes de leurs contemporains, si ceux-ci faisaient eux aussi abstraction d'un rigoureux ascétisme, était comparable à celle dont Pélage est encore auréolé aux yeux de théologiens modernes, non suspects pourtant d'hérésie, par

---

a. *Ad Dem.*, 2, *initio* : « *Quoties mihi de institutione morum et sanctae uitae conuersatione dicendum est, soleo primo humanae naturae uim qualitatemque monstrare et quid efficere possit ostendere.* »

b. *Ibid.*, 3 et 8, *initio*.

c. *Ibid.*, 6.

d. *Ibid.*, 17 : « *Dispares sunt in regno caelorum per singula merita mansiones. Diuersitas enim operum diuersitatem facit praemiorum.* »

e. Comparer la *Lettre à Démétriade* et, de Jérôme, l'*Ep.* 130 à la même destinataire.

f. « *Magna et acuta ingenia* » : le mot est évidemment quelque peu ironique (*Ep.* 186, 13).

g. *Ep.* 186, 37.

le biais d'une remise en perspective de son *intellectus fidei* et de ses idées sur la grâce [54]. Mais alors, pour Augustin reprenant le cri de l'Apôtre, « *le Christ était mort pour rien* » (*Ga.*, 2, 21).

Et puis, et peut-être surtout, chose grave pour lui qui venait à peine de sortir d'une lutte de vingt années contre un schisme, l'évêque avait senti passer le vent d'un autre schisme. Vraisemblablement était-ce le sens profond du mot que lui avait écrit Jérôme – qui aimait à s'exprimer par paraboles souvent sibyllines – où il voyait en lui un autre Lot, qui avait préféré échapper seul à la ruine de Sodome que d'y rester avec ceux qui devaient y périr. Et il ajoutait qu'il comprendrait ce qu'il voulait dire par là [a]. En fait, ce n'était qu'une image, Augustin n'était pas seul, il avait, au moins, toute l'Afrique derrière lui. Mais, pour rester fidèle à des idées qui étaient d'abord les siennes avant d'être aussi celles de l'épiscopat africain, il avait pris le risque d'un affrontement avec le siège de Rome. Et Zosime de son côté avait un temps pris celui d'une rupture avec une grande province de la chrétienté. Le pélagianisme mettait aussi en péril l'unité de l'Église.

---

a. *Ep.* 195 = Jérôme, *Ep.* 141.

CHAPITRE XXIX

418-419

En quittant Hippone pour Carthage dans la seconde quinzaine d'avril 418, Augustin ne savait pas qu'il en partait pour une absence de plusieurs mois, prolongée à l'automne par un voyage, le plus long de son épiscopat, qui le mènerait à l'autre extrémité de son Afrique ; il se doutait encore moins qu'il avait devant lui un *biennium* – un espace de deux années – chargé d'événements et de déplacements divers qui le verrait plus souvent hors de chez lui que dans sa cité épiscopale. Réagissant aussitôt, à son habitude, aux stimulations des circonstances, Augustin saisira alors l'occasion de contacts épistolaires et de rencontres faites loin d'Hippone pour se livrer, sur l'âme, son origine et sa nature, à des mises au point qu'avec prudence il ne considérera pas comme définitives. On se souvient qu'à Cassiciacum, pendant l'hiver de 386, à la Raison qui lui demandait ce qu'il désirait connaître, le jeune homme alors en instance de baptême avait ambitieusement répondu que ses objectifs étaient Dieu et l'âme[a]. L'évêque savait maintenant que le second n'était pas plus facile à atteindre que le premier.

Augustin, on le sait, était toujours très occupé à Carthage. Il l'était tout particulièrement en cet été de 418, au point de laisser des lettres sans réponse, contre sa pratique habituelle. Enfin rentré chez lui vers la fin d'octobre, à Marius Mercator dont il avait reçu un courrier trois ou quatre mois plus tôt dans la métropole, il écrivait que s'il ne lui avait pas répondu ce n'était pas faute de porteur, mais du fait d'obligations urgentes et très prenantes[b] – et il n'était pas homme à se cacher derrière des prétextes. Nous connaissons déjà quelques-unes de ces affaires qui l'absorbaient, outre la coutumière campagne de prédications urbaines et suburbaines : les suites des démarches

---

a. *Soliloques*, I, 7 ; cf. *supra*, p. 160.
b. *Ep.* 193, 1.

conciliaires du mois de mai et la longue dictée du *De gratia Christi et de peccato originali*. S'y ajouta encore sa participation à la commission épiscopale qui fut chargée de s'entretenir avec Leporius, de recevoir sa rétractation et de la contresigner. Leporius était un moine du sud de la Gaule qui, sous le coup d'une excommunication prononcée contre lui par l'évêque de Marseille, Proculus, s'était réfugié auprès d'Augustin avec deux compagnons, Domninus et Bonus. Il est probable que le trio, parvenu à Hippone au printemps, avait accompagné l'évêque qui se rendait à Carthage pour le concile du 1er mai, et que les thèses qui avaient suscité l'excommunication avaient été examinées et corrigées dans les semaines qui suivirent [1]. Leporius avait une haute idée de la transcendance et de la majesté divines, et répugnait à admettre les réalités existentielles de l'incarnation, la croissance, la souffrance, la passion, la mort du Dieu né homme. Cela lui semblait une inconvenance religieuse, et il craignait que l'assomption de la chair par le Verbe n'entraînât une corruption de la substance divine. Il voyait dans le Christ un « *perfectus cum deo homo* », selon une formule difficilement traduisible et assez sibylline qui laissait entrevoir la notion d'un « homme parfait » dont la nature humaine était juxtaposée à la nature divine, plutôt que véritablement unie à elle et assumée par elle [2]. Les brumes théologiques suscitées par la crainte d'attenter à la transcendance divine étaient au demeurant grosses d'autres déviations potentielles, apparentées à celle-ci, comme celle qui se révélera en Orient avec Nestorius, une dizaine d'années plus tard.

Leporius et ses deux compagnons avaient comparu devant la commission constituée, outre Aurelius de Carthage, d'Augustin, de Florentius d'Hippo Diarrhytus (Bizerte) [a], et d'un quatrième évêque du nom de Secundus. Ils ne firent pas de difficulté pour s'amender, et Leporius rédigea un texte de rétractation, le *Libellus emendationis*, où l'on a pu reconnaître l'influence de l'évêque d'Hippone [3]. Ce texte fut adressé à Proculus de Marseille et à l'un de ses collègues du sud de la Gaule, accompagné d'une lettre attestant que les excommuniés s'étaient corrigés de leur erreur [b]. Quant à Leporius, sans doute demeura-t-il auprès de celui dont l'accueil lui avait valu d'échapper au statut de réprouvé qui était celui de l'hérétique : il est très probable en effet qu'il entra dans la communauté cléricale d'Hippone, et que c'est lui qu'il convient de reconnaître dans le

---

a. C'est d'ailleurs la participation à cette commission de Florentius, qui mourra au printemps suivant, qui permet de la dater.

b. C'est l'*Ep.* 219 d'Augustin.

prêtre homonyme dont, au début de janvier 426, l'évêque vantait le désintéressement et l'efficacité dans son action de bâtisseur[a].

LE LONG VOYAGE VERS CAESAREA (CHERCHELL), EN L'ÉTÉ DE 418

Dans sa réponse tardive à Marius Mercator, Augustin donnait à son correspondant une autre raison du délai apporté à lui répondre : c'était, lui révélait-il, qu'au départ de Carthage il avait pris la route pour aller jusque dans les contrées lointaines de la Maurétanie Césarienne (l'Algérois et l'Oranais, de nos jours), et qu'au cours de ce voyage, où son attention était sollicitée de place en place, nulle occasion de port d'une lettre ne s'était présentée[b]. Sur le motif de ce déplacement, il était resté discret : des « affaires concernant l'Église » (ecclesiastica necessitas), disait-il.

D'autres textes relatifs à cet épisode nous en apprennent un peu plus. D'abord qu'il n'était pas seul, mais qu'il voyageait en compagnie d'Alypius et de Possidius, tous deux pris en chemin sur la grand-route qui menait vers l'ouest. Nous savons aussi que les trois évêques étaient en mission en qualité de légats du pape, dûment munis de lettres émanant du siège apostolique[c]. Augustin – et c'est bien dommage – ne tenait pas de journal de voyage, mais le 18 septembre il était à Caesarea (Cherchell), capitale provinciale, étape principale – mais pas nécessairement terminus – d'une pérégrination qui semble bien avoir comporté quelques méandres[d]. Il avait donc au plus tard à cette date accompli depuis son départ de Carthage un trajet de plus de mille kilomètres, ponctué d'arrêts, fait en voiture et à petites étapes, au plus fort de la chaleur estivale[4].

C'est probablement vers la fin de juillet qu'il s'était mis en route, après avoir reçu dans la métropole les instructions de Zosime. Quelques jours après, flanqué d'Alypius et de Possidius qui l'avaient rejoint, il voyageait toujours en pays de connaissance, en pays numide, où les étapes étaient autant de retrouvailles avec des « frères » qui étaient aussi des amis de longue date : à Constantine, où Fortunatus était évêque depuis la mort prématurée de Profuturus[5] ; à Milev (Mila), siège épiscopal du cher Severus ; à Sitifis (Sétif), où Novatus, évêque depuis quinze ans, et maintenant primat, tenait fermement sa petite province limitrophe de la Numidie. Passé les

a. Cf. supra, p. 329.
b. Ep. 193, 1.
c. Ep. 190, 1, indication confirmée par Possidius, Vita Aug., XIV, 3.
d. D'après les termes employés dans la lettre à Mercator : Ep. 193, 1.

derniers *castella* des hautes plaines de la Sitifienne, où les évêchés
étaient presque aussi denses que dans l'arrière-pays de Carthage, on
abordait les vastes étendues de la Maurétanie Césarienne, où
l'implantation ecclésiale était plus clairsemée. Là commencent aussi
nos incertitudes sur l'itinéraire que prirent Augustin et ses compagnons, et d'abord quant à la façon dont ils entamèrent la traversée
de la grande Kabylie. Il est probable qu'ils ne s'engagèrent pas sur
la route de corniche, superbe mais si peu praticable, mais qu'après
avoir franchi la Saua (l'oued Soummam) à Tubusuptu (Tiklat), ils
rejoignirent la côte en empruntant le sillon que l'oued Sebaou ouvre
dans le massif, une fois traversés les reliefs forestiers entre Adekar
et Azazga. Au-delà de Rusuccuru (Dellys), les évêchés littoraux
ponctuaient cette vaste façade maritime avec la même équidistante
régularité que les « échelles » puniques qui s'étaient établies sur ces
rivages à partir du VIe siècle avant notre ère. Et Augustin et ses amis
retrouvaient maintenant une chrétienté institutionnelle – avec des
évêques et leur clergé – mais qui vivait en vase clos, coupée de la
lointaine métropole africaine, avec un horizon culturel plus occidental qu'oriental, et une nette inclination à se tourner vers Rome plutôt
que vers Carthage pour régler ses différends ecclésiastiques. On va
voir que les effets de cette relative autonomie et de cette tendance
« ultramarine » étaient à l'origine de la mission confiée par le pape
à l'évêque d'Hippone.

Dans sa *Vie d'Augustin*, Possidius lève à son sujet un tout petit
coin du voile. Les mots qu'il emploie à son propos situent son
objectif, sans le désigner précisément : il s'agissait de « mener à
leur terme des affaires ecclésiastiques[a] » ; la délégation de juridiction reçue du pape par Augustin et ses deux collègues était donc
une juridiction d'appel, dans des affaires concernant certes l'Église
d'Afrique, mais prises à un stade de développement qui avait
dépassé les premières instances, proprement africaines, ou les avait
peut-être même court-circuitées, puisque le siège de Rome s'en
était déjà saisi. Augustin, lui, ne s'est pas soucié de satisfaire la
curiosité de ses correspondants – et donc la nôtre, pour qui ses
lettres sont la principale source d'information sur cette affaire
comme sur bien d'autres – quant aux détails d'une mission dont
il ne devait rendre compte qu'à son mandant, le pape Zosime ; et
ce compte rendu nous fait défaut. Mais, précisément, c'est dans
une lettre, adressée non à Zosime, disparu à la fin de l'année 418,
ni à son successeur immédiat, Boniface, mais au titulaire du siège
apostolique à leur suite, Célestin, que l'on trouve au moins des

---

a. *Vita Aug.*, XIV, 3 : « [...] *ob terminandas* [...] *ecclesiasticas necessitates* ».

allusions à l'affaire de l'été de 418. On se souvient qu'alors – à l'automne de 422 – Augustin s'efforçait de contrer les manœuvres d'Antoninus de Fussala parti faire appel à Rome pour la seconde fois[a]. Dans sa lettre au pape Célestin, l'évêque d'Hippone faisait valoir que la sanction dont se plaignait Antoninus, la perte de sa chaire sinon de son grade épiscopal, avait été prise parfois par le siège apostolique jugeant en première instance ou confirmant le jugement d'autres instances. Et il évoquait des exemples récents concernant des évêques de Maurétanie Césarienne. Dans la même situation qu'Antoninus s'était trouvé Laurentius, évêque d'Icosium (Alger), qui avait été dépossédé de son siège sans perdre sa dignité épiscopale. Deux autres prélats avaient été frappés de sanctions ecclésiastiques différentes, qui s'apparentaient à une sorte de « mise en quarantaine » en dehors de leur diocèse : c'était le cas de Priscus, titulaire à Quiza d'un évêché lointain, à l'embouchure de l'oued Chélif, et d'un évêque du nom de Victor, probablement le titulaire du siège de Malliana (Khemis Miliana, ex-Affreville), à une cinquantaine de kilomètres au sud de Caesarea[b]. Priscus tout particulièrement se plaignait en 418 de cette situation qui lui interdisait d'accéder à la primatie de sa province, comme il aurait pu le faire compte tenu de son ancienneté.

Les fautes pour lesquelles avait été sanctionné Laurentius nous échappent. Mais dans les deux autres cas on observe que la sanction prise, cette peine de la communion réduite aux limites de l'évêché de l'intéressé, est précisément celle que le concile du 1er mai 418, qui venait de se tenir, avait prévue à l'encontre des évêques qui soit se montraient négligents dans leurs diocèses pour la conversion et l'intégration des donatistes, soit refusaient de se soumettre aux arbitrages nécessités par les litiges fréquemment issus de la conversion des communautés donatistes[6]. Il s'agissait surtout d'attributions territoriales : délicats à résoudre partout, ces problèmes l'étaient tout particulièrement dans une province où les évêchés étaient vastes et souvent mal définis géographiquement. Étaient-ce de tels cas d'indiscipline qui avaient suscité la sanction ? L'hésitation est permise, car en 418 les évêques de Maurétanie Césarienne avaient accumulé les manquements : on a vu qu'ils brillaient par leur totale absence au concile général du 1er mai 418[c] ; or cette même peine de la privation de la communion en dehors des limites de l'évêché était aussi celle qui était prévue à l'encontre des évêques qui, mandatés

---

a. *Supra*, p. 364.
b. *Ep.* 209, 8.
c. *Supra*, p. 479.

par leur primat pour représenter leur province au concile, manquaient à s'y rendre sans excuse valable[7]. En l'occurrence, pour la réunion du 1ᵉʳ mai 418, si importante sur le plan doctrinal comme dans le cadre disciplinaire, l'absence de la Césarienne avait, à défaut d'excuse, une explication : la carence de l'institution primatiale elle-même.

Quoi qu'il en soit, les évêques sanctionnés avaient fait appel à Rome, et c'est ainsi qu'Augustin, Alypius et Possidius avaient été mandatés pour enquêter sur place et juger en appel par délégation de juridiction papale ; ce qui était de la part de Zosime une bonne manière faite à une Église d'Afrique dont une expérience récente lui avait appris à ménager la susceptibilité. L'instruction à mener sur place n'était pas une sinécure ; elle impliquait des auditions, dont les procédures suivies dans l'affaire d'Antoninus de Fussala peuvent nous donner une idée[a], et des déplacements dans un large rayon autour de la métropole provinciale, Caesarea, sans doute même jusqu'à Quiza (Sidi bel-Atar, ex-Pont-du-Chelif), quelque 150 kilomètres plus à l'ouest. Pour en venir à bout, il fallut certainement aux trois légats pontificaux plusieurs semaines. Chemin faisant, Augustin en profita pour éliminer la mauvaise herbe : sur la route du retour, à Malliana, il chassera de la cité un sous-diacre qu'il avait convaincu de manichéisme[8]. Quant à l'évêque de la ville, Victor, il ne semble pas s'être tiré à son avantage de l'enquête des légats[b]. En revanche, aussi bien Laurentius que Priscus rentrèrent dans la communion dont ils avaient été exclus. Le premier participera au concile général réuni à Carthage à la fin de mai 419 en qualité de légat de sa province, en compagnie de deux autres évêques « littoraux » proches de son siège, celui de Rusguniae (Cap-Matifou) et celui de Rusuccuru (Dellys)[9]. Et pour ce qui est de Priscus, nous savons depuis peu, grâce aux indications concordantes de deux nouvelles lettres d'Augustin, qu'à l'automne de 419 il revint de Rome, où il avait fait triompher sa cause – probablement sur rapport favorable des trois évêques africains –, touchant terre à Carthage et de là séjournant à Hippone avant de rejoindre son lointain siège de Quiza[10]. Mais Augustin, Alypius et Possidius n'en avaient pas encore fini avec la Maurétanie Césarienne, comme on le verra plus loin.

---

a. *Supra*, pp. 361-364.

b. À la date de la lettre 209 au pape Célestin (automne de 422), il était toujours sous le coup de la sanction.

Une fin d'été à Caesarea (Cherchell)

La capitale provinciale était le quartier général de la commission épiscopale qui s'était réunie à la convocation des trois légats pontificaux et de l'évêque métropolitain, Deuterius, et qui rassemblait autour d'eux un groupe d'évêques maurétaniens, dont deux de sièges proches de Caesarea, Rusticus de Cartennae (Ténès), sur la côte, vers l'ouest, et Palladius de Tigava (El Kherba), dans la vallée du Chélif[a].

Dans cette ville dont la vie s'était dès les origines organisée à partir du port abrité par l'îlot qui lui avait donné son nom aux temps puniques [11], Augustin retrouvait sans doute avec plaisir les conditions de séjour qu'il avait chez lui à Hippone. Les deux villes étaient d'importance comparable, avec tout de même un avantage à Hippone, dont le rôle économique était plus grand et l'activité portuaire supérieure. Il y avait aussi autre chose, qui n'avait pu manquer de frapper en lui le voyageur, de quelque côté qu'il eût abordé la ville (probablement par l'est, en venant de Tipasa) : c'était l'enclavement de cette métropole provinciale, surmontée par des abrupts montagneux, sans véritable arrière-pays. Quand, de l'îlot qui fermait le port, on regardait vers le sud et vers l'est, on apercevait, se profilant sur la ligne de crête, l'enceinte dont Juba II avait doté la ville à l'orée de notre ère, créant, à la mode hellénistique, une vaste enveloppe territoriale dont il ne pouvait penser qu'elle serait jamais remplie, et qui ne le fut pas. Et, bien que l'événement remontât aux années de son adolescence, Augustin, qui connaissait l'histoire du donatisme, n'ignorait pas que ce rempart n'avait pas protégé la cité des entreprises de Firmus, qui en 372 s'en était fait ouvrir les portes par ruse, probablement grâce à la complicité de l'évêque donatiste de la ville, comme cela s'était produit ailleurs [12]. Il savait aussi que dans cette région une fraction dissidente modérée, celle des rogatistes, s'était opposée aux schismatiques les plus durs – les alliés de Firmus ; ces heurts qui n'étaient guère distants dans le temps que d'une génération avaient nécessairement laissé des séquelles qui pouvaient aux yeux d'Augustin et de ses compagnons expliquer au moins partiellement les difficultés locales de la liquidation du

---

a. *Gesta cum Emerito*, 1. Il ne s'agissait tout de même pas d'un véritable synode des évêques de la province, comme pourrait le donner à penser une phrase des *Révisions*, II, 51.

schisme, et par voie de conséquence les problèmes disciplinaires qui motivaient leur mission.

Outre ces turbulences, toujours susceptibles d'être alimentées et aggravées par les mouvements des tribus peu romanisées qui campaient aux portes de la ville [13], il y avait dans la cité une tradition de violence qui lui était apparemment propre. Augustin le sut et il y mit fin. Au livre IV du *De doctrina christiana*, écrit quelques années plus tard, il raconte que lors de son séjour à Caesarea il avait appris l'existence d'une « coutume sauvage » qui lui avait semblé remonter à la nuit des temps et en vertu de laquelle les habitants, à des jours déterminés dans l'année, se divisaient en deux groupes pour s'entre-tuer à coups de pierres ; ce combat fratricide s'appelait, dit-il, la *caterua* : la « mêlée », pourrait-on peut-être traduire [a]. Lors d'un sermon qu'il prononça alors, l'évêque d'Hippone attaqua de front sur ce sujet les paroissiens de Deuterius ; il les bouleversa, les émut jusqu'aux larmes et obtint par la force de la parole ce qu'aucune police urbaine n'avait réussi : éradiquer cette pratique barbare, au point que quelques années plus tard elle n'avait pas reparu. Dans le *De doctrina christiana*, le prêche victorieux est présenté comme une réussite exemplaire du « style sublime » : dommage qu'il soit perdu ou, pour être optimiste, qu'il n'ait pas encore été retrouvé.

La rencontre avec Emeritus

Nous avons en revanche conservé les textes de deux autres prestations oratoires d'Augustin à Caesarea. Il les accomplit dans des circonstances singulières, en s'adressant, au-delà de la foule des fidèles qui l'écoutaient, à l'ombre muette d'un vieil adversaire, assez pathétique image d'un donatisme réduit au silence, sinon à la clandestinité. Le lendemain du 8 juin 411, à l'issue de cette conférence où il avait été avec Petilianus de Constantine le plus ferme champion de son Église, Emeritus était rentré chez lui à Caesarea, vaincu, mais non convaincu. À la différence d'un Gaudentius qui, à Timgad, choisira une attitude d'affrontement « héroïque », Emeritus s'était de lui-même calmement cantonné dans un exil intérieur.

On se demandera toujours quelle impulsion, ce 18 septembre 418, le fit sortir de sa retraite et se rendre en ville, alors qu'il ne pouvait douter qu'Augustin, qu'il savait présent, chercherait à le rencontrer.

---

a. *De doctrina christ.*, IV, 53. Le mot *caterua* signifie « bande » et, par dérivation, « combat en bande ». La traduction par « mêlée » est proposée par P. MONCEAUX, *Hist. litt. de l'Afrique chrét.*, t. VI, p. 174.

Emeritus était debout sur la grand-place[14], et c'est là que le vit
Augustin qui, avec ses deux amis, se dirigeait vers l'église où il
s'apprêtait à prendre la parole[a] ; il s'empressa auprès de lui et l'invita
à l'accompagner. La nouvelle de la rencontre avait en un éclair fait
le tour de la ville, et l'*Ecclesia maior* était comble[15], l'assistance y
étant d'avance acquise à Augustin, catholiques d'ancienne obédience
et donatistes repentis mêlés. Emeritus pourtant n'hésita pas à suivre
Augustin et ses compagnons. Mais, à peine était-il entré dans l'église
qu'il se tourna vers eux et prononça cette phrase qui n'était qu'en
apparence sibylline : « Je ne puis pas ne pas vouloir ce que vous
voulez, mais je puis vouloir ce que je veux. » Augustin ne pouvait
s'y tromper : autant était surprenante de la part d'Emeritus une
curiosité qu'il masquait sous une feinte soumission, nuancée de
fierté, autant son obstination était à prévoir ; l'évêque d'Hippone
choisit cependant d'interpréter cette attitude comme un simple petit
retard (*morula*) avant la reddition finale de cet entêté[b]. Et Emeritus
subit sans mot dire une longue homélie ponctuée par les cris de
l'assistance, qui le pressait de se décider sans plus attendre.

Il faut croire qu'Emeritus mettait un point d'honneur à ne pas se
dérober à l'évêque d'Hippone en visite dans ses murs, au risque de
sembler être tombé sous le charme, car le surlendemain, 20 septembre, on le revit dans cette même *Ecclesia maior*, seul en face de la
brochette d'évêques et de clercs qui en avaient garni l'abside. La
partie était inégale, mais il n'y eut pas de partie. Augustin était
lucide ; quand il voyait l'église à moitié remplie par d'anciens donatistes, il ne se faisait pas trop d'illusions sur la qualité de leur
présence : beaucoup d'entre eux, hommes ou femmes, étaient physiquement présents, mais leur esprit était ailleurs[c]. Le silence d'Emeritus exprimait avec éloquence la réluctance intime de ces « malgré-
eux ». Convaincre leur ci-devant évêque, l'amener à résipiscence,
obtenir devant eux son éclatante conversion était un formidable
enjeu. Augustin ne négligea rien pour parvenir à un résultat qu'il
pouvait espérer aussi largement pacificateur que l'avait été son combat victorieux contre la *caterua*. Au début de cette séance, dans une
amorce de dialogue qui avait vite tourné court, il avait rappelé au
donatiste son échec et l'échec de son Église lors des débats de la
conférence de Carthage ; à quoi Emeritus avait répondu qu'il suffisait

---

a. *Gesta cum Emerito*, 1.

b. *Sermo ad Caes. eccl. plebem*, 1 : « *Non uos ergo permoueat, fratres,* aliqua
morula, *dum uult quod uult.* »

c. Il le dit avec l'opposition ecclésiologique *intus / foris* : « [...] *adhuc corde
positi in parte Donati praesentiam nobis exhibent corporalem siue uiri siue feminae,
carne intus, spiritu foris* » (*Gesta cum Emerito*, 2).

de se référer aux *Actes* pour savoir s'il en était sorti vaincu ou vainqueur, si c'était la vérité qui avait prévalu contre lui, ou si c'était la force qui l'avait écrasé[a].

Augustin avait bien envie de le prendre au mot, mais il n'était pas question de lire, là, tout de suite, ces interminables procès-verbaux dont il conseillait cependant à Deuterius de faire donner lecture à l'avenir pendant le carême[b]. Il pouvait au moins en faire lire les textes les plus démonstratifs de la volonté de conciliation de l'épiscopat catholique. Ce fut Alypius qui s'en chargea, en lisant l'essentiel de la lettre synodale par laquelle, le 25 mai 411, répondant à l'édit d'organisation de la conférence publié par Flavius Marcellinus, les catholiques avaient promis de s'y conformer : dans ce texte, on s'en souvient[c], Aurelius et ses collègues s'engageaient à s'effacer, au cas où leurs adversaires feraient triompher leurs vues et, dans le cas contraire, à les accueillir généreusement. Augustin avait entrecoupé cette lecture de quelques commentaires. Il poursuivit en mettant l'accent sur tout ce qui, dans l'histoire récente du schisme, illustrait le plus typiquement l'incohérence des donatistes dans leur refus du retour à l'unité catholique : ainsi les épisodes de la condamnation des maximianistes par les primianistes, au cours desquels Emeritus s'était distingué en lançant des anathèmes d'un style baroque et amphigourique, jolis morceaux de prose dont l'évêque d'Hippone se fit un malin plaisir de citer de longs passages[d]. Or de ces condamnés, traités par Emeritus, entre autres gentillesses, d'aspics et de vipères, deux au moins avaient été réintégrés sans conditions, dont Felicianus de Mustis. Au sujet de ce dernier, Augustin avait beau jeu d'apostropher le lanceur d'anathèmes : puisqu'il avait fini par embrasser son frère Felicianus que « la foudre de sa bouche avait condamné », que ne faisait-il de même avec son frère Deuterius, auquel le liait par surcroît un lien de parenté[e] ? Le donatiste devait être au supplice ; mais il garda le silence, fidèle à la ligne de conduite qu'il s'était fixée dès le début de la séance, quand, pressé

---

a. *Gesta cum Emerito*, 3.

b. *Ibid.*, 4. Augustin s'exprimait à ce sujet dans les mêmes termes que dans la lettre 28* adressée à Novatus de Sitifis un ou deux ans auravant : *Ep.* 28*, 2, dans *B.A.*, 46 B, p. 404.

c. Cf. *supra*, p. 419. C'est l'*Ep.* 128 d'Augustin = *Gesta conl. Carth.*, I, 16.

d. Cf. *Gesta cum Emerito*, 10 et 11. Il citait les sentences du concile de Bagaï en 394, qui figuraient dans son dossier d'archives depuis des années. Mais qu'il les ait eues avec lui à Caesarea en septembre 418 donne tout de même à penser qu'il espérait bien cette ultime confrontation, et qu'il l'avait prévue.

e. *Gesta cum Emerito*, 10, *in fine*.

par Augustin de dire pourquoi il était venu, il s'était tourné vers le sténographe qui attendait sa réponse et lui avait dit simplement : « *Fac*[a] », terminant ainsi une carrière d'orateur prolixe sur le mot le plus court qu'il pût prononcer.

Au soir du 20 septembre 418, il rentrait dans l'ombre dont il n'était sorti qu'en pure perte pendant trois jours. Mais l'échec était celui d'Augustin qui, à vouloir trop prouver, n'avait réussi qu'à raidir le donatiste dans son armure d'orgueil blessé. De l'évêque d'Hippone les intentions généreuses et la charité n'étaient pas douteuses, mais sa pédagogie avait parfois la pesanteur d'un rouleau compresseur. Emeritus n'était certes pas un client facile, mais cette façon de vouloir faire son salut avait été le moyen le plus sûr de le rejeter dans les ténèbres extérieures.

L'ORIGINE DE L'ÂME

Comme il arrive en toute vie et comme ce fut bien souvent le cas dans celle d'Augustin, ce ne fut pas ce qui était programmé, ce qui motivait cette mission – l'*ecclesiastica necessitas* – qui devait être pour l'évêque de la plus grande conséquence, mais bien les effets des rencontres dont cette mission fut l'occasion. Car elle l'amena à découvrir l'existence en ce « Far West » d'un milieu clérical et monastique vivant et curieux de théologie.

Au cours de son séjour à Caesarea, à une date que nous ne pouvons préciser, Augustin vit se présenter à lui un moine de la région, Renatus. Ce moine était porteur d'une lettre écrite par un évêque du nom d'Optatus, lequel, sachant qu'à cette époque une partie de l'épiscopat de Césarienne était rassemblée au siège métropolitain, en liaison avec la mission diligentée par le pape Zosime, lui avait adressé une lettre sollicitant l'avis de ces évêques sur une question épineuse qui divisait sa propre communauté, celle de l'origine de l'âme[b]. L'évêque d'Hippone n'en était pas le destinataire, mais Optatus, qui avait appris sa présence occasionnelle, lui demandait aussi de l'éclairer, par l'intermédiaire de Renatus. Quelques jours plus tard, Augustin reçut la visite d'un certain Muresis, un parent d'Optatus, qui se présenta de sa part, avec une requête qui doublait celle de Renatus. On s'est longtemps perdu en conjectures sur le lieu où

---

a. « Fais [ton travail] », c'est-à-dire enregistre ce qui sera dit sans t'occuper de moi (*Gesta cum Emerito*, 3, *in fine*). Possidius, qui était présent, a rapporté la scène dans les mêmes termes : *Vita Aug.*, XIV, 7.

b. *Ep.* 190, 1.

vivait et d'où écrivait Optatus. Une des lettres qui sont venues récemment enrichir le *corpus* épistolaire augustinien a levé un coin du voile. Optatus était un « évêque espagnol[a] », ce qu'on pourrait ne pas entendre au pied de la lettre : plutôt que dans la péninsule Ibérique, son évêché a pu se situer en Maurétanie Tingitane, qui faisait au Bas-Empire partie du « diocèse » – au sens « régional » et administratif – d'Espagne, tant du point de vue ecclésiastique que du point de vue civil. En ce sens, même avec son nom d'apparente consonance africaine, Optatus pouvait être considéré comme « espagnol » par Augustin ; s'il résidait en Tingitane, quelque part[b] de l'autre côté de la Mulucha (la Moulouya), qui formait la frontière, il pouvait, en dépit d'une distance probablement assez grande, être en relation suivie avec ses frères de Césarienne. L'absence d'une liaison routière transfrontalière sûre et permanente dans un axe est-ouest – sinon peut-être selon un hypothétique tracé littoral[16] – ne faisait pas obstacle à la circulation des idées, ni à celle des hommes qui les véhiculaient[17]. On ne peut cependant exclure qu'Optatus ait été le titulaire d'un évêché espagnol, situé plutôt en Bétique : occupé depuis 412 par les Vandales silingues, le sud de l'Espagne avait été, en 417-418, ravagé par la guerre de reconquête menée par les Wisigoths au profit de l'Empire[18] ; tout proches, les rivages de la Maurétanie Césarienne occidentale offraient à ceux qui venaient d'Andalousie ou du Levant le même asile que Carthage et les provinces de l'Est avaient offert en 410 à ceux qui, arrivant d'Italie, fuyaient les Goths d'Alaric. En débarquant sur les côtes de l'actuelle Oranie, les réfugiés espagnols restaient dans la mouvance de l'Occident, suivant un partage géographique et culturel qui n'est plus le nôtre, mais qui n'échappait pas à l'époque à Augustin, lorsque dans sa lettre à Vincentius de Cartennae (Ténès) – *Ep.* 93, 24 –, il constatait avec quelque dépit que la Maurétanie Césarienne se sentait « plus proche des contrées occidentales que des méridionales, elle qui ne voulait même pas qu'on l'appelle l'Afrique[19] ».

Avec cette capacité qu'on lui a maintes fois vue de ne pas différer une réponse quand il la jugeait urgente, même au milieu des occupations les plus absorbantes, Augustin répondit immédiatement à Optatus. Il avait des porteurs sous la main, et attendre pour ce faire son retour à Hippone eût été différer la réponse de plusieurs mois. La question était pourtant délicate : évêque de fraîche date, son correspondant était entré chez lui en conflit avec des clercs plus âgés

---

a. *Ep.* 23A*, 3, *B.A.*, 46 B, p. 372.

b. Il serait imprudent de préciser, en l'ignorance où nous sommes de la carte ecclésiastique de la Tingitane.

qui en tenaient pour le « traducianisme », la doctrine qui voulait que l'âme humaine se propageât par génération à partir de celle d'Adam. Optatus, lui, était d'avis, partagé disait-il dans sa province par nombre de prêtres et de fidèles, que Dieu, créateur de toutes choses, était aussi le créateur de toute âme, passée, présente ou à venir : c'était, sur cet épineux problème, la solution « créatianiste ». Il avait demandé l'arbitrage du petit synode maurétanien, il se disait prêt à se plier à celui d'un petit groupe d'« experts » séculiers, et il sollicitait maintenant celui de l'évêque d'Hippone.

Dans sa lettre, l'évêque fit preuve de la plus grande prudence. C'était là un sujet qui occupait son esprit depuis bientôt trente ans[a], et ses implications théologiques rendaient périlleux de prendre à son propos des positions tranchées et définitives. C'était la première chose à dire à ce jeune collègue : « Je veux que tu saches qu'en aucun de mes nombreux ouvrages je n'ai jamais hasardé une réponse ferme à ce problème[b]. » Augustin poursuivait en affirmant qu'il importait peu, finalement, que l'origine de notre âme nous échappât, pourvu que nous fussions bien au clair sur la manière dont elle est sauvée[c] ; et il aurait bien aimé en rester là. Esquissant une première fois le dilemme entre création de chaque âme individuelle *ex nihilo* et transmission par voie parentale, et constatant qu'aucun texte de l'Écriture n'était sur ce point discriminant[20], il réaffirmait, d'une façon bien significative de ses priorités théologiques, que l'essentiel était que demeurât sauve la foi « par laquelle nous croyons qu'aucun homme, si avancé ou si jeune et tendre que soit son âge, n'est délivré de l'antique mort et des liens du péché contracté par sa première naissance, si ce n'est par l'unique médiateur entre Dieu et les hommes, l'homme Jésus-Christ[d] ». Cela redit avec force, il fallait quand même mettre Optatus en garde contre les conséquences de ses convictions « créatianistes ». Si, en défendant cette thèse, il voulait insinuer que ces âmes, tirant leur innocence de leur nouveauté, ne peuvent être damnées avant d'avoir usé de leur libre arbitre pour pécher, il tombait dans l'hérésie ; s'il admettait que ces âmes nouvelles n'échappaient pas à la perdition quand elles quittaient le corps sans baptême, il n'était certes pas hérétique, mais il avait alors à expliquer comment elles avaient pu mériter leur condamnation, en évitant évidemment de faire de Dieu – comme le faisaient les manichéens ! – l'auteur de leur péché ou

---

a. Depuis le *De libero arbitrio*, III, 55-59, vers 391.
b. *Ep.* 190, 2.
c. *Ep.* 190, 3.
d. *Ep.* 190, 5, s'appuyant sur *I Tm.*, 2, 5.

de leur condamnation[a]. Mais si, rebuté par ces difficultés, Optatus embrassait la thèse de ceux qui veulent que les âmes viennent toutes, par propagation, de celle d'Adam, il tombait dans d'autres apories. Et d'abord comment concevoir cette transmission, qui certes s'accordait le mieux avec la doctrine du péché originel ? Et Augustin d'en évoquer les mystères, avec des images d'une indéniable poésie, mais qui le montraient toujours tributaire en ce domaine du dualisme platonicien, lequel rendait si difficile l'explication de la transmission d'une âme de nature spirituelle par la voie d'une conception corporelle[b].

Augustin, visiblement inquiet des trop rapides certitudes d'Optatus, voulait en savoir plus à leur sujet : il demandait donc à son correspondant de lui envoyer un *libellus fidei* dont il était l'auteur. En attendant, il faisait état de ses propres écrits, parmi les plus récents : en réponse à son cher ami Marcellinus qui, curieux de ces problèmes, s'était adressé à lui sur le conseil de Jérôme[21], on se souvient que l'évêque lui avait, quelques années auparavant, écrit une lettre qui avait sans doute déçu le haut fonctionnaire impérial. Car il l'avait renvoyé au *De libero arbitrio* qui concluait déjà sur un *non liquet*[c] et – tout comme il le faisait maintenant à l'adresse d'Optatus – il ne lui avait pas caché que cette question de l'origine de l'âme, à coup sûr intellectuellement passionnante, lui paraissait secondaire dans une perspective de recherche du salut : cette âme, d'où qu'elle vînt, il fallait surtout penser à la sauver[22]. Et il avait terminé sa lettre en se promettant de demander lui-même aide et assistance en l'ignorance où il était[d]. Ce qu'il fit en ayant recours aux lumières de Jérôme, dans un long message auquel les *Révisions* donnent le statut d'un livre[e]. À la fin de cet été de 418, il attendait toujours la réponse de l'ermite de Bethléem, et il devait avouer maintenant à Optatus qu'en cette attente il ne lui était permis de communiquer à personne sa propre lettre, dont on pouvait seulement prendre connaissance chez lui à Hippone[f]. Pour conclure, il mettait fermement le jeune évêque en garde de ne pas tomber dans le pélagianisme.

Vers la mi-octobre, Augustin, Alypius et Possidius rentraient enfin

---

a. *Ep.* 190, 13.

b. *Ep.* 190, 15.

c. *Ep.* 143, 7, renvoyant à *De libero arbitrio*, III, 59. Cf. *supra*, p. 466.

d. *Ep.* 143, 11.

e. *Ep.* 166 ; c'est le *De origine animae* : *Retract.*, II, 45. Sur cette lettre confiée à Orose au printemps de 415, cf. *supra*, p. 470.

f. *Ep.* 190, 21.

dans leur Numidie. L'évêque d'Hippone retrouvait après six mois d'absence sa communauté, un gros arriéré de travail et des courriers en souffrance. En plus de celle qu'il avait reçue à Carthage pendant l'été, une seconde lettre de Marius Mercator l'attendait à Hippone ; il fallait aussi répondre au prêtre Sixtus et au diacre Caelestinus, le futur pape, à Rome. Un clerc romain, Albinus, était sur place, prêt à s'embarquer pour Ostie avant la fermeture de la mer. Augustin dicta en hâte ses réponses et les lui confia[a].

Avec le début de l'hiver s'ouvrait enfin devant lui, jusqu'au temps pascal du printemps suivant, une longue période de calme qu'il pourrait consacrer à son diocèse et à ses travaux personnels. En ces années, Augustin employait le plus possible de son temps libre à deux de ses œuvres majeures, son *Traité sur la Trinité* et sa *Cité de Dieu*. La correspondance interne à l'Afrique ne connaissait cependant guère de pause hivernale. Nous possédons au moins l'une de ces lettres datées du début de l'hiver de 418-419, celle qu'il adressa à son collègue Asellicus – un nom rare et charmant, « le petit ânon » ! – titulaire d'un siège dans une lointaine oasis aux portes du désert, à Tusuros (Tozeur). C'était alors le pays des « Arzuges », un pays de marche semi-barbare, à cheval sur le *limes*, matérialisé entre autres dans cette région par des ouvrages linéaires, des murs, dont l'état de conservation est encore impressionnant, mais qui servaient plus à filtrer les passages qu'à les barrer véritablement, en dépit de leur nom (*clausurae*) ; un grand seigneur comme Publicola avait là, nous l'avons vu, d'immenses domaines[b]. En mai 411, Asellicus et son compétiteur donatiste Aptus avaient fait le déplacement pour participer à la conférence, aux Thermes de Gargilius à Carthage, et ils y avaient un certain mérite, car, comme Asellicus eut l'occasion de le préciser, il leur avait fallu une quinzaine de jours pour franchir les quelque trois cent cinquante kilomètres à vol d'oiseau qui les séparaient de la métropole[23]. Augustin l'avait entendu le dire, mais, lui qui passait son temps sur les routes, il lui en fallait plus pour l'impressionner. Sept ans plus tard Asellicus se rappela à son bon souvenir. Il y avait à Tusuros une colonie juive, comme dans bien d'autres cités de cette Afrique antique orientale[24], et l'évêque se plaignait qu'un certain Aptus – qui nous paraît ressembler comme un frère au ci-devant compétiteur donatiste d'Asellicus[25] – « apprît aux chrétiens à judaïser[c] ». Asellicus s'en était ému et en avait fait part à son primat provincial de Byzacène, Dona-

---

a. *Ep.* 193, 1, *in fine*
b. *Supra*, p. 438.
c. *Ep.* 196, 16.

tianus, l'évêque de Thelepte, lequel avait reporté sur Augustin la charge de lui faire réponse.

L'évêque d'Hippone écrira *Aduersus Iudaeos* un petit traité qu'on date ordinairement des toutes dernières de sa vie, mais sans preuve, pour la seule raison qu'il n'est pas pris en compte dans les *Révisions*. En dépit de la lettre du titre (« Contre les juifs »), il ne s'agit pas d'un pamphlet antisémite : on chercherait en vain dans toute l'œuvre augustinienne trace d'un antisémitisme fondé sur des « constats » culturels ou inspiré de présupposés raciaux, tel qu'on peut le trouver chez des écrivains païens contemporains, par exemple dans le virulent poème de Rutilius Namatianus [26]. Ce n'est pas aux juifs en tant que peuple, ni même en tant que communauté que s'en prend Augustin, mais à leur attitude religieuse [27]. À plusieurs reprises, dans des sermons, à ce voyageur habitué des grands chemins était venue l'idée de comparer les juifs, attachés à la Loi, témoignant de Dieu, mais restés en marge du salut chrétien à ces bornes milliaires dressées au bord des routes, « qui montrent la voie, sans avancer elles-mêmes [28] ». Comme on pouvait s'y attendre, la lettre à Asellicus était une longue réflexion sur la Loi, éclairée par des références constantes à saint Paul, et plus précisément à *Rm.* 2, 4, 6 et 7. À la fin de sa lettre, Augustin en venait aux griefs formulés contre Aptus : ce dernier recommandait l'abstinence de certaines viandes, selon la loi mosaïque, et prescrivait l'observance de pratiques anciennes – parmi lesquelles la circoncision, sans doute, bien que cette précision manque dans le texte – rejetées par les chrétiens « parce qu'elles n'étaient, comme le dit l'Apôtre, que l'ombre des choses à venir [*Col.*, 2, 17][a] ». La Nouvelle Alliance, poursuivait l'évêque, avait rendu caduques la plupart de ces prescriptions ; quant aux autres préceptes, ceux qui sont de portée universelle et qui sont de tous les temps, et que résume le plus grand commandement (*Lc*, 10, 27), si nous les observions, insistait-il, ce n'était pas par le jeu de notre humaine volonté, selon la prétention de ceux qui veulent établir leur propre justice, mais bien par la grâce de Dieu. Augustin voulait-il par là signifier qu'à ses yeux le petit mouvement judaïsant piloté par Aptus à Tusuros était aux portes du désert un avatar inattendu du pélagianisme ? Le texte trahirait alors ce qu'on pourrait tenir pour une projection un peu obsessionnelle.

---

a. *Ep.* 196, 16.

419 : D'UN PRINTEMPS AFFAIRÉ À UN AUTOMNE CHARGÉ

Le pape Zosime était un homme obstiné. Son échec du printemps de 418 dans son affrontement avec les Africains dans l'affaire pélagienne ne l'avait pas définitivement détourné de vouloir imposer la prééminence du siège romain sur celui de Carthage. À l'automne de cette même année, la curie romaine fut saisie d'une plainte émanant d'un évêque de la province de Byzacène, jugé sur une affaire touchant apparemment des problèmes fiscaux par un synode où avaient siégé irrégulièrement des laïcs. Zosime cependant ne poussa pas son avantage et se contenta d'une lettre sarcastique sur ces juges ecclésiastiques qui violaient eux-mêmes les canons de l'Église[29]. Mais, dans le même temps[30], éclata une autre affaire promise à de plus larges développements. Dans le diocèse de Sicca Veneria (Le Kef), sinon dans la ville épiscopale elle-même, avait été ordonné un prêtre du nom d'Apiarius. En raison de fautes qui nous demeurent inconnues[31], ce prêtre fut excommunié par son évêque, Urbanus, à qui valait un prestige particulier d'avoir vécu dans la familiarité d'Augustin et notamment d'avoir été pendant plusieurs années le supérieur du monastère des clercs à Hippone[a]. Cela ne retint cependant pas Apiarius de faire appel à Rome de la sanction qui le frappait. Cette fois-ci, le pape prit l'affaire au sérieux, et dépêcha à Carthage une délégation présidée par un prélat italien, l'évêque Faustinus, qui avait son siège dans le Picenum, et munie d'un *commonitorium* papal qui fixait les limites de son mandat : Urbanus en personne était menacé d'excommunication au cas où il ne reviendrait pas sur une sanction que la procédure d'appel révélerait mal fondée. Ce que voulait évidemment le pape, c'était imposer à l'épiscopat africain la juridiction d'appel du siège de Rome sur la base des décisions prises lors du concile de Sardique en 343.

Mais, le 26 décembre 418, Zosime mourut. Une élection laborieuse mit en place au printemps de 419 un successeur beaucoup plus conciliant, le pape Boniface. Mais, avant son installation, les longues semaines d'incertitude avaient été assez grosses de menaces d'un schisme à Rome pour qu'Honorius eût pensé, pour stabiliser la situation, réunir à la fin de mars un concile à Spolète. Augustin devait y représenter l'Afrique, avec Alypius et aux côtés d'Aurelius[32]. Ce déplacement ne fut finalement pas nécessaire. Cependant Augustin quitta très tôt sa ville épiscopale : Pâques cette année-là tombait le

---

a. *Supra*, p. 358.

30 mars, et le lendemain du dimanche suivant il se mit en route vers Carthage, mais cette fois-ci par la route littorale, qui passait par Thabraca (Tabarka). Il prenait ce chemin pour aller assister dans ses derniers instants son ami Florentius, l'évêque d'Hippo Diarrhytus (Bizerte), en compagnie duquel, l'année précédente à Carthage, il avait examiné Leporius[a]. Le 17 avril, il était dans la *basilica Florentia* de cette ville, dont il avait prononcé l'allocution dédicatoire quelques années plus tôt[b] ; mais c'était maintenant pour présider les funérailles de l'évêque défunt[c], et il est probable qu'Augustin resta sur les lieux quelque temps pour pourvoir avec quelques collègues à l'élection et à l'ordination de son successeur[33].

Le 25 mai au plus tard, il était à Carthage pour l'ouverture du concile général, et il s'y trouvait certainement déjà depuis plusieurs jours pour le préparer avec Aurelius. Dans le *secretarium* de la *basilica Fausti*, les évêques se retrouvaient aussi nombreux qu'un an auparavant, et cette fois-ci les délégués de Maurétanie Césarienne étaient présents. Entre-temps, l'affaire d'Apiarius avait été provisoirement réglée : le prêtre avait fait amende honorable, il avait été relevé de l'excommunication et autorisé à exercer de nouveau son ministère, mais ailleurs qu'à Sicca ; on saura qu'il était allé échouer à Thabraca, où sa conduite lui vaudra quelques années plus tard une nouvelle excommunication[34] ! Restaient les questions de fond que cette affaire avait fait surgir, sur les rapports entre Rome et l'Afrique et le droit d'appel au siège apostolique. Le légat romain, Faustinus, insista le 25 mai pour que lecture fût donnée devant le concile du *commonitorium* qu'il tenait du pape Zosime, dans le texte duquel, à l'appui de la position papale en faveur des appels à Rome, étaient cités des « canons du concile de Nicée » : par la bouche d'Alypius, l'épiscopat africain répondit qu'il était disposé à respecter les décisions de Nicée, mais que dans la version grecque des canons de Nicée il n'y avait rien de semblable aux citations du pape Zosime, non plus que dans les exemplaires conservés à Carthage. Et Alypius proposait qu'on écrivît aux grandes Églises d'Orient, à Constantinople, Alexandrie et Antioche, pour tirer la chose au clair. Cependant, maintenant que le contentieux entre Apiarius et son évêque Urbanus était réglé sans dommage pour le second, le ton était à la conciliation dans l'entourage d'Aurelius. Le concile décida de donner suite à la proposition d'Alypius, mais aussi, en attendant, d'accepter, avec leurs implications favorables à la position du siège

a. *Supra*, p. 488.
b. À l'automne de 411 : *sermon* 359.
c. *Sermon* 396.

de Rome, les « canons de Nicée » tels qu'ils figuraient dans le texte de feu Zosime ; et il revint à Augustin de formuler cette acceptation qui mettait provisoirement fin au débat entre Rome et Carthage[35]. Nous avons vu qu'Antoninus de Fussala saura s'en prévaloir[a], et il faudra le scandale de la récidive d'Apiarius à Thabraca et de son second appel à Rome pour que l'Église africaine se décide à s'affranchir résolument de la « tutelle » de Rome en matière disciplinaire. Ce sera, en 424/25, le fameux canon du 20e concile de Carthage : « Que personne n'ait l'audace d'en appeler à l'Église romaine » (« *Ut nullus ad ecclesiam Romanam audeat appellare* »)[36], brutal aboutissement d'un cheminement au départ duquel Tertullien et surtout Cyprien avaient commencé par affirmer de la façon la plus rigide l'autonomie de l'Afrique et la légitimité, dans certains cas, de l'opposition à Rome. Avec Optat de Milev, à la fin du IVe siècle, cette position s'était un peu adoucie. Mais aux yeux des Africains, qui considéraient que les pouvoirs épiscopaux provenaient directement du Christ, qui n'était pas passé par Pierre pour les conférer aux apôtres, si l'évêque de Rome était le lien de l'intercommunion épiscopale et personnifiait l'unité de l'Église catholique, il n'avait pas de délégation juridique de la communauté[37]. Et s'ils admettaient l'autorité du pape en matière de doctrine, c'était pour des raisons « charismatiques », et non juridictionnelles, comme l'affrontement avec Zosime en 417-418 à propos de Pélage et de Caelestius l'avait bien montré.

Ainsi qu'il l'avait fait l'année précédente, le concile ne se sépara pas sans avoir désigné en son sein une commission chargée d'en poursuivre les travaux en formation restreinte. Pour la Numidie y siégèrent Augustin, Alypius et Possidius : c'était, notons-le, le trio chargé un an plus tôt par la curie romaine de régler les affaires de Maurétanie Césarienne ; on verra que ce n'était pas l'effet du hasard. Elle se réunit le 30 mai dans le *secretarium* de la *basilica Restituta*, un local plus petit, mais plus central[38], et mit au point quelques décrets disciplinaires concernant des cas d'accusation portée contre des clercs ; deux d'entre eux évoquaient la responsabilité de l'évêque – et notamment le danger qu'il y avait à ce qu'il jugeât seul –, et donnent à penser que celle d'Urbanus de Sicca dans la récente affaire d'Apiarius était à l'arrière-plan de cette législation[39]. Ce dernier mot est le mot propre, car c'est de cet été de 419 que date pour l'essentiel la compilation du *Registre de Carthage*, précieux recueil de textes rassemblés pour fonder la pratique disciplinaire de l'Église d'Afrique ; ce fut surtout l'œuvre d'Aurelius et de son clergé carthaginois, mais avec l'aide bien probable d'Alypius, et peut-être aussi celle

a. *Supra*, p. 361.

d'Augustin, qui demeura à Carthage jusqu'aux premiers jours de septembre.

Tandis que de la métropole africaine Alypius prenait la mer pour une longue mission en Italie[40], l'évêque d'Hippone et le fidèle Possidius rentraient ensemble chez eux en Numidie. Augustin était chez lui le 11 septembre, ce que nous a révélé il y a peu une lettre de lui nouvellement publiée qui nous introduit dans son cabinet de travail en cet automne de 419. Car, dans ce courrier adressé à Possidius[a], il fait le point sur son activité rédactionnelle depuis son retour de Carthage, en l'encadrant – lui d'ordinaire plutôt avare de précisions sur son calendrier – entre deux dates précises : celle de son arrivée à Hippone et celle de cette lettre elle-même, le 1er décembre 419[b]. Nous savons ainsi quelle fut sa production tout au long de ces dix semaines, dispersée au gré de sollicitations diverses auxquelles il lui fallait réagir sans retard au détriment des œuvres de longue haleine – comme la *Cité de Dieu*, dont il dit avoir alors différé le projet qu'il avait de s'y remettre, après l'avoir menée à bien jusqu'au livre XIV[c]. Dans cette lettre à Possidius, un confident vis-à-vis duquel il s'exprimait sans retenue et sans fard, il dit crûment sa fatigue et son irritation de ces bâtons mis dans les roues de ses plus hautes ambitions : « Je supporte avec peine, dit-il, que ce que d'un côté comme de l'autre on m'oblige à dicter nous empêche de travailler à ce que nous avons en chantier, sans repos ni trève[d]. »

Parmi ces « œuvres de circonstance », le point final qu'il mit en ces semaines à son si long débat avec les donatistes fut l'achèvement de son *Contra Gaudentium*. Gaudentius, l'un des porte-parole de la secte lors de la conférence de Carthage, était évêque de Thamugadi (Timgad), la principale place-forte du schisme depuis ses origines. En principe il ne l'était plus, depuis l'été de 411, mais la Numidie centrale était toujours, plusieurs années après la conférence, une terre de mission pour les catholiques ; il s'y tenait encore des conciliabules de dissidents, plus ou moins clandestins, comme ce « concile » tenu sans doute en 418 auquel était même présent Petilianus de Constantine[e]. Mieux, Gaudentius avait réussi à conserver

---

a. Le début de la lettre manque, et donc la suscription ; mais son contenu désigne clairement Possidius comme son destinataire : cf. M.-F. Berrouard, dans *B.A.*, 46 B, pp. 532-534.

b. *Ep.* 23*A, 3, *in fine*, *B.A.*, 46 B, pp. 376-378 : « *Itaque dictaui ex quo ueni, id est a tertio idus Septembres usque ad kalendas Decembres, uersuum ferme sex milia.* » Sur ces « dictées », cf. déjà *supra*, p. 308.

c. *Ibid.*, p. 374.

d. *Ibid.*, 4, p. 378.

e. *Contra Gaudentium*, I, 47-48.

son église, à Thamugadi, et lorsqu'en 418 un haut fonctionnaire impérial, le tribun Dulcitius, se mit en devoir de faire enfin appliquer la législation religieuse en cette région, la parade qu'il trouva fut de s'y enfermer en menaçant de s'y faire brûler vif, lui et les siens. Dulcitius n'avait rien d'une brute et il n'était pas question de donner satisfaction au donatiste en faisant de lui un martyr. Le tribun essaya de la persuasion, tentant de pousser en douceur Gaudentius vers cette solution d'un « exil intérieur » sans histoire qui avait été celle, on l'a vu, d'Emeritus à Caesarea. Mais rien n'y fit : claquemuré dans son église, l'évêque récalcitrant écrivait lettre sur lettre, inébranlable. De guerre lasse, Dulcitius transmit le dossier à Augustin.

Écrit dans l'hiver de 418-419, au plus tard au printemps suivant, puisque allusion y est faite à la rencontre de l'été précédent avec Emeritus, le livre I du *Contra Gaudentium* était une réponse à ces fameuses lettres qui étaient tombées des mains de Dulcitius. Plus encore que le sort des biens d'Église, c'étaient les suites humaines de la conférence de Carthage qui alimentaient le débat. Le faux bruit de la conversion d'Emeritus était parvenu aux oreilles de Gaudentius. Augustin était bien obligé de reconnaître son échec, mais faisait valoir avec justesse que si l'évêque de Caesarea était alors « passé à la paix catholique », on n'aurait pas, du côté de ses anciens amis, manqué de dire qu'il avait cédé à la force plus qu'à la vérité[a]. Il avait plus de chance avec Gabinius, qui en 411 représentait l'Église schismatique à Vegesela (Ksar el-Kelb) ; car, si Thamugadi en était la place forte en pays numide, Vegesela en était par excellence le haut lieu, où depuis le milieu du IVe siècle était vénérée à l'égal d'une tombe sainte la *memoria* de « domnus Marculus », martyr de la persécution d'État contre les donatistes[b]. Fâcheux exemple pour un schismatique intransigeant, la conversion de Gabinius était pain bénit pour Augustin, même si Gaudentius ne se faisait pas faute d'insinuer qu'en l'affaire son collègue numide avait cédé aux menaces. En d'autres temps, le repenti aurait payé cher ce retour, mais en 418 le terrorisme des circoncellions semblait enfin éradiqué.

Le texte de ce premier livre parvint à Timgad et suscita du destinataire une réplique qui pour Augustin n'en était pas une : « il ne pouvait ni répondre ni se taire », dira l'auteur des *Révisions*[c] ; mais c'était déjà le constat que faisait l'évêque d'Hippone sur le moment

---

a. *Contra Gaudentium*, I, 15.
b. Cf. *supra*, p. 240.
c. *Retract.*, II, 59.

même dans sa lettre du 1ᵉʳ décembre 419 à Possidius[a]. Il n'allait pas lui laisser le dernier mot ! Dans le courant de novembre, donc, il dicta un second livre beaucoup plus court, mais d'inspiration plus nettement ecclésiologique, puisque le donatiste avait cru bon d'invoquer en sa faveur le témoignage de Cyprien et avait repris les thèses habituelles de ceux de sa secte sur la séparation *hic et nunc* du pur et de l'impur. Il était facile à Augustin de montrer à son adversaire que l'interprétation cyprianique de la parabole du bon grain et de l'ivraie allait à l'encontre de la sienne[b]. Il concluait sur une variation du fameux « *Causa finita est* », prononcé par lui comme on sait à Carthage deux ans auparavant à propos des pélagiens[c] : la vaine parole de Gaudentius avait d'elle-même mis un terme à l'affaire, il ne lui restait plus qu'à mettre lui-même un terme à son égarement[d]. C'était beaucoup demander. De ce retour de flamme du donatisme en Numidie nous ignorons l'épilogue, mais il est peu probable que Gaudentius en soit venu aux dernières extrémités ; avec ses rodomontades, il donne l'impression d'avoir été de cette sorte de gens qui crient très fort pour qu'on les retienne de faire un malheur.

LA GENÈSE DU *DE NATURA ET ORIGINE ANIMAE*

Parmi les sollicitations multiples qui venaient se mettre à la traverse des grands projets rédactionnels d'Augustin en cet automne de 419, il y avait aussi et surtout les suites de son voyage et de son séjour de l'année précédente en Maurétanie Césarienne. Optatus, l'« évêque espagnol », avait reçu la première et longue lettre de l'évêque d'Hippone – la *Lettre* 190 –, qui ne l'avait pas fait bouger d'un pouce, ni dans ses convictions hâtivement « créatianistes » ni dans le souhait qu'il réitérait de recevoir pour sa gouverne et la lettre d'Augustin à Jérôme et la réponse de ce dernier : c'est ce qu'il lui avait fait savoir dans un message porté à Hippone par un prêtre du nom de Saturninus et que l'évêque avait dû trouver à son retour de Carthage[e]. Augustin lui confirmait en retour qu'il attendait toujours une réponse de Bethléem et mettait un nouvelle fois en garde son jeune collègue contre les dangers d'une opinion insuffisamment mûrie : « Voilà, concluait-il, ce que j'ai cru devoir répondre à ta

a. *Ep.* 23*A, 3 : « J'ai récrit à Gaudentius, qui avait cru répondre à ce que je lui avais tout d'abord répondu. »

b. *Contra Gaudentium*, II, 5 et 10, citant notamment la *Lettre* 54 de saint Cyprien.

c. *Supra*, p. 477.

d. *Contra Gaudentium*, II, 14.

e. *Ep.* 202 A, 1.

Sainteté, qui pense avec une quasi-certitude que la propagation des âmes est à réprouver ; au demeurant, s'il me fallait répondre à ceux qui l'affirment, je montrerais peut-être comment ils ignorent ce qu'ils croient savoir et combien ils devraient redouter d'oser l'affirmer[a]. » C'était pour partie lui révéler par avance le programme de ce qui constituera, une fois ses différents éléments rassemblés, le *De natura et origine animae*. Mais, ce qu'Augustin ne disait pas à Optatus, c'est qu'il avait déjà commencé à écrire ce livre.

La genèse en tient à un concours de circonstances dont les acteurs furent les membres de ce milieu spirituel qu'on a commencé à entrevoir, si inattendu en cette lointaine Maurétanie Césarienne occidentale, et c'est le jeu de ces acteurs qui concourut à cette construction à étages. La longue lettre de mise en garde qu'Augustin avait écrite à Optatus[b], alors qu'il était encore à Caesarea l'été de 418, avait dû circuler assez vite, suivant les circuits de diffusion restreinte qu'autorisait alors la technique de recopiage. Mais un exemplaire de la lettre avait échoué entre les mains d'un « prêtre espagnol », nommé Petrus[c], dont l'« hispanité », comme celle prêtée à l'évêque Optatus, nous place devant l'alternative : Africain de Tingitane, ou Espagnol de Bétique ? Mais il nous est dit que Petrus résidait en Césarienne[d], et cette information fait plutôt pencher vers le second terme de l'alternative, en suggérant que Petrus (et sans doute aussi Optatus) y avait trouvé, fuyant les désordres de l'époque dans le sud de l'Espagne[e], un asile temporaire.

C'est chez Petrus qu'« un certain Vincentius Victor[f] » trouva le texte de la *Lettre* 190 à Optatus. Ce personnage était un jeune laïc, naguère encore « rogatiste », récemment gagné à la communauté catholique, et qui avait ajouté à son nom de Victor celui de Vincentius, en témoignage de son admiration pour ce donatiste modéré, titulaire du siège de Cartennae et depuis peu disparu. Cela, Augustin l'avait appris en faisant sa petite enquête, et comme il avait de l'estime pour Vincentius, un de ses anciens condisciples à Carthage, son préjugé pour Victor sera d'abord favorable[g]. Nous y gagnons, nous, une intéressante précision. Car il devient ainsi très probable que c'est Cartennae, à une petite centaine de kilo-

---

a. *Ibid.*, 19.

b. *Ep.* 190 : *supra*, p. 499.

c. *Retract.*, II, 56.

d. *Ibid.*, *initio*.

e. Cf. *supra*, p. 498. Peut-être Orose, en 415, avait-il d'abord pris ce chemin, avant de poursuivre jusque chez Augustin.

f. *Retract.*, II, 56 ; *De nat. et orig. animae*, II, 18.

g. *De nat. et orig. animae*, III, 1 et 2.

mètres à l'ouest de Caesarea, qui était le foyer de cette petite communauté de « spirituels » que passionnaient entre autres les problèmes relatifs à la nature et à l'origine de l'âme. Vincentius Victor partageait les opinions « créatianistes » d'Optatus et la prudence affichée par Augustin dans la lettre adressée à l'« évêque espagnol » le surprit, le choqua même. Il y alla à son tour d'un factum en deux livres, qui fut tout à fait du goût de Petrus, lequel le diffusa. C'est ainsi que le moine Renatus, premier intermédiaire, on s'en souvient, entre Optatus et Augustin, en eut connaissance ; ce fut pour s'offusquer, lui, de la manière assez cavalière dont était traité l'évêque d'Hippone, à qui, de Caesarea où il résidait ou était de passage, il s'empressa de communiquer le texte. Quand Augustin écrivit à Possidius cette *Lettre* 23*A pour nous si précieuse, il l'avait reçu depuis peu, et il avait jugé que le libelle de Vincentius Victor fourmillait d'erreurs et d'absurdités ; il le trouvait aussi plaisamment écrit et donc d'autant plus dangereux. C'est pourquoi, à la fin de l'automne de 419, il avait rédigé un premier livre de réfutation à l'adresse du moine Renatus, tout en se proposant de répliquer dès que possible à l'auteur lui-même[a]. Cette réplique constituera les livres III et IV du traité *Sur la nature et l'origine de l'âme* ; mais, pour en former le livre II, viendra s'intercaler une longue lettre adressée à Petrus : il ne fallait pas négliger le prêtre qu'il était, dédicataire du texte de Vincentius Victor, ébloui par l'éloquence du jeune laïc, et tout prêt à servir de caisse de résonance à ses idées.

Les différents étages de ce traité composite avaient fini de s'élever au printemps de 420[41]. Avec une pareille élaboration, il serait vain de chercher à y retrouver un plan d'ensemble, et injuste d'en dénoncer les inévitables redites. La réfutation de Victor se trouvait dispersée dans les quatre livres, mais elle était ramassée et reprise de façon plus cohérente dans les deux derniers. Il en ressort que le correspondant d'Augustin avait au moins retenu de sa lecture de la *Lettre* 190 à Optatus la problématique exposée par l'évêque d'Hippone, et qu'il s'y situait lui-même : il ne niait pas l'existence du péché originel, ni la nécessité du baptême pour les nouveau-nés ni l'indispensable médiation du Christ pour leur salut. C'était cependant un problème concret de pastorale chrétienne, celui suscité par le sort des enfants morts sans baptême, qui, plus qu'une simple curiosité intellectuelle, motivait l'interrogation de Vincentius Victor et du petit groupe dont il était le porte-parole sur l'origine de l'âme[42]. C'était pour les sauver de la damnation éternelle que, répudiant un tradu-

---

a. *Ep.* 23*A, 3 ; cf. aussi *Ep.* 23*, 1 adressée à Renatus et lui annonçant l'envoi du livre à la fin de 419.

cianisme qui les y condamnait ipso facto, il s'était tourné vers un créatianisme radical.

Mais Augustin avait beau jeu de lui montrer que, ce faisant, il s'enfonçait dans une série de contradictions et d'erreurs. La première était d'affirmer que cette âme conçue directement par Dieu, de la même manière que celle d'Adam, n'était pas créée par lui de rien (*ex nihilo*), mais de sa propre nature[a]. C'était dire que cette âme, née du souffle de Dieu, ne pouvait être qu'une portion de Dieu ; Victor s'en défendait en affirmant que l'âme est corporelle, alors que Dieu est esprit, en quoi il se séparait de Tertullien (que visiblement il avait lu), qui soutenait, lui, la corporéité de l'une comme de l'autre ; mais Augustin pouvait alors à bon droit trouver plutôt comique cette métaphysique[b]. Le jeune homme s'exprimait par ailleurs en termes qui donnaient à penser qu'il n'excluait pas que l'âme pût exister avant d'être unie au corps, ce qui, remarquait Augustin, le faisait tomber dans l'erreur des priscillianistes[c]. De toutes ces erreurs, l'évêque dressait un implacable catalogue ; mais il faut noter à la décharge, si l'on peut dire, de Victor que certaines d'entre elles lui étaient inspirées par un esprit de foncière miséricorde : ainsi, lisant de travers *Jean* 14, 2 : « *Il y a beaucoup de demeures dans la maison de mon Père* », il voulait y voir, « en dehors du royaume de Dieu », un lieu d'accueil pour les non-baptisés[d] ; c'était rejoindre les pélagiens contre qui le concile de Carthage du 1er mai 418 avait jeté l'anathème précisément pour cette raison[43]. Il y avait aussi cette référence à la belle histoire du petit Dinocrate dans la *Passion de Perpétue et Félicité* : le jeune garçon (il avait sept ans) était en peine au bord d'un grand bassin dont la margelle était trop haute pour qu'il pût y boire – image évidente d'un *refrigerium* dont il était exclu, faute de baptême, pensait-on communément, et c'était le cas de Victor –, et les prières incessantes de Perpétue, sa sœur, lui assuraient son salut[44] ; mais, rétorquait Augustin, s'il accédait au salut, c'était – bien que le texte ne le dît point – que sans doute il avait reçu le baptême[e]. La dernière erreur repérée par l'évêque d'Hippone était selon lui la plus grave, car Victor ne craignait pas de professer que « certains, qui avaient quitté cette vie sans le baptême du Christ, s'en allaient pour un temps [*interim*] non directement au royaume des cieux, mais au paradis ; mais que lors de la résur-

---

a. *De nat. et orig. animae*, III, 7, *in fine*.

b. *Ibid.*, II, 9.

c. *Ibid.*, III, 9 ; on verra plus loin qu'Augustin lui-même acceptait l'idée d'une certaine préexistence.

d. *Ibid.*, III, 15-17.

e. *De nat. et orig. animae*, I, 12 ; II, 14.

rection, ils parviendraient ensuite à la béatitude même du royaume des cieux[a] » : cela, s'indignait Augustin, même les pélagiens n'avaient pas osé le dire ! Le jeune laïc de Maurétanie Césarienne, avec l'inconscience d'une franche générosité, s'en allait tout droit vers ce que nous pourrions tenir pour une sympathique hérésie[45].

Et Augustin ? Où en était-il lui-même, sur l'âme et son origine, en cet hiver de 419-420, trente-trois ans après l'ambitieuse déclaration faite à la Raison à Cassiciacum ?[b] Sur la nature de l'âme, il s'en tenait fermement à un certain nombre de certitudes, déjà pour partie acquises dès l'époque des propos échangés avec Evodius lors de la seconde année romaine, en 388, et qui avaient fourni la matière du *De quantitate animae*[c], enrichies et défendues contre les philosophes matérialistes dans quelques pages superbes du livre X du *De Trinitate*[d], confirmées enfin en 415 dans la grande lettre à Jérôme, où il en avait fait le point[e]. L'âme est immortelle, d'une certaine manière, qui n'est pas celle de Dieu, dont elle est la créature, sans être une parcelle de lui. Aurait-il encore dit, d'une façon aussi nettement dualiste que dans les propos tenus devant Evodius, que l'âme est « une substance douée de raison, faite pour gouverner un corps[f] » ? Du moins affirmait-il toujours avec force, sur la base des mêmes analyses, que cette âme incorporelle animait le corps d'une façon indivisible et, comme il le disait avec une image dynamique, en vertu d'une « sorte de tension vitale[g] ».

Sur l'origine de cette âme sa quasi unique certitude était négative ; il l'avait écrite à Optatus et répétée au moine Renatus : il repoussait énergiquement l'idée origéniste selon laquelle l'âme pourrait échouer dans un corps comme dans une prison, « contrainte par les démérites d'une vie pécheresse menée auparavant dans les sphères célestes ou dans quelque autre partie du monde[h] ». Il restait cependant encore dans la dépendance de la problématique platonicienne quand il n'excluait pas l'une des quatre hypothèses déjà formulées dans le *De libero arbitrio*, celle d'une préexistence d'une âme éventuellement créée par Dieu dès le premier jour du monde, et sa description de l'incarnation de l'âme, de sa venue dans le

---

a. *Ibid.*, II, 16 ; III, 19.
b. *Soliloques*, I, 7, cf. *supra*, p. 160.
c. *Supra*, p. 183.
d. *De Trinitate*, X, 9-16. Cf. *infra*, p. 538.
e. *Ep.* 166, 3 : « *Nam quid de anima firmissime teneam non tacebo.* »
f. *De quantitate animae*, 22.
g. *Ep.* 166, 4 : « [...] *corpus, quod animat, non locali diffusione, sed* quadam uitali intentione porrigitur ».
h. *Ep.* 190, 4 ; cf. *De nat. et orig. animae*, I, 15.

corps, demeurait souvent encore tributaire d'un vocabulaire dualiste : ainsi quand il évoquait cet « entre-deux [*medium*] qui va de
l'instant où l'âme a été envoyée dans la chair jusqu'à sa séparation
de la chair[a] ». Mais on voyait se faire jour chez lui une conception
qui tendait à réduire la réalité ontologique d'une âme éventuellement préexistante en lui déniant toute vie personnelle consciente
avant son union au corps[b].

Augustin, fidèle en cela à la tradition occidentale et notamment
africaine, était d'autant plus tenté par le traducianisme que cette
doctrine de la propagation des âmes par génération était, à première
vue, celle qui lui paraissait le plus aisément compatible avec la
doctrine du péché originel. Mais à première vue seulement, et il ne
s'en dissimulait pas les inextricables difficultés, dont on ne se déga-
geait guère qu'au prix d'une conception corporelle de l'âme : tel avait
été le choix de Tertullien, mais ce n'était pas le sien[c]. À l'automne
de 419, dans sa deuxième lettre à Optatus, il hésitait toujours à se
défaire de cette option : « J'avoue, lui disait-il, que je n'ai pas encore
trouvé comment d'une part l'âme tire d'Adam le péché – ce dont il
n'est pas permis de douter – et d'autre part n'est pas elle-même tirée
d'Adam[d]. » Il penchait cependant de plus en plus du côté du créatianisme, à condition qu'on pût expliquer la transmission du péché
d'Adam à chaque âme nouvellement créée. À l'extrême fin de sa vie,
dans le *Contra Iulianum*, considérant « l'âme » et « la chair », il
posera encore l'alternative : « Ou bien le composé des deux, vicié,
est tiré de l'homme, ou bien l'un des deux (l'âme) se corrompt dans
l'autre (la chair) comme dans un vase vicié[e]. » Même dans l'hypothèse où l'âme est créée immédiatement par Dieu, elle est immédiatement infectée par ce vase vicié qu'est le corps. Mais il se refusera
à choisir et il ajoutera : « Laquelle de ces deux solutions est la bonne,
je suis plus porté à m'en instruire qu'à le dire, pour ne pas avoir
l'audace d'enseigner ce que j'ignore. »

Les échanges de l'évêque d'Hippone avec le petit milieu spirituel
de l'extrême Ouest africain l'avaient tout de même aidé à y voir un
peu plus clair dans sa propre anthropologie et, en termes de pastorale,
il n'avait pas perdu son temps : il dira dans les *Révisions* qu'il avait
reçu de Vincentius Victor une lettre où le jeune homme corrigeait
ses thèses[f]. À la fin de l'année 419, les affaires de la Maurétanie

---

a. *De nat. et orig. animae*, I, 16, *initio*.
b. *Ibid.*, III, 11.
c. Cf. *Ep.* 190, 15.
d. *Ep.* 202 A, 6.
e. *Contra Iulianum*, V, 17.
f. *Retract.*, II, 56.

Césarienne l'occupaient cependant toujours, sur un autre plan. En novembre, il avait vu arriver auprès de lui, venant de Rome *via* Carthage, où il avait d'abord vu Aurelius, Priscus de Quiza[a]. On se souvient – *supra*, p. 491 – que Priscus était de ces évêques de Maurétanie Césarienne dont les cas avaient motivé la mission conjointe d'Augustin, d'Alypius et de Possidius durant l'été de 418. Retrouvant sa chaire et réintégré dans son rang à la suite d'une procédure d'appel favorable, il avait *ipso facto* accédé à la primatie provinciale et si, sur la longue route qui le menait à son évêché il s'était arrêté à Hippone – il fera aussi une halte à Calama auprès de Possidius –, c'était moins par déférence pour Augustin que pour voir comment régler en accord avec lui une épineuse affaire qui le concernait maintenant au premier chef.

Deuterius, l'évêque de Caesarea, dont Augustin et ses amis avaient été les hôtes l'année précédente, venait de disparaître, laissant vacant le siège métropolitain. L'affaire se présentait mal. Pour succéder à Deuterius, la population de la ville – ou du moins des groupes de pression démographiquement majoritaires, et remuants – réclamaient un certain Honorius, un « évêque de la province ». Le droit canon y faisait obstacle car, si le siège de Caesarea était vacant, l'évêque désiré par les fidèles de la ville, lui, ne l'était pas, et la pratique disciplinaire la mieux établie selon la tradition africaine s'opposait à son « transfert[b] ». L'histoire, qu'on voit se préciser au fil des lettres – toutes de redécouverte récente – écrites par Augustin au cours de cet hiver de 419-420, est peu banale ; elle est même rocambolesque. À une date déjà ancienne[46], le père de cet Honorius, qui siégeait lui-même comme évêque dans une chaire située dans les limites géographiques de l'évêché de Cartennae – mais non dans la ville épiscopale elle-même –, avait été transféré à Caesarea. De ce premier « transfert » illicite[c] tout avait découlé. Car ce père, en partant, avait, sur ce siège qu'il laissait, ordonné son propre fils[d] ! À la mort du père, Deuterius lui avait succédé sur le siège métropolitain, mais, à l'automne de 419, la disparition de Deuterius lui-même ouvrait au fils, Honorius, la possibilité de suivre les traces de son père et de s'installer comme lui sur cette chaire redevenue libre. Évêque sans doute, mais évêque en marge, pour ainsi dire en surnombre, Honorius ne figurait probablement pas sur la liste officielle, la *matricula*, des

---

a. *Ep.* 23*A, 6.

b. Cf. déjà *supra*, pp. 360-361 à propos d'Antoninus de Fussala.

c. Mais sa présence « enclavée » dans le ressort épiscopal de Cartennae l'était déjà !

d. *Ep.* 22*, 8, *initio*.

évêques de la province. Tout se conjuguait pour l'attirer à Caesarea : au précédent créé par son père – l'amorce d'une « lignée » ! – s'ajoutait l'intérêt propre du titulaire du siège de Cartennae, Rusticus, qui à l'occasion de ce mouvement voyait faire retour à sa chaire des communautés longtemps usurpées. Bref, quelque habile propagande avait eu raison de l'opposition déclarée d'un petit groupe de « religieux » – dont le moine Renatus – avec qui l'évêque d'Hippone était resté en contact, et une émeute avait contraint une commission épiscopale locale réunie d'urgence et rassemblée en ville à accepter l'installation intérimaire d'Honorius dans le siège de Caesarea[a].

Restait pour Honorius à consolider sa position. À cette fin, il n'avait pas hésité à faire en plein hiver le voyage d'Hippone. Au début de 420, il était auprès d'Augustin, dont il s'employait à apaiser les alarmes, promettant d'agir selon sa volonté « pour la paix de l'Église et conformément à la discipline ecclésiastique » – « Que le Seigneur fasse qu'il dise vrai ! » écrivit à Renatus l'évêque, qui n'y croyait guère[b]. L'autre, il le savait, était un intrigant qui s'apprêtait à passer la mer pour aller, non seulement faire appel auprès du siège apostolique, mais aussi plaider sa cause à la Cour. Et c'était surtout de ce côté-là qu'Augustin redoutait les effets des menées tortueuses d'Honorius, alors qu'il envisageait avec une certaine confiance le jugement du pape Boniface[c]. De fait, c'était bien là, à Rome, comme deux ans plus tard celle d'Antoninus de Fussala – *supra*, p. 364 –, que l'affaire de l'évêque Honorius allait trouver son épilogue ; et semblablement cet épilogue nous demeure inconnu. En attendant, devait penser Augustin, il se passait en Maurétanie Césarienne beaucoup de choses, de drôles de choses, pas toujours très catholiques.

---

a. *Ep.* 22*, 5.
b. *Ep.* 23*, 2.
c. *Ep.* 22*, 7 et 11.

CHAPITRE XXX

« Cherchez sans cesse son visage[a] » :
Le *De Trinitate*

Une légende médiévale veut qu'Augustin, se promenant au bord de la mer, ait rencontré un jeune garçon occupé à en transvaser l'eau avec un coquillage dans un trou creusé dans le sable. À l'évêque qui s'en étonnait, l'enfant – un ange, bien entendu – aurait répondu qu'il lui serait plus facile de faire entrer la mer dans ce trou qu'à lui d'expliquer la moindre parcelle du mystère de la Trinité. La scène, à l'âge classique, a fourni un thème de prédilection à la peinture religieuse – au point de devenir un *must* de l'iconographie augustinienne –, par exemple à Rubens dans une composition où l'évêque, lourdement engoncé dans son étole et son surplis, avec mitre et crosse, fait valoir le frais sourire et le corps lisse de l'enfant, dans le rendu duquel le peintre anversois nous a épargné ses habituelles rondeurs trop potelées[b]. L'histoire eût peut-être amusé Augustin, mais elle fâchait Henri-Irénée Marrou, qui la rapporte en y dénonçant un contresens sur l'esprit qui animait l'auteur du *De Trinitate* dans sa recherche théologique[1].

Sans doute, mais elle avait au moins ceci de bien vu que, comme l'enfant avec son coquillage, Augustin avait dû s'y reprendre à mille fois pour mener à bien un ouvrage sans cesse interrompu, dicté par bribes, parce que l'actualité le requérait par ailleurs, mais aussi parce que, comme dans le cas du *De Genesi ad litteram*, il avait le sentiment très fort qu'en des matières aussi difficiles le pire eût été la précipitation. C'est pourquoi il résistait aux sollicitations de ceux qui le pressaient d'aboutir, comme en 412 son ami Marcellinus et l'évêque Florentius[c]. Il lui arrivait même de douter, non de la validité de l'entreprise, mais de son opportunité et de son adéquation aux

---

a. *Ps.* 104, 4 : « *Quaerite faciem eius semper.* »
b. La composition est conservée en l'église Saint-Thomas, à Prague.
c. Cf. *supra*, pp. 308-309.

besoins spirituels de ceux auxquels il destinait ces livres : ainsi, dans une lettre écrite en 414/15 à Evodius d'Uzalis, qui à cette époque le pressait de questions sur la connaissance qu'on peut avoir de Dieu et sur sa nature trinitaire, il se plaignait du travail qu'ils lui coûtaient, mais surtout craignait qu'ils ne fussent compris que par peu de gens ; et il ajoutait que par rapport à eux étaient prioritaires des travaux qu'il pouvait espérer utiles au plus grand nombre[a] : c'est-à-dire des homélies sur les *Psaumes* et des sermons. On verra que souvent ces prêches ont été le banc d'essai de textes plus spéculatifs.

Finalement, en 419, répondant à des clercs carthaginois qui lui demandaient des lumières sur le Saint-Esprit, Augustin les renvoyait à son traité, qu'il s'apprêtait à éditer[b]. Et peu après il adressait à Aurelius une épître dédicatoire qui faisait succinctement l'historique de ce long effort. « Ces livres, disait-il, je les ai commencés dans ma jeunesse, et je les publie dans ma vieillesse[c]. » Il s'y était mis en effet à l'époque où il terminait la rédaction des *Confessions*, vers 400, et, une quinzaine d'années plus tard, il avait été victime de l'impatience des siens qui lui avaient subtilisé un texte incomplet. Très choqué par ce vol, il avait bien failli renoncer à poursuivre la tâche ; mais, cédant à de multiples instances, dont celles de son primat, il avait achevé les quinze livres et en avait fait l'envoi à Aurelius en accordant toute licence de les entendre en audition, d'en prendre connaissance par la lecture, mais aussi de les copier : pour l'époque, c'était l'équivalent d'un « bon à tirer[d] ». Il ne dissimulait cependant pas à l'évêque de Carthage les conséquences du vol. Il avait corrigé et repris les douze premiers livres, mais moins complètement qu'il n'aurait voulu, afin d'éviter la disparate avec ceux qui, dérobés dans un premier jet, étaient déjà en circulation. S'il avait pu s'en tenir à ses dispositions premières, regrettait-il, l'ouvrage eût été beaucoup plus clair et plus lisse[2].

DE LA « DOCTE IGNORANCE » À L'APPROCHE INTELLECTUELLE DE DIEU

Entre la « foi du charbonnier » et l'orgueilleuse assurance des philosophes néoplatoniciens forts de leur certitude d'être parvenus

---

a. *Ep.* 169, 1 : « [...] *a paucis eos intellegi posse arbitror ; unde magis urgent quae pluribus utilia fore speramus* ».

b. *Ep.* 173A, *in fine.*

c. *Ep.* 174, *initio.*

d. *Ep.* 174 : « *eos* [*libros*] [...] *cuicumque audiendos, legendos describendosque permisi* ».

à la connaissance de Dieu par la gnose et l'ascèse intellectuelle, la voie était étroite. La difficulté de cette voie choisie par Augustin, la voie de l'« intelligence de la foi » – *intellectus fidei* –, tenait à ce qu'il y a entre les deux termes une antinomie conceptuelle qui ne peut se résoudre que par une démarche dialectique. Cette démarche dialectique, qu'il a poursuivie tout au long de sa vie, lui était sans doute plus aisée qu'à d'autres, parce que l'expérience de sa conversion en avait inscrit en lui la nécessité méthodologique : conversion double, on s'en souvient, conversion de l'intelligence, d'abord, puis conversion de la volonté, c'est-à-dire adhésion de l'âme à ce qui est au cœur de la foi chrétienne[a]. De la « docte ignorance » à la quête intellectuelle de Dieu, du « *crede ut intellegas* » à l'« *intellege ut credas* », Augustin s'est constamment mû entre ces deux pôles complémentaires de sa foi.

Maintes fois exprimé, l'agnosticisme révérentiel n'était pas chez lui une attitude, mais un article de cette foi, fortement affirmé dès la période immédiatement consécutive à la conversion : rappelons-nous le mot, provocateur dans son paradoxe, du *De ordine* sur ce Dieu « que l'on sait mieux en ne le sachant pas », formule de « théologie négative » sans doute inspirée alors par Porphyre au nouveau converti[3]. Dès cette époque, Augustin était sans illusion sur la portée de notre connaissance de la nature divine, lui qui dans le même texte en fixait les limites dans une formule imitée de Socrate : l'âme, disait-il, ne connaît Dieu qu'en connaissant comment elle ne le connaît pas[b]. Quelques années plus tard, il affirmera avec non moins de force l'« impertinence » fondamentale de tout discours sur Dieu. Dans son *Contra Adimantum*, en 394, il se moquait des manichéens qui réprouvaient vertueusement les façons anthropomorphiques de parler de Dieu dans l'Ancien Testament, « comme si c'était parler dignement de lui que de n'en point parler ainsi » ; ils étaient, ajoutait-il, loin du compte : le silence seul serait plus respectueux de sa majesté que n'importe quelle parole humaine[c]. Et, répondant deux ans plus tard à Simplicianus, il faisait une remarque dans le même sens, disant que lui aussi pourrait, à propos de Dieu, trouver quelque façon de parler indigne, s'il s'en trouvait une seule qui fût digne quand il s'agissait de lui[4].

De ce Dieu chrétien, Augustin n'a abordé l'expression trinitaire qu'avec d'infinies précautions et par approches successives[d]. À

---

a. Cf. *supra*, pp. 130 *sq.*
b. *De ordine*, II, 47, *in fine*.
c. *Contra Adimantum*, XI.
d. Cf. déjà *supra*, pp. 192-193, ses échanges de 389/90 avec Nebridius.

Rome en 388, il éludait encore le sujet en écrivant : « Nous devons aimer Dieu, unité trine, Père, Fils et Esprit saint, de qui je ne dirai rien d'autre sinon qu'il est l'être même[a]. » Dix ou douze ans plus tard, dans le livre terminal des *Confessions*, il y revenait avec une sorte d'« horreur sacrée », en un constat d'impuissance qui ouvrait cependant une perspective : « La Trinité toute-puissante, qui la comprendra ? Et qui ne parle d'elle, si toutefois c'est d'elle ? Rare est l'âme qui, quoi qu'elle dise d'elle, sait de quoi elle parle. On discute, on se bat ; et personne, faute de paix, ne voit cette vision[b]. » Augustin avait présents à l'esprit le long tumulte et les passions suscités par l'arianisme ; et si, vingt ans après le concile tenu à Constantinople en 381, les échos de la querelle s'étaient affaiblis, les débats sur la nature du Christ ne tarderaient pas à la faire rebondir. Il voyait cependant arriver pour lui le temps de s'atteler sereinement à un essai d'explication du mystère de la Trinité par la mise en évidence dans l'âme humaine de structures analogiques elles-mêmes trinitaires ; et celle qui lui venait alors à l'esprit faisait appel en nous à l'être, au connaître et au vouloir, triade qu'il reprendra sous d'autres formes dans la deuxième partie de son *De Trinitate*. Mais, s'il voyait l'ébauche des développements à venir, il en percevait aussi toutes les difficultés. Il concluait ses hypothèses provisoires sur la Trinité sur une claire prise de conscience des enjeux : « [Cela], qui pourrait aisément le concevoir ? Qui trouverait un moyen de le dire ? Qui oserait se prononcer à la légère dans un sens ou dans l'autre[c] ? »

Devant une question de cette importance comme devant tant d'autres, la première réaction d'un esprit de l'envergure de celui d'Augustin était celle d'une humilité intellectuelle qu'il ne faudrait pas prendre pour de la pose. À trente ans de distance, le vieil évêque avait gardé, sinon le « trac » et le sentiment d'insuffisance dont le prêtre novice faisait état en 391 dans sa lettre à Valerius[d], du moins une attitude de réceptivité et de permanente recherche. Au terme d'une série de réponses faites à des questions posées par Dulcitius – le haut fonctionnaire qui, on s'en souvient, lui avait confié le « dossier Gaudentius[e] » –, Augustin engageait le tribun à lui faire part éventuellement de solutions différentes des siennes, et concluait sur ces mots : « J'aime mieux apprendre qu'enseigner[5]. » Adressés à un laïc, on pourrait n'y voir que bonne manière, modestie feinte.

a. *De moribus eccl. cathol.*, I, 24.
b. *Conf.*, XIII, 12.
c. *Ibid.*, *in fine*.
d. Cf. *supra*, p. 218.
e. Cf. *supra*, p. 507.

Mais l'évêque d'Hippone ne s'exprimait pas différemment dans une lettre à Hesychius, l'évêque de Salone, qui l'avait consulté sur la fin du monde : question bien difficile, répondait-il, sur laquelle il préférait « confesser une ignorance sûre que professer une science fausse[a] ».

Devant les fidèles, le prédicateur était confronté à un exercice délicat. Il était là pour les instruire et l'agnosticisme révérentiel n'était plus de mise. Si la posture intellectuelle de quête constante n'était pas modifiée, la « docte ignorance » trouvait en ces occasions ses limites pédagogiques. Il en résultait des situations parfois malaisées à gérer, comme celle sur laquelle nous informe l'un des nouveaux sermons récemment mis au jour. Augustin avait abordé les problèmes trinitaires et en particulier celui de l'incarnation du Verbe, si difficile à concevoir. Il voyait son auditoire buter là-dessus, il se mettait à sa place : « Et comment vais-je comprendre cela ? Je ne sais pas, je n'en suis pas capable. Il est [le Verbe] à la fois chez le Père et dans le sein de la Vierge. Qui est-ce qui pourrait comprendre cela ? » C'était, reprenait l'évêque, poser le problème avec les habitudes et les mots d'une « pensée charnelle[b] ». « Ne coupez pas Dieu en morceaux ! » disait-il à ses fidèles. Et d'expliquer posément qu'il leur fallait cesser de penser à Lui – et donc au Verbe – de façon corporelle. Oui, mais quelques instants auparavant, de nouveau saisi par le sentiment de la suprême ineffabilité de Dieu, il s'était, comme par parenthèse, en quelque sorte excusé de formulations inadéquates, que Dieu ne pouvait admettre, s'agissant de lui, que parce qu'elles émanaient de ses misérables créatures (*paruuli*) : « Si nous voulions dire quelque chose de digne [de Lui], nous ne dirions rien du tout[c] ! » Il y avait de quoi déconcerter les auditeurs, qui réagirent d'ailleurs en relâchant peu après leur attention et en bavardant entre eux. L'évêque y mit finement bon ordre[d].

Dans la triade trinitaire, le Verbe était décidément la pierre d'achoppement des fidèles de l'évêque. Dans un sermon daté de 418, Augustin avait pris pour thème le texte, superbe, mais d'un accès combien peu immédiat, du début du prologue de l'Évangile de Jean : « *Et le Verbe était Dieu.* » L'évêque voyait-il tout en parlant les difficultés de ses auditeurs ? Il commentait : « Nous parlons de

---

a. *Ep.* 197, 5. Hesychius cependant insistera et recevra d'Augustin la longue *Lettre* 199, « sur la fin du monde ».

b. *Serm. Dolbeau* 22 (*Mayence* 55), 8, dans *Vingt-Six Sermons* [...], p. 561.

c. *Ibid.*, 7, p. 560 : « *Si aliquid dignum dicere uellemus, nihil omnino diceremus.* » Cf., dans un texte un peu antérieur, « *omnia possunt dici de deo, et nihil digne dicitur de deo* » (*In Ioh. euang. tract.* 13, 5).

d. *Ibid.*, 9, p. 561.

Dieu, quoi d'étonnant que tu ne comprennes pas. Car si tu comprends, ce n'est pas Dieu[a] ! » Notre ignorance, disait-il, était plus
pieuse qu'une science présomptueuse. Et il poursuivait : comprendre
Dieu, l'embrasser tout entier (*comprehendere*) était chose impossible ; mais le toucher (*attingere*) si peu que ce fût par l'esprit, c'était
déjà un grand bonheur. Dieu était « incompréhensible », mais il
n'était pas « impensable ». Cet effort fait pour le penser, c'est toute
l'entreprise du *De Trinitate*, abordée par un esprit toujours ardent à
« *chercher son visage* » (*Ps.* 104, 4), mais assez lucide pour déclarer
au beau milieu de son ouvrage : « Quand il s'agit de Dieu, la pensée
est plus vraie que le discours, et la réalité plus vraie que la pensée[b]. »

LE MYSTÈRE DE DIEU

En ce début du Vᵉ siècle, le mot *deus*, au singulier – « Dieu »,
avec la majuscule que lui confère pour nous l'unicité, signe graphique de sa majesté –, était devenu d'emploi banal. Selon Augustin,
les polythéistes étaient en voie de disparition et les athées désormais
étaient rares[c]. C'était vrai, mais cet apparent monothéisme universel
recouvrait, comme une façade, des contenus divins divers. Et, pour
ne pas revenir ici sur la cohorte disparate des déistes et autres héno-
théistes dont la théologie était floue sinon inexistante[d], il y avait
assez à faire pour Augustin s'il s'en tenait à établir, pour des fidèles
de langue latine, les bases doctrinales d'un authentique monothéisme
chrétien, avant de les ouvrir à son intelligence par une réflexion
soutenue sur la structure trinitaire de l'âme humaine, faite à l'image
de Dieu.

Dans un prologue au livre I qu'on sait être une addition tardive[6],
Augustin dira que l'Écriture, dans son effort pour se mettre à la
portée de l'humaine faiblesse, utilise dans son « dit » de Dieu un
langage métaphorique qui puise ses images dans les attributs de ses
créatures et dans les objets de sa création ; mais l'Écriture reste
muette pour caractériser Dieu ou simplement pour le dire en dehors
de toute référence à ses créatures, mutisme que porte à son comble
la tautologie divine du « nom d'éternité » : « Je suis celui qui Suis »
(*Ex.*, 3, 14)[e]. D'où l'extrême difficulté d'un discours sur Dieu, et

a. *Sermon* 117, 5 : « *Si comprehendis, non est deus.* »
b. *De Trin.*, VII, 7.
c. *Enarr. in Psalm.* 52, 2 : « *Rarum hominum genus est qui dicant in corde suo : non est deus.* »
d. Cf. *supra*, pp. 39 et 434.
e. *De Trinitate*, I, 2.

plus précisément, pour un chrétien, sur les « personnes » qui constituent ce Dieu « un et trine ». La Bible judaïque présentait déjà une
première configuration trinitaire, avec Dieu, créateur du ciel et de
la terre, la parole de Dieu (son *Logos*, son *Verbum*), instrument divin
de cette création, et l'esprit de Dieu, qui se révélait aux prophètes
pour les inspirer. Mais avec Jésus les Évangiles avaient enrichi ce
jeu et l'avaient compliqué en y introduisant un élément qui en per-
turbait l'équilibre transcendantal. Déjà, pour les premières générations chrétiennes, la Trinité divine apparaissait constituée comme
elle l'était pour Augustin. Elle comprenait Dieu, créateur du ciel et
de la terre, révélé dans l'Ancien Testament ; Jésus, uni à Dieu qu'il
appelle son père[a] en raison d'une relation unique de filiation qu'il
faut comprendre de façon analogique – c'est le langage des créatures,
comme disait Augustin ; l'Esprit saint, enfin, qui s'était déjà manifesté en inspirant les prophètes, qui à la Pentecôte était descendu
sur les apôtres[b] et qui, selon la foi chrétienne, continuait à souffler
sur l'Église et sur les communautés de fidèles.

En tant que tel, ce contenu trinitaire pour ainsi dire « brut »
s'imposait à tous les chrétiens. Les problèmes commençaient avec
la perception des relations entre ses différents éléments, particulièrement quand il s'agissait du Père et du Fils. Même si cette filiation
était comprise de façon analogique et non biologique, la difficulté
de qualifier les « personnes » dans leur rapport de l'une à l'autre
faisait naviguer la pensée théologique entre plusieurs écueils. Vou-
lait-on sauvegarder avant tout et sans risque l'unité divine, on était
tenté de considérer l'ensemble trinitaire de façon purement nomina-
liste, ou modaliste : rien ne différenciait vraiment le Père, le Fils et
l'Esprit saint, qui n'étaient que trois aspects pour ainsi dire circonstanciels d'un Dieu unique. Telle avait été, au IIIe siècle à Rome,
l'interprétation d'un certain Sabellius, justement condamné comme
hérétique parce que cette vue modaliste, avec son indistinction des
« personnes », entraînait cette inadmissible conséquence que c'était
Dieu lui-même qui était mort sur la Croix ; l'orthodoxie – et Augustin, on le verra, insistait sur ce point – non seulement maintenait la
distinction réelle du Père et du Fils, mais percevait dans le Christ
une double nature : en lui c'était l'homme, et non Dieu, qui avait
souffert la Passion[c]. La transcendance divine était sauvée.

---

a. Cf. *Mt.*, 12, 50 ; 16, 16 ; 18, 19 et *passim*.

b. *Ac.*, 2, 1-4.

c. Dès le livre I, Augustin dira qu'il « est exact de parler de "Dieu crucifié", mais
non en raison de sa puissance divine, mais bien en raison de sa faiblesse charnelle » :
De Trin., I, 28 (cf. *II Co.*, 13, 4).

Pour échapper à l'accusation de « trithéisme » – la conception de trois dieux en un seul – dont ne se privaient pas les païens dans la caricature qu'ils faisaient du christianisme, la tentation était grande d'accentuer plus nettement la distinction réelle des personnes. C'est ce que fit au début du IVe siècle un prêtre d'Alexandrie du nom d'Arius. Pour lui, le Fils était une création du Père, venue à l'existence par le fait du Père ; et comme cette création était conçue par lui comme intemporelle, survenue avant les temps et avant les siècles, Arius n'introduisait pas un événement historique dans une théogonie, mais bien un principe de subordination hiérarchique : procédant du Père, le Fils, *logos* de Dieu, lui était à la fois postérieur et inférieur. C'était une explication philosophique du mystère de l'Incarnation, dans un cadre conceptuel qui était celui des spéculations néoplatoniciennes, une triade de type descendant se superposant à la triade judéo-chrétienne, où les « hypostases » sont distinctes mais non hiérarchisées [7].

On sait le débat passionné qui s'était ensuivi, une crise longue de plus de soixante années, marquée par les interventions du pouvoir impérial, sans cesse compliquée par des incompatibilités de langage entre l'Orient grec et l'Occident latin, caractérisée par l'invasion massive des catégories de la logique aristotélicienne dans le discours théologique [8]. L'intrusion de l'analyse philosophique dans l'appréhension d'un Dieu conçu comme une pluralité de « personnes » dans une unité divine était inévitable, mais la première conséquence en était nécessairement que les termes (grecs) utilisés comme discriminants pour qualifier la nature des « personnes » par rapport les unes aux autres n'étaient pas « scripturaires » : on ne trouvait dans l'Écriture ni la notion d'*homoousios* – de consubstantialité – affirmée à Nicée en 325 et confirmée à Constantinople en 381, ni celle d'*homoiousios* – d'une similitude plus extérieure que véritablement substantielle – adoptée en 359 à Rimini comme à Séleucie, cet « homéisme » qui allait devenir la base du credo des peuples germaniques tardivement christianisés, avant même qu'ils n'envahissent tout l'Occident et n'y répandent cet arianisme mitigé. Il arrivait dans les controverses qu'on se jetât ces mots clefs à la tête, tout en récusant ceux de l'adversaire pour la raison qu'ils n'étaient pas « scripturaires » – mais c'était vrai des deux côtés ! Augustin ne pouvait pas ne pas se souvenir de ses échanges – vers 405-410 – avec Pascentius, un haut fonctionnaire de l'administration fiscale de confession arienne. Pascentius avait mis Alypius et Augustin au défi de lui montrer le mot *hom(o)ousion* dans les Écritures, et ses inter-

locuteurs avaient dû convenir qu'en effet il ne s'y trouvait pas[a].
Mais, rétorquait Augustin, il en était de même du mot *ingenitus*
(« non engendré ») auquel tenait fort Pascentius à propos de Dieu
le Père : ce n'était pas une raison pour ne pas admettre la notion,
commentait l'évêque qui y tenait tout autant que le notable arien[b].
La leçon à en tirer était qu'il fallait lire les Écritures avec le souci
d'y retrouver par un raisonnement inductif ce que des joutes idéologiques presque séculaires avaient figé dans un vocabulaire de
combat.

C'était la fin que se proposait Augustin en abordant sa longue
entreprise, c'est-à-dire, selon ses termes, « la justification de cette
affirmation : la Trinité est un seul et vrai Dieu et il est exact de dire,
de croire et de penser que le Père, le Fils et le Saint-Esprit sont
d'une seule et même substance ou essence[c] ». Et c'était en interrogeant les Écritures qu'il fallait chercher le chemin qui mène
à celui dont il a été dit : « Cherchez sans cesse son visage[d] ! »
(*Ps.* 104, 4). Mais il semblait à Augustin, au seuil d'un traité dont
il savait l'importance et pressentait les difficultés, qu'il lui fallait
d'abord fixer nettement les enjeux, en explicitant le credo qui était
le sien à la suite de ses devanciers orthodoxes : « Tous les interprètes
catholiques de l'Ancien et du Nouveau Testament se sont proposé
de montrer, conformément aux Écritures, que le Père, le Fils et
l'Esprit saint attestent dans l'indivisible égalité[9] d'une seule
et même substance leur divine unité ; et donc qu'ils ne sont pas trois
dieux, mais un seul Dieu, bien que le Père ait engendré le Fils, et
qu'ainsi le Fils ne soit pas identique au Père, et que le Fils ait été
engendré par le Père, et qu'ainsi le Père ne soit pas identique au
Fils, et bien que l'Esprit saint ne soit ni le Père ni le Fils, mais
seulement l'Esprit du Père et du Fils, égal au Père et au Fils dans
son appartenance à l'unité de la Trinité. » Il poursuivait avec une
première affirmation de la distinction de leurs manifestations personnelles : « Ce n'est cependant pas cette Trinité elle-même qui est
née de la Vierge Marie, qui a été crucifiée et ensevelie sous Ponce
Pilate, qui est ressuscitée et montée au ciel le troisième jour : c'est
seulement le Fils. Ce n'est pas non plus la Trinité qui sous la forme
d'une colombe est descendue sur Jésus le jour de son baptême
[*Mt.*, 3, 16] ; ce n'est pas elle qui le jour de la Pentecôte, après

---

a. *Ep.* 238, 4.
b. *Ep.* 238, 5.
c. *De Trin.*, I, 4. On aura l'occasion de revenir sur l'hésitation entre *substantia*
et *essentia*.
d. *Ibid.*, I, 5.

l'Ascension du Seigneur, s'est posée, au milieu d'un fracas céleste semblable à celui d'un violent orage, en langues de feu distinctes sur chacun des apôtres [*Ac.*, 2, 1-4] : c'est seulement l'Esprit saint. Ce n'est pas la Trinité qui a dit au Christ du haut du ciel : "Tu es mon Fils" [*Mc*, 1, 11], pendant que Jean le baptisait, ou sur la montagne quand les trois disciples étaient avec lui [*Mt.*, 17, 5], ou quand résonna la voix qui disait : "Je l'ai glorifié et je le glorifierai encore" (*Jn*, 12, 28) : c'était seulement la voix du Père qui parlait au Fils. Et pourtant le Père, le Fils et l'Esprit saint, de même qu'ils sont inséparables, agissent inséparablement. Voilà, concluait Augustin, quelle est ma foi, parce que telle est la foi catholique[a]. »

Il savait cependant qu'il ne suffisait pas de détailler comme il venait de le faire le symbole de la foi pour en aplanir toutes les difficultés au bénéfice de ceux qui cherchent à comprendre comment cette Trinité peut agir de façon indivise. Il s'agissait, comme il le dira un peu plus loin, de faire admettre au moyen d'exemples choisis avec soin dans les Écritures « comment, dans cette Trinité, à chacune des "personnes" est attribué ce qui appartient à toutes, en raison de l'inséparable action de leur unique et identique substance[b] ». Dans cette démonstration, l'évêque n'avait garde d'omettre le Saint-Esprit, à propos duquel, dans son discours dogmatique prononcé devant le concile réuni à Hippone en 393, le prêtre avait regretté qu'il n'eût pas mobilisé autant que le Père et que le Fils la science des exégètes[c]. Il ne manquera pas d'affirmer sa parfaite égalité divine avec les deux autres personnes[d], même s'il repousse à la fin de son traité, au livre XV, l'exposé développé de sa nature propre, de sa « spécificité » si l'on peut dire – qui est d'être charité, et inspiration de charité – au sein de la Trinité divine[e]. Mais il accordait dans cette section de l'ouvrage une attention plus grande à la relation du Fils avec le Père, en constatant la présence dans les Écritures de textes « qui suggèrent ou même déclarent ouvertement » que du fait de l'incarnation le Fils est inférieur au Père : ainsi de l'affirmation du Christ lui-même dans l'*Évangile de Jean* (14, 28) : « *Le Père est plus grand que moi* », verset que les ariens ne s'étaient pas fait faute d'exploiter dans un sens « subordinatianiste [10] ». C'était pour Augustin le moment opportun de faire intervenir la « règle de discernement » qu'il tirait de saint Paul : « Lui qui était de condition divine, il n'a pas voulu se

---

a. *De Trin.*, I, 7.
b. *Ibid.*, I, 25.
c. *De fide et symbolo*, 19.
d. *De Trin.*, I, 13.
e. *Ibid.*, XV, 25-38.

prévaloir de son égalité avec Dieu, mais il s'est anéanti lui-même en prenant la condition d'esclave [*formam serui*], en devenant semblable aux hommes et en revêtant l'aspect d'un homme (*Ph.*, 2, 6-7)[11]. » Tout le reste de ce premier livre sera consacré à distinguer dans le Christ ce qui relève de son humanité (*forma serui*) et ce qui appartient à sa divinité (*forma dei*).

Le thème est repris au début du livre suivant, car, constate encore Augustin, on peut lire dans le Nouveau Testament des expressions ambiguës, dont on ne sait en quel sens il faut les interpréter : ou en fonction de l'« infériorité » du Fils pour avoir assumé la condition de la créature, ou en fonction de l'origine qu'il tire du Père, en dépit de son égalité avec lui. Dans la seconde branche de l'alternative l'évêque distingue une autre règle : oui, le Fils procède du Père, il vient de lui, mais cette *natiuitas* ne signifie pas *inaequalitas* ; et cette règle vaut aussi pour le Saint-Esprit[a]. Mais Augustin a bien conscience que les « subordinatianistes » ne se tiennent pas pour battus et qu'ils reviennent à la charge au vu d'un autre verset johannique : « *Mon Père l'enverra en mon nom* » (*Jn*, 14, 26), relatif au Saint-Esprit, envoyé comme le Christ lui-même. Or, objectaient-ils, celui qui envoie est supérieur à celui qu'il envoie[12]. La réplique consistait à dire, sur la base notamment d'autres textes du quatrième Évangile – *Jn*, 1, 10-11 ; 16, 28 – que le Fils, comme le Saint-Esprit, avaient été envoyés là où ils étaient déjà, en vertu d'une éternelle immanence. Le problème demeurait cependant, car du Père seul on ne lit nulle part dans l'Écriture qu'il a été envoyé[b]. Des deux autres « personnes », les « missions » étaient bien identifiées dans les textes, pour qui savait les lire. Celle du Fils était son Incarnation, sur laquelle on reviendrait longuement ; celles de l'Esprit devaient être reconnues dans ses interventions sous une forme visible, colombe au-dessus du Christ et langues de feu sur les apôtres[c]. Mais alors pourquoi ne parlait-on pas de « mission » aussi au sujet du Père, à propos de ces phénomènes matériels et sensibles à travers lesquels sa présence s'était révélée dans l'Ancien Testament, par exemple le buisson ardent[d] ? Comment rendre compte de cette différence de traitement qui semblait introduire une distinction parmi les trois « personnes » de la Trinité divine ?

C'était poser le difficile problème des théophanies et la question

---

a. *De Trin.*, II, 3-5.
b. *Ibid.*, II, 8, *initio* : « *Pater solus nusquam legitur missus.* »
c. *Ibid.*, II, 8-11.
d. *Ibid.*, II, 12.

de savoir comment les distinguer des « missions ». Trois questions, en fait, se posaient. D'abord de discerner qui s'était, dans l'Ancien Testament, manifesté aux patriarches : le Père, le Fils, l'Esprit, ou encore la Trinité elle-même, sans distinction de « personnes » ? Il fallait aussi se demander si ces apparitions s'étaient produites par l'intermédiaire de créatures formées à cet effet, ou par celui des anges. Enfin, y avait-il eu, avant l'Incarnation, des « missions » du Fils et de l'Esprit, et si oui, quelles différences en elles avec ce que rapporte l'Évangile ? À cet ensemble de questions répondent successivement les livres II, III et IV de l'ouvrage. Les premiers chapitres de la *Genèse* servirent aussitôt de banc d'essai à Augustin dans la méthode qu'il pouvait mettre en œuvre dans ses réponses. Car il ne pouvait éluder la première de ces théophanies, la plus célèbre, la plus grosse de conséquences aussi pour l'humanité, la prise à partie d'Adam dans l'Éden[a]. Était-elle purement auditive, excluait-elle une manifestation visible de Dieu ? L'évêque hésitait : « On ne peut dire qu'il n'y eut qu'émission de voix, quand on dit que Dieu se promenait ; on ne peut dire non plus que n'était pas visible celui qui se promenait en ce lieu, puisque Adam lui-même dit qu'il s'était caché de Dieu[b]. » Et qui cette théophanie, quelque forme qu'elle eût prise, avait-elle mis en jeu ? Quel était ce promeneur, dans le premier jardin ? La syntaxe biblique, reconnaît Augustin, ne distingue pas les « personnes ». Il semble que ce fût Dieu le Père, lui-même, celui qui dans le récit liminaire de la création dit « *Fiat lux* » ; mais on ne peut exclure que comme plus tard à Abraham sous le chêne de Mambré (*Gn.*, 18, 1) il se soit manifesté d'abord à Adam « par l'intermédiaire docile d'une créature changeante et visible, tout en demeurant en lui-même et en sa substance immuable et invisible [13] ». Augustin préférait pour l'instant ne pas conclure, et laissait ouverte la possibilité que cette première théophanie eût impliqué indivisiblement la Trinité[c]. Cette confrontation initiale avec l'Écriture mettait d'entrée en évidence toutes les difficultés de l'exercice.

À la fin de son livre III, le progrès de sa réflexion aidant, l'évêque reviendra, non sur Adam, mais sur l'histoire d'Abraham et dira fermement qu'à lui, comme à Noé avant lui, comme à Jacob et Moïse après lui, Dieu n'était pas apparu de façon directe, mais par l'intermédiaire des anges[d]. Restait à montrer comment la « mission » du

---

a. *Gn.*, 3, 8-10.
b. *De Trin.*, II, 17.
c. *Ibid.*, II, 18, *in fine*.
d. *Ibid.*, III, 25-27.

Fils – celle aussi de l'Esprit – se distinguait de ces théophanies du judaïsme. Cette « mission », c'est l'Incarnation, clairement définie pour la pensée chrétienne depuis saint Paul : « *Quand fut arrivée la plénitude du temps, Dieu envoya son Fils, né d'une femme* » (*Ga.*, 4, 4). Elle est l'objet du livre suivant, dont l'ouverture, de ton incantatoire et mystique, fait sentir dès l'abord quelle importance a cette exégèse pour Augustin et quels échos existentiels elle réveille en lui[a]. Deux textes s'imposent immédiatement à lui. En premier lieu celui de l'*Épître aux Romains* qui dit si superbement que Dieu a prouvé son amour pour l'humanité en envoyant son Fils pour cette « mission » de salut (*Rm.*, 5, 8-10). Puis le prologue de l'Évangile de Jean, qui était depuis les journées décisives de la fin du printemps milanais de 386 l'un des textes fondateurs de sa christologie. Et comment ne pouvait-il pas revivre en pensée les semaines enfiévrées qu'il avait vécues par la suite, quand il commentait ce verset : « *Mais la lumière luit dans les ténèbres et les ténèbres ne l'ont pas comprise* » (*Jn*, 1, 5), ce qu'il interprétait en disant que « ces ténèbres sont les âmes insensées des hommes, aveuglées par la dépravation de la cupidité et par le manque de foi[b] » ? Le Seigneur, continue-t-il, nous a doublement rachetés, en cette double « réalité » que nous sommes, âme et corps[c]. Pour prix de notre double mort le Sauveur a donné sa mort unique.

Un et deux font trois, constate alors Augustin, et le total de ces trois chiffres est six, le premier des « nombres parfaits », égal à la somme de ses diviseurs[d]. C'est le début de ce qu'un lecteur moderne un peu pressé identifiera avec quelque étonnement à une digression arithmologique à la gloire du nombre six, symbole si fréquent de perfection dans les Écritures comme le montre l'évêque, depuis les six jours de la Création jusqu'aux trente-six heures (le carré de six) qui s'écoulèrent du soir de la mise au tombeau du Christ au matin de sa résurrection[e]. Et si le lecteur moderne reste sceptique sur cette symbolique des nombres, il n'aura pas tout à fait tort, d'autant plus qu'Augustin, qui veut pourtant y voir des intentions mystiques, accorde à son lecteur, en bon pythagoricien qu'il était à certains égards demeuré, qu'il pourra éventuellement découvrir lui-même d'autres raisons à cela, aussi vraisemblables, voire

---

a. *De Trin.*, IV, 1-2.

b. *Ibid.*, IV, 4.

c. *Ibid.*, IV, 5 : « *Utrique autem rei nostrae, id est et animae et corpori medicina et resurrectione opus erat.* »

d. *Ibid.*, IV, 7.

e. *Ibid.*, IV, 10. Mais 36 (carré de 6), c'est aussi le nombre des mois (3 ans) du figuier de *Luc*, 13, 6 (*ibid.*, IV, 7) !

préférables[a]. Mais il y aurait quelque naïveté de notre part à marquer de la surprise en constatant le poids persistant de cet héritage culturel chez le vieil évêque. À propos du nombre six, il y a encore plus surprenant chez lui, par exemple lorsque, dans son traité sur la Genèse, il déclare sans sourciller que si Dieu a parachevé la création du monde en six jours, ce nombre n'est pas parfait parce que Dieu s'y est tenu : s'il s'y est tenu, c'est parce qu'il l'avait conçu parfait[b] !

Parfois déconcertant, le *De Trinitate* est, comme son sujet lui-même, un livre toujours difficile, sans cesse abandonné et repris par son auteur dans un long cours d'une vingtaine d'années. Les sutures s'y font souvent par associations d'idées : comment comprendre autrement, sinon amenée par les considérations numériques qui précèdent, images assurément parlantes du « multiple », l'évocation de la venue du Christ, unique médiateur, rassembleur du multiple dans l'unité ? Cet « hymne à l'Unique » est sans doute, au milieu de cette grande première partie du traité, la page culminante du livre IV : « Il fallait qu'à la volonté et à l'ordre d'un Dieu miséricordieux la multitude elle-même appelât de ses cris la venue de l'Unique ; qu'au milieu des cris de la multitude il vînt, lui, l'Unique, et que la multitude témoignât de sa venue à lui, l'Unique ; et que, délestés du fardeau de la multitude, nous venions à lui, l'Unique, et que, morts en esprit sous la multitude des péchés, voués à la mort en notre chair du fait du péché, nous aimions celui qui, sans péché, est mort pour nous dans sa chair, l'Unique ; et il nous fallait, ayant foi en sa résurrection et par la foi ressuscitant en esprit avec lui, être justifiés en l'unique juste, rassemblés dans l'unité ; et ne pas désespérer de ressusciter nous aussi, même dans notre chair, après avoir vu, nous, membres multiples, nous précéder la tête unique : puissions-nous en elle, purifiés maintenant par la foi, plus tard restaurés par la vision, réconciliés avec Dieu par le Médiateur, nous unir à l'Unique, jouir de l'Unique, demeurer dans l'Unique[c]. »

Le thème de la médiation du Christ est ainsi le thème central de ces pages consacrées à la « mission » du Fils ; et il est construit sous la forme d'un diptyque où s'opposent l'humilité et l'orgueil, la médiation de la vie et la médiation de la mort, Jésus et le diable. On a dit plus haut que les prêches de l'évêque ont souvent servi de banc d'essai à de larges pans des traités du théologien. Il semble que ce soit le cas en l'occurrence, si l'on revient à ce grand sermon

a. *Ibid.*, IV, 10, *in fine*.
b. *De Genesi ad litteram*, IV, 14.
c. *De Trin.*, IV, 11.

nouvellement publié auquel on s'est déjà référé pour les précisions qu'il donne sur les axes suivis par Augustin dans son débat avec les païens[a]. Même portrait, dans l'un et l'autre texte, du diable, qui s'était bien gardé, lui, d'aller jusqu'où il menait l'homme, « car si dans son impiété il est bien mort spirituellement, il n'a pas subi la mort de la chair, puisqu'il ne s'en était pas revêtu[b] ». Il avait ainsi gardé grand prestige, non seulement aux yeux du vulgaire séduit par les tours de passe-passe des magiciens, mais même pour des âmes plus hautes et plus exigeantes, auxquelles il propose dans les temples des rites de purification – des « rites sacrilèges » : *sacra sacrilega* – par le moyen de véritables mises en scène théurgiques[c]. Au livre X de la *Cité de Dieu*, Augustin achèvera un peu plus tard de régler ses comptes avec les prouesses diaboliques des mages du paganisme finissant, auxquels il opposera les miracles visibles du Dieu invisible[d]. Mais ici cette figure du diable, antithétique de celle du Christ seul vrai médiateur, nous paraît au moins de façon approximative datée par les approches parallèles de ce sermon prêché à Hippone ou à Carthage le 1er janvier 404[14].

Un « Être », trois « Personnes »

Parvenu à ce stade de son ouvrage, Augustin ne pouvait éluder le débat avec les ariens, sur le terrain où ils se situaient eux-mêmes, avec leur « argumentation si artificieuse » (*uersutissima argumenta*[e]), celui d'un discours philosophique sensiblement décalé des réalités scripturaires, où intervenaient les catégories de la logique aristotélicienne.

De tous les adversaires qu'il avait eu à affronter, sur le plan idéologique, doctrinal ou encore ecclésiologique, des manichéens aux pélagiens, en passant par les donatistes – et les païens –, les tenants de l'arianisme étaient les seuls dont il n'avait eu d'abord qu'une perception indirecte et livresque. Certes, sa première expérience de l'Église hérétique était ancienne, puisqu'elle remontait au

---

a. Cf. *supra*, pp. 446-447.

b. *De Trin.*, IV, 13 : « *Mortem carnis non subierat, quia nec indumentum susceperat* » ; à comparer avec le *sermon Dolbeau* 26 (M. 62), 39 : « *Non enim soluitur corpore, quia non carne indutus est* » (*Vingt-Six Sermons* [...], p. 396).

c. *Ibid.* « [...] *pollicens etiam purgationem animae, per eas quas* teletas *appellant* » ; mêmes énoncés dans le *sermon Dolbeau* 26, 28, 32 et 41 (pp. 387, 390 et 397), à la seule différence du mot grec, qui n'y figure pas.

d. *Cité de Dieu*, X, 7-11.

e. *De Trin.*, IV, 32.

printemps milanais de 386. Mais on se souvient – cf. *supra*, p. 121 – qu'il avait assisté de l'extérieur, sans s'y impliquer personnellement, sinon par Monique interposée, aux démêlés d'Ambroise avec cette communauté. Puis il était rentré dans son Afrique alors pratiquement indemne de l'hérésie arienne. L'arianisme n'avait pas été un problème à Hippone pour l'évêque jusqu'à la fin de la première décennie du ve siècle. Les donatistes lui suffisaient amplement, ainsi qu'il le disait dans un sermon antérieur à 411, où il se réjouissait du moins de n'avoir pas maille à partir avec les « eunomiens », comme en Orient : à chacun sa croix[a] !

Mais les vagues de réfugiés italiens de l'automne de 410 avaient charrié un peu de cette écume : il arrivait maintenant à l'évêque de voir quelques-uns de ces hérétiques devant lui à l'église, mêlés à ses fidèles[b]. Entre les conséquences, qui furent souvent durables, de cette migration et la pénétration croissante par les ariens de la haute administration et des forces armées, les occasions de contact avec les tenants de l'hérésie se multipliaient pour Augustin. Il y avait eu, en commun avec Alypius, les échanges avec Pascentius. Vers la même époque, les deux évêques une fois encore associés avaient entrepris avec succès de convertir de l'arianisme un certain Maximus, qui exerçait la médecine à Thaenae en Byzacène (Henchir Thina, sur la côte sud du Sahel tunisien)[c]. À l'automne de 419, au milieu de tout ce qui l'attendait à son retour de Carthage, Augustin avait trouvé un libelle arien à lui communiqué par Dionysius, l'un de ses amis, qui demeurait dans une bourgade, Vicus Iuliani, des confins sud du diocèse d'Hippone[d] : indice qu'à cette époque il y avait désormais assez d'ariens dans cette région pour que leurs textes se missent à y circuler. En l'espèce, c'était une sorte de « catéchisme » en trente-quatre articles très brefs, à l'exception du dernier. Dans les *Révisions*, l'évêque dira que son correspondant l'avait pressé d'y faire réponse[e], insistance bien superflue, car désormais Augustin savait que la gangrène « eunomienne » avait gagné son Afrique et qu'il ne s'agissait pas de traiter le mal par le mépris ; au reste, ce n'était pas son genre, et le *Contra sermonem arianorum* qu'il dicta incontinent était une réfutation point par point de ce catalogue de propositions hérétiques. Il n'était plus question en effet d'ignorer les « eunomiens » : deux ans plus tard, il se réjouissait devant ses fidèles de la conversion de l'un

---

a. *Sermon* 46, 18.

b. *Tract. in Ioh. euang.* 40, 7.

c. *Ep.* 170 et 171, cette dernière adressée à Peregrinus, l'évêque du lieu, ancien diacre d'Augustin à Hippone, et qui avait servi d'intermédiaire.

d. *Ep.* 23*A, 3.

e. *Retract.*, II, 52.

d'eux, tout en déplorant la persistance dans l'hérésie de trois autres, à Hippone même[a]. L'arianisme, peu présent dans les préoccupations d'Augustin au début de son épiscopat, avait fini par le rattraper : une de ses dernières controverses sera celle qu'il devra soutenir moins de trois ans avant sa mort avec un évêque arien originaire d'Illyrie, Maximinus. Celui-ci avait débarqué dans les bagages du nouveau comte d'Afrique, le Goth Sigisvult, envoyé contre Bonifatius, qui était entré en rébellion contre la cour de Ravenne : Maximinus contre Augustin, c'était en quelque sorte la version spirituelle de cet affrontement. En dépit des vantardises de l'arien, l'évêque d'Hippone s'en sortit à son avantage[b].

En termes d'obligations pastorales, la lutte antiarienne s'inscrit ainsi tout à la fin de la longue liste des combats menés par Augustin, et qu'il ait à son occasion enrichi et précisé sur certains points sa connaissance de l'hérésie telle qu'elle était alors véhiculée à travers l'empire d'Occident n'est pas chose douteuse ; mais il n'avait pas eu besoin que le *Sermo arianorum* lui tombât entre les mains à l'automne de 419 pour savoir à quoi s'en tenir sur l'essentiel de sa théologie.

Dans les livres V, VI et VII de son *De Trinitate*, Augustin entreprend de la réfuter au fond, dans de longs développements qui se ressentent d'une composition trop étalée dans le temps, non exempte de reprises, sinon de redites. D'entrée, on voit le Latin qu'il est gêné à l'évidence par la traduction en sa langue de concepts élaborés en grec par la théologie orientale. En premier lieu, pour ne pas aborder tout de suite la problématique conceptuelle des trois composantes de la Trinité, il s'agissait de fixer le terme le plus apte en latin à dire ce qu'elles ont en commun dans l'unité divine. Les Grecs disaient *ousia*, qui est l'« Être » dans le langage platonicien ; mais dans celui des théologiens orientaux le mot hésitait entre deux significations : la « substance », mais aussi l'« essence » universelle. Il arrivait aux Pères de langue latine, dans leur embarras, de transcrire le mot grec, sans le traduire. Le premier d'entre eux, Tertullien, avait pris le parti de traduire, et avait rejeté *essentia* au profit de *substantia* pour exprimer qu'un même tissu spirituel forme l'être des trois réalités divines [15]. Entre les deux, au premier abord, Augustin a peine à se décider, même si on le voit pencher plutôt pour *essentia*[c]. Il

---

a. *Sermo Guelf.* 17, 4, dans *Miscellanea Agostiniana*, I, p. 498.

b. Ce fut la *Conlatio cum Maximino*, suivie du *Contra Maximinum*, en deux livres courts ; sur le déroulement de la controverse, cf. POSSIDIUS, *Vita Aug.*, XVII.

c. *De Trin.*, V, 3. Il hésitait de la même manière dans sa lettre de 410 à Consentius : *Ep.* 120, 17.

reconnaîtra plus loin que, ce faisant, il va contre l'usage, qui privilégie le mot *substantia*[a]. Mais les choses se compliquent quand on en vient à la discussion de la formule trinitaire. Les Grecs disaient : « *mia ousia, tres hypostaseis* », un « être » (ou « essence », ou « substance »), trois « hypostases ». Dans une lettre adressée au pape Damase, Jérôme s'était déjà insurgé contre ce vocabulaire qui, traduit en latin, aboutissait à une sacrilège absurdité, car *hypo-stasis* ne s'y peut rendre que par le mot qui en est le décalque compositionnel, *sub-stantia* ; la formule trinitaire du grec devenait ainsi en latin : une « essence » (ou « substance »), trois substances[b] ! Dans son traité, Augustin relève aussi ce qui aboutit en latin à une tautologie absurde : « Les Grecs, dit-il, emploient aussi le mot "hypostase", mais j'ignore quelle différence ils mettent entre l'*ousia* et l'*hypostasis*[c]. » Il l'aurait su s'il avait lu Basile de Césarée, en particulier une de ses lettres tardives, adressée à l'évêque Amphiloque, où le Cappadocien s'efforçait de distinguer ce qui est commun aux trois composantes trinitaires (l'*ousia*) de ce qui est particularité de chacune d'elles (l'*hypostasis*)[d]. Un peu plus tard, un autre Cappadocien, Grégoire de Nazianze, revenant sur la formule trinitaire dans son célèbre éloge d'Athanase d'Alexandrie, justifiait dans le même sens l'emploi du mot « hypostase ». « La "substance" [*ousia*], disait-il, désigne la nature de la divinité, tandis que l'"hypostase" désigne les propriétés des trois. » Et de se moquer des Latins : « Les Italiens pensent de même, mais ils sont incapables, à cause de l'étroitesse de leur langue et de la pauvreté de leur vocabulaire, de distinguer la substance [*ousia*] et l'hypostase. Et c'est la raison pour laquelle ils ont introduit à la place les "personnes" [en grec : *ta prosôpa*][e]. »

Cette introduction était ancienne en Occident puisque la distinction réelle des trois « personnes » avait fait son apparition tout au début du IIIᵉ siècle dans l'*Aduersus Praxean* de Tertullien[16]. Mais la formule du Carthaginois, « *una substantia, tres personae* », devenait en Orient : « *mia ousia, tria prosôpa* », où le dernier mot paraissait aux théologiens de langue grecque alimenter dangereusement l'hérésie modaliste de Sabellius. Ils préféraient donc s'en tenir aux « hypostases » : tant pis pour les Latins ! Augustin, lui, restait fidèle aux « personnes », mais sans enthousiasme, avec sa constante méfiance

a. *Ibid.*, 9, *in fine* : « Essentiam *dico quae* ousia *graece dicitur, quam usitatius* substantiam *uocamus.* »
b. Jérôme, *Ep.* 15.
c. *De Trin.*, V, 10.
d. Basile de Césarée, *Ep.* 236, 6.
e. Grégoire de Nazianze, *Oratio* 21, 35.

pour ce langage humain qui prétend exprimer l'inexprimable : « On dit "trois personnes", mais c'est moins pour dire cela que pour ne pas rester sans rien dire[a] ! » Mais ce problème, qui n'est pas seulement philologique, le tracasse ; il y revient longuement au livre VII. La transcendance de Dieu, reconnaît-il, déborde les ressources de notre vocabulaire. Et le voici qui repasse au crible les mots employés : ainsi du mot « personne » – ignoré de l'Écriture, mais elle n'y contredit pas ; il discute de son opportunité, au lieu du grec « substance » (*hypostasis*), pour finalement admettre que le terme importe peu, pourvu que la pensée théologique affirme fortement l'individualité des trois composantes de la Trinité dans leur souveraine égalité et dans leur indivisible unité[b]. Et pour dire cette unité divine, l'*ousia* des Grecs, le voici qui remet en cause la *substantia* de Tertullien, mais pour une mauvaise raison, qui nous étonne et qui aurait surpris les maîtres grammairiens de son enfance, en la rattachant de façon fautive à *subsistere* (au lieu de *sub-stare*) : on ne saurait en effet dire de Dieu qu'il « subsiste[c] ». À *substantia*, il préférera en définitive *essentia* pour une bonne raison, car *essentia*, c'est le fait d'*esse*, d'« être », dans le sens absolu et transcendant du mot dans le « nom d'éternité » révélé à Moïse (*Ex.*, 3, 14). En toute dernière analyse, la formule trinitaire augustinienne serait : « *una essentia, tres personae*[d] ».

S'il y a de ces pages une leçon à retenir, telle qu'Augustin l'a voulue, c'est qu'il ne faut pas trop s'attacher à la « paille des mots ». On a montré avec quelle prudence l'évêque s'abstenait autant que possible dans ses sermons, c'est-à-dire dans des propos tenus devant des fidèles ordinaires, de prononcer des termes consacrés par l'usage des théologiens, mais ambigus ou dangereux pour des auditeurs non pourvus de leur code d'utilisation : ainsi en était-il du mot « personnes[17] ». On pouvait seulement, dans une réflexion spéculative sur la Trinité, l'utiliser comme un outil en le prenant avec ces pincettes que dans nos traductions matérialisent bien commodément les guillemets, et s'en servir, toutes précautions prises, pour réfuter les propositions ariennes. Ainsi les hérétiques[18] prétendaient-ils, en se référant aux catégories aristotéliciennes, que tout ce qui était dit de Dieu l'était, non du point de vue de l'« accident », mais de celui de la « substance ». À leurs yeux, être « inengendré », pour le Père,

---

a. *De Trin.*, V, 10.

b. *Ibid.*, VII, 7-9.

c. *Ibid.*, VII, 10.

d. *Ibid., loc. cit.* Il reviendra sur le mot *essentia* dans la *Cité de Dieu* (XII, 2) pour rendre l'*ousia* grecque, en s'excusant du néologisme : en fait le mot figure déjà chez Sénèque et Quintilien, au milieu du Ier siècle.

cela concernait sa substance, et de même pour le Fils être « engendré ». Ils en tiraient la conclusion, pour eux imparable, que le Père et le Fils ne pouvaient être de la même substance[a]. La première réponse à faire, répliquait Augustin, était scripturaire : « *Le Père et moi, nous sommes un* », avait dit le Fils lui-même (*Jn*, 10, 30). Mais il ne négligeait pas l'argumentation logique et démontrait qu'« inengendré » et « engendré », tout comme les appellations de « Père » et de « Fils », loin de devoir s'entendre au sens substantiel, désignaient des « relations » au sein de l'unique « substance » (ou « essence ») divine[b]. Au livre VI, demeuré très bref, Augustin butait sur l'argument de non-consubstantialité que les ariens tiraient du mot de l'Apôtre : « *Le Christ est la force de Dieu et la sagesse de Dieu* » (*I Co.*, 1, 24). Il y revenait dans le livre suivant et parvenait au prix d'une argumentation dense et serrée à des positions dogmatiques qui resteront par la suite des points d'ancrage pour toute réflexion théologique : les attributs « essentiels » ne sont pas des propriétés « personnelles » ; ils sont seulement appropriés aux « personnes » constitutives de la Trinité divine. Le Père, dira-t-il, n'est pas sage de la sagesse qu'il a engendrée, comme si le Fils seul était sagesse et que le Père, considéré à part du Fils, n'en participait pas. Si le Fils est appelé par saint Paul sagesse du Père, c'est qu'il est sagesse issue de la sagesse du Père : chacun d'eux est sage en soi, et les deux ensemble ne font dans leur unité qu'une seule et même sagesse[c].

LES IMAGES DE DIEU

Le *De Trinitate* ne serait – mais ce serait déjà beaucoup ! – qu'un texte fondamental de la théologie du christianisme si Augustin s'était contenté de ratiociner sur les « personnes » et s'il s'était cantonné dans une aride réfutation de l'arianisme. Dans ce vaste diptyque, aux sept livres consacrés à la recherche et à l'énoncé des vérités dogmatiques correspondent huit autres livres centrés sur une quête entreprise *modo interiore*, comme le dit l'auteur[d], c'est-à-dire appliquée à capter, au moyen d'une longue analyse réflexive, les images de Dieu – qui ont chance d'être elles-mêmes trinitaires – dans sa créature. Cette seconde et si belle partie du *De Trinitate* conjugue

---

a. *De Trin.*, V, 4.
b. *Ibid.*, V, 5-7.
c. *Ibid.*, VII, 2-6.
d. *Ibid.*, VIII, 1.

ainsi psychologie et métaphysique, anthropologie et théologie. Dans ces pages, l'évêque poursuivait pour la première fois dans une même démarche la double fin qu'il s'était assignée au lendemain de sa conversion : la connaissance de l'âme, la connaissance de Dieu, en s'efforçant d'atteindre Dieu à travers ses reflets dans l'âme humaine et, plus largement, de remonter jusqu'au Créateur en partant des vestiges qu'il a laissés de lui dans sa création. Et, tout au long de cette méditation si augustinienne par son inspiration et dans son cheminement, Augustin n'a pas cessé de fournir des aliments aux théologiens.

À cette enquête si personnelle, le livre VIII sert d'introduction sous la forme d'un « discours de la méthode ». Les images du Dieu trinitaire qu'Augustin espère retrouver dans l'âme se situent à sa fine pointe, dans l'*animus* (ou encore dans la *mens*), et non dans l'*anima*, ce principe vital que nous avons en commun avec les bêtes[a]. L'âme a été créée bonne, mais elle ne se maintient à la cime d'elle-même que par sa conversion volontaire au bien suprême[b]. Elle doit adhérer à Dieu par amour. Mais comment aimer ce qu'on ignore ? Les vertus théologales lui viendront en aide, « mais comment la foi nous permettra-t-elle d'aimer cette Trinité que nous ne connaissons pas[c] ? » Augustin montre que la voie de la connaissance rationnelle est une impasse, que notre savoir intellectuel du « bien » et du « juste » n'entraîne pas à lui seul notre adhésion, que nous nous attachons par amour à cet idéal que la pensée nous permet d'entrevoir[d]. L'amour est en soi principe de connaissance de Dieu, ce qui donne la réponse aux questions posées plus haut, le véritable amour – *uera dilectio*, qui est tout autre chose que la « convoitise » – qui vient de Dieu et renvoie à lui[e]. Qui est plein de cet amour est plein de Dieu, dit Augustin paraphrasant la *Première Épître de Jean*, I, 4, 16[f]. Même dans les amours charnelles et profanes, il n'y a pas d'amour sans objet : « Qu'est-ce donc que l'amour, sinon une certaine vie qui unit deux êtres ou tend à les unir : celui qui aime et l'être aimé ? » Ce qui suggère à l'évêque de reconnaître dans l'âme un premier « dépôt » triadique de la Trinité : le sujet qui aime, l'objet aimé et l'amour même[g].

---

a. Sur la distinction *anima* / *animus*, cf. ici *De Trin.*, VIII, 9 ; c'est dans la *mens* ou dans l'*animus* que se situe l'image de Dieu : *ibid.*, XV, 1.

b. *De Trin.*, VIII, 5.

c. *Ibid.*, VIII, 8.

d. *Ibid.*, VIII, 9.

e. *Ibid.*, VIII, 10.

f. *Ibid.*, VIII, 12.

g. *Ibid.*, VIII, 14.

Ce n'est là qu'une première approche, aussitôt jugée insatisfaisante[a]. À peine constituée, cette première triade est défaite au livre suivant. Augustin congédie l'objet aimé et met face à face l'âme et l'amour qu'elle a d'elle-même. Elle ne peut s'aimer si elle ne se connaît pas. On parvient ainsi à une autre triade : l'âme elle-même, l'amour qu'elle se porte et sa connaissance d'elle-même[b]. Plus stable, cette triade est aussi substantiellement homogène : l'amour que l'âme se porte lui est égal, ainsi que la connaissance qu'elle a d'elle-même ; ce qu'elle aime est à son niveau, ni au-dessus d'elle, comme Dieu, ni au-dessous, comme les corps. Les trois « personnes » de cette triade sont égales entre elles et consubstantielles, et elles forment une unité. « Et voilà, dit Augustin concluant ce livre, une image de la Trinité : l'âme [*mens*], sa connaissance, qui est sa progéniture et son verbe engendré d'elle-même, et en troisième lieu l'amour ; et ces trois sont un et une seule substance. La progéniture n'est pas plus petite, puisque l'âme se connaît autant qu'elle est, ni plus petit l'amour, puisque l'âme s'aime autant qu'elle se connaît et autant qu'elle est[c]. »

Des trois concepts de la triade à laquelle Augustin s'est arrêté, c'est le deuxième, la connaissance, qui est repris pour approfondissement au livre suivant. Admirable est ici la progression dialectique. Il n'y a pas de connaissance possible sans appétence. L'évêque se souvenait-il ici de ses entretiens vieux d'une vingtaine d'années avec le fils prématurément disparu, Adeodatus[d] ? Sa réflexion partait du « signe » qu'est le mot, s'il est perçu comme tel, en prenant curieusement comme exemple un vieux mot latin devenu obsolète qui signifiait le « vin pur », *temetum*. Celui qui l'ignore désirera en savoir le sens en vertu d'un idéal d'intelligibilité propre à l'esprit humain, et qui s'apparente à une quête amoureuse[e]. Il en va de même pour l'âme vis-à-vis d'elle-même. « Elle sait ce que c'est que connaître et, comme elle aime ce qu'elle connaît, elle désire aussi se connaître[f]. » En fait, poursuit Augustin selon une démarche de type plotinien [19], l'âme se connaît déjà comme sujet cherchant, « tout entière présente à elle-même » : ce qui manque, c'est l'objet de la quête, non le sujet en quête[g]. Alors qu'est bonne la connaissance

---

a. Surtout du fait de l'instabilité de cette triade : l'aimant comme l'aimé peuvent s'éloigner l'un de l'autre : *De Trin.*, IX, 6.
b. *Ibid.*, IX, 3-4.
c. *Ibid.*, IX, 18.
d. Cf. *supra*, pp. 205-207.
e. *De Trin.*, X, 2-4.
f. *Ibid.*, X, 5.
g. *Ibid.*, X, 6.

intuitive ou implicite (*notitia*) qu'elle a d'elle-même par le jeu d'une sorte de réminiscence platonicienne – mais il s'agit ici des vestiges de Dieu en elle –, la connaissance réflexive (*cogitatio*) qu'elle développe risque de l'entraîner à sa perte : tirée hors de soi (et détournée de Dieu) par son attrait pour les choses extérieures, l'âme, rentrant en soi pour se penser, revient chargée des images des corps et tend à se penser à leur ressemblance : « Elle s'assimile à ces images, non par son être, mais par la pensée[a]. » Et l'évêque de fustiger encore une fois l'erreur des philosophes matérialistes, qui conçoivent l'âme en termes corporels, et d'expliciter en l'appliquant à l'âme le « connais-toi toi-même » socratique, en une sorte d'exhortation : « Qu'elle ne cherche pas à se connaître comme si elle s'ignorait, mais qu'elle se reconnaisse distincte de ce qu'elle sait n'être pas elle[b] ! » À ce stade de la méditation, l'analyse d'une sorte de *cogito* autorise la distinction des éléments d'une nouvelle triade, composée des trois actes ou facultés qui appartiennent en propre à l'âme : la mémoire, l'intelligence et la volonté[c]. Dans sa lettre à Evodius déjà citée, vers 414/15, Augustin prenait l'exemple de cette triade pour faire comprendre analogiquement à son collègue et vieux compagnon l'indivisible action de la Trinité divine : ces trois facultés, disait-il, sont dans l'âme, mais l'âme ne se résume à aucune des trois[d]. Et, dans un grand sermon probablement contemporain, l'évêque se taillait auprès de ses fidèles un beau succès en leur montrant qu'ils jouissaient tous, quoique à des degrés divers, de ces trois facultés bien distinctes, mais qui opéraient ensemble dans leur esprit, de même que les trois « personnes » de la Trinité opèrent inséparablement en Dieu[e]. Mais, dans ce sermon, le prédicateur n'avait évoqué la mémoire, l'intelligence et la volonté qu'à titre de comparaison, à des fins pédagogiques. Pour retrouver en l'homme des vestiges de Dieu suffisamment démonstratifs d'une empreinte véritablement trinitaire, il fallait poursuivre l'*exercitatio animi*.

Le lecteur peu familier de la dialectique augustinienne aura peut-être le sentiment d'une régression en abordant le livre suivant, où il voit Augustin entreprendre de chercher de la Trinité une image plus facile à saisir dans l'« homme extérieur » (*II Co.*, 4, 16), engagé dans le sensible. La perception, notamment visuelle, qu'il en a se

---

a. *Ibid.*, X, 8.

b. *Ibid.*, X, 12 : « *Nec se quasi non norit cognoscat, sed ab eo quod alterum nouit dignoscat.* »

c. *Ibid.*, X, 13.

d. *Ep.* 169, 6.

e. *Sermon* 52, 19-20.

laisse aisément diviser en trois éléments : l'objet vu, son image
– que nous dirions « rétinienne[a] » –, et notre volonté de perception,
qu'Augustin appelle *intentio*. La remémoration du sensible perçu,
qui est aussi le fait de l'« homme extérieur », fournit une seconde
triade : souvenir de la perception, image mentale qui en demeure[b],
volonté qui unit l'une à l'autre dans l'élaboration de cette image
mentale. Ces analyses de l'acte perceptif et des processus de remé-
moration et de reproduction imaginative sont des exercices de haute
virtuosité, mais l'évêque doit bien admettre que ces deux triades
sont par trop dépendantes du sensible pour être tenues pour des
vestiges de Dieu dans l'« homme extérieur ». Le livre XII fera donc
retour à l'« homme intérieur », qui a vocation à contempler les vérités intelligibles et immuables, en déléguant à l'« homme extérieur »
les prises sur le monde et l'action sur le temporel[c]. Certes, c'est
dans son unité d'homme que l'homme a été fait à l'image de Dieu,
mais c'est dans l'« homme intérieur » qu'on en trouve les vestiges
trinitaires.

Pour mieux se faire comprendre, l'évêque reprend l'exégèse allégorique du début de la *Genèse*, en repoussant fermement l'idée de
ceux – notamment les gnostiques – qui voulaient voir dans la famille
humaine l'image de la Trinité divine. Les mots : « *Faisons l'homme
à notre image* » (*Gn.*, I, 26) s'y opposaient déjà assez. Augustin
ajoutera que s'il fallait admettre que l'image de la Trinité soit le
père, la mère et l'enfant, il faudrait aussi dire que l'homme n'était
pas à l'image de Dieu avant qu'une femme ne fût faite pour lui et
qu'un enfant ne leur naquît[d]. Il se refuse de même à partager l'avis
de quelques exégètes qui, constatant dans l'unité de la créature
humaine (*homo*) le mariage de la raison contemplative et de la raison
active, ont voulu attribuer l'esprit à l'homme (*uir*) et le sens corporel
à la femme (*mulier*)[e]. Mais il bute sur le texte fameux de saint Paul :
« *L'homme ne doit pas se voiler la tête, parce qu'il est l'image et
la gloire de Dieu. La femme, elle, est la gloire de l'homme* » (*I Co.*,
11, 7). Comment le concilier avec celui de la *Genèse* (1, 27-28),
qu'il lisait avec une ponctuation destinée à souligner l'idée que
chaque créature humaine a été faite à l'image de Dieu : « *Il les fit
mâle et femelle*[20] » ?

On ne peut éluder ici une brève parenthèse sur ce qu'il est convenu

---

a. Voir la brillante analyse de cette « image rétinienne » en *De Trin.*, XI, 3.
b. Lire en *De Trin.*, XI, 6 comment Augustin les différencie finement l'une de
l'autre.
c. *De Trin.*, XII, 1-3.
d. *Ibid.*, XII, 8, *initio*.
e. *Ibid.*, XII, 19-20.

d'appeler l'« antiféminisme » d'Augustin, ne serait-ce que pour le ramener à ses justes proportions, voire pour constater sa réelle inexistence, du moins selon les critères de l'époque. En bon disciple de saint Paul, l'évêque prônait publiquement l'égalité de la femme et du mari dans leur vie sexuelle. Pour ne citer que ce texte, cette égalité est proclamée dans l'un des sermons récemment publiés, qui appartient à la série des prêches de l'été de 397, au début de l'épiscopat : en cette matière, dit Augustin faisant écho à la *Première Épître aux Corinthiens*, 7, 4, la condition des deux est égale[a]. Et, dans un autre prêche, s'adressant aux femmes présentes – des épouses, bien sûr –, il n'hésitait pas à leur dire : « En cette sorte d'affaire, revendiquez vos droits[b] ! » Mais il n'en était pas de même dans les autres. Les deux textes cités ne font pas mystère de la nécessaire subordination par ailleurs de la femme à son mari[c] : la femme était la servante de son époux[d], comme Monique l'avait été de Patricius, heureuse encore, on s'en souvient, de n'en avoir pas été l'esclave ni le souffre-douleur. Libre à nos consciences de s'en offusquer, à condition de ne pas oublier que ce statut féminin d'assujettissement était encore la règle dans nos sociétés il y a peu et qu'il perdure, à peine adouci, dans beaucoup de cultures à travers le monde. Il faut ajouter que les conditions de travail de l'époque, aussi bien dans le domaine de la production économique que dans celui de l'activité quotidienne, reposaient largement sur les capacités physiques : l'infériorité de la femme était là, patente, et son statut social s'en ressentait naturellement. Mais évidemment Augustin était à cent lieues de penser que l'image de Dieu résidait dans les corps. Pour lui, en matière de spiritualité et de foi, hommes et femmes avaient des virtualités égales. Dans ce livre XII de *De Trinitate*, il le dit expressément : l'image de Dieu ne réside qu'en cette partie de l'âme humaine qui s'attache aux raisons éternelles pour les contempler ou s'en inspirer, et de cette partie-là les femmes comme les hommes sont manifestement dotées[e]. Que restait-il alors du voile posé par saint Paul sur la seule tête de la femme ? Augustin ne pensait plus maintenant comme quelques années auparavant dans sa première interprétation de *I Co.*, 11, 7 que « les femmes, par le fait même

---

a. *Sermon Dolbeau* 12 (*Mayence* 41), 4, dans *Vingt-Six Sermons...*, p. 79 : « *aequa condicio* ».

b. *Sermon* 392, 4 : « *Sed ubi uentum fuerit ad illud negotium* [...] *clamate pro re uestra.* »

c. *Sermon Dolbeau* 12, 4 : « *Mulier enim subdita est uiro, et in uiro arbitrium, in femina obsequium.* »

d. *Sermon* 392, 4 : « *In ceteris omnibus ancillae estote uirorum uestrorum.* »

e. *De Trin.*, XII, 12, *in fine*.

d'être femmes, représentent cette partie de l'âme qui est concupiscence[a] » ; mais, dans le couple qui par sa conjonction était l'*homo* mâle et femelle créé par Dieu, la femme symbolisait toujours pour lui cette part qui s'appliquait aux réalités inférieures, à l'action dans le monde : le voile au-dessus de sa tête était l'emblème religieux d'une contrainte qui devait s'exercer sur elle, une sorte de garde-fou spirituel[b]. Il arrivait cependant que la femme figurât au plus haut point l'« homme intérieur » : c'était dans l'Évangile Marie en face de Marthe[21], c'était aussi, dans l'expérience vécue de l'évêque, Therasia à côté de Paulin de Nole, Anapsychia à côté du cher Marcellinus, Mélanie à côté de Pinianus, mais aussi la vierge Demetrias à Rome, la vierge Sapida à Carthage, des *famulae dei* qui, riches ou pauvres, avaient dans la sublimation du sexe gardé et développé en elles la meilleure part de l'âme. Le paradoxe était alors que ces femmes qui avaient pris le voile étaient celles qui en avaient le moins besoin...

La dichotomie fonctionnelle de l'âme, partagée entre l'administration du temporel et la contemplation de l'éternel, trouve à s'épanouir dans les deux plus hautes activités de l'homme, la science et la sagesse[c]. La distinction entre les deux, mais aussi les relations qu'elles entretiennent sont la matière d'une discussion transitionnelle entre les livres XII et XIII de l'ouvrage. Le propos est fort, la pensée ferme. Pour qui s'établit dans la science (*scientia*) pour en faire une fin en soi, la sagesse (*sapientia*) risque de demeurer inaccessible. Augustin cependant ne se contente pas de dire, comme nous serions aujourd'hui tentés de le faire pour nous débarrasser à bon marché du problème, que la sagesse ne repose sur aucune certitude scientifique et qu'une certitude scientifique ne saurait mener à aucune sagesse. Il admet que, pour éclairer son chemin, la sagesse ait besoin d'une science située entre la perception du sensible et l'intuition du divin : il ne s'agit pas de sacrifier l'une à l'autre. Mais, s'il faut établir une hiérarchie entre la sagesse, connaissance intellectuelle des réalités éternelles, et la science, connaissance rationnelle des réalités temporelles, « personne ne doute qu'il ne faille préférer la première à la seconde[d] ».

Au début du livre XIII, une longue citation du prologue de l'Évangile de Jean prolonge la distinction faite précédemment entre science et sagesse. Ce qui dans ce texte évoque l'irruption du divin – du Dieu unique – dans notre histoire relève de cette sorte de « science »

---

a. *De opere monach.*, 40, texte datant de 400/01 : cf. *supra*, p. 324.
b. *De Trin.*, XII, 10.
c. *Ibid.*, XII, 22.
d. *Ibid.*, XII, 25.

à laquelle on accède principalement par la foi. Un subtil glissement dialectique fait passer Augustin de l'unicité de la foi à l'universalité de la volonté de bonheur qui anime l'humanité[a]. Lui revient alors à l'esprit le livre initiateur de sa vie spirituelle en sa jeunesse, l'*Hortensius* : « À coup sûr, écrivait Cicéron, nous voulons tous être heureux. » À l'automne de 386, dans le *De beata uita*, Augustin affirmait déjà qu'était heureux celui qui possédait Dieu[b]. On parviendra à la même conclusion en passant par une nouvelle définition du souverain bien, l'accès à l'immortalité, « car, sans immortalité, il n'y a pas de bonheur[c] ». C'est là que se fait le passage d'une réflexion philosophique à une méditation théologique : cette vie heureuse que la philosophie peut nous procurer en ce monde, mais que la mort nous fait perdre, la foi peut nous l'assurer à jamais, si nous croyons ce que Jean a écrit dans son prologue : « *Le Verbe s'est fait chair et il a habité parmi nous* » [*Jn*, 1, 14]. « Combien, commente l'évêque, est-il plus croyable que ceux qui sont par nature fils de l'homme deviennent par la grâce de Dieu fils de Dieu et qu'ils habitent en Dieu, en qui et par qui seul ils peuvent être heureux en participant de son immortalité ! C'est pour nous en convaincre que le Fils de Dieu s'est fait participant de notre condition mortelle[d]. » Font suite, sur l'Incarnation et la Rédemption, des pages qui prolongent et complètent l'exposé christologique du livre IV. Par sa médiation, concluait Augustin, le Christ avait rassemblé en lui la science et la sagesse : « Notre science à nous, c'est le Christ ; notre sagesse, c'est encore le Christ. C'est lui qui implante en nous la foi qui porte sur les réalités temporelles, lui qui nous révèle la vérité qui porte sur les réalités éternelles[22]. »

Le *De Trinitate* est un fleuve puissant qui charrie des idées fortes dans un cours riche en méandres et grossi d'inattendus affluents. Au livre XIV, l'*homo uiator* qu'est Augustin en ses cheminements apparemment incertains approche enfin de son but : l'image de Dieu est dans l'âme humaine, et l'homme a beau par le péché s'être éloigné de Dieu dans la « région de dissemblance », cette image est « inamissible », elle ne peut être totalement perdue[e]. En cette âme, l'évêque retrouvait l'image trinitaire qu'il avait déjà fixée au livre X, la mémoire, l'intelligence et la volonté, mais en la réinterprétant, ou plutôt en la dédoublant[23]. Restait encore à établir un rapport orga-

---

a. *Ibid.*, XIII, 5-7.
b. *De beata uita*, II, 11. Il le répétera peu après dans le *De moribus*, I, 10 ; cf. *supra*, p. 179.
c. *De Trin.*, XIII, 10, *in fine*.
d. *Ibid.*, XIII, 12.
e. *Ibid.*, XIV, 6.

nique entre cette structure trinitaire de l'âme et la Trinité divine.
« Si la trinité de l'âme est image de Dieu, ce n'est pas parce qu'elle
se souvient d'elle-même, se comprend et s'aime : c'est parce qu'elle
peut aussi se rappeler, comprendre et aimer celui par qui elle a été
créée[a]. » Tout l'effort d'Augustin dans ces pages difficiles, où
l'esprit piétine dans sa démarche « anagogique », est de resserrer
le lien qui unit l'image et son modèle. En s'extériorisant, en se
perdant dans le sensible et dans des passions inférieures, l'image
se « déforme », mais elle ne peut cependant se perdre elle-même
en tant qu'image de Dieu[b]. Et « cette présence en elle de l'image
de Dieu a un si grand pouvoir qu'elle la rend capable de s'attacher
à celui dont elle est l'image[c] ». C'est dans ce mouvement de conversion que l'image déformée « commence à être reformée par celui
qui l'a formée. Car, si elle a pu se déformer elle-même, elle ne
peut se reformer elle-même[d] ». Mais cette rénovation est progressive et l'adéquation de l'image à son modèle – le passage de
l'*imago* à la *similitudo dei* – ne sera parfaite que lorsque sera
parfaite la vision de Dieu[e].

Parvenu au terme d'un si rude effort, Augustin regarde en arrière.
Ce si long chemin parcouru, il ne le revoit pas seulement en pensée :
les références précises faites aux livres précédents montrent que
l'évêque a soigneusement révisé les cahiers (*codices*) dans lesquels
ses secrétaires ont transcrit les textes pris en dictée pendant toutes
ces années. Le livre XV du *De Trinitate* est d'abord récapitulatif[f].
Le « los » de Dieu qui vient ensuite multiplie les images de la
perfection divine pour n'en retenir finalement qu'une, la sagesse[g].
Mais alors, comment concilier par le jeu de l'intelligence cette
divine simplicité avec sa structure trinitaire, article de foi ? En ce
début du livre XV, Augustin est d'une amère lucidité. Il repense à
l'élan mystique qui l'avait porté à la fin du livre VIII quand, justifié
par le mot de Jean : « *Dieu est amour* » (I *Jn*, 4, 16), il s'était élevé
jusqu'à entrevoir la Trinité dans la triade de l'amant, de l'aimé et
de l'amour. Mais son esprit, incapable de se tenir sur ces cimes
éblouissantes, avait pris le parti de revenir à la créature pour
remonter au Créateur : c'était tout le cheminement des livres IX

---

a. *De Trin.*, XIV, 15, *initio*.
b. *Ibid.*, XIV, 19, *initio*.
c. *Ibid.*, XIV, 20.
d. *Ibid.*, XIV, 22.
e. *Ibid.*, XIV, 23 : « *In hac quippe imagine tunc perfecta erit dei similitudo quando dei perfecta erit uisio.* »
f. *Ibid.*, XV, 4-5.
g. *Ibid.*, XV, 9.

à XIV. Mais, poursuit-il, « voici que maintenant, après avoir exercé notre intelligence sur les choses inférieures, autant qu'il le fallait et peut-être même plus qu'il ne fallait, nous voulons nous élever à la contemplation de cette Trinité suprême qu'est Dieu : et nous ne le pouvons pas[a] ».

Tout, certes, n'est pas perdu : comme il est dit au début du livre, cette plongée dans l'« incompréhensible » a au moins pour effet de purifier le regard, et de faire comprendre au croyant que la fine pointe de la vie religieuse est dans cette dialectique indéfiniment prolongée de la quête infructueuse et de la « trouvaille » décevante : « La foi cherche, l'intelligence trouve... En revanche l'intelligence continue à chercher celui qu'elle a trouvé[b]. » « Tu ne me chercherais pas si tu ne m'avais trouvé », dira Pascal. Il n'empêche que le reste du livre est, du moins pour ce qui est des « résultats », le constat d'un échec et l'analyse de ses raisons. Augustin fait le bilan des analogies trinitaires reconnues au cours de cette longue méditation, en insistant d'abord sur la distance qui sépare ces trinités humaines et la Trinité divine[c]. Il met en évidence l'hiatus entre l'image et le modèle divin. Notre parole, déjà, est inadéquate. Il ne suffit pas de dire, comme il le fera plus loin, que « toutes les fois que dans la créature que nous sommes j'ai voulu découvrir quelque analogie avec ce mystère [de Dieu], mes formulations n'ont pas suffi à rendre l'intelligence que j'en pouvais avoir[d] » ; plus fondamentalement, le langage humain, quelque forme personnelle ou linguistique qu'il prenne, le « verbe mental », comme dit Augustin, que nous utilisons dans notre approche « en énigme » de Dieu, est radicalement dissemblable du verbe de Dieu[e]. Quant à la distorsion de l'image en nous et de la réalité divine, elle est patente si l'on fait retour à la triade analogique pourtant privilégiée, celle de la mémoire, de l'intelligence et de la volonté : ces trois facultés sont miennes, à des degrés divers ; je suis une seule personne, moi qui les possède, alors que dans la Trinité dont je puis me dire l'image ces trois facultés n'appartiennent pas à un seul Dieu, mais *sont un seul Dieu* ; et en même temps elles sont trois « personnes », et non une seule. Déficiente, l'image est finalement désavouée[f].

À ce stade de sa réflexion, l'évêque s'interroge à nouveau, dans un excursus proprement théologique, sur la « procession » du Saint-

---

a. *Ibid.*, XV, 10.
b. *Ibid.*, XV, 2.
c. *Ibid.*, XV, 11-12.
d. *Ibid.*, XV, 45.
e. *Ibid.*, XV, 17-26.
f. *Ibid.*, XV, 43.

Esprit. Déjà, il avait affirmé, un peu rapidement, que l'Esprit « procédait aussi » du Fils, bien qu'il procédât du Père « comme de son premier principe » (*principaliter*)[a]. Il y revient *in fine* : de même que le Fils est engendré de façon intemporelle par le Père, de même le Saint-Esprit « procède » de façon intemporelle du Père et du Fils (*de utroque*). On comprendra que « le Père, qui a en lui-même la propriété d'être principe de la procession de l'Esprit, a donné pareillement au Fils d'être principe de la procession de cet Esprit[24] ». L'Esprit procède du Père et du Fils, mais d'un seul principe, qui est Dieu : c'était insister, par réaction contre l'arianisme, sur la consubstantialité des « personnes », en ne consentant pas à une diminution de celle du Fils, tout en sauvegardant l'unicité du principe divin. Mais, ainsi conçue, la « procession » de l'Esprit se distinguait nettement de l'*ekporeusis* des théologiens de l'Orient grec qui, d'accord en cela avec le symbole de foi du concile de Constantinople (381), le faisaient procéder du Père seul, principe unique de la Trinité. Avec les formules augustiniennes, raidies par la scolastique de l'Occident médiéval, figées en dogme par le concile de Lyon en 1274, naissait la querelle du *filioque*, qui devait encombrer la théologie chrétienne pendant des siècles.

À maintes reprises, dans le *De Trinitate*, Augustin cite *I Co.*, 13, 12 : « *Nous voyons maintenant dans un miroir.* » Le miroir est défectueux et la vision y est brouillée, mais il n'est pas au pouvoir de l'homme d'aller au-delà du miroir. L'inévitable conclusion est que l'intelligence du mystère trinitaire sera donnée au fidèle dans la vision béatifique, dans ce « face-à-face » eschatologique qui est la récompense de la foi et le don de la grâce. Le dire au terme de plusieurs centaines de pages n'est cependant pas l'aveu d'un échec, en termes d'ascèse. Ces exercices spirituels ne sont pas vains. Il y a une vertu dans la quête elle-même, et le maître mot de l'ouvrage est à cet égard prononcé non dans sa conclusion, mais à l'orée du livre IX, comme définissant la charte d'une inlassable disponibilité intellectuelle appliquée au domaine de la foi : « Ainsi cherchons donc comme devant trouver et trouvons comme devant chercher encore[b]. » À la fin d'un sermon non daté, mais très probablement antérieur, l'évêque disait au fidèle : « Pour avoir la foi, efforce-toi de comprendre ma parole ; pour comprendre, aie foi en la parole de Dieu[c]. » Les derniers mots du *De Trinitate* ne retiennent plus que

---

a. *Ibid.*, XV, 29.

b. *Ibid.*, IX, 1 : « *Sic ergo quaeramus tamquam inuenturi et sic inueniamus tamquam quaesituri.* »

c. *Sermon* 43, 9.

la seconde partie de cette injonction. Au terme de la prière finale, l'évêque s'efface : « Seigneur, Dieu unique, Dieu Trinité, tout ce que j'ai dit dans ces livres, venant de toi, que les tiens le reconnaissent ; ce que j'ai dit venant de moi, veuille me le pardonner, et les tiens aussi[a]. » Humilité vraie du chrétien, plutôt que modestie de l'auteur ; mais, pour l'auteur qui se préoccupait déjà de la transmission de son œuvre et voulait se prémunir contre des récupérations qu'il pouvait prévoir, c'était aussi une façon de récuser d'avance tous les augustinismes.

a. *De Trin.*, XV, 51, *in fine*.

Chapitre XXXI

La *Cité de Dieu*

La prise de Rome par Alaric à la fin de l'été de 410 ne fut pas exactement un coup de tonnerre dans un ciel serein. Les avertissements, les signes avant-coureurs du désastre n'avaient pas manqué. En 378, déjà, la défaite à Andrinople de l'empereur Valens devant les Goths et sa disparition à l'issue de la bataille avaient été pour l'empire le commencement de la fin, ressenti comme tel par un contemporain comme Ambroise. Vingt ans plus tard, les échos de ce premier effondrement, tels qu'on peut les percevoir dans une lettre de Jérôme, ne s'étaient pas encore affaiblis : « Le monde romain s'écroule », constatait-il[a]. Le Vᵉ siècle à peine entamé, les événements se précipitaient. En 401-402, Alaric et ses Goths passaient les Alpes et débouchaient en Vénétie. En 405, ce n'était pourtant pas lui, mais un autre Barbare, Radagaise, qui à la tête de ses Ostrogoths mettait Rome en péril, avant d'être défait par Stilicon près de Florence. On l'avait su à Carthage, où les païens, dira plus tard Augustin, faisaient déjà reproche aux chrétiens que Radagaise pût profiter de l'affaiblissement, par leur faute, du culte des dieux tutélaires d'une ville qu'on n'osait plus croire éternelle[b]. Les douze vautours aperçus par Romulus au moment de sa fondation lui garantissaient douze siècles de vie : la fin maintenant approchait. Craignant la réponse des Livres sibyllins, qu'on avait interrogés, Stilicon avait préféré les brûler, à l'indignation des païens traditionalistes, comme Rutilius Namatianus pour qui ces livres étaient les garants de la fortune de Rome[c]. Mais interdire la production des oracles n'empêchait pas la manifestation des prodiges. Le plus inquiétant, rapporté par Claudien, s'était produit sous les yeux mêmes d'Hono-

---

a. Jérôme, *Ep.* 60, 16.
b. *Cité de Dieu*, V, 23.
c. *Sur son retour*, II, 41-66.

rius alors que le prince était occupé à ses exercices d'équitation :
deux loups s'en étaient pris à son escorte ; on les avait tués à coups
de javelots, mais de leurs flancs percés, de leurs entrailles avaient
jailli deux mains humaines qui s'agitaient, bien vivantes et avides[a].
Ces deux loups détruisaient en l'inversant l'image bénéfique de la
louve nourricière, aux origines de la ville, et il n'était pas besoin
d'être grand clerc pour voir qu'ils figuraient les deux Barbares qui
la menaçaient, Radagaise et Alaric.

Ce fut, on le sait, ce dernier qui accomplit le sacrilège, huit siècles
après celui des Gaulois de Brennus. Il entra dans Rome le 24 août
410 par la porte Salaria, abordant la ville à peu près à l'endroit où
Hannibal avait en 211 avant notre ère établi son camp, au bord de
l'Anio, sans aller au bout de son geste. Mais les temps avaient bien
changé et la trahison livra alors sa proie au chef barbare, sans qu'il
eût à combattre. Ce furent trois jours de pillage, de destruction,
d'incendie, de viols et de massacres[1] qui épargnèrent toutefois les
églises des apôtres Pierre et Paul, dont Alaric, qui était chrétien,
avait reconnu le droit d'asile, et où des milliers de Romains, païens
et chrétiens mêlés, avaient trouvé refuge[b]. Jérôme déplorera la disparition en ces jours tragiques de ses nobles amis Pammachius et
Marcella au milieu de tant de morts anonymes[2], tandis qu'un vaste
exode vidait la ville et que Galla Placidia, la fille du grand Théodose,
y demeurait l'otage des Goths.

LE CHOC DE LA PRISE DE ROME

On a beau avoir prévu l'éventualité d'un événement, l'avoir vu
se profiler sur l'échelle des possibles, le choc de sa survenue n'en
est pas moindre. Celui qui écrit ces lignes se souvient d'avoir su,
au moment même où il l'apprenait, que la déclaration de guerre du
3 septembre 1939 signifiait la fin de son enfance jusqu'alors insou-
ciante. Le petit garçon qu'il était n'ignorait pourtant pas les menaces
qui se précisaient depuis l'année précédente, au moins. En septembre 410, à Hippone comme à Carthage, ou à Hippo Diarrhytus
(Bizerte) où Augustin se trouvait à la fin de septembre sur le chemin
du retour chez lui, à peine avait-on appris la cause qu'on en voyait
l'effet, ces milliers de réfugiés qui affluèrent tout l'automne sur les
côtes africaines.

La nouvelle parvint à l'évêque dans un moment où les forfaits

---

a. *De bello Gothico*, 249-264.
b. *Cité de Dieu*, I, 1.

des circoncellions et des donatistes les plus durs étaient pour lui une préoccupation plus proche et plus urgente : ces barbares-là ne lui paraissaient pas pour l'instant moins redoutables[a]. Mais il voyait bien que ce qui se passait en Italie était d'une tout autre portée ; et il ne pouvait échapper totalement à un pessimisme auquel l'histoire la plus récente offrait tant d'aliments, en renouvelant par son actualité le vieux *topos* stoïcien – largement endossé par la vulgate de la pensée chrétienne – de la mortalité commune aux cités et aux hommes. Pour la première fois depuis qu'on bâtissait des empires, les atteintes portées à celui-ci, qui les avait absorbés tous, du moins dans l'univers connu des contemporains d'Augustin, pouvaient signifier la fin d'un monde, sinon la fin du monde. L'évêque entendait autour de lui les plaintes et les peurs, et il avait conscience d'un déclin : « Le monde périt, le monde vieillit, le monde est pris de faiblesse, il a le souffle hatetant de la vieillesse » ; mais il ne consentait à ce constat que pour lui opposer la parole du Psalmiste : « Ne crains rien, toi : *ta jeunesse se renouvellera comme celle de l'aigle* [*Ps.* 102, 5][b]. »

Augustin avait plusieurs raisons de ne pas céder au catastrophisme ambiant, qui animait par exemple Jérôme, lorsque, dans sa lettre adressée à Ageruchia, il terminait sa déploration du malheur des temps, après la mort de Stilicon, par ce cri : « Où est le salut, si Rome périt[c] ? », cri redoublé dans la dramatisation rhétorique de son récit du sac de Rome, où Virgile et la Bible s'associaient dans une vision d'apocalypse[d]. Peut-être faudrait-il dire d'abord que l'ermite de Bethléem, greffe mal prise en Palestine, était resté d'âme et de cœur citoyen d'une ville liée à sa jeunesse et aux débuts éclatants de sa vie intellectuelle. Ce n'était pas, on le sait, le cas d'Augustin, sans aller jusqu'à dire, comme on l'a fait, que « Rome l'avait toujours laissé parfaitement froid[3] ». Mais il est vrai que la ville ne l'avait guère impressionné, qu'il n'avait pas fait corps avec elle, et que, lorsqu'il répétera par deux fois que sa ruine, c'était l'écroulement de constructions de pierre et de bois, il ne le dira pas avec l'émotion d'un regret affectif ou esthétique[e]. Il n'était pas en deuil des monuments romains.

Lui qui était plus que beaucoup d'autres sensible aux symboles refusait de se laisser émouvoir par celui-là. Là est la clef de son

a. *Ep.* 111, 1, datée de 409/10.
b. *Sermon* 81, 8, *in fine*, prêche prononcé à Hippone à l'automne de 410.
c. Jérôme, *Ep.* 123, 16.
d. *Ep.* 127 (à Principia), 12-13.
e. *Sermon* 81, 9 ; *Cité de Dieu*, II, 2.

apparente indifférence aux malheurs de Rome. Le mythe de son « éternité », admis par un contemporain chrétien comme Prudence, au moins « à titre d'ornement poétique[4] », ne trouvait pas grâce à ses yeux. Dans un sermon qui date de l'été de 411, il s'en prend à Virgile qui, tout en sachant pertinemment que les royaumes sont périssables, avait, par pure adulation, fait dire à Jupiter qu'il avait donné aux Romains « un empire sans fin » ; et il lui oppose la parole évangélique : « *Le ciel et la terre passeront* » (*Mt.*, 24, 35 ; *Lc*, 21, 33)[a]. Comment d'ailleurs s'étonner que puisse avoir une fin cette cité derrière les pierres de laquelle il y a des hommes ? « Qu'est-ce que Rome, disait l'évêque, si ce n'est les Romains ? » De la cité, l'homme est l'ornement, l'habitant, mais aussi le dirigeant (*rector*) et le pilote (*gubernator*) ; or cet homme qui est tout cela dans la cité est né pour mourir[b]. Et la cité avec lui.

Dans le même esprit, dans la prédication de cette époque, Augustin s'insurgeait contre un concept qui lui paraissait faux et dangereux, celui du « malheur des temps », qu'on subirait comme un cataclysme naturel. « Les temps sont mauvais, les temps sont difficiles : c'est ce que disent les hommes. Vivons bien, et les temps seront bons : c'est nous qui sommes les temps ; tels nous sommes, tels sont les temps. » Et plus loin il insiste : « Ce qui fait le monde mauvais, ce sont les hommes mauvais[c]. » La réflexion de l'évêque rejoignait ici celle de l'analyste critique du libre arbitre, qui dès sa vingtième année à Carthage avait gravé dans sa mémoire une sentence de l'*Hortensius* devenue l'une des bases de sa philosophie morale. Cicéron s'y inscrivait en faux contre ceux qui soutiennent qu'on est heureux quand on vit à sa guise : c'était la dépravation de la volonté qui était cause du malheur[d]. Le rappel de ce thème et de ce texte était tout à fait de saison dans la longue lettre qu'Augustin adressait en 411 à Anicia Faltonia Proba, la grand-mère de Demetrias, rentrée depuis peu à Rome avec sa maisonnée : l'homme est d'autant plus malheureux qu'il a plus de facilité à accomplir sa volonté mauvaise[5].

Oui, mais alors l'évêque devait affronter le désarroi de ses propres fidèles, qui ne comprenaient pas qu'en des « temps chrétiens » Rome eût été abattue, mise à sac et incendiée, et qui redoutaient l'opprobre des païens, trop enclins à attribuer à ces *christiana tempora* la responsabilité du désastre. Car ce n'étaient pas des croyants, mais bien

---

a. *Sermon* 105, 10, citant l'*Énéide*, I, 279.

b. *Sermon* 81, 9.

c. *Sermon* 80, 8.

d. Le texte de l'*Hortensius* figure dans le *De beata uita*, 10, et il sera encore cité dans *De Trin.*, XIII, 8.

des infidèles ou des hommes de peu de foi qui demandaient avec reproche pourquoi Dieu avait laissé périr Rome comme il avait détruit Sodome et y avait tout fait périr, à l'exception de Lot et de sa famille, en dépit de l'intercession d'Abraham (*Gn.*, 18, 23-19, 26). « Une question nous est posée avec force et passion, surtout de la part d'hommes qui s'en prennent à nos Écritures avec impiété, au lieu de les interroger avec piété. À propos particulièrement de la récente destruction de Rome, ils disent : "N'y avait-il pas à Rome cinquante justes ? Parmi un si grand nombre de fidèles, d'hommes saints et chastes, dans une telle quantité de serviteurs et de servantes de Dieu, n'a-t-on pu trouver cinquante justes, ni quarante, ni trente, ni vingt, ni dix ? Si cela est incroyable, alors pourquoi Dieu, à cause de cinquante, voire de dix n'a-t-il pas épargné cette cité[6] ?" » Augustin n'était pas à court de réponses. D'abord, la comparaison ne tenait pas : il n'était rien resté de Sodome, Rome avait seulement reçu le fouet[a] ; c'était une épreuve, non une damnation. Et à ses ouailles en butte aux critiques des païens, l'évêque fournissait par ailleurs d'autres arguments. Ce n'était pas la première fois qu'il lui fallait défendre les *tempora christiana* contre les attaques. En ces occurrences, avec une distanciation qui marquait les nouvelles limites de sa romanité culturelle, il renvoyait les agresseurs à « leur littérature », à « leur histoire » si riche de guerres, de ravages de toute sorte, de famines et d'épidémies[7]. Dans le cas présent, il notait que « cette Rome qui venait de brûler au milieu des sacrifices chrétiens avait déjà été dévorée par les flammes au milieu des sacrifices païens », et à deux reprises : du fait jadis des Gaulois, qui n'avaient laissé subsister que le Capitole, et plus récemment à la suite du crime de Néron qui l'avait incendiée pour le plaisir. On ne pouvait, concluait l'évêque, rejeter sur Dieu le malheur d'une ville où l'incendie était devenu une habitude[8].

Il fallait aussi – et c'était le plus difficile – répondre aux interrogations et aux doutes de fidèles ébranlés dans leur propre foi. Lors d'un prêche prononcé à Carthage le 29 juin 411 pour la fête des apôtres Pierre et Paul, Augustin avait devant lui des réfugiés à qui le sac de Rome avait fait perdre parfois des êtres chers, souvent au minimum leurs biens. À cet auditoire, l'évêque ne pouvait que témoigner sa compassion, mais de ces vies brisées s'élevait un murmure d'amertume. Parfois même de révolte : « S'il pouvait se taire sur Rome ! » avait une fois entendu Augustin pendant l'un de ses prêches carthaginois de l'été de 411[b]. Le jour de la fête des martyrs

---

a. *Sermon* 81, 9.
b. *Sermon* 105, 12 : « *O si taceat de Roma !* »

romains, il écoutait les plaintes de ceux qui estimaient que la protection divine leur avait fait défaut. « Le corps de Pierre, lui lançait-on, reposait à Rome ; le corps aussi de Paul reposait à Rome, et le corps de Laurent y reposait avec celui des autres saints martyrs ; et Rome était malheureuse, dévastée, frappée, écrasée, incendiée : où étaient donc les tombes [*memoriae*] des apôtres[a] ? » C'était prendre, de façon quasi physique, ces monuments pour des remparts. Ils étaient bien à Rome, répliquait l'évêque, mais non hélas, regrettait-il, dans le cœur de ceux qui s'exprimaient ainsi et qui avaient du culte des apôtres une conception bien trop « charnelle ». À ceux-là, il opposait la parole de Paul – dans *II Co.*, 4, 18 – sur les choses visibles, qui n'avaient qu'un temps, et les invisibles, qui avaient l'éternité : en Pierre, la chair n'avait eu qu'un temps, et ils ne voulaient pas que n'eût aussi qu'un temps sa « pierre », qui se trouvait à Rome[b] ! En même temps lui venaient à l'esprit les mots de Plotin (*Enn.*, I, 4, 7) sur la faiblesse humaine dans sa déploration « de la ruine du bois et de la pierre, et de la mort des mortels » : disons-le tout de suite, ce sont ces mots du philosophe, plutôt que ceux de l'Apôtre, qui lui viendront aux lèvres lors de l'épreuve – le siège d'Hippone – qui précédera sa propre mort[c].

L'évêque s'efforçait d'exhorter ses auditeurs au retour sur soi et de les amener à la repentance[d] ; et aussi à l'idée que, quelque cruelles que fussent les épreuves subies, ils devaient les prendre comme le saint homme Job avait pris ses souffrances, l'âme tournée vers ce que lui réservait l'avenir[e]. En cette Hippone environnée d'oliviers, l'image familière à Augustin était celle, biblique, du pressoir, dont le nom latin, *torcular*, évoquait bien l'inexorable action mise en œuvre pour faire couler une huile pure à partir d'un donné brut de la nature. Le fruit, dira-t-il dans plusieurs de ses sermons, ne pouvait indéfiniment pendre à l'arbre, balancé par la brise comme au gré de ses désirs : à la fin de l'année il allait irrémédiablement au pressoir[9]. Et comme l'olivier sous la gaule du cueilleur, le monde était dévasté, avant d'être broyé dans le pressoir[f].

---

a. *Sermon* 296, 6.
b. *Ibid.*, 7 : « *In* ipso Petro *temporalis fuit caro, et non uis ut temporalis sit* lapis *Romae !* »
c. *Sermon* 296, 7 ; Possidius, *Vita Aug.*, XXVIII, 11.
d. *Sermon* 296, 12.
e. *De excidio urbis*, 4. L'exemple de Job sera repris au début de la *Cité de Dieu* : I, 10, 2.
f. *Sermon* 81, 7.

La genèse de la *Cité de Dieu*

Sur les réflexions que pouvait inspirer l'événement en lui-même, l'« argumentaire » des premiers livres de la *Cité de Dieu* est déjà esquissé dans ces réactions « à chaud » des années 410-411. Mais le dessein du livre, dans son ampleur, excède très largement ces premières réponses et l'on verra qu'elles ont surtout servi à hâter, dans l'esprit d'Augustin, la maturation d'une vaste symphonie dont il avait déjà en tête les accords majeurs.

Comme il en est pour toute grande œuvre, la genèse de celle-ci fut un processus complexe, étalé dans le temps. Quelque stimulation qu'il ait due à l'événement dès l'automne de 410, Augustin ne put se mettre à l'ouvrage avant 412. Toute l'année 411, on l'a vu, fut pour l'essentiel consacrée à la préparation de la conférence de Carthage, à son déroulement en juin, puis à ses suites : la rédaction d'un « Abrégé » (*Breuiculus*), puis celle d'une longue lettre-circulaire (l'*Ad donatistas*), qui l'occupèrent jusqu'au début de l'année 412[a]. C'est alors, on s'en souvient aussi, que prit place, entre l'évêque d'une part, Marcellinus et Volusianus d'autre part, un échange de correspondance où d'un côté ne manquent pas les incitations, non plus que de l'autre les signes d'une gestation. Volusianus avait de la curiosité pour le christianisme, mais l'homme d'État qu'il était ne voyait pas comment concilier avec les lois romaines les préceptes évangéliques, comme de tendre l'autre joue ou de laisser son manteau à qui veut s'emparer de la tunique (*Mt.*, 5, 39-40)[b]. À la fin d'une très longue réponse, l'évêque lui répliquait que le chrétien n'attendait que dans une vie future la récompense éternelle qu'il recevrait « dans la cité céleste et divine[c] » ; mais, en se plaçant comme son correspondant sur le plan de la cité terrestre, il affirmait qu'il n'y avait rien de tel que la *fides* et que la *concordia* pour en assurer la sûreté et la stabilité, c'est-à-dire la recherche loyale du bien commun, qui se confond sur terre avec la quête de Dieu[d]. C'est toutefois dans une lettre adressée à Marcellinus, chrétien et donc jugé plus réceptif, et qui pouvait se faire son interprète au sein du cénacle carthaginois qu'il fréquentait avec Volusianus, qu'il apporte les réponses les plus précises sur les prétendues incompatibilités des

---

a. *Supra*, p. 461.
b. *Ep.* 136, 2.
c. *Ep.* 137, 20.
d. *Ibid.*, 17.

vertus évangéliques et de la raison d'État. Augustin appelait à la rescousse Cicéron et Salluste pour montrer que le pardon des offenses était pratiqué dans l'ancienne Rome et que la *beneuolentia* et la *patientia* faisaient partie des valeurs de la République[a]. Le même Salluste – rapportant le mot fameux de Jugurtha sur Rome : « Ville à vendre, et qui périra vite, si elle trouve un acheteur » – et Juvénal, chantre dans la *Satire VI* des antiques vertus, étaient aussi cités comme témoins d'un déclin qui avait commencé à la fin de l'époque républicaine, bien avant le début des « temps chrétiens[10] ». Faisait suite immédiatement un premier jet de ce qui sera un thème majeur du livre à venir, l'idée, ici si fortement et éloquemment développée, que le chrétien est l'observateur le plus fidèle et le plus sûr des lois de la cité parce qu'il ne les considère pas comme une fin et qu'il ne s'y conforme que pour des fins supérieures à celles de la cité : le chrétien pratique les vertus civiques au profit de la cité terrestre, mais c'est la cité divine, à laquelle il aspire, qu'il a en vue en les pratiquant[11].

Ainsi commençaient à prendre forme quelques-unes des idées centrales d'une œuvre dont la réalisation allait répondre à une « promesse » faite à Marcellinus[b], dûment reconnue comme telle par l'évêque à l'époque de cet échange[c], et présentée comme son accomplissement dans la dédicace faite par l'auteur à celui qu'il considérait à juste titre comme son instigateur[d]. Tout occupé qu'il était pourtant dès cette époque par la rédaction de ses premiers textes antipélagiens – entreprise elle aussi, on s'en souvient, à l'instigation de son ami Marcellinus : cf. *supra*, p. 462 – Augustin alla vite en besogne. Les trois premiers livres de la *Cité de Dieu* furent publiés dès leur achèvement[e]. On sait que Marcellinus, dédicataire de ces livres – son nom figure encore au début du livre II – fut exécuté le 13 septembre 413 : Augustin les avait-il déjà menés à leur terme ? Mais on peut aussi admettre, si leur achèvement suivit cette mort, que la dédicace en fut maintenue comme un hommage posthume à Marcellinus. Ce qui est sûr, c'est que ces trois livres avaient commencé à circuler en 413/14 : c'est la date, un peu imprécise, d'un échange de lettres dans lequel le vicaire d'Afrique Macedonius disait avec quel intérêt, avec quelle avidité même, il les avait lus[f].

---

a. *Ep.* 138, 9-10.
b. *Ep.* 136, 3.
c. *Ep.* 138, 20.
d. *Cité de Dieu*, I, 1 : « [...] *hoc opere* [...] *mea ad te promissione debito* ».
e. Cf. *Cité de Dieu*, V, 26, 2.
f. *Ep.* 154, 2 ; cf. *Ep.* 155, 2 : « [...] *in primo libro trium illorum quos benignissime et studiosissime perlegisti* ».

La publication rapide des trois premiers livres, alors que les derniers échos de la catastrophe romaine n'étaient pas encore retombés, suscita, semble-t-il, une réaction. C'est Augustin qui nous le dit : il fut menacé d'une réplique, apparemment déjà rédigée, et qui attendait son heure pour paraître, mais qui ne vit jamais le jour. Il n'en précise pas l'auteur [12], ou plutôt les auteurs [13], qui ne se dévoilèrent pas. Il put ainsi poursuivre son entreprise sans être retardé par une controverse. Les livres IV et V furent rédigés en 415, en l'espace de quelques mois, entre les approches de Pâques et le début de l'hiver, en même temps que quelques commentaires sur les Psaumes et quelques développements du *De Trinitate* [a]. Nous savons par Orose qu'en 417 les livres VI à X étaient achevés et que le onzième était en chantier [14]. Les jalons chronologiques deviennent ensuite plus rares et incertains : en 418, le livre XIV est en cours de rédaction [b], tandis que les livres XV et XVI semblent dater de 419/20 [15] et que le livre XVIII pourrait avoir été écrit en 424 ou 425. À la date des *Révisions* (426), les vingt-deux livres étaient enfin achevés : ce long effort s'était continué sur une quinzaine d'années, une durée seulement surpassée par l'élaboration du *De Trinitate*.

LA STRUCTURE DE L'ŒUVRE [16]

Augustin avait bien conscience d'entreprendre une œuvre de grande ampleur et de particulière difficulté : « *magnum opus et arduum* », dit-il dans le préambule de l'ouvrage, avec un mot qui faisait écho à Cicéron [17], déjà prononcé par lui à l'orée du *De doctrina christiana* (I, 1), mais qui prenait ici sa plus forte résonance. Sans doute n'avait-il pas encore, en 412, idée de la longueur de la tâche qu'il s'imposait, mais dès les premières lignes – que nous savons de façon certaine n'être pas une addition postérieure –, il en fixait les articulations principales avec une telle netteté qu'on voit bien en les lisant que les intentions majeures de l'ouvrage étaient déjà parfaitement arrêtées dans son esprit. De cette ample période initiale, risquons une traduction : « La très glorieuse Cité de Dieu [*Ps.* 86, 3], qu'on la considère dans ce cours actuel des temps où, *vivant de la foi* [*Ha.*, 2, 4], elle est en exil [c] au milieu des impies, ou qu'on la considère dans la stabilité de l'éternelle demeure, *qu'elle attend maintenant avec patience* [*Rm.*, 8, 25] *jusqu'au jour où la*

---

a. *Ep.* 169, 1 (à Evodius).
b. *Ep.* 184 A, 5.
c. « *Peregrinatur* », dit le texte, qu'on affadit en traduisant par « en pèlerinage ».

justice sera changée en jugement [*Ps.* 93, 15] et qu'elle possédera à l'avenir grâce à son excellence, par sa victoire suprême, dans une paix parfaite, c'est elle, mon très cher fils Marcellinus, que par cet ouvrage entrepris sur une promesse envers toi qui m'y oblige, je me suis proposé de défendre contre ceux qui à son fondateur préfèrent leurs propres dieux : grand et rude travail ! Mais *Dieu est notre aide* [*Ps.* 61, 9][a] ». L'essentiel est dit ou annoncé. D'abord – parce que c'est la partie positive du projet – le sujet de ce qui sera la seconde grande partie de l'œuvre (les livres XI à XXII) : la « cité de Dieu » sous les deux formes qu'elle revêt, en pérégrination ici-bas, puis dans la gloire de son parfait accomplissement à venir ; ensuite ce qui sera l'objet des dix premiers livres, cette longue réfutation des païens. Ce fut l'une des meilleures inspirations de la *Retractatio* à laquelle Henri Marrou s'était obligé que l'insistance qu'il a mise à dégager toutes les intentions contenues dans ces quelques lignes si denses[18], en soulignant aussi avec quel art, avec quel sentiment vrai de l'efficacité spirituelle du « suspens » Augustin n'a que très progressivement dévoilé l'intégralité des textes bibliques – d'abord *Ps.* 86, 3, puis *Ps.* 47, 2-3 et 9, *Ps.* 45, 5-6, *Ps.* 49, 1 – qui témoignent de la « cité de Dieu » et sont les répondants divins de l'œuvre de l'évêque : la note initiale est simplement posée, avant d'être reprise et de s'enfler dans une orchestration symphonique[b]. Et, pour mieux apprécier le génie de l'artiste, songeons que des années ont passé entre cette somptueuse coulée des premiers mots et la grande reprise du thème au début du livre XI.

À la fin du premier livre, Augustin précise son dessein et annonce encore une fois les intentions de la seconde partie de l'ouvrage. « Les deux cités, dit-il, sont enchevêtrées et mêlées l'une à l'autre en ce siècle, jusqu'à ce que le Jugement dernier les sépare. Je vais donc, autant que la grâce divine m'y aidera, exposer ce que j'estime devoir dire sur leur origine [ce seront les livres XI à XIV], sur leur développement [les livres XV à XVIII] et la fin qui les attend [les livres XIX à XXII][c]. » Il définit ainsi pour cette section une division tripartite – assez justifiée par les réalités de l'œuvre pour qu'on résiste à la tentation d'y voir simple tripartition rhétorique[19] – qu'il aura encore présente à l'esprit dans les dernières lignes du livre X

---

a. *Cité de Dieu*, I, *praef.*

b. D'abord évoqué allusivement, le verset du *Psaume 86*, 7 : « *Gloriosa dicta sunt de te, ciuitas dei* », ne sera cité en entier qu'à la fin de II, 21, 4, pour reparaître, avec les autres textes du Psalmiste où figure la « cité de Dieu », au début du livre XI.

c. *Cité de Dieu*, I, 35, *in fine*. Le bon Possidius (*Vita Aug.*, *praef.*, 3) reprendra ces trois termes (*exortus, procursus, debitus finis*) pour les appliquer aux phases de la vie de son « héros ».

et qu'il reprendra, dans les mêmes termes, au début du livre XI et, pour finir, dans les *Révisions*, quand il donnera de l'ouvrage qu'il venait de terminer une vue d'ensemble[a].

À l'extrême fin du livre I cependant, avant de passer à la suite, Augustin avait éprouvé le besoin de donner un aperçu détaillé de ce qui constituera la première partie de l'œuvre, avec des indications assez précises pour qu'il soit clair que les neuf livres à venir se dessinaient dans son esprit suivant une configuration très nette. Dans ce premier livre il avait, sur la lancée des sermons sur la chute de Rome analysés plus haut, achevé de répondre aux polémiques et aux plaintes nées directement de l'événement, en marquant fortement le fait que pour la première fois dans l'histoire du monde des Barbares s'étaient emparés d'une ville – et quelle ville ! – en épargnant tous ceux, croyants et incroyants, qui s'étaient réfugiés dans les églises[b]. Remarquable était aussi cette première réflexion sur l'histoire de Rome, où, face à l'appétit de domination incarné par le vieux Caton, était exploitée la leçon de sagesse donnée par Scipion Nasica, qui avant la ruée sur Carthage avait compris – mais sans être suivi – l'éminente vertu morale pour les peuples de ce que nous avons appelé en d'autres temps « l'équilibre de la terreur[c] ». Augustin avait donc commencé à régler son compte à la Rome païenne. « Mais il y avait encore à dire[d] » : d'abord, et toujours, contre ceux qui rejetaient sur le christianisme triomphant – et en particulier sur la proscription des sacrifices païens – la responsabilité des désastres romains ; cette réfutation sera surtout l'objet des livres II et III. Puis trois thèmes connexes étaient annoncés, qu'il lui faudrait traiter sur une base historique : on montrera par quelles vertus les Romains ont étendu leur empire sur le monde et pour quel motif Dieu s'y est prêté ; puis combien leurs prétendus dieux, loin de les y aider, leur ont nui par leurs duperies et leurs mensonges. Ce sera de fait la matière du livre IV, au début duquel[e] Augustin reprend textuellement son annonce de I, 36, en ajoutant toutefois que sur le chapitre des tromperies des démons adorés par les païens il s'est déjà suffisamment exprimé. Il apparaît qu'après la publication séparée des trois premiers livres l'évêque a légèrement modifié son plan : le livre V, qui oppose Dieu au *fatum* (le destin) et s'achève par le panégyrique de Théodose n'avait sans doute pas été prévu de cette manière dans

---

a. *Cité de Dieu*, X, 32, 4 et XI, 1, *in fine* ; *Retract.*, II, 43, 2.
b. *Cité de Dieu*, I, 1-7.
c. *Ibid.*, I, 30-32.
d. *Ibid.*, I, 36, *initio* : « *Sed adhuc mihi quaedam dicenda sunt* »...
e. *Ibid.*, IV, 2.

le projet initial. En revanche, les livres VI à X sont manifestement préfigurés dans les dernières lignes de I, 36 : « Enfin, dit Augustin, on s'adressera à ces hommes qui, réfutés et confondus par les preuves les plus manifestes, essayent de soutenir qu'il faut honorer les dieux non dans l'intérêt de la vie présente, mais dans celui de la vie future[a] » ; et il prévoyait que cette section le retiendrait longtemps : elle comprenait en effet la réfutation des platoniciens et elle visait, à travers Volusianus et ses pareils, les dangereuses séductions d'une philosophie du salut.

Pour aider son lecteur à se retrouver dans son texte, Augustin multiplie les jalons. Au début du livre VI, il récapitule les résultats acquis tout au long des livres précédents, présentés à juste titre comme un tout cohérent, avant d'annoncer de nouveau la matière des cinq livres à venir[b]. De même, parvenu à la fin du livre X, l'auteur jette un regard en arrière et considère les deux blocs de cinq livres chacun qui forment cette grande première partie, avant d'évoquer la suite, c'est-à-dire le développement parallèle et enchevêtré des deux cités, avec les termes – *exortus, procursus, debiti fines* – déjà employés tout au début de l'œuvre[c]. Dans une lettre adressée en 418 à deux moines, Pierre et Abraham, il en faisait le point : « J'ai achevé, leur disait-il, dix volumes qui ne sont pas minces, dont les cinq premiers réfutent ceux qui prétendent que pour obtenir ou conserver le bonheur de ce temps et de cette terre dans les affaires humaines il faut honorer, non le seul Dieu suprême et véritable, mais une multitude de dieux. Les cinq suivants visent ceux qui, dressés avec orgueil et présomption contre la doctrine du salut, pensent parvenir à la béatitude espérée après la vie d'ici-bas en pratiquant le culte des démons et d'une multitude de dieux. Leurs fameux philosophes sont réfutés dans les trois derniers de ces cinq livres. » Augustin poursuivait en indiquant l'état d'avancement de son travail à cette date : « Quant aux autres livres, quel qu'en puisse être le nombre à partir du onzième, j'ai déjà achevé trois d'entre eux, et j'ai le quatrième entre les mains : ces livres contiendront ce que nous pensons et ce que nous croyons sur la Cité de Dieu[d]. » Il en ressort très clairement que l'évêque savait où il allait, mais que sa perception de la longueur du chemin à parcourir était incertaine ; en 418, il ignorait encore que cet *opus magnum* totaliserait finalement vingt-

a. L'annonce, pour la commodité du lecteur, sera reprise dans les mêmes termes en V, 26, 2, *initio*.

b. *Cité de Dieu*, VI, 1, 1.

c. *Ibid.*, X, 32, 4. Cette division tripartite sera encore reprise *verbatim* en XI, 1, *in fine*.

d. *Ep.* 184 A, 5.

deux livres : voilà qui devrait inciter à quelque retenue dans les spéculations sur le nombre de livres qui composent l'ouvrage[20].

Ce cheminement, l'auteur continue à l'éclairer tout au long de la seconde grande partie de son œuvre, et d'abord d'entrée, comme on l'a vu, dans les premières lignes du livre XI. Tenant fidèlement la main de son lecteur, il l'avertira, au début du livre XV, qu'il est sur le point d'aborder le développement – dit ici *excursus*, et non plus *procursus* [a] – des deux cités, c'est-à-dire la deuxième section de son plan tripartite pour ce second grand volet de son œuvre et, parvenu à la fin de cette section, il signalera aussi qu'il en a terminé avec elle et qu'il se prépare à entamer la troisième et dernière section, celle des perspectives eschatologiques. Augustin s'en expliquera dans les trois derniers livres (XIX à XXII), mais dans leur cas aussi il a pris soin de préparer son lecteur : déjà au début du livre XV, il donnait un aperçu des fins respectives des deux cités, « dont l'une est prédestinée à partager un règne éternel avec Dieu, l'autre à subir un supplice éternel avec le diable[b] ». Et, au moment de développer ce thème, il se croyait obligé de l'annoncer par quelques lignes qui forment transition : « Nous avons jusqu'ici démontré quel est de ces deux cités, la céleste et la terrestre, mélangées depuis l'origine jusqu'à la fin, le développement [*excursus*] dans cette vie mortelle. Celle de la terre s'est elle-même fabriqué des faux dieux à sa fantaisie, pris partout, même parmi les hommes, pour les honorer par des sacrifices ; celle du ciel, en exil sur terre, ne se fait pas de faux dieux, mais est faite elle-même par le vrai Dieu pour lui être elle-même son vrai sacrifice. Toutes deux cependant ou bien usent également des biens temporels, ou bien subissent également les maux temporels, sans avoir ni la même foi, ni la même espérance, ni le même amour, jusqu'à ce qu'elles soient séparées par le Jugement dernier et obtiennent chacune leur propre fin, à laquelle il n'est pas de fin[c]. »

En dépit de ces précautions, la lecture de la *Cité de Dieu* ne pouvait cependant pas être la descente d'un long fleuve tranquille. Augustin en était conscient, et sans doute faut-il aussi dire que pour partie ces annonces et ces rappels étaient également une façon pour lui, souvent et parfois longtemps distrait de son œuvre par maintes occupations urgentes, de s'y réinstaller et d'en retrouver le fil. Ainsi comprendra-t-on le long préambule du livre XVIII, qui résume à

---

a. *Cité de Dieu*, XV, 1, 1.

b. *Ibid.*, XV, 1, 1 : « *quarum est una quae praedestinata est in aeternum regnare cum deo, altera aeternum supplicium subire cum diabolo* ».

c. *Ibid.*, XVIII, 54, 2.

nouveau les dix premiers livres, rappelle le schéma tripartite de la seconde partie en cours de rédaction, mais entre aussi un peu dans le détail de ce qui en a déjà été fait : à la suite du livre X, quatre livres, dit l'évêque, exposent l'origine des deux cités ; puis le quinzième livre entame l'histoire de leur développement, jusqu'au Déluge. « De là jusqu'à Abraham, continue Augustin, les deux cités, dans l'histoire comme dans les Écritures, ont poursuivi parallèlement leur marche. Mais de notre père Abraham jusqu'au temps des rois d'Israël – où nous a menés notre seizième livre –, et de là jusqu'à la venue dans la chair de notre Sauveur lui-même – où nous mène notre dix-septième livre –, il semble dans mon récit que seule la cité de Dieu poursuive sa marche[a]. » Augustin pourtant reconnaît que dans l'histoire de l'humanité elle n'a pas été seule à se développer, les deux cités n'ayant jamais cessé de marcher ensemble, mêlées l'une à l'autre, depuis les origines, et confesse qu'il a procédé ainsi de manière que, « sans intervention par contraste de l'autre cité, apparaisse plus distinctement dans son développement celle qui est la cité de Dieu ». Il reprendra donc, dit-il, le récit de la marche de l'autre cité depuis le temps d'Abraham, afin de mieux établir pour ses lecteurs la comparaison entre les deux.

Le sujet du livre XVIII sera donc l'histoire de la cité terrestre depuis le temps des Patriarches, mais le dessin de la suite peut difficilement être aussi net. Augustin a pris sur son programme un retard qu'il doit combler. Le fardeau est lourd, il le sent bien. Au livre XVII, il a dû reconnaître : « Nous passons sous silence bien des choses, avec le souci d'en venir au terme de cet ouvrage[b]. » Il était alors occupé par les prophéties juives relatives à la venue du Christ. Il y reviendra au livre XVIII[c], après avoir survolé l'histoire des grands « empires » – en fait surtout l'Assyrie, « première Babylone » – et abordé les débuts de Rome, « seconde Babylone », pour accomplir sa promesse d'un complément sur ces prophéties, faite à la fin du livre précédent. Ce livre XVIII, le plus long de tout l'ouvrage, est ainsi un livre de « rattrapage », un peu « fourre-tout », encombré de digressions – par exemple sur les livres canoniques, avec un excursus inattendu sur la traduction des Septante[d]. C'est aussi le livre qui manifeste le plus évidemment les difficultés de la gigantesque entreprise à laquelle s'est attelé Augustin. Les deux cités, la terrestre et la céleste, sont entendues au sens allégorique ;

a. *Ibid.*, XVIII, 1.
b. *Ibid.*, XVII, 20, 2, *in fine*.
c. *Ibid.*, XVIII, 27-36.
d. *Ibid.*, XVIII, 42-44.

cependant – et on y reviendra plus loin – elles sont à la fois des êtres de raison, des réalités mystiques et des réalités historiques. Il ne s'agit pas ici de reprocher à l'auteur de n'avoir pas été de ce monde antique qui l'a précédé l'historien qu'il ne prétendait pas être : il avait laissé ce rôle à Orose[21]. Mais en même temps il ne pouvait faire que l'allégorie ne fût illustrée par l'histoire, qui ne manquerait pas de la fausser. On admet, en dépit de quelque hétérogénéité spirituelle – manifestée par exemple par les démêlés d'Agar et de Sara (*Gn.*, 16, 1-7), comme on le verra plus loin[a] –, que l'histoire de la cité céleste en exil sur cette terre soit figurée par celle du peuple d'Israël, ou plutôt du peuple de Dieu, préfigurant l'Église du Christ. Mais comment représenter celle de la cité terrestre, progressant, comme il a été dit, en même temps que l'autre et intimement mêlée à elle ? La simplification allégorique du foisonnement historique ne pouvait aller sans escamotage. L'histoire de la cité terrestre est ici réduite, a-t-on dit, « à l'état d'épure[22] ». Pour échapper à la multiplicité des coexistences et sauvegarder l'unité conceptuelle de sa cité terrestre, Augustin résume en fait l'histoire du monde à la succession de deux empires, Rome prenant la suite des Assyro-Babyloniens.

Nous savons par l'une des nouvelles lettres d'Augustin récemment publiées que c'est pourtant ce livre XVIII, le plus long et le moins dominé de tous, qui, pour avoir été entendu en lecture pendant trois après-midi de suite aux côtés de l'évêque, avait suscité l'enthousiasme d'un de ses amis, nommé Firmus, et motivé l'insistance de ce dernier à les recevoir tous[b]. On connaissait déjà une première lettre d'Augustin à ce personnage qu'il se désolait de voir encore catéchumène[23]. Ce texte, qu'on peut tenir pour à peu près contemporain des *Révisions*, et qui est naturellement postérieur à l'achèvement de la *Cité de Dieu*, montre quelle importance Augustin attachait à ce que les grandes divisions du plan qu'il avait suivi fussent matérialisées dans l'édition de l'ouvrage. Les vingt-deux livres (ou « cahiers » : *quaterniones*) qui composaient l'ensemble ne pouvaient, disait-il, se présenter en un seul volume. On pouvait à la rigueur en faire deux, l'un rassemblant les dix premiers livres dans l'unité d'une première partie, l'autre regroupant les douze livres de la seconde partie. Mais, si apparemment l'évêque laissait la décision à Firmus, on voyait bien où allait sa préférence, à cinq volumes : deux de cinq livres, et trois autres de quatre livres chacun, concrétisant la fameuse division tripartite, tant de fois rappelée, de la nais-

a. *Infra*, p. 565.
b. *Ep.* 2*, 3, *B.A.*, vol. 46 B, p. 62.

sance, de l'évolution concomitante et de la fin des deux cités[a]. Mais il n'était finalement parvenu à cette égalité matérielle de traitement de ces trois parties qu'au prix d'arbitrages difficiles dans l'élaboration de sa matière, dont le livre XVIII en particulier porte la trace.

JÉRUSALEM ET BABYLONE

Au terme de son livre XIV, rédigé, on l'a vu, en 418, et très marqué, sur le péché originel, par les inflexions nées de la controverse antipélagienne, Augustin conclut les longs développements consacrés au thème général de ce livre, vivre selon la chair et vivre selon l'esprit, en dernière analyse pour l'homme les deux façons hautement discriminantes de mener sa vie ici-bas. C'est là qu'on lit, ouvrant cette conclusion, la phrase célèbre, véritable cœur battant de toute l'œuvre : « Deux amours ont donc fait deux cités : l'amour de soi, jusqu'au mépris de Dieu, la cité terrestre ; l'amour de Dieu, jusqu'au mépris de soi, la cité céleste[b]. » Dis-moi ce qu'aime un peuple, je te dirai ce qu'il est.

C'était l'aboutissement, dans une formulation magnifique par son raccourci et par la force des deux antithèses, d'une réflexion qui cheminait dans la pensée d'Augustin depuis plus d'un quart de siècle[24]. Il n'était pas encore dans les ordres quand à Thagaste en 390, insistant à l'intention de Romanianus sur le thème du « vieil homme », vivant selon la chair, que le dédicataire du *De uera religione* était toujours, il dessinait, on s'en souvient[c], les premiers linéaments de l'image encore incomplète de « deux peuples », d'un côté « la foule des impies », de l'autre « les générations vouées au Dieu unique[d] ». L'image se précisera et s'enrichira beaucoup une dizaine d'années plus tard, vers 400, dans le livre *La Première Catéchèse* : « Ainsi, écrira l'évêque, deux cités, celle des impies et celle des saints, sont en marche depuis l'origine du genre humain jusqu'à la fin du monde, aujourd'hui mêlées dans leurs corps mais séparées dans leurs volontés, et vouées à être séparées aussi de corps au jour du Jugement[e]. » Les citoyens de ces deux cités sont déjà caractérisés : d'un côté les « impies », c'est-à-dire « tous les hommes amis de l'orgueil et de la domination temporelle, avec sa vaine

---

a. *Ep.* 1*A, 1, *B.A.*, 46 B, p. 56.
b. *Cité de Dieu*, XIV, 28, *initio*.
c. *Supra*, p. 201.
d. *De uera religione*, 50.
e. *De catechizandis rudibus*, 31, dans *B.A.*, vol. 11/1, 1991, p. 157.

enflure et le faste de l'arrogance » ; de l'autre, « les saints », c'est-à-dire « tous les hommes, tous les esprits qui, dans l'humilité, cherchent la gloire de Dieu et non la leur ». Dès l'époque de ce texte[25], Jérusalem, dont le nom, dit Augustin, signifie « vision de paix », est la figure allégorique de la cité céleste, tout comme Babylone, dont le nom veut dire « confusion », est emblématique de la cité terrestre. Les deux villes ne tarderont pas à illustrer dans les sermons de l'évêque les deux cités, à la fois antagonistes et mêlées l'une à l'autre. En témoigne sans doute pour la première fois dans le temps l'un des sermons demeurés inédits récemment publié ; dans ce texte, qu'on peut dater de 404, les deux cités, nommément désignées, sont opposées de façon nettement allégorique : « Est rendu à Babylone ce qu'elle a fait. Il est en effet une cité impie qui s'étend sur toute la terre et représente pour ainsi dire le consensus de l'impiété humaine : elle est, de façon spirituelle [*mystice*], appelée Babylone dans les Écritures. À l'inverse, il existe une cité en pèlerinage sur cette terre qui représente pour toutes les nations le consensus de la piété : elle est nommée Jérusalem. Actuellement les deux cités se trouvent mêlées, à la fin elles seront séparées[a]. » Quelques années plus tard, dans le commentaire sur le *Psaume* 64, les deux cités sont évoquées avec les mots mêmes qu'on vient de lire à la fin du livre XIV de la *Cité de Dieu* : « Deux amours font ces deux cités : c'est l'amour de Dieu qui fait Jérusalem ; c'est l'amour du monde qui fait Babylone. » Un peu avant, l'évêque avait dit à ses fidèles : « [Ces deux cités], mêlées depuis le commencement du genre humain, poursuivent leur route jusqu'à la fin du monde. Jérusalem a commencé avec Abel, Babylone avec Caïn. » Voyait-il en face de lui ses auditeurs déconcertés par ce mythe intemporel ? Il ajoutait aussitôt pour rétablir à côté de l'allégorie les réalités concrètes de la vision historique : « Plus tard seulement s'élevèrent les constructions de ces deux villes[b]. »

Ce commentaire sur le *Psaume* 64 est sans doute datable de 412, l'époque précisément où l'on voit Augustin, dans *La Genèse selon la lettre*, définir en les opposant les « deux amours[c] ». En est aussi contemporain celui qu'Augustin prononça peu après sur le *Psaume* 136 – ce superbe poème sur la captivité de Babylone : « Si je t'oublie, Jérusalem, que ma droite se dessèche[d] ! » –, où l'on voit

---

a. *Sermon Dolbeau 4* (*M.* 9), 7-8 (*Vingt-Six Sermons* [...], p. 519). On cite ici la traduction publiée par l'éditeur dans *CRAI*, 1993, p. 165.

b. *Enarr. in Psalm.* 64, 2.

c. *De Genesi ad litteram*, XI, 20.

d. *Ps.* 136, 5.

le mieux commencer à s'esquisser le thème central de la deuxième partie de la *Cité de Dieu*. Mais il faut citer également, dans une autre série de prêches un peu postérieurs, le commentaire sur le *Psaume* 61, où ce thème s'enrichit encore, et où l'évêque introduit, pour compléter et rendre plus concrète la situation d'enchevêtrement où se trouvent les deux cités, l'argument que « parfois le mélange temporel fait que certains qui appartiennent à la cité de Babylone administrent les affaires de Jérusalem et qu'inversement certains qui appartiennent à Jérusalem administrent les affaires de Babylone[a] ». Là encore l'étonnement devait se lire sur les visages des auditeurs, car Augustin ajoute : « Il me semble que je vous ai exposé là quelque chose de difficile. » Un peu de patience, dira-t-il, et pour preuve de ces intrications aux temps bibliques il mentionnera, à côté de certains mauvais rois de Jérusalem, citoyens impies de Babylone, les trois jeunes Hébreux à qui Nabuchodonosor avait confié les affaires de Babylone, et qu'il avait confirmés dans cette charge à leur sortie miraculeuse de la fournaise (*Dn.*, 3, 97). Puis il passe au temps présent, évoquant, en regard des « citoyens de la cité mauvaise qui ont une part dans l'administration de la bonne cité », « les fidèles, les justes qui, dans les villes de la cité terrestre, sont magistrats, juges, officiers, "comtes" et même rois [...] accomplissant pour ainsi dire une corvée dans une cité vouée à périr ». Le nom de Rome n'est pas prononcé, mais il apparaît en filigrane sous celui de Babylone.

Dans la grande œuvre, l'ambiguïté fondamentale persiste, consciente et voulue comme telle par Augustin et à des fins qu'on pourrait dire aussi pédagogiques. Cette Rome dont ses auditeurs, ses lecteurs vivaient la réalité politique était une image qui s'imposait de la cité terrestre ; une image « imparfaite », à cause de sa complexité et du mélange de bon et de mauvais qu'on observait en elle[b] : mais de la cité terrestre elle donnait au moins une idée. Rome pour Augustin est la Babylone réelle de l'Occident, elle lui a succédé historiquement[c], mais il ne se hâte pas de l'identifier à la Babylone mythique. Le mythe cependant le sert. De même qu'à l'origine du monde il y avait eu un fratricide, celui de Caïn meurtrier d'Abel, il y avait eu, à l'origine de Rome, le meurtre par Romulus de son frère Remus : c'était, disait l'évêque, une reproduction de l'« arché-

---

a. *Enarr. in Psalm.* 61, 8.

b. Cf. *Cité de Dieu*, V, 12-18 sur les vertus romaines qui ont valu à Rome de développer sa cité terrestre.

c. Ce sera dit clairement en *Cité de Dieu*, XVIII, 22, *initio*.

type[a] ». On n'allait pas s'étonner que Rome eût produit un Néron[b].
Pour ce qui est de la cité céleste, les images analogiques sont encore
plus « imparfaites » et plus difficiles à trouver. De même que Caïn
est de la cité des hommes, Abel, dit Augustin, appartient à la cité
de Dieu[c]. Oui, mais Abel, le pasteur, en exil (*peregrinus*) sur cette
terre, est mort avant l'accomplissement de la promesse que faisait
augurer l'agrément par Dieu de son offrande, à la différence de celle
de son frère. Abel est un représentant bien virtuel de la cité céleste.
L'Israël de l'Ancien Testament, qui découle du geste initial de Caïn,
est une cité terrestre, mais où se manifestent des annonces prophétiques de la cité céleste, comme dans l'épisode d'Agar et de Sara
en qui Augustin, reprenant l'exégèse allégorique du récit biblique
chez saint Paul (*Ga.*, 4, 21-31), voit le type de la *ciuitas caelestis*
et la Nouvelle Alliance à venir[d]. Mais dans l'histoire tumultueuse
qui s'ensuit, les « affleurements » de la cité de Dieu en la cité terrestre d'Israël se révèlent avec évidence au lecteur de la Bible : ils
se sont appelés Noé, Abraham, Lot, ils auront encore pour nom Isaac
et Jacob, ce dernier surtout, claire préfiguration du Christ[e].

En leur temps, quelle représentation les contemporains d'Augustin
pouvaient-ils se faire de la cité céleste d'après ses textes ? Qu'ils
fussent chrétiens ou non, du fait même de leur existence historique,
en eux consistait – et l'évêque s'évertuait à leur en faire prendre
conscience – la réalité même de ce mélange en lequel coexistaient
les deux cités, jusqu'à la fin des siècles : ils étaient, comme nous
dirions maintenant, l'« interface » entre Jérusalem et Babylone.
Parmi eux, les chrétiens, très majoritairement auditeurs des sermons
et lecteurs du livre, pouvaient être tentés de se considérer par anticipation, en tant que chrétiens, comme des citoyens de la cité de
Dieu. Augustin n'avait-il pas dit qu'il y avait dans la Babylone de
leur temps des justes qui y accomplissaient des corvées à son service,
comme les trois Hébreux au temps de Nabuchodonosor[f] ? Certains
risquaient de le prendre au mot, et non des moindres, comme ce
Dardanus, correspondant et ami de l'évêque, préfet du prétoire pour
les Gaules et grand propriétaire dans la région de Sisteron : avec sa
femme et son frère, il avait fondé une communauté chrétienne, petite
thébaïde dans le décor des Alpes de la haute Provence, à laquelle il
avait donné, naïf hommage à l'auteur de la *Cité de Dieu*, le nom de

a. *Ibid.*, XV, 5.
b. *Ibid.*, V, 19.
c. *Ibid.*, XV, 1, 2, *initio*.
d. *Ibid.*, XV, 2.
e. Voir tout le livre XVI, particulièrement les chap. 18-39.
f. Cf. *supra*, l'*Enarr. in Psalm.* 61, 8.

Theopolis[26]. Augustin n'encourageait cependant pas ses fidèles à réagir et à penser de la sorte : il avait trop bataillé contre les conceptions ecclésiales des donatistes pour être enclin à le faire[a]. L'Église dont ses ouailles faisaient partie, l'Église hiérarchique et visible, *hic et nunc*, avait seulement vocation à devenir la cité céleste ; elle en était au moins la partie en pérégrination sur la terre, elle la représentait de manière impure et imparfaite, à la fois par excès et par défaut : il y avait dans ses rangs des hommes qui ne seraient pas au nombre des élus, et inversement n'y figuraient pas, parfois, d'autres hommes destinés à prendre place au royaume[b]. Le tri sera l'affaire des anges moissonneurs.

UNE SOCIÉTÉ CHRÉTIENNE ?

En attendant, il faut bien vivre, du mieux possible, sur cette terre, en s'accommodant de l'inévitable et irréductible disparate résultant de l'existence à la fois parallèle et mêlée des deux cités. C'est un problème politique et social qu'Augustin n'élude pas. Sa solution, il l'a donnée dans une page magnifique de sa grande œuvre : « La cité céleste, pendant tout le temps qu'elle vit en exil [*peregrinatur*] sur cette terre, recrute des citoyens dans toutes les nations, elle rassemble sa société d'étrangers [*peregrinam societatem*] de toutes langues sans s'inquiéter de ce qu'il y a de divers dans les mœurs, les lois et les institutions grâce auxquelles la paix s'établit ou se maintient sur la terre ; elle n'en supprime rien, n'en détruit rien ; bien mieux, elle garde et observe tout ce qui, quoique divers dans les diverses nations, tend à une seule et même fin, la paix terrestre, si du moins rien ne s'y oppose à la religion qui nous instruit à avoir le culte du seul Dieu véritable et souverain. La cité céleste use donc au cours de son voyage de la paix terrestre et, pour tout ce qui concerne la nature mortelle des hommes, elle protège et recherche l'entente des volontés humaines, autant que le permet le respect de la piété et de la religion. Et, cette paix terrestre, elle la rapporte à la paix céleste qui est si véritablement la paix qu'elle seule mérite d'être considérée comme telle, du moins pour la créature raisonnable, et d'en recevoir le nom : c'est-à-dire la société parfaitement ordonnée et parfaitement harmonieuse dans la jouissance de Dieu et dans la jouissance des uns et des autres en Dieu. Quand on y sera parvenu, la vie ne sera plus mortelle, mais sera vie pleinement et

---

a. Cf. *supra*, pp. 397-400.
b. Cf. *Cité de Dieu*, I, 35.

assurément vivante, et le corps ne sera plus ce corps animal dont la corruption appesantit l'âme, mais un corps spirituel libre de tout besoin et en tout soumis à la volonté. Cette paix, la cité qui voyage dans la foi la possède, et grâce à cette foi elle vit dans la justice, quand elle rapporte à l'acquisition de cette paix toutes les bonnes actions accomplies à l'égard de Dieu et du prochain, puisque la vie dans la cité est évidemment sociale[a]. »

On nous pardonnera la citation de ce long texte, qu'il ne fallait pas tronquer car il n'est pas excessif d'y voir la charte qui résume les lignes principales de la pensée politique d'Augustin. L'évêque s'exprime en pasteur, investi, avec quelques autres, de la charge de garantir à la cité céleste en exil sur cette terre les meilleures conditions de « pèlerinage ». Son royaume, à lui non plus, n'est pas de ce monde. Il ne fallait donc pas s'attendre à ce qu'il esquissât un *De re publica*, ou un *Peri politeias*, même si, comme Aristote, il pense que l'homme est un « animal politique » et s'il est d'accord, avec les stoïciens et avec Cicéron, pour professer que « la vie du sage est une vie sociale[b] ». Mais il ne croit pas que le sage puisse trouver dans la cité son bonheur, et il est sûr que le chrétien ne saurait y trouver sa fin, et donc l'organisation de l'État n'est pas en soi son affaire. Le rassemblement de sa « société d'étrangers » (*peregrina societas*) est, sinon un « communisme spirituel », au minimum l'universalisme d'une citoyenneté spirituelle fondée sur la célèbre adresse de saint Paul aux Galates : « *Il n'y a ni Juif ni Grec, il n'y a ni esclave ni homme libre, il n'y a ni homme ni femme* » (*Ga.*, 3, 28). Cela au plan de la foi, où Augustin se situait comme l'Apôtre[c]. Le corollaire en était qu'au plan politique il acceptait telles quelles, avec le souci de les amender éventuellement dans leur application, mais sans songer à les réformer dans leur principe, les institutions qui avaient cours ici et là dans la cité terrestre, et au premier chef dans la cité romaine. La condition qui était mise à cet acquiescement était, on l'a vu, que les lois et ordonnances de la cité terrestre n'allassent pas à l'encontre du christianisme et de son culte. Augustin s'était déjà exprimé nettement sur ce point : « Pour ce qui est de cette vie mortelle, qui s'écoule et s'achève en peu de jours, qu'importe sous quel régime politique vit l'homme voué à la mort, si ceux qui commandent ne le contraignent pas à des actes impies et iniques[d]. » Et même, en mettant les choses au pis, le serviteur de

---

a. *Ibid.*, XIX, 17.
b. *Ibid.*, XIX, 5, *initio*.
c. Cf. son commentaire dans *Expositio ep. ad Gal.*, 28.
d. *Cité de Dieu*, V, 17, 1.

Dieu devait supporter sans broncher le plus détestable des États « pour se ménager par sa patience une place glorieuse dans la céleste république[a] ».

Mais cette héroïque patience n'était plus de saison. Sauf une brève intermittence, au temps de Julien l'Apostat, on vivait depuis Constantin dans un empire chrétien, et, dans les décennies précédentes, les princes, le grand Théodose surtout, loin de s'opposer à la nouvelle religion, l'avaient consolidée en précipitant le déclin du paganisme ; et ils avaient beaucoup contribué à la stabiliser en s'impliquant avec vigueur dans la lutte contre les sectes et les déviances de toutes sortes. Même si l'évêque ne se sentait pas redevable envers Honorius, qui de son point de vue n'avait fait que son devoir de prince chrétien en donnant au donatisme un coup d'arrêt décisif, il n'en était pas moins bénéficiaire de sa politique religieuse. La réciproque impliquait la stricte observance des lois impériales, dès lors que ces lois concouraient à l'établissement et à la préservation de la paix sociale. On lit, au début du livre XIX de la *Cité de Dieu*, un hymne vibrant à la paix, poussé jusqu'au paradoxe : même les guerres, dit Augustin, se font en vue de la paix – en vue de celle qu'on veut imposer, bien entendu –, et les brigands eux-mêmes sont attachés à la paix, entre eux du moins, pour leur propre sécurité. Bien sûr, il y a paix et paix, et la plus haute est la paix de la cité céleste. Mais, en attendant d'en jouir, il faut viser à la paix entre les hommes. Pour la définir, l'évêque a des formules lourdes de sens, significativement répétées : « La paix des hommes, c'est leur concorde bien ordonnée [*ordinata concordia*] » ; et la paix de la cité, « c'est la concorde bien ordonnée des citoyens dans le commandement et dans l'obéissance[b] ».

Le maître mot se détache avec évidence : plus encore que la concorde, c'est l'« ordre » (au sens du latin *ordo*, qui n'est pas le commandement). On a montré combien, dans le *De uera religione*, était révélateur le lapsus qui à Augustin, citant de mémoire, avait fait dire à saint Paul : « Tout ordre [*ordo*] vient de Dieu », quand l'Apôtre avait dit : « Toute autorité [*potestas*] vient de Dieu », dans un texte qui est comme l'on sait la charte d'obéissance chrétienne au pouvoir politique (*Rm.*, 13, 1)[27]. En 426, relisant pour ses *Révisions* sa phrase de 390, le vieil évêque reconnaîtra que ce n'était pas exactement le mot de saint Paul, mais il persistera pourtant dans sa mélecture significative, et il continuera à mettre l'Apôtre de son côté, en comprenant à sa façon la suite du verset : « Tout ce qui est,

a. *Ibid.*, II, 19, *in fine*.
b. *Ibid.*, XIX, 13.

écrira-t-il, a été ordonné [c'est-à-dire "mis en ordre"] par Dieu[a]. »
Pour le jeune Augustin, l'ordre était « ce dont l'observation dans la
vie conduisait à Dieu[b] ». Quelque quarante ans plus tard, il restait
encore quelques échos de l'inspiration néoplatonicienne du *De
ordine* dans la fonction transcendante que l'évêque reconnaissait à
l'ordre : « La paix de toutes choses, c'est la tranquillité de l'ordre.
L'ordre, c'est la disposition des êtres égaux et inégaux, désignant à
chacun la place qui lui revient[c]. » Mais il ne croyait plus que cet
ordre dont l'observation pouvait mener à Dieu pût être trouvé « dans
la vie », c'est-à-dire dans la cité d'ici-bas : il faudrait pour cela,
écrivait-il peu après 400, que « l'empire et le gouvernement des
choses humaines soient aux mains d'hommes sages, religieusement
et vraiment soumis à Dieu » ; nous n'en sommes pas encore là,
soupirait-il[d]. Théodose lui-même, le grand Théodose, dont le long
règne avait été l'« été indien » de l'empire déclinant et à qui une
« pieuse humilité » faisait « éprouver plus de joie à être membre
de l'Église qu'à dominer l'univers[28] », était certes le modèle des
princes chrétiens, mais n'était pas considéré par l'évêque comme un
agent envoyé par Dieu pour se charger du gouvernement des
hommes. La notion de monarchie de droit divin était bien la dernière
idée à pouvoir venir à l'esprit d'Augustin, qui se situait très loin de
la théologie de l'Empire – ancêtre lointain de ce qu'on appellera
bien plus tard le « césaropapisme », d'un mot plus commode que
bien trouvé – développée un siècle plus tôt par Eusèbe de Césarée,
qui n'avait pas hésité, lui, à voir en Constantin non seulement l'instrument de la puissance divine, mais aussi l'image même du Logos
divin.

On voit mieux que la surprenante « erreur » de lecture de *Rm.*,
13, 1, commise encore au temps des *Révisions*[e], c'est-à-dire à l'époque d'achèvement de la *Cité de Dieu*, n'avait rien d'une bévue.
D'accord avec l'Apôtre pour imposer au chrétien l'impératif d'obéissance aux autorités constituées, l'évêque ne l'était plus pour admettre
avec lui que ces autorités (*potestates*) étaient constituées par Dieu.
Ce ne serait le cas que si ces pouvoirs de l'homme sur l'homme
étaient de l'ordre de la nature, avant la chute. Mais, dit Augustin,
« de par la nature, dans laquelle Dieu a primitivement créé l'homme,

---

a. *Retract.*, I, 13, 8, *initio* : « *Quae autem sunt a deo ordinatae sunt* » ; ce qui
est bien le texte de saint Paul, mais chez lui *quae* renvoie aux *potestates*, les autorités
politiques !
b. *De ordine*, I, 27.
c. *Cité de Dieu*, XIX, 13, 1.
d. *De Trinitate*, III, 9, *initio*.
e. *Retract.*, 1, 13, 8, *initio*.

personne n'est esclave ni de l'homme ni du péché[a] ». Ce qui pour
l'évêque, dans les rapports entre humains, est de l'ordre de la nature
se situe dans le cadre de la cellule familiale largement comprise,
comme elle l'était dans l'Antiquité : « Ceux qui prennent soin des
autres sont ceux qui commandent, comme le mari à l'épouse, les
parents aux enfants, les maîtres aux serviteurs [...]. Voilà ce que
prescrit l'ordre naturel, c'est ainsi que Dieu a créé l'homme[b]. » Par
ailleurs, commentant la *Genèse*, 1, 26, Augustin souligne que le
Créateur a voulu que l'être doué de raison, fait à son image, ne
dominât que sur des êtres dépourvus de raison : « non pas l'homme
sur l'homme, mais l'homme sur le bétail[29] ». Voilà pourquoi, poursuit-il, les premiers justes – dont le prototype est Abel à la courte
vie – étaient des pasteurs et non des rois. Mais les successeurs d'Abel
n'étaient pas seuls avec leurs troupeaux et, la sociabilité étant aussi
dans leur nature, ils se sont rassemblés en une société humaine, en
dehors de tout « contrat ». Seulement, dit aussi l'évêque par ailleurs,
si « aucune race n'est aussi sociable par nature, aucune n'est aussi
sujette à la discorde par l'effet du vice[c] ». Par « vice », entendons
le péché d'origine et ses inévitables suites, qui ont tôt fait, dans la
pensée d'Augustin, de substituer la recherche du pouvoir à la délégation de pouvoir primitivement accordée au plus sage, qui l'exerçait, suivant l'ordre naturel, en bon père de famille, et donc d'introduire dans l'harmonieuse cohérence des sociétés humaines
l'instabilité, la compétition, la révolte et ce qu'elles entraînent, la
répression, les châtiments et la torture. Comme l'esclavage, dont
l'origine est liée à une « faute[d] », la naissance des États et le développement des empires sont une conséquence, sinon immédiate, du
moins vite surgie dans le devenir de l'homme, du péché originel.

On comprend mieux maintenant, dans cette perspective, le sens
de la formule citée plus haut sur la paix de la cité comprise comme
« la concorde bien ordonnée des citoyens dans le commandement et
dans l'obéissance ». S'il est des régimes politiques meilleurs que
d'autres et plus souhaitables pour le chrétien, l'ordre, fût-ce dans la
définition avilie qu'il a dans la cité terrestre, est chose si importante
que même un mauvais empereur doit être obéi, pour peu qu'il ait
quelque légitimité, selon les critères de cette cité. Un gouvernement

---

a. *Cité de Dieu*, XIX, 15.

b. *Ibid.*, XIX, 14, *in fine* et 15, *initio*.

c. *Ibid.*, XII, 28, 1 : « *Nihil enim est quam hoc genus tam discordiosum uitio,
tam sociale natura.* »

d. Augustin note de façon significative (*Cité de Dieu*, XIX, 15) qu'on ne trouve
pas le mot « esclave » dans la Bible avant que Noé ne l'emploie pour réprouver la
faute de son fils Cham (*Gn.*, 9, 25-26).

fort, des lois fermes que la puissance publique fait respecter sont indispensables pour contenir toutes les potentialités de désordre que renferme le cœur humain. Augustin apparaît ainsi comme un « homme d'ordre », dans toute l'irréductible ambiguïté que le mot comporte en notre langue. Il était cependant le premier à souhaiter que des magistrats, que des gouverneurs chrétiens s'impliquent dans le maintien de cet ordre en joignant la mansuétude à la fermeté, en adoucissant la rigueur par la clémence ; et ses attitudes propres en maintes situations concrètes[a] sont autant d'apports constructifs à l'édification d'une société chrétienne « réelle » dont il ne songeait pas à faire la théorie. Lors du grand congrès international augustinien tenu il y a quelques décennies pour commémorer le seizième centenaire de la naissance d'Augustin, on a cru bien faire en proposant, pour définir l'idéal historico-politique de l'évêque, la notion de « *ciuitas terrena spiritualis* » : Henri-Irénée Marrou n'a pas eu tort d'y voir un « monstre verbal » qui faisait voler en éclats les catégories augustiniennes. Une société chrétienne tout empirique, résultant largement de forces antagonistes, était, non seulement souhaitable, mais assurément possible pour Augustin. Il n'a cependant jamais tracé l'épure d'un État chrétien, ou plus précisément d'un État chrétien théocratique. Il n'aurait pu le faire sans renier – ce qu'ont fait allègrement les augustinismes médiévaux et modernes – le principe même de la cité de Dieu, qui ne peut advenir qu'en dehors de l'Histoire.

LA FIN DE L'HISTOIRE

Son cher Virgile avait appris à Augustin dans sa jeunesse comment les Anciens, ses prédécesseurs, s'efforçaient de conjurer l'angoisse que leur causait ce Cronos occupé à dévorer ses propres enfants. Au mythe pessimiste qui traduisait l'inexorable dégradation des êtres et des choses à mesure qu'on s'éloignait des origines – de l'âge d'or à l'âge de fer – s'ajoutait pour le corriger le mythe rassurant du retour cyclique, de la *renouatio temporum* : tout n'était pas irrémédiablement perdu, les dieux cléments faisaient tourner cette roue, le vieil âge d'or hésiodique pouvait revenir, enrichi de nouvelles perspectives[30]. Pendant de longs siècles dans l'Antiquité, cette confiance en un renouvellement périodique de la jeunesse du monde a tenu lieu d'idée de progrès. Peut-être d'abord, si l'on veut en chercher les racines dans la psychologie collective, faute d'évolutions tech-

---

a. Cf. notamment *supra*, pp. 367-378.

niques suffisamment fréquentes et marquantes pour sanctionner qualitativement la durée vécue et donner à identifier de façon concrète un avant et un après. Le tourbillon technologique dans lequel nous sommes pris et qui nous donne l'illusion de vivre en accéléré un temps ascensionnel nous rend malaisé d'imaginer la quasi-permanence – du moins à l'échelle d'une vie d'homme – des cultures matérielles qui servaient de toile de fond aux générations de cette époque. Autour d'Augustin, on ne vivait pas en Afrique de façon sensiblement autre que du temps d'Apulée deux bons siècles plus tôt. Et il en était de même partout dans le monde antique.

Il y avait cependant sous cette foi en l'éternel retour une raison plus profonde, d'ordre philosophique. Le monde romain au sein duquel le christianisme se développait depuis trois siècles était toujours intellectuellement tributaire de la pensée grecque qui, tout en posant le principe de l'éternité du monde, c'est-à-dire d'une durée sans commencement, répugnait à l'idée d'une durée indéfiniment prolongée et homogène et, à la notion d'une marche en avant indéfinie et sans rupture, substituait celle d'un retour cyclique, qui fractionnait en « âges » mythiques la durée vécue de l'Histoire. L'école stoïcienne, notamment, avait la conception d'un univers unique et éternel, mais qui passait par d'innombrables alternatives de naissances et de morts à des intervalles déterminés de siècles[a]. Cette notion, déjà profondément étrangère au judaïsme, dont les écrits vétéro-testamentaires manifestaient une Histoire universelle et continue, qui progressait par le jeu des destinées singulières de ses acteurs, était radicalement inconciliable avec l'attestation chrétienne de l'incarnation historique d'un sauveur qui avait œuvré une fois pour toutes pour l'ensemble de l'humanité, ainsi qu'avec une pensée religieuse qui, dans le flux d'un temps irréversible, visait un horizon eschatologique défini sans limitation temporelle précise. On comprend qu'Augustin se soit insurgé contre, dit-il, « les sages de ce monde [qui] ont cru devoir introduire une marche circulaire du temps pour renouveler la nature[b] ». Avec l'honnêteté intellectuelle qu'il mettait en toute discussion, il n'éludait cependant pas les arguments apparemment les plus forts mis en avant par les partisans de ces « cycles ». Aucune science, disaient-ils, ne peut comprendre rien qui soit infini : en conséquence, Dieu lui-même ne pouvait avoir que des raisons finies de ses œuvres finies[c]. Et, mettant aussi en cause la cosmologie chrétienne, ils ajoutaient cette critique qu'Augustin

---

a. Augustin y fait allusion en *Cité de Dieu*, XII, 12.
b. *Ibid.*, XII, 14, 1.
c. *Ibid.*, XII, 18, 1.

connaissait bien, pour l'avoir déjà entendue sous une autre forme dans la bouche des manichéens[a] : on ne pouvait croire que, sa bonté étant restée d'abord oisive, il eût compensé son inaction antérieure en se mettant soudain à l'œuvre de sa création. Mieux valait donc, pour éviter ces difficultés, concevoir un monde incréé et permanent dans sa finitude, mais constamment renouvelé par cycles comme dans un circuit fermé – ou comme un mécanisme qui revient à son point de départ après avoir épuisé la série de ses jeux successifs.

Augustin avait assez longtemps réfléchi sur le problème de la création et suffisamment médité sur le temps pour être à l'aise dans ses réponses. Bien des années auparavant, il avait dans les *Confessions* déjà dit l'essentiel. À moins d'admettre qu'il ait pu y avoir un « temps vide » créé par Dieu au sein duquel le créateur aurait à un moment donné fait surgir sa création – mais cette hypothèse ne peut être faite, car le temps, qui implique mouvement et succession[b], ne peut être « vide » –, on ne saurait concevoir un temps antérieur à la création divine, car le temps est lui-même création divine, et « il n'y avait pas d'alors là où il n'y avait pas de temps[c] ». Au sein même de la création, les objections qu'on pouvait faire en notant la tardive apparition de l'« homme historique » ne le gênaient pas. Les computs possibles d'après la Bible estimaient son ancienneté à moins de six mille ans ; mais, poursuivait l'évêque, comme mû par l'intuition des lents démarrages de la préhistoire, cette durée depuis l'apparition de l'homme serait-elle de soixante ou de six cent mille ans, serait-elle même de soixante ou de six cent millions d'années, et même d'un multiple de cette somme inexprimable en chiffres, on pourrait semblablement se demander pourquoi Dieu n'a pas fait l'homme plus tôt. Et quelque durée qu'on attribue à la période elle-même antérieure à l'apparition de l'homme, ces deux durées, si grandes qu'on les imagine, sont comme deux gouttes d'eau dans l'infini d'un océan[d]. Car tout ce qui est fini, tout ce qui a un terme est court au regard de l'éternité de Dieu, dont la transcendance, par rapport au temps – et donc par rapport aux créatures – n'est pas du mode de l'antériorité, mais du mode de l'être par rapport au non-être. On ne peut en douter : « Rien de créé n'est coéternel au Créateur[e]. » L'auteur des *Confessions* ne s'exprimait pas autrement ; il disait déjà que le concept de créature coéternelle à Dieu était

a. Cf. *supra*, p. 195.

b. Cf. *Cité de Dieu*, XI, 6, reprenant l'argument aristotélicien.

c. *Conf.*, XI, 15 : « *Non enim erat tunc, ubi non erat tempus* » ; cf. aussi *Cité de Dieu*, XI, 6.

d. *Cité de Dieu*, XII, 13.

e. *Ibid.*, XII, 17.

inconcevable, car c'était supposer l'attribution d'un mode de durée
homogène à des modes d'être hétérogènes : « Il n'y a point de temps
qui te soient coéternels, parce que toi tu es permanent ; mais eux,
s'ils étaient permanents, ils ne seraient pas des temps[a]. »

Le principe d'un monde incréé, à la fois éternel et périodique,
métaphysiquement discutable, était incompatible avec la notion
judéo-chrétienne, issue de la révélation, d'une histoire humaine progressive et finie. De même que l'aventure individuelle sur cette terre
ne se jouait qu'une fois et que toute chair venait à sa fin, les temps
humains eux aussi s'accomplissaient, venaient à leur terme. L'histoire de l'humanité se déployait comme un vaste triptyque, dont le
volet central était l'incarnation du Dieu fait homme – la « kénose » –,
sa passion, suivie de sa glorieuse résurrection : quelques années
brèves dans cette immense durée, mais qui donnaient à l'ensemble
tout son sens, d'être une histoire du salut[31]. De part et d'autre de
cet axe, deux longues séquences de temps dont la première seule est
achevée et historiquement envisageable dans sa totalité. L'évêque la
découpait en « âges », mais c'étaient des âges historiques et non plus
mythiques, qui, dans la marche à la fois parallèle et « emmêlée »
des deux cités, menaient d'Adam à la naissance du Christ[b]. La
seconde – le troisième volet du triptyque – est le temps où vivait
Augustin, où nous vivons nous-mêmes, où vivra la suite indéterminée mais non infinie de nos descendants. L'histoire s'arrêtera quand
le monde aura achevé sa croissance spirituelle, qui, loin de se confondre avec sa croissance démographique, ne peut qu'être retardée par
cette dernière. Certes, le Créateur a dit : « *Croissez et multipliez-
vous*[32] » ; mais, à ceux qui lui objectaient que la continence qu'il
prônait risquait d'avoir pour conséquence l'extinction du genre
humain, Augustin, à cent lieues de s'en alarmer, répondait que le
« siècle » s'était prolongé uniquement pour que le nombre des saints
fût complet : si ce nombre est atteint plus rapidement – et il était
clair que dans l'esprit de l'évêque il n'était pas fonction du nombre
des naissances –, la fin de ce « siècle », c'est-à-dire la fin du monde
d'ici-bas, ne sera pas, comme il dit, « différée[c] ». Quelques années
plus tôt, il avait dans le même sens déclaré que si les hommes
s'abstenaient du mariage – et donc de la procréation qui en était la
fin – la « cité de Dieu » n'en arriverait que plus vite[d]. La pensée de

a. *Conf.*, XI, 17, et le commentaire d'Ét. GILSON, *Introduction à l'étude de saint
Augustin*, p. 247.
b. Cf. notamment *Cité de Dieu*, XXII, 30, 5 et *passim*.
c. *De bono uiduitatis* (texte daté de 414), 28.
d. *De bono coniugali*, 10, texte remarquable compte tenu de sa date précoce :
vers 400.

l'évêque sur ce thème s'était fixée très tôt, trouvant d'abord, semble-t-il, sa première expression dans le beau prêche *Sur le bien des
noces*, qui, dans la série des nouveaux sermons récemment publiés,
remonte apparemment à la campagne de prédication de l'été de 397
à Carthage[a] : il y disait déjà, citant l'*Ecclésiaste* (3, 5), qu'il y avait
eu un temps pour les étreintes – c'était celui des patriarches et des
prophètes –, mais qu'on était maintenant dans le temps – c'était
celui de l'Évangile – de l'abstention des étreintes[b]. Jusqu'à la reprise
du thème en 419 dans la première partie du livre *Sur les noces et la
concupiscence*[c], on observe sur le sujet une continuité augustinienne
sans faille.

Car pour Augustin, fidèle interprète, avec ses images et ses mythes
propres, d'une tradition chrétienne aussi vieille que les textes du
Nouveau Testament, la durée de la *ciuitas terrena* est celle du temps
nécessaire au recrutement de la société des saints, qui peupleront la
ciuitas caelestis, la Jérusalem céleste. Dans une lettre adressée en
417 à Paulin de Nole, et cosignée par Alypius, il écrivait : « Dieu,
dans sa prescience, a donc déterminé le nombre qu'atteindrait la
multitude des saints[d]. » Il faisait écho à ce que l'*Apocalypse* donne
à lire, lorsqu'à l'ouverture du cinquième sceau on aperçoit les âmes
des martyrs pour la foi, qui réclament justice : « Alors, dit le texte,
on leur donna à chacun une robe blanche et on leur dit de se tenir
encore un peu en repos, le temps que fût au complet le nombre de
leur compagnons de servitude » (*Ap.*, 6, 9-11). À l'issue de ce temps
surviendra la Parousie, qui est le terme de l'Histoire. Comme tout
chrétien, Augustin a lu *Matthieu*, 24, 36 (*Mc*, 13, 32) où le Christ
lui-même, parlant « *sub forma serui* », « sous la forme humaine »,
a dit ignorer « la date et l'heure », dont la détermination n'appartient
qu'au Père. Il sait, comme tout chrétien, que le Fils de l'Homme
viendra à l'improviste, comme aux jours de Noé, ou comme un
voleur dans la nuit (*Mt.*, 24, 37-43) : une imminence virtuelle qui,
dans la suite non mesurable des temps qui restent encore à courir,
met chaque génération à égale distance de l'éternité. Toute supputation sur le moment de l'*aduentus Christi* était vaine, comme il
l'avait longuement expliqué à son collègue Hesychius de Salone[33] ;
il fallait seulement s'y préparer, cultiver en soi les prémices spirituelles (*primitiae mentis*) d'où naissait au fond de l'âme la nostalgie

---

a. Cf. *supra*, pp. 277-281.
b. *Sermon Dolbeau* 12 (*Mayence* 41), 11, dans *Vingt-Six Sermons au peuple
d'Afrique*, pp. 82-83.
c. *De nuptiis et concupiscentia*, I, 14.
d. *Ep.* 186, 25, *initio*.

de Jérusalem [34]. Dès l'époque des *Confessions*, Augustin avait rompu avec la perspective – inspirée par les images, issues de l'apocalyptique juive et reprises par l'*Apocalypse* de Jean (XX, 6), du bonheur des justes avec le Messie dans son règne temporel de mille ans – d'un règne terrestre du Christ avec ses saints entre le temps de la fin du monde et le temps de la résurrection [35]. La fin de l'Histoire introduirait sans transition les vivants et les morts dans un ordre de réalité, mieux vaudrait dire dans un mode d'être, proprement « inouï » (cf. *I Co.*, 2, 9), dont il fallait dissiper l'appréhension pour les justes. L'évêque s'efforçait de dédramatiser pour eux l'Apocalypse, d'en adoucir les visions inquiétantes, de substituer à l'idée d'anéantissement celle d'une métamorphose du monde qu'ils connaissaient : ce qui passait, ce qui changeait, c'était – il le disait encore une fois avec le langage de saint Paul – « la figure du monde, non la nature[a] ». De la conflagration universelle sortirait, par une merveilleuse mutation, « un monde refait à neuf et en mieux, ajusté à des hommes refaits à neuf et en mieux, jusque dans leur chair[b] ». Le dernier mot était laissé à l'espérance.

---

a. *Cité de Dieu*, XX, 14 ; cf. *I Co.*, 7, 31.
b. *Ibid.*, XX, 16.

Julien d'Éclane

En 408, probablement vers la fin de l'été, Augustin reçut une lettre d'un sien collègue italien, Memorius [1] ; cet évêque campanien lui demandait de lui adresser, pour l'instruction de son fils, les six livres du *De musica*. Il tombait assez mal. Cela faisait beau temps qu'Augustin s'était détaché de ces *Disciplinarum libri*, composés vingt ans plus tôt entre Cassiciacum et Milan [a] : ces délices, dit-il, lui avaient échappé des mains quand on lui avait imposé le fardeau de l'épiscopat [b]. Mais il suffit de lire la charge contre les belles-lettres – elle n'épargne que l'histoire – qui remplit une bonne page de sa réponse [c], pour comprendre qu'il ne croyait plus guère au bon usage de ces arts libéraux, ni à la vertu d'*exercitatio animi* qu'il leur reconnaissait au temps de Cassiciacum, même si, de ces arts, ceux que gouvernaient le nombre et le rythme étaient encore les plus aptes à élever l'âme au-dessus des réalités sensibles. Et puis, pour motiver encore son refus d'envoyer à Memorius l'ensemble du traité, Augustin ajoutait une raison pour ainsi dire technique : il n'avait pas revu et corrigé les cinq premiers livres, pratiquement illisibles faute d'une distinction explicite et claire des interlocuteurs – c'était un dialogue – et quasi inexploitables, disait-il, faute d'une reconnaissance par l'oreille, que seule une lecture du texte à haute voix pouvait procurer, de la durée des syllabes et de la qualité des musiques rythmiques dans les exemples donnés [d]. Mais le fils de Memorius pourrait lire avec profit le sixième livre, dont Augustin avait trouvé dans sa bibliothèque un exemplaire dûment relu et corrigé et qui, au

---

a. Cf. *supra*, p. 166.

b. *Ep.* 101, 3.

c. *Ep.* 101, 2.

d. *Ep.* 101, 3, *in fine*. Pour comprendre ce que veut dire Augustin, voir la discussion sur le premier vers de l'*Énéide* dans *De musica*, II, 2.

surplus, contenait le « fruit » des cinq premiers[2]. C'est Possidius, en mission cet été-là à la Cour pour se plaindre des avanies que lui faisaient subir les païens dans sa bonne ville de Calama, qui se chargera de porter le *codex* ainsi que la lettre.

À défaut de pouvoir déjà apprécier la personnalité du destinataire, son statut, qu'il savait, suffisait à motiver les précautions d'Augustin. Le fils de Memorius, Julien, était diacre après avoir commencé par être lecteur dans l'église de son évêque de père. En cette Campanie où les lettres grecques n'avaient jamais cessé d'être en honneur, il avait reçu l'éducation classique d'un adolescent « *utraque lingua eruditus*[a] », très probablement complétée par un stage chez les rhéteurs de Rome. C'est sans doute aussi à Rome qu'il avait bénéficié d'une formation philosophique qu'on a cru pouvoir reconnaître comme fortement teintée d'aristotélisme[3]. Il avait au retour épousé la fille d'un évêque voisin, Aemilius de Bénévent. Les bénédictions n'avaient pas manqué aux deux jeunes époux, d'autant moins que Paulin de Nole, ami des deux familles, y était allé d'un épithalame qui proposait en exemple la chaste simplicité d'Adam et d'Ève avant la chute et, par son insistance sur celui qu'avait donné le mariage de Marie, suggérait aux jeunes gens de vivre leur union dans la continence que Paulin observait lui-même avec Therasia ; au pis, s'ils s'entendaient physiquement, le futur évêque de Nole pouvait-il envisager de les voir donner, dans la chasteté, naissance à une troisième génération de prêtres[b] ! Nous ignorons si cette hypothèse se réalisa et si le mariage de Julien fut fécond, mais il est certain que les hautes bénédictions dont il fut entouré avaient conforté le futur évêque dans sa confiance en l'excellence d'un sacrement assez fort pour exorciser le mal de la concupiscence[c] ; au temps de ses controverses avec l'évêque d'Hippone, nous savons qu'il vivait dans la continence, sans doute observée dès l'accès au diaconat. On perçoit toute la différence de cette expérience avec celle d'Augustin qui, au même âge, et même plus jeune encore, avait vécu avec la mère d'Adeodatus une relation certes durable, certes fidèlement assumée, mais ouvertement motivée par la seule satisfaction des besoins sexuels. Et, pour mieux situer par rapport au fils de l'évêque campanien la double « marginalité » de l'étudiant, puis du professeur à Carthage, on n'oubliera pas qu'en ces années il vivait cette relation hors mariage – sanctionnée par une naissance, mais sans validation sociale – dans une liberté fragile, privé tout aussi bien d'une franche

---

a. GENNADE, *De uiris illustribus*, 45.
b. PAULIN DE NOLE, *Carmina*, 25, v. 99-102, 153-168 et 231-238.
c. JULIEN D'ÉCLANE dans l'*Ad Florum*, cité dans *Contra Iul. opus imp.*, I, 70.

bénédiction de ce milieu manichéen hypocritement continent dans lequel il était alors à demi immergé[4].

À l'évidence, à l'époque de cet échange de lettres avec Memorius, Augustin n'avait aucune connaissance directe du jeune Julien, et il y exprimait son vif désir et son espoir de le voir venir à lui pendant qu'aucune charge majeure ne le retenait encore[a]. Et de fait le jeune homme se rendit en Afrique et séjourna à Carthage, où il dira plus tard avoir rencontré Honoratus, l'ami de l'évêque d'Hippone dédicataire du *De utilitate credendi*, alors encore manichéen[b]. Fut-ce en 410-411, quand tout Rome et une partie de l'Italie méridionale avaient reflué sur la rive d'en face, Pélage y compris[5] ? Si tel fut le cas, l'histoire s'était malignement répétée, car Augustin apparemment n'avait pas eu – et n'aura plus – l'occasion de rencontrer alors ce Julien avec qui il allait entretenir pendant plus de dix ans des dialogues de papier.

Peu de temps après, vers 416, le fils de Memorius fut consacré par le pape Innocent évêque d'Aeclanum, en Campanie, non loin des terres de Paulin. Quand, au début de l'année 417, Pélage fut une première fois condamné par Innocent alors à peu de semaines de sa mort, le nouvel évêque ne se manifesta pas. Était-il de ceux que visaient Alypius et Augustin dans leur lettre adressée cette même année à Paulin, dont ils savaient la sympathie intellectuelle ancienne pour Pélage ? Ils avaient entendu dire qu'il y avait autour de l'évêque de Nole, dans sa ville au moins, des gens résolus à mépriser Pélage et à l'abandonner s'il faisait sa soumission, plutôt que de le suivre dans sa capitulation[c]. La réhabilitation de Caelestius et de Pélage par Zosime, successeur d'Innocent, ne put que calmer ces éventuels remous, sans endormir la vigilance de leurs sectateurs. Mais un an plus tard la triple condamnation de l'empereur (30 avril 418), du concile général de Carthage (1er mai), enfin du pape lui-même (juin-juillet)[d], enclencha un mouvement de résistance dont Julien prit la tête. On se souvient que le pape Zosime avait durant l'été de 418 adressé à toutes les Églises, pour diffusion et souscription, une lettre-circulaire (*tractoria*) qui sanctionnait de façon définitive la condamnation de Caelestius et de Pélage. En Occident, l'affaire ne fit aucune difficulté, ni en Afrique, bien sûr, ni en Gaule, ni en Espagne. Mais en Italie un groupe de dix-huit évêques, mené par Julien, et centré sur deux foyers, l'un en Campanie, l'autre autour

---

a. *Ep.* 101, 4.
b. *Contra Iulianum opus imp.*, V, 26.
c. *Ep.* 186, 29.
d. Cf. *supra*, pp. 479-480.

d'Aquilée, aux confins illyriens, refusa de souscrire au texte papal. Le jeune évêque d'Éclane ne s'était pas contenté d'un refus passif : peu après le rescrit impérial du 30 avril, il avait participé à une assemblée romaine qui s'élevait contre la transmission du péché d'Adam et envoyé deux lettres de protestation au siège de Rome ; il avait aussi, en compagnie des dix-huit évêques italiens récalcitrants, signé à l'adresse de l'évêque Rufus de Thessalonique un texte qui mettait en accusation le clergé romain[a]. Surtout, Julien n'avait pas craint de s'adresser au comte Valerius, à Ravenne. Ce militaire de très haut rang, influent à la Cour, était sans doute depuis le printemps de 418 en contact avec Aurelius de Carthage et Augustin, dont il était l'un des relais dans les efforts faits pour peser sur la politique religieuse de l'empereur[6]. Julien lui écrivit pour réclamer, disait-il, des juges compétents ; mais en même temps il passait à l'attaque, accusant Augustin de dénigrer le mariage et d'en faire l'œuvre du diable[b]. À l'issue de la longue absence due au lointain déplacement qui l'avait mené jusqu'à Césarée de Maurétanie (Cherchel)[c], Augustin fut informé de ces manœuvres du jeune évêque d'Éclane par trois lettres du comte Valerius, apportées l'une par un évêque non africain, Vindemialis, les autres par le prêtre Firmus, qu'il trouva en même temps à son retour à Hippone en octobre 418[7]. Il répondit sans attendre à ces calomnies, au cours de l'hiver de 418-419, par le premier livre du *De nuptiis et concupiscentia*. C'était le début d'un long duel, qui ne prendrait fin qu'avec la mort d'Augustin.

LE LONG DUEL D'AUGUSTIN ET DE JULIEN D'ÉCLANE

Outre leur naissant différend dogmatique, bien des choses séparaient déjà Augustin et le jeune évêque d'Éclane, un « fils d'archevêque », comme nous dirions aujourd'hui – mais dans son cas c'était vrai à la lettre ! –, enfant gâté de cette Italie méridionale où, pour beaucoup, les Africains n'étaient guère, quoi qu'ils fissent, que des descendants d'Hannibal. On reparlera de la *falsitas Punica*[d] et, pour Julien, l'évêque d'Hippone sera le « discutailleur punique » (*Poenus disputator*) : Augustin, qui ne reniait rien de ses origines africaines,

---

a. Cf. *Contra duas ep. pelag.*, I, 3 et II, 5 ; *Contra Iulianum opus imp.*, II, 178.

b. Sur cette lettre au comte Valerius, cf. *De nuptiis et conc.*, I, 1.

c. Cf. *supra*, pp. 489 *sq.*

d. *Contra Iulianum opus imp.*, III, 78 ; cf. aussi III, 199, où Julien interpelle l'« Aristote des Carthaginois », et V, 11.

n'y verra pas une insulte, mais relèvera ironiquement le mot : « Ne méprise pas, fier de ta race terrestre, ce Punique qui t'admoneste ; ne va pas, parce que tu es né dans les Pouilles, t'imaginer pouvoir l'emporter par la naissance sur ces Puniques que tu es incapable de vaincre par l'esprit[a] ! » Pour ne rien arranger, le dialogue qu'ils mèneront pendant des années par livres interposés sera un dialogue décalé, un de ces échanges en perpétuel porte-à-faux, lorsque les lettres se croisent et que des deux côtés on est toujours en retard d'une réponse.

Instruit par ses précédents déboires, dus à son traitement hésitant et confus de l'affaire de Pélage, Zosime réagit cette fois-ci sans atermoiement ni faiblesse. Julien et ses collègues pélagiens furent condamnés et menacés de déposition, à moins de faire acte de soumission. Menacé de déposition, Julien l'était aussi d'exil, et un édit de Flavius Constantius, patrice et futur empereur, adressé à Volusianus, qui poursuivait cette année-là sa brillante carrière en qualité de préfet de la ville, l'interdit au moins de séjour à Rome. Mais la mort du pape, à la fin de cette année 418, et les difficultés de sa succession, disputée entre Eulalius et Boniface jusqu'en avril 419, lui donnèrent un répit de quelques mois.

Le livre I du *De nuptiis* d'Augustin parvint sans doute assez tôt, au printemps de 419, à Ravenne, entre les mains du comte Valerius, auquel il était dédié, en même temps que la lettre qui l'accompagnait et en annonçait l'envoi. Mais si le puissant comte en était le premier et principal destinataire[b], de toute évidence des copies en parvinrent aussi à Rome et furent vite diffusées en Italie ; si bien que Julien ne tarda pas à en prendre connaissance et à lui donner réplique sous la forme de quatre livres adressés à l'un de ses amis, du nom de Turbantius. Les livres de Julien circulèrent comme précédemment celui d'Augustin. À l'automne de 419, Alypius était en Italie pour une mission de longue durée qui se prolongera jusqu'au printemps de 420[8]. À Ravenne, où il séjourna assez longuement, il avait pu, sinon lire les textes de Julien, du moins en entendre parler par Valerius. Avant de rentrer en Afrique, il passera par Rome, où Boniface lui remettra, pour qu'il les transmette à Augustin, « deux lettres des pélagiens[c] ». Entre-temps, le comte Valerius avait fait composer à la hâte un écrit hybride, sorte d'assemblage où figuraient à la fois

---

a. *Ibid.*, VI, 18.

b. Cf. la formule finale de l'*Ep.* 200, 3.

c. Ce sont les deux lettres (l'une « aux Romains », l'autre la missive des 18 à Rufus de Thessalonique), qui motiveront la réplique d'Augustin intitulée *Contra duas epistulas pelagianorum.*

des textes d'Augustin – tirés du premier livre du *De nuptiis* – et leur réfutation sous la forme de passages cités ou résumés de l'*Ad Turbantium* de Julien[9]. Alypius se trouvait encore à Rome, pendant l'hiver de 419-420, quand Valerius, de Ravenne, le lui fit parvenir. Augustin l'aura entre les mains au retour de l'évêque de Thagaste, en avril ou peut-être seulement en mai 420[a], et il y répondra, sans attendre de disposer du texte intégral de Julien, par le deuxième livre du *De nuptiis*, dédié comme le premier au comte Valerius. Il semble bien que 420 fut pour l'évêque d'Hippone une de ces rares années de tranquillité où rien ne le contraignit à s'absenter de son diocèse[10] et tout au long de laquelle il put travailler à loisir ; on n'hésitera donc pas trop à placer aussi cette année-là sa rédaction – qui a pu empiéter sur l'année suivante – de la longue réfutation en quatre livres des « deux lettres des pélagiens », à l'intention du pape Boniface. Julien désignera Alypius, pour s'en moquer – « le petit valet des péchés d'Augustin[b] » –, comme le porteur à la fois du livre destiné à Valerius et de ceux adressés au siège de Rome[c]. On a récemment mis en doute un second déplacement à cette date[11] de l'évêque de Thagaste, au motif qu'Augustin ne pouvait mobiliser son collègue et ami, lui-même un prélat de haut rang, comme on le ferait d'un simple courrier, et on a voulu voir dans ces allégations de Julien « une invention de polémiste[12] ». Mais la publication récente des documents nouveaux relatifs à ces années dans la correspondance de l'évêque d'Hippone a mis en évidence que les fréquents voyages d'Alypius – et de quelques autres – en Italie en ces temps à bien des égards difficiles avaient en fait des motivations diverses dont le détail ne nous est encore que très partiellement connu, tout de même que l'action diplomatique dont l'évêque de Thagaste s'était fait une spécialité nous échappe encore très largement[13]. L'Église d'Afrique était alors engagée dans des combats qui ne visaient pas seulement à assurer le triomphe de ses positions en matière doctrinale, mais aussi à conforter une société minée par des difficultés économiques, écrasée par la pression fiscale, dangereusement menacée par une dégradation de l'ordre public dont les signes alarmants allaient se multipliant[d]. Et comme les hommes dont le comte Valerius donnait l'image étaient plutôt des exceptions au sein d'une haute administration impériale où la probité la plus exacte et

---

a. Nous savons par la nouvelle lettre 22*, adressée à Alypius, que ce dernier est encore en Italie à la date de cette lettre, soit en mars 420 : cf. *B.A.*, 46 B, p. 346 et p. 523 pour le commentaire.

b. Cf. *Contra Iulianum opus imp.*, I, 7 : « *uernula peccatorum eius* ».

c. *Ibid.*, I, 52 et 85.

d. Cf. *supra*, pp. 371-374.

le désintéressement n'étaient pas les vertus les plus répandues, on peut imaginer que pour parvenir à des fins dont ils n'avaient pas à rougir les évêques africains chargés de l'intendance – ce n'était pas le domaine d'Augustin – aient eu recours à ces pratiques dont s'offusquait Julien : les quatre-vingts chevaux engraissés dans les plaines de Numidie avant d'aller – dans les bagages d'Alypius ! – rejoindre les écuries de la cour impériale n'ont peut-être pas existé dans la seule imagination de l'évêque d'Éclane[a]. Mais ce dernier n'hésitait pas à en rajouter, évoquant les héritages des riches douairières africaines dissipés au feu de cette corruption, suggérant même – grave et invraisemblable calomnie – que l'argent des pauvres secourus par l'Église avait pu servir à l'entretien des fameux chevaux[b].

À peu près dans le temps où, selon les dires de Julien, Alypius convoyait à Ravenne ses pur-sang numides, Augustin recevait d'un de ses collègues – un évêque, sans doute italien, du nom de Claudius – les quatre livres de l'*Ad Turbantium*, avant d'être gratifié quelques mois plus tard d'une seconde copie par les soins d'Alypius, alors en Italie pour une troisième mission[c]. Il ne put que regretter la précipitation qui lui avait fait rédiger à la hâte la réfutation contenue dans le livre II de son *De nuptiis*, en s'avisant des différences importantes qu'il y avait entre le texte original et les extraits rassemblés dans le dossier réuni par le comte Valerius. Tout était à refaire, et de plus Julien et ses sectateurs pouvaient à bon droit crier à la caricature de leurs idées[d]. Sans perdre de temps, Augustin se mit au travail. On peut croire qu'en dépit de l'importance matérielle de cette nouvelle réplique le *Contra Iulianum* suivit d'assez près la réception du texte intégral de Julien et que dans les quelques mois de l'hiver de 421-422 furent dictés les six livres dont le plan est clairement annoncé dès la première page[e]. En son premier livre, Augustin montrera d'abord que sa doctrine était celle de l'Église, fondée sur une tradition antérieure, avant de rétorquer à son jeune adversaire que c'est lui qui, par ses idées, cautionne le manichéisme qu'il reproche à l'évêque d'Hippone. Le livre II sera, à l'appui des thèses des premières pages, un recueil des textes des Pères, orientaux comme occidentaux, qui s'opposent aux erreurs de Julien [14] : Augustin y évoquera notamment

---

a. *Contra Iulianum opus imp.*, I, 42 (cf. aussi 74).

b. *Ibid.*, III, 35.

c. Cf. *Ep.* 207, à l'évêque Claudius et, pour la seconde copie, portée par le diacre Commilito, *Ep.* 10*, 1.

d. Voir *Ep.* 207, et surtout les reproches de Julien, rapportés par Augustin dans son *Contra Iulianum opus imp.*, I, 16, 17, 19.

e. *Contra Iulianum*, I, 3, plan rappelé dans les *Révisions*, II, 62.

la mémoire de Jérôme, disparu en Palestine un an auparavant, à l'automne de 420 et qui, passé, comme il dit, de l'Occident à l'Orient, avait fait la liaison entre les deux Églises[a]. Quant aux livres III à VI, ils constituaient une réfutation détaillée, livre par livre, des quatre livres de l'*Ad Turbantium*.

Cependant le dialogue de sourds se poursuivait. Julien, à réception du livre II du *De nuptiis*, s'était lancé dans une réplique : ce seront les huit livres de l'*Ad Florum*, du nom d'un autre de ses compagnons demeuré, lui, fidèle à sa résistance ; car Turbantius fera vite amende honorable et sera réintégré dans la communion ecclésiale par le pape Célestin[b]. Mais Julien, du temps même du pape Boniface, sans doute en 420-421, était parti pour un exil en Cilicie, où, en compagnie de quelques évêques comme lui réfractaires à la *Tractoria* de Zosime, il s'était réfugié auprès de Théodore de Mopsueste, alors encore indemne du soupçon d'hérésie. Cette relégation lointaine explique qu'il ait ignoré le premier *Contra Iulianum*, et elle rend compte de la même manière du long retard avec lequel l'*Ad Florum*, pourtant composé au début de l'exil de Julien, mais au loin, parviendra à la connaissance d'Augustin. Dans une lettre qu'on doit dater du printemps de 428, l'évêque d'Hippone écrit en réponse au diacre carthaginois Quodvultdeus, futur successeur d'Aurelius[c], qui lui demandait d'écrire un bref traité sur les hérésies, qu'il est très occupé par sa réfutation « des huit livres que Julien a publiés », après les quatre auxquels il avait déjà répondu. C'est Alypius, dit-il, qui les a trouvés à Rome – lors d'une quatrième mission (en 427) : il a fait copier les cinq premiers qu'il a fait parvenir à Hippone, promettant de faire suivre les trois autres le plus vite possible. Augustin était alors très occupé par une tâche qu'il jugeait prioritaire, la rédaction de ses *Révisions*. Et il avait maintenant soixante-treize ans. Il se mettra pourtant vaillamment au travail, sacrifiant ses nuits à la poursuite des *Révisions* – il en avait terminé avec les livres, mais il lui restait à revoir ses lettres et ses sermons – et consacrant ses journées à répondre à Julien d'Éclane. À la date de sa lettre à Quodvultdeus, il entamait ses répliques au quatrième livre et se proposait avec beaucoup de courage, si au-delà du cinquième livre les autres ne lui parvenaient pas, de mener de front la prolongation de ses *Révisions* et la rédaction du *De haeresibus* réclamé par le diacre[15]. Les trois derniers livres de l'*Ad Florum* lui parviendront, mais la mort qui, le 28 août 430, l'enlèvera dans Hippone assiégée par les Vandales,

---

a. *Contra Iulianum*, I, 34 et II, 33.
b. Cf. *Ep.* 10*, 1 et *Contra Iulianum*, IV, 30.
c. Après le bref épiscopat intermédiaire de Capreolus.

laissera inachevée au milieu du sixième livre cette seconde grande réponse à Julien.

Julien d'Éclane survivra à Augustin, mais le pélagianisme pur et dur dont il avait été le dernier champion ne survécut pas à cet ultime combat dans lequel le vieil évêque avait jeté ses dernières forces. Lors de la mort d'Augustin, Julien et ses compagnons, dont Florus, venaient d'être condamnés une nouvelle fois par le pape Célestin, en dépit de la requête en leur faveur du patriarche de Constantinople, Nestorius, auprès duquel ils s'étaient réfugiés à leur départ de Cilicie, où ils avaient été assez vite déclarés indésirables. L'année suivante, le concile d'Éphèse (juillet 431) confirmait leur déposition. D'exil en exil, Julien acheva sa vie dans une retraite obscure, peut-être comme maître d'école en Sicile, une douzaine d'années plus tard.

Le bref historique de cette joute entre ces deux hommes qui écrivaient en parallèle, étalée sur quelque dix ans, avec des temps morts, des décalages et beaucoup d'imbroglios, met en évidence qu'ils ne pouvaient l'un comme l'autre éviter des redites, plus sensibles chez Augustin, dont les textes sont intégralement conservés [16], avec, parfois, de curieux effets d'« emboîtement [a] ». Il en ressort aussi que l'évêque d'Hippone, en position de défendeur face à un adversaire pugnace qui avait l'initiative de l'attaque, était ipso facto contraint de combattre sur le terrain choisi par cet adversaire, à entrer longuement dans des explications de plus en plus minutieuses et en fin de compte amené, presque inéluctablement, à durcir ses positions [17] – d'autant plus que Julien ne le ménageait pas et le poussait au bout de la patience à laquelle il s'était d'abord obligé vis-à-vis de ce bouillant cadet qui aurait pu être son fils. Sans s'encombrer de la moindre déférence envers son aîné – un « vieillard asthmatique [b] », dira-t-il –, le jeune évêque s'exprimait avec un franc-parler assez insolite, qui pourrait paraître rafraîchissant s'il n'était allé jusqu'à des écarts de langage choquants, même pour un Augustin pourtant peu porté sur la « langue de bois » ecclésiastique. Le tour de force réalisé lors de la rédaction de la seconde réponse, qui avait consisté à découper en courtes séquences le texte des livres de l'*Ad Florum* écrit au loin par l'exilé, en les faisant suivre par des répliques ponctuelles, avait donné l'illusion réussie d'un vrai dialogue entre les deux adversaires : d'un côté

---

a. Cf. par exemple *Contra Iulianum opus imp.*, I, 73, où Augustin cite l'*Ad Florum* citant lui-même le livre II du *De nuptiis*, qui répondait à l'*Ad Turbantium* !

b. *Contra Iulianum opus imp.*, V, 23. Cette impertinence est un souvenir de VIRGILE : *Géorgiques*, II, 135.

comme de l'autre, le mordant des formules n'en apparaissait que plus vif. Julien, qui avait lu d'assez près Augustin, faisait flèche de tout bois et ne respectait rien. Repéré dans les *Confessions*, le petit écart de jeunesse de Monique surprise à boire au tonneau dans la maison familiale devenait le stigmate d'une maladie honteuse dont le fils avait pu subir les conséquences dans sa chair[a]. Augustin était « plus obtus qu'un pilon de mortier[b] » et, pour avoir soutenu que chez les animaux la *libido* n'était pas un mal parce qu'en eux la chair ne convoitait pas contre l'esprit, il s'était vu décorer du titre de « patron des ânes[c] ». Julien n'admettait pas que le naturalisme fût limité aux bêtes.

Même au plus fort de son combat contre les donatistes, Augustin n'avait pas reçu de tels coups bas. Mais quelque chose d'autre encore exacerbait cet antagonisme. Julien renchérissait sur l'élitisme de Pélage. Il prétendait fonder ses convictions sur « les écrits des philosophes[d] » et voyait – ou feignait de voir – en Augustin l'apôtre d'une « foi du charbonnier » tout prêt à s'appuyer sur des « mouvements de foule » pour faire triompher ses idées et à convoquer au besoin la « populace », les « paysans » et même les « gens de théâtre[e] ». Il estimait que par la volonté d'Augustin et des évêques africains l'Église était dépossédée de sa direction théologique, au profit de l'opinion populaire[f]. Ce qui n'était, bien sûr, qu'un argument polémique, la seule chose vraie étant que son adversaire, quand il s'agissait du baptême des enfants, s'accordait parfaitement avec le sentiment populaire. À cela s'ajoutait un grief connexe : l'évêque d'Éclane, on le sait, était intervenu avec vigueur à la fois auprès de la Cour et auprès du siège de Rome pour obtenir un réexamen conciliaire de la condamnation de Pélage et de Caelestius ; il considérait, non sans quelque raison, que la fin de non-recevoir qui lui avait été opposée était un succès du « lobby » très influent que représentait l'Église d'Afrique en 418 auprès du pouvoir impérial. L'histoire encore récente de l'arianisme avait montré le poids du temporel dans les affaires spirituelles : un concile général pouvait être convoqué si telle était la volonté de l'empereur. Julien savait que le comte Valerius avait fait en sorte qu'une telle mécanique ne

---

a. *Contra Iulianum opus imp.*, I, 68 ; sur les faits, cf. *supra*, p. 27.

b. *Ibid.*, II, 117 et 159.

c. *Ibid.*, IV, 56 : « *patronus asinorum* ».

d. *Ibid.*, I, 41.

e. *Ibid.*, I, 33 : « *plebecularum cateruae* » ; I, 41 : « *uulgus* » ; II, 14 : « *rurales* », « *theatrales* ».

f. *Ibid.*, II, 2 : « *dogma populare* » ; cf. aussi II, 3 : tout est permis à la vile multitude et aux séditieux.

se mît point en branle[a]. Lui répliquant quelques années plus tard, Augustin reconnaîtra avec une belle franchise qu'il n'était pas question pour lui que les ennemis de la foi qu'il défendait pussent obtenir des puissances de ce monde « un temps et un lieu pour la mettre en discussion[b] ». Et le vieil évêque rappelait la douloureuse expérience des désordres causés par le donatisme en son Afrique ; très réelle et très sincère était sa crainte que le débat public voulu par Julien ne rallumât la guerre religieuse, avec de plus vastes embrasements.

LA CONCUPISCENCE ET LE PÉCHÉ ORIGINEL

Pour défendre son camp, Julien était passé à l'offensive. L'évêque d'Éclane connaissait le passé manichéen d'Augustin et n'avait pas tardé à comprendre le parti polémique qu'il pouvait en tirer[c]. Il était trop intelligent et trop fin théologien pour croire vraiment que l'anthropologie de l'évêque d'Hippone découlait du manichéisme de sa jeunesse, mais d'un point de vue tactique l'angle d'attaque était bien choisi : l'accusation n'était pas de celles qu'on pouvait traiter par le mépris. Et si Augustin y réagit si vite et se consacra si durablement à sa réfutation, c'est qu'il avait immédiatement perçu le danger de cette campagne centrée par Julien sur un sujet si sensible. Son jeune adversaire voulait faire croire – et d'abord aux puissants personnages qu'Alypius rencontrait à la Cour et qui étaient les fermes soutiens de l'Église d'Afrique dans sa croisade contre les pélagiens – que l'évêque d'Hippone, encore infecté par la doctrine de Mani, avait une dent contre le mariage, pierre angulaire d'une société qui n'était pas pressée de disparaître pour faire place à la cité céleste.

Julien, lui, n'avait pas besoin de se forcer pour chanter la bonté persistante de la nature créée par Dieu. Il avait eu une jeunesse heureuse, couronnée par son bonheur conjugal avec Titia, la fille d'Aemilius, évêque de Bénévent. Il était entré en continence en même temps qu'il entrait dans les ordres, mais ce court bonheur charnel ne lui avait pas laissé de souvenirs mêlés. À la différence d'Augustin, il l'avait vécu sans nul trouble. Cet émoi qui ébranle tout le corps, puis se fixe et se concentre pour permettre l'acte sexuel

---

a. *Ibid.*, I, 10 ; cf. aussi *De nuptiis*, I, 2, où Augustin reconnaît le rôle joué par le comte.

b. *Contra Iulianum opus imp.*, I, 10

c. Julien exploitait là aussi les récits des *Confessions*, notamment ce qu'Augustin y avait dit de Faustus (*Conf.*, V, 10-12) : cf. *Contra Iulianum opus imp.*, I, 25 et II, 147.

– il appelait « force de la volupté » (*uis uoluptatis*), cette « chaleur qui se fait sentir avant et pendant l'œuvre de chair[a] » – était pour lui l'agent voulu par Dieu pour rendre possible la procréation : l'union des sexes accompagnée de volupté avait été instituée et bénie par lui[b]. Cette *libido* était son œuvre, c'était lui qui, chez les hommes comme chez les animaux, allumait la flamme de la génération[c]. Cette ardeur (*calor genitalis*) était tout simplement la servante des époux ; elle était bonne en soi, il fallait seulement en contrôler les excès[d]. Pour Julien, le Christ lui-même n'avait pas été exempt de concupiscence : certes, il n'y avait pas cédé, mais elle était en lui comme une donnée de la nature humaine et sa vertu avait été de dominer cette *libido* sans l'existence de laquelle il n'y aurait eu que fausse incarnation. À ses yeux, Augustin, qui exemptait Jésus de concupiscence, n'était qu'un « apollinariste » et pour faire bonne mesure, l'évêque d'Éclane, qui dans le feu de la polémique n'hésitait pas à le lire de travers, allait jusqu'à accuser son adversaire d'avoir fait du Christ un eunuque[e] ! Au demeurant, Julien était assez cohérent dans sa christologie assez peu exigeante : puisque le Christ, disait-il, est né de Marie, dont la chair, comme celle des autres hommes, vient d'Adam par propagation[18], il faudrait dire que la chair du Christ n'est pas différente de la chair de péché ; mais lui se refusait à le dire, non pour la raison que par le fait de la conception virginale de Jésus Marie n'avait pas fait passer la concupiscence dans le corps de son fils – né ainsi seulement dans la ressemblance de la chair de péché, comme y insistera Augustin, après saint Paul (*Rm.*, 8, 3)[f] –, mais parce que pour lui il n'y avait pas de chair de péché, pour la simple raison qu'il n'y avait pas de péché originel[g].

De même qu'il renchérissait sur l'élitisme de Pélage, son suiveur renchérissait aussi sur son naturalisme. Pour le pire comme pour le meilleur. Les douleurs de l'enfantement subies par la femme étaient un effet de la nature, et non du péché ; pour Julien le châtiment dû à la manducation du fruit défendu n'avait pas été infligé à la nature humaine, mais à la seule personne d'Ève[h] ; ce qui était contradictoire, au minimum confus, et résultait d'une

---

a. *Contra Iulianum opus imp.*, V, 11 ; cf. aussi *De nuptiis*, II, 25.

b. *Contra Iulianum opus imp.*, II, 39.

c. *Ibid.*, IV, 38.

d. *Contra Iulianum* (la première réponse à Julien), IV, 7.

e. *Contra Iulianum opus imp.*, IV, 47-52.

f. *Ibid.*, VI, 22.

g. *Contra Iulianum*, V, 52.

h. *Contra Iulianum opus imp.*, VI, 26.

lecture biaisée de la *Genèse*, 3, 16, comme l'observait Augustin. Et si Adam, selon *Gn.*, 3, 19, devait retourner à la terre d'où il avait été tiré, sa mort pour Julien était naturelle – nous dirions « biologique » –, elle n'était pas la conséquence de son péché[a]. Non plus que la malédiction que Dieu avait lancée sur le sol et l'obligation pour l'homme, consécutive à la chute, de gagner désormais son pain à la sueur de son front (*Gn.*, 3, 17-19) n'étaient pour l'évêque d'Éclane des peines dues au non-respect de l'interdit divin : dans le même mouvement, il s'appuyait sur *Gn.*, 2, 15 – « Dieu plaça l'homme dans le jardin d'Éden pour le cultiver et le garder » – pour tenter de démontrer qu'avant la chute Adam ne menait déjà pas dans le Paradis la vie d'une créature spirituelle, sans souci, sinon idyllique. Comme le lui faisait remarquer Augustin, en dépit d'un mot convenu de Julien sur cette « agréable campagne » dont Adam était « l'innocent colon[19] », assez triste et laborieux, et plein de pesanteur bien humaine apparaissait le jardin d'Éden, à partir du moment où le pélagien s'appliquait à minimiser la faute initiale et son châtiment, à gommer le plus possible la différence entre l'avant et l'après[b]. Pour Julien, la volupté et la concupiscence étaient présentes au paradis avant le péché[c].

La logique de cette attitude voulait qu'à l'inverse la nature humaine, à la suite de cette faute d'Adam si atténuée[d], ne fût pas la *natura uitiata* d'Augustin, mais « une nature créée bonne par un Dieu bon, demeurée si saine chez les petits enfants qu'ils n'avaient pas à leur naissance besoin de la médecine du Christ[e] ». Julien n'avait plus rien à perdre ; libéré des petites prudences qui avaient longtemps entravé Pélage, il affichait clairement ses certitudes. Du péché il avait une définition unique, appliquée au seul qu'il reconnût, le péché propre ou personnel : le péché, disait-il, n'était autre que « la volonté mauvaise, libre de s'abstenir du mal vers lequel ses désirs la portaient[f] ». Cette définition, il ne l'avait pas inventée : non sans malignité il avait repris – et il ne manquait pas de le faire remarquer[g] – celle qu'Augustin avait proposée en 391/92 dans son texte *Sur les deux âmes* (§ 14)[h]. Non sans malignité ni mauvaise foi, car il savait bien – vérité que son interlocuteur dans ce dialogue

a. *Ibid.*, VI, 27.
b. *Ibid.*, VI, 27 et 41.
c. *Ibid.*, I, 71.
d. La faute d'Adam, dira-t-il, est « un péché parmi d'autres » : *ibid.*, VI, 23.
e. *Ibid.*, III, 138.
f. *Ibid.*, II, 17.
g. *Ibid.*, I, 44.
h. Cf. *supra*, p. 222.

reconstruit rétablissait aussitôt – que cette fameuse définition ne valait dans l'esprit de l'évêque d'Hippone que pour le « péché du premier genre », c'est-à-dire celui qu'Adam avait commis dans l'intégrité d'une liberté encore intacte[a]. Mais Julien n'avait cure d'entrer dans les perspectives de son adversaire. Pour lui cet axiome valable sans distinction pour tout péché en exonérait les enfants, « puisqu'il n'était pas de péché sans volonté, ni de volonté sans une absolue liberté, ni de liberté sans la faculté de faire un choix raisonnable[b] ». Et naturellement Julien était « créatianiste » ; il était de ceux, plus nombreux, nous l'avons vu, dans les Églises d'Orient que d'Occident, qui pensaient que les âmes étaient créées au coup par coup, à l'occasion de chaque naissance et qu'ainsi toute nouvelle venue humaine au monde s'inscrivait dans l'absolue pureté des origines[c]. On se souvient qu'à l'époque de cette controverse Augustin, lui, en était encore à hésiter entre un « créatianisme » aménagé et le « traducianisme » pur et simple[d]. Et il avouait à Julien son ignorance[e]. Mais il se trouvait maintenant en face d'un adversaire qui utilisait ce dernier terme non pas pour désigner ceux qui penchaient pour une transmission des âmes par génération, comme lui-même l'avait fait longtemps, mais, par un glissement de sens, pour stigmatiser, en les identifiant aux manichéens, ceux qui pensaient fermement, comme lui, que le péché originel se transmettait depuis Adam par propagation[f].

On se souvient que si la doctrine augustinienne du péché originel s'est formée dans une lente maturation qui avait débuté en 396 avec les exégèses pauliniennes de l'*Ad Simplicianum*, ce sont les premières joutes avec les pélagiens qui avaient eu pour effet d'en fixer la conception définitive[g]. De cette époque datent les premières citations, multipliées par la suite par Augustin, du texte (*Rm.*, 5, 12) qui en était pour lui le fondement scripturaire[20]. Ce lui était cependant source d'embarras, car il le citait[h] comme il le lisait dans la vieille traduction latine dont il disposait, où l'original grec était passablement défiguré : « *Per unum hominem peccatum in hunc mundum intrauit, et per peccatum mors, et ita in*

---

a. *Contra Iulianum opus imp.*, I, 47 ; cf. aussi les explications d'Augustin dans *Retract.*, I, 15, 4.
b. *Contra Iulianum opus imp.*, I, 48 et 60.
c. *Ibid.*, I, 24 et 25.
d. Cf. *supra*, p. 513 et *Contra Iulianum*, V, 17.
e. *Contra Iulianum opus imp.*, II, 178.
f. *Ibid.*, I, 6 et 66.
g. Cf. *supra*, p. 273 et 481 *sq.*
h. Cf. par exemple *De nuptiis*, II, 45 ; *Contra duas ep. pelag.*, IV, 7

omnes homines pertransiit, in quo omnes peccauerunt. » Julien le lisait exactement dans les mêmes termes[a], mais il le comprenait assez différemment. Il avait dû se référer à la version grecque, où *thanatos* (*mors*) était le sujet formulé de *pertransiit*, comme ce sera plus tard aussi précisé dans la Vulgate latine, et il s'en prévalait pour affirmer non sans raison – c'était la lettre du texte – que c'était la mort, et non le péché, qui s'était transmise à tous les hommes, une mort qu'il comprenait comme mort spirituelle, puisque pour lui Adam était voué à une mort biologique même avant la chute. Sur ce dernier point, Augustin avait eu quelque peine à fixer ses idées ; quand il rédigeait le livre XIII de la *Cité de Dieu*, vers 418, il comprenait que la menace de *Gn.*, 2, 17 avait trait à toutes les morts, y compris la « seconde mort, qu'aucune autre ne suit[b] », et il était sur cette ligne au temps de ses controverses avec Julien. Au demeurant, disait-il pour conclure cette passe d'armes, peu importait que *mors* ou *peccatum* fût le sujet grammatical de *pertransiit*, puisque c'était l'une comme l'autre qui avait été transmise à la postérité adamique[c]. Restait, dans cette phrase latine ambiguë, le *in quo*, ce relatif dont l'antécédent demeurait problématique. Le plus surprenant était que Julien, qui s'était déjà reporté au texte grec, ne le faisait pas dans ce cas ; l'explication de texte dont il avait gratifié ses lecteurs dans l'*Ad Florum*[d] n'était pas allée jusqu'à corriger ce relatif incongru qui, dans la version latine, avait indûment remplacé la locution conjonctive grecque, *eph'hô*, pourtant porteuse d'un sens temporel ou consécutif clair et satisfaisant, et en particulier plus favorable à la thèse pélagienne[21]. Pas plus soucieux de philologie qu'Augustin, Julien conservait cet *in quo*, dans lequel il était cependant tenté, suspectant la faute de la traduction latine, de reconnaître une locution conjonctive à valeur causale : « en raison de quoi[e] ». Ailleurs il semblait admettre le relatif, dont l'antécédent ne pouvait guère être qu'Adam – celui « en qui tous ont péché[f] » ; mais cela ne le gênait guère, car, comme Pélage avant lui[g], l'évêque d'Éclane tenait que la postérité d'Adam avait péché non par transmission, mais par imitation, par l'entraînement de

---

a. Cf. *Contra Iulianum opus imp.*, II, 35, 47, 57.

b. *Cité de Dieu*, XIII, 12.

c. *Contra Iulianum opus imp.*, II, 50, 63, 181. Cf. aussi II, 98 : transmission simultanée et rémission simultanée par le Christ de la mort et du péché.

d. *Ibid.*, II, 63.

e. *Contra Iulianum* (première réponse à Julien), VI, 75 : Augustin y voyait une manipulation du texte.

f. *Contra Iulianum opus imp.*, II, 63.

g. Cf. *supra*, p. 482.

l'exemple donné par le premier homme[a]. Quant à Augustin, il avait d'abord considéré que *quo* renvoyait à *peccatum*, et donc compris : « en lequel [péché] tous ont péché[b] ». Puis un coup d'œil qu'il semble avoir donné lui aussi au texte grec, et surtout sa lecture du commentaire de l'*Épître aux Romains* dans l'Ambrosiaster[c] – qu'il attribue curieusement à saint Hilaire – l'ont déterminé à référer décidément le relatif à Adam : « dans lequel [Adam] tous ont péché[d] ». En 418, quand il faisait insérer dans les Actes du concile de Carthage le fameux verset de *Rm.*, 5, 12, il n'avait plus aucun doute sur la façon de le lire.

Mais Augustin n'était pas un théologien de cabinet, arc-bouté sur des textes. Au naturalisme de Julien, à son optimisme, il opposait surtout les constats quotidiens de son expérience d'homme et de pasteur. Il lui suffisait de regarder autour de lui pour nourrir un pessimisme auquel sa méditation de saint Paul avait commencé à donner une trentaine d'années déjà auparavant ses fondements anthropologiques, mais dans lequel il s'efforçait pourtant de ne pas se complaire. Quiconque a lu dans le dernier livre de la *Cité de Dieu* le magnifique développement qui y occupe une place centrale a noté la volonté de l'évêque de faire la part belle à ce qu'il appelle le « bien originel », les chances que le Créateur a données à l'homme ici-bas et son attention à faire en sorte que le génie humain sache les exploiter, en dépit des graves handicaps consécutifs à la Chute[e]. Ce qu'on retient cependant plutôt, à l'ordinaire, de ce tableau célèbre est l'autre volet du diptyque, brossé en premier sans doute pour mieux mettre en valeur par contraste ce que l'homme doit à la bonté de Dieu, mais dont les sombres couleurs s'imposent davantage au regard, peut-être par l'intuition que l'on a qu'elles s'accordent au sentiment profond d'Augustin sur la misère de la condition humaine : « Cette vie même, s'il faut l'appeler vie, atteste par tant de maux si grands dont elle est pleine que toute la descendance des mortels a été condamnée[f]. » Quelques années plus tard, la complainte de l'humanité malheureuse, disgraciée et souffrante remplira maintes pages des livres écrits contre Julien. Nulle complaisance en

---

a. Cf. *Contra Iulianum opus imp.*, II, 47.

b. C'était encore sa lecture dans le *De pecc. mer. et remissione*, I, 11. Mais dans le même livre il écrivait peu après : « [...] *in Adam, in quo omnes peccauerunt* » (I, 55).

c. AMBROSIASTER, *Ad Rom.*, 5, 12 : « *In quo* – id est in Adam – *omnes peccauerunt* ». Sur l'Ambrosiaster, cf. *supra*, p. 255.

d. *Contra duas ep. pelag.*, IV, 7. Cf. aussi *De correptione et gratia*, 9.

e. *Cité de Dieu*, XXII, 24.

f. *Ibid.*, XXII, 22, 1.

elle, nulle délectation, mais, sinon une obsession, du moins le souci constant de montrer au chantre d'une humanité née dans l'innocence et libre de son destin spirituel que cette humanité était en fait marquée par les stigmates d'un mal héréditaire dont la guérison n'était pas en son seul pouvoir. C'était pour Augustin particulièrement patent dans le cas de l'enfance, qui lui paraissait supporter le poids principal, le plus « immérité » aussi, de cette damnation[a]. Indemne encore de tout péché personnel, l'enfant était la plus scandaleuse victime de cette concupiscence dont il était né.

C'était sur ce point qu'éclatait le plus vivement le discord entre l'évêque d'Éclane et l'évêque d'Hippone. Pour les besoins de la polémique, le premier caricaturait les positions du second sur le mariage, que, demeuré, disait-il, bon manichéen, il aurait continué à présenter comme l'œuvre condamnable du diable[b]. Quand leur débat avait commencé, cela faisait beau temps que la réflexion d'Augustin sur le sujet était parvenue à maturité. Comme souvent dans sa vie intellectuelle, une occasion était survenue pour l'inciter à préciser sa pensée. Cela avait été, au début de son épiscopat, les retombées alors encore récentes d'un pamphlet publié en 393 par Jérôme contre un moine romain du nom de Jovinien. Celui-ci, en s'élevant contre les progrès, qu'il jugeait excessifs, de l'ascétisme, avait par là même redonné, jusque dans les milieux cléricaux, ses chances au mariage contre la continence. De Bethléem, Jérôme était entré en lice en sens inverse, à sa manière habituelle, passionnée et violemment polémique. Dans les *Révisions*, Augustin dira qu'il s'était senti obligé d'intervenir pour rétablir l'équilibre en écrivant, sans doute peu avant 400, son livre *Sur le bien du mariage* [22]. Bien que l'ouvrage ne fût pas un plaidoyer vibrant en faveur du mariage, l'évêque avait cru bon, pour célébrer la continence face à l'état matrimonial, de rédiger la même année un livre *Sur la sainte virginité* : on attendait, dira-t-il, qu'il le fît[c] ! Ainsi rien n'était sacrifié, sur les aspects sociaux et religieux de la sexualité, des deux faces d'une pensée paulinienne – cf. *I Co.*, 7 et *Ép.*, 5 – à laquelle l'évêque était fidèle autant que le permettaient les conditions de son temps. Le premier des deux livres avait jeté les bases d'une théologie du mariage qui tenait en trois mots pour en définir le bien : *fides*, la fidélité des époux à la foi qu'ils s'étaient jurée ; *proles*, la procréation qui devait être l'unique fin de l'acte sexuel que le mariage impli-

---

a. *Contra Iulianum opus imp.*, II, 116 : « Les petits enfants attestent par leurs larmes qu'ils sont nés dans la misère. »
b. Cf. *De nuptiis*, II, 53.
c. *Retract.*, II, 23.

quait ; *sacramentum*, le lien indissoluble qui devant Dieu avait consacré l'union. De ces trois éléments constitutifs du « bien du mariage », l'auteur ne faisait pas mystère de la prééminence qu'il accordait au troisième.

Point n'était besoin non plus de lire entre les lignes pour s'aviser que les incidences charnelles du mariage, même limitées à leur fin prolifique, seule admise – et dans ces conditions tenues pour licites et honorables –, n'étaient pour l'évêque qu'un pis-aller. À ses yeux, faute d'une vie virginale, préférable pour lui comme elle l'était pour saint Paul, l'union chrétienne parfaite était celle qui était vécue dans la continence[a], une chasteté qui ne devait pas être seulement, s'il était possible, celle des vieux couples débilités par les ans. Quand il écrivait les *Révisions*, au plus fort de la controverse avec Julien, dans la notice consacrée au livre sur le mariage, il en avait cité deux phrases parmi celles qui faisaient à la *libido* la part la moins défavorable : « Ce qu'est la nourriture pour le salut physique de l'homme, l'union des corps l'est pour le salut physique du genre humain. L'une et l'autre ne vont pas sans un plaisir charnel qui, mesuré et réduit par la tempérance à son usage naturel, ne saurait être une passion [*libido*][b]. » Oui, mais le pasteur qui, dès sa grande campagne de prédication de l'été de 397, mettait en avant l'*Ecclésiaste* (3, 5) sur le temps des étreintes et le temps de l'abstention des étreintes n'était pas préoccupé outre mesure par le salut physique du genre humain[c]. Et le petit commentaire conciliant qui dans le texte de 426 suivait la citation du livre sur le mariage – « l'usage bon et droit de la passion n'est pas passion » – ne pouvait faire oublier la terrible analyse de la *libido* qui court tout au long des deux livres de 419-420 *Sur les noces et la concupiscence* et dans les réfutations de Julien qui ont suivi.

Pour avoir vécu pendant près de quinze ans avec la mère d'Adeodatus une relation sexuelle hors *sacramentum*, mais dans la *fides* Augustin savait de quoi il parlait quand il s'attaquait à la sexualité. Nourrie par le souvenir, sa description du désir et du plaisir était précise autant que le lui permettait son latin d'évêque qui ne pouvait aller, lui, jusqu'à braver l'honnêteté. S'il feignait d'ignorer ce qu'il en était de la volupté féminine[d], et de la force du désir chez l'autre sexe, il lui suffisait, pour le sien, de puiser dans sa mémoire. Il y

a. *De bono coniugali*, 15.

b. *Retract.*, II, 22, 2, citant *De bono coniugali*, 18.

c. Cf. *Sermon Dolbeau* 12 (*Mayence* 41), 11 (*Vingt-Six Sermons* [...], p. 82), et *supra*, pp. 574-575.

d. *De nuptiis*, II, 26 : « Aux femmes de voir ce qu'elles ressentent dans le secret de leurs entrailles. »

retrouvait ce sentiment de mort à soi-même, qu'il ne qualifierait plus maintenant de délicieux, s'il l'avait jamais fait, car ce qui subsistait c'était ce constat que l'acte sexuel submergeait l'âme et oblitérait toutes choses, qu'on en sortait comme on émerge d'un abîme[a]. « La besogne absorbe toutes les fonctions de l'âme », tout comme l'éternuement, dirait plus tard Pascal, lequel avait lu Montaigne qui la comparait, lui, au sommeil et s'en offusquait moins. Avant de parvenir à cette « extase », le corps se mobilisait d'une façon tout à fait indépendante de la volonté, au gré de pulsions incontrôlables par l'âme[b]. De toutes les passions humaines, la *libido* était la seule qui pût anéantir la vigilance de la pensée ; sa force non dominée était telle qu'il arrivait qu'elle se divisât contre elle-même, « ébranlant l'âme sans ébranler le corps[23] ». Là était le mal de la concupiscence, qui faisait que l'homme avait perdu son pouvoir sur ses propres membres. Ainsi, Adam et Ève, en transgressant l'interdit divin, s'étaient laissé envahir par une autre loi opposée à leur esprit. En représaille – *poena reciproca* – de leur désobéissance, leur chair à son tour désobéissante s'était soulevée d'une vie propre[c] ; le mépris de Dieu avait eu d'abord cette conséquence sexuelle immédiate. C'est alors seulement qu'ils avaient eu honte de leur nudité, couverte à la hâte. Depuis lors cette nudité était proscrite en public, seulement tolérée par le naturalisme grec au gymnase et dans la palestre, et les Cyniques avaient échoué dans leur tentative pour la remettre en honneur[d]. De là découlait cette universelle pudeur qui depuis des temps immémoriaux faisait que l'acte sexuel même le plus licite, même dûment sanctionné par le mariage, était partout accompli dans le secret de l'intimité, à l'abri de tout regard.

La chair avait convoité contre l'esprit, répétait souvent Augustin avec les mots de saint Paul (*Ga.*, 5, 17) et avait ainsi fait naître en l'homme le pire désordre, dont une sexualité mal contrôlée n'était qu'une manifestation entre autres, mais la plus lourde de conséquences, puisqu'elle était à la source de toute vie. L'évêque s'interrogeait sur *Gn.*, 1, 28 : « *Croissez et multipliez-vous.* » Comment entendre cette invite à la procréation adressée au premier homme avant le péché ? Augustin avait beaucoup hésité sur la réponse à donner à cette embarrassante question. Vers 418, à l'époque précisément où commençait la joute avec Julien, il confirmait dans la *Cité de Dieu*

a. *Contra Iulianum*, IV, 71. Voir déjà *Cité de Dieu*, XIV, 16, sur l'anéantissement de la pensée lors de l'acte.

b. *De nuptiis*, I, 7. Le thème figure déjà en 412 dans le *De peccatorum meritis*, I, 57.

c. *Cité de Dieu*, XIII, 13 ; *Contra duas ep. pelag.*, I, 32.

d. *De nuptiis*, I, 24, et *Cité de Dieu*, XIV, 20, sur les Cyniques.

ce qu'il avait commencé d'envisager dans son traité *Sur la Genèse selon la lettre*[a], à savoir que le premier couple aurait pu avoir des enfants avant la chute : « Sans le péché, des noces dignes de la félicité du paradis auraient engendré une descendance aimable sans honteuse concupiscence[b]. » Mais comment ? Augustin ne tombait pas dans l'angélisme, car il ne lui échappait pas qu'Adam vivait au jardin d'Éden dans un corps « animal[24] ». Mais, s'il lui conservait un sexe, ainsi qu'à sa compagne, c'était avec un mode opératoire analogique des autres membres du corps, obéissant aux ordres de la volonté[c], sans passion d'un côté comme de l'autre dans la conception, sans douleur pour la femme dans l'enfantement[d]. Ou bien la concupiscence aurait été nulle, et dans l'acte de chair les organes génitaux auraient servi à nos premiers parents « comme leurs mains à des ouvriers », ou bien cette concupiscence aurait été tellement assujettie à la volonté qu'elle n'aurait jamais pu imposer ses pulsions indépendamment d'elle[25]. Ces spéculations, l'évêque le reconnaissait, introduisaient dans un autre ordre de réalité ; notre expérience ne nous permettait pas de les valider, elles étaient du domaine de la foi[e].

Libre à nous de tenir pour rêverie cette vision d'une sexualité sans *libido*. Elle n'avait cependant pas pour seul objet de tenter de répondre à une vraie question théologique : en opposant ainsi une sexualité soumise à l'esprit à l'acte charnel animé par la concupiscence – cette concupiscence dont Julien, était-il répété, se faisait honteusement l'avocat[f] –, l'évêque voulait mettre en évidence le gouffre qui séparait la postérité d'Adam et Ève après le péché de la descendance spirituellement intacte qu'ils auraient pu avoir s'ils n'avaient, par une manifestation d'orgueil et de révolte, transgressé aussi rapidement l'interdit divin. Moteur de la génération charnelle, la concupiscence était à jamais l'agent de transmission de leur péché. « Parce que son péché avait été si grave qu'il avait entraîné une grave détérioration de sa nature », Adam s'était mué, d'« olivier franc » qu'il était, en « olivier sauvage », et il avait à sa suite trans-

---

a. *De Genesi ad litt.*, IX, 8-9 : Adam et Ève n'avaient pas eu le temps de se mettre à l'œuvre avant la chute !

b. *Cité de Dieu*, XIV, 23, 2, et XIV, 26. Voir déjà, vers 410, *De Genesi ad litt.*, IX, 18.

c. *Contra Iulianum*, IV, 62 : c'est la volonté qui eût mis en branle le membre viril, non la chair convoitant contre l'esprit.

d. *De gratia Christi et de pecc. orig.*, II, 40.

e. *Ibid.*, II, 40-41.

f. La concupiscence était sa « belle cliente » (*pulchra suscepta*) : *C. Iulianum opus imp.*, II, 59, 218 et 226.

formé tout le genre humain en olivier sauvage[a]. De même qu'il faut greffer l'oléastre pour en faire un bon olivier, de même la greffe du baptême rachetait chez le baptisé la faute du péché originel, mais sans supprimer radicalement dans sa nature viciée les potentialités malignes de la concupiscence[26]. Et de même qu'un olivier franc ne produit naturellement qu'un sauvageon, au même titre que l'olivier sauvage, de même manière le chrétien baptisé n'engendre naturellement, du fait de la concupiscence qui continue à l'habiter et se manifeste en acte dans la génération, qu'une créature sur laquelle pèse toujours le péché originel[b]. La grâce du baptême en effaçait chez l'enfant la culpabilité, et l'aidait ensuite à ne pas y ajouter des péchés personnels dont la permanence en lui de la concupiscence – la traduction sexuelle n'en était qu'un des aspects – rendait toujours possible la survenue jusqu'à la fin de sa vie terrestre. Même le plus saint des ascètes n'était pas exempt de ce risque. Pour le limiter, sinon pour l'éliminer, Augustin ne voyait guère, outre une vie de vertu et de continence[c], que la quête et la pratique inlassables de l'amour d'autrui et de l'amour de Dieu : « Plus l'amour de Dieu établit son règne sur l'homme, moins il est l'esclave du péché[d]. »

LA LIBERTÉ ET LA GRÂCE

S'il importait tant à Augustin d'affirmer la force néfaste de la concupiscence – à la fois conséquence et agent de transmission du péché originel –, entendue largement comme le désordre en nous qui nous incline au mal et nous détourne du bien, c'est que ce débat était lui-même au cœur d'un débat plus fondamental encore, celui qui touchait au libre arbitre et à sa relation avec la grâce.

L'évêque d'Hippone devait être face à Julien un peu comme ces professeurs qui soupirent à l'arrivée d'une nouvelle classe de devoir encore une fois répéter ce dont ils avaient dûment traité dans les cours précédents ; il n'était pas question d'y renvoyer sans plus le nouveau venu. Et pourtant il y aurait trouvé des réponses satisfaisantes, il aurait fait faire à Augustin l'économie de fastidieuses redites, il lui aurait enfin évité l'occasion de se mettre lui-même,

---

a. *De nuptiis*, I, 37.

b. Le thème figure vers 419 dans l'*Ep.* 194, 44 (à Sixte) ; en 420 dans *C. duas ep. pelag.*, I, 11 ; cf. encore *Contra Iulianum*, VI, 15.

c. *De nuptiis*, I, 28.

d. *Enarr. in Psalm.* 118, s. 27, 6 : « *Quanto magis regnat in quocumque dei caritas, tanto minus ei dominatur iniquitas.* »

par ses ultimes développements sur la grâce nécessitante et la prédestination, aux frontières de l'hérésie.

Tout avait été dit, ou presque, dès 396 avec les exégèses pauliniennes de l'*Ad Simplicianum*, qui avaient, sur le libre arbitre, largement corrigé les analyses, « pélagiennes » avant la lettre, du *De libero arbitrio*, particulièrement dans les premiers textes de ce traité[a]. On se souvient que le vieil évêque, relisant pour les *Révisions* le premier des deux livres adressés à Simplicianus, avait non sans une certaine ambiguïté résumé ainsi ce qui lui paraissait l'essentiel de son propos : « Dans la solution de cette question, je me suis beaucoup évertué en faveur du libre arbitre de la volonté humaine, mais la grâce de Dieu l'a emporté[b]. » Qu'eût-ce été s'il ne s'était pas évertué ! aurait sans doute dit Julien d'Éclane, s'il avait pu lire ce dernier commentaire. Mais, sur le fond, c'est à peu près ce qu'il avait compris lui-même, quand il reprochait véhémentement à Augustin d'avoir, dans son anthropologie, évacué totalement le libre arbitre[c]. En réalité – et il suffisait pour s'en convaincre de relire déjà maintes pages des textes de 396[d] – Augustin maintenait le libre arbitre parmi les biens inaliénables de l'homme dans la définition qu'il en avait toujours retenue, celle d'une libre décision volontaire, du choix d'une volonté libre, libre du moins de toute contrainte extérieure[e]. Cette faculté, toute théorique dès lors qu'on entrait dans le domaine moral, l'évêque la réaffirmait dans sa réplique aux deux lettres des pélagiens adressée en 420 au pape Boniface : « Qui de nous oserait affirmer que par le péché du premier homme le libre arbitre a disparu du genre humain[f] ? » Mais ce que les textes de cette époque apportaient de plus, c'était une distinction plus nettement affirmée entre libre arbitre et liberté. Dès les pages écrites en dialoguant avec Evodius à Rome en 388, Augustin avait donné un aperçu de son exigence la plus grande quand ce dernier mot était prononcé : il n'y avait de vraie liberté que « celle des hommes heureux attachés à la loi éternelle[g] ». Cette liberté-là, c'était celle que les élus auront en partage au ciel. C'est aussi celle dont jouissait Adam au paradis, la liberté, comme il est dit dans un texte de 420, « de posséder, avec l'immortalité, la plénitude de la justice[h] » : c'est-

---

a. *Supra*, p. 273.
b. *Retract.*, II, 1, 1.
c. *Contra Iulianum opus imp.*, I, 85 (allusion à *C. duas ep. pelag.*, I, 4) et VI, 7.
d. Cf. *supra*, pp. 270-271.
e. C'était la définition du *De libero arbitrio*, III, 8.
f. *Contra duas ep. pelag.*, I, 5.
g. *De libero arbitrio*, I, 32.
h. *Contra duas ep. pelag.*, I, 5.

à-dire de vivre sans finitude une vie moralement irréprochable sous le regard de Dieu créateur et selon ses critères. Mais alors que les élus au ciel sont protégés de tout risque de perdre cette liberté par leur adhésion définitive à Dieu, Adam par son péché en a été déchu comme il a été déchu de l'immortalité. De cette liberté initiale du premier homme avant la chute il ne nous reste plus qu'un libre arbitre dont les possibilités de choix, obérées par les servitudes d'une nature viciée, s'inscrivent désormais dans la brève durée d'une vie de mortel[a].

Contrairement à ce que disaient Julien et les pélagiens en général, Augustin prenait cependant toujours un soin extrême à préserver ce libre arbitre sans le maintien duquel la grâce perdrait son point d'application. Ce sera fortement affirmé quand le débat suscité par les pélagiens rebondira en Afrique même et que l'évêque devra, en 426, apaiser le trouble qui s'était élevé dans une communauté monastique à Hadrumète (Sousse). Un membre de cette communauté, Florus, avait à l'occasion d'un retour à Uzalis, dont il était originaire, découvert dans la bibliothèque d'Evodius le texte de la lettre – l'*Epistula* 194 – adressée en 418 par Augustin au futur Sixte III pour le mettre en garde contre les pélagiens ; de cette lettre qui était un véritable condensé de la doctrine augustinienne de la grâce[b] il avait fait prendre une copie dont la diffusion imprudente avait semé l'émoi dans le monastère d'Hadrumète. Augustin dut intervenir, écrire au supérieur, l'abbé Valentinus, à l'insu duquel cette agitation s'était d'abord développée, et composer un long texte pour expliquer ses positions aux frères d'Hadrumète[c]. Il y insistait sur les textes des Écritures qui impliquaient, qui démontraient même l'existence en l'homme, face à Dieu, du libre arbitre[d]. Toujours vivant dans l'esprit de l'évêque était le souvenir du jeune manichéen des années carthaginoises, trop heureux de pouvoir se dire que ce n'était pas lui, mais en lui quelque nature étrangère qui péchait[e]. Il refusait énergiquement tout déterminisme, fût-il divin. Il écrivait ainsi aux moines d'Hadrumète : « Que personne n'accuse donc Dieu dans son cœur, mais qu'il s'impute à soi-même son péché quand il pèche ; et à l'inverse, quand il agit selon Dieu, qu'il n'en dépossède pas sa volonté propre. C'est en effet lorsque la

---

a. Augustin était parvenu à cette analyse définitive des limitations du libre arbitre à la suite du péché originel dès l'époque – vers 390/91 – du livre III du « Traité du libre arbitre » : cf. *De libero arbitrio*, III, 52.

b. Voir en particulier *Ep.* 194, 9 sur l'absolue gratuité de la grâce.

c. Ce seront les lettres 214 et 215 à Valentinus et le *De gratia et libero arbitrio*.

d. *De gratia et libero arbitrio*, 2, 4, 5, 6.

e. *Conf.*, V, 18 ; cf. *supra*, p. 66.

volonté dirige l'action qu'on doit dire que l'œuvre est bonne et qu'alors on doit espérer, de cette œuvre bonne, récompense de celui dont il est dit qu'il *rendra à chacun selon ses œuvres* [*Mt.*, 16, 27 ; *Rm.*, 2, 6][a]. »

Jusque-là, rien que Pélage et Caelestius, et maintenant aussi Julien d'Éclane, n'eussent pu eux-mêmes écrire. Mais Augustin poursuivait. Second volet de cette longue homélie prêchée à distance, il donnait à entendre aux moines, en se référant précisément aux vœux de continence qu'ils avaient prononcés, que leur assentiment à la parole évangélique – « *tous ne comprennent pas ce langage, mais seulement ceux à qui c'est donné* » (*Mt.*, 19, 11) – était à la fois don de Dieu et effet du libre arbitre[b]. Prenant toutefois quelque distance par rapport aux affirmations radicales de l'*Ad Simplicianum* – comme il le faisait aussi dans les prêches de cette époque déjà lointaine[c] –, l'évêque, s'adressant à des *serui Dei* et tenant compte de la rudesse de leur engagement, infléchissait d'abord son discours sur le libre arbitre et la grâce dans le sens des formules équilibrées déjà mises en œuvre dans une série de textes datant des premières controverses avec les pélagiens : la grâce venait en aide au libre arbitre, elle ne le supprimait pas[d]. Le libre arbitre encore une fois était sauvé, mais comme pur réceptacle de la grâce, ou comme le simple instrument humain de la transcendance divine. À l'avance, Augustin répondait à l'objection qu'il pressentait de la part des destinataires de son livre : si la vie éternelle est la rétribution des œuvres bonnes (*Mt.*, 16, 27 ; *Rm.*, 2, 6), comment peut-on dire d'elle qu'elle est un don de la grâce, dont l'octroi est gratuit et indépendant des œuvres bonnes ? La réponse était prête, appuyée sur *Jean*, 15, 5 (« *Sans moi vous ne pouvez rien faire* ») et sur l'*Épître aux Éphésiens*, 2, 8-10 : nos bonnes œuvres elles-mêmes, qui nous valent la vie éternelle, sont un don de la grâce[e]. Loin que la grâce nous soit donnée selon nos mérites, nos mérites commencent à partir du moment où la grâce nous est donnée. Augustin aurait pu prendre son propre exemple, renvoyer à ses *Confessions*, répéter le déjà fameux « *Da quod iubes et iube quod uis* » ; mais il préférait illustrer son propos en se référant à l'Apôtre, en commentant le célèbre verset

---

a. *De gratia et libero arbitrio*, 4.

b. *Ibid.*, 7 et 8, *in fine*.

c. Cf. *supra*, p. 280.

d. *De gratia et libero arbitrio*, 9. Cf. *De spiritu et littera* (printemps de 412), 5 ; *Ep.* 157 (lettre à Hilarius datée de 414), 5 et 10 ; *sermon* 26 (18 octobre 418), *passim*. Voir aussi *Enarr. in Psalm.* 78, 12 : « Celui qui est aidé agit aussi par lui-même. »

e. *De gratia et libero arbitrio*, 19-20

de *II Tm.*, 4, 7 : « *J'ai combattu le bon combat, j'ai achevé ma course, j'ai gardé la foi* », qui lui paraissait dans son raccourci résumer magnifiquement l'assomption de la grâce tout au long d'une vie chrétienne, de l'*initium fidei* à la persévérance dans la foi[a]. Et, citant une fois de plus *I Co.*, 4, 7 : « *Que n'as-tu que tu n'aies reçu ?* » il n'hésitait pas à dire : « Si donc tes mérites sont des dons de Dieu, Dieu ne couronne pas tes mérites comme tes mérites propres, mais comme ses propres dons[b]. »

La liberté du chrétien, c'était le libre arbitre informé et animé par la grâce, laquelle donnait à la volonté humaine la capacité de vouloir le bien et de l'accomplir. Quand il s'agissait notamment de l'accès à la foi, de l'*initium fidei*, l'insistance d'Augustin sur un verset des *Proverbes* qu'il citait et commentait souvent[27] – « *Praeparatur uoluntas a Domino* » : *Pr.*, 8, 3, selon le texte des Septante – témoignait de sa volonté de maintenir la difficile conciliation de la liberté et de la grâce[28]. Ou plutôt, parce que cette conciliation lui paraissait théologiquement impossible, il cherchait « à mettre en harmonie la volonté salvifique inconditionnée de Dieu avec la volonté humaine, de telle sorte que la toute-puissance divine opère bien chez les élus sans préjudice de la liberté[29] ». C'est peut-être à propos de la conversion de saint Paul, dans sa réplique aux deux lettres de Julien d'Éclane, en 420, que l'évêque avait eu les mots les plus heureux pour décrire cette opération de la grâce « sans préjudice de la liberté ». Il citait *Jean*, 6, 44 : « *Personne ne peut venir à moi si mon Père, qui m'a envoyé, ne l'attire* », et il commentait : « Car il n'a pas dit "ne le conduit", en sorte que nous puissions y voir en quelque manière une volonté antérieure. Qui serait attiré si déjà il le voulait ? Et pourtant personne ne vient, à moins de le vouloir. On est donc attiré à vouloir selon des modes merveilleux par celui qui sait agir intérieurement dans le cœur même des hommes, non pour que les hommes croient sans le vouloir, ce qui est impossible, mais pour que leur non-vouloir se change en vouloir[c]. » Mais, dans le texte adressé aux moines de Byzacène, l'évocation de cette divine magie avait parfois laissé la place à des formules plus raides que des âmes simples, quotidiennement confrontées aux dures exigences d'une ascèse physique et morale, pouvaient juger injustes pour leurs efforts et démobilisatrices, comme lorsque l'évêque écrivait que « c'était le Tout-Puissant qui mettait en action dans le cœur des hommes le mouvement même de leur volonté, afin de faire par eux

---

a. *Ibid.*, 16-17.
b. *Ibid.*, 15, *in fine*.
c. *Contra duas ep. pelag.*, I, 37

ce qu'il avait lui-même résolu de faire par eux[a] ». Saint Paul assurément ne disait pas autre chose dans son *Épître aux Philippiens* (2, 13 : « *Dieu opère en vous le vouloir et le faire* »), si souvent citée et commentée par Augustin depuis 396[b].

L'intérêt, entre autres, de cet échange inégal avec les *serui Dei* d'Hadrumète est de montrer quelle pouvait être la réception des écrits théologiques d'Augustin dans un milieu certes a priori « orthodoxe », mais peu expert en théologie, apparemment peu au fait, dans le détail, du combat mené dans les années précédentes contre le pélagianisme par l'Église d'Afrique à l'instigation d'Augustin, et par ailleurs assez représentatif de la « base » du peuple chrétien d'Afrique en dépit des spécificités de la vie monastique. L'abbé Valentinus remercia l'évêque avec effusion et se dit, comme le frère Florus, qu'il envoyait en mission à Hippone, pleinement édifié par les textes reçus[30]. Mais il se trouva au moins un moine pour dire qu'« il ne fallait pas reprendre quelqu'un s'il n'observait pas les commandements de Dieu : il suffisait qu'on prie pour lui afin qu'il les observe[c] ». Et ce moine était visiblement le porte-parole d'un groupe de frères peu convaincus par la doctrine augustinienne de la grâce, qui leur semblait entraîner la perte de leur responsabilité en tant que pécheurs, pour le pire mais aussi pour le meilleur, pour l'assurance de salut dont ils pensaient pouvoir bénéficier grâce aux mérites de leurs vies ascétiques. Pourquoi, disaient-ils, leur prescrivait-on d'éviter le mal et de faire le bien, si ce n'était pas eux qui le faisaient, si c'était Dieu qui en eux opérait le vouloir et le faire[d] ? Eux aussi citaient *I Co.*, 4, 7, mais c'était pour affirmer qu'ils ne pouvaient être tenus pour répréhensibles d'un manquement à un don qu'ils n'avaient pas reçu[e], ni justiciables de correction pour d'éventuelles rechutes, si cet autre don de Dieu qu'est la persévérance ne leur était pas échu[f]. Bref, ils refusaient l'enseignement de saint Paul dans la rigueur doctrinale qu'il revêtait chez Augustin.

Face à cet avatar du pélagianisme dont il surprenait le surgissement en cette Byzacène trop ouverte aux vents venus de l'Orient, l'évêque réagit très vite. Florus regagna Hadrumète porteur d'une

---

a. *Ibid.*, 42.

b. Pour le présent texte, *ibid.*, 33.

c. *Retract.*, II, 67.

d. *De correptione et gratia*, 4.

e. *Ibid.*, 9. C'était reprendre terme pour terme une objection pélagienne que ces moines d'Hadrumète avaient pu lire dans l'*Ep.* 194, 22, telle que la rapportait Augustin.

f. *Ibid.*, 10.

nouvelle mise au point dictée à la hâte. Comme on pouvait s'y
attendre, l'auteur n'y retranchait rien de sa théologie de la grâce ;
quand il s'agissait de la persévérance, il en précisait même l'expression, très consciemment. Dans son tout dernier ouvrage, à peu de
mois de sa mort, il reviendra sur l'importance, à cet égard, du second
texte adressé aux frères d'Hadrumète : « Dans mon livre intitulé *De
la correction et de la grâce*, je crois avoir établi que la persévérance
finale est elle aussi un don de Dieu, de telle manière, si ma mémoire
ne me trompe, que nulle part, ou presque nulle part auparavant je
ne me suis exprimé sur ce sujet aussi expressément et clairement[a]. »
Quelques lignes plus loin dans le même texte, d'une manière significative de son désir de mettre en évidence la continuité et la cohérence de sa réflexion sur la grâce depuis au moins une trentaine
d'années, Augustin fera valoir à ses opposants – en l'occurrence il
s'agissait alors, nous le verrons, des moines de Provence – que la
ligne qu'il suivait sur l'indépendance du don de la foi par rapport
aux mérites était déjà fixée dans la seconde partie du premier livre
adressé à Simplicianus en 396. Et il était vrai, comme il le disait,
qu'il avait dès lors établi que même l'*initium fidei* était un don divin,
et que dans ces pages était déjà inscrit mieux qu'en filigrane « que
la persévérance finale est elle aussi un don de celui qui nous a
prédestinés à son royaume et à sa gloire ». Mais ce qui pouvait déjà
se déduire était maintenant mis en pleine lumière.

À Augustin, d'ordinaire si soucieux de discipline monastique,
n'échappait pas le grave danger que faisait courir au monastère dirigé
par Valentinus la notion d'irresponsabilité que les moines d'Hadrumète prétendaient tirer de ses écrits : si leur volonté dépendait de
Dieu, disaient-ils, leur supérieur devait se dispenser de leur faire
reproche et se contenter de prier pour eux. Mais alors c'en était fait
de toute vie communautaire. Le *De correptione et gratia* ne manquait
donc pas d'insister d'abord sur la nécessité de la correction fraternelle, tout particulièrement pour celui qui, ayant reçu la grâce par
le baptême, l'a perdue du fait d'une volonté restée libre pour le mal[b].
Sur la doctrine non plus, l'évêque ne faisait aucune concession aux
moines. Comme la grâce de la régénération, la grâce de la persévérance était un don divin : il fallait prier pour la recevoir, mais, faute
de l'obtenir, on retombait, en compagnie de ceux qui n'avaient pas
reçu l'appel, en compagnie aussi des enfants morts avant le baptême,
dans la *massa perditionis* issue du péché d'Adam[c]. Tous ceux-là,

---

a. *De dono perseuerantiae*, 55.
b. *De correptione et gratia*, 9.
c. *Ibid.*, 12-13.

« la prescience et la prédestination de Dieu ne les avait pas discernés de cette masse de perdition[a] ». La conjonction dans cette même phrase de ces deux mots, qui va devenir banale dans les textes de cette époque, était une image assez saisissante du chemin parcouru depuis qu'en 394, alors qu'il commentait pour la première fois les textes clefs de saint Paul, la réponse d'Augustin face au problème de l'élection de Jacob et de la réprobation d'Ésaü avant même leur naissance (*Rm.*, 9, 11-13) avait consisté à faire entrer en jeu la prescience divine[b]. Piètre réponse, ironisait-il en 418 dans sa lettre à Sixtus, en constatant que les pélagiens en étaient restés là[c], alors qu'il avait lui-même, dès l'*Ad Simplicianum* en 396, commencé à élaborer sa doctrine de la prédestination sans encore prononcer le mot. Lisant maintenant ces lignes écrites au printemps 427, les moines d'Hadrumète, comme ceux de Provence qui les liront un peu plus tard, ne pouvaient s'y tromper : la prédestination, toujours positive, c'était l'élection gratuite et limitée des « élus », décidée de toute éternité par Dieu, dont « *les jugements sont insondables et les voies impénétrables* » (*Rm.*, 11, 33), dans le secret de son dessein[d].

Face à Augustin, les moines d'Hadrumète n'étaient pas dépourvus de toute ressource théologique. Que fallait-il penser, lui demandèrent-ils, du cas d'Adam ? De toute évidence, par son péché il n'avait pas tenu bon dans la persévérance. N'en avait-il pas reçu la grâce ? Mais s'il ne l'avait pas reçue, il n'était pas à leurs yeux coupable de n'avoir, en péchant, pas persévéré. Et, dans son cas, on ne pouvait pas dire que, s'il n'avait pas reçu la persévérance, c'était pour n'avoir pas été « discerné » de la « masse de perdition » par l'élection de la grâce, puisque cette « masse de perdition » était la conséquence de son propre péché[e]. C'était une perche tendue à l'évêque pour l'élaboration d'une distinction entre deux types de grâce promise à un grand avenir. Adam, répondait Augustin, jouissait d'une grâce différente de la nôtre, une grâce heureuse, « par laquelle il n'aurait jamais été mauvais s'il avait voulu y demeurer... Si par son libre arbitre le premier homme n'avait pas abandonné ce secours [*adiutorium*], il serait resté bon ; mais il l'a abandonné et il a été abandonné[f] ». La grâce que reçoivent maintenant les « saints »,

a. *Ibid.*, 16.
b. *Supra*, p. 258.
c. *Ep.* 194, 35.
d. *De correptione et gratia*, 17-25.
e. *Ibid.*, 26.
f. *Ibid.*, 31. En *Cité de Dieu*, XIV, 27, Augustin avait déjà esquissé ce thème de l'« *adiutorium sine quo non* ».

moins heureuse, est plus puissante, car elle est participation à la grâce dont Dieu avait pourvu son Fils, le Christ, pour le maintenir dans une indéfectible rectitude. Par la grâce dont il jouissait, le premier homme pouvait ne pas pécher, il pouvait ne pas abandonner le bien, il pouvait ne pas mourir. Il avait en partage un secours sans l'aide duquel il ne pouvait pas persévérer par le seul fait de son libre arbitre (c'était l'*adiutorium sine quo non,* à partir duquel le jansénisme développera la notion de « grâce suffisante »), tandis que maintenant ceux qui sont appelés à l'élection reçoivent un secours par lequel la persévérance leur est donnée (l'*adiutorium quo,* qui sera pour Jansénius et ses disciples la « grâce efficace »). La raison de ce secours positif si puissant était que, tandis qu'au paradis, pour Adam établi dans la lumière et dans la paix n'existait nulle tentation, nulle agression, en ce monde en revanche, pour triompher des tentations, des passions, des erreurs, en un mot du mal, une « liberté » plus grande était nécessaire – et Augustin employait significativement ici le mot *libertas* au sens où il l'entendait dans son anthropologie chrétienne : le libre arbitre épaulé, sinon « habité » par la grâce[a].

L'efficacité victorieuse de ce second type de grâce était alors célébré par l'évêque en des termes qui feraient le ravissement des jansénistes au-delà du raisonnable, c'est-à-dire d'une juste prise en considération du contexte[31] dans lequel s'exprimait Augustin. « On est donc venu au secours de la faiblesse de la volonté humaine de telle sorte que cette volonté soit actionnée [*ageretur*] de façon indéclinable et insurmontable [*indeclinabiliter et insuperabiliter*] par la grâce divine ; et c'est ainsi que, malgré sa faiblesse, cette volonté ne défaille pas et n'est vaincue par aucune adversité. Ainsi est-il arrivé que la volonté faible et débile de l'homme persévère dans un bien encore minime par la force de Dieu, alors que la volonté forte et saine du premier homme n'a pas persévéré dans un bien plus grand par la force du libre arbitre... À celui qui avait la plus grande force Dieu a laissé faire et permis de faire ce qu'il voulait ; aux faibles, il a réservé, par son propre don, de vouloir invinciblement [*inuictissime*] ce qui est bien et, invinciblement, de ne pas vouloir abandonner ce bien[b]. » Puisque cette invincibilité est un don de la grâce, l'homme ne pouvait s'en faire honneur et Augustin concluait en citant *I Co.*, 1, 31 (« *celui qui se glorifie, qu'il se glorifie dans*

---

a. *De correptione et gratia*, 35, *initio*.

b. *Ibid.*, 38. Sur les exégèses qui ont été faites de ce texte – et qu'on continue à faire après le mouvement janséniste –, on lira la note de J. Chéné dans *B.A.*, 24, pp. 787-797.

le Seigneur »), proclamant ainsi une fois de plus son entière adhésion à la doctrine de l'Apôtre en insistant sur le verset qui, dès 396, lui paraissait traduire la pensée maîtresse (*intentio*) de saint Paul[a]. L'évêque ajoutait cependant, sur le nombre limité des prédestinés, ce point de doctrine qui lui était propre et qui allait faire sursauter les moines de Provence comme il chagrinait déjà ceux d'Hadrumète : « Je dis cela de ceux qui sont prédestinés au royaume de Dieu, et dont le nombre est si bien fixé qu'il n'y sera ni ajouté ni retranché personne[b]. »

DIEU VEUT-IL QUE TOUS SOIENT SAUVÉS ?

Cet enseignement était trop roide, l'exigence d'humilité devant Dieu trop haute pour ne pas rebuter une foi même robuste. Et, comme depuis une douzaine d'années les œuvres antipélagiennes d'Augustin avaient fait connaître sa théologie dans tout l'Occident méditerranéen, il était à craindre que les moines d'Hadrumète ne fussent pas les seuls à broncher. Ce fut sur la rive d'en face que la résistance rebondit. Dans les monastères du sud de la Gaule, plus précisément sur les rivages provençaux, le maître à penser n'était pas l'évêque d'Hippone, mais Jean Cassien, un moine de culture à la fois grecque et latine – il était d'origine scythe, nous dirions maintenant roumaine – qui, à une « carrière » hors du commun – il avait été moine à Bethléem, comme Jérôme, puis en Égypte, avant d'être diacre à Constantinople –, devait, en même temps qu'une solide expérience de la vie monastique, un prestige particulier. Il avait fini par se fixer à Marseille, vers 415, où il avait fondé deux monastères, dont l'un deviendra l'abbaye aux hommes de Saint-Victor[32]. À l'époque où Augustin écrivait ses deux livres aux moines d'Hadrumète, Cassien de son côté avait rédigé d'une part un manuel pratique de la vie cénobitique, ses *Institutions*, d'autre part, toujours à l'intention des moines, un traité théorique de la vie religieuse et ascétique, les *Conférences* : la treizième – « Sur la protection de Dieu » – prenait nettement le contre-pied des positions de l'évêque d'Hippone en mettant beaucoup moins l'accent sur la toute-puissance de la grâce que sur la libre coopération de l'homme à son salut. Comme Augustin plus de trente ans auparavant, il pensait que dans l'accès à la foi

---

a. *Ad Simplicianum*, I, qu. 2, 2 ; cf. *supra*, p. 271.

b. *De correptione et gratia*, 39. La phrase se comprend dans la mesure où Augustin conçoit l'*adiutorium quo* comme particulièrement ordonné à la persévérance finale, qui fait que le chrétien meurt « en état de grâce ».

l'initiative appartenait à l'homme, Dieu se contentant d'un appel extérieur. Comme les pélagiens, il réduisait la prédestination à la prescience et il soulignait l'universalité de la volonté divine du salut humain. De telles idées avaient trouvé sans peine le chemin des âmes, à Marseille mais aussi dans les fondations monastiques des îles d'Hyères et de Lérins. Et les moines qui y résidaient n'étaient pas toujours les premiers venus. Prosper d'Aquitaine, un laïc tout acquis à Augustin – il disait appartenir au cercle restreint des « amis intrépides de la grâce parfaite » – lui écrira qu'il n'était pas facile de porter la contradiction à des hommes d'un rang très supérieur au sien. Plus précisément, il faisait allusion à leur dignité sacerdotale[a]. De fait, comme le monastère clérical d'Hippone dans les belles années du tournant des IVe et Ve siècles, les monastères provençaux, à cette époque, étaient devenus des pépinières d'évêques ; on quittait Lérins pour aller occuper des sièges prestigieux : Hilarius à Arles, où il succédera à Honorat, le supérieur de Lérins, Lupus (saint Loup) à Troyes, Eucher à Lyon. Le risque était grand qu'ils y fussent autant de courroies de transmission[b] de ce qu'on a appelé, plus commodément que justement, le semipélagianisme[33]. Dans sa lettre, Prosper essayait de faire entendre au vieil évêque qu'il devait encore une fois se mobiliser contre une telle cohorte[c].

À la fin de 428 ou au début de 429, en même temps qu'il recevait la lettre de Prosper, Augustin put lire celle[d] que lui envoyait, probablement aussi de Marseille, un certain Hilarius – qu'on ne confondra pas avec le futur évêque d'Arles –, lui aussi un laïc qui, dans l'exil où il se sentait loin du maître de l'autre côté de la mer, se souvenait avec émotion de l'enseignement qu'il en avait reçu à Hippone[e]. Sans que, semble-t-il, les deux correspondants se fussent concertés, leurs deux lettres, d'une égale densité théologique, s'accordaient pour l'essentiel dans le catalogue qu'elles dressaient des écarts constatés par rapport à la doctrine augustinienne de la grâce[34]. Il apparaît dans l'une comme dans l'autre que la résistance à l'augustinisme ou au mieux la défiance à son égard ne dataient pas d'hier dans le sud de la Gaule ; la publication récente du *De correptione et gratia*, vite reçue à Marseille, n'avait fait que les

a. *Ep.* 225, 7.

b. Cette crainte est exprimée par Prosper dans sa lettre : *Ep.* 225, 2, *in fine*.

c. Hilarius, dans la sienne, confirmera cette qualité sociale et ce rang ecclésiastique de maints moines provençaux et l'urgence qu'il y avait à réagir : *Ep.* 226, 9.

d. Hilarius avait précédemment écrit (cf. *Ep.* 226, 9) et Augustin dans son *De praedestinatione sanctorum*, 7 mentionne des *scripta prolixiora* reçus par lui de ses correspondants. Il n'en subsiste que ces deux lettres

e. *Ep.* 226, 10.

aggraver[a]. Les divergences avec le docteur d'Hippone commençaient avec l'octroi de la première grâce. Les plus radicaux de ces semipélagiens, en cela très proches de Pélage, « forcés de confesser la grâce du Christ et sa priorité par rapport à tout mérite humain », n'y voulaient reconnaître qu'une grâce initiale naturellement donnée dans l'acte créateur, permettant à la créature, par le jeu d'un libre arbitre parfaitement éclairé, de choisir entre le bien et le mal et d'atteindre au salut par ses propres forces, c'est-à-dire par ses mérites[b]. Pour d'autres, l'initiative d'accès à la foi (l'*initium fidei*) aurait été laissé à l'homme, qui recevrait de Dieu en retour un supplément de foi, ou plutôt un « accroissement de foi » (*augmentum fidei*), pour reprendre le mot d'Hilarius[c]. Quant à la conception augustinienne de la prédestination, elle faisait l'objet d'un massif et unanime rejet. Les semipélagiens provençaux en étaient restés, tout comme les pélagiens eux-mêmes, à la façon dont Augustin lui-même avait en 394 résolu dans ses premiers essais d'explication de l'*Épître aux Romains* le problème que posait l'attitude divine dans le cas des jumeaux de Rébecca[d]. Ils tiraient ainsi un trait sur trente ans de réflexion théologique. La prescience de Dieu demeurait pour eux la solution du problème : ceux qui avaient été connus d'avance (et non prédestinés) l'avaient été en raison de leur foi à venir[e]. On y recourait même pour résoudre la désespérante difficulté que présentait le sort des enfants morts sans baptême en bas âge : ils n'étaient pas tous condamnés, « ils étaient perdus ou sauvés selon la prévision qu'avait la science divine de ce qu'ils deviendraient parvenus à l'âge adulte[f] » ; les semipélagiens faisaient ainsi intervenir ce que les théologiens, dans leur jargon, appellent les « futuribles ».

Mais, ce que les moines de Provence refusaient avec le plus d'énergie, c'était le *numerus clausus* de l'élection salvifique. Ils ne voulaient pas admettre que le nombre des élus fût fixé d'avance, sans limitation et surtout sans accroissement possible[g] ; rien, disaient-ils, n'était spirituellement plus démobilisateur, plus propre à ruiner tout souci de relèvement chez les uns, à susciter plus de

---

a. *Ep.* 225, 2.

b. *Ep.* 225, 4.

c. *Ep.* 226, 2 ; Augustin y fera allusion dans son *De praed. sanct.*, 3.

d. *Ep.* 226, 3.

e. *Ep.* 226, 4.

f. *Ep.* 225, 5. Augustin fera justice de cette prise en compte des « futuribles » : *De praed. sanct.*, 24. Il y reviendra encore comme à une absurdité dans le *De dono perseuerantiae*, 22 et 31.

g. *Ep.* 225, 3 et 6 ; 226, 5.

tiédeur chez les autres. C'est au pied de la lettre qu'ils voulaient prendre le texte de saint Paul : « *Dieu veut que tous les hommes soient sauvés* » (*I Tm.*, 2, 4). Et force est d'ajouter qu'en dépit de leurs protestations d'attachement aux idées d'Augustin c'était sur ce point tout particulièrement que le bât blessait même des disciples comme Prosper d'Aquitaine. À la fin de sa lettre, alors qu'il pressait l'évêque de répliquer aux moines provençaux, on le voyait inquiet des conséquences psychologiques et morales, pour les fidèles, de la doctrine de la prédestination : « La pensée qu'ils pourraient avoir de désespérer de la leur ne devait pas leur être une occasion de s'abandonner au relâchement[a]. » On ne pouvait mieux poser au pasteur le problème que lui suscitait sa théologie.

Aux demandes instantes de Prosper et d'Hilarius, Augustin répondit par un long traité qu'il leur adressa, divisé en deux livres pour une raison surtout pratique qu'il confessait lui-même, le désir de marquer une coupure pour éviter au lecteur la fatigue d'une trop longue lecture[b]. Au demeurant, les thèmes centraux traités dans chaque livre justifiaient par avance les titres distincts qui leur seront donnés au Moyen Âge[c]. Contre les Marseillais qui admettaient bon gré mal gré la nécessité de la grâce, mais regimbaient contre sa gratuité, le *De praedestinatione sanctorum* établissait une fois de plus cette gratuité, aussi bien dans son développement que dans sa genèse. Le *De dono perseuerantiae*, lui, se proposait de démontrer que la persévérance, et plus précisément la persévérance finale, est elle aussi un don gratuit de la grâce.

Si Prosper fut pleinement convaincu – mais l'évêque prêchait en lui un converti[35] –, nous ne saurons jamais ce qu'en pensèrent, outre Hilarius, les moines de Provence : la mort d'Augustin, quelques mois plus tard, étouffa ces derniers échos. Gardons-nous, à propos de ces deux ouvrages, souvent répétitifs, au minimum récapitulatifs, de céder à la tentation d'avoir le mot par lequel on salue parfois avec regret les ultimes productions d'un vieux maître longtemps admiré : deux livres de trop ! En dépit de l'âge – il avait maintenant soixante-quinze ans –, de sa fatigue grandissante, le vieil évêque s'était une fois de plus laissé prendre à ce qu'on ne peut appeler un jeu, si ce n'est le jeu d'une éternelle jeunesse spirituelle, la passion de convaincre, dont l'exercice était pour lui une des formes de la charité. Et ces livres apportaient sur la théologie de la grâce

---

a. *Ep.* 225, 8.

b. *De praedestinatione sanctorum*, 43, *in fine*.

c. Cf. les indications à ce sujet de *B.A.*, 24, p. 437. Le titre que Prosper d'Aquitaine donnait à l'ensemble de l'ouvrage était : *De praedestinatione sanctorum*.

et de la prédestination des touches complémentaires dont l'auteur pressentait sans doute – on le devine à certains accents du *De dono perseuerantiae* – qu'elles seraient définitives.

Avait-il cependant répondu à l'interrogation pressante que, par la voix de Prosper d'Aquitaine, on lui lançait d'outre-mer sur la dispensation restreinte de la grâce salvatrice ? Oui, et d'abord d'une certaine manière et dans une certaine mesure, par le biais des ménagements que le pasteur en lui soufflait au théologien. Dans un passage d'une de leurs lettres qui ne nous est pas parvenue, mais que cite l'évêque, les correspondants d'Augustin à Marseille lui avaient rapporté la présentation caricaturale que les moines locaux faisaient de son enseignement de la prédestination. À les entendre, c'était une école de désespérance[a]. Dans la dernière section du *De dono perseuerantiae*, Augustin tenait cependant compte d'une critique juste sous l'outrance. Dans la prédication, la pédagogie de la prédestination devait, disait-il, s'efforcer d'atténuer au moins formellement la sévérité de la doctrine[b]. Ces ménagements de pure forme prêtent toutefois à sourire : à quels auditeurs le prédicateur pouvait-il vraiment donner le change en s'adressant impersonnellement à eux à la troisième personne du pluriel[c] ? La condamnation qui frappait les uns et non les autres par le fait d'une dispensation limitée de la grâce d'accès ou de la grâce de persévérance n'en apparaissait pas moins irrévocable.

Dans ses deux derniers livres, le silence d'Augustin sur la *Première Épître à Timothée*, 2, 4 : « *Dieu veut que tous soient sauvés* », contraste avec l'insistance que les moines de Marseille mettaient à rappeler le verset paulinien, selon ce qu'en rapportaient Prosper et Hilarius. Il n'y était cité qu'une fois[d], de façon allusive, dans un développement qui soulignait surtout la finale du verset – Dieu veut que tous parviennent à la connaissance de la vérité – et dont il faut reproduire la conclusion. La foi inchoative ou parfaite, disait encore une fois l'évêque, est un don de Dieu « et que ce don soit accordé à certains, refusé à certains, on n'en doit pas douter si l'on ne veut contredire les témoignages très clairs des Écritures. Quant à savoir pourquoi il n'est pas accordé à tous, c'est une question qui ne doit pas troubler le fidèle, lui qui croit que le péché d'un seul a entraîné pour tous une condamnation sans aucun doute si parfaitement juste

---

a. Cf. *De dono pers.*, 38, *initio*.

b. *Ibid.*, 57-62.

c. *Ibid.*, 61.

d. *De praed. sanct.*, 14. Sur cette « dernière rencontre d'Augustin avec *I Tm.*, 2, 4 », voir A. Sage, « La volonté salvifique universelle de Dieu dans la pensée de saint Augustin », dans *Rech. aug.*, 3, 1965, p. 117.

qu'il n'y aurait nulle raison de s'en prendre à Dieu même si personne n'en était délivré[a] » ! Et quant à la raison pour laquelle celui-ci plutôt que celui-là en était délivré, il ne nous appartenait pas d'expliquer un dessein que Dieu avait voulu tenir caché. L'évêque répétait avec l'Apôtre (*Rm.*, 9, 20) : « *Qui es-tu, homme, pour discuter avec Dieu ?* »

La façon dont Augustin s'est appliqué, surtout dans la dernière décennie de sa vie, à contourner *I Tm.*, 2, 4, à en restreindre par diverses exégèses la portée universelle[b], est habituellement considérée comme la plus grande faiblesse – ou le plus grand excès[36] – de son *intellectus fidei*. Personne ne songe pourtant à en conclure qu'il ait pu complaisamment éprouver quelque délectation morose à laisser une bonne partie de ses semblables dans l'abandonnement de Dieu. Oublier le contexte de lutte doctrinale dans lequel l'évêque agissait et s'exprimait, couper ses textes de leur conditionnement historique, de leurs motivations, même, c'est s'exposer à en dénaturer le sens, en en méconnaissant la finalité en premier lieu conjoncturelle. Tout au long de ses douze dernières années Augustin est resté prisonnier de sa polémique antipélagienne. Nul doute qu'il ait alors eu constamment présentes à l'esprit, avec une vigilance encore accrue à la fin de sa vie, lors de ses débats avec Julien d'Éclane, les incidences que pouvaient avoir ses moindres prises de position sur des sujets théologiquement aussi sensibles ; il fallait éviter de donner prise à l'adversaire : « Il y avait danger de pélagianisme à trop insister alors sur la volonté salvifique universelle[37]. »

Ce serait tout de même beaucoup rabaisser le docteur de la grâce que de ne voir en lui qu'un stratège asservi aux conditions circonstancielles d'un combat doctrinal. Il y a une autre manière de lire les innombrables textes dans lesquels Augustin répète inlassablement que Dieu a toute initiative, qu'il accorde les grâces qu'il a prévu de donner comme il le veut, à qui il le veut. La prédication de la prédestination, de la prévision faite de toute éternité par Dieu de ses dons, qui remplit tout particulièrement les deux derniers livres de l'évêque, peut et doit être entendue comme une pédagogie de la foi[38]. « À supposer que votre doctrine de la prédestination des bienfaits de Dieu soit vraie, il ne faut pas la prêcher aux foules », disaient les moines de Provence, qui craignaient de décourager les fidèles[c].

---

a. *Ibid.*, 16.

b. En particulier dans l'*Enchiridion* (le « Manuel »), en 421/22 : cf. *Ench.*, 95, 97, 103 ; voir aussi *Contra Iulianum*, IV, 42-44.

c. *De dono pers.*, 51, où Augustin formule à sa façon les propos rapportés dans *Ep.* 225, 3 et 226, 2.

Bien au contraire, rétorquait Augustin, qui rappelait ce qui faisait l'essentiel de sa théologie de la grâce, dans une perspective catéchétique, d'être un garde-fou contre l'orgueil : « Qu'ils comprennent, écrivait-il, que l'enseignement de la prédestination n'entrave et ne ruine qu'une chose : l'erreur si pernicieuse qui veut que le don de la grâce dépende de nos mérites [a]. » Et puis, et surtout, s'il est pour lui théologiquement assuré que tous ne seront pas sauvés – ne serait-ce que les petits enfants morts avant le baptême [b] –, tous peuvent espérer l'être. Si les jeux sont faits dans les desseins secrets de Dieu, nous ne savons pas pour qui c'est joué, ni dans quel sens. Le jeu de l'espérance reste ouvert : « Cette persévérance dans l'obéissance, vous devez l'espérer elle aussi du *Père des lumières de qui descend tout beau présent et tout don parfait* [*Jc.*, 1, 17], et la demander chaque jour dans vos prières, et en faisant cela avoir confiance que vous n'êtes pas étrangers aux prédestinés dont Dieu forme son peuple ; car que vous fassiez cela est déjà un de ses dons [c]. » Bien loin de contrarier les efforts du pasteur, cette théologie bien expliquée servait la pastorale. Tel était le testament de l'évêque.

Comme à la fin du *De Trinitate*, il y ajoutait un codicille dont tout à la fois la modestie, la lucidité et la capacité d'espérance paraîtraient merveilleusement surprenantes, venant d'un autre que lui. « Toutefois, je ne voudrais pas qu'on adopte toutes mes positions, mais seulement celles où l'on verra bien que je ne me suis pas trompé. Car je rédige en ce moment des textes dans lesquels j'ai entrepris de réviser mes ouvrages [d], afin de montrer que je ne me suis pas suivi moi-même en tout : je pense avoir fait des progrès dans mes écrits, avec l'aide de Dieu, après des débuts bien imparfaits. Même maintenant d'ailleurs, je parlerais avec plus d'arrogance que de vérité si je disais qu'à l'âge où je suis parvenu j'ai atteint la perfection d'écrire sans plus me tromper... On peut bien espérer d'un homme si le dernier jour de sa vie le trouve en telle voie de progrès qu'on puisse lui ajouter ce qui manque encore à son progrès, et qu'il soit justiciable non d'amendement, mais de perfectionnement [e]. »

---

a. *Ibid.*, 42.

b. Mais c'était une éventualité plus rare à cette époque où à l'instigation d'Augustin la pratique du baptême des *infantuli* s'était généralisée.

c. *De dono pers.*, 62.

d. Il s'agissait des *Révisions*, entreprises à partir de 426, mais qui n'étaient pas terminées en 429, et ne le furent jamais. On y reviendra plus loin.

e. *De dono pers.*, 55.

Chapitre XXXIII

La mort et l'au-delà

Au début du livre XIV de la *Cité de Dieu*, Augustin rêve à voix haute : si ni Adam en premier lieu ni aucun de ses descendants ensuite n'avaient péché, la « société humaine » aurait vécu dans un bonheur sans faille, et cette félicité dans le jardin d'Éden se serait maintenue jusqu'à ce que, par l'effet de la bénédiction divine : « *Croissez et multipliez-vous* » (*Gn.*, 1, 28), le nombre des saints prédestinés eût été complet[a]. Bien sûr, l'évêque n'éprouve pas le besoin de préciser, dans cette irréalité, les modes de coexistence de ces générations, conçues dans des corps « animaux », mais, grâce aux fruits de l'« arbre de Vie », toutes également immortelles, et il poursuit : « Alors ils eussent reçu une bénédiction plus grande – celle qui a été donnée aux bienheureux anges –, grâce à laquelle chacun aurait eu la pleine assurance de ne jamais pécher ni jamais mourir : la vie des saints, qui n'auraient pas au préalable subi l'épreuve du travail, de la douleur et de la mort, eût été celle qui, après toutes ces épreuves, sera la nôtre dans l'incorruption de nos corps au jour de la résurrection[b]. » On serait donc passé d'un paradis à un autre, ou plutôt, sans douloureuse transition, d'un état de félicité pleine mais sans cesse menacée par les potentialités de la liberté adamique à la béatitude éternellement sûre et stable du royaume de Dieu. L'humanité aurait ainsi fait l'économie de ce vaste gâchis qui commence avec le péché du premier homme et sa chute et se terminera avec la consommation des siècles quand disparaîtront les derniers humains soumis à la condition mortelle par le fait d'une nature viciée par le péché originel. La mort était absente de ce beau

---

a. L'évêque expliquera plus loin (*Cité de Dieu*, XIV, 23) les modalités de cette procréation édénique sans *libido* ; cf. déjà *supra*, p. 596.

b. *Cité de Dieu*, XIV, 10. L'idée avait été déjà esquissée dans le *De peccatorum meritis*, I, 3, et illustrée par l'ascension au ciel d'Élie.

raccourci rêvé par l'évêque. Certes, cet escamotage imaginé de la mort physique se faisait au détriment de millénaires de vie terrestre hors du jardin d'Éden ; mais qu'importait, puisque cette vie sur terre n'avait jamais été qu'une vie d'« expatrié » ?

LA CONDITION MORTELLE

Augustin a eu une expérience précoce de la mort. D'abord de celle dont il dit avoir, encore enfant, senti sur lui l'ombre s'étendre au point d'avoir réclamé de lui-même un baptême qui fut finalement différé[a]. Puis la mort du père, Patricius, peu ressentie dans le lointain d'une complicité bien moindre que celle qui le liait à Monique. La mort, surtout, de l'ami anonyme perdu à Thagaste quand il allait avoir vingt-deux ans : alors, dans la confusion des sentiments mêlés qui le submergeaient, la peur qu'il avait de sa propre mort avait côtoyé le dégoût de vivre une vie qu'il ne voulait cependant pas perdre, mais sans disposer encore des outils spirituels pour la changer[b]. Ce fut certainement sa rencontre la plus rude avec la mort physique, car à la disparition de Monique il avait acquis les moyens de réparer une déchirure pourtant si grave et par la suite la perte si lourde de son fils, comme celle à la même époque de Nebridius, furent elles aussi compensées par la certitude qu'il avait maintenant de les savoir « dans le sein d'Abraham ». À cette expérience vécue de l'homme, du fils en lui, du père, de l'ami, s'est ajoutée pendant quarante ans celle du pasteur, bien plus importante encore pour nourrir sa réflexion sur la mort physique[1].

Le jeune Augustin se souvenait sans doute encore de l'ami perdu et de sa détresse d'alors quand il confessait à la Raison, quelques années plus tard : « Il n'y a actuellement que trois choses qui puissent m'émouvoir : la crainte de perdre ceux que j'aime, la crainte de la douleur, la crainte de la mort[c]. » Cette crainte de la mort physique pour les proches et pour soi-même ne sera plus exactement celle de l'évêque pour qui l'immortalité était désormais un statut à faire gagner à ses fidèles, mais il lui en restera assez pour qu'il demeure très sensible à l'angoisse des mourants. L'expérience que le pasteur en avait est évidemment sous-jacente aux interrogations du théologien méditant sur le *punctum temporis* qui

---

a. *Conf.*, I, 17, cf. *supra*, pp. 35-36.

b. *Conf.*, IV, 11.

c. *Soliloques*, I, 16. Cette affirmation de la crainte de la mort n'est pas si banale de la part d'un homme de trente-deux ans.

fait du vivant un mort. Sa description des affres qui le précèdent est précise et inquiète. Il s'interroge sur cette mystérieuse puissance qui vient à bout de la vie, et qui, « en dissociant ce qui était, dans le vivant, uni et étroitement joint, produit en lui, autant que dure son action, des sensations pénibles et contre nature[2] » ; ce sont ces « lourdes et douloureuses sensations » qui sont le mal de la mort[a]. À bien parler, la mort n'est que cela, cette ultime lutte – « l'agonie » – que livre le mourant, ce passage que parfois un seul choc du corps (*unus ictus corporis*) ou une fuite précipitée de l'âme (*animae raptus*) abrège et empêche de sentir. Personne n'est « dans la mort », ce non-être de l'homme charnel, qui ne saurait être un état. Dans la phrase célèbre de Bossuet, entre « Madame se meurt » et « Madame est morte », il y a tout l'espace du néant ou de l'éternité.

On n'élabore cependant pas une théologie de la condition mortelle à partir d'une crainte existentielle du trépas. C'est la polémique antimanichéenne qui en a fourni à Augustin la première occasion. À l'époque des dialogues de Cassiciacum, à l'automne de 386, il en était encore resté à la définition aristotélicienne de l'être humain, qu'il tenait de Cicéron : « L'homme est un animal raisonnable mortel[b]. » Encore fallait-il dégager l'origine de cette *mortalitas* dans une perspective chrétienne. Le débat avec ses anciens amis manichéens, vif à partir de 388, a suscité l'émergence de ce concept dans les textes d'Augustin, au sens de la corruption foncière qui affecte le corps humain, fragile et destiné à la mort du fait d'un péché qui lui a fait perdre la perfection en laquelle Dieu l'avait originellement créé à son image, et dont il porte la peine[3]. La mort ne vient pas de Dieu, disait Augustin dans le *De uera religione*, citant pour la première fois le *Livre de la Sagesse*, 1, 13[4]. Cependant, un peu plus tard, dans les pages terminales du *De libero arbitrio*, il hésitait encore sur le point de savoir par quel biais « nous devions à nos premiers parents de naître dans l'état d'ignorance, de difficulté et de mortalité parce qu'eux-mêmes, ayant péché, avaient été précipités dans l'erreur, la misère et la mort[c] ». À la racine de cette incertitude il y en avait une autre, celle où il était sur l'origine des âmes ; car il ne rejetait pas alors l'hypothèse « créatianiste », qui le mettait en meilleure posture pour réfuter les manichéens, et il ne pouvait dans cette hypothèse totalement écarter la possibilité que la « condition malheureuse » – et mortelle – fût un état de nature, et non une

---

a. *Cité de Dieu*, XIII, 9.
b. *De ordine*, II, 31 ; cf. Cicéron, *Acad.*, II, 21.
c. *De libero arb.*, III, 55.

conséquence pénale[5]. Il s'expliquera sur cette hésitation dans les *Révisions*, en la mettant sur le compte du contexte, ainsi que dans son tout dernier livre[a].

En 394, déjà, une petite phrase du *Contra Adimantum* indique le sens vers lequel se dirige la pensée d'Augustin à la veille de son accession à l'épiscopat, à propos de « l'ancienne vie que nous avons reçue d'Adam dans des conditions telles que ce qui fut volontaire en lui est en nous naturel[b] ». Par « naturel » entendons, bien sûr, la « nature viciée » sur laquelle l'évêque va s'expliquer si souvent lors de la controverse contre les pélagiens. Les textes d'Augustin sont on ne peut plus clairs : la mort physique – la première mort –, sanction du péché pour Adam, est devenue nature pour ses descendants[c] ; la pénalité s'était transmise en se muant en donnée biologique, la « mortalité » était entrée dans le patrimoine génétique de l'humanité, tout comme les autres composantes malheureuses de la condition humaine, d'une manière dont l'évêque peinait à rendre compte, faute de pouvoir s'arrêter fermement à l'hypothèse traducianiste de l'origine des âmes, vers laquelle il penchait tout en en percevant les difficultés[d].

Mais, pour Augustin, que la mort fût la sanction d'un péché originel qui avait entraîné la détérioration de notre nature était une évidence psychologique tout autant que l'acquis d'une réflexion théologique. Les pélagiens – et d'abord Caelestius, condamné pour ce premier chef à Carthage en 411[e] – tenaient qu'Adam avait été créé mortel et qu'il serait mort, qu'il eût ou non péché. S'il en était bien ainsi, les hommes, ses descendants, n'avaient aucune raison de redouter cette mort qui faisait partie de leur nature créée par Dieu. Or la moindre expérience de la vie montrait que notre nature blessée par la peine du péché criait son horreur de la mort comme on peut crier celle d'un châtiment. Il suffisait au pasteur de regarder et d'entendre autour de lui. La non-acceptation de la mort ne se limitait pas à l'instinct de fuite devant elle qu'on observe chez les animaux, qui manifestent ainsi leur attachement à la vie ; l'homme éprouvait en plus le regret d'une immortalité irrémédiablement perdue : « Si les animaux, qui ont été créés pour mourir chacun en leur temps, fuient la mort et aiment la vie, combien plus l'homme qui avait été créé pour vivre sans fin, s'il avait voulu vivre sans péché[6]. » « Ô

a. *Retract.*, I, 9, 6 et *De dono pers.*, 29, *in fine*.
b. *Contra Adimantum*, XXI.
c. *Cité de Dieu*, XIII, 3.
d. Cf. *supra*, pp. 499-500 et 512-513.
e. Cf. *supra*, p. 460.

voix de la nature, aveu du châtiment ! » s'écrie-t-il dans un sermon de l'été de 418[a].

Dûment constatable chez le commun des mortels, la crainte humaine de la mort était aussi mise en évidence dans les textes du Nouveau Testament relatifs aux apôtres, et même au Christ agissant et parlant *sub forma serui*, dans son assomption de la condition mortelle. Cette crainte en sortait légitimée. À plusieurs reprises dans sa prédication Augustin a invoqué l'attitude de Pierre ; après la résurrection, reparaissant à ses disciples au bord du lac de Tibériade, le Christ lui avait, en même temps que son martyre, prédit l'état d'esprit qui serait le sien : « Lorsque tu seras vieux, un autre te ceindra et te conduira où tu ne veux pas[b] » ; c'était, commentait l'évêque, montrer une volonté bien humaine confrontée à la crainte de la mort. Mais cette angoisse devant la mort, le Christ lui-même l'avait éprouvée, au jardin des Oliviers, quand il avait confessé sa tristesse à ses disciples et prié que la coupe s'éloigne de lui (*Mt.*, 26, 38-39), et quand il avait crié sur la Croix la brève désespérance où le jetait, à l'approche du trépas, l'abandon par le Père (*Mt.*, 27, 46). Assumant la condition humaine, avouant son trouble, le Christ parlait alors, commentait Augustin, au nom des hommes dont il « transfigurait » les faiblesses[7]. Les martyrs, qui participaient à la gloire du Christ, devaient à son exemple et à son aide d'avoir été, eux qui aimaient la vie, capables de vaincre la peur de la mort : « *amatores uitae, mortis toleratores*[c] ». Et l'évêque s'écriait : « Si la mort n'est rien, qu'ont méprisé de grand les martyrs[d] ? »

Augustin insistait ici sur l'attachement que tout homme peut – et doit même, on le verra plus loin – avoir pour cette vie « hideuse et miséreuse, mais si douce, oui, si douce ». Il aimait citer et commenter le mot de saint Paul : « *Nul ne hait sa propre chair* » (*Ép.*, 5, 27). Ailleurs, dans un sermon prêché pour la fête des saintes Perpétue et Félicité, il disait : « Si grand est je ne sais quel charme de cette vie pourtant pleine de misère, si forte dans la nature l'horreur de tous les vivants pour la mort, que ne veulent pas mourir même ceux qui, par la mort, vont à cette vie où l'on ne saurait mourir[e]. » Les martyrs, pourtant si motivés par leur foi en la vie éternelle, n'avaient pas affronté la mort pour échapper à cette vie. À plus forte raison, ce

---

a. *Sermon* 299, 9.

b. C'est sous cette forme abrégée que *Jean*, 21, 18 figure dans le *sermon* 296 (= *Casin.*, I, 133), 8, prêché à Carthage pour la fête des apôtres le 29 juin 411 : cf. *supra*, p. 552.

c. *Sermon* 335 B, 4 (= *Guelf.* 31, 4).

d. *Ibid.*, 3 ; cf. aussi *sermons* 31, 3 ; 173, 2 ; 299, 8 ; 344, 3.

e. *Sermon* 280, 3.

qui caractérisait le commun des mortels, même les plus misérables des hommes, c'était le tenace désir de persévérer dans leur être, même en le sachant voué à la mort. « Plutôt souffrir que mourir », dira La Fontaine après quelques autres. Augustin, que d'ailleurs le fabuliste avait probablement lu, était allé plus loin sur le sujet. En 417, il écrivait dans la *Cité de Dieu* : « Par une inclination naturelle, le fait même d'être est chose si douce que rien que pour être les malheureux refusent de mourir... Pourquoi craignent-ils de mourir et préfèrent-ils vivre dans les tourments plutôt que d'en finir par la mort, sinon parce qu'il leur apparaît clairement combien la nature répugne au non-être ? Aussi, lorsqu'ils se savent près de mourir, ils désirent comme un grand bienfait que par miséricorde il leur soit accordé de prolonger un peu leur misérable vie, et que leur mort soit retardée[a]. »

La nature abhorre le néant (« *natura refugit non esse* ») : à près de trente ans de distance, cette réflexion prolongeait – mais dans une autre perspective, qui relevait maintenant de la pastorale et non plus de la pure spéculation ontologique – celle qu'il avait menée sur les conduites du suicidaire dans le livre III du *De libero arbitrio*. L'homme frappé par le malheur ou en proie à la douleur balance sur le parti à prendre. L'instinct de conservation le maintient en cette existence par obéissance à un désir d'être qui lui paraît parfois illusoire[b]. Mais il peut être tenté de passer à l'acte avec des motivations incertaines. Augustin l'exhorte à persévérer dans son être, même malheureux : « Si tu veux fuir la misère, aime en toi ce vouloir-être même[c]. » Le suicidaire se trompe si, voulant se donner la mort, il croit opter pour le néant, alors qu'en fait ce que souhaite la nature en lui c'est le repos, c'est-à-dire en réalité un accroissement d'être ! Qu'il se contente donc stoïquement de l'être dont il dispose en en rendant grâces à Dieu : « Comme il ne peut absolument pas se faire qu'on se plaise à ne pas être, ainsi ne doit-il absolument pas se faire que l'être qu'on a soit motif d'ingratitude à l'égard de la bonté du créateur[8]. » Là est la racine, ancienne, de la condamnation augustinienne du suicide : celui qui attente à sa propre vie attente à l'être, donc à la création. Sans doute, pour rester sur le strict plan de la morale humaine, y avait-il de la grandeur d'âme dans quelques exemples phares de l'Antiquité païenne, mais il fallait « plus justement appeler grande l'âme qui a plus de force pour supporter une

a. *Cité de Dieu*, XI, 27, 1.
b. *De libero arbitrio*, III, 20.
c. *Ibid.*, III, 21.

vie misérable que pour la fuir[a] ». À l'attitude de Caton d'Utique, tant vantée, il préférait celle de Regulus, placée très haut elle aussi, mais à plus juste titre, à ses yeux la geste d'une sorte de martyr préchrétien de la parole donnée qu'il n'hésitait pas à comparer au saint homme Job[b]. Si l'on faisait retour au plan religieux, l'évêque ne voyait plus, à défaut de justification, qu'une finalité à l'acte suicidaire : c'était de se donner la mort immédiatement après le baptême, en profitant pour faire son salut du bref état de grâce accordé par l'eau de régénération[c] ! C'était la démonstration par l'absurde, et par l'odieux, de sa définitive inopportunité.

Pendant de longues années, Augustin a été confronté à un type particulier de suicide, un suicide d'attestation et de protestation, celui des fanatiques donatistes[9]. Ceux qui s'y livraient assimilaient leur acte au martyre, qu'ils se fussent positivement donné la mort ou que cette mort leur fût venue d'une provocation délibérée, ce qui pour Augustin revenait au même. Il avait deux raisons de leur refuser la gloire du martyre. La première était d'ordre ecclésiologique ; l'évêque l'avait formulée dans l'une de ses maximes tranchantes dès les débuts de sa lutte antidonatiste : « Ce qui fait le martyr du Christ ce n'est pas la peine, mais la cause[d] » ; et l'obstination de Gaudentius, qui pour échapper à la réconciliation menaçait de se faire brûler vif, lui et les siens, dans la basilique schismatique de Thamugadi (Timgad), lui avait donné, en 418/19, une dernière occasion de la reformuler[e]. La seconde raison était sa répugnance de ce désir de mort lui-même qui lui paraissait être une sinistre singerie de l'attitude des vrais martyrs, à qui ne serait pas venu à l'esprit de faire de leur vie l'enjeu d'un chantage et qui, loin d'aimer la mort, ne faisaient que la tolérer[f].

LES VISAGES DE L'AU-DELÀ

Il faut bien y revenir. Ce qui tourmente le mortel, surtout si, chrétien, il n'est pas assuré de son salut – et comment le serait-il[10] ? –, c'est toujours de sauter un pas qui mène à l'inconnu. Toute défectueuse qu'elle soit, on est attaché à sa défroque de vivant ;

---

a. *Cité de Dieu*, I, 22, 1.

b. *Ibid.*, I, 24.

c. *Ibid.*, I, 27.

d. *Contra Cresconium*, III, 51 ; cf. aussi *Enarr. in Psalm.* 34, 2, 13.

e. Cf. *supra*, pp. 506-508.

f. Cf. *Sermon* 299, 8 : « *Amari mors non potest, tolerari potest* », à propos des apôtres Pierre et Paul.

on sait ce qu'on a avec elle. Augustin a commenté à plusieurs reprises la forte image par laquelle saint Paul le disait si bien : « *Nous ne voudrions pas nous dévêtir, mais revêtir par-dessus l'autre ce second vêtement, afin que ce qui est mortel soit absorbé par la vie* [*II Co.*, 5, 4] [11]. » Tout chrétien a vécu une première fois cette dramaturgie dans la liturgie du baptême, mais cette fois-ci c'est sa vie qu'il doit laisser au vestiaire. L'évêque savait combien cette inquiétude taraudait ses fidèles. Il le dit en particulier dans un sermon prêché peu avant sa propre mort : « Tu voudrais passer de cette vie dans l'autre sans avoir à mourir pour ressusciter, mais tout en restant en vie te transformer en un état meilleur... Tu ne veux pas être dévêtu, mais pourtant tu dois l'être[a]. » On pouvait toujours se raccrocher au précédent d'Hénoch et d'Élie, enlevés au ciel dans leur corps « animal » et mortel, mais il ne fallait pas trop y compter. Au demeurant – mais cela l'évêque préférait ne pas le dire dans ses prêches –, « cette épreuve de la séparation de l'âme et du corps est maintenue après la suppression des liens du péché [après le baptême] parce que la foi s'affaiblirait si l'immortalité corporelle suivait immédiatement la régénération sacramentelle[b] ». Là-dessus, on devait être catégorique : sinon, « qui n'accourrait avec les petits enfants à baptiser vers la grâce du Christ avec le principal souci d'épargner à son corps la destruction ? » Il n'y avait de foi qu'à l'horizon d'une espérance (cf. *Rm.*, 8, 24). Quand en 426/27 Augustin relira pour ses *Révisions* le texte adressé à Marcellinus en 412 sur la rémission des péchés, il réagira en revoyant cette phrase : « À la fin du monde, il sera accordé à certains de ne pas sentir la mort par l'effet d'un soudain changement[c] » ; il lui faudrait revoir cela de plus près. De deux choses l'une, en effet : ou bien ces hommes ne devaient pas mourir, ou bien il fallait comprendre, avec saint Paul (*I Co.*, 15, 52), que passant de cette vie à la mort et de la mort à la vie éternelle « en un clin d'œil » ils ne sentiraient pas la mort[d]. Il penchait évidemment plutôt vers cette solution d'une bienheureuse arrivée au Royaume, en accéléré[e]. Mais seul le bon larron était connu pour avoir fait le voyage dans la journée[f].

---

a. *Sermon* 344, 4, daté du début de l'année 428.

b. *Cité de Dieu*, XIII, 4. Une première expression dans *De pecc. mer. et remissione*, II, 50, *initio*.

c. *De pecc. mer. et remissione*, II, 50.

d. *Retract.*, II, 33.

e. Comme le montre à la même époque *Cité de Dieu*, XX, 20, 2, où le problème est résolu de cette façon.

f. On verra cependant plus loin qu'il n'était pas encore parvenu au *terminus*.

On a vite fait le tour du matériel scripturaire canonique dont on disposait à l'époque d'Augustin – et en fait dès la seconde génération chrétienne – pour fixer de façon théologiquement irréprochable les divers « scénarios » de l'au-delà et pour imaginer le cadre où se jouaient les variantes et les phases de cette eschatologie [12]. Les plus importants de ces textes, pour ne pas dire les seuls, se trouvaient dans les Évangiles, et le texte de base était la parabole du mauvais riche et du pauvre Lazare, dans *Luc*, 16, 19-31. La mort avait inversé leurs situations : dans le séjour des morts, en proie aux tourments, le mauvais riche voyait de loin en levant les yeux Abraham et Lazare « en son sein », et de loin il interpellait Abraham et demandait qu'il lui envoyât Lazare, afin que du bout de son doigt trempé dans l'eau il lui rafraîchît la langue, pour apaiser la soif dont il brûlait dans les flammes ; mais c'était en vain, car un abîme, lui répondait Abraham pour compléter son refus, les séparait, et empêchait tout passage dans un sens comme dans l'autre. Ces quelques lignes étaient, dans leur relative précision topographique, capitales pour nourrir l'imaginaire proprement chrétien de l'au-delà. L'enfer où se consumait le mauvais riche était « au-dessous », quoique à portée de vue, du lieu céleste qui était le lieu de repos des justes dans l'attente de la résurrection et du jugement. Et ce lieu était le « sein d'Abraham », où Augustin avait eu la certitude qu'était allé tout droit son cher Nebridius, quelque incertitude qu'il ait eue alors sur la nature de ce lieu [a]. Par la suite, l'évêque s'était toujours refusé à en avoir, comme il disait, une perception « charnelle [b] ». Il se moquera gentiment du jeune Vincentius Victor, qui semblait prendre ce « sein » au sens littéral et proprement corporel [c]. La seule chose dont il était sûr, c'était que le « sein d'Abraham », distinct de l'enfer, était un lieu « paradisiaque », le lieu de félicité où le bon larron s'était trouvé transporté au soir même de sa mort [d]. En somme, une antichambre confortable pour attendre la suite des événements et le compagnon de Jésus au Golgotha s'y retrouvait certainement en bonne compagnie, avec les Patriarches et les Prophètes [e]. Et le Christ qui, *sub forma dei*, est partout – il était bien descendu aux enfers – leur rendait plus douce l'attente de la « vision face à face », qu'ils recevraient tous ensemble après la résurrection, en les faisant déjà béné-

---

a. *Conf.*, IX, 6.

b. *Sermon* 14 (prêché un dimanche non datable), 4 : « *Nolite enim carnaliter intellegere quod uelut in sinum tunicae Abrahae leuatus sit pauper. Sinus erat quia secretus erat.* » Cf. aussi *Contra Faustum*, XXXIII, 6.

c. *De natura et origine animae*, IV, 24.

d. Cf. *Ep.*, 164, 8 (à Evodius), et 187, 6, à Dardanus.

e. *Ep.* 164, 7.

ficier en ce lieu de sa présence béatifique[a]. C'est en ce sens que Jésus avait pu dire au bon larron que le jour même il serait avec lui au paradis.

Augustin, on vient de le dire, se refusait à imaginer ce paradis transitoire[13]. Il n'ignorait cependant pas que d'autres s'y étaient essayés deux siècles auparavant, en son Afrique même, sans aller jusqu'à vouloir doter l'imaginaire chrétien d'un répertoire capable de rivaliser avec la riche imagerie païenne que le chant VI de l'*Énéide* de Virgile rendait toujours familière aux lettrés. Dans les années mêmes où le Carthaginois Tertullien définissait assez clairement le « sein d'Abraham », en insistant sur le rafraîchissement intermédiaire (*refrigerium interim*) qu'on y goûtait[b] – claire allusion au doigt trempé d'eau de Lazare qui n'était pas allé jusqu'aux lèvres desséchées du mauvais riche –, une des plus belles passions de martyrs de ces temps difficiles de la chrétienté en fournissait comme une illustration. La *Passion de Perpétue et de Félicité*, qu'on lisait à la messe le jour anniversaire de leur martyre, le 7 mars, était reçue par les fidèles comme une chanson de geste : un texte compatissant et d'une surprenante fraîcheur d'inspiration, ponctué par les visions de l'héroïne. Dans l'une des visions qu'elle avait eues en prison, Perpétue avait vu et faisait voir son petit frère, Dinocrate. En deux temps : d'abord le malheureux jeune garçon – il avait été emporté à sept ans par un cancer qui lui avait dévoré le visage – lui était apparu dans « un lieu de ténèbres », sale et en haillons, le visage marqué par le mal qui avait causé sa mort ; il brûlait de fièvre et de soif, et essayait de se hausser sur la pointe des pieds pour boire dans un bassin rempli d'eau, mais la margelle était trop haute[c]. Perpétue priait alors jour et nuit dans les larmes et les gémissements pour que le salut de son petit frère lui fût accordé, et quelques jours plus tard une autre vision lui montra, dans le même lieu, Dinocrate maintenant propre et bien vêtu, « rafraîchi » (*refrigerantem*), sa plaie au visage cicatrisée ; la margelle du bassin s'était abaissée et d'une coupe d'or qui y était posée l'enfant puisait joyeusement pour la boire une eau qui se renouvelait sans cesse. Se réveillant, Perpétue comprit qu'« on lui avait fait grâce de sa peine[d] ».

Certes, il y a dans ce double récit des ambiguïtés : quelle était donc cette « peine » ? Peut-être celle d'un péché – symbolisé par le

---

a. *Ep.* 187, 7.

b. *Aduersus Marcionem*, IV, 34. Il s'agit là du « réceptacle temporaire des âmes fidèles ».

c. *Passion de Perpétue et de Félicité*, VII, 4-8, édit. J. AMAT, *S.C.*, vol. 417, Éd. du Cerf, 1996, pp. 128-130.

d. *Ibid.*, VIII, 1-4.

cancer de la face –, et dans ce cas le bassin était une cuve baptismale en accédant à laquelle l'enfant primitivement non baptisé finissait par obtenir son salut[a]. Mais cette eau réconfortante était aussi celle dont on jouissait dans le « sein d'Abraham » ; elle était celle qu'on voyait couler, bien fraîche et réelle, sur les *mensae* des tombes paléochrétiennes d'Afrique du Nord, à Tipasa et ailleurs, et dont tant d'inscriptions ont célébré le bienfaisant *refrigerium*, une réalisation concrète sur cette terre, près des morts, du bonheur qu'on leur souhaitait[14]. C'est dire la polyvalence et la richesse de significations d'un texte qui figurait encore en latence, à peine en esquisse, un thème qui parviendra lentement à une expression clairement affirmée, celui des « limbes » quand il s'agit des enfants, et qui, aussi, montrait combien était vivace, dans la mentalité populaire chrétienne, le sentiment de l'efficacité de l'intercession des vivants pour les morts, si du moins les vivants – et c'était le cas de Perpétue – tenaient de la grâce qui était en eux le charisme nécessaire. Augustin, à cet égard, ne pensait pas autrement, lui qui, à la mort de Monique, avait prié pour son salut et qui dans la *Cité de Dieu* soulignera la vertu des prières de l'Église en faveur des défunts dont la vie ici-bas n'avait pas été mauvaise[b].

Ce sont surtout ces images d'un lieu enténébré où l'on souffre d'un mal-être et d'une soif qui, dans le cas du petit Dinocrate, apparaissent comme des peines non définitives, qui font que dans cette page de la *Passion de Perpétue et de Félicité* « se profile l'imaginaire du purgatoire[15] ». Elles illustrent alors, avant la lettre, l'évocation dans les textes augustiniens d'une situation temporaire – on hésite entre « lieu » et « état » – bien moins favorable que celle où la miséricorde de Jésus avait mis le bon larron. La réflexion d'Augustin sur ces peines que leur caractère dans le meilleur des cas transitoire établit, entre mort physique et résurrection éventuelle, sur un axe parallèle à celui des douceurs du « sein d'Abraham », avait commencé bien avant son entrée dans la vie pastorale. Il les évoquait déjà en 388/89 dans son texte *Sur la Genèse contre les manichéens*, avec des mots qui les distinguaient nettement de la peine éternelle ; cette peine, ou cette épreuve, menaçait celui qui dans cette vie aura été négligent à se procurer sa nourriture spirituelle : celui-là « aura à souffrir après sa mort soit du feu de la purification (*ignem purgationis*), soit du châtiment éternel[16] ». Quel-

---

a. Ainsi pensait, avec les pélagiens, le jeune laïc de Maurétanie Césarienne, Vincentius Victor, avec lequel Augustin était, sur ce point, en désaccord : cf. *supra*, p. 511.

b. *Conf.*, IX, 34-37 ; *Cité de Dieu*, XXI, 24, 2.

que trente-cinq ans plus tard, d'abord dans le *Manuel*, puis dans la *Cité de Dieu*, l'évêque s'efforcera d'apporter une réponse à ce qu'il appelait devant ses fidèles une *obscura quaestio*. Dans l'un de ses prêches, Augustin citait saint Paul et, à son habitude, faisait dans le commentaire du texte à la fois les questions et les réponses. Explique-nous, lui disait-on, comment ceux qui, sur le « fondement » qu'est le Christ, bâtissent non avec de l'or, de l'argent et des pierres précieuses, mais avec du bois, du foin et de la paille, ne périront pas, seront sauvés, mais « comme à travers le feu » (*I Co.*, 3, 15) ? Il connaissait, répondait-il, deux catégories de chrétiens. Il y avait ceux qui ne s'attachaient pas au monde, « qui en usaient comme s'ils n'en usaient pas » ; ceux-là, ces continents, ces désintéressés, ces justes, bâtissaient sur le fondement du Christ avec de l'or : leurs constructions étaient à l'épreuve de n'importe quel feu. Plus nombreux étaient ceux qui, fondamentalement fidèles au Christ, étaient cependant attachés aux biens de cette terre, à leurs intérêts, à l'amour charnel de leurs femmes plus que ne l'exigeait le pacte conjugal[a]. Ceux-là seront sauvés « comme à travers le feu », quand ce feu aura fait son aliment des constructions de bois, de foin et de paille édifiées par leur amour des choses temporelles[b]. Et dans un autre texte le pasteur avait déjà prévenu ses ouailles : parce qu'il est dit qu'à travers ce feu on sera sauvé, on a tendance à faire peu de cas de ce feu ; gardons-nous cependant de le faire, car ce feu sera plus terrible que tout ce qu'un homme peut supporter en cette vie[17]. Mais évidemment l'Apôtre avait exclu des chances de ce feu terrible mais provisoire ceux qui, sur le fondement du Christ qu'ils avaient reçu, bâtissaient adultères, sacrilèges, parjures et autres crimes : il n'y avait pas même de mots pour dire ce genre de constructions, et c'était le feu éternel qui attendait leurs bâtisseurs.

Pourtant, entre les apologues du prédicateur commentant l'épître paulinienne et la ferme fixation d'une pensée théologique, une marge d'hésitation demeure. Dans une lettre à Cyrille d'Alexandrie datée de 417, l'évêque n'exclut pas que les mots de l'Apôtre visent aussi bien ce qui se passe dans cette vie que le jugement particulier qui précède le dernier jugement[c]. Vers 421, le *Manuel*, souvent si remarquablement péremptoire dans ses énoncés synthétiques, apparaît sur ce point en retrait. On y voit Augustin faire du texte de saint

---

a. L'évêque a ici en tête *I Co.*, 7, 33 qu'il citera en s'exprimant sur le même thème dans *Ench.* 68.

b. *Enarr. in Psalm.* 80, 21.

c. *Ep.* 4*, 4, dans *B.A.*, 46 B, p. 114 (voir le commentaire de Y.-M. Duval, *ibid.*, pp. 430-442).

Paul une exégèse plus allégorique, métaphorique même, en admettant plus nettement encore que le feu de *I Co.*, 3, 15 puisse désigner surtout les épreuves de cette vie[a], sur la fonction « cathartique » desquelles il s'exprimera plus clairement ailleurs, quand il dira que « de ce feu de la tribulation relèvent, en cette vie, les deuils de famille et les calamités de toutes sortes » qui nous privent de ces biens et de ces amours terrestres[b]. Et, au chapitre suivant du *Manuel*, il poursuit : « Que quelque chose de semblable se produise également après cette vie, ce n'est pas incroyable... Quelques fidèles [dans ce cas] pourraient, par une sorte de feu purificateur[c], être sauvés d'une façon plus ou moins rapide ou tardive, selon qu'ils auraient plus ou moins aimé les biens périssables. » Quelques années plus tard, Augustin reprend sa réflexion sur l'ensemble de ces problèmes eschatologiques dans les derniers livres de la *Cité de Dieu*. Il a peine à se déterminer. Citant *Malachie*, 3, 3, sur le Seigneur qui « purifiera les fils de Lévi et les fondra comme l'or et l'argent », il commente : de ces mots semble bien découler qu'il y aura pour certains des « peines purificatrices » (le latin dit : *poenas purgatorias*). Mais il ne se sent pas encore capable de trancher : « Cette question des "peines purificatrices", pour être traitée plus soigneusement, doit être renvoyée à plus tard[d]. » Il y reviendra de fait au livre suivant de la *Cité de Dieu*, mais c'est encore pour un remarquable aveu de prudente incertitude : « Et donc, après la mort du corps, jusqu'à ce qu'on en vienne à ce jour suprême de la condamnation et de la rémunération qui suivra la résurrection des corps, si l'on dit que dans cet intervalle de temps subissent cette sorte de feu non ceux qui dans la vie de ce corps n'ont pas eu des mœurs et des amours telles que leur bois, leur foin, leur paille soient consumés, mais que le ressentent les autres, ceux qui, ayant apporté avec eux des constructions de pareille matière, trouvent le feu d'une tribulation passagère qui les consumera, soit ici-bas seulement, soit ici et là-bas, ou même là-bas et pas ici – et cela bien qu'elles ne soient pas passibles de damnation –, je n'y contredis pas, car c'est peut-être vrai[e]. »

On constate ainsi que rien n'est moins dogmatique que les derniers mots d'Augustin sur l'éventualité d'une situation transitoire d'amendement ou de « purification » que pourraient connaître de bons chré-

---

a. *Ench.*, 68.
b. *Cité de Dieu*, XXI, 26, 2.
c. *Ench.*, 69 : « [...] *per ignem quemdam purgatorium* »...
d. *Cité de Dieu*, XX, 25.
e. *Ibid.*, XXI, 26, 4.

tiens qui, sans être de grands pécheurs, ont eu des faiblesses pour ce siècle. Non seulement l'évêque est à cent lieues de penser à un « purgatoire » en termes de spatialité, mais l'idée même d'un « état » temporaire de « purgation », entre mort et Jugement dernier, le laisse hésitant. On a vu que sa tendance le pousserait plutôt à épargner à ces pécheurs légers, à ces bons vivants, l'épreuve de ce feu transitoire mais terrible, en considérant que souvent ils avaient déjà subi leur « purgatoire » avec leur « tribulation » terrestre. La condition cependant était que cette humaine faiblesse ne restât pas impénitente : la pensée profonde d'Augustin était sans doute l'espérance que, sous la condition de pratiques pénitentielles, la miséricorde divine permettrait à cette catégorie de fidèles de faire l'économie d'un feu « purgatoire » dans l'au-delà[18]. L'évêque était au moins sûr que cette miséricorde de Dieu s'exercerait, sans qu'il leur fût besoin de pénitence, au bénéfice des enfants baptisés en bas âge, à qui il adviendrait de terminer leur vie avant de parvenir à l'adolescence : ces morts prématurés, qui n'avaient eu ni le temps ni l'occasion d'ajouter des péchés personnels à celui que la grâce du baptême avait racheté, non seulement échappaient au supplice éternel – la « seconde mort[a] » –, mais ils étaient même exemptés du moindre tourment purificateur[b].

Cette « seconde mort », c'est celle qui est promise au mauvais riche dans la triste salle d'attente, royaume de la soif, d'où, levant les yeux, il voit avec envie la félicité encore provisoire de Lazare dans le « sein d'Abraham ». Le jugement particulier qui l'a envoyé dans cette antichambre de l'enfer – quand « son âme est sortie de son corps[19] » – a définitivement distingué, avant toute confirmation par le Jugement dernier, son sort de celui du pauvre vertueux : théoriquement sans appel, sans passage rédempteur par une peine temporelle, comme dans le cas des bons chrétiens un peu trop amoureux de ce monde. Ces impies, ces infidèles, ces pécheurs endurcis et impénitents, Augustin les a-t-il sans états d'âme laissés à leur damnation ? De plus en plus nombreux étaient ceux – l'évêque les appelait « nos miséricordieux », avec une légère pointe d'ironie et d'agacement[c] – qui répugnaient à l'idée de l'éternité d'une peine dont les textes scripturaires relatifs à la « géhenne de feu » donnaient une idée si effrayante. Faute d'avoir la capacité métaphysique d'Origène et sa vision dynamique d'un salut qui n'excluait pas même, à terme, le prince des ténèbres et ses anges, les miséricordieux du temps d'Augustin n'allaient pas tout à fait aussi loin que leur chef

---

a. *Ibid.*, XIII, 3.
b. *Ibid.*, XXI, 16.
c. *Ibid.*, XXI, 17, *initio.*

de file. Mais largement ouvert était l'éventail de leurs grâces. Dans la *Cité de Dieu*, le catalogue est dressé des remises de peine infernale et même des exemptions dont ils plaidaient le bénéfice en faveur de telle ou telle catégorie de pécheurs[a]. Augustin, lui, s'en tenait au dogme, suffisamment clair à ce sujet dans les Écritures. L'éternité n'était pas chose relative, ni susceptible d'abrégement. Il voulait prendre au pied de la lettre les derniers mots de Jésus dans le discours eschatologique tenu juste avant la pâque qui allait voir sa propre passion : « *Ceux-ci iront au supplice éternel, mais les justes dans la vie éternelle* [*Mt.*, 25, 46]. » Les deux groupes avaient été placés par le Christ dans une « relation de parité » à laquelle on ne pouvait, pensait-il, porter atteinte sans absurdité : si la vie devait être éternelle pour les saints, cette symétrie exigeait que la damnation fût éternelle pour les autres[b]. Inflexible sur l'éternité de la peine, Augustin admettait cependant que celle-ci fût modulée, en proportion des conduites des uns et des autres en cette vie, suivant des modalités objectives – c'étaient alors « la force et l'ardeur » du feu qui variaient – ou subjectives, si dans la géhenne il pouvait être donné aux patients de ne pas ressentir tous ce feu avec une égale virulence[c]. C'est probablement cette modulation de la peine que l'évêque avait en vue quand dans le *Manuel* il évoquait de façon assez sibylline « une forme plus tolérable de damnation » (*damnatio tolerabilior*)[d]. Et, s'il repoussait l'idée de remises de peine, il ne se refusait pas à en envisager des aménagements, des adoucissements : la miséricorde de Dieu pouvait accorder aux damnés la grâce de souffrir des peines plus légères et plus douces que celles qu'ils avaient méritées[e]. Dans l'une de ses homélies, l'évêque posait audacieusement la question : pouvait-on concevoir des « pauses » dans leurs souffrances, par intervalles ? La question demeurait sans réponse : sur un pareil sujet, concluait-il, mieux valait réfléchir à tête reposée[f].

Une autre question restait pendante, celle-là véritablement lancinante : le sort des enfants morts sans baptême. Augustin était à leur égard douloureusement prisonnier de la doctrine du péché originel[g] : pécheresse en Adam, l'humanité avait été sauvée par la rédemption

---

a. *Ibid.*, XXI, 17-22.

b. *Ibid.*, XXI, 23 ; formulation semblable déjà dans *Ench.*, 112.

c. *Ibid.*, XXI, 16, *in fine*.

d. *Ench.*, 110, *in fine*.

e. *Cité de Dieu*, XXI, 24, 3.

f. *Enarr. in Psalm.* 105, 2, *in fine* : « *Sed de hac tanta re diligentius ex otio disserendum est.* »

g. Voir l'*Ep.* 166, 16, où en 415 Augustin avoue à Jérôme son angoisse (*angustiae*)

qu'elle tenait du nouvel Adam. Si cette rédemption était déclarée
inutile dans le cas des enfants morts sans baptême, c'était tout l'édifice de sa foi en l'action de la divine Providence qui s'écroulait. Il
ne pouvait admettre une telle faille. On l'avait vu lors de la controverse avec les pélagiens, pour qui il n'y avait pas de problème,
puisqu'ils niaient le péché originel. Mais il ne pouvait non plus tenir
pour recevable l'attitude d'un Vincentius Victor, que son bon cœur,
en l'occurrence, acculait au pélagianisme : « vrai catholique » en
soutenant contre Pélage la doctrine du péché originel, le correspondant de l'année 420 se muait en « nouvel hérétique » en sapant
l'enseignement relatif au baptême[a] ! À l'appui de ses thèses « misé-
ricordieuses », il tirait argument du sort fait à Dinocrate dans la
Passion de Perpétue et de Félicité, comme aussi d'ailleurs de l'élévation au paradis du bon larron. Mais qui savait, rétorquait l'évêque
maniant lui, un peu imprudemment, l'argument *ex silentio*, si l'un
comme l'autre n'avaient pas été baptisés[20] ? Victor était même plus
audacieux et plus précis que les pélagiens sur la destination *post
mortem* des enfants non baptisés[b]. Il n'allait pas à l'encontre de ce
qu'il lisait dans l'*Évangile de Jean* : « *Celui qui ne renaîtra pas de
l'eau et de l'Esprit n'entrera pas dans le royaume des cieux* [3, 5] »,
mais du Royaume il distinguait, non sans raison, le paradis où il
voulait voir « les nombreuses demeures qui sont dans la maison du
Père » (*Jn*, 14, 2) ; et, reconnaissant dans ces « demeures » des réalités quasi spatiales, il s'appliquait à y trouver une petite place pour
les non-baptisés[c]. Pour ce qui était du bon larron, Augustin ne pouvait qu'en être d'accord : le moyen de nier la promesse faite par le
Christ ? Mais, quoi qu'il lui en coutât humainement, il ne pouvait
l'admettre quand il s'agissait des enfants. D'autant moins que Victor
ne s'arrêtait pas en si bon chemin de miséricorde, et allait encore
plus loin que les pélagiens en oubliant *Jean*, 3, 5 et en prévoyant
que, lors de la résurrection, après un stage dans les « demeures » du
paradis, les portes du Royaume aussi s'ouvriraient devant eux[d]. Au
reste, le concile antipélagien réuni à Carthage au printemps de 418
avait déjà brutalement mis un terme à cette discussion théologique
en déclarant anathème celui qui s'appuierait sur *Jean*, 14, 2 (« *Il y
a beaucoup de demeures dans la maison de mon Père* ») pour
prétendre qu'il y eût dans le royaume des cieux « quelque lieu

---

de ne pouvoir trouver des réponses humainement satisfaisantes à ce problème théologique.

a. *De natura et origine animae*, III, 19.
b. Cf. *supra*, p. 463. les précautions et les ambiguïtés de Pélage à ce sujet.
c. *De nat. et orig. animae*, II, 14.
d. *Ibid.*, III, 19 (cf. déjà *supra*, p. 511).

médian » où les petits enfants morts sans baptême vivraient dans la béatitude[a]. À vrai dire, ni les pélagiens ni par la suite Vincentius Victor ne s'étaient précisément exprimés de la sorte, mais le jeu était fermé.

Le théologien n'avait pas faibli, mais cette question des petits enfants morts sans baptême était fichée comme une épine dans l'âme du pasteur. Dès 412, faute de pouvoir les exonérer de la damnation, il affirmait au moins qu'ils connaîtraient la « damnation de toutes la plus douce[b] » ; à quoi ferait écho une dizaine d'années plus tard la phrase du *Manuel* qui, sans désigner nommément les enfants, ne pouvait viser qu'eux : « Douce entre toutes sera la peine de ceux qui, au péché qu'ils tenaient de leur origine, n'en ont ajouté aucun[c]. » Cette peine, disait un autre texte, serait plus tolérable que celle qu'encourent ceux qui commettent des péchés personnels[d]. Mais encore ? diront ceux qui ont du mal à se satisfaire de ces propos lénifiants. Et que leur répondre, sinon que par ces mots, en dépit des raideurs d'une théologie sans doute à notre gré trop attentive à prévenir toutes les déviations et à barrer la route à tous les laxismes, l'évêque signifiait son vœu de laisser grandes ouvertes ses voies à la miséricorde divine ?

La vie éternelle au Royaume

Avant l'entrée dans l'éternité de la peine infernale ou de la béatitude céleste, le temps continue de s'écouler pour les morts. Ce qui est pour les vivants le temps bien concret de l'Histoire, la durée qui reste à vivre aux générations à venir dans l'attente de la parousie, est pour les morts ce temps « méta-physique » qui, après la « première mort » – la dissolution du composé humain, l'abandon par l'âme de ce corps qu'elle avait porté à bout de bras et qu'elle avait soumis à ses volontés bonnes ou mauvaises –, s'ouvre jusqu'au véritable terme eschatologique : la « seconde mort » ou la vie éternelle, selon ce qu'en aura décidé le jugement dernier. La première mort a envoyé l'âme à un jugement particulier qui laisse augurer du jugement final et même l'anticipe, mais elle a laissé sur cette terre, sous quelque forme que ce soit, la dépouille mortelle. Cette dépouille

a. *Concilia Africae*, *CCL*, 149, p. 70.
b. *De pecc. mer. et remissione*, I, 21.
c. *Ench.*, 93. Cf. aussi *Ep.* 184 A, 2 : « *Minima poena, non tamen nulla.* »
d. *Ep.* 186, 29 (lettre adressée par Augustin et Alypius à Paulin de Nole en 417).

y « repose », comme le disent à profusion les épitaphes, et il arrive que l'une d'entre elles ajoute « en attendant » (*interim*), comme le fait une inscription martyrologique de Tipasa[21] : en attendant bien sûr elle aussi la parousie, et cette résurrection qui reformera le composé humain, pour le jeter dans la « seconde mort » ou lui assurer la vie éternelle.

Dans son héritage théologique, Augustin avait trouvé le gros dossier du débat sur la résurrection. Cet aspect de son héritage, il ne l'a pas négligé ; c'eût été au demeurant tout à fait impossible, car là gisait le plus lourd du contentieux idéologique entre païens et chrétiens. On pouvait s'entendre entre intellectuels des deux bords sur l'immortalité de l'âme – et encore non sans ambiguïtés –, mais quand on en venait à la résurrection de la chair, le divorce était total. Et il était ancien : on sait que c'est parvenu au point de son discours où il évoquait la résurrection des morts, et d'abord celle du Christ, qui garantissait toutes les autres, que saint Paul avait dû quitter l'Aréopage d'Athènes, sous les lazzis de ceux qui l'écoutaient, philosophes épicuriens et stoïciens au premier rang[a]. La moquerie continuera à courir, de Celse à Porphyre, et il fallait à Augustin être dans un jour d'optimisme pour croire et affirmer que ce scepticisme avait été radicalement balayé, que des hommes incultes, une poignée de pêcheurs, avaient réussi à prendre dans les filets jetés par le Christ « les poissons les plus rares, les philosophes eux-mêmes » ; que la résurrection du Christ, et son ascension au ciel en cette même chair en laquelle il avait ressuscité étaient désormais prêchées dans le monde entier « et que le monde y croyait[b] ». En fait le monde antique contemporain d'Augustin – fidèles de l'évêque y compris – avait toujours peine à croire à la résurrection des corps et, bien que la tentation dût être assez grande de balayer d'un revers de main de telles pauvretés, il fallait à l'évêque en chaire inlassablement réfuter les objections, même les plus naïves, les plus cocasses. On n'en refera pas ici le catalogue, qui a souvent été dressé[22]. Mais ce n'était pas pour le plaisir qu'Augustin s'obligeait à avoir réponse à tout dans ses sermons, et qu'il continuera dans ses textes les plus élaborés à résoudre les difficultés qu'on lui opposait, des plus « sérieuses » – par exemple les arguments que les « philosophes » tiraient des lois de la pesanteur pour nier la possibilité physique de la résurrection des corps[c] ! – aux plus saugrenues en apparence, quand il s'interrogeait sur les conséquences eschatologiques de l'anthropophagie :

a. *Actes des apôtres*, 17, 30-32.
b. *Cité de Dieu*, XXII, 5 ; cf. aussi XXII, 25, *initio*.
c. *Ibid.*, XIII, 18.

la chair de l'homme dévoré par un autre lui sera rendue, et Dieu pourvoira à refaire une chair à celui qu'une terrible nécessité avait poussé à ce geste[a].

Ce souci de défendre le dogme de la résurrection des corps contre les sarcasmes des païens ou de l'étayer face aux doutes de certains fidèles n'était pas chez l'évêque simple attitude apologétique. Le renversement de perspectives qui a abouti à modifier la relation hiérarchique âme/corps du dualisme platonicien, à rompre avec la conception du corps « prison de l'âme » – une prison dont on avait parfois honte[23] –, n'avait pas été une acquisition rapide de l'anthropologie chrétienne. Ambroise développe encore souvent avec abondance la métaphore du corps prison[24]. Augustin a dû faire en lui ce travail au cours de son propre cheminement à partir de sa conversion. La revalorisation du corps, et d'abord la rupture avec sa disqualification, fut chez lui une conquête relativement tardive, liée à l'affaiblissement – surtout consécutif à la relecture et à la méditation de saint Paul – de son néoplatonisme. Dans un texte qui date de 387/88, et où figure sa première mention de la résurrection, il écrivait encore : « Cette résurrection de la chair, crue mollement par les uns, niée par les autres, nous la tenons pour aussi certaine que le fait que le soleil se lève, après s'être couché » ; mais c'était pour ajouter juste à la suite que ce que l'âme désirait comme suprême récompense, c'était la mort, « c'est-à-dire la fuite et l'évasion de ce corps-ci[b] ». C'était avouer sa fidélité, encore à cette époque, au sôma/sêma de Platon. Il a fallu sans doute que ses idées sur l'Incarnation parviennent à maturité pour qu'il prenne la pleine mesure du dogme de la résurrection de la chair, composante du symbole de foi qu'il avait récité comme tous les aspirants au baptême au printemps de 387, et pour qu'il en vienne aussi à une véritable réhabilitation du corps[25]. Mais on doit dire également que sa doctrine du péché originel a eu entre autres résultats celui d'un rééquilibrage entre âme et corps[26]. C'est l'âme, et non le corps, qui commet le péché. Il écrira au livre XIV de la *Cité de Dieu* : « Dire que la chair est la cause de tous les vices d'ordre moral parce que l'âme revêtue de chair vit ainsi, ce serait une mauvaise vision de la nature humaine dans sa totalité. » Et, un peu plus loin dans le même texte : « La corruption du corps qui pèse sur l'âme n'est pas le premier péché, mais son châtiment ; ce n'est pas la chair corruptible qui a rendu l'âme pécheresse, c'est l'âme

---

a. *Ibid.*, XXII, 20, 2 : ce cas très difficile, commentait l'évêque, n'était malheureusement pas un « cas d'école » ; des événements récents l'avaient attesté : probablement des épisodes du siège de Rome par Alaric.

b. *De quantitate animae*, 76.

pécheresse qui a fait la chair corruptible[a]. » Certes, le corps corruptible est un poids pour l'âme, et Augustin reconnaît les conséquences de cette corruption charnelle dans la vie morale, mais ce n'est plus pour lui en tant que corps que notre enveloppe de chair appesantit l'âme, mais en tant qu'elle est mortelle dans notre condition ici-bas. Dans un sermon daté du 5 mai 418, et donc à peu près contemporain du texte qu'on vient de citer, l'évêque s'élevait contre les « spiritualistes » pour qui la béatitude d'après mort consistait toujours dans la libération du corps prison[b]. Quelques années plus tôt, dans un grand sermon sur la résurrection des corps prêché pour la Saint-Vincent, Augustin s'en était déjà pris à ces philosophes dont le mépris des corps, ces réceptacles où avaient été selon eux jetées les âmes pécheresses, rendait principalement compte de leur refus de croire à la résurrection[c].

Comme Jérôme de son côté, Augustin s'élève vigoureusement contre l'idée, héritée du néoplatonisme et tenace dans une certaine tradition chrétienne en Occident jusqu'à Prudence et saint Ambroise, que le corps est un bagne attribué à l'âme pour la punir d'un péché antérieur à son incorporation. En quoi l'ermite de Bethléem et l'évêque d'Hippone n'étaient somme toute que de bons lecteurs des premiers chapitres de la *Genèse*. Le péché d'Adam n'avait pas eu pour effet de faire choir l'âme humaine dans le corps, mais bien de débiliter ce corps, de le rendre mortel, et de transmettre à sa descendance cette faiblesse et cette mortalité. En soi, tel que Dieu l'avait créé, ce corps n'était pas mauvais, et c'était dans cette intégrité originelle que les élus le retrouveraient au ciel. De sa méditation de la *Genèse* – et de saint Paul – Augustin a su tirer toutes les conséquences anthropologiques, de manière à mettre la résurrection de la chair au cœur de son discours théologique sur l'au-delà[27]. Et cela, en dépit des difficultés conceptuelles qui lui venaient toujours d'un langage dont la terminologie dualiste était le résidu, pas encore vraiment « fossilisé », de la formation philosophique de sa jeunesse[d]. Il était plus facile à saint Paul, qui certes écrivait en grec, mais venait du judaïsme et pensait en sémitique, d'imaginer et de dire – dans *I Co.*, 15, 35-53 – l'ascension au ciel de l'« homme total », semé avec un « corps psychique » (le latin dit

---

a. *Cité de Dieu*, XIV, 3, 1 et 2.

b. *Sermon* 256, 2.

c. *Sermon* 277, 3, daté du 22 janvier 413.

d. Un exemple de cet embarras conceptuel par suite de l'utilisation d'un vocabulaire dualiste dans *Cité de Dieu*, XXII, 4 pour décrire l'union de l'âme et du corps.

moins heureusement « animal ») et ressuscitant dans un « corps pneumatique ».

Comme tous les Latins, Augustin parlera de « corps spirituels » pour désigner ce que seront au jour du Jugement les corps ressuscités de ceux que le Fils de l'homme aura placés à sa droite pour les faire entrer au royaume de son Père (*Mt.*, 25, 33-34). Il avait parfaitement conscience de ce qu'il y avait d'apparente contradiction dans les termes : « Loin de nous cependant de croire qu'ils seront des esprits ! » Ce seront, insiste-t-il, de vrais corps, avec une substance charnelle, mais « sans subir, grâce à l'esprit vivifiant – *spiritu uiuificante* : on reconnaît là le principe de force, de lumière, en un mot de "sainteté" du *pneuma* paulinien –, la moindre pesanteur ou corruption de la chair[a] ». Sur ce thème essentiel mais si difficile, Augustin a multiplié les variations pendant quarante ans – déjà en 388/89, dans son explication de la *Genèse*, à l'encontre des manichéens[28]. Comment faire comprendre qu'en la vie éternelle même la chair sera spirituelle ? Ce n'était pas assez d'inverser les termes, de dire que ce n'était pas absurde, puisqu'il avait pu se faire qu'en cette vie, chez les hommes « charnels », même l'esprit devienne charnel[b]. La chair, disait encore l'évêque, serait spirituelle non parce qu'elle serait transformée en esprit, mais parce qu'elle obéirait à l'esprit « avec une souveraine et merveilleuse facilité, jusqu'à y puiser la joie définitive d'une indissoluble immortalité, sans plus éprouver ni douleur, ni corruption, ni la moindre gêne[c] ». Il tentait, pour mieux se faire comprendre, une comparaison, en faisant référence au premier homme, dont le statut était connu et dont le sort pouvait paraître enviable. Pourtant Adam avait été créé non en tant qu'« esprit vivifiant », mais en tant qu'« âme vivante » (*Gn.*, 2, 7) ; il était, pour parler comme saint Paul, non « pneumatique », mais simplement « psychique », « animal » ; et s'il devait à la protection de Dieu dans le jardin d'Éden d'être à l'abri des agressions externes et même internes, comme la maladie[d], il avait besoin de nourriture et de boisson, ce que l'arbre de Vie lui donnait en même temps qu'il le maintenait dans la fleur de la jeunesse[e]. Tandis que, vivifié par l'esprit, le corps spirituel n'aurait plus besoin d'apports matériels, donc d'aliments, conservant la substance de sa chair sans déperdition ni corruption charnelles[f].

---

a. *Ibid.*, XIII, 23, 1.
b. *Contra duas ep. pelag.*, I, 17.
c. *Cité de Dieu*, XIII, 20.
d. Cf. *Retract.*, I, 11, 3.
e. *Cité de Dieu*, XIII, 23, 1.
f. *Ibid.*, XXII, 24, 5, *in fine*.

Ces subtilités sur le corps glorieux devaient paraître bien abstraites et par là un peu inquiétantes aux chrétiens moyens, à qui il fallait donner, même en pareille matière, du concret. On admirera, dans le beau sermon prononcé en janvier 413 pour la Saint-Vincent, l'ingéniosité mise en œuvre par le prédicateur pour persuader ses fidèles d'Hippone de la perfection des corps ressuscités. L'évêque tirait ses effets d'un constant passage à la limite. Ainsi de la santé physique : être en santé, c'est ne pas sentir son corps, c'est vivre en lui en l'oubliant ; mais, si léger que nous soit ce corps, notre heureuse insensibilité serait-elle celle de la pierre, elle n'approcherait pas de celle dont on jouira, si l'on peut dire, au paradis. Les oiseaux peuvent bien nous sembler d'une célérité extrême, les astres se mouvoir avec une vitesse qui défie l'imagination, ce ne sera rien en comparaison de l'agilité des corps glorieux[a]. Augustin ne répugnera pas non plus à donner pour tout public, dans la *Cité de Dieu*, des précisions réconfortantes qui n'étaient pas seulement des réponses aux détracteurs de la résurrection. Au paradis céleste, les maigres gagneront l'embonpoint qu'ils auraient aimé avoir en cette vie, et inversement les obèses auront perdu du poids : c'est la moindre des choses ! Quant aux martyrs, ils retrouveront les membres qu'ils avaient perdus – « *Pas un cheveu de votre tête ne périra* », avait dit Jésus (*Lc*, 21, 18)[b] – mais ils garderont leurs cicatrices, traces glorieuses des épreuves subies pour leur foi. Et quel âge auraient au Royaume ces corps ressuscités ? Y verrait-on voisiner des vieillards et des enfants en bas âge ? Et que dire des enfants morts dans le sein de leur mère ? Il n'y avait, disait l'évêque après quelque hésitation, aucune raison de les priver de la résurrection[c], et il fallait leur appliquer la solution prévue pour les enfants déjà nés, en fonction de la « raison causale » qui leur valait d'avoir en eux, de manière virtuelle, les semences de leur développement. Et c'est ainsi que l'évêque alignait tout son monde, au royaume céleste, sur l'âge que Jésus avait atteint dans les temps de sa prédication et de sa passion : parce que c'était l'âge où le Christ, ressuscité lui-même d'entre les morts, avait à tous montré le chemin, et aussi – ce qui n'était une merveilleuse coïncidence que pour les infidèles – parce que c'est environ la trentaine venue qu'on entre dans cette forme la plus pleine et la plus épanouie

a. *Sermon* 277, 4-9.

b. L'évêque se demandait tout de même avec plus d'amusement que d'anxiété si tout ce qui était tombé sous les ciseaux du barbier devait être restitué. Son sens de l'esthétique lui faisait répondre non.

c. *Cité de Dieu*, XXII, 13 : de toute évidence pourtant ils n'avaient pu être baptisés et leur présence au ciel faisait problème ; Augustin ne soulevait pas ici ce problème, ni non plus dans *Ench.*, 85.

de la jeunesse que les Latins appelaient la *juventus*, passé laquelle s'amorçait le déclin de l'âge mûr et de la vieillesse[a]. Et comme en cette compagnie les femmes restaient des femmes, dans l'éclat elles aussi d'une jeunesse qui n'éveillait plus nul concupiscent désir, c'était une foule immense des deux sexes dans le bel âge qui se pressait aux portes du ciel. Augustin insistait sur cette beauté : rien ne devait déparer ce Royaume où « les enfants de la résurrection et de la promesse seraient les égaux des anges », du moins en félicité[b].

Dans le livre terminal de la *Cité de Dieu*, l'évêque revient inlassablement sur ce thème du bonheur au paradis. Comment se le représenter, le rendre sensible ? La comparaison avec celui qu'Adam et Ève avaient vécu au jardin d'Éden avait montré ses limites. Une voie se présentait, celle de l'analogie avec ce que l'homme avait connu de meilleur ici-bas : l'hymne au génie humain, l'énumération reconnaissante des biens terrestres – ce sont les pages parmi les plus belles du livre – avaient aussi l'avantage d'être un chant de louange pour l'œuvre de la création. Là aussi, l'évêque passait à la limite : « Quels dons ferait aux hommes qu'il avait prédestinés à la vie celui qui avait tant donné à ceux-là mêmes qu'il avait prédestinés à la mort[c] ! » Et ce bonheur culminait avec la vision de Dieu. Mais alors il ne fallait plus parler de bonheur, mais de béatitude. Commentant le mot de saint Paul, si souvent redit par lui : « *Maintenant nous voyons dans un miroir, en énigme ; alors nous verrons face à face* » (*I Co.*, 13, 12), Augustin songeait longuement. Que de fois n'avait-il pas tourné et retourné cette question pour tenter de répondre à des interrogations inquiètes, pressantes, parfois naïvement exprimées, comme lorsque la noble dame Italica lui avait demandé si Dieu pouvait être vu par les yeux du corps[d] ! Un peu plus tard, vers 413, il avait à ce sujet adressé à une certaine Paulina une longue lettre – elle figurera dans les *Révisions* comme un traité en un livre[e] – dont la phrase finale faisait espérer, sur le « corps spirituel », les réflexions qu'il ne mènerait qu'une douzaine d'années plus tard[f]. Dans le même temps, et toujours sur ce thème, Fortunatianus, évêque de Sicca Veneria, était gratifié d'une missive plus brève, dont l'attaque en disait long sur le véritable harcèlement auquel l'évêque d'Hippone était en butte de la part de ces aspirants à la vision de Dieu en ce bas monde : Augustin priait son ami de lui obtenir le

---

a. *Cité de Dieu*, XXII, 15.
b. *Ibid.*, XXII, 20.
c. *Ibid.*, XXII, 24, 5.
d. *Ep.* 92, 3-4.
e. *Retract.*, II, 41.
f. *Ep.* 147, 54, *in fine*.

pardon d'un de leurs collègues à qui il avait écrit avec un peu trop de brusquerie que les yeux de son corps ne pouvaient voir Dieu et ne le verraient jamais ; il n'avait pourtant aucun repentir de lui avoir dit cette cruelle vérité[a] !

Mais quelle serait alors la réalité de cette vision divine *face à face*[29] ? Rien ne pouvait mieux figurer l'activité de ce « corps spirituel » – à vrai dire elle ne serait que cela – que la contemplation qu'il aurait de Dieu, et donc rien n'était plus important à établir. Il était facile d'imaginer qu'à l'instar du prophète Élisée, qui avait pu voir son serviteur tout en étant absent de corps, les élus verraient Dieu au paradis même les yeux fermés, par l'effet d'une vision intérieure. Mais la vraie question était : le verront-ils par les yeux bien ouverts de ce « corps spirituel » ? Ce n'était certes pas une question d'acuité visuelle et il fallait se garder d'autre part de prendre au pied de la lettre le « face à face » de l'Apôtre. Comment un « corps spirituel » pouvait-il s'approcher de Dieu ? Sur le point de renoncer, de s'en remettre à la sagesse de Salomon – « *Les pensées des mortels sont timides et leurs prévoyances incertaines* » (*Sg.*, 9, 14) –, Augustin faisait encore un vigoureux effort dialectique. S'il était vrai que l'intelligible était perçu par l'esprit et le sensible par le corps, de telle sorte que leurs perceptions respectives ne pussent se croiser, Dieu ne pouvait être vu par les yeux d'un corps, même « spirituel ». Mais il était également vrai que Dieu, dépourvu lui-même de corps, connaissait les êtres corporels, qu'il les voyait. Puisqu'il était ainsi établi que les corps sont vus par l'esprit, pourquoi ne pas admettre que la puissance du « corps spirituel » pût être telle que l'esprit lui-même soit vu par le corps ? Or Dieu est esprit[b].

Alors, au prix tout de même d'une moindre corporéité et d'une spiritualité accrue des « corps spirituels », il sera possible de voir Dieu « dans la plus transparente clarté », d'une manière directe, et non plus comme notre intelligence nous le donne à voir maintenant à travers ses œuvres, « comme dans un miroir, en énigme » et de façon partielle. L'évêque avait cependant une dernière hésitation : ou bien nous verrons Dieu par des yeux spirituels qui auront dans leur excellence quelque chose de semblable à l'esprit – mais les Écritures, avouait-il, n'offraient à cela aucun support –, ou bien, chose plus facile à comprendre, « Dieu nous sera connu et visible de telle sorte qu'il sera vu en esprit par chacun d'entre nous, qu'il sera vu par l'un chez l'autre, qu'il sera vu en lui-même, qu'il sera

---

a. *Ep.* 148, 1.
b. *Cité de Dieu*, XXII, 29, 5.

vu dans le ciel nouveau et dans la terre nouvelle[a] ». Dans l'universelle transparence du royaume céleste, Dieu, de transcendant qu'il était pour les hommes sur terre, deviendra immanent pour les élus. Partout directement visible, il sera partout objet de louange éternelle.

Comme toute cité cependant, la cité céleste avait ses différences et ses inégalités. On ne relisait pas ici le verset de *Jean*, 14, 2 sur la multiplicité des demeures dans la maison du Père, mais c'est bien ainsi que nous savons qu'Augustin comprenait ce texte, comme il l'avait dit à Vincentius Victor : les demeures désignaient « les mérites nombreux et divers de ceux qui devaient y résider[b] ». Dans ces pages finales de la *Cité de Dieu*, l'image était transposée en termes de rang. Dans la gloire et la béatitude, « il y aura des degrés », à n'en pas douter[c]. Mais la merveille sera que « la bienheureuse cité constatera en elle-même, comme un grand bien », qu'il n'y aura nulle jalousie d'un rang à l'autre, dans la sereine acceptation d'une différence organique et dans la conscience gratifiante que chacun aura de sa complémentarité dans l'assemblage du corps entier, comme disait Augustin en un langage une fois de plus nourri par les métaphores de saint Paul (*I Co.*, 12, 14-26). Il pouvait clore son chef-d'œuvre sur la lumineuse vision de l'éternelle concorde unissant les élus dans la béatitude, ainsi que dans la louange et l'amour de Dieu : « Là, nous nous reposerons et nous verrons ; nous verrons et nous aimerons ; nous aimerons et nous louerons ; voilà ce qui sera à la fin, sans fin. Et quelle autre fin avons-nous sinon de parvenir au Royaume, qui n'a pas de fin[d] ? »

---

a. *Ibid.*, XXII, 29, 6.
b. *De natura et origine animae*, II, 14.
c. *Cité de Dieu*, XXII, 30, 2.
d. *Ibid.*, XXII, 30, 5.

Chapitre XXXIV

Épilogue

L'année 426 marqua le dernier grand tournant de la vie d'Augustin. Partout les nuages commençaient à s'amonceler, et d'abord au plus près de lui, dans son petit univers. On a déjà dit l'orage qui s'était abattu sur le monastère des clercs d'Hippone à la fin de 425[a]. On sait comment l'évêque avait rétabli la situation, et l'affaire peut nous paraître mince. L'attitude du prêtre Januarius, qui avait continué à gérer son patrimoine avec l'intention de le transmettre à sa fille avant, ayant changé d'avis, de le léguer par testament à l'Église, n'était après tout qu'un manquement à la règle de pauvreté. Mais, par les soupçons qu'elle avait fait naître[b], cette « histoire d'argent » en soi nullement scandaleuse aurait pu ébranler la confiance des fidèles en leur pasteur, dont la crédibilité épiscopale avait été, quatre ans auparavant, entamée par les conséquences d'une autre trahison, bien plus grave, quoiqu'elle n'eût pas affecté le siège lui-même, celle d'Antoninus de Fussala[c].

Quelques mois plus tard, Augustin ressentit dans son âme un autre ébranlement. Car celui qui selon ses propres termes ne faisait avec lui qu'une seule âme[d] venait de disparaître. Le cher Severus, le doux Severus, s'était éteint à Milev (Mila), dont il était l'évêque depuis un peu plus de trente ans. Du cercle étroit des amis les plus anciens, de ceux avec qui les liens remontaient à l'enfance commune à Thagaste, il ne restait plus désormais à Augustin qu'Alypius et Evodius. Suivant une pratique assez sage qui commençait à devenir une tradition, Severus avait désigné son successeur de son vivant pour éviter

---

a. *Supra*, pp. 327-328.

b. La meilleure analyse des répercussions « psychologiques » de l'acte d'indiscipline du prêtre Januarius est à lire dans A. Mandouze, *Saint Augustin*, pp. 225-228.

c. *Supra*, pp. 359-365.

d. *Ep.* 110, 4 ; cf. *supra*, p. 293.

des flottements dans son église lors de sa disparition. Mais il ne l'avait fait savoir qu'à son clergé sans consulter son peuple. À sa mort, on pouvait craindre que cette désignation en petit comité ne fût mal acceptée : certains fidèles en avaient pris ombrage. À la demande en particulier de la communauté monastique locale, Augustin s'en alla régler cette succession[a]. Sa présence fit que l'évêque désigné fut ordonné sans encombre[1], sans doute dans la basilique dont l'édifice bien conservé, et auquel avait succédé une mosquée elle-même ancienne, a été reconnu il y a une trentaine d'années dans les niveaux profonds de la partie occidentale de la vieille ville toujours corsetée alors dans son enceinte byzantine[2]. Au retour, Augustin s'arrêta certainement à Constantine, où Fortunatus, qu'il avait établi sur cette chaire un quart de siècle auparavant[b], était semble-t-il toujours en vie, et à Calama, chez Possidius : c'était sur son chemin. Ce fut son dernier voyage : rentré à Hippone, il n'en sortit plus pendant les quatre ans qui lui restaient à vivre. Il aurait bientôt soixante-douze ans.

Il y avait sans doute déjà réfléchi, mais la mort de son vieux compagnon et la part qu'il venait de prendre à sa succession épiscopale lui firent décider de régler sans plus attendre les détails de la sienne. Un samedi de fin septembre, il convoqua son clergé et ses fidèles pour le lendemain, le dimanche 26. Dans l'abside de la basilique de la Paix[c], l'évêque d'Hippone était flanqué de deux évêques probablement voisins, Martinianus et Religianus, de sièges inconnus ; ses prêtres, Saturninus, Leporius, Barnabas, Fortunatianus, Rusticus, Lazarus et Eraclius étaient aussi à ses côtés. Augustin voyait la nombreuse assistance assez impatiente de connaître la raison de cette convocation et il entra vite dans le vif du sujet. Après le rappel de son grand âge, le motif de son récent déplacement à Milev, qu'il énonça rapidement, était une suffisante entrée en matière : il déclara sa volonté d'avoir pour successeur sur son siège le prêtre Eraclius. Les secrétaires ecclésiastiques qui ont enregistré ces *Acta* ont noté fidèlement les acclamations qui ponctuèrent cette déclaration et le nombre de fois qu'elles firent retentir les murs de la basilique : « Grâces à Dieu ! Louanges au Christ ! » fut répété vingt-sept fois ; « Exauce-nous, Christ ! Vive Augustin ! » seize fois ; « Sois notre père, sois notre évêque ! » huit fois[d]. Un peu plus tard au cours de la séance, comme les fidèles présents modi-

a. *Ep.* 213, 1.
b. Cf. *supra*, p. 489.
c. Cf. *supra*, p. 338.
d. *Ep.* 213, 1.

fiaient un peu leurs acclamations, en signifiant à six reprises leur désir qu'Augustin restât leur père et qu'Eraclius fût leur évêque, celui qui devait rester jusqu'à sa mort le titulaire du siège dut faire une mise au point : il ne fallait pas rééditer l'erreur commise trente ans auparavant du vivant de Valerius, et qu'on pût blâmer dans le cas d'Eraclius ce qu'on avait blâmé dans le sien[a]. Le prêtre attendrait donc la vacance de la chaire épiscopale.

Augustin demeurait l'évêque d'Hippone, sans « coadjuteur ». Ce n'était pas la « préretraite », mais il passait tout de même la main en transférant à Eraclius la partie qu'il avait toujours jugée la plus accablante du fardeau. Après l'avoir porté trente ans durant, il pouvait se permettre de dire ce qu'il avait sur le cœur, dénoncer la rupture du contrat qui avait été passé entre sa communauté et lui-même et aux termes duquel – l'évêque rappelait l'existence d'un compte rendu écrit de cet accord[b] – il avait même été convenu qu'Augustin pourrait se consacrer pendant cinq jours de la semaine, sans être importuné, à son étude des Écritures. Mais ces digues de papier avaient vite craqué. Le vieil évêque redevenait bien tard l'intellectuel à temps plein qu'il aurait tant voulu ne jamais cesser d'être. C'était, presque, le retour à l'*otium*, mais, précisément, celui qui retrouvait enfin quelque liberté lança encore ce mot à ses fidèles : « Que personne ne m'envie ce loisir, car ce loisir est bien occupé[c]. » Les fidèles voulurent bien lui répondre, vingt-cinq fois, qu'il l'avait bien mérité !

LE LONG REGARD CRITIQUE SUR SOI-MÊME

Possidius écrira, après la mort de son maître : « Si nombreuses sont les œuvres qu'il a dictées et publiées... que c'est à peine si un homme d'étude pourrait les lire intégralement[d]. » C'est à la relecture critique de cette œuvre immense – mais encore inachevée – qu'Augustin consacra à partir de cette époque le plus clair des « loisirs » que la désignation d'Eraclius lui avait valus[e], et qu'il devait toujours défendre contre les empiètements de ses ouailles, si

---

a. *Ibid.*, 3 et 4 (cf. *supra*, p. 263).

b. *Ibid.*, 5.

c. *Ibid.*, 6.

d. *Vita Aug.*, XVIII, 9. Augustin lui-même en avait dit autant de Varron (*Cité de Dieu*, VI, 2). Mais Michel de Bay (Baius) se targuera au XVIᵉ siècle d'avoir tout lu neuf fois ! (H.-I. MARROU, *Saint Augustin et l'augustinisme*, p. 173).

e. Au moins la nuit : le jour était réservé à ses réfutations de Julien d'Éclane : cf. *Ep.* 224, 2, *in fine*.

l'on en croit quelques mots d'une lettre à Quodvultdeus datée de 428[a]. Comme ce fut le cas pour mainte autre entreprise, il en avait longtemps porté l'intention dans sa tête. On se souvient de la fameuse lettre à Marcellinus du printemps de 412, où, sans réclamer un droit à l'erreur, il constatait le risque d'en faire, rejetait toute complaisance à soi-même et proclamait son devoir d'autocorrection : rassembler et montrer, dans un livre expressément composé à cette fin, tout ce qui dans ses ouvrages lui déplaisait à juste titre ; c'était la finalité qu'il se proposait alors, dans la perspective plus large d'un « salut intellectuel » par l'« écriture », vue comme l'outil par excellence d'un processus d'indéfini perfectionnement dans une quête avant tout spirituelle. Rappelons cette phrase majeure : « J'avoue que je m'efforce d'être au nombre de ceux qui écrivent à mesure qu'ils progressent et qui progressent à mesure qu'ils écrivent[b]. » Mais à la date de cette phrase l'évêque avait cinquante-sept ans, il entamait tout juste contre Pélage et ses amis son combat théologique majeur ; la grande œuvre, celle qui rassemblerait sur bien des sujets essentiels la réflexion de toute une vie – la *Cité de Dieu* –, était encore à écrire. Il y avait des chances qu'entreprises quinze ans plus tard, par un vieil homme très ardemment mobilisé encore face aux mêmes adversaires, les *Révisions* ne répondissent plus exclusivement à cette inspiration initiale, que la défense prît le pas sur l'autocritique, que cette défense elle-même se ressentît un peu des excès théologiques des polémiques toujours en cours. Quand un écrivain fait « son examen de conscience[3] » à soixante-treize ans, alors qu'il est plus que jamais engagé dans un combat doctrinal vieux de quinze années, peut-il encore le faire dans l'équité vis-à-vis de soi-même ?

Avant de tenter de répondre à cette question, il faut souligner l'originalité de la démarche, qui n'avait pas de précédents dans les littératures de l'Antiquité et qui, dans son ampleur – et même dans son principe – n'aura pas de suite. À supposer qu'Augustin eût été mû par l'orgueilleux nombrilisme qui animera un Jean-Jacques, il aurait pu s'écrier à plus juste titre que lui qu'il formait une entreprise qui n'avait jamais eu d'exemple et n'aurait pas d'imitateur[c]. On doit insister aussi sur la performance qu'elle représentait, qui n'était pas seulement intellectuelle. Personne n'avait eu avant lui[d], personne n'aura après lui le courage de souffler sur la poussière

a. *Ep.* 224, 2 : « Autant que me le permettent les occupations qui ne cessent de m'assaillir de toutes parts. »

b. *Ep.* 143, 2. Cf. *supra*, p. 467.

c. C'est la phrase liminaire des *Confessions* de J.-J. Rousseau.

d. Si ce n'est, dans un domaine technique, Galien, qui au iiᵉ siècle de notre ère avait dressé un catalogue complet et développé de tous ses écrits médicaux.

– à tous les sens du terme – accumulée sur près de quarante ans d'intense production « littéraire ». Dans les conditions modernes de l'édition, l'opération ne présenterait aucune difficulté matérielle. Dans l'Antiquité, c'était, déjà de façon concrète, un exploit. Mais l'évêque, qui ne possédait rien en propre, avait sur beaucoup d'autres avant lui et autour de lui un avantage inappréciable pour le nécessaire maniement des dizaines de milliers de feuilles de parchemin – un support merveilleusement résistant, mais encombrant et lourd ! – dont la somme composait les deux cent trente-deux « livres » – ou *codices*[4] – entre lesquels se répartissaient les quatre-vingt-treize ouvrages recensés par l'auteur lui-même. Cette aide matérielle si précieuse, pratiquement indispensable, c'était l'escouade de secrétaires qui s'affairaient en permanence autour de l'évêque ; ce n'étaient pas seulement leurs mains, ni seulement la connaissance intime qu'ils avaient de cette bibliothèque, mais aussi leurs yeux : Augustin était-il encore en état de relire facilement ses textes comme de lire ceux des autres[a] ? Il n'aurait sans doute pu venir à bout de toutes ces relectures sans le secours de ses *notarii*.

Restait l'essentiel, qu'ils ne pouvaient faire à sa place, si ce n'est prendre fidèlement sous la dictée, comme d'habitude[5]. Dans son « prologue », qu'on s'est évertué parfois à présenter comme rajouté après coup, à la manière d'une postface, l'évêque demeurait sur la ligne déjà fixée en 412 dans la lettre à Marcellinus : revoir ses ouvrages « avec la sévérité d'un juge, et noter, comme avec la plume d'un censeur », ce qui l'y choquerait[b]. Sans plus être à usage interne que ne l'avaient été les *Confessions*, cet autre livre à la première personne était écrit sous le regard de Dieu : il importait à Augustin de se juger lui-même pour être en position d'éviter son jugement. Mais bien apparente aussi était l'intention de couper, par une « rétractation » – il faut garder ici le mot en son sens actuel –, l'herbe sous le pied d'éventuels censeurs, ou simplement de lecteurs malveillants. Il faudrait, disait-il, qu'ils fussent bien malavisés pour le reprendre, puisqu'il se reprenait lui-même ! Par un mouvement naturel de défense et d'explicitation de la pensée, l'autocritique se doublait ainsi presque nécessairement d'une apologie. On ne pouvait d'ailleurs s'y tromper ; Augustin, en cours de route, en avait prévenu le futur successeur d'Aurelius de Carthage dans la lettre du printemps de 428 déjà citée : il apportait des « retouches » à son œuvre

---

a. Ce n'est cependant pas tout à fait impossible, si l'on en croit Possidius, qui affirme que le vieil évêque, à la veille de sa mort, avait conservé vue et ouïe intactes : *Vita Aug.*, XXXI, 5.

b. *Retract.*, prol., 1.

tantôt en « reprenant » – c'est-à-dire en critiquant – ce qui le heurtait maintenant et pouvait en heurter d'autres, tantôt en « défendant » le sens qu'on devait, et qu'on pouvait, y trouver[a]. On n'a pas manqué de s'essayer à faire le décompte des manifestations d'autocritique – *reprehensiones* – et des annotations inspirées par une volonté d'apologie – *defensiones*. Non sans mal : l'évêque était subtil et il est parfois malaisé de démêler les unes des autres. On s'accorde cependant à peu près sur deux séries de remarques. D'une part, de façon globale, Augustin s'appesantit moins sur les œuvres postérieures à l'épiscopat – elles sont recensées dans le livre II des *Révisions* – que sur ses textes antérieurs ; d'autre part, sur ses premiers textes, il est plus souvent porté à défendre qu'à reprendre[6].

Il y a au moins deux façons d'interpréter ces constats. On peut d'abord dire, comme Gustave Bardy l'a fait avec beaucoup de vraisemblance psychologique, que le vieil évêque, qui au départ s'était lancé dans ce travail avec un bel élan, s'est attaché particulièrement aux écrits de sa jeunesse, qu'il redécouvrait, pour ensuite, le temps – les forces aussi – lui manquant, précipiter un peu le rythme de ses relectures[7]. Cependant, sur le fond, il y avait plus à dire – à reprendre, mais aussi et plus encore à défendre contre ceux qui voulaient jouer le « jeune Augustin » contre l'évêque – sur les premières œuvres, dont les positions philosophiques se ressentaient beaucoup du néoplatonisme des années de formation – sur le souverain bien, qui n'était pas dans la raison, mais en Dieu[b], sur l'âme, à propos de laquelle il s'était exprimé autrefois en termes qui impliquaient la croyance en sa préexistence, bien qu'il s'en défendît[c] – ou encore prêtaient le flanc, par exemple dans le *Traité du libre arbitre*, à des interprétations qu'il fallait déjouer. Comme on l'a bien vu[8], le souci de « ne laisser aucun prétexte aux pélagiens » pour faire une lecture pélagienne de son œuvre est sous-jacent à maintes notices relatives à des textes antérieurs à 396, c'est-à-dire à l'année marquée par la nouvelle réflexion sur la grâce dans les commentaires pauliniens de l'*Ad Simplicianum*. Par la suite, dans tout le livre II des *Révisions*, l'évêque en se relisant se reprend surtout sur des points d'exégèse ou sur des détails d'ordre historique. Est-ce à dire que de son propre aveu sa pensée n'aurait plus progressé une fois passé ce grand tournant ? Comment comprendre alors ce que l'auteur annonçait à la fin de son « prologue » : « Celui qui lira mes ouvrages dans l'ordre où ils ont été écrits trouvera peut-être comment j'ai progressé en écri-

---

a. *Ep.* 224, 2.
b. Critique du *Contra Academicos* : *Retract.*, I, 1, 4.
c. *Retract.*, I, 1, 3.

vant[a] » ? En fait – et pour ne considérer que cet aspect de la doctrine augustinienne –, il y avait bien, sinon « progrès », du moins sensible évolution entre les textes de 396 et le dernier texte recensé dans les *Révisions*, le livre de 426 traitant de « la correction et la grâce ». Sur ce sujet essentiel, trente années ne s'étaient pas écoulées en vain. Mais ce que cette longue revue mettait en évidence, c'était qu'au début même de son épiscopat Augustin avait posé, à partir de sa lecture de saint Paul, le socle sur lequel il bâtirait fermement son *intellectus fidei*.

En 429, dans les pages finales du *De dono perseuerantiae*, Augustin se disait toujours occupé à ces « livres dont l'objet était la révision de ses ouvrages[b] ». En fait, nous savons par la lettre à Quodvultdeus, qui datait de l'année précédente, que les deux livres que nous connaissons étaient achevés[c]. Restaient cependant, disait-il, les lettres et les sermons. Et il ajoutait qu'il avait relu la plupart des lettres, sans avoir encore rien pu dicter à leur sujet[d]. C'était donc, très vraisemblablement, à l'annotation des lettres que l'évêque faisait allusion dans le texte ci-dessus cité de l'année 429. Cette annotation restera inachevée et ne nous est pas parvenue. Quant aux sermons, même s'il était dans son intention de les revoir et de les annoter, on peut se demander si c'était véritablement en son pouvoir, du moins pour la totalité de cette œuvre homilétique. Car, de ces textes issus d'une saisie sténographique – faite souvent en dehors d'Hippone –, un certain nombre ont bien pu nous parvenir d'une façon indépendante du reste de l'œuvre « écrite », sans avoir jamais fait partie de la bibliothèque de l'évêque.

Le livre IV de *La Culture chrétienne*

Entre autres tâches qui vinrent entraver le désir d'Augustin d'en finir au plus vite avec la besogne des *Révisions*, il y eut la « découverte » qu'il fit chemin faisant de l'état d'inachèvement où, en 397, il avait laissé son *De doctrina christiana*[e]. Avec une disponibilité d'esprit confondante, sans nulle trace de « raccord », l'évêque enchaîna comme si le temps avait été suspendu entre l'interruption de son texte – en III, 35, au beau milieu d'un développement sur

---

a. *Retract.*, prol., 3, *in fine*.

b. *De dono pers.*, 55.

c. Mais ils n'étaient pas encore diffusés, au grand regret d'Hilarius qui, de Marseille, les réclamait en 428 : *Ep.* 226, 10.

d. *Ep.* 224, 2.

e. Cf. *supra*, pp. 285-286.

l'interprétation des Écritures – et la reprise de la rédaction trente ans plus tard. C'est à un trait comme celui-ci qu'on saisit, comme sur le vif, la capacité intellectuelle tout à fait exceptionnelle d'Augustin, cette aptitude à mobiliser les idées immédiatement, à faire surgir sans effort de sa mémoire les textes qui viendront à l'appui de sa démonstration pour l'illustrer – il s'agissait dans ce texte d'herméneutique des textes sacrés –, à mettre au service du discours une richesse conceptuelle qui puisait elle-même dans une *copia uerborum* jamais prise en défaut. Comme si rien ne s'était passé, l'évêque poursuivait son exposé sur la pluralité des interprétations scripturaires, avant d'en venir à l'examen des règles de Tyconius, dont le renvoi à plus tard, en 397, pour raison d'inopportunité dans le contexte de la lutte antidonatiste, avait sans doute motivé la suspension de l'ouvrage[a].

Augustin ajoutait ensuite un quatrième livre dans lequel il abordait enfin le second temps de la démarche annoncée dès 397 : une fois acquises à celui qui doit les expliquer aux fidèles les clefs du sens des Écritures, il lui reste à trouver la bonne méthode pour communiquer ce sens. L'ambition de ce dernier livre était donc, non seulement de définir l'idéal de l'orateur chrétien, mais de donner à l'apprenti orateur les moyens d'une mise en œuvre[b]. Plus que de la formation rhétorique de l'étudiant et même des années de pratique du professeur[c], Augustin était, pour développer cette *orationis ratio* de l'homilétique chrétienne, fort de l'expérience accumulée en trente-cinq années de prédication et de pastorale. On ne s'étonne donc pas que son approche se veuille plutôt pragmatique. Il sait bien que beaucoup de prêtres et même d'évêques se retrouvent en face d'un auditoire sans être passés par l'école des rhéteurs. Il dira donc que la lecture ou l'écoute d'hommes éloquents est la meilleure des écoles[d], à la condition toutefois qu'à l'éloquence ils joignent la sagesse. Il ne tarde pas à préciser ce qu'est maintenant à ses yeux l'idéal de l'orateur chrétien : « une sagesse qui ne vise pas à la seule éloquence, une éloquence qui ne s'écarte pas de la sagesse[e] », idéal qui se trouvait déjà réalisé dans les grands textes prophétiques – il

---

a. Cf. *supra*, p. 284 et surtout la note de I. Bochet et G. Madec dans *B.A.*, 11, 2 (1997), pp. 562-581.

b. Une bonne présentation d'ensemble de ce livre IV dans M. Moreau, « Lecture du *De doctrina christiana* », dans *Saint Augustin et la Bible*, Paris, 1986, pp. 274-283.

c. Il prévenait : que son lecteur n'attende pas de lui qu'il lui resserve ce qu'il avait appris et enseigné lui-même : *Doctr. chr.*, IV, 2 et 14.

d. *Ibid.*, IV, 5 et 8.

e. *Ibid.*, IV, 21.

cite en particulier Amos, le « prophète paysan » –, mais aussi mis en œuvre dans la véhémente apologie que saint Paul avait faite de lui-même devant les Corinthiens (*II Co.*, 11, 16-30). C'était comme si dans ces textes on voyait la sagesse sortir de sa demeure (cf. *Pr.*, 9, 1), le cœur du sage, suivie de l'éloquence, sa servante inséparable. Cette éloquence-là parvenait à l'efficacité en visant à la « transparence » (*euidentia*) : pour y atteindre il ne fallait pas avoir peur, éventuellement, de parler avec les mots du peuple pour se faire comprendre ; Augustin préconisait de dire, pour signifier les « ossements », *ossum* et non pas *os*, dont les oreilles africaines confondaient, dit-il, facilement la syllabe longue avec la syllabe brève de *os*, le « visage[a] » : c'était son expérience de prédicateur qui s'exprimait là ; il s'en était déjà expliqué dans une homélie sur un des *Psaumes*, en ajoutant qu'il valait mieux être repris par les grammairiens qu'incompris des fidèles[b]. Dans un autre sermon, il avait simplifié une forme verbale pour la rendre plus claire, et justifié son initiative avec un de ces jeux de mots qu'il affectionnait, mais dont la recherche devait pour le coup laisser ses auditeurs plutôt pantois : « Mieux vaut que vous me compreniez avec mon barbarisme, plutôt que de rester *déserts* avec ma *disertude*[c]. » Dans le même souci d'efficacité oratoire, il préconisait une pratique « interactive » de la prédication : pour être entendu, l'orateur doit être à l'écoute d'un public qui se tait ; à lui d'interpréter ses moindres signes, d'être à l'affût de ses réactions[d]. Il suffit d'avoir lu quelques sermons de l'évêque pour savoir que c'était ainsi qu'il gardait lui-même le contact avec son auditoire.

Augustin a beau dire, se défendre de vouloir envoyer à l'école du rhéteur ceux qui se destinent à l'éloquence sacrée, il reste, dans cet exposé didactique, tributaire des principes de l'éloquence profane, tels que Cicéron les avait posés[e]. La triple finalité, « instruire, plaire, toucher », était toujours de mise. La première allait de soi et devait être poursuivie sans adaptation particulière. « Plaire » est évidemment un atout dont celui qui veut instruire ne saurait aisément se passer. L'évêque y avait insisté, de longues années auparavant, dans le prologue de son texte *Sur la première catéchèse*[f]. Mais la

---

a. *Ibid.*, IV, 24.

b. *Enarr. in Psalm.* 138, 20.

c. *Ibid.*, 36, 3, 6 : « [...] *quam in nostra* disertitudine *uos* deserti *eritis* », écho du même jeu de mots dans les *Confessions*, II, 5 : « [...] *dummodo essem* disertus *uel* desertus *potius* »...

d. *Doctr. chr.*, IV, 25.

e. *Ibid.*, IV, 27.

f. *De catechizandis rudibus*, 4.

recherche stylistique est condamnée comme « écume verbale » si elle est gratuite, si elle n'est pas mise au service du dire juste et vrai : Augustin regrettait que, dans le prologue de son *Ad Donatum*, Cyprien, qu'il admirait tant, se fût encore laissé aller à cette manière d'écrire baroque – la phrase citée évoque par ses arabesques les sinuosités des rinceaux sur les mosaïques du temps[a] – qui caractérisait la prose d'art d'un Apulée. Mais il reconnaissait que l'ancien rhéteur n'avait plus par la suite donné dans ce travers. Quant à « toucher », c'était capital ; l'avocat utilisait cette arme pour gagner les juges à sa cause, le prédicateur pour gagner les âmes à Dieu : l'émotion qu'il faisait naître était l'instrument de sa victoire[b].

L'accomplissement de ces trois devoirs de tout orateur passait par la mise en œuvre des trois styles, comme autant d'outils spécifiques, qu'Augustin mettait au service des trois finalités susdites plus directement que ne l'avait fait Cicéron : le style « simple », le style « tempéré », le style « sublime », ou « grand style[9] ». Pour Cicéron, était éloquent l'homme capable de traiter de petits sujets en style simple, des sujets moyens en style tempéré, et des sujets élevés en grand style. Augustin combinait styles et finalités : « Sera donc éloquent celui qui sera capable, pour instruire, de parler de petits sujets en style simple, pour plaire d'en traiter de moyens en style tempéré, pour toucher, d'en traiter de grands en grand style[c]. » Mais la différence majeure entre le forum et la chaire était que du haut de cette dernière on n'abordait guère que de grands sujets, pour le traitement desquels les trois styles pouvaient être mis à contribution selon l'intention de l'orateur : le style simple pour un enseignement, tandis que l'injonction, le blâme ou l'éloge relevaient du style tempéré et que le style sublime était réservé pour célébrer la grandeur divine ou pour entraîner les cœurs. À ce dernier égard, d'une action oratoire irrésistible l'évêque donnera comme exemple la réussite personnelle de son prêche victorieux à Caesarea (Cherchell) à la fin de l'été de 418[d].

Les principes sont cicéroniens, mais les autorités invoquées pour les illustrer sont bien sûr celles d'orateurs chrétiens. On a pu regretter qu'Augustin ait laissé ici échapper l'occasion d'élaborer « une stylistique tirée de l'Écriture et des Pères[10] », de « théoriser » en quelque sorte la pratique d'une esthétique expérimentée par ceux de ses prédécesseurs qu'il admirait le plus, saint Cyprien d'abord, saint Ambroise tout près de lui, mais aussi par lui-même dans tant

---

a. *Doctr. chr.*, IV, 31, citant *Ad Donatum*, 1.
b. Cicéron employait déjà le mot : *L'Orateur*, 69.
c. *Doctr. chr.*, IV, 34.
d. *Ibid.*, IV, 53 ; cf. *supra*, p. 494.

d'œuvres proprement oratoires ainsi que dans les *Confessions*. Sans doute était-ce trop tôt, et Cicéron était-il trop proche, encore que deux siècles plus tôt un Tertullien eût déjà pris plus nettement ses distances[11]. Le résultat est qu'on voit Augustin s'appliquer à montrer que saint Paul s'est servi – même s'il ne les a pas suivis consciemment – des procédés de la rhétorique[a]. Mais il lisait l'Apôtre en traduction latine et regrettait que ses interprètes eussent été si peu attentifs dans leur rendu aux jeux de sonorités et aux « clausules », ces finales de phrases dûment rythmées de diverses manières qui lui étaient si naturelles. Ainsi du demi-verset de l'*Épître aux Romains* 13, 14 qui en août 386 avait été pour lui l'instrument de la Providence dans le jardin de Milan : « *Et ne vous faites pas les pourvoyeurs de la chair en ses convoitises* » ; la chute, observait-il, eût été bien meilleure si dans le texte latin la forme verbale marquant l'injonction avait été rejetée en fin de phrase[12] ! Du moins n'avait-il pas de peine à mettre en évidence que l'éloquence naturelle de saint Paul triomphait dans le style sublime, où les images fortes alternaient avec le mouvement, les instigations, presque le halètement d'un discours inspiré[b]. Cicéron aurait déploré chez l'Apôtre le manque d'élégance, mais comme Augustin il lui aurait donné la palme pour la véhémence et la passion.

L'évêque ajoutait la sincérité. L'adéquation de la vie vécue au discours tenu était la meilleure garantie de son efficacité. Ce que l'orateur chrétien devait surtout éviter, c'était de pouvoir être montré du doigt comme les scribes et les pharisiens dont Jésus avait dit : « *Faites ce qu'ils disent, mais ne faites pas ce qu'ils font ; car ils disent et ne font pas* [*Mt.*, 23, 3]. » À défaut d'éloquence, la muette vertu de l'exemple était l'arme suprême du pasteur. En trente ans d'épiscopat, dans les campagnes de son Afrique où la culture classique était rare et la formation au bien parler quasi inexistante, Augustin en avait vu beaucoup, de ces prêtres et de ces évêques, forts surtout de leur engagement au service des fidèles, qui appliquaient avec succès une formule de la fin de son livre : « *Quasi copia dicendi forma uiuendi*[c]. »

LA TARDIVE ACCEPTATION DU MIRACLE

Vers 421, Augustin se décida à donner réponse à une lettre de Paulin de Nole restée un certain temps en souffrance. Pour une fois,

---

a. *Doctr. chr.*, IV, 11-13.

b. *Ibid.*, IV, 43, citant *Rm.*, 8, 28-39.

c. *Ibid.*, IV, 61 « [Que] la façon de vivre [tienne lieu] d'abondance oratoire. »

plus que par l'accumulation des tâches à entreprendre [13], le délai s'expliquait surtout par l'embarras du destinataire. L'évêque de Nole avait accédé au souhait d'une noble dame africaine dont le fils, Cynegius, avait trouvé la mort en Italie, et plus précisément dans les limites de son diocèse : Flora – c'était le nom de la dame [14] – avait imploré que fût accordé à sa dépouille le privilège de reposer *ad sanctum*, auprès des reliques de saint Félix, dans la basilique funéraire de Cimitile, voisine du centre urbain de Nole. En même temps qu'il avisait Flora qu'il lui serait donné satisfaction, Paulin s'adressait à Augustin pour lui dire les motifs qui l'avaient guidé : l'Église n'avait-elle pas coutume de prier pour les défunts ? Ne pouvait-on en conclure aussi à l'utilité pour les morts d'être placés sous la protection visible des saints ? Cette conclusion, Paulin l'avait tirée bien longtemps auparavant en déposant à Complutum (Alcalá de Henares), en Espagne, les restes de son fils nouveau-né près du tombeau des saints martyrs Justus et Pastor [a]. Mais il voulait savoir l'opinion à ce sujet de l'évêque d'Hippone.

Qu'était-il advenu de la dépouille mortelle d'Adeodatus ? Probablement avait-il été inhumé au milieu des siens, à Thagaste, mais le père, qui lui avait fait un linceul de silence, nous l'a laissé ignorer. Toutefois, Augustin avait gardé un vif souvenir des dernières volontés exprimées par Monique, surprise par la mort en terre étrangère, à Ostie, où son corps était resté [b]. Il ne pouvait oublier le détachement véritablement chrétien qui lui avait fait renoncer tout à la fois à reposer au pays natal, à proximité de vivants familiers et aux côtés d'un mort, Patricius, dont elle avait partagé la vie. Elle avait su tirer d'elle-même cette spiritualité forte qui inspirait parfois aussi certains païens, l'espérance en la résurrection en moins : « Rien n'est loin pour Dieu, avait-elle dit à Augustin et à Navigius réunis à son chevet, et il n'y a pas à craindre qu'il ne sache point où me retrouver à la fin du monde pour me ressusciter [c]. » Monique avait seulement demandé à ses enfants de faire mémoire d'elle à l'autel du Seigneur, elle n'avait imploré que l'intercession de leurs prières. Et Augustin priait pour le repos de sa mère, et il priait ses frères dans l'Église de se joindre à lui dans cette oraison [d]. C'était cette attitude chrétienne des vivants à l'égard des morts que Paulin avait d'abord rappelée. Mais à leurs corps

---

a. *Carmen* 31, v. 607-610 (*CSEL*, 30, 2, p. 329).
b. Ajoutons que les transferts de corps de simples particuliers étaient dans l'Antiquité plutôt exceptionnels.
c. *Conf.*, IX, 28 (cf. *supra*, p. 173).
d. *Ibid.*, IX, 36-37.

devait-on plus qu'une juste sépulture ? Perdaient-ils même quelque chose, ces corps, si le hasard de la première mort les avait privés de sépulture ?

Telles étaient les questions auxquelles Paulin avait convié son ami à répondre. Augustin le fit au moyen d'un petit livre, *Sur les soins à prendre des morts*, qui sera le dernier envoi de nous connu à l'évêque de Nole. Quand il le reçut, Paulin ne put que se sentir en net décalage. Citant *Luc*, 12, 4 sur les bourreaux qui, après avoir tué leurs victimes, ne peuvent plus rien contre elles, Augustin répondait fort clairement qu'il importait peu au fidèle que son corps fût laissé sans sépulture. Il s'était déjà exprimé à ce sujet à propos de faits de cette sorte survenus lors du sac de Rome en 410[a] ; il évoquait maintenant les martyrs de Lyon dont les corps avaient été déchirés par des chiens avant d'être réduits en cendres répandues dans le Rhône : leurs âmes ne s'en portaient pas plus mal[b]. Il n'en demeurait pas moins que le soin de la sépulture, qui s'imposait aux vivants comme un devoir de piété à l'égard des morts, était pour eux une consolation : c'était à leur âme qu'il faisait du bien. L'essentiel, poursuivait Augustin, était que se maintînt entre les vivants et les morts le lien de l'oraison, consolatoire pour les premiers, utile pour les seconds s'ils avaient mérité pendant leur vie d'en bénéficier après leur mort. La présence physique sur le lieu de la sépulture n'était pas indispensable – il le savait assez quand il priait pour sa mère ; on pouvait seulement concéder à Flora et à Paulin que l'exceptionnelle qualité d'un lieu sanctifié par les reliques d'un martyr portait d'elle-même à l'oraison et exaltait la piété[c].

Mais Augustin restait par ailleurs intraitable : « Quel que soit le lieu où gît ou ne gît pas la chair du défunt, ce qui importe est que trouve le repos son âme qui, en la quittant, a emporté avec elle la conscience de ce qui fait la différence de sort entre les bons et les réprouvés. Et elle n'attend pas de cette chair un secours pour sa vie future, elle qui lui donnait elle-même cette vie qu'elle lui a retirée en s'en allant et qu'elle lui rendra en revenant, car ce n'est pas la chair qui acquiert à l'âme le privilège de la résurrection, mais bien l'âme à la chair, qu'elle revive pour son châtiment ou pour sa gloire[d]. » Il y avait bien, dans ce « retour de l'âme » au

---

a. Il fit retranscrire les chap. 12 et 13 du livre I de la *Cité de Dieu* : *De cura pro mortuis gerenda*, 3-5.

b. *Ibid.*, 8.

c. *Ibid.*, 7, avec d'intéressantes notations sur la gestuelle du corps qui, dans la prière, obéit à l'impulsion de l'âme mais par son mouvement amplifie son intention.

d. *Ibid.*, 7.

moment de la résurrection, quelques relents d'un néoplatonisme qu'on aurait pu croire à cette date définitivement périmé – mais ce « retour » n'était ici qu'une image appelée mécaniquement par l'évocation d'un incontestable « départ » ; l'important était que l'évêque campait fermement sur des positions qui excluaient tout secours porté par le corps à l'âme qui l'avait autrefois animé, cette âme fût-elle en perdition. La première mort, la mort biologique, avait établi entre l'une et l'autre, jusqu'à la consommation des siècles, une frontière infranchissable. À supposer même qu'il y eût dans les reliques du saint martyr près desquelles on cherchait à se faire inhumer une vertu miraculeuse, il n'y avait aucune chance que cette vertu influât sur l'âme du mort – où qu'elle se situât dans l'attente du Jugement dernier –, en passant par les vestiges de ce corps déserté par la vie.

Augustin savait parfaitement que, ce disant, il allait à contre-courant d'une tendance forte de la religion populaire qui, en son Afrique du moins – c'était là que les deux phénomènes étaient le plus étroitement liés – marchait de pair avec ces pratiques de repas funéraires auxquelles Aurelius à Carthage et lui-même à Hippone s'étaient opposés avec succès[a]. Cette tendance était fort ancienne, puisque, à son origine, était le sentiment, vieux comme le monde et diversement affirmé selon les cultures, que le mort sous terre n'est pas totalement insensible, qu'il réagit à ce qui lui parvient de l'univers des vivants, en bonne part – les libations, les agapes sur la tombe, auxquelles il participe – comme en mauvaise part – les violations de sépultures dont tant d'épitaphes révèlent la crainte, toujours présente même dans un contexte chrétien[b]. Certes, le corps sur les restes duquel on allait festoyer, sur lequel on attirait la protection des saints était sans vie, mais on croyait confusément – et l'on exprimait parfois de façon explicite[c] – qu'il gardait les traces laissées sur lui par l'âme qui l'avait quitté. Deux siècles avant Augustin, Tertullien s'était moqué de ceux qui pensaient que « des âmes restent après la mort attachées à leurs corps respectifs[d] », et l'on a montré que cette idée d'une rémanence au moins temporaire de

---

a. Cf. *supra*, pp. 225-229.

b. Cf. Y. Duval, *Auprès des saints, corps et âme. L'inhumation « ad sanctos » dans la chrétienté d'Orient et d'Occident du IIIᵉ au VIIᵉ siècle*, Paris, Ét. aug., 1988, pp. 36-40 et 179-180.

c. Voir l'épitaphe romaine (*ICUR*, VII, 18944) commentée par Y. Duval dans *Auprès des saints, corps et âme*, pp. 219-222.

d. *De anima*, 51, 1 et 4.

l'âme dans le corps avait été reprise par certains courants stoïciens, au témoignage de Servius, un commentateur tardif de Virgile[a].

Dans la logique d'une telle croyance, par l'effet sinon d'un « contact » – d'un « corps à corps » –, du moins d'un étroit voisinage, les défunts inhumés *ad sanctos* passaient pour jouir d'une protection quasi physique de leurs sépultures et d'une présence pour eux bénéfique[15]. Les faits parlaient d'eux-mêmes, le moutonnement des sépultures qui se pressaient contre les lieux saints à défaut de pouvoir toutes les envahir était très éloquent. Le phénomène était surtout remarquable dans les provinces occidentales de l'Afrique et, lorsqu'il était allé à Caesarea pendant l'été de 418, Augustin n'avait pu manquer, que ce fût à l'aller ou au retour, de faire étape à Tipasa. Là, de part et d'autre de la ville, hors les murs, à l'ouest comme à l'est, le spectacle qu'il avait eu sous les yeux – celui que nous avons encore en ce site extra-urbain demeuré tel qu'il était à la fin de l'Antiquité – était édifiant, en particulier à l'est, autour de la basilique funéraire dédiée à la sainte locale, Salsa : celui de sépultures – sarcophages noyés dans la structure des tables d'agapes (*mensae*) ou laissés nus et accessibles pour faciliter réinhumations et réductions de corps – serrées les unes contre les autres, empiétant parfois les unes sur les autres pour approcher au plus près les reliques de la martyre[16]. Ce paysage de nécropole chrétienne si caractéristique d'un rassemblement, le temps de quelques décennies, autour d'un *martyrium* primitif, était la solide démonstration, faite de pierre et de béton, de l'extrême difficulté d'aller à l'encontre du sentiment populaire, dans les deux conduites, « déviantes » aux yeux d'Augustin, où il s'exprimait massivement, celle des agapes sur les tombes et celle, évidemment connexe, des inhumations *ad sanctam*. La difficulté était d'autant plus grande qu'il s'en fallait de beaucoup que ces pratiques fussent tenues unanimement pour des pratiques « superstitieuses », réprouvées comme telles par les chefs des églises. Il y avait souvent, sur le terrain, accord au moins tacite entre la base des fidèles et leurs pasteurs, sans l'assentiment de qui rien ne pouvait se faire. Les évêques de Tipasa, qui tenaient à reposer auprès des saintes dépouilles de leurs prédécesseurs, n'agissaient pas en la matière différemment de leurs ouailles, non plus que ne l'avaient fait Ambroise à Milan et le pape Damase à Rome. Nous ignorerons toujours comment Augustin avait prévu sa propre sépulture ; quand il mourut dans sa ville assiégée par les Vandales, ce problème passa sans doute au second plan. Si ses amis, Possidius en tête, firent en

---

a. Cf. R. Turcan, « Origines et sens de l'inhumation à l'époque impériale », dans *Rev. des ét. anc.*, 60, 1958, pp. 323-347, plus particulièrement pp. 340-347.

sorte que sa dépouille mortelle repose en un lieu saint – on peut penser à la chapelle Saint-Étienne[a] –, ils ne le firent pas dans un autre esprit que celui qu'ils savaient animer l'évêque à cet égard : le seul secours qu'il pouvait en attendre, s'il en avait besoin, était que le souvenir du martyr, matérialisé par ses reliques, avive la piété de ceux qui iraient là se recueillir et prier, et suscite leurs oraisons en faveur de celui qui serait associé à ce souvenir. Les disciples d'Augustin savaient bien que c'était là le fin mot de son texte *Sur les soins à prendre des morts*[b].

Il y avait cependant dans ce petit livre d'autres aspects qui témoignaient d'un infléchissement de la pensée de l'évêque sur les rapports que les vivants entretenaient avec les morts, plus précisément sur les mystérieuses façons qu'avaient ces morts privilégiés qu'étaient les martyrs d'intervenir dans les affaires humaines. Les morts ne pouvaient rien pour les morts, c'était une affaire entendue ; les vivants ne pouvaient faire que prier pour eux, mais il arrivait que les morts s'intéressent aux vivants. Mais ce n'était pas n'importe quels morts, et ce n'était pas d'une façon banale et directe ; sinon, disait Augustin, Monique, la mère aimante et inquiète, n'eût pas quitté une seule nuit dans son sommeil ce fils qu'elle avait suivi sur terre et sur mer pour vivre avec lui[c]. Les âmes des morts, il fallait le répéter, se trouvaient dans un endroit d'où elles n'avaient aucune connaissance des événements terrestres ; elles étaient donc dans l'égale incapacité de partager les misères des vivants et de protéger les sépultures des morts. Et pourtant, reconnaissait l'évêque, les saints martyrs, par les bienfaits qu'ils accordent en réponse à nos prières, font la preuve de leur intervention dans les affaires humaines[d]. Puisqu'il s'adressait à Paulin, Augustin rappelait l'intercession reconnue de saint Félix dans la protection de la ville, à l'époque où Nole était assiégée par les Goths d'Alaric. De quelle manière ce martyr avait-il agi, comme aussi ceux qui guérissent ou soulagent des souffrances, cela, avouait-il, dépassait les forces de son intelligence[e]. Ce dont il était cependant sûr, c'était que saint Félix et les autres martyrs qui interviennent dans les intérêts des hommes le faisaient grâce à la connaissance qu'ils en avaient au ciel

a. Cf. *supra*, pp. 332-335. Rien n'a été retrouvé à Hippone qui eût pu suggérer qu'on fût en présence de la sépulture d'Augustin. Possidius était présent lors de sa mise en terre mais ne donne aucune précision sur l'endroit : *Vita Aug.*, XXXI, 5 ; cf. *infra*, p. 666.

b. *De cura pro mortuis gerenda*, 22, *in fine*.

c. *Ibid.*, 16.

d. *Ibid.*, 19.

e. *Ibid.*, 20.

et par un effet de la puissance divine : peut-être – mais sur ce point l'évêque hésitait un peu – par la médiation des anges. On était dans le domaine du miracle[a].

L'évolution de l'attitude d'Augustin vis-à-vis du miracle est indéniable et elle est parallèle au mûrissement de sa pensée sur le fait miraculeux. On se souvient de la façon un peu expéditive dont il traitait du problème dans le texte adressé à Romanianus vers 390 : le miracle, nécessaire, voire indispensable dans les premiers temps de l'Église, n'était maintenant plus de mise, et Dieu lui-même y avait mis un terme, de crainte que cette pointe du surnaturel, trop utilisée, ne vînt à s'émousser[b]. L'idée fut reprise et un peu développée un ou deux ans plus tard dans les pages dédiées à Honoratus, ancien manichéen, lui aussi, et dont la conversion n'était pas acquise : il ne fallait pas que le miracle devînt une habitude[c]. Mais la définition du miracle restait encore sommaire : c'était un événement insolite qui dépassait l'attente ou les capacités intellectuelles de celui qui en était témoin ; tout au plus distinguait-on le prodige générateur d'étonnement (l'eau changée en vin, la marche sur les flots) du miracle guérisseur et bienfaisant qui suscitait en plus la reconnaissance. Devenu évêque, Augustin, dans un sermon prêché vers 400, répondit à ses fidèles qui constataient comme lui le tarissement des cures miraculeuses des temps évangéliques et paraissaient le regretter. Elles étaient alors une invitation à croire, mais maintenant le Seigneur donnait aux croyants le spectacle de guérisons encore plus merveilleuses : les cadavres aujourd'hui ne ressuscitaient plus, mais on voyait reprendre vie des âmes qui gisaient naguère dans un cadavre vivant[d]. Les ouailles de l'évêque devaient tout de même penser que, pour ce qui était du spectacle, on y perdait.

Augustin avait besoin de compléter son analyse du miracle. Il l'avait d'abord défini principalement par rapport à la perception de celui qui en était témoin et du choc qu'il en recevait, sans le resituer dans l'ordre de la nature et de la création. C'était une définition subjective. Or la pleine acceptation du miracle passait par une réflexion sur son statut ontologique. En l'espace de quelques années, entre 405 et 410/12, l'élaboration des grandes œuvres théologiques lui donna l'occasion de reprendre plus au fond ce problème majeur de la foi. Au livre III du *De Trinitate*, il partait des prodiges de l'Ancien Testament : quand Dieu change le bâton de Moïse en un

---

a. *Ibid.*, 19.
b. *De uera religione*, 47.
c. *De utilitate credendi*, 34.
d. *Sermon* 88, 2 et 3.

serpent qui redeviendra bâton quand Moïse le reprendra en main, pour se retransformer en serpent aux pieds de Pharaon (*Ex.*, 4, 4, et 7, 10), c'est assurément un miracle. Ce n'est pourtant qu'une transformation de la matière – nous dirions un jeu de combinaisons moléculaires – en soi banale, comme la nature en prodigue perpétuellement ; mais le merveilleux tient ici à ce que la matière révèle sa plasticité avec une rapidité et une souplesse inhabituelles, et selon des modalités inusitées. Le merveilleux ne sort pas de l'ordre des choses, mais il s'y insère selon un processus si inaccoutumé que l'on crie au miracle[a]. Le « surnaturel » n'est autre que ce raccourci si éminemment remarquable du fait de son exceptionnelle rareté, qui occulte le perpétuel miracle, quotidiennement renouvelé, de la création, que l'accoutumance finit par nous faire perdre de vue[b].

On ne s'étonne cependant pas de constater que c'est surtout dans le cadre de sa réflexion sur la Création que l'évêque a précisé sa vision du miracle. Dans son *Traité sur la Genèse selon la lettre*, il reprend d'abord le problème au point où il l'avait laissé dans le texte qu'on vient de citer. Selon ce que nous appelons les lois de la biologie, il faut du temps et la combinaison de maints processus pour que l'eau aspirée par les racines de la vigne gonfle les grappes, que leur jus se fasse vin, que ce vin vieillisse pour devenir la boisson que nous aimons. Mais, comme dans le cas du bâton changé en serpent, aux noces de Cana un « admirable raccourci » a permis à Jésus de contracter en un geste ponctuel les lents mécanismes de la nature[c]. Le créateur du temps a-t-il besoin du temps ? se demande Augustin. Oui, dans le cours ordinaire des choses, suivant les chaînes de causalité habituelles. Mais il faut admettre que Dieu, à l'origine de sa création, a établi des « raisons causales » – *causales rationes* – qui fonctionnent selon une double potentialité : les unes selon un devenir et un développement progressifs – c'est l'ordre naturel, le seul que les hommes connaissent –, les autres échappant au temps et dépendant de la souveraine maîtrise que le Créateur continue d'exercer sur la causalité naturelle.

Il y reviendra plus tard, dans le même texte, pour développer en outre cette idée que dans l'univers créé par lui et gros des causes des êtres à venir, Dieu s'est réservé, non seulement d'accélérer à son gré le cours naturel des choses, mais aussi de pouvoir, au-dessus

---

a. *De Trin.*, III, 11.

b. Idée fréquemment exprimée par l'évêque ; cf. notamment *Sermon* 247, 2 (en 400) et la fameuse lettre à Volusianus, en 412 : *Ep.* 137, 10, *initio*.

c. *De Genesi ad litt.*, VI, 24 : « *cum aquam* miro compendio *conuertit in uinum* [*Jn*, 2, 9] ».

ou en marge de cette « nature habituelle », tirer de sa création des effets autres que ceux qui sont inclus dans ce que l'évêque appelle ici des « raisons séminales » – *seminales rationes*[a]. Si l'ânesse de Balaam se met à parler (*Nb*, 22, 28), ce n'est pas en raison d'une causalité naturelle, mais bien d'une causalité surnaturelle ou transcendante qui double la première. « Dieu a donc, cachées en lui, les causes de certains faits qu'il n'a pas déposées dans les choses créées, et il actualise ces causes non par l'action de cette providence par laquelle il a fait que les natures soient, mais par l'action en vertu de laquelle il régit, comme il le veut, ces natures qu'il a créées, comme il l'a voulu. » Là était le mécanisme divin du miracle, et Augustin ne pouvait surprendre ses lecteurs en ajoutant à la suite que « de ce mode d'action relevait aussi la grâce, qui sauve les pécheurs[b] ».

Le miracle n'est donc pas un phénomène erratique échappant à toute rationalité. Il a pour Augustin une assise théologique ferme. Mais son impact sur le cœur des hommes est toujours aussi fort, car par cette sortie hors de l'ordre naturel qui leur est seul connu Dieu fait irruption parmi eux. L'évêque dira dans la *Cité de Dieu* : « Dieu est toujours partout tout entier, mais on dit qu'il descend quand il accomplit sur terre un acte qui, accompli miraculeusement en dehors du cours naturel de la vie, révèle en quelque sorte sa présence[c]. » Quand il dicta ces lignes, peu avant 420, Augustin avait subi – ou allait subir – le choc (le mot n'est pas trop fort) de la première vague des miracles survenus en Afrique à la suite de la diffusion des reliques de saint Étienne : sa longue réflexion sur le fait miraculeux l'avait préparé à les intégrer dans sa pratique pastorale, à accueillir en sa propre église, dans une chapelle aménagée à cette fin, une petite partie des restes qui avaient fait d'abord chez Evodius, à Uzalis, la preuve de leur merveilleux pouvoir[d]. Le vieux compagnon de sa jeunesse – le seul qui lui restât maintenant, avec Alypius –, le complice du *Traité du libre arbitre*, le questionneur infatigable et un peu brouillon qui harcelait l'évêque d'Hippone avec ses lettres un peu naïves, avait trouvé sa voie – de méchantes langues auraient dit un filon – avec la pieuse exploitation de cette importation palestinienne. À lui, plus encore qu'à Paulin de Nole, conviendrait dans cette affaire le titre d'*impresario* dont on a voulu récemment décorer les évêques de cette époque qui avaient le plus « trempé » dans ce

a. *Ibid.*, IX, 32.
b. *Ibid.*, IX, 33.
c. *Cité de Dieu*, XVI, 5.
d. Cf. *supra*, pp. 333-334.

« commerce », sur la base d'une analyse sociologique qui, au moins pour ce qui est de l'Afrique, manque un peu d'aliments [17].

On s'explique mieux ainsi le catalogue de faits miraculeux inséré à première vue de façon abrupte dans le livre terminal de la *Cité de Dieu*, où il vient de fait couper une longue démonstration axée sur la défense du dogme de la résurrection de la chair. Nous ne sommes pourtant pas hors du sujet [18] : quand Palladia se relève guérie après avoir prié accoudée au chancel qui sépare de la foule le reliquaire de saint Étienne[a], elle atteste que le doigt de Dieu l'a touchée, pratiquant à son bénéfice l'exercice de sa causalité transcendante, ce qui est le plus éclatant témoignage en faveur de la foi. La relique en soi – un petit peu de poudre d'os – n'est rien que le médium qui par sa présence exalte la ferveur du fidèle, dont l'oraison favorise, sinon suscite, le déclenchement d'une causalité surnaturelle. Mais c'est Dieu qui a donné la relique et c'est lui qui fait le miracle.

Ce qui reste vrai, c'est qu'il avait fallu de longues années de réflexion théologique pour amener Augustin à intégrer le miracle dans son apologétique. Peut-être, comme on l'a dit, y a-t-il été incité aussi par la pression accrue que faisait peser en ce sens dans les communautés catholiques, chez lui à Hippone comme ailleurs, la réception, après 411, des foules venues du donatisme chez qui le culte des martyrs avait toujours eu une plus forte audience, un plus grand développement [19]. Ce qui est sûr, c'est que la comparaison de deux textes donne la mesure du changement de perspectives à près de trente ans de distance. Adressant vers 400 [20] à un jeune diacre de Carthage, Deogratias, sa *Catéchèse des débutants*, Augustin en venait aux conditions psychologiques et morales dans lesquelles les candidats au baptême abordaient l'initiation à la foi. Si celui qui se présente le fait sous le coup d'une admonition divine, et pour être plus précis poussé par la crainte, rien, dit-il, n'est plus favorable, à condition toutefois qu'on ne tarde pas « à faire passer son attention des miracles ou des songes de ce genre à la voie plus solide des Écritures et à leurs oracles plus certains[b] ». En 428/29, Augustin écrivait à Alypius sa dernière lettre de nous connue ; à son ami maintenant devenu du fait de l'ancienneté – il l'avait précédé dans l'épiscopat au moins de quelques mois – primat de la province de Numidie [21], il annonçait de bonnes nouvelles : trois conversions, et non des moindres ; outre Gavinianus, avaient été baptisés à Pâques le « comte » Peregrinus et un « médecin chef » (*archiater*) du nom de Dioscorus. C'était surtout ce dernier qui retenait l'attention de

---

a. *Cité de Dieu*, XXII, 8, 22.
b. *De catechizandis rudibus*, 10.

l'évêque : pour venir à bout des résistances de cet esprit fort, il avait fallu une cascade de miracles et de coercitions divines. Dioscorus avait fait vœu de se faire chrétien si sa fille, malade, était sauvée. Elle le fut, mais oublieux de son vœu le père avait été frappé de cécité. Il s'engagea, par une nouvelle promesse, à s'acquitter de la première s'il recouvrait la vue. Ce qui se produisit et il s'exécuta, mais à moitié : négligence ou mauvaise volonté, il n'avait pas appris le symbole de foi et n'avait donc pu le réciter ; une attaque de paralysie presque générale en fut la sanction. Dioscorus dut venir à résipiscence, reconnaître sa faute, déclarer par écrit qu'il le savait maintenant par cœur : il recouvra l'usage de ses membres, mais non celui de sa langue qui, démentant la bonté naturelle de son cœur, l'avait porté tant de fois à des railleries sacrilèges contre les chrétiens. Sur ses vieux jours, l'évêque misait de plus en plus sur la causalité surnaturelle de Dieu pour engranger des conversions ; et son Dieu ressemblait parfois au terrible Yahvé de l'Ancien Testament.

La mort de l'évêque et la survie de l'œuvre

Parmi les nombreux souvenirs qu'Augustin partageait avec Alypius, il y avait ceux des voyages entrepris en sa compagnie, et entre autres celui qui les avait menés tous les deux jusqu'à Thubunae (Tobna) en 420/21 [22]. Ce n'était pas le plus lointain qu'ils eussent accompli ensemble, mais c'était le seul qui les eût conduits à ce qui avait toujours été dans l'Antiquité une des limites de l'« Afrique utile ». Celui qui écrit ces lignes se souvient d'avoir eu sous les yeux, il y a quelques décennies, ce paysage à peine modifié depuis qu'il s'était offert aux regards des deux évêques : ce n'était pas encore le désert, mais le monde minéral des hautes plaines ; un peu plus loin, vers l'ouest, il n'y avait plus que les mirages qui surgissaient des salines du chott el-Hodna ; en direction du sud-est, bordant les Aurès sur leur flanc occidental et barrant la route aux incursions des Maures, s'égrenait un chapelet de fortins et de murailles discontinues. C'était là que veillait à la tête de ses gardes-frontières un personnage que nous avons déjà rencontré, Bonifatius : l'évêque d'Hippone lui avait adressé en 417 une longue lettre, pour sa gouverne dans ses rapports avec les donatistes [a].

Bonifatius était un officier de valeur [b], mais une âme inquiète ; on

---

a. Cf. *supra*, p. 428.

b. Il s'était distingué en 413 sous les murs de Marseille, où il avait blessé de sa main le roi wisigoth Athaulf.

a vu qu'à cette époque plus peut-être qu'en tout autre temps l'un souvent n'allait pas sans l'autre. Il se posait des questions et le faisait savoir à l'évêque : la vie de l'homme d'armes qu'il était pouvait-elle être agréable à Dieu ? Augustin dépêchait en hâte un courrier à Thubunae pour rassurer le tribun. Oui, un soldat pouvait plaire à Dieu – même si l'on pouvait être plus près de lui que dans l'état militaire –, comme ce centurion dont Jésus avait admiré la foi[a]. Il fallait seulement que dans ses combats contre les Barbares l'officier fût miséricordieux et qu'il se montrât en privé sobre, frugal et irréprochable dans sa vie conjugale[b]. Las ! précisément, Bonifatius perdit bientôt sa femme et son moral s'en ressentit grandement ; il parlait maintenant de quitter le métier des armes et de se retirer dans un monastère[c]. Il n'était plus question de le chapitrer par correspondance. Augustin et Alypius se mirent en route ; les deux évêques lui représentèrent qu'il était beaucoup plus utile sous la tunique du soldat que dans la robe d'un moine : il suffisait qu'il vécût en chrétien, dans la continence et sans plus se soucier des grandeurs de ce monde.

Mais un guerrier de cette trempe ne pouvait demeurer longtemps à scruter les horizons du sud et de l'ouest sur cet autre « rivage des Syrtes ». La fin du long règne d'Honorius, les incertitudes qui s'y faisaient jour, les occasions qu'elle suscitait, tout se conjuguait pour réchauffer les ambitions. La mort de Constance III, en septembre 421, après un « augustat » de seulement quelques mois, précipita le cours des choses. Quand il n'était encore que le général en chef des armées d'Honorius, Flavius Constantius avait été le patron de Bonifatius. Sa disparition laissait en tête à tête deux êtres qui ne s'aimaient guère : sa veuve, la belle Galla Placidia, fille du grand Théodose, qu'il avait épousée en 417 après l'avoir arrachée aux mains des Barbares qui la détenaient depuis le sac de Rome, et le demi-frère de Placidia, l'empereur Honorius. Rappelé à la Cour en 422, Bonifatius dut probablement à Placidia et sa promotion en qualité de comte d'Afrique et sa désignation d'adjoint au nouveau général en chef, Flavius Castinus, qui devait prendre la tête d'une campagne contre les Vandales dans le sud de l'Espagne. Mais pour cause de mésentente l'association des deux généraux se rompit dès le départ, et Bonifatius quitta Ravenne pour rejoindre l'Afrique. Il y était, faisant loyalement son devoir de soldat – de cette époque semble bien dater une des lettres inédites récemment publiées à lui

---

a. *Mt.*, 8, 5-10 : *Ep.* 189, 4 ; cette lettre suit de près dans le temps la lettre 185.
b. *Ep.* 189, 6 et 7.
c. *Ep.* 220, 3.

adressée par Augustin[a] – quand en 423 un événement majeur se produisit : la mort d'Honorius, qui le 15 août de cette année quitta ce monde sans laisser d'héritier au trône d'Occident, si ce n'était son jeune neveu ; Valentinianus, le fils de Constantius et de Placidia, avait alors quatre ans. Pour la première fois depuis fort longtemps – pour la dernière fois aussi dans l'histoire – l'empereur d'Orient, Théodose II, pouvait espérer maintenir la Méditerranée et toutes ses rives dans sa souveraineté unique ; pour y parvenir, il s'entendit avec Castinus, tout prêt à administrer l'Occident pour le compte de Constantinople.

Mais Bonifatius avait lui aussi choisi son camp. Lorsque Placidia avait été exilée à Rome par Honorius au début de 423, avant de s'enfuir en Orient avec le petit Valentinianus, il avait pris son parti, l'avait aidée de ses subsides ; il menaçait maintenant d'affamer l'Italie en bloquant les transports de blé si ses droits n'étaient pas reconnus : une arme qui avait fait ses preuves dans le passé. Entre-temps, à la cour d'Occident, tous ceux qui ne se résignaient pas à la voir disparaître, et avec elle leurs places et leurs prébendes, avaient à la fin de cette année proclamé empereur à Rome le *primicerius notariorum* Iohannes. L'usurpateur pouvait s'appuyer sur Castinus, le maître de la milice, et sur un jeune général du nom d'Aetius. Le premier fut envoyé en Afrique contre Bonifatius, qui ne semble pas avoir eu beaucoup de peine à s'en débarrasser ; on profita de la pratique que le second avait des Huns – il avait été longtemps leur otage – pour lui faire recruter chez eux des troupes destinées à faire face à l'armée que Théodose II dirigeait à travers les Balkans contre Iohannes, en même temps que sans enthousiasme il faisait en sorte de conserver l'Occident à la dynastie théodosienne – née du second mariage du grand Théodose, son grand-père, Placidia était tout de même sa tante ! Le petit Valentinianus serait bientôt proclamé César, avant d'accéder à l'« augustat » en 425, à l'âge de six ans. À partir de l'automne de 424, tout était allé très vite. Iohannes, qui n'avait pas eu le temps de recevoir les renforts que devait lui envoyer Aetius, avait été trahi par les siens, pris et décapité sur ordre de Placidia. Aetius avait été prié d'aller montrer ses talents en Gaule contre les Wisigoths, et Castinus était parti pour l'exil. Le poste de maître de la milice était donc vacant. Bonifatius, si fidèle et dévoué à Placidia et au jeune Valentinia-

---

a. *Ep.* 17*, dans *B.A.*, 46 B, p. 276 ; l'évêque s'y dit tout à fait satisfait de l'homme de guerre et du chrétien. Dans une autre lettre récemment publiée elle aussi, il fait état des largesses financières de Bonifatius au profit de l'Église : *Ep.* 7*, 1, *ibid.*, p. 146.

nus III, pouvait y prétendre : à sa place il vit choisir un autre général, Flavius Constantius Felix. En lot de consolation, il fut élevé à la dignité de *comes domesticorum*[a], mais demeura en Afrique en y gardant toute la réalité de ses pleins pouvoirs militaires. En termes de promotion, le vaste remue-ménage qui avait suivi la mort de Constantius avait été pour lui un jeu de dupes.

À l'issue de cette série d'événements, le comte d'Afrique avait été appelé à Ravenne. Il avait fait ce voyage sur ordre supérieur, mais il en avait profité pour mettre fin à son veuvage en épousant Pelagia, une dame de noble origine barbare, probablement wisigothique, fort riche et de confession arienne. Certes, il avait d'abord veillé à sa conversion à la foi catholique ; mais quand en 426 une petite fille était née de ce remariage, elle avait été baptisée selon le rite arien. Augustin était tombé de haut : c'était beaucoup de la part d'un homme en qui il avait placé tant d'espérances ; mais en plus il avait appris qu'on voyait Bonifatius, « à qui sa femme ne suffisait pas », s'ébattre avec des concubines[b]. Le moine-soldat qu'il avait connu sur les murs de Thubunae, « ceint du baudrier de la plus chaste continence[c] », était devenu en bien peu de temps un homme de jouissance et de pouvoir, déçu dans ses ambitions, mais plus que jamais décidé à les poursuivre, et désormais plus soucieux d'assurer sa réussite personnelle que d'être le rempart de la romanité et de l'Église. Le comte d'Afrique perdait son temps en intrigues au lieu de défendre le flanc sud-ouest de la Numidie contre des incursions maures de plus en plus audacieuses, de plus en plus profondes. La « dévastation de l'Afrique » en ces années, qui émeut tant Augustin[d], était le fait de ces Barbares « africains » qui n'étaient plus contenus, qui battaient maintenant les murs de Sétif, ancêtres de ceux qui, toujours non christianisés deux générations plus tard, martyriseront les catholiques massivement envoyés en exil par le roi vandale Hunéric. Avant d'être bientôt parcourue presque sans coup férir par les troupes de Geiséric, cette région médiane de l'Afrique romaine était déjà fissurée. Augustin, qui n'avait jamais considéré de son devoir de chrétien et d'homme d'Église d'évangéliser les populations, quelles qu'elles fussent, qui vivaient à l'extérieur de ce monde qu'il acceptait tel que les puissances temporelles l'avaient fixé, se désolait de le voir battu en brèche et même miné de l'intérieur.

---

a. Augustin lui donnera son titre dans la lettre bien amère qu'il lui adressera : *Ep.* 220, 7.

b. *Ep.* 220, 4.

c. *Ep.* 220, 3.

d. *Ep.* 220, 7.

L'évêque d'Hippone était encore assez loin de se douter qu'il allait finir ses jours en compagnie de Bonifatius dans sa ville épiscopale assiégée par les Vandales à cause de l'impéritie du comte d'Afrique ou par la faute du jeu bien compliqué de ses intrigues, mais ce double dénouement était maintenant proche. En 427, le général fut convoqué à la Cour pour rendre compte. Son refus d'y déférer fut tenu pour rébellion par Felix, le maître de la milice, mais une première expédition envoyée contre lui échoua. En disgrâce, destitué de son commandement, Bonifatius vit alors paraître avec une armée le nouveau comte d'Afrique, Sigisvult, et c'est dans les bagages de ce militaire arien qu'Augustin avait de son côté vu débarquer le prélat hérétique, Maximinus, avec qui il était entré en discussion[a]. En ces mois de l'année 427/28, le sort personnel de Bonifatius devient pour nous un peu flou et ses attitudes confuses. On a beaucoup dit, et dès l'Antiquité, que le général en difficulté avait fait appel aux Vandales pour les opposer aux Wisigoths de Sigisvult et sauver sa propre mise. Il se pourrait bien que la tentation lui en fût venue : après tout, les maîtres du monde occidental à cette époque jouaient souvent les armées barbares les unes contre les autres. Mais nous sommes à peu près certains qu'à la veille de l'invasion vandale le rebelle avait opéré sa réconciliation avec le pouvoir impérial. Et nous avons, grâce à Augustin, une idée de la façon dont la chose se fit.

Au cours de l'hiver 428-429, l'évêque d'Hippone apprit la présence sur le sol africain d'un plénipotentiaire de haut rang[23] dépêché par la Cour pour négocier une issue pacifique dans l'affrontement entre Bonifatius et ses adversaires. Deux de ses collègues, de vieux amis, l'avaient rencontré. L'un, Urbanus de Sicca Veneria, non loin de Carthage, l'autre, Novatus, chez lui à Sétif, que l'effondrement au moins partiel des défenses du *limes* de Sitifienne et de Numidie mettait maintenant presque aux avant-postes de l'Afrique encore protégée ; et l'un comme l'autre avaient fait de Darius – c'était le nom de ce dignitaire – un tel portrait qu'Augustin, qui ne sortait plus de chez lui, regrettait fort de ne pouvoir faire sa connaissance. De leur échange de correspondance – le vieil évêque dicta à cette occasion une de ses dernières lettres datées, merveilleuse de disponibilité, de grâce et d'esprit[b] – il ressort du moins que Darius avait pour mission d'éviter entre « Romains » toute effusion de sang, et cette mission n'avait pas échoué : l'envoyé impérial dira modestement que s'il « n'avait pas éteint la guerre, il l'avait du moins écar-

a. Cf. *supra*, p. 532.
b. *Ep.* 231.

tée[a] ». Au demeurant il ne repartirait pas les mains vides : l'évêque avait joint à sa lettre un exemplaire des *Confessions*, que Darius lui avait demandé, et pour faire bon poids il avait ajouté quelques autres livres[b].

Mais les dés étaient jetés. Les Vandales, qui piétinaient dans le sud de l'Espagne depuis une vingtaine d'années, n'avaient pas eu besoin de Bonifatius pour s'apercevoir que l'Afrique était une terre désirable et que le fruit, mal gardé, était mûr pour qui voulait le cueillir. En mai 429, leur armée, grossie d'Alains et de Goths[c], franchit le détroit de Gibraltar. Ils se hâtaient vers les belles provinces, la Numidie et l'Afrique Proconsulaire – l'Est algérien et les contrées du nord et du centre de la Tunisie actuelle – et, mises à part quelques résistances locales, qui furent sans doute plutôt l'exception dans ces régions déjà largement coupées du pouvoir central et infiltrées par des tribus insoumises, seule la lenteur de marche d'une troupe de quatre-vingt mille hommes, femmes et enfants, qu'il fallait nourrir et qui se payaient sur l'habitant, ralentit leur progression sur les routes de la Maurétanie Tingitane, de la Césarienne et de la Sitifienne[24]. Au printemps de 430, ils étaient entrés en Numidie sans rencontrer encore une forte opposition : au dire de Possidius[d], que croiront volontiers ceux qui connaissent les défenses naturelles de la ville, bien souvent déjà mises à l'épreuve, seule Cirta (Constantine) avait tenu bon lors de leur passage. Quand ils approchèrent des parages de la Numidie d'Hippone, qui faisait partie de la province d'Afrique Proconsulaire, le noyau ancien de la présence romaine qu'il fallait si possible sauvegarder, Bonifatius tenta de faire un rempart des forces qui étaient à sa disposition : des forces insuffisantes, surtout des contingents d'auxiliaires goths[e], car l'armée des frontières du Sud – ces *limitanei* qu'il connaissait bien pour les avoir commandés quelques années auparavant – restait pour l'essentiel face à une autre et permanente menace. Défait en rase campagne sans doute un peu au nord des Alpes Numidiques – entre Thibilis (Announa) et la côte –, le comte d'Afrique se réfugia avec les débris de ses troupes dans les murs d'Hippone, où il avait certainement prévu de se replier.

On était à la fin de mai ou au début de juin 430. Un long siège commençait, sans sortie possible car les Vandales bloquaient aussi la ville du côté de la mer. Naturellement, Augustin était resté à son

---

a. *Ep.* 230, 3.

b. *Ep.* 231, 7 : entre autres l'*Enchiridion* ; Darius était prié de faire connaître son sentiment sur ces livres.

c. Possidius, *Vita Aug.*, XXVIII, 4.

d. *Ibid.*, XXVIII, 10.

e. *Ibid.*, XXVIII, 12.

poste. Moins de trois ans auparavant, le 24 septembre 427, un concile général, le deuxième à se réunir à Hippone après celui, mémorable, tenu au temps de sa prêtrise en 393, avait rassemblé autour de lui et autour d'Aurelius de Carthage des représentants de tout l'épiscopat africain ; Alypius, encore en mission en Italie[a], manquait à cette assemblée où l'on avait traité de questions disciplinaires, comme si de rien n'était[b]. Mais Augustin avait pu rencontrer une dernière fois beaucoup d'évêques de sa Numidie, souvent formés dans le séminaire d'Hippone. Aux jours du malheur maintenant venus, plusieurs étaient dans le doute et la peur. Il y avait de quoi, les Vandales arrivaient dans la région précédés d'une terrible réputation[25]. Au printemps, Augustin avait reçu une lettre très alarmiste de l'évêque qu'il avait ordonné une quinzaine d'années auparavant dans le siège épiscopal nouvellement établi à Thiava, à peu de distance au sud-ouest de Thagaste[c]. Honoratus ne se satisfaisait pas de la copie d'une lettre adressée précédemment à un autre évêque du nom de Quodvultdeus pour apaiser ses craintes et lui dire l'attitude à prendre à l'arrivée de l'ennemi ; et il avouait à Augustin son intention de le fuir : « Quel intérêt, disait-il, avaient les pasteurs ou leurs fidèles à rester dans leurs communautés pour voir massacrer les hommes, violer les femmes, incendier les églises[d] ? » C'était un bien difficile problème ; tous ne bénéficiaient pas de remparts urbains défendus par des troupes, à qui l'on devait au moins, à défaut d'une certitude de salut, l'espoir et le sentiment d'une protection. Mais fallait-il laisser les prêtres et les évêques donner l'exemple de la désertion, abandonner les fidèles, qui ne pouvaient pas tous s'enfuir, sans direction spirituelle ? Dans une longue réponse, la dernière lettre sans doute qu'il eût pu dicter et donner à porter avant la fermeture des portes de la ville, Augustin n'éludait aucun aspect des douloureuses questions posées par Honoratus. Il posait au moins une règle formelle : « Lorsque le danger est le même pour les évêques, les clercs et les fidèles, il ne faut pas que ceux qui ont besoin des autres soient abandonnés par ces autres dont ils ont besoin. Que tous se retirent en des lieux fortifiés, ou que ceux qui sont forcés de rester ne soient pas délaissés par ceux qui leur doivent les secours de l'Église[e]. » Il ne se dérobait pas à l'examen d'une suggestion sans doute faite par Honoratus, éternellement liée à toute persécution : ne fallait-il pas

a. Cf. *supra*, p. 584.
b. *Concilia Africae*, *CCL*, 149, pp. 250-253.
c. Cf. *supra*, p. 323.
d. *Ep.* 228, 5.
e. *Ep.* 228, 2. Augustin développait longuement l'énoncé de ces secours spirituels : *Ep.* 228, 8 et 9.

faire en sorte que quelques clercs fussent préservés par la fuite ou dans quelque cachette, de manière qu'après le passage de la tempête la communauté cléricale ne fût pas, en maints endroits, totalement exterminée ? Dans ce cas, disait l'évêque, qui citait les *Proverbes* – « Le sort apaise les querelles et décide entre les puissants » (18, 18) –, le mieux était de laisser à Dieu, par le biais d'un tirage au sort, le soin de désigner ceux qui seraient voués à un éventuel martyre pour le bien de leur communauté[a]. Possidius a jugé bon de reproduire en annexe à l'avant-dernier chapitre de sa *Vie d'Augustin* cet ultime message, qui nous est ainsi parvenu en double. L'évêque de Calama (Guelma) et les siens faisaient partie de ces communautés qui s'étaient mises à l'abri de ces murailles proches[b] ; en bloc, ou avec cet héroïque partage laissé au sort, nous ne le saurons jamais. Alypius, lui, n'était pas à Hippone : primat de sa province, parcourait-il villes et campagnes pour soutenir les courages ? avait-il déjà succombé ? Sa dernière trace se perd dans ce naufrage.

Au troisième mois du siège, Augustin tomba malade. Il aurait eu soixante-seize ans à l'automne, et les privations et les difficultés de toutes sortes hâtèrent sans doute sa fin. Pris de fièvres, il se retira dans sa chambre et n'en bougea plus. Il vit un jour arriver à son chevet une personne bien mal en point qu'accompagnait un parent et s'entendit prier de lui faire l'imposition de la main pour la guérir ; il répondit d'abord que s'il avait un tel pouvoir il serait le premier à en tirer bénéfice, mais comme le visiteur lui disait avoir été avisé en songe d'aller trouver l'évêque pour obtenir ainsi de lui une guérison, il s'exécuta ; et Possidius ajoute que le malade s'en alla guéri : aux yeux du fidèle disciple, le saint se profilait déjà derrière l'évêque mourant[26]. Au début du siège, il s'était philosophiquement consolé en répétant ces mots de Plotin qui lui étaient déjà venus aux lèvres à l'époque du sac de Rome[c] : « Il ne sera pas un grand homme, celui qui ressentira grandement le fait que la pierre et le bois s'effondrent, et que meurent les mortels[d]. » Mais à l'heure de la mort la philosophie ne suffisait plus. Il demanda qu'on fît des copies des quelques Psaumes qui ont trait à la pénitence, de manière que, placées contre le mur de sa chambre, il pût les lire de son lit[27]. Enfin, le 28 août 430, Augustin rejoignit Monique, Adeodatus, Nebridius, Severus et quelques autres dans « le sein d'Abraham ».

a. *Ibid.*, 12.
b. *Vita Aug.*, XXVIII, 13
c. Cf. *supra*, p. 552.
d. *Vita Aug.*, XXVIII, 11 (*Enn.*, I, 4, 7).

Il fut porté en terre par le clergé de la ville, Eraclius, son successeur désigné, en tête. Possidius était présent et c'est à lui que nous devons de savoir qu'on procéda au sacrifice eucharistique près de sa dépouille, avant sa déposition, comme il avait été fait pour Monique à Ostie quarante-trois ans auparavant. En « pauvre de Dieu » qu'il était il n'avait pas fait de testament. Il laissait pourtant derrière lui un trésor et il n'avait pas manqué, de son vivant, d'attirer l'attention de ses clercs sur l'obligation qu'ils avaient de le sauvegarder pour les générations futures[a] : la bibliothèque de l'église d'Hippone, c'est-à-dire, outre ses propres ouvrages, tous les livres d'auteurs classiques et surtout ecclésiastiques qu'il y avait accumulés grâce aux longs soins d'un atelier de copistes – un *scriptorium* – compétent et dévoué. Il ne pouvait échapper à Possidius que la situation était lourde de menaces pour la conservation de ce trésor, notamment pour sa partie la plus précieuse, l'œuvre du maître, dont il avait conscience qu'elle fixerait à jamais l'image d'Augustin et marquerait sa place dans l'Église[b]. Autant que la piété pour le disparu, ce fut sans doute ce sentiment qui le conduisit à établir, pendant les longs mois qui suivirent la mort de l'évêque dans la ville assiégée, une sorte de catalogue de ses ouvrages, de ses sermons et de ses lettres, conservés dans la bibliothèque de l'église.

Possidius n'avait pourtant pas perdu tout espoir que la tâche qu'il entreprenait aboutît à créer autre chose qu'un mémorial, c'est-à-dire un instrument de travail utile, une fois la paix revenue : on pourrait s'en servir pour demander à la bibliothèque ecclésiale d'Hippone un bon exemplaire, dûment corrigé de tel ou tel ouvrage, non seulement pour en prendre connaissance, pour le lire, mais aussi pour le faire copier, et éventuellement, sans garder jalousement pour soi cette copie, pour la transmettre afin qu'on en tirât d'autres exemplaires[c]. L'évêque de Calama rêvait que la bibliothèque d'Hippone continuât d'être ce qu'elle était déjà, le centre intellectuel d'où la pensée augustinienne rayonnait grâce à ces chaînes de transcriptions qui étaient, sinon le mode unique, du moins le mode le plus fréquent de l'« édition » à cette époque[28], mais avec la commodité supplémentaire d'un catalogue bien fait. Cette finalité explique l'aspect pratique de l'*Elenchus* de Possidius[29] ; le disciple a eu le souci de perfectionner l'*Indiculum* déjà établi par son maître[d], et sans l'exis-

---

a. *Ibid.*, XXXI, 6.
b. *Ibid.*, XXXI, 8.
c. *Ibid.*, XVIII, 10.

d. Augustin fait précisément référence à cet *indiculum* dans ses *Révisions* en notant qu'un de ses écrits (la lettre 148) n'y est pas répertoriée : *Retract.*, II, 41.

tence duquel ce dernier aurait eu beaucoup de mal à se retrouver dans son abondante production, ne fût-ce que pour rédiger ses *Révisions* en 426/27. Il décrit les ouvrages d'Augustin comme des « objets littéraires », dans leur réalité concrète : ainsi nous dit-il que les *Homélies sur l'Évangile de Jean* tiennent en six *codices* ; il fallait que ces livres qu'il voyait sur les rayons de la bibliothèque ecclésiale fussent assez gros – ce que l'auteur en général cherchait pourtant à éviter –, car ces sermons sont au nombre de 124 et sont souvent développés. Il repère une rareté : un « cahier » dont le début est écrit de la main même d'Augustin, mais dont le titre manque et dont nous ne pouvons que tenter de deviner le contenu [30]. Mais la principale originalité de l'outil bibliographique créé par Possidius par rapport au répertoire existant est qu'il l'a conçu comme un catalogue par « matières » : contre les manichéens, contre les donatistes, contre les pélagiens, etc., en faisant dans chaque section suivre les « traités » des lettres qu'il pensait pouvoir rattacher à cette rubrique. Une dernière section « générale » rassemble les œuvres, comme il dit, « utiles à tous les hommes d'étude ». C'est là qu'on s'attendrait à trouver répertorié le *De Trinitate*. Mais non ! cet ancêtre de nos bibliothécaires les a devancés dans les erreurs communes de leurs « fichiers matières » : cet ouvrage majeur a été classé parmi les traités antiariens. Soyons justes cependant pour l'évêque de Calama ; ce n'était pas un grand esprit, mais il était consciencieux et son dévouement à l'œuvre d'Augustin était sans bornes. On se souvient que ce dernier n'avait pas eu le temps de terminer la révision de ses lettres et de ses sermons ; des unes comme des autres le catalogue donne une liste – incomplète – avec parfois d'utiles indications chronologiques.

L'issue du siège d'Hippone demeure un mystère, et la sauvegarde de l'œuvre de l'évêque relève peut-être du miracle. Si du moins l'on suit Possidius, selon qui, au bout de quatorze mois de siège, la ville abandonnée par ses habitants fut incendiée par l'ennemi[a]. Mais, dans cette fin dramatique, quel aurait pu être le sort de la bibliothèque d'Augustin, sinon celui de la bibliothèque d'Alexandrie ? Le miracle eût été alors que les Vandales vinssent à sauver du feu les livres d'un homme qui avait pourfendu tous les hérétiques, et ils étaient du nombre. En croira-t-on plutôt une autre source, selon laquelle les assiégeants auraient levé le siège de guerre lasse, plus précisément parce que la famine aurait sévi dans leurs rangs, ce qui peut laisser sceptique[b] ? Ce qui est sûr, c'est que Bonifatius put sortir de la ville,

a. *Vita Aug.*, XXVIII, 10.
b. Procope, *De bello Vandalico*, I, 3, 34.

pour reprendre un peu plus tard le combat, sans doute plus à l'est, avec l'aide de secours venus d'Orient, et être défait de nouveau. Hippone tomba donc aux mains des Vandales, sans trop de dommages, matériels et humains [31] : nous savons au demeurant que Geiséric, avant de s'emparer de Carthage en 439, y prit ses quartiers, que c'est dans la ville épiscopale d'Augustin qu'un envoyé de Valentinien III vint de Ravenne au début de 435 pour signer avec le roi vandale un premier traité qui consacrait la conquête ; ce qui n'aurait pu se faire au milieu des ruines d'une cité détruite. C'est sans doute à la faveur de cette issue exempte d'excessives brutalités que la bibliothèque de l'évêque put être conservée. On aimerait mettre cette sauvegarde à l'actif de Possidius : on sait que l'évêque de Calama ne fut banni – ainsi que Novatus, son collègue de Sitifis – par Geiséric qu'en 437 [a]. En liaison avec Eraclius, dont rien ne permet de dire qu'il ne prit pas effectivement la succession d'Augustin, il dut veiller jusqu'à cette date au maintien d'un ensemble à la cohérence duquel il avait tant travaillé.

En 442, un second traité fixa pour près d'un siècle les limites de l'État vandale. Hélas ! Hippone restait à l'intérieur de ces limites, qui englobaient assez largement la Numidie orientale [b], et demeurait coupée de ses communications avec l'Italie. Et pourtant, les indices ne manquent pas qui permettent d'avancer, sans preuve, mais avec une forte vraisemblance [32], que la connaissance très complète qu'on avait en Italie de l'œuvre d'Augustin dès la seconde moitié du Ve siècle ne provenait pas de copies de cette œuvre diffusée outre-mer de façon seulement partielle avant la mort de l'évêque, mais reposait sur son transfert global à Rome et sur son insertion dans le fonds de la bibliothèque apostolique au milieu du Ve siècle, dans des conditions et avec des modalités qui demeurent, il est vrai, mystérieuses, sinon miraculeuses. Mais c'est ici que nous abandonnerons ces fameux *codices*, satisfaits de les savoir parvenus à bon port. Ici s'arrête l'histoire d'Augustin d'Hippone et de son œuvre ; là s'engagerait celle de sa longue influence, l'histoire, tôt commencée, de ce qu'on appelle l'augustinisme : une tout autre histoire.

---

a. PROSPER, *Epitome chronicon*, a. 437 (éd. Th. MOMMSEN, *MGH, aa*, 9, 1, p. 475).
b. Cf. Chr. COURTOIS, *Les Vandales et l'Afrique*, pp. 171-185 et cartes.

Notes complémentaires

CHAPITRE PREMIER : Thagaste

1. Nous lui devons l'indication de sa date de naissance, aux ides de novembre (*De beata uita*, I, 6) ; la précision de l'année repose sur la double mention de sa durée de vie (soixante-seize ans) par Possidius (*Vita Aug.*, XXXI, 1), et de la date de sa mort, le 28 août 430, par Prosper d'Aquitaine.

2. Cf. A. CHASTAGNOL, *L'Album municipal de Timgad*, Bonn, 1978.

3. *Vita s. Melaniae Iunioris*, vers. lat., I, 21, *Anal. Bolland.*, 8, 1889, p. 35. La version grecque de cette *Vie* (§ 21, éd. D. GORCE, *Sources chrétiennes*, 90, 1962, p. 170) ajoute « et très pauvre » ; mais il faut rapporter l'appréciation à la personnalité de Mélanie la Jeune, qui s'y installa en 410 avec son mari Pinianus, et qui était une des personnes les plus riches de son temps (cf. *supra*, p. 439).

4. Cf. Cl. LEPELLEY, *Les Cités de l'Afrique romaine au Bas-Empire*, t. I, Paris, 1979, pp. 82-108. Voir, du même auteur, une réaffirmation récente de ces évaluations positives : « Augustin dans l'Afrique romaine de son temps : les continuités avec la cité classique », dans *Internationales Symposion über den Stand der Augustinus-Forschung*, Würzburg, 1989, pp. 169-188, particulièrement pp. 170-175.

5. *Actes de la conférence de Carthage en 411*, I, 4, éd. S. LANCEL (« Sources chrétiennes », 195), Paris, 1972, p. 565. Que le lecteur ne s'imagine pas que nous oublions le nord du Maroc actuel : pour l'administration du Bas-Empire, il était rattaché à l'Espagne, et il en était de même du point de vue ecclésiastique.

6. Si toutefois ce nom d'Aurelius, appliqué à Augustin, ne provient pas, comme on l'a parfois soupçonné, de la séquence, fréquente dans les listes conciliaires de l'époque, de son nom usuel, Augustinus, placé immédiatement après celui d'Aurelius, primat d'Afrique : cf. A.-M. LA BONNARDIÈRE, « "Aurelius Augustinus" ou "Aurelius, Augustinus" ? », dans *Rev. bénéd.*, 91, 1981, pp. 231-237. En dernier lieu, M. GORMAN, « Aurelius Augustinus : the Testimony of the oldest Manuscripts of Saint Augustine's Works », dans *Journal of Theol. Studies*, n. s., 35, 1984, pp. 475-480, qui conclut à l'authenticité du gentilice Aurelius.

7. Les propos cités, qui surprennent un peu sous cette plume, sont de A. MANDOUZE, *Saint Augustin. L'aventure de la raison et de la grâce*, Paris, 1968, p. 74-75.

8. H.-I. Marrou , *Saint Augustin et l'augustinisme*, Paris, Le Seuil, « Les maîtres spirituels », 1955, p. 11. Dans cette opposition entre nature et culture, nous parlerions maintenant d'« empreintes génétiques ».

9. Code théodosien (cité par la suite C. Th.), XII, 1, 33, cité par Cl. Lepelley, *Les Cités de l'Afrique romaine au Bas-Empire*, t. I, Paris, Ét. aug., 1979, p. 198.

10. Cette mosaïque est l'un des fleurons du musée du Bardo, à Tunis. Elle est commentée par G. Charles-Picard, *La Carthage de saint Augustin*, Paris, Fayard, 1965, pp. 148-154. Cf. aussi K. Dunbabin, *The Mosaics of Roman North Africa*, Oxford, 1978, pp. 119-121 et fig. 109.

Chapitre ii : Monique

1. Virgile avait appliqué la formule (*plenis annis nubilis*) à la jeune Lavinia, fille du roi Latinus, promise à Énée (*Énéide*, VII, 53). Théoriquement fixée à douze ans, la nubilité se situait dans la pratique à quatorze-quinze ans à Rome et plutôt en moyenne entre quinze et dix-sept ans en Afrique : cf. J.-M. Lassère, *Ubique populus*, Paris, 1977, pp. 487-490 ; en dernier lieu, P. Morizot, « L'âge au mariage des jeunes Romaines à Rome et en Afrique », dans *CRAI*, 1989, pp. 656-669.

2. On a parfois soupçonné une pluralité de fils, sur la base de *Conf.*, IX, 22 : « *Nutrierat filios* » ; mais deux suffisent à justifier le pluriel. Augustin fait aussi état d'un neveu, appelé Patricius, comme son propre père, qui vivait avec lui dans la communauté cléricale d'Hippone à la date (426) du texte qui le mentionne (*s.* 356, 3), et qui semble avoir été un fils de Navigius : cf. en dernier lieu G. Madec, « Le neveu d'Augustin », dans *Rev. des ét. aug.*, 39, 1993, pp. 149-153.

3. *Conf.*, IX, 19. S'adressant plus tard à ses fidèles, Augustin apportera sa caution épiscopale à cette définition des rapports matrimoniaux, mais avec des ménagements et dans le respect mutuel de l'autre : cf. *sermon* 51, 22 ; 293 ; 332, 4 et les commentaires de B.D. Shaw, « The Family in Late Antiquity : the Experience of Augustine », dans *Past and Present*, 115, 1987, pp. 32-35.

4. Cf. W.H.C. Frend, « The Family of Augustine. A Microcosm of Religious Change in North Africa », dans *Atti del Congr. Intern. su S. Agostino nel XVI centenario della conversione, Roma, 15-20 settembre 1986*, Rome, 1987, t. I, pp. 135-151.

5. Cf. P. Monceaux, *Histoire littéraire de l'Afrique chrétienne*, III, Paris, 1905 (réimpr. Bruxelles, 1966), pp. 47-53 ; en dernier lieu, Cl. Lepelley, *Les Cités de l'Afrique romaine au Bas-Empire*, t. I, 1979, p. 344.

6. Comme le note lui-même Augustin (*Conf.*, VI, 2), qui lors de son épiscopat prohibera ces pratiques et qui, dès 392, encore prêtre, écrivait au primat Aurelius de Carthage son souhait de les voir interdire (*Ep.* 22). Cf. *supra*, p. 225.

7. *Meribibula* : si le mot prêté par Augustin à la servante est bien de son cru, elle ne manquait pas d'invention verbale ; on n'en connaît pas d'autre exemple. Par sa composition le mot rappelle le vieux vocabulaire de Plaute, alors revenu à l'honneur, et par le diminutif il est dans la ligne des créations verbales d'un Apulée.

8. P. Brown, *La Vie de saint Augustin* (traduit de l'anglais par Jeanne Henri-Marrou), Paris, Le Seuil, 1971, p. 28.

9. *De beata uita*, II, 10 ; cf. aussi II, 11 ; II, 16 ; III, 19 ; III, 21 ; IV, 23 ; IV, 27 ; IV, 36. Pour une appréciation positive et équilibrée des prestations de Monique à Cassiciacum, lire E. Lamirande, « Quand Monique, la mère d'Augustin, prend la parole », dans *Signum pietatis. Festgabe für C.P. Mayer O.S.A. zum 60. Geburtstag*, Würzburg, 1989, pp. 3-19. Lire aussi, dans le livre si attachant de G. Camps, *L'Afrique du Nord au féminin*, Paris, Perrin, 1992, les pages (pp. 92-108) très justes de ton consacrées à Monique.

10. *Conf.*, II, 8. Cette époque de la rédaction des *Confessions* est aussi celle où Augustin commence à développer dans ses textes, notamment pastoraux, la riche symbolique centrée sur les deux cités de Jérusalem et de Babylone, entendues au sens allégorique : cf. *supra*, p. 562 *sq.*

11. Sur ce songe de Monique, cf. M. DULAEY, *Le Rêve dans la vie et dans la pensée de saint Augustin*, Paris, Ét. aug., 1973, pp. 158-165.

12. De fait, il ne faisait pas bon badiner devant elle avec les choses de la religion. À Cassiciacum, le jeune Licentius en fit l'expérience, lui qui se vit reprocher, comme une inconvenance, de s'être, sans penser à mal, mis à chanter dans les lieux d'aisance un verset du *Psaume 79 (De ordine*, I, 22).

13. Difficile de ne pas y reconnaître une jolie configuration du trio œdipien. Mais Goulven Madec (*La Patrie et la Voie. Le Christ dans la pensée et la vie de saint Augustin*, Paris, Desclée, 1989, pp. 24-25) veut sauver ce texte et l'arracher aux psychanalystes, en y reconnaissant la mise en œuvre par Monique du précepte évangélique : « N'appelez personne votre père sur la terre, car vous n'en avez qu'un, le Père céleste » (*Mt.*, 23, 9).

14. Cf. J. CHOMARAT, « Les *"Confessions"* de saint Augustin », dans *Revue française de psychanalyse*, 52, 1988, pp. 153-174.

15. À part Augustin, le seul Augustinus que nous connaissons dans l'Afrique de ce temps est un obscur évêque donatiste, unique porteur de ce nom parmi les 2 565 personnages recensés dans la *Prosopographie chrétienne du Bas-Empire*, vol. I, *Afrique (303-533)*, Paris, CNRS, 1982. Hors d'Afrique, on ne connaît de ce nom, à cette époque, que le seul évêque d'Aquilée, en Italie du Nord. Et l'existence de cet Augustin d'Aquilée n'est même pas certaine : cf. Ch. PIETRI, *Roma christiana*, t. II, p. 943, note 2.

CHAPITRE III : Une enfance numide

1. Notre époque est aux réhabilitations, mais pour se persuader de la minceur du sujet, il n'est que de lire les quelques pages consacrées à l'enfance dans l'Antiquité romaine par J.-P. NERAUDAU dans la volumineuse *Histoire de l'enfance en Occident*, t. I, Paris, Le Seuil, 1998, pp. 69-97.

2. Cf. Cl. TRESMONTANT, *Introduction à la théologie chrétienne*, Paris, Le Seuil, 1974, pp. 579-581.

3. Cf. le 2e canon du concile de Carthage du 1er mai 418, dans *Concilia Africae, a. 345-525*, éd. Ch. MUNIER, *C.C.L.*, vol. 149, p. 221.

4. Les *Hermeneumata pseudodositheana*, dans *Corpus glossariorum latinorum*, III, 645, commentés par H.-I. MARROU, *Histoire de l'Éducation dans l'Antiquité*, Paris, Le Seuil, 1965, pp. 393-399.

5. JUVÉNAL, I, 15 : « *Manum ferulae subducere* », rendu par H.-I. MARROU, *ibid.*, p. 397, avec une petite inadvertance sur la perception du geste.

6. *Conf.*, I, 20. Sur ce premier mauvais souvenir de jeunesse (le second, sur un tout autre plan, étant le vol des poires), cf. J.-Cl. FREDOUILLE, « Deux mauvais souvenirs d'Augustin », dans *Philanthropia kai Eusebeia, Festschrift f. A. Dihle*, Göttingen, 1993, pp. 74-79.

7. H.-I. MARROU, *Saint Augustin et la fin de la culture antique*, Paris, De Boccard, 1958, pp. 29-30.

8. Les références grecques, aussi bien patristiques que profanes, ont été scrutées à la loupe : cf. H.-I. MARROU, *ibid.*, pp. 31-37, et P. COURCELLE, *Les Lettres grecques en Occident, de Macrobe à Cassiodore*, Paris, De Boccard, 1948, pp. 137-209.

9. Pour la dédicace de la statue par les *Madaurenses ciues*, cf. *Inscriptions latines*

d'Afrique, I, 2115 ; sur ce titre de « philosophe platonicien », cf. APULÉE, *Apologie*, 10, 6 ; AUGUSTIN, *Cité de Dieu*, VIII, 12 et 14.

10. *Inscriptions latines de l'Algérie*, I, 2102 ; cf. Cl. LEPELLEY, *Les Cités de l'Afrique romaine au Bas-Empire*, t. II, Paris, 1981, p. 130.

11. St. GSELL, *Khamissa, Mdaourouch, Announa, t. II : Mdaourouch*, Alger-Paris, 1922, p. 32.

12. K. VÖSSING, « Augustin's Schullaufbahn und das sogennante dreistufige Bildungssystem », dans *L'Africa romana*, 9, 2, Sassari, 1992, pp. 881-899, a tendance à minimiser les acquis de Madaure.

13. Cf. Y. DUVAL, *Loca sanctorum Africae*, II, Coll. École française de Rome, 58, Rome, 1982, pp. 707-708.

14. Cf. N. DUVAL, *Les Églises africaines à deux absides*, t. II (BEFAR, 218 bis), Paris, De Boccard, 1973, pp. 29-34. En dernier lieu : I. GUI, N. DUVAL et J.-P. CAILLET, *Basiliques chrétiennes d'Afrique du Nord. I. Inventaire de l'Algérie*, Paris, Ét. aug., 1992, pp. 327-332, et fig. sous le n° 117.

15. L'apostrophe de Maxime à Augustin : « *Vir eximie, qui a* mea secta *deuiasti* » (*Ep.* 16, 4), n'est pas absolument probante : plutôt qu'enseignement ou école, *secta* signifie « école philosophique » et plus largement « courant de pensée ». Maxime feignait d'ignorer la situation religieuse d'Augustin enfant.

16. C'est le titre d'une récente exégèse « théologique » de cet épisode : H. DERYCKE, « Le vol des poires, parabole du péché originel », dans *Bull. de litt. eccl.*, 88, 3-4, 1987, pp. 337-348. À lire aussi un subtil commentaire sur la composition rhétorique de l'ensemble, ainsi qu'une réflexion suggestive sur le livre II des *Confessions* comme « livre de la mémoire blessée » : P. CAMBRONNE, « Le "vol des poires" », dans *Rev. des études latines*, 71, 1993, pp. 228-238. Enfin, comme exemple de l'ingéniosité que les exégètes savent mettre en œuvre pour « décoder » les épisodes apparemment les plus platement « réels » du récit augustinien, voir D. SHANZER, « Pears before Swine : Augustine, *Confessions* 2.4.9 », dans *Rev. des ét. aug.*, 42, 1996, pp. 45-55.

17. Cf. L.C. FERRARI, « The Pear-Theft in Augustine's *Confessions* », dans *Rev. des ét. aug.*, 16, 1970, pp. 233-242 ; du même : « The Arboreal Polarisation in Augustine's *Confessions* », *ibid.*, 25, 1979, pp. 35-46.

CHAPITRE IV : Carthage

1. Cf. J.-L. MAIER et O. PERLER, *Les Voyages de saint Augustin*, Paris, Ét. aug., 1969, p. 131.

2. Cf. P. GROS, *Byrsa III*, Coll. de l'École française de Rome, 41, Rome, 1985, pp. 63-112.

3. Augustin repensait-il à cette soif d'amour de ses dix-sept ans quand une vingtaine d'années plus tard il rédigeait la « question 35 » du *De diuersis quaestionibus*, où il écrivait : « S'il faut aimer l'amour, il ne faut tout de même pas aimer n'importe lequel ; car il en est un qui est laid, celui par lequel l'âme s'attache à inférieur à elle-même, et qui est la passion » ?

4. SALVIEN, *De gubernatione Dei*, VII, 70 (*CSEL*, 8, p. 178).

5. Car il en est de cette page comme de bien d'autres : l'histoire est celle de l'adolescent ou du jeune homme, mais racontée par l'homme mûr, ancien professeur, converti et devenu évêque. On lira à ce sujet un mot amusant de A. Mandouze : « À tout le moins, cette "confession littéraire" nous donne d'Augustin à Carthage une image qui laisse présager pour lui une autre carrière que celle de voleur de poires ou de trousseur de filles » *(Saint Augustin. L'aventure de la raison et de la*

grâce, p. 80). Certes, mais on gardera présent à l'esprit que c'est l'évêque qui rédige la copie.

6. Cf. J.-Cl. Fredouille, *Tertullien et la conversion de la culture antique*, Paris, 1972, pp. 146-147.

Chapitre v : De Cicéron à Mani

1. Ces fragments sont rassemblés dans Cicéron, *Opera*, éd. Müller, t. IV, 3, coll. Teubner, pp. 312-327 ; ceux qui figurent chez Augustin ont été analysés par M. Testard, *Saint Augustin et Cicéron*, Paris, Ét. aug., 1958, notamment pp. 19-48, et par E. Feldmann, *Der Einfluss des Hortensius und des Manichäismus auf das Denken des jungen Augustinus von 373*, Münster, 1975, pp. 77-100.

2. Comme exemple contemporain des répugnances à vaincre pour un lettré nourri des classiques, on citera celui de Jérôme parti dans sa jeunesse en pèlerinage de Rome à Jérusalem, en emportant sa bibliothèque, dont il ne pouvait se passer ; quand, sortant de Plaute ou de Cicéron, il lisait un « prophète », il était horrifié par ce « langage inculte » (*Ep.* 22, 30).

3. *Sermon* 51, 4-6, datable sans doute des premières années du vᵉ siècle, plutôt que postérieurement à l'année 417, comme on le pensait précédemment (cf. F. Dolbeau, « Le sermonnaire augustinien de Mayence [Mainz, Stadtbibliothek I 9] : analyse et histoire », dans *Revue bénédictine*, 106, 1-2, 1996, p. 39).

4. La découverte d'un papyrus grec (le « Mani-Codex ») dans les collections de Cologne il y a une trentaine d'années a apporté des précisions sur la communauté judéo-chrétienne de baptiseurs où s'est située la jeunesse de Mani, en Babylonie : cf. J. Ries, dans *Mélanges T.J. Van Bavel*, t. II, Louvain, 1990, p. 761.

5. Cf. *Contra Faustum*, I, 2, et F. Decret, *Aspects du manichéisme dans l'Afrique romaine*, Paris, Ét. aug., 1970, p. 13.

6. Cf. F. Decret, *ibid.*, p. 331, note 4. On hésite, pour la date de cet édit – ou rescrit – entre 297 et 302.

7. Un manuscrit latin de 13 feuillets découvert en 1918 dans une grotte au sud-ouest de Tébessa (Algérie) a été reconnu comme un texte manichéen d'abord daté de la fin du vɪᵉ siècle ou du vɪɪᵉ siècle : cf. P. Alfaric, « Un manuscrit manichéen », dans *Rev. d'hist. et de litt. relig.*, n. s., 6, 1920, pp. 62-98. On le date maintenant plutôt du vᵉ siècle, en mettant l'accent sur l'aspect de religion communautaire de ce manichéisme résiduel : F. Decret, « Aspects de l'Église manichéenne. Remarques sur le manuscrit de Tébessa », dans *Cassiciacum*, XL, 1989, pp. 123-151.

8. Cf. L.H. Grondijs, « Analyse du manichéisme numidien au ɪvᵉ siècle » dans *Augustinus Magister*, t. III, Paris, 1954, pp. 408-410. Il n'est cependant pas certain que le symbole du *Jesus patibilis* soit propre au seul manichéisme africain : cf. F. Decret, *Aspects du manichéisme* [...], pp. 12-13 et 284, note 2, et W. Geerlings, « Der manichäische "Jesus patibilis" in der Theologie Augustins », dans *Theologische Quartalschrift*, 152, 1972, p. 125, n. 10.

9. Cf. C. Schmidt, *Manichäische Handschriften der staatlichen Museen Berlins*, t. I : *Kephalaia*, Stuttgart, 1935.

10. Cf. C.R.C. Allberry et H. Ibscher, *A Manichean Psalm-Book*, Stuttgart, 1938 ; C.R.C. Allberry, *A Manichean Psalm-Book, Part II*, Stuttgart, 1958.

11. E. Chavannes et P. Pelliot, « Un traité manichéen retrouvé en Chine », dans *Journal asiatique*, 1911, pp. 499-617, et 1913, pp. 99-199 et 261-394. Un des meilleurs exposés d'ensemble sur le manichéisme, en tout cas le plus accessible, reste celui de H.-Ch. Puech, *Le Manichéisme, son fondateur et sa doctrine*, Paris, Publ. du musée Guimet, 1949, auquel ces quelques pages doivent beaucoup ; à lire aussi :

J. Ries, « Introduction aux études manichéennes. Quatre siècles de recherches », dans *Ephemerides Theologicae Lovanienses* (Louvain), 1957, pp. 453-482, et 1959, pp. 362-409, et un excellent petit manuel illustré : F. Decret, *Mani et la tradition manichéenne*, coll. « Les maîtres spirituels », 40, Paris, Le Seuil, 1974. En dernier lieu, la petite synthèse de M. Tardieu, *Le Manichéisme*, coll. « Que sais-je ? », Paris, PUF, 1981, qui vient d'être rééditée (1997). Il y a beaucoup à attendre de l'étude en cours des milliers de fragments de papyrus, de tablettes de bois et d'*ostraka* mis au jour à partir de 1982 sur le site d'Ismant el-Kharab, à huit cents kilomètres au sud-ouest du Caire ; cf. une première synthèse due à I. Gardner et S.N.C. Lieu, « From Narmouthis (Medinet Madi) to Kellis (Ismant el-Kharab). Manichaean Documents from Roman Egypt », dans *The Journal of Roman Studies*, 85, 1996, pp. 146-169.

12. Augustin lui-même ne fait aucune référence à ce *tertius legatus*, mentionné par son ami Evodius dans le *De fide contra Manicheos*, 17. On lira une bonne présentation de cette sorte de « manuel » antimanichéen d'Evodius, due à F. Decret, « Le traité d'Evodius "Contre les manichéens" : un compendium à l'usage du parfait controversiste », dans *Augustinianum*, 31, 2, 1991, pp. 387-409.

Chapitre VI : Un rhéteur manichéen entre Thagaste et Carthage

1. *Beata u.*, I, 4. On ne perdra pas de vue que dans cette adresse initiale à Manlius Theodorus Augustin file la métaphore, alors très usuelle, de l'aventure intellectuelle et spirituelle comparée à un voyage maritime, avec ses aléas. Des trois phrases citées, les deux dernières disent la même chose, la seconde exprimant en clair et de façon explicite ce que la première dit métaphoriquement. Il s'ensuit qu'aux brumes de la première correspond la *superstitio puerilis* de la seconde (où le mot « brouillard » la reprend), et que de la même manière les « astres qui s'abîmaient dans l'océan » sont explicités par « les hommes qui » : ce sont eux, les astres trompeurs sur lesquels il a eu les yeux longtemps fixés, les mauvais guides qui finissent par le laisser seul avec lui-même. Bien qu'Augustin se soit un temps adonné à l'astrologie, les *astra* n'y font pas ici référence.

2. Cf P. Courcelle, « Les premières "confessions" de saint Augustin, dans *Revue des études latines*, XXI-XXII, 1943-1944, pp. 155-174 (repris dans *Recherches sur les* Confessions *de saint Augustin*, pp. 269-290).

3. La *terribilis auctoritas* (l'autorité qui détourne en intimidant) figure dans le texte cité du *De utilitate credendi*, I, 2 ; s'enhardir (cf. *De beata uita*, I, 4 : « *factus erectior* »), c'était rejeter cette autorité ; on ne retiendra pas la suggestion de J. Doignon, « *Factus erectior* » (*B. uita*, I, 4). Une étape dans l'évolution du jeune Augustin à Carthage », dans *Vetera christianorum*, 27, 1990, pp. 77-83, pour qui il s'agirait d'un sursaut contre l'emprise de la divination et d'une reprise en main après les « extravagances déprimantes de l'"astrologie". »

4. Nous citons ces textes publiés par C.R.C. Allberry, *A Manichaean Psalmbook*, Stuttgart, 1938, dans l'adaptation française qu'en propose G. Madec, *La Patrie et la Voie. Le Christ dans la vie et la pensée de saint Augustin*, Paris, 1989, pp. 28-29.

5. En 387, dialoguant avec Evodius, en réponse à la question que lui posait son ami sur l'origine du mal en nous, Augustin répliquait : « Tu soulèves le problème qui m'a, lorsque j'étais tout jeune, agité violemment et, de fatigue, poussé et précipité dans l'hérésie » (*De libero arbitrio*, I, 4).

6. Sur ce texte, voir notamment F. Decret, *Aspects du manichéisme dans l'Afrique romaine*, Paris, 1970, p. 33, et, surtout, « Saint Augustin témoin du manichéisme dans l'Afrique romaine », dans *Cassiciacum*, XXXIX, 1, 1989, pp. 94-95 ; A. Mandouze, *Saint Augustin, l'aventure de la raison et de la grâce*, Paris, 1968, p. 254, note 5, semble en minimiser la portée.

7. Cf. M. BLANCHARD-LEMÉE, « La "maison de Bacchus" à Djemila. Architecture et décor d'une grande demeure provinciale à la fin de l'Antiquité », dans *B.A.C.*, n. s. 17 B, 1981, pp. 131-143.

8. En fait le mot « chronique » n'est pas approprié et ne doit pas être pris au pied de la lettre. Le lecteur du livre IV des *Confessions* s'aperçoit vite qu'Augustin ne s'est pas soucié d'y suivre une continuité chronologique. Un exemple : il fait état de ses entretiens à Carthage avec Vindicianus, le médecin proconsul, avant de parler de son amitié à Thagaste avec cet ancien condisciple, dont la mort le séparera, en 375/76. Or nous savons de façon certaine que le proconsulat de Vindicianus se situe en 379/81 : cf. p. 79.

9. CICÉRON, *De amicitia*, 20, et AUGUSTIN, *Contra Acad.*, III, 13. Lire le petit *De amicitia* augustinien dans la *Cité de Dieu*, XIX, 8. Sur le rôle de l'amitié dans la genèse de l'idéal cénobitique augustinien, cf. A. MANDOUZE, *Saint Augustin*, pp. 186-187, et P. BROWN, *La Vie de saint Augustin*, pp. 69-72.

CHAPITRE VII : Les premiers accomplissements

1. Depuis Julien (362-363), ce décret municipal devait être ratifié par l'autorité de l'empereur (C. Th., XIII, 3, 5). Cf. H.-I. MARROU, *Histoire de l'éducation dans l'Antiquité*, Paris, Le Seuil, 1965, p. 442 : « Cette décision se reliait à toute une politique religieuse, mais, émoussée de sa pointe antichrétienne, elle conserva sa vigueur sous les successeurs de Julien, comme en fait foi son insertion au Code théodosien. »

2. Ce *magister* et ces *docti*, « bouffis d'une emphase bruyante » (*buccis tyfo crepantibus*), sont évidemment dépeints de façon caricaturale par Augustin (*Conf.*, IV, 28). Mais la caricature est celle de l'auteur des *Confessions*, non celle de l'étudiant, qui était alors d'une grande docilité intellectuelle vis-à-vis de ses maîtres.

3. À moins qu'il ne s'agisse de la traduction, due à Vettius Agorius Praetextatus, l'ami de Symmaque, d'une paraphrase de l'ouvrage d'Aristote, faite par Themistius : cf. P. HADOT, *Marius Victorinus. Recherches sur sa vie et ses œuvres*, Paris, Ét. aug., 1971, pp. 193-198.

4. Pour comprendre la passion et la haute exigence qu'Augustin mettait dans son enseignement, il suffira de lire la page du *De ordine*, I, 29-30, où, durant les entretiens de Cassiciacum, il admoneste Trygetius et Licentius qui, rivalisant dans la discussion, s'étaient laissés aller à de vains sentiments de gloriole.

5. P. PETIT, *Les Étudiants de Libanius*, Paris, 1957.

6. Cf. en particulier G. PICARD, *La Carthage de saint Augustin*, Paris, Fayard, 1965, pp. 83-86, et A.-G. HAMMAN, *La Vie quotidienne en Afrique du Nord au temps de saint Augustin*, Paris, Hachette, 1979, pp. 158-160.

7. Les fouilles des pauvres restes du cirque de Carthage, pillé dès l'époque vandale (seconde moitié du vᵉ siècle) ont été faites de façon très méritoire ces dernières années par une équipe américaine : cf. J. HUMPHREY, *The Circus and a Byzantine Cemetery at Carthage*, Ann Arbor, The Univ. of Michigan Press, 1988.

8. Même si l'on n'en met pas la véracité en doute, l'épisode est de ceux qui ont fait suspecter Augustin d'avoir parfois « arrangé » le récit d'après des *exempla* célèbres de conversions morales : cf. P. COURCELLE, *Recherches sur les* Confessions *de saint Augustin*, p. 59.

9. Une des réalisations urbaines les plus remarquables de Carthage, selon un texte de cette époque (vers 360) : *Expositio totius mundi et gentium*, 61, éd. J. ROUGÉ, *Sources chrétiennes*, vol. 124, p. 202.

10. Cf. P. GROS, « Le forum de la ville haute dans la Carthage romaine, d'après les textes et l'archéologie », dans *Comptes rendus de l'Acad. des inscriptions et*

belles-lettres, 1982, pp. 636-658, qui reprend et précise une intuition ancienne de A. Lézine. Il n'est pas sûr toutefois que la déprédation ait eu lieu dans la basilique, comme il le suggère, et encore moins que la déclamation que repassait Alypius ait été prononcée dans cet édifice. Mais le contexte indique au moins clairement que le local où exerçait Augustin se situait dans les parages.

11. Cf. *Conf.*, VI, 15 : l'architecte qui sauve la mise à Alypius avait déjà constaté des déprédations sur le forum. Le jeune homme qui est finalement convaincu de vol n'est pas un voleur professionnel, mais plutôt un « jeune homme de bonne famille », et l'anecdote en dit long sur la perte du sens civique.

12. Le mot est de H.-I. Marrou, dans *Saint Augustin et l'augustinisme*, p. 13. Il n'était pas le seul de son espèce dans l'Afrique romaine de son temps : cf. Cl. LEPEL-LEY, « Quelques parvenus de la culture de l'Afrique romaine tardive », dans *De Tertullien aux Mozarabes. Mélanges offerts à J. Fontaine*, Paris, Ét. aug., 1992, pp. 583-594.

13. Pour l'année du proconsulat d'Helvius Vindicianus (379-380 ou 380-381), cf. A. BESCHAOUCH, *Mustitana I*, Paris, Klincksieck, 1968, p. 135.

14. Répétons qu'à notre sens cette astrologie n'est pas signifiée par les *astra* purement métaphoriques du *De beata uita*, I, 4 : cf. *supra*, note 1 du chap. VI.

15. *Conf.*, VII, 10. Sur les antécédents cicéroniens de l'argument des jumeaux, cf. M. TESTARD, *Saint Augustin et Cicéron*, t. I, p. 102 ; sur une source possible chez saint Ambroise, cf. P. COURCELLE, *Recherches* [...], p. 77, note 6.

16. Augustin reviendra souvent sur cet *exemplum* biblique : ainsi dans *l'Ad Simplicianum*, I, *qu.* 2, 3, dans le *De doctrina christ.*, II, 33, et plus tard dans la *Cité de Dieu*, V, 4-7, qui dressera un réquisitoire en règle contre l'astrologie.

17. Cf. H.-I. MARROU, *Saint Augustin et la fin de la culture antique*, pp. 108-109 ; du même, *Histoire de l'éducation dans l'Antiquité*, pp. 265-279.

18. Cf. *Les Révisions*, I, 6. Pour conclure cette petite notice, Augustin disait qu'il avait perdu ces ébauches, mais il ajoutait qu'elles n'étaient peut-être pas perdues pour tout le monde. Sur ce qui peut en rester, cf. H.-I. MARROU, *Saint Augustin et la fin de la culture antique*, pp. 570-579.

19. Des aperçus sur ces lectures, dus à A. SOLIGNAC, dans l'*Introduction* (pp. 92-93) de l'édition des *Confessions* dans la *B.A.*, vol. 13, Paris, Ét. aug., 1992.

20. *Conf.*, IV, 20 : « Deux ou trois [livres], je crois : tu le sais, toi, Dieu, car cela m'est sorti de l'esprit. Je ne les ai plus ; ils se sont égarés je ne sais comment. » Aux yeux d'Augustin, ils ne comptaient pas plus que tout ce qui était antérieur à sa conversion, et naturellement ils sont absents des *Révisions*.

21. PLATON, *Hippias majeur*, 293 d-294 e ; le rapprochement est encore fait, comme il convient, mais sans discussion critique, par A. RIGOBELLO, « Lettura del IV libro delle Confessioni di S. Agostino », dans *Le "Confessioni" di Agostino d'Ippona, libri III-V* », p. 35, Palerme, 1984.

22. Ainsi dans un contexte stoïcien, pour illustrer la notion d'*opportunitas*, dans le *De finibus*, III, 46, de Cicéron.

23. On lira à ce sujet J.-M. FONTANIER, « Sur le traité d'Augustin *De pulchro et apto* : convenance, beauté et adaptation », dans *Revue des sc. philos. et théolog.*, 73, 1989, pp. 413-421, en complément des remarques de A. SOLIGNAC, dans *Les Confessions*, *B.A.*, vol. 13, pp. 670-672. Dans une lettre adressée en 412 à son ami Marcellinus, l'évêque utilisera encore sa distinction entre le *pulchrum* et l'*aptum* pour rendre compte des « adaptations » des rapports entre Dieu et l'humanité à travers les temps bibliques : *Ep.* 138, 5.

24. Cf. A. SOLIGNAC dans *Les Confessions*, *B.A.*, t. 13, p. 673 ; cf. déjà, du même, « Doxographies et manuels dans la formation philosophique de saint Augustin »,

dans *Recherches augustiniennes*, I, 1958, pp. 113-148, particulièrement pp. 129-137.
On a pu aussi déceler dans ces pages relatives au *De pulchro et apto* des réminiscences du traité de Plotin *Sur la beauté* (*Enn.*, I, VI), qu'Augustin semble avoir lu plus tard, à l'époque de sa conversion ; il s'agirait donc ici, interférant après coup, d'un écho de formules plotiniennes : cf. J.J. O'MEARA, *La Jeunesse de saint Augustin*, Fribourg, 1988 (1re éd. Paris, Plon, 1958), p. 125.

25. *Conf.*, IV, 1. Augustin concentrera ses sarcasmes sur le ventre (*aqualiculus*, un mot rare et pittoresque) des élus manichéens : cf. aussi *Conf.*, III, 18, sur la transmutation divine de la figue dans l'estomac du « saint » manichéen, et les textes rassemblés par F. DECRET, *Aspects du manichéisme dans l'Afrique romaine*, p. 308.

26. Cf. à ce sujet les réserves de H.-I. MARROU, *Saint Augustin et la fin de la culture antique*, p. 250.

27. Augustin fera dans ses controverses avec les manichéens grand usage de l'« argument de Nebridius » ; il y a recours dans sa lettre 79 adressée à un manichéen demeuré anonyme, et ce sera l'un de ses arguments clefs dans ses débats avec Felix et avec Fortunatus (références dans F. DECRET, *Aspects du manichéisme dans l'Afrique romaine*, pp. 75 et 85).

28. *Contra Faustum*, V, 5 et 7. À la différence des manichéens puritains, qui couchaient sur des nattes, Faustus dormait sur des coussins de plumes et sous des couvertures de peaux de chèvres. On a attribué son retour de Rome à Carthage, vers 382, aux lois de Théodose, qui, en 381, puis au printemps de 382, frappèrent les manichéens de mort civile, avant de prononcer contre eux la peine capitale (C. Th., XVI, 5, 7 et 9). Mais l'application de ces peines n'était pas limitée à la ville de Rome.

29. Sur la localisation à la fois de cette chapelle et du lieu d'embarquement, cf. S. LANCEL, « Victor de Vita et la Carthage vandale », dans *L'Africa romana*, VI, Sassari, 1989, pp. 658-659.

CHAPITRE VIII : Entre Rome et Milan

1. Cf. AMMIEN MARCELLIN, *Histoire*, XIV, 6, 18 et 19. Sur les clientèles favorites de cette aristocratie romaine, cf. R. MACMULLEN, *Corruption and the Decline of Rome*, Yale Univ. Press, 1988, pp. 58-121.

2. En 370, un décret de l'empereur Valentinien les soumet au contrôle du préfet de la ville (C. Th., XIV, 9, 1) ; ce dernier doit réprimer d'éventuelles turbulences et adresser chaque année à l'empereur une liste des meilleurs éléments pour que l'administration puisse y puiser pour ses besoins.

3. Cf. A. CHASTAGNOL, *Les Fastes de la préfecture de Rome au Bas-Empire*, Paris, 1962, pp. 218-229.

4. Cf. H.-I. MARROU, *Histoire de l'éducation dans l'Antiquité*, pp. 428-430.

5. P. BROWN, *Vie de saint Augustin*, pp. 79-80, qui considère avec raison qu'Augustin partit pour Milan en qualité de « protégé » de Symmaque (*contra* : T.D. BARNES, « Augustine, Symmachus and Ambrose » dans *Augustine. From Rhetor to Theologian*, Waterloo, Ontario, W. Laurier Univ. Press, 1992, pp. 7-13).

6. L'avènement du jeune garçon à l'Empire remontait au 22 novembre 375 ; avec la manière romaine de calculer le temps passé, ses *decennalia* tombaient non le 22 novembre 385, mais un an avant : cf. A. CHASTAGNOL, « Les jubilés impériaux de 260 à 387 », dans *Crise et Redressement dans les provinces européennes de l'Empire*, Strasbourg, 1983, pp. 11-25.

7. Cf. *De ordine*, II, 45. Augustin dit qu'il reprenait lui-même les Italiens sur leur prononciation ; mais son problème était un problème d'accent tonique ; sur ces

questions, cf. S. Lancel, « La fin et la survie de la latinité en Afrique du Nord », dans *Revue des études latines*, 59, 1981, pp. 276-277.

8. P. Courcelle, *Recherches sur les* Confessions *de saint Augustin*, p. 82.

9. Sur ce type de poste, cf. les commentaires de Cl. Lepelley, « Un aspect de la conversion d'Augustin : la rupture avec ses ambitions sociales et politiques », dans *Bull. de litt. eccl.*, 88, 3-4, 1987, pp. 229-246, plus particulièrement pp. 239-241.

10. *Conf.*, VI, 1 : « Déjà ma mère était venue me rejoindre ; forte de sa piété, elle m'avait suivi sur terre et sur mer, tirant de toi sa sécurité au milieu de tous les périls. Dans les moments critiques de la traversée, elle donnait courage aux matelots eux-mêmes, auprès de qui les voyageurs novices de l'abîme trouvent d'ordinaire courage dans leur désarroi : elle leur promettait l'arrivée au port et le salut ; elle avait reçu de toi, dans une vision, pareille promesse. » Au-delà de l'« hagiographie » (teintée d'une discrète ironie), une indication : cette traversée mouvementée suggère une date au printemps, au début de l'ouverture de la navigation en Méditerranée, en principe à partir du 10 mars.

11. L'arrivée de la mère d'Adeodatus, avec son fils, se déduit de la mention de son renvoi, un peu plus tard. On ne peut tout à fait exclure qu'ils aient rejoint tous les deux Augustin avant Monique, mais c'est peu probable.

Chapitre IX : Ambroise

1. C'est le portrait qu'on peut voir sur la mosaïque de la chapelle de saint Sature, datée du début du vᵉ siècle, et donc quasi contemporaine de la vieillesse d'Ambroise.

2. La lecture habituelle dans l'Antiquité était la lecture à voix haute, même lorsqu'on lisait seul et pour soi. Augustin (*Conf.*, VI, 3) émettra dans ce cas précis l'hypothèse, ou bien qu'Ambroise évitait la lecture à voix haute pour éviter d'être dérangé par d'éventuelles questions, ou encore qu'il agissait ainsi pour ménager sa voix.

3. C'est de façon indirecte à Augustin que nous devons ce que nous savons de l'essentiel de la vie d'Ambroise, puisque c'est lui qui suggéra plus tard à Paulin de Milan d'écrire sa biographie, notre source principale. Sur Ambroise : J.-R. Palanque, *Saint Ambroise et l'Empire romain*, Paris, De Boccard, 1933 ; F.H. Dudden, *The Life and Times of St Ambrose*, 2 vol., Oxford, 1935 ; G. Madec, *Saint Ambroise et la philosophie*, Paris, Ét. aug., 1974. On peut lire depuis peu la nouvelle synthèse de H. Savon, *Ambroise de Milan (340-397)*, Paris, Desclée, 1997.

4. Paulin de Milan, *Vita beati Ambrosii*, 7, éd. Pellegrino, Rome, 1961, p. 60 ; commentaire de ce texte ambigu dans G. Madec, *Saint Ambroise et la philosophie*, pp. 23-25.

5. *De officiis*, I, 4, éd. Les Belles Lettres, Paris, 1984. Voir sur ce texte le commentaire de l'éditeur, M. Testard, dans son *Introduction*, pp. 17-21.

6. Augustin reprendra lui-même l'image de la noix – qu'il faut soupeser comme le font les enfants, pour voir si elle est pleine, et puis briser – dans un texte inédit, complétant le sermon 341, récemment publié : *Sermon Dolbeau 22 (Mayence 55)*, 22-23, dans F. Dolbeau, *Vingt-Six Sermons au peuple d'Afrique*, Paris, Ét. aug., 1996, pp. 574-575 (lieu et date : Carthage, 12 déc. 403 : *ibid.*, p. 640).

7. On s'accorde à penser qu'Ambroise a été, sinon le seul, du moins le principal intermédiaire entre Augustin et Origène, dont Augustin n'était pas en état de prendre une connaissance directe : cf. R.J. Teske, « Origen and St. Augustine's First Commentaries on Genesis », dans *Origeniana Quinta*, Louvain, 1992, pp. 179-185.

8. Sur les premiers développements de cette architecture funéraire et de ces dispositifs, dès le iiiᵉ siècle, voir le mémoire de P.-A. Février, « Le culte des morts dans les communautés chrétiennes durant le iiiᵉ siècle », dans *Atti del IX Congr.*

intern. di archeologia crist., Roma 21-27 sett. 1975, Rome, 1978, pp. 211-274, spécialement pp. 221-227.

9. *Pax et concordia sit conuiuio nostro* : trouvaille de M. Bouchenaki dans la nécropole de Matarès, à Tipasa, reproduite dans S. Lancel et M. Bouchenaki, *Tipasa de Maurétanie*, 3ᵉ édit., Alger, 1990, fig. 37, p. 64, et commentée par H.-I. Marrou, « Une inscription chrétienne de Tipasa et le refrigerium », dans *Antiquités africaines*, 14, 1979, pp. 261-269.

10. C'est la suggestion de A. Pincherle, *Vita di sant'Agostino*, 1980, p. 51.

11. Cf. V. Arminjon, *Monique de Thagaste*, Montmélian, 1989, p. 17.

12. Cf. le *De moribus manichaeorum*, II, 74, sur ce « monastère » manichéen, dont on sait par le *Contra Faustum*, V, 5, 7 qu'il avait vite tourné au scandale. Sur l'épisode et l'hypothèse qu'Augustin ait pu s'en inspirer, cf. P. Courcelle, *Recherches sur les* Confessions *de saint Augustin*, pp. 178-179.

13. *Conf.*, VI, 26. Pour A. Solignac (note *ad locum*, dans *B.A.*, vol. 13, pp. 572-573), en termes stricts, cette opinion d'Épicure ne figure pas dans le *De finibus* de Cicéron, ce qui est vrai. Mais M. Testard a bien montré qu'Augustin formule juste après l'hypothèse épicurienne du comble de la volupté dans les mêmes termes que Cicéron dans le *De finibus*, à plusieurs reprises (*Saint Augustin et Cicéron*, pp. 99-100).

Chapitre X : 386 : la conversion de l'intelligence

1. On l'a vu plus haut se référer à Épicure (p. 116). Il avait aussi une bonne connaissance du stoïcisme (cf. par exemple *Contra Acad.*, III, 38), même s'il semble excessif de parler d'une « période stoïcienne ».

2. La formule est de G. Madec, dans *Le Confessioni d'Agostino d'Ippona, libri VI-IX*, Palerme, 1985, p. 49.

3. Le mot est de J.-R. Palanque, *Saint Ambroise et l'Empire romain*, p. 140.

4. Il s'appelait en fait Mercurinus, mais il avait pris le nom du prédécesseur d'Ambroise pour se faire accepter des Milanais : cf. G. Nauroy, « Le fouet et le miel. Le combat d'Ambroise en 386 contre l'arianisme milanais », dans *Recherches augustiniennes*, 23, 1988, pp. 4-86, particulièrement p. 11.

5. Sur les dates, cf. M. Meslin, *Les Ariens d'Occident (335-430)*, Paris, Le Seuil, 1967, p. 50, précisant J.-R. Palanque, *op. cit.*, pp. 160-161, et en dernier lieu G. Nauroy, *op. cit.*, notamment pp. 66-68.

6. La formule est de M. Meslin, *Les Ariens d'Occident*, p. 53.

7. P. Courcelle, *Recherches sur les* Confessions *de saint Augustin*, pp. 148-151.

8. Id., *ibid.*, p. 151.

9. *Conf.*, VI, 6. Une trace de la parole paulinienne dans le *De Iacob* d'Ambroise, daté de début 386 : cf. P. Courcelle, *Recherches*, p. 98 et, pour la date, J.-R. Palanque, *Saint Ambroise*, pp. 444 et 515.

10. *Hexameron*, III, 7, 32 ; pour la date, P. Courcelle, *Recherches*, p. 101.

11. Sur ces rapports entre Plotin et Ambroise, cf. P. Courcelle, « Plotin et saint Ambroise », dans *Revue de philologie*, 76, 1950, pp. 29-56 ; P. Hadot, « Platon et Plotin dans trois sermons de saint Ambroise », dans *Revue des ét. latines*, 34, 1956, pp. 202-220 ; P. Courcelle, *Recherches*, pp. 93-138.

12. P. Courcelle, *Recherches*, pp. 251-252.

13. Une vue d'ensemble de ces imprégnations concomitantes dans A. Mandouze, *Saint Augustin*, p. 478.

14. La formule est initialement d'Aimé Solignac, « le cercle milanais », note compl. 1 aux *Confessions*, *B.A.*, vol. 14, pp. 526-535 ; elle a été récemment reprise avec une variante par G. Madec, « Le milieu milanais. Philosophie et christianisme »,

dans *Bull. de litt. eccl.*, 88, 3-4, 1987, pp. 194-205. Voir aussi A. Paredi, « Agostino e i Milanesi », dans *Agostino a Milano*, Palermo, Edizioni Augustinus, 1988, pp. 57-62.

15. *De beata uita*, I, 4. Sur le néoplatonisme de Manlius Theodorus, cf. P. Courcelle, *Les Lettres grecques en Occident de Macrobe à Cassiodore*, Paris, 1948, pp. 123-126.

16. Non loin du lit où se mourait Ambroise, en 397, plusieurs de ses diacres évoquaient sans trop de gêne sa succession ; le nom de Simplicianus fut prononcé : « Trop vieux ! » dit l'un des diacres – « *Senex, sed bonus !* » répliqua Ambroise, qui avait suivi la conversation (Paulin de Milan, *Vita Ambrosii*, 46).

17. P. Courcelle a vu dans ce Celsinus Kelsinos de Castabala, mentionné dans la *Souda* comme l'auteur de doxographies (*Les Lettres grecques en Occident*, pp. 179-181). Pour A. Solignac (*Les Confessions, B.A.*, vol. 14, p. 535), ce serait le propre frère de Symmaque, Celsinus Titianus (et non Tatianus) ; mais c'est impossible, car Celsinus Titianus est mort en 380, ou peu après : cf. *The Prosopography of the Later Roman Empire*, t. I, pp. 917-918. Même impossibilité chronologique pour Clodius Celsinus : *ibid.*, p. 192.

18. P. Courcelle, *Les Lettres grecques en Occident*, pp. 126-128 ; *Recherches*, pp. 153-155.

19. J.J. O'Meara, *La Jeunesse de saint Augustin*, p. 197 : l'homme qui « a procuré » n'est pas forcément un contemporain, et Porphyre avait été traduit en latin par Marius Victorinus.

20. A. Solignac, dans *Les Confessions, B.A.*, vol. 13, p. 103, et P. Hadot, *Marius Victorinus*, p. 204.

21. Le mot est de Paul Henry, « Plotin et l'Occident », p. 78.

22. P. Henry, *Plotin et l'Occident*, p. 94.

23. Le point en a été fait par A. Solignac dans *B.A.*, vol. 13, pp. 682-689. Un relevé précis a été proposé par O. Du Roy, *L'Intelligence de la foi en la Trinité selon saint Augustin*, Paris, Ét. aug., 1966, pp. 69-70.

24. O. Du Roy, *op. cit.*, p. 71. Après P. Courcelle, *Les Confessions de saint Augustin dans la tradition littéraire*, Paris, Ét. aug., 1963, pp. 27-42, G. Madec a décelé des traces porphyriennes dans le livre VII des *Confessions* (« La délivrance de l'esprit [Confessions, VII] », dans *« Le Confessioni » di Agostino d'Ippona*, Palerme, 1985, pp. 60-62). Cela paraît indiscutable, sans prouver une lecture précoce de Porphyre. Un excellent exemple de l'excès dans l'identification est donné par P.F. Beatrice, « Quosdam platonicorum libros. The Platonic Readings of Augustine in Milan », dans *Vigiliae Christianae*, 43, 1989, pp. 248-281.

25. A. Mandouze, *Saint Augustin*, p. 674.

26. De ce texte de *Conf.*, VII, 16, on peut de fait rapprocher notamment *Ennéades*, I, 6 et V, 1 (cf. A. Solignac, *Les Confessions, B.A.*, vol. 13, p. 687). Mais, au début du texte d'Augustin, le « sous ta conduite [= la conduite de Dieu]» – qu'on trouve déjà dans *Sol.*, II, 9 – introduit une différence essentielle par rapport à Plotin, *Enn.*, I, 6, 9, 24, qui affirmait dans le même contexte : « Tu n'as plus besoin de guide. »

27. Platon, *Politique*, 273 d ; Plotin, *Enn.*, I, VIII, 13, 16-17. L'extraordinaire fortune par la suite de la formule dans la littérature ascétique a été retracée par P. Courcelle ; cf. notamment son répertoire de textes dans *Les Confessions de saint Augustin dans la tradition littéraire*, pp. 623-640. Cf. aussi E. TeSelle, « *Regio dissimilitudinis* in the Christian Tradition and its Context in Late Greek Philosophy », dans *Augustinian Studies*, 6, 1975, pp. 153-179.

28. P. Courcelle, *Recherches*, pp. 157-167 ; *Les* Confessions *de saint Augustin dans la tradition littéraire*, pp. 43-58.

29. Réminiscence de Plotin I, VI (*Du Beau*) et VI, IX (*Du Bien et de l'Un*).

30. A. Mandouze, *Saint Augustin*, pp. 674-675 ; voir aussi le commentaire de ce texte par A. Solignac, dans *Les Confessions*, *B.A.*, vol. 13, pp. 198-200.

31. O. Du Roy, *L'Intelligence de la foi en la Trinité selon saint Augustin*, p. 87.

32. A. Solignac, dans *Les Confessions*, *B.A.*, vol. 13, p. 702.

33. Même si l'on peut penser, avec O. Du Roy (*L'Intelligence de la foi* [...], pp. 82 et 185-186), que cette élaboration métaphysique date en réalité d'un an plus tard, sous l'influence de Porphyre.

34. *De Isaac*, 7, 61 ; Augustin avait gardé ce texte dans ses papiers ; en 421, il le resservira à Julien d'Éclane, dans la controverse antipélagienne : *Contra Iulianum*, I, 9, 44 : « *Ambrosius, in eo libro quem* De Isaac et anima *scripsit : "quid est ergo, inquit, malitia, nisi boni indigentia ?"* »

35. Il y a chez Augustin une *revendication* de la philosophie à l'usage chrétien ; cf. *De doct. christ.*, II, 60 : « Si ceux qu'on appelle philosophes se sont trouvés avoir dit des choses vraies et correspondant à notre foi – c'est particulièrement le cas des platoniciens –, non seulement il ne faut pas redouter ces choses, mais il faut même les leur réclamer pour notre usage comme à d'injustes possesseurs. »

36. Lire sur ce thème les remarques de G. Madec, *Saint Augustin et la philosophie. Notes critiques*, Paris, 1996 (réédition revue et augmentée d'une étude publiée d'abord en 1977), pp. 5-16 ; la phrase de *Conf.*, III, 10, ci-dessus citée figure en épigraphe à ce livre. Voir déjà A. Mandouze, *Saint Augustin*, pp. 493-505.

37. On lira à ce sujet – mais avec précaution – le commentaire suggestif et séduisant, de P. Brown, *La Vie de saint Augustin*, p. 119 : « Mais non, Augustin ne serait jamais un nouveau Plotin, peut-être faute de posséder la sérénité profonde de ce grand païen. De même que la Sagesse manichéenne n'avait pas été seulement pour lui comme la révélation d'une connaissance mais aussi comme un cadre de morale bien défini qui le rendit capable pendant plusieurs années de dominer son sentiment de culpabilité et d'accepter les servitudes de la chair, de même il se mettait maintenant en quête d'une discipline qui puisse compléter la lucide spiritualité des platoniciens. »

Chapitre XI : 386 : la conversion de la volonté

1. *Ciu. Dei*, X, 29, 2 : « *Quod initium* [...] *quidam Platonicus, sicut a sancto sene Simpliciano* [...] solebamus *audire, aureis litteris conscribendum et per omnes ecclesias in locis eminentissimis proponendum esse dicebat.* » La valeur démonstrative de ce *solebamus*, comme indicatif d'une pluralité de rencontres entre Simplicianus et Augustin, à l'initiative de ce dernier, a cependant été discutée : cf. R.J. O'Connell, dans *Rev. des ét. aug.*, 19, 1973, pp. 87-90.

2. Déjà, à la fin du iii⁰ siècle, un disciple direct de Plotin, Amelius, voulait en tirer la preuve que le dogme de l'Incarnation dérivait de le doctrine platonicienne de la chute des âmes : cf. Eusèbe, *Prép. évang.*, XI, 19, 1.

3. *Conf.*, VII, 27 : « *Itaque auidissime* arripui *uenerabilem stilum spiritus tui et prae ceteris apostolum Paulum...* ». Le même verbe (*arripio*) est employé dans *Contra Acad.*, II, 5 qui, en dépit du *titubans, properans, haesitans* qui l'accompagne, se réfère bien à cette lecture à la fois intensive et extensive des lettres de l'Apôtre, et non à la saisie fiévreuse du texte de saint Paul dans le jardin de Milan, comme le veut A. Mandouze, *Saint Augustin*, p. 261.

4. P. Courcelle (*Les Confessions de saint Augustin dans la tradition littéraire*, pp. 36-42) y a vu une conséquence de la lecture par Augustin de la *Philosophie des oracles* de Porphyre, suivi par G. Madec, qui reconnaîtrait une déviation « adoptianiste », plutôt que photinienne (cf. « Une lecture de *Confessions*, VII, 13-27 »

dans *Rev. des ét. aug.*, 16, 1-2, 1970, pp. 106-107 et 117-119 ; du même, *La Patrie et la Voie*, Paris, Desclée, 1989, pp. 39-47).

5. Sur la « crise apollinariste », cf. Cl. Tresmontant, *Introduction à la théologie chrétienne*, Paris, Le Seuil, 1974, pp. 159-171.

6. En fait, la *Vie d'Antoine*, écrite par Athanase d'Alexandrie une vingtaine d'années auparavant, vers 366/67, avait été traduite quelques années après par Évagre d'Antioche. Le livre n'était encore connu que dans les milieux cénobitiques, comme on va le voir un peu plus loin.

7. On désignait alors ainsi, avec ces deux mots intraduisibles qui formulent une fonction, plutôt qu'un titre, ce qu'on appellerait maintenant dans un jargon administratif tout aussi vague des « chargés de mission », en fait, d'après ce que nous savons d'eux, des membres, assez haut placés dans la hiérarchie, d'une police secrète impériale.

8. On s'est efforcé d'identifier les deux convertis de Trèves, qui ne seraient autres que Jérôme lui-même et son ami Bonose, pour P. Courcelle, *Recherches*, pp. 181-187.

9. Car c'est bien en effet, comme on l'a vu (en particulier P. Courcelle, *Recherches*, p. 192), Hercule hésitant entre le vice et la vertu qui est le prototype de cette mise en scène.

10. Pour P. Courcelle (*Recherches*, p. 193), et pour les tenants à sa suite du sens symbolique, ce figuier ne peut être que le figuier sous lequel Nathanaël était étendu quand Jésus l'interpella (*Jn*, 1, 48), et l'on fait valoir que dans l'exégèse habituelle de ce texte chez Augustin le figuier de Nathanaël représente l'ombrage mortel des péchés du genre humain en proie à la concupiscence ; on peut aussi rappeler qu'après avoir goûté du fruit défendu c'est avec des feuilles de figuier qu'Adam et Ève voilent leur nudité (*Gn.*, 3, 7). Mais il ne manque pas non plus de bons arguments pour voir en lui un arbre véritable qui avait poussé dans le jardin de Milan (cf. notamment F. Bolgiani, *La Conversione di S. Agostino e l' VIIIᵉ libro delle Confessioni*, Turin, 1956, p. 110).

11. « *Quamdiu, quamdiu*, cras et cras ! » Il y a là sans doute une réminiscence de Perse, *Satires*, V, 66, où le mot « demain » figure, répété, dans un contexte proche. Il est peut-être plus intéressant de noter qu'Augustin s'en souviendra dans sa prédication et qu'aux pécheurs qui repoussent toujours à « demain » le moment de la contrition il reprochera ce « *cras, cras* » qui sonne comme le cri du corbeau quand on préférerait entendre le gémissement de la colombe : *Sermon 82*, 14 ; 224, 4 ; *sermon Dolbeau 25* (*M.* 61), 27 (*Vingt-Six Sermons au peuple d'Afrique*, 1996, p. 267).

12. Cf. *supra*, note 10. Et voir aussi L.C. Ferrari, « The arboreal polarisation in Augustine's *Confessions* », dans *Rev. des ét. aug.*, 25, 1979, p. 43, pour qui – au contraire d'autres exégètes – la signification mystique du figuier du jardin de Milan est de symboliser la rectitude de la volonté.

13. C. Mohrmann, « The *Confessions* as a literary work of art », dans *Études sur le latin des chrétiens*, t. I, Rome, 1958, pp. 378-381, note que chez Augustin le symbole est habituellement superposé au réel, et particulièrement dans le cas du figuier du jardin de Milan.

14. *De diuina domo* (au lieu de *uicina*), dans le *Sessorianus*, un manuscrit du vᵉ siècle ; mais F. Bolgiani (*Intorno al piu antico codice delle Confessioni di S. Agostino*, Turin, 1954) a démonté le mécanisme d'une faute de copiste qui se retrouve ailleurs.

15. Le sens mystique de cette page a été souligné par L.C. Ferrari, « *Ecce audio uocem de uicina domo : Conf.* 8, 12, 29 », dans *Augustiniana*, 33, 1983, pp. 232-245.

16. Qu'il en connût la pratique est chose certaine puisque dans une lettre (*Ep.* 55, 37) datée de l'époque des *Confessions* il réprouvera la pratique de « tirer des sorts » dans les Évangiles, quand des intérêts matériels étaient en jeu.

17. *Tollere* et *legere* peuvent avoir des sens symboliques, mais aussi et d'abord le sens pratique et usuel de prendre un livre en main pour le consulter. Aux nombreux exemples rassemblés par P. COURCELLE, dans *Les Confessions de saint Augustin*, pp. 155-163, on en joindra un qui a échappé à son étourdissante érudition : dans un texte anonyme du IIIe siècle, l'*Histoire du roi Apollonius de Tyr*, chap. XXI (traduit par Ét. WOLFF, Paris, Anatolia Éditions, 1996, p. 55).

18. P. ALFARIC, *L'Évolution intellectuelle de saint Augustin*, pp. 393-394 ; P. COURCELLE, « Source chrétienne et allusions païennes de l'épisode du *"Tolle, lege"* », dans *Rev. d'hist. et de philos. relig.*, 1952, p. 193 ; *Les* Confessions *de saint Augustin*, pp. 190-194.

19. P. Courcelle, qui ne veut rien laisser à l'actif du miracle, a son explication à ce sujet : « Le *codex* des *Épîtres* ne s'est ouvert à cette page ni par hasard ni par *sortilegium*, [mais] simplement parce qu'Augustin était à ce point de sa lecture lorsque la visite de Ponticianus l'interrompit » (*Les Confessions* [...], p. 194). D'autres, plus radicaux, considèrent que l'insertion de *Rm.* 13, 13 dans ce récit est purement fictive et n'est due qu'à l'intention d'édification spirituelle qui anime Augustin lorsqu'il le rédige vers 400 : L.C. FERRARI, « Saint Augustine on the Road to Damascus » dans *Augustinian Studies*, 13, 1982, pp. 151-170. En réaction à ces critiques, on lira une récente contribution de I. BOCHET, « Le livre VIII des *Confessions* : récit de conversion et réflexion théologique », dans *Nouv. Revue theol.*, 118, 1996, pp. 363-384, qui montre que l'élaboration théologique du récit n'implique pas qu'il soit une reconstruction fictive de l'expérience vécue, mais manifeste une interaction essentielle entre l'expérience spirituelle et la réflexion théologique.

CHAPITRE XII : Cassiciacum

1. *C. Th.*, II, 8, 19 : ces *feriae uindemiales* faisaient suite aux « vacances de la moisson », en juillet, qui n'interrompaient pas les activités universitaires.

2. Discussion très complète dans O. PERLER et J.-L. MAIER, *Les Voyages de saint Augustin*, pp. 179-180 et 192-196 ; en dernier lieu, L. CASIRAGHI, *Brianza Romana*, Cassago, Prov. di Como (Assoc. S. Agostino), 1992.

3. L'incertitude à ce sujet vient de ce que dans le *Contra Academicos*, dont on sait que les discussions débutèrent le 10 novembre, Augustin dira qu'alors un petit nombre de jours s'étaient écoulés depuis leur installation à la campagne : « *Pauculis igitur diebus transactis posteaquam in agro uiuere coepimus* » (*Contra Acad.*, I, I, 4). Mais on a souvent remarqué l'imprécision des notations chronologiques d'Augustin.

4. P. BROWN, *La Vie de saint Augustin*, p. 139 : « Une pieuse vieille dame, deux cousins presque sans instruction et deux élèves privés âgés d'environ seize ans ». Ce qui est un peu vite dit pour Trygetius qui revenait d'un stage dans l'armée (*Contra Acad.*, I, 4 ; *De ord.*, I, 5) et avait certainement quelques années de plus.

5. Cette totale absence de référence à Nebridius ne laisse pas d'être troublante. Il en subsiste une interrogation sur la chronologie augustinienne de cette fin de l'été de 386.

6. *Ep.* 3 et 4. Sur cette correspondance, cf. G. FOLLIET, « La correspondance entre Augustin et Nebridius », dans *L'Opera letteraria di Agostino tra Cassiciacum e Milano. Agostino nelle terre di Ambrogio (1-4 ottobre 1986)*, Palerme, 1987, pp. 191-215.

7. A. MANZONI, *Les Fiancés*, chap. 17.

8. Leur authenticité a parfois été mise en doute ; on s'est efforcé de démontrer que les dialogues étaient fictifs : J.J. O'MEARA, « The Historicity of the Early Dialogues of Saint Augustine », dans *Vigiliae Christianae*, 5, 1951, pp. 150-178. On lira une réfutation de ces doutes dans G. MADEC, « L'historicité des *Dialogues* de Cassiciacum », dans *Rev. des ét. aug.*, 32, 1986, pp. 207-231.

9. P. ALFARIC, *L'Évolution intellectuelle de saint Augustin*, p. 399.

10. Sur cette question si ardemment controversée à la fin du XIXᵉ siècle et jusqu'à une date assez récente, cf. la vigoureuse synthèse de G. MADEC, « Le néoplatonisme dans la conversion d'Augustin. État d'une question centenaire (depuis Harnack et Boissier, 1883) », dans *Internationales Symposion über den Stand der Augustinus-Forschung*, Würzburg, 1989, pp. 9-25 (repris de façon allégée sous le titre : « Le "jeune Augustin" », dans *Introduction aux « Révisions » et à la lecture des œuvres de saint Augustin*, Paris, Ét. aug., 1996, pp. 127-135).

11. Cf. par exemple H. CHADWICK, *Augustin* (trad. de l'anglais par A. Spiess), Paris, Cerf, 1987, p. 54.

12. Il en fait encore état dans les *Soliloques* (I, 26), datables au plus tôt de décembre 386.

13. *Conf.*, IX, 13. Pourquoi Ambroise avait-il recommandé plutôt cette lecture ? C'eût été pour tester les réactions du manichéen récemment converti, et ce qui subsistait encore chez Augustin de son manichéisme expliquerait ces réactions alors négatives, selon L.Ch. FERRARI, « Isaiah and the early Augustine », dans *Mélanges T.J. Van Bavel*, t. II, Louvain, 1990, pp. 739-756.

14. *Sol.*, II, 26 : « Allons-nous abandonner notre entreprise, attendre des livres écrits par d'autres quelque argument qui nous aide à résoudre le problème ? » Plutôt qu'à Ambroise de Milan, allusion est faite aux recherches philosophiques de Manlius Theodorus, selon P. Courcelle (*Recherches*, pp. 203-210). Quant à l'« autre » (*alius*, non nommé), avec lequel Augustin regrette de ne pouvoir communiquer, c'est probablement Zenobius, le dédicataire du *De ordine*.

15. *De beata uita*, II, 7 : Augustin s'adresse à son frère Navigius : « Sais-tu donc au moins que tu vis ? – Je le sais. » Sur les antécédents augustiniens du *cogito* cartésien, cf. G. LEWIS, « Augustinisme et cartésianisme », dans *Augustinus Magister*, t. II, Paris, Ét. aug., 1954, pp. 1087-1104 ; et, très récemment, M.-A. VANNIER, « Les anticipations du "cogito" chez saint Augustin », dans *Revista agustiniana*, XXXVIII, 115-116, 1997, pp. 665-679.

16. *Conf.*, VII, 16 (cf. *supra*, pp. 127-130). Ces rapprochements sont faits par A. MANDOUZE, *Saint Augustin*, p. 705, qui souligne aussi l'accord de cette prière de *Sol.*, II, 9 avec la prière finale du *De Trinitate*, XV, 51.

17. Les diverses lectures de ce texte sont présentées et discutées par D. DOUCET, « Recherche de Dieu, Incarnation et philosophie : *Sol.*, I, 2-6 », dans *Rev. des ét. aug.*, 36, 1990, pp. 91-119.

18. Le « titre » est de H.-I. MARROU, *Saint Augustin et l'augustinisme*, p. 98, mais c'est très récemment encore la lecture de J. DOIGNON, « La prière liminaire des *Soliloquia*, dans la ligne philosophique des Dialogues de Cassiciacum », dans *Augustiniana Traiectina*, Paris, Ét. aug., 1987, pp. 85-105. Mais O. DU ROY (*L'Intelligence de la foi en la Trinité selon saint Augustin*, Paris, 1966, p. 200) voyait « dans cet hymne admirable une infusion croissante de thèmes chrétiens dans le schème néoplatonicien ».

CHAPITRE XIII : Ostie

1. Cf. J. PÉPIN, *Ex Platonicorum persona. Études sur les lectures philosophiques de saint Augustin*, Amsterdam, 1977, pp. 213-267. Cf. aussi I. HADOT, *Arts libéraux*

et philosophie dans la pensée antique, Paris, 1984, pp. 132-136 : les *Zètèmata* de Porphyre sont utilisés par Augustin sans beaucoup de recul.

2. Cf. G. MADEC, « Le spiritualisme d'Augustin à la lumière du *De immortalitate animae* », dans *Petites Études augustiniennes*, Paris, Ét. aug., 1994, pp. 113-119. Un bon commentaire sur le rôle joué par ce « brouillon » dans l'élaboration de l'ontologie augustinienne, particulièrement pour ce qui concerne le statut de l'âme : E. ZUM BRUNN, « Le dilemme de l'être et du néant chez saint Augustin », dans *Rech. aug.*, 6, 1969, pp. 3-102, ici pp. 34-41.

3. G. BARDY, dans une note complémentaire à *Retract.*, I, 6 : *B.A.*, vol. 12, p. 565.

4. Sur le sort du *De grammatica*, cf. H.-I. MARROU, *Saint Augustin et la fin de la culture antique*, pp. 571-572 ; en dernier lieu, V.A. LAW, « St. Augustine's *"De grammatica"* : Lost or Found ? » dans *Recherches augustiniennes*, 19, 1984, pp. 155-183.

5. Cf. *supra*, pp. 204 et 577. Sur le *De musica*, cf. H.-I. MARROU, *op. cit.*, pp. 266-273 et 580-583.

6. *Retract.*, I, 6. On admet cependant l'authenticité d'un traité sur la dialectique transmis sous le nom d'Augustin : AUGUSTINE, *De dialectica*, translated with Intr. and Notes by B.D. JACKSON, from the text newly edited by J. PINBORG, Dordrecht-Boston, 1975. Traduction française dans M. BARATIN et F. DESBORDES, *L'Analyse linguistique dans l'Antiquité classique. I. Les Théories*, Paris, 1981, pp. 211-231.

7. Grâce au « flair » et à la science de deux savants philologues, deux lots importants de textes inédits ont resurgi récemment : les lettres retrouvées par Johannes DIVJAK dans les fonds de la Bibliothèque nationale à Paris et dans ceux de la bibliothèque municipale de Marseille (éd. princeps : *CSEL*, vol. 88, Vienne, 1981), et les nouveaux sermons identifiés par François DOLBEAU dans les collections de la Stadtbibliothek de Mayence et publiés par lui (*Vingt-Six Sermons au peuple d'Afrique*, Paris, Ét. aug., 1996).

8. Bien que les monuments d'Afrique du Nord n'y soient pas pris en compte, on lira le chapitre consacré aux baptistères par Jean GUYON dans *Naissance des arts chrétiens. Atlas des monuments paléochrétiens de la France*, Paris, Imprimerie nationale, 1991, pp. 70-87. En dernier lieu, à propos d'un livre récent sur la liturgie baptismale, voir une mise au point sur l'évolution structurale des baptistères et ses conséquences liturgiques : N. DUVAL, « Architecture et liturgie », dans *Rev. des ét. aug.*, 42, 1, 1996, pp. 121-127.

9. On ne peut cependant exclure qu'il ait été baptisé dans le vieux baptistère de Milan : cf. O. PERLER et J.-L. MAIER, *Les Voyages de saint Augustin*, pp. 143-144. En dernier lieu, M. MIRABELLA ROBERTI, « I battisteri di Sant'Ambrogio », dans *Agostino a Milano. Il battesimo. Agostino nelle Terre di Ambrogio*, Palerme, 1988, pp. 77-83.

10. *Conf.*, IX, 14. L'extrême discrétion d'Augustin sur son baptême ne laisse cependant pas d'intriguer. L'hypothèse, faite par H. CHADWICK (« Donatism and the Confessions of Augustine », dans *Philanthropia kai Eusebeia. Festschrift f. A. Dihle*, Göttingen, 1993, pp. 23-35), qu'elle pourrait s'expliquer par son désir de ne pas prêter le flanc aux critiques des donatistes n'est pas vraiment convaincante.

11. Sur Zenobius, cf. *supra*, p. 125. P. COURCELLE, *Recherches*, pp. 208-210, a bien analysé les relations complexes d'Augustin avec Theodorus.

12. Cf. P.-A. FÉVRIER, « Ostie et Porto à la fin de l'Antiquité », dans *Mél. de l'École française de Rome*, 70, 1958, pp. 323-330.

13. R. MEIGGS, *Roman Ostia*, Oxford, 1960, pp. 211-213, énumère les grandes familles sénatoriales qui possédaient des résidences à Ostie ; entre autres les Anicii

chez qui P. Brown, *Vie de saint Augustin*, p. 149, serait tenté de situer le séjour d'Augustin.

14. Voir l'*Octauius* de Minucius Felix, où la scène se passe par une matinée de fin d'été, pendant les « vacances de vendange », qui furent aussi l'époque du séjour d'Augustin à Ostie.

15. On a parfois refusé à l'« extase d'Ostie » le « label » mystique en objectant que l'expérience mystique est chose individuelle : cf. J.A. Mourant, « Ostia Reexamined : A Study in the Concept of Mystical Experience », dans *Philosophy of Religion*, I, 1970, pp. 42-43. Mais c'est oublier l'extase commune de saint Jean de la Croix et de sainte Thérèse d'Ávila.

16. En *Conf.*, IX, 24, on préférera la leçon *attigimus* à *attingimus*, adoptée dans l'édition Skutella suivie dans *B.A.*, 14, p. 118. *Attigimus* était déjà le choix fait par A. Mandouze, « "L'extase d'Ostie". Possibilités et limites de la méthode des parallèles textuels », dans *Augustinus Magister*, t. I, Paris, Ét. aug., 1954, p. 73 et note 1, p. 78.

17. P. Courcelle, *Recherches*, p. 224.

18. Le mot est de A. Solignac : « discours négatif où le langage des créatures et le langage de l'esprit se renient vigoureusement pour proclamer que Dieu seul doit parler et seul parle bien de lui » (*B.A.*, 13, p. 194).

19. Cf. le livre « pionnier » de P. Henry, *La Vision d'Ostie. Sa place dans la vie et l'œuvre de saint Augustin*, Paris, Vrin, 1938, notamment pp. 15-36, ; et surtout l'« édition critique » de ces textes procurée par A. Mandouze, « L'"extase" d'Ostie », dans *Augustinus Magister*, t. I, 1954, pp. 67-84.

20. A. Solignac, dans *B.A.*, 13, p. 147 (cf. à ce sujet P. Courcelle, *Recherches*, pp. 109-122).

21. P. Henry, *L'Extase d'Ostie*, pp. 42-43. Un peu paradoxalement, P. Courcelle, *Recherches*, p. 226, pensait que, à cause de la présence et la participation de Monique, chrétienne « de la base », l'expérience d'Ostie fut sans doute moins spécifiquement plotinienne dans la réalité que dans le récit des *Confessions*.

22. A. Mandouze, *Saint Augustin*, p. 701, note 4.

23. *Sermon* 52, 16 (daté vers 410/411), à lire dans la traduction de G. Humeau, *Les Plus Beaux Sermons de saint Augustin* (nouv. éd. par J.-P. Bouhot), Paris, Ét. aug., 1986, pp. 218-219.

24. Il écrira qu'il avait entendu dire que les « bains » tirent leur nom du mot grec *balaneion*, et donc, en vertu d'une étymologie approximative, qu'« ils chassent l'angoisse de l'âme » (*Conf.*, IX, 32). Or, sur une architrave des thermes du forum, à Ostie, figurait en grec l'inscription : *loutron alexiponon*, le « bain qui chasse la peine » : R. Meiggs, *Roman Ostia*, p. 475 et pl. XXXVIII, c.

25. Sur le genre du mot « hymne », qu'on a voulu féminiser sans raison quand il s'agissait du chant chrétien, cf. J. Fontaine, dans son introduction à *Ambroise de Milan, Hymnes*, Paris, Éd. du Cerf, 1992, p. 12, note 2.

26. R. Meiggs, *Roman Ostia*, p. 400 ; pour le texte des fragments : E. Diehl, *Inscr. lat. christ. veteres*, vol. IV (*suppl.*), éd. J. Moreau-H.-I. Marrou, 1967, n° 91, p. 2.

27. G.B. De Rossi, *Inscr. christ. urbis Romae*, II, p. 252, XXII.

28. Sur ce personnage : *The Prosopography of the Later Roman Empire*, vol. II, pp. 219-220. Peut-être Anicius Bassus a-t-il fait restaurer le tombeau de Monique dans la période qui suivit les destructions d'Alaric : W. Wischmeyer, « Zum Epitaph der Monica », dans *Römische Quartalschrift*, 70, 1975, pp. 32-41.

CHAPITRE XIV : Une seconde saison romaine

1. Cf. J.-M. ANDRÉ et M.-F. BASLEZ, *Voyager dans l'Antiquité*, Paris, Fayard, 1993, p. 438. Monique était morte alors que son fils était encore dans sa trente-troisième année, donc avant le 13 novembre 387 (*Conf.*, IX, 28).

2. La partie « narrative » des *Confessions* s'arrête à la mort de Monique. Par la suite, les éléments proprement « biographiques » sont rares, dispersés et souvent incertains ; d'où l'irruption croissante d'un vocabulaire d'hypothèse dans notre récit « événementiel ».

3. *De natura boni*, 47 (écrit vers 405). Les « confessions » évoquées dans ce texte pourraient être les aveux extorqués à Priscillien et à ses fidèles (tenus pour manichéens) lors du procès de Trèves en janvier 385.

4. Commencé à Rome en 387-388, l'ensemble fut achevé ou au moins revu à Thagaste un ou deux ans plus tard, comme l'indique la référence faite dans l'*incipit* même du *De moribus* (I, 1) au *De Genesi contra Manicheos* qui date de 388/89.

5. Le *Contra Felicem manichaeum* et le *Contra Faustum* doivent toujours être datés de 404 ; sur ces problèmes chronologiques, cf. la mise au point de G. MADEC, *Introduction aux « Révisions » et à la lecture des œuvres de saint Augustin*, Paris, Ét. aug., 1996, pp. 150-153.

6. *De mor. eccl. cathol.*, I, 63 : « Tu enseignes aux esclaves à s'attacher à leurs maîtres non tant par la nécessité de leur condition que par le charme du devoir... Tu apprends aux rois à veiller sur leurs peuples, tu avertis les peuples de se soumettre à leurs rois. » Pour mesurer le chemin parcouru par Augustin depuis l'automne de 386, on lira le rôle – important, mais encore « laïc » selon nos critères modernes – qu'il assignait à la sagesse chrétienne pour l'éducation et la formation intellectuelle et morale des jeunes gens dans le *De ordine*, II, 25.

7. Contrairement à ce qu'en a dit H.-I. Marrou : « L'Evodius du *De quantitate animae* n'a d'autre caractéristique que d'être bête à plaisir et de tomber dans tous les traquenards que lui tend Augustin. Comme le confident du détective dans nos romans policiers, il n'est là que pour donner au maître l'occasion de déployer toute sa science » (*Saint Augustin et la fin de la culture antique*, p. 309).

8. *Lib. arb.*, III, 56-58, où quatre hypothèses sont examinées, entre lesquelles Augustin ne choisit pas, et aura toujours peine à se déterminer ; cf. l'excellente note de G. MADEC, dans *B.A.*, 6 (1976), pp. 578-583.

9. Les *Révisions* (I, 9, 1) l'assurent de manière formelle. Quant au point de départ, il aurait pu fournir le titre, comme le suggère l'intitulé qu'on trouve dans l'*Elenchus* de Possidius, IV, 3 : *Vnde malum, et de libero arbitrio libri tres* ; mais les *Révisions* expliquent le choix définitif du titre. G. Madec a montré que le plan d'ensemble du traité, son économie générale et ses principaux thèmes sont déjà esquissés lors des discussions romaines de 388 : « *Vnde malum* ? Le livre I du *De libero arbitrio* », dans *Petites Études augustiniennes*, Paris, 1994, p. 123-124.

10. Cf. P. BROWN, *Vie de saint Augustin*, p. 174, mais aussi les remarques de G. MADEC, « *Unde malum* ? [...] », dans *Petites Études augustiniennes*, 1994, p. 133.

CHAPITRE XV : L'*otium* à Thagaste

1. Evodius lui succédera sur cette chaire quelques années plus tard, et l'on peut penser que son élection a été préparée par les contacts pris à l'automne de 388.

2. *De cura pro mortuis gerenda*, XI, 13. Commentateur du *Songe de Scipion*, Eulogius sera l'une des figures – mineures – du néoplatonisme latin de la fin du

IVᵉ siècle : cf. J. Flamant, *Macrobe et le néoplatonisme latin à la fin du IVᵉ siècle*, Leyde, 1977, p. 720.

3. Le père, Patricius, avait disparu prématurément, comme on sait (cf. *supra*, p. 25) et, dans un texte de peu postérieur au retour à Thagaste, Augustin dira qu'il n'avait jamais connu son grand-père (*De musica*, VI, 32 : « *Aliter enim cogito patrem quem saepe uidi, aliter auum quem numquam uidi* »).

4. Les références qu'il fera plus tard à ce geste sont allusives ou symboliques et juridiquement imprécises, qu'il s'agisse des « *pauci agelluli paterni contempti* » évoqués dans la lettre 126, 7 (à Albina) en 411, ou de la jolie formule du sermon 355, 1 (prononcé en 425) : « *Ego tenuem paupertatulam meam uendidi.* » Mais elles semblent impliquer le maintien de l'indivision des biens familiaux. Cela paraît plus probable qu'un morcellement et un partage, au profit de Navigius, comme on l'a parfois pensé (P. Brown, *Vie de saint Augustin*, p. 154 ; A. Pincherle, *Vita di sant'Agostino*, p. 98).

5. En premier lieu son fils Adeodatus, qui disparaîtra bientôt, mais aussi son frère Navigius, dont nous ne savons plus rien par la suite, mais qui avait une descendance, et sa sœur, qui deviendra plus tard religieuse.

6. P. Monceaux, « Saint Augustin et saint Antoine. Contribution à l'histoire du monachisme », dans *Miscellanea Agostiniana*, II, Rome, 1931, p. 74-75. À compléter par G.P. Lawless, « Augustine's first monastery : Thagaste or Hippo ? » dans *Augustinianum*, 25, 1985, pp. 65-78, qui reconnaît dans la vie cénobitique menée à Thagaste toutes les caractéristiques d'un monastère de laïcs, avant la lettre.

7. Cf. les décomptes de A. Mandouze, *Saint Augustin, l'aventure de la raison et de la grâce*, pp. 554-556, et l'analyse de G. Folliet, « La correspondance entre Augustin et Nebridius », dans *L'Opera letteraria di Agostino tra Cassiciacum e Milano*, Palerme, 1987, pp. 191-215.

8. G. Folliet, « "*Deificari in otio*". Aug., *Ep.* X, 2 », dans *Rech. aug.*, 2, 1962, pp. 225-236.

9. *De uera rel.*, XXXV, 65 ; cf. R.J. Teske, « Augustine's Epistula X : Another Look at deificari in otio », dans *Augustinianum*, 32, 1992, pp. 289-299.

10. Cf. le *sermon Dolbeau 6* (*Mayence 13*), 1 et 2 (*Vingt-Six Sermons au peuple d'Afrique*, Paris, 1996, pp. 459-460), texte imprécisément daté du début du Vᵉ siècle, où Augustin applique à Dieu l'épithète de *deificator* et affirme : « *Vult enim deus non solum uiuificare, sed etiam* deificare *nos.* » Sur l'évolution de la pensée d'Augustin sur ce concept, cf. G. Bonner, « Augustine's Conception of Deification », dans *The Journal of Theol. Studies*, 37, 1986, pp. 369-386.

11. C'est tout l'objet de la thèse de O. Du Roy, *L'Intelligence de la foi en la Trinité selon saint Augustin. Genèse de sa théologie trinitaire jusqu'en 391*, Paris, Ét. aug., 1966.

12. O. Du Roy, *op. cit.*, p. 398.

13. Cf. G. Madec, *La Patrie et la Voie. Le Christ dans la pensée et la vie de saint Augustin*, Paris, 1989, p. 77.

14. Au fil des années et des textes, Augustin précisera sa pensée sur « le sein d'Abraham » : cf. la note de A.C. De Veer, dans *B.A.*, 22, pp. 845-846, et *supra*, p. 619 *sq.*

15. Dans les *Confessions* (XI, 14), Augustin évoquera de nouveau cette objection, et citera la plaisanterie par laquelle on lui répondait parfois : « Dieu préparait la géhenne à ceux qui scrutent ces profondeurs. » Mais il ajoutera que la chose est trop sérieuse pour être réglée par une réponse badine.

16. Il y reviendra dans *Conf.*, XI, 11 : « *In hoc principio, deus, fecisti caelum et terram in uerbo tuo, in filio tuo, in uirtute tua, in sapientia tua, in ueritate tua* »

Et, dans *Conf.*, XII, 29, il distinguera cinq significations de l'*In principio*, quand Origène en voyait six. Cf. A. SOLIGNAC, « Exégèse et métaphysique. Genèse 1, 1-3 chez saint Augustin », dans *In principio. Interprétations des premiers versets de la Genèse*, Paris, 1973, pp. 153-171 ; en dernier lieu : M.-A. VANNIER, « Origène et Augustin interprètes de la création », dans *Origeniana Sexta, Actes du coll. de Chantilly, 30 août-3 septembre 1993*, Louvain, 1995, pp. 729-732.

17. Sur le cheminement d'Augustin à propos des premiers chapitres de la Genèse, lire la belle étude de G. PELLAND, « Augustin rencontre le livre de la Genèse », dans *Lectio Augustini*, VIII, Palerme, 1992, pp. 15-53 ; et déjà les analyses d'Ét. GILSON, *Introduction à l'étude de saint Augustin*, Paris, 1929, pp. 242-252.

18. *Gn. adu. man.*, II, 32. Cf. J. PÉPIN, « Saint Augustin et le symbolisme néoplatonicien de la vêture », dans *Augustinus Magister*, I, 1954, pp. 293-306, ici pp. 301-305.

19. En se référant souvent à la tradition exégétique alexandrine (Philon) : voir l'exégèse de *Gn.*, III, 14, dans *Gn. adu. man.*, II, 26 et le commentaire de O. DU ROY, *L'Intelligence de la foi* [...], p. 347.

20. *Ep.* 15, 1 : « *Scripsi quiddam de catholica religione* [...] *quod tibi uolo ante aduentum meum mittere.* » La formule *ante aduentum meum* semble bien signifier qu'Augustin s'est absenté de Thagaste le temps – nécessairement assez long – de la rédaction du *De uera religione* : cf. O. PERLER-J.-L. MAIER, *Les Voyages de saint Augustin*, pp. 150-151.

21. Le mot est de F. VAN DER MEER, *Saint Augustin pasteur d'âmes*, t. I, Paris, 1955, p. 32.

22. Cf. O. DU ROY , *L'Intelligence de la foi en la Trinité selon saint Augustin*, pp. 309-316, en réaction contre W. THEILER, *Porphyrios und Augustin*, 1933, qui majorait l'influence porphyrienne ; en dernier lieu, une appréciation nuancée de F. VAN FLETEREN, « Background and commentary on Augustine's *De uera religione* », dans *Lectio Augustini*, X, Rome, 1994, pp. 33-49.

23. Lire à ce sujet, outre les analyses de A. MANDOUZE, *Saint Augustin. L'aventure de la raison et de la grâce*, pp. 495-508, la note d'A.C. DE VEER, « Néoplatonisme et christianisme », dans *B.A.*, 8, nouv. édit., 1982, pp. 471-483.

24. Car, pour nous, un « intellectuel » est un homme de science ou un homme de lettres qui intervient dans la vie publique et donc qui « s'engage » ; ce qui implique démocratie – ou au minimum un régime libéral – et information large et libre. En France, l'« intellectuel » naît difficilement au XVIII⁰ siècle avec les « Lumières », s'affirme au siècle suivant en la personne de Victor Hugo et triomphe enfin avec Zola ; mais il n'y a pas de « J'accuse » sans la manchette de la première de *L'Aurore*.

25. *Ep.* 19 ; en ces années 388-390, Augustin s'est donc absenté au moins une seconde fois de Thagaste : cf. O. PERLER et J.-L. MAIER, *Les Voyages de saint Augustin*, p. 151.

26. *Cité de Dieu*, IV, 8. Cf. A. MANDOUZE, « Saint Augustin et la religion romaine », dans *Recherches augustiniennes*, I, 1958, pp. 187-223, particulièrement pp. 196-199.

27. *Operum s. Augustini elenchus*, X⁵, éd. Wilmart, *Miscellanea Agostiniana*, II, Rome, 1931, pp. 182-183 ; cf. G. FOLLIET, « La correspondance d'Augustin à Thagaste », dans *Lectio Augustini*, 9, Palerme, 1993, p. 86.

28. Adeodatus était né, semble-t-il, en 372 (cf. *supra*, p. 50) ; les discussions qui donnèrent lieu au *De magistro* seraient donc de 388/89.

29. Cf. cependant H.-I. MARROU, *Saint Augustin et la fin de la culture antique*,

pp. 580-583, sur la probabilité d'une révision de ce livre VI du *De musica* quelques années plus tard.

30. Cf. l'« Introduction » de G. Madec, dans *B.A.*, 6 (3ᵉ édit., 1976), pp. 16-21 (déjà, du même, « Analyse du *De magistro* », dans *Revue des ét. aug.*, 20, 1975, pp. 63-71) ; en dernier lieu, F.J. Crosson, « The structure of the *De magistro* », dans *Revue des ét. aug.*, 35, 1989, pp. 120-127, qui distingue trois parties.

31. Augustin emploie le mot *docere* ; mais on admettra avec A. Mandouze « qu'on se condamne à ne rien comprendre au *De magistro*, si on veut à toute force traduire *docere* par un terme d'allure invariablement normative comme "enseigner" » (« Quelques principes de "linguistique augustinienne" dans le *De magistro* », dans *Forma futuri*, Turin, 1975, p. 793).

32. *De magistro*, 24. Sur ces aspects de « métalangage » du *De magistro*, cf. M. Baratin et F. Desbordes, « Sémiologie et métalinguistique chez saint Augustin », dans *Langages*, 1982, fasc. 65, pp. 75-89.

33. *De magistro*, 33. Cette argumentation était déjà celle des sceptiques et de certains stoïciens : cf. M. Baratin, « Les origines stoïciennes de la théorie augustinienne du signe », dans *R.E.L.*, 59, 1981, pp. 260-268.

34. *De magistro*, 38. G. Madec, « Saint Augustin et le maître intérieur », *Connaissance des Pères de l'Église*, 48, déc. 1992, p. 16 et suiv., montre bien qu'il s'agit là d'une transformation chrétienne de la théorie platonicienne de la connaissance.

35. *De magistro*, 46. Nous sommes ainsi tous condisciples, « ce qui est, à la lettre, un lieu commun de la prédication augustinienne », comme le dit G. Madec, qui a rassemblé un bon nombre de références sur le thème « *Unus est magister uester Christus* », dans les sermons et dans les lettres : cf. note complémentaire, dans *B.A.*, 6 (3ᵉ édit.), 1976, pp. 545-547.

DEUXIÈME PARTIE

L'ÉVÊQUE D'HIPPONE

CHAPITRE XVI : Hippo Regius : la prêtrise

1. *Ep.* 15, 1 : Augustin enverra son *De uera religione* à Romanianus, si du moins le support d'écriture ne manque pas (« *si charta non desit* ») ; par *charta*, il faut entendre des feuilles de papyrus préparé, à la fois coûteuses et fragiles ; il l'avertit qu'il lui faudra se contenter de la qualité de copie que peut offrir l'atelier d'un certain Maiorinus.

2. Les débuts du monastère de la vallée de Chevreuse remontent au commencement du XIIIᵉ siècle, date à laquelle le premier établissement s'installa dans un vallon marécageux appelé « Porrois », latinisé en « Port-Royal ». Quant au toponyme préromain *Hippo* (représenté aussi dans la dénomination antique de Bizerte : Hippo Diarrhytus), il pourrait, hypothétiquement rattaché à une racine sémitique, signifier « golfe », « baie », et non « port ». La coïncidence dont s'extasiaient les jansénistes de Port-Royal est ainsi fictive.

3. Th. Shaw, *Voyage dans la régence d'Alger*, trad. de J. Mac Carthy (rééd. Tunis, 1980). Cf. aussi E. Marec, *Hippone-la-Royale, antique Hippo Regius*, 2ᵉ éd., Alger, 1954, p. 89.

4. Cf. S. Dahmani, *Hippo Regius*, Alger, ministère de l'Information et de la Culture, 1973, p. 20, qui pense que le site d'Hippone antique a été occupé jusqu'au Xᵉ siècle, c'est-à-dire jusqu'à la fin de la période fatimide. C'est alors que la ville

s'est déplacée à près de trois kilomètres au nord, sur le site de Bône, maintenant Annaba.

5. Cf. J.-P. Morel, « Recherches stratigraphiques à Hippone », dans *Bull. d'arch. alg.*, III, 1968, pp. 51-52.

6. *Bellum Africum*, 96. Ce port, un port d'estuaire ou d'embouchure fluviale à l'origine, très probablement (sur la Seybouse ou le Bou Djemaa), fut-il par la suite remanié comme le port de Lepcis Magna à l'époque sévérienne, ou déplacé vers le nord sur le site du port actuel de Bône/Annaba ? Rien n'en a été mis au jour de façon certaine ; cf. en dernier lieu les discussions de S. Dahmani, « Le port de Bûna au Moyen Âge », dans *Afrique du Nord antique et médiévale. Spectacles, vie portuaire, religion*, Paris, Éd. du CTHS, 1992, pp. 361-377.

7. *C.I.L.*, VIII, 5351 : « *Curator frumenti comparandi in annonam Urbis.* »

8. Cf. G. Picard, *La Civilisation de l'Afrique romaine*, 2ᵉ édit., Paris, Ét. aug. 1990, p. 69-70.

9. Voir les images rassemblées et commentées par K. Dunbabin, *The Mosaics of Roman North Africa. Studies in Iconography and Patronage*, Oxford, Clarendon Press, 1978, notamment pp. 109-123 et fig. 95-113.

10. Sur ce processus, lire G. Picard, *La Civilisation de l'Afrique romaine*, 2ᵉ éd., Paris, 1990, pp. 71-73.

11. Avec des propriétés de taille moyenne, comme celles qu'analyse T. Kotula, « *Modicam terram habes, id est uillam.* Sur une notion de *uilla* chez saint Augustin* », dans *L'Africa romana*, 5, Sassari, 1988, pp. 339-344.

12. Voir l'exposé de ces statuts dans G. Picard, *op. cit.*, pp. 63-68. Certains de ces statuts subsistaient encore dans l'Afrique vandale de la fin du vᵉ siècle, comme l'ont montré les « tablettes » trouvées près de Tébessa : C. Courtois, L. Leschi, Ch. Perrat et Ch. Saumagne, *Tablettes Albertini, actes privés d'époque vandale*, Paris, 1952.

13. Sur cet usage du punique et les témoignages que nous en devons à Augustin, cf. S. Lancel, « La fin et la survie de la latinité en Afrique du Nord », dans *Rev. des ét. latines*, 59, 1981, pp. 270-273.

14. Cf. G. Madec, *Introduction aux « Révisions »*, Paris, Ét. aug., 1996, p. 40, reprenant une suggestion ancienne de S. Lenain de Tillemont, *Mémoires*, t. XIII, p. 151.

15. Pour le jardin (*hortus*), cf. *sermon* 355, 2 ; sur les implications matérielles de la formule de Possidius (« *monasterium intra ecclesiam mox instituit* » : *Vita Aug.*, V, 1), et notamment sur le sens de *intra ecclesiam*, cf. A. Mandouze, *Saint Augustin*, p. 214, note 2 : il s'agit naturellement de l'ensemble du périmètre de l'*insula* chrétienne d'Hippone et non de l'église au sens strict de bâtiment.

16. Une bonne évaluation globale de la prêtrise d'Augustin est due à G. Madec, « Augustin prêtre », dans *De Tertullien aux Mozarabes. Mélanges offerts à J. Fontaine*, t. I, Paris, 1992, pp. 185-199.

17. *Sermon* 118, 1 : « *Si non potes intellegere, crede ut intellegas ; praecedit fides, sequitur intellectus.* » Cf. aussi *In Ioh. euang. tract.* 29, 6 : « *Ergo noli quaerere intellegere ut credas, sed crede ut intellegas.* » Le texte scripturaire de base, souvent cité par Augustin, notamment dans les sermons, est, on le sait, *Isaïe*, VII, 9 : « Si vous ne croyez pas, vous ne comprendrez pas. » Cette dialectique s'achèvera avec les développements du *De Trinitate* : cf. *supra*, pp. 517-518.

18. Les manichéens aussi recherchaient le débat, ne fût-ce qu'à des fins publicitaires : cf. R. Lim, « Manichaeans and public disputation in Late Antiquity », dans *Rech. aug.*, 26, 1992, pp. 233-272, notamment p. 252.

19. E. Marec, *Monuments chrétiens d'Hippone, ville épiscopale de saint Augus-*

tin, Paris, AMG, 1958, p. 224, note 6, était tenté de les identifier avec des thermes privés du quartier du front de mer, qui possédaient une vaste galerie couverte.

20. *Contra Fort.*, 16, lisant *Ép.*, 2, 1-18. F. Decret a insisté à juste titre sur l'autorité que les manichéens reconnaissaient à saint Paul : « L'utilisation des épîtres de Paul chez les manichéens d'Afrique », dans *Sussidi patristici*, V, Rome, Augustinianum, 1989, pp. 29-83.

21. Mais cf. *supra*, p. 159, sur la nécessité où il était parfois de les lire, faute de se les être mis en mémoire dans sa jeunesse.

22. Cf. *supra*, p. 188. Nous savons depuis peu, par une lettre de Jérôme demeurée inédite et récemment publiée, qu'Aurelius était « archidiacre » de Carthage – c'est le mot de Jérôme – au moins depuis 382, date à laquelle il avait participé à une légation auprès du pape Damase à Rome, aux côtés de son évêque, Cyrus, ce qui resitue aussi dans le temps l'épiscopat de ce dernier : *Ep.* 27*, 1, *B.A.*, 46B, 1987, p. 394.

23. Cf. A.-M. La Bonnardière, s. v. *Aurelius episcopus*, dans *Augustinus-Lexikon*, vol. 1, 1994, col. 553.

24. Nous suivons la lecture que fait A. Mandouze de cette lettre dans *Prosop. de l'Afrique chrét., I. Afrique (303-533)*, Paris, CNRS, 1982, s. v. *Aurelius 1*, p. 105, ce qui suppose qu'on lise, dans la lettre 22, 1, « *fratrum coetus qui* apud eos *coepit coalescere* » (et non « *apud nos* »).

25. Il se souvenait en effet des interdictions d'Ambroise à Milan, dont Monique avait fait l'expérience, mais il oubliait la « tolérance » dont il avait été témoin à Saint-Pierre de Rome, en compagnie d'Alypius : *supra*, p. 181.

26. Plus particulièrement dans les provinces occidentales (Maurétanies Sitifienne et Césarienne), où elles semblent avoir subsisté en dépit des interdictions conciliaires de la fin du ɪvᵉ siècle.

27. « Bréviaire d'Hippone », c. 29, rappelé lors du concile de Carthage le 28 août 397 : cf. *Concilia Africae, a. 345-a. 525*, éd. Ch. Munier, *CCL*, vol. 149, 1974, pp. 41 et 185.

28. C'est la basilique généralement désignée maintenant comme « basilique de Sainte-Monique », sur les hauteurs du quartier dit « d'Amilcar », à Carthage.

29. Cf. *sermon* 311, 5 (daté entre 403 et 405) ; *Enarr. in Psalm.* 32, 2, 1 (septembre 403), et en dernier lieu *sermon Dolbeau* 2 (= *Mayence* 5), 5 (janvier 404 ou 405) : cf. F. Dolbeau, *Vingt-Six Sermons au peuple d'Afrique*, Paris, Ét. aug., 1996, p. 330.

30. Ce serait la « basilique à cinq nefs » pour E. Marec : c'est très douteux ; on revient ailleurs sur les délicats problèmes de la topographie religieuse d'Hippone : *supra*, pp. 343-345.

31. *Ep.* 29, 9. Cela n'avait pas échappé aux manichéens, qui en tiraient argument contre les chrétiens ; Augustin rapportera ainsi les paroles de Faustus : « Vos idoles sont vos martyrs... C'est aussi par du vin et des viandes que vous apaisez les ombres des morts » (*Contra Faustum*, XX, 21).

32. *Ep.* 29, 11 : « *Et quoniam in haereticorum basilica* audiebamus *ab eis solita conuiuia celebrata.* » Avec A. Mandouze (*Saint Augustin*, p. 650, note 6), contre O. Perler (« L'église principale et les autres sanctuaires chrétiens d'Hippone-la-Royale », dans *Rev. des ét. aug.*, I, 1955, p. 305), nous pensons qu'il est plus conforme au parallèle institué par Augustin – et aussi à la structure de la phrase – de comprendre *audiebamus* comme signifiant « nous entendions », plutôt que « nous entendions dire » ; ce qui n'est pas sans conséquences sur les hypothèses relatives à la localisation de la basilique donatiste.

33. Pour la date et le lieu, cf. *Concilia Africae, a. 345-a. 525*, éd. Ch. Munier,

CCL, t. 149, 1974, p. 182. ; sur la qualification du concile, cf. *Retract.*, I, 17, *initio* : « *plenarium totius Africae concilium* ».

34. E. Marec, dans *Monuments chrétiens d'Hippone*, pp. 152-156 (suivi par H.-I. Marrou, « La basilique chrétienne d'Hippone d'après le résultat des dernières fouilles », dans *Rev. des ét. aug.*, 6, 1960, p. 152), a proposé de voir ce *secretarium* dans le vaste ensemble B des annexes ouest de la grande basilique à trois nefs. C'est très discutable pour des raisons typologiques : cf. en dernier lieu N. Duval, « Hippo Regius », dans *Reallexikon für Antike und Christentum*, XV, 1989, col. 451.

35. Cf. par exemple O. Perler, dans *Rev. des ét. aug.*, 1, 1955, p. 307.

36. On comptera cependant à Hippone en 393 trois évêques de Sitifienne (Caecilianus, Honoratus et Theodorus), qui interviennent précisément pour demander la constitution de leur territoire en province ecclésiastique, avec la création d'une primatie, ce qui leur sera accordé.

37. Deux canons furent lus au concile de Carthage de 525 et cinq autres canons ont été retrouvés par Ch. Munier, « Cinq canons inédits du concile d'Hippone du 8 octobre 393 », dans *Rev. de droit canonique*, 12, 1968, pp. 16-29 ; cf. aussi *Concilia Africae a. 345-a. 525*, pp. 20-21 et 269.

38. Voir une analyse, due à Ch. Munier, de cette législation canonique dans *Augustinus-Lexikon*, vol. 1, col. 1092-1093.

39. Cf. par exemple les remarques de A. Trapé, *Saint Augustin, l'homme, le pasteur, le mystique* (trad. de l'italien par V. Arminjon), Paris, Fayard, 1988, p. 123.

Chapitre XVII : Le donatisme

1. C'est l'analyse, par exemple, de W.H.C. Frend, *The Donatist Church. A Movement of Protest in North Africa*, Oxford, 1952, p. 184.

2. W.H.C. Frend, *The Donatist Church*, pp. 76-86.

3. Sur les modalités et les limites de cet héritage, cf. S. Lancel, *Carthage*, Paris, Fayard, 1992, pp. 451-455.

4. Cf. Cl. Lepelley, « Juvenes et circoncellions : les derniers sacrifices humains de l'Afrique antique », dans *Antiquités africaines*, 15, 1980, pp. 261-271.

5. Sur les faits, cf. l'exposé de P. Monceaux, *Histoire littéraire de l'Afrique chétienne*, t. II, pp. 209-232 ; en dernier lieu, P. Mattei, « Cyprien de Carthage », dans *Histoire des saints et de la sainteté chrétienne*, t. II, Paris, Hachette, 1987, pp. 122-126.

6. Ce quatrième édit inaugurait la période que les chrétiens de l'époque appelèrent les *dies thurificationis*, les « journées du sacrifice », dont le refus se solda par le martyre pour une héroïque minorité. Les « Passions » qui ont été conservées ont été récemment rassemblées commodément, traduites et commentées par J.-L. Maier, *Le Dossier du donatisme*, t. I : *Des origines à la mort de Constance II (303-361)*, Berlin, 1987, pp. 39-111. L'exposé général des faits par P. Monceaux reste valable (*Hist. litt. de l'Afrique chrét.*, t. III, pp. 21-40).

7. P. Chiesa, « Un testo agiografico africano ad Aquileia : gli *Acta* di Gallonio e dei martiri di Timida Regia », dans *Analecta Bollandiana*, 114, 1996, pp. 241-268 : sans traduction, mais avec commentaire introductif.

8. « Au ciel ! » finira-t-il par dire : *Acta s. Gallonii*, 28 et 31.

9. Devant l'obstination de Gallonius, Anullinus s'écriera (§ 32) : « Tant de temps perdu ! » (en latin « *Tantum temporis consumptum* », un accusatif exclamatif bien classique qui a trompé l'éditeur du texte).

10. Certains répondirent : « *in Cella Sabaratias* », qu'il vaut peut-être mieux lire « *in Cellas Abaratias* » (§ 23).

11. Cf. Y. Duval, *Loca sanctorum Africae*, t. II, Coll. École française de Rome, 58, Rome, 1982, p. 725.

12. On lit dans l'édition des *Acta s. Gallonii* « pridie Kalendas Ianuarii », ce qui se présentait sous la forme abrégée : *II Kal. Ian.*, à comparer avec : *II Kal. Iun.*, forme abrégée de la date du 31 mai.

13. *Contra Cresc.*, III, 29-30 ; sur la date, S. Lancel, « Les débuts du donatisme : la date du "Protocole de Cirta" et de l'élection épiscopale de Silvanus », dans *Rev. des ét. aug.*, 25, 1979, pp. 217-229 ; la date a été repoussée d'un an, après le 20 avril 308, par B. Kriegbaum, *Kirche der Traditoren oder Kirche der Martyrer. Die Vorgeschichte des Donatismus*, Innsbruck-Vienne, 1986, p. 149

14. Probablement en 308 ; pour le détail des faits, cf. S. Lancel, art. « Donatistae », à paraître dans *Augustinus-Lexikon*, vol. 2, 1999.

15. Eusèbe, *Histoire ecclésiastique*, X, 6 (*Sources chrétiennes*, vol. 55), pp. 110-111.

16. Pour le détail des faits, cf. S. Lancel, art. « Donatistae », dans *Augustinus-Lexikon*, vol. 2, 1999.

17. *Acta purg. Felicis*, dans *App. d'Optat*, 2 = J.-L. Maier, *Le Dossier du donatisme*, t. I, pp. 171-187.

18. *App. d'Optat*, 10 = J.-L. Maier, *Dossier*, t. I, pp. 246-252.

19. Sur ces circoncellions et les différents aspects que prit leur mouvement, cf. Cl. Lepelley, art. « Circumcelliones », dans *Augustinus-Lexikon*, vol. 1, 1994, col. 930-935.

20. Optat, III, 4 ; *Gesta conl. Carth.*, III, 258, *S.C.*, vol. 224, pp. 1218-1219.

21. Bien attestée par le rappel que fit de son martyre l'évêque donatiste Dativus de Nova Petra lors de la conférence de Carthage en juin 411 (*Gesta conl. Carth.*, I, 187, 75, *S.C.*, vol. 195, p. 834) et par la découverte de la *memoria domni Marchuli* à Ksar el-Kelb (P. Cayrel, dans *Mél. de l'École française de Rome*, 1934, pp. 114-142). En dernier lieu : Y. Duval, *Loca sanctorum Africae*, t. I, n° 75, p. 160.

22. *Passio martyrum Isaac et Maximiani* : J.-L. Maier, *Dossier*, t. I, pp. 259-275.

23. Cf. S. Lancel, « Le sort des évêques et des communautés donatistes après la conférence de Carthage en 411 », dans *Int. Symposion über den Stand der Augustinus-Forschung*, Würzburg, 1989, pp. 149-167.

24. Il n'est plus question de lui après 355, date à laquelle Jérome (*Chronicon*, a. 355) le signale comme « chassé de Carthage ».

25. C. Th., XVI, 6, 11.

26. C Th., XVI, 5, 4

27. C. Th., XVI, 6, 2 ; cf. J.-L. Maier, *Dossier*, t. II, Berlin, 1989, pp. 50-52 ; Augustin, *Ep.* 87, 8.

28. C. Th., XVI, 5, 21 ; J.-L. Maier, *Dossier*, t. II, p. 69-70.

29. *Enarr. in Psalm.* 36, 2, 20, reproduisant le texte de la lettre synodale de Cebarsussi (J.-L. Maier, *Dossier*, t. II, pp. 74-82). Sur le caractère byzacénien du schisme maximianiste, cf. S. Lancel, « Originalité de la province ecclésiastique de Byzacène », dans *Cahiers de Tunisie*, 45-46, 1964, pp. 139-152.

30. Cf. A.C. De Veer, « L'exploitation du schisme maximianiste par saint Augustin dans sa lutte contre le donatisme », dans *Rech. aug.*, vol. III, 1965, pp. 219-237, particulièrement pp. 223-230.

31. On a récemment reconsidéré les motivations de Gildon, à la lumière d'Orose (VII, 36), et dénié au révolté une politique africaine cohérente : Y. Modéran, « Gildon, les Maures et l'Afrique », dans *Mél. de l'École fr. de Rome, Ant.*, 101, 2, 1989,

pp. 821-872. Sans doute en effet fut-il d'abord mû par arrivisme personnel, mais cela ne l'empêcha pas d'être un allié objectif des donatistes.

32. A-t-il pu connaître Commodien, dont la poésie, de forme hexamétrique, hésitait encore entre la métrique classique (fondée sur la quantité) et la rythmique accentuelle (cf. J. Fontaine, *Naissance de la poésie dans l'Occident chrétien*, Paris, 1981, p. 39 *sq.*) ? Mais c'est poser la question de la date, qui erre entre le IIIe siècle et la fin du Ve, de cet auteur dont l'« africanité » est elle-même discutée (cf. en dernier lieu J.-M. Poinsotte, « Commodien dit de Gaza », dans *Revue des études latines*, 74, 1996, pp. 270-281).

33. *Doct. christ.*, IV, 24 : « *Afrae aures de correptione uocalium uel productione non iudicant* » ; il s'ensuivait qu'il fallait dire *ossum* (l'« os ») au lieu de *os*, *ossis*, pour éviter la confusion avec *os*, *oris* (le « visage »). Mais était-ce alors le fait des seuls Africains ?

34. Nous suivons le texte des manuscrits (et d'Augustin lui-même dans *Retract.*, I, 20) : « *Omnes qui gaudetis de pace, modo uerum iudicate* » ; mais il est vrai qu'on a peine à trouver huit syllabes dans le premier stique.

35. On lira le *Psalmus contra partem Donati* dans la bonne traduction de G. Finaert dans *B.A.*, vol. 28, 1963. Un exemple cependant de ces efficaces jeux de mots, dans l'original (v. 36-37) :

> *Maledictum cor lupinum*
> *contegunt ouina pelle.*
> *Nomen iust (i) ouina pellis,*
> *schism(a) est in lupino corde.*

36. Depuis peu, on peut lire ce texte dans l'édition, traduite et commentée, due à M. Labrousse : *Traité contre les donatistes*, t. I, livres I et II, *S.C.*, vol. 412, 1995 ; t. II, livres III à VII, *S.C.*, vol. 413, 1996.

37. *Ep.* 105, 4 ; *Ciu. Dei*, XXII, 8, 7. Sur le ralliement de Maximinus, cf. *supra*, p. 412. La *uilla Mutugenna* deviendra elle-même un évêché vers 408 ; sur les hommes et les lieux et leur situation par rapport à Hippone, cf. S. Lancel, « Études sur la Numidie d'Hippone au temps de saint Augustin », dans *Mél. de l'École française de Rome, Antiquité*, 96, 1984, pp. 1103-1104 et fig. 3.

Chapitre XVIII : L'élévation à l'épiscopat

1. H. Chadwick, *Augustin*, Paris, Éd. du Cerf, 1987, p. 121 ; G. Madec, *Saint Augustin et la philosophie. Notes critiques*, Paris, Ét. aug., 1996, p. 81.

2. L'édition de J. Zycha dans le *Corpus* de Vienne (*CSEL*, 28, 1, pp. 459-503) est perfectible : cf. M.M. Gorman, « The text of Saint Augustine's *De Genesi ad litteram imperfectus liber* », dans *Rech. aug.*, vol. 20, 1985, pp. 65-86.

3. Sur ces hésitations, notamment sur les *caeli*, cf. E. TeSelle, « Nature and Grace in Augustine's Exposition of Genesis I, 1-5 », dans *Rech. aug.*, vol. 5, 1968, p. 99-100.

4. *Enarr. in Psalm.*, 10, 5 ; *Ps. c. Don.*, 161. On a voulu voir dans ces bâtons la gaule (*pertica*) des cueilleurs d'olives (E. Tengström, *Donatisten und Katholiken*, Göteborg, 1964, p. 51-52). Les circoncellions sont à coup sûr des ruraux et, en termes socioéconomiques, des ouvriers agricoles saisonniers ; mais il ne faut pas trop les spécialiser.

5. *De sermone domini in monte*, I, 4, 12. Assez gratuite nous apparaît maintenant cette symbolique des nombres, dans la même page, selon laquelle 7 x 7 = 49, auquel chiffre il suffit d'ajouter le huitième jour (jour de la circoncision dans *Gn.*, 17, 12) pour obtenir 50, c'est-à-dire la Pentecôte ! Même gymnastique arithmétique dans la lettre 55, 28, datable vers 400.

6. *De sermone domini in monte*, I, 11, 32, citant *Pr.*, 3, 34. Cf. A.-M. La Bonnardière, *Biblia Augustiniana. Le livre des Proverbes*, Paris, Ét. aug., 1975, p. 202.

7. *De sermone domini in monte*, I, 12, 36, citant *Rm.*, 7, 24-25, en faisant de *gratia dei* le sujet grammatical de *liberabit*. Ainsi cité, *Rm.*, 7, 24-25 est le texte scripturaire qui apparaît le plus souvent dans l'œuvre augustinienne, comme l'a noté H.-I. Marrou, *Saint Augustin et l'augustinisme*, Paris, Le Seuil, 1955, p. 86. Sa première apparition chez Augustin date de 389, dans le *De musica*, VI, 14.

8. Quoi qu'en disent O. Perler et J.-L. Maier (*Les Voyages de saint Augustin*, p. 162), la présence d'Augustin à ce concile est une énigme : ce fut apparemment un synode provincial de la Proconsulaire, où il n'avait rien à faire, même comme représentant de son évêque. Qu'il y ait d'une manière ou d'une autre participé montre quelle place tenait déjà dans l'Église d'Afrique le prêtre d'Hippone.

9. P. Brown, *La Vie de saint Augustin*, p. 177.

10. *Cf. supra*, p. 137. Cf. P. Hadot, *Marius Victorinus. Recherches sur sa vie et ses œuvres*, Paris, 1971.

11. *De promissis et lege*, 5, 1. Nous citons d'après l'édition récemment procurée par J.-M. Vercruysse (thèse de l'Université d'Artois, 1997), et dans sa traduction légèrement retouchée.

12. Cf. notamment *Exp. qu. prop. ex epist. ad Rom*, 12 ; *Exp. epist. ad Gal.*, 24 et 46 ; *De diu. quaest.*, 61, 7 ; 66, 3-7. Nous suivons ici les analyses récemment publiées par P.-M. Hombert, *Gloria gratiae, principe et fin de la théologie augustinienne de la grâce*, Paris, Ét. aug., 1996, pp. 85-90.

13. Augustin envoie les trois livres, enfin achevés, à Paulin de Nole (*Ep.* 31, 7), en même temps qu'il lui annonce sa récente ordination épiscopale (*ibid.*, 4) : donc en 395 ou 396, selon la date que l'on retient pour cette ordination.

14. Qui n'a naturellement échappé ni à H.-I. Marrou, *Saint Augustin et l'augustinisme*, pp. 142-143, ni à E. Dutoit, *Tout saint Augustin*, Fribourg, 1988, pp. 173-174, ni avant eux à F. Châtillon, dans *Revue du Moyen Âge latin*, 9, 1953, pp. 281-288.

15. On s'est efforcé de préciser la « soudure », « juste avant II, 16, 44 » (O. Du Roy, *L'Intelligence de la foi* [...], p. 237) ; mais voir les remarques de G. Madec, dans *B.A.*, 6 (3ᵉ éd., 1976), pp. 159-162.

16. Sur ces *changes of mind* entre Rome et Hippone, lire les pages brillantes de P. Brown, *Vie de saint Augustin*, pp. 171-184 (« L'avenir perdu ») ; mais le portrait est largement hypothétique et « impressionniste ».

17. G. Madec, dans *Introduction aux « Révisions »*, Paris, Ét. aug., 1996, p. 44.

18. P. Brown, *Vie de saint Augustin*, p. 174.

19. La présence de trois évêques au moins, munis des instructions de leur primat, était nécessaire pour une ordination épiscopale : cf. concile de Carthage de 390, c. 12 (*Concilia Africae, CCL*, 149, p. 18).

20. Conc. de Nicée, c. 8 ; mais les transgressions de la règle étaient assez fréquentes : cf. J. Gaudemet, *L'Église dans l'Empire romain (IV-Vᵉ siècle)*, Paris, Sirey, 1958, p. 364.

21. À la différence du primat d'Afrique proconsulaire, qui était l'évêque de Carthage, chef de l'Église africaine, les primats des autres provinces étaient des « doyens », désignés à la primatie par leur ancienneté dans l'épiscopat. Les primaties provinciales n'étaient donc pas liées à un siège fixe.

22. *Contra litt. Pet.*, III, 19 : « *a sancto concilio de hoc, quod in nos ita peccauit, ueniam petiuit et meruit* ». On pense évidemment au concile d'Hippone du 8 octobre 393, où Megalius était présent : cf. *Concilia Africae, CCL*, 149, p. 270. Mais c'est un peu tôt, même si l'on situe l'ordination en 395, et non en 396.

23. *Epitoma chronicon*, dans Th. Mommsen, *Chronica Minora*, vol. I, *M.G.H.*, *a.a.*, 9, p. 463.

24. Notamment O. Perler, dans O. Perler et J.-L. Maier, *Les Voyages de saint Augustin*, pp. 164-175 ; J. Desmulliez, « Paulin de Nole. Études chronologiques », dans *Rech. aug.*, 20, 1985, pp. 45-50.

25. Cf. D.E. Trout, « The dates of the ordination of Paulinus of Bordeaux and of his departure for Nola », dans *Rev. des ét. aug.*, 37, 1991, pp. 239-247.

26. Paulin de Nole, *Ep.* 7, 1 = Aug., *Ep.* 32, 1 : « [...] *epistulas receperamus, id est Aurelii, Alypii, Augustini, Profuturi, Seueri*, iam *omnium* pariter *episcoporum* ». Sur cette séquence de noms, cf. les justes remarques de A. Mandouze, *Saint Augustin*, p. 142, et l'observation non moins pertinente du même selon laquelle l'ordination d'Alypius à Thagaste a dû hâter la consécration d'Augustin à Hippone.

Chapitre XIX : 396-397

1. O. Perler et J.-L. Maier, *Les Voyages de saint Augustin*, p. 213.

2. La communauté de ces *Thiavenses* peut être située entre Thagaste et Thubursicu Numidarum : cf. S. Lancel, « Études sur la Numidie d'Hippone au temps de saint Augustin », dans *Mél. de l'École française de Rome*, 96, 1984, pp. 1104-1105. Elle sera promue au rang d'évêché quelques années plus tard.

3. Ainsi Fortunius prétendit qu'aux origines du schisme, avant l'élection de Maiorinus contre Caecilianus sur le siège de Carthage, un évêque intérimaire (*interuentor*) avait été tué par les catholiques : *Ep.* 44, 8.

4. La proximité de Turres par rapport à Hippone est certaine ; mais les lieudits Turres (qui devaient ce nom à un ouvrage défensif assurant la protection le plus souvent d'un grand domaine) pullulent dans la toponymie africaine, et celui-ci ne peut être identifié : cf. S. Lancel, dans *S.C.*, vol. 194, p. 137.

5. Ajoutons cependant que subsiste une incertitude, née du constat que par la suite Augustin, faisant allusion à son texte, le désigne toujours comme adressé à « l'évêque de Milan Simplicianus » : cf. par ex. *De praedestinatione sanctorum*, 8, et *De dono perseuerantiae*, 55. Sur ce point de chronologie, on n'a pas discuté avec plus de rigueur et de finesse que ne le faisait déjà S. Lenain de Tillemont, dans ses *Mémoires*, t. XIII, pp. 978-979.

6. L'habitude ancienne du latin, qu'Augustin suit ici, est de préférer au génitif adnominal un adjectif tiré du substantif : on dira *peccatum originale*, et non *peccatum originis*. Mais le sens intrinsèque est le même et la lecture dépend du contexte.

7. Pour G. Bardy, qui traduisait par « péché originel », Augustin était, comme sur la grâce, en pleine possession de sa doctrine sur le péché originel dès l'*Ad Simplicianum*. Pour A. Solignac (« La condition de l'homme pécheur d'après saint Augustin », dans *Nouv. Rev. théol.*, 88, 1956, p. 382), qui traduisait par « péché d'origine », tout comme pour A. Sage (« Péché originel. Naissance d'un dogme », dans *Rev. et. aug.*, 13, 1967, pp. 218-220), le « péché d'origine », perçu comme peine, n'était pas encore perçu alors par Augustin comme culpabilité. Ce n'est pas l'avis, récent, de P.-M. Hombert, *Gloria gratiae*, 1996, p. 95, note 248.

8. G. Bardy, dans l'Introduction à l'*Ad Simplicianum*, *B.A.*, 10, pp. 396-397.

9. Ainsi P. Brown, *Vie de saint Augustin*, p. 180 : « Il n'est pas jusqu'aux circonstances finales de sa dernière étape qui n'aient revêtu un caractère dramatique. »

10. F. Masai, « Les conversions d'Augustin et les débuts du spiritualisme en Occident », dans *Le Moyen Âge*, 1-2, 1961, p. 37.

11. C'est la présentation que fait de cette « crise » le livre de K. Flasch, *Augustin. Einführung in sein Denken*, Stuttgart, 1980, pp. 172-200. L'auteur est

par la suite allé plus loin, dénonçant dans la théologie de la grâce élaborée à partir de 396 une « logique de la terreur » : c'est le titre de l'ouvrage publié en 1990 : *Logik des Schrekens. Augustinus von Hippo, Die Gnadenlehre von 397*, Mayence, 1990 (cf. le compte rendu de G. Madec, dans *Rev. des ét. aug.*, 37, 1991, pp. 387-390).

12. Cf. B. Legewie, « Die körperliche Konstitution und die Krankheiten Augustins », dans *Miscellanea Agostiniana*, II, 1931, pp. 5-21.

13. Et d'un très bon livre, déjà souvent cité : O. Perler et J.-L. Maier, *Les Voyages de saint Augustin*.

14. D. De Bruyne, « La chronologie de quelques sermons de saint Augustin », *Rev. bénéd.*, 43, 1931, pp. 185-193, a d'abord prouvé que l'*Indiculum* de Possidius, fondé sur les manuscrits inventoriés par lui après la mort d'Augustin, décrivait dans sa section X⁶, 101-131 un volume qui regroupait quatre mois de prédication à Carthage. Puis C. Lambot, « Un *jejunium quinquagesimae* en Afrique et date de quelques sermons de s. Augustin », *ibid.*, 47, 1935, pp. 114-124, a montré que cette série avait toute chance d'avoir été prêchée entre mai et août de l'année 397.

15. Collection dite de « Mayence-Grande-Chartreuse », dans *Vingt-Six Sermons au peuple d'Afrique*, Paris, Ét. aug., 1996, pp. 19-224. Précisons toutefois que dans l'avant-propos de ce volume qui rassemble les textes d'abord publiés dans la *Revue bénédictine*, l'inventeur, François Dolbeau, fait prudemment quelques réserves sur une datation uniforme de tous ces sermons en 397.

16. Cette liberté d'allure – la participation aux conciles de sa province était un devoir formel pour un évêque – et ces relations privilégiées avec le primat de Carthage montrent à quel point, sans être un « électron libre », Augustin avait au sein de l'Église d'Afrique un statut personnel exceptionnel.

17. L'un d'entre eux, *Dolbeau* 15 (= *Mayence* 45), en date du 22 juillet, ne figure pas sur l'*Elenchus* de Possidius ; le sermon 283 en donnait une version abrégée déjà connue.

18. Sur ces « basiliques cypriennes », discussion dans l'*Augustinus-Lexikon*, vol. I, fasc. 5/6, Bâle, 1992, art. « Carthago » (S. Lancel). En dernier lieu, L. Ennabli, *Carthage. Une métropole chrétienne du ivᵉ siècle à la fin du viiᵉ siècle*, Paris, CNRS, 1997, pp. 21-26.

19. Ses résonances considérées comme antipélagiennes le faisaient dater autrefois plus tardivement : A. Kunzelmann, « Die Chronologie der Sermones des Hl. Augustinus », dans *Miscellanea Agostiniana*, II, 1931, p. 465.

20. On retrouve la même association de textes, avec, comme dit A.-M. La Bonnardière (*Biblia Augustiniana. A.T. : Le Livre de la Sagesse*, Paris, Ét. aug., 1970, p. 105), « la même saveur antipélagienne avant la lettre », dans Tyconius, *Règle lll*, 13, 1-2 (suivant les subdivisions de J.-M. Vercruysse). La dépendance d'Augustin par rapport au théologien donatiste apparaît ici très forte.

21. *S. Dolbeau* 12 (*Mayence* 41) (*Vingt-Six Sermons* [...], pp. 69-84.) On a daté le *De bono coniugali* de 401, sur la base de sa place dans les *Révisions*, II, 22. M.-F. Berrouard propose avec de bons arguments d'en remonter la date jusque vers 397/98 : cf. *Augustinus-Lexikon*, vol. 1, 1994, col. 659.

22. D'assez près, puisque, l'année même (1936) où il écrivait *Noces à Tipasa*, il soutenait à la faculté des lettres d'Alger un « diplôme d'études supérieures » intitulé « Néoplatonisme et pensée chrétienne : Plotin et saint Augustin » (sur ce travail d'étudiant – qu'on peut lire dans A. Camus, *Essais*, « Bibl. de la Pléiade », Paris, Gallimard, 1965, pp. 1224-1313 –, cf. P. Archambault, « Augustin et Camus », dans *Recherches augustiniennes*, 6, 1969, pp. 195-221).

23. Mais il avait lu Étienne Gilson, qui citait la formule de Severinus (*sic*), comme

résumant la pensée d'Augustin (*Introduction à l'étude de saint Augustin*, 1929, p. 172). À travers Gilson, les mots de Severus flottaient alors dans sa mémoire.

24. Et en même temps non rationaliste : cf. cette déclaration du même, datée du 20 déc. 1945 : « Ce qui m'intéresse, c'est de savoir comment on peut se conduire quand on ne croit ni en Dieu ni en la raison... Je m'interroge et cela m'ennuierait beaucoup qu'on me force à choisir absolument entre saint Augustin et Hegel. J'ai l'impression qu'il doit y avoir une vérité supportable entre les deux » (A. Camus, *Essais*, p. 1427).

25. *De doctrina christiana* (abrégé par la suite *Doctr. chr.*), I, 1 : « *opus magnum et arduum* » ; le mot resservira par la suite, encore plus vrai, pour qualifier la *Cité de Dieu* : *Ciu. Dei*, I, *praef.* Le *De doctrina christiana* est depuis peu accessible dans une nouvelle édition, traduite par M. Moreau, commentée par I. Bochet et G. Madec : *B. A*, vol. 11/2, 1997.

26. Sur la perception qu'avait Augustin de Tyconius, lire notamment A. Mandouze, *Prosopographie de l'Afrique chrétienne*, s. v. Tyconius, pp. 1122-1127.

27. *Doctr. chr., prol.*, 4 et 5. On s'est beaucoup interrogé sur ces « charismatiques » visés par Augustin : on a reconnu en eux Tyconius, ou encore le milieu monastique semipélagien regroupé autour de Jean Cassien, ce qui daterait le *Prologue* de la reprise du livre en 426/27 : cf. ces hypothèses et leur juste critique dans une note complémentaire (due à I. Bochet) de la nouvelle édition du *De doctrina christiana*, *B.A.*, 11/2, 1997, pp. 429-432. On oublie cependant de dire que cette humeur contre ceux qui prétendaient parler des Écritures sans enseignement préalable n'était pas propre à Augustin : cf. la lettre 53, 7 de Jérôme à Paulin de Nole.

28. Sur la perception que les modernes en ont depuis un siècle, cf. E. Kevane, « Augustine's *De doctrina christiana* : a Treatise on Christian Education », dans *Rech. aug.*, 4, 1966, pp. 97-133.

29. Cette dernière formule est de L. Verheijen, « Le *De doctrina christiana* de saint Augustin. Un manuel d'herméneutique et d'expression chrétienne avec, en II, 19 (29)-42 (63), une "charte fondamentale pour une culture chrétienne" », dans *Augustiniana*, 24, 1974, p. 13. Les analyses de H.-I. Marrou sont développées dans *Saint Augustin et la fin de la culture antique*, pp. 387-413.

30. Ainsi T. Todorov, *Théories du symbole*, Paris, Le Seuil, 1977, p. 56, voulait attribuer au « geste inaugural d'Augustin » « l'instauration d'une sémiotique ». En fait ces propos généraux ne sont qu'une introduction à ce qui intéresse vraiment Augustin, une herméneutique biblique. Pour une étude exhaustive des « signes » dans le contexte théologique d'Augustin, cf. C.P. Mayer, *Die Zeichen in der geistigen Entwicklung und in der Theologie Augustins*, t. II, Würzburg, Augustinus-Verlag, 1974.

31. Y compris l'astrologie, à laquelle Augustin avait sacrifié dans sa jeunesse, et l'usage des amulettes, boucles d'oreilles comprises (n'en déplaise à P. Brown, *Vie de saint Augustin*, p. 315), dont le port était condamné : *Doctr. chr.*, II, 30 et *Ep.* 245, 2 (à Possidius).

32. Augustin n'est évidemment pas responsable à lui seul de cette dissociation qui a fait que des écrivains chrétiens par la foi ont pu développer une inspiration profane en littérature, qui ne signifiait aucune adhésion à des valeurs religieuses que la mythologie païenne ne véhiculait plus.

33. Cf. M. Banniard, *Genèse culturelle de l'Europe, v-viiie siècle*, Paris, Le Seuil, 1989, pp. 57-64.

34. C'est-à-dire après l'*Ad Simplicianum*, le *Contra epistulam fundamenti* et de *De agone christiano*. Le manuscrit de Saint-Pétersbourg a été décrit par A. Mut-

ZENBECHER, « Codex Leningrad Q. v. I. 3 (Corbie). Ein Beitrag zu seiner Beschreibung », dans *Sacris Erudiri*, 18, 1967-1968, pp. 406-450.

35. Cf. J.-P. BOUHOT, « Augustin prédicateur d'après le *De doctrina christiana* », dans *Augustin prédicateur (345-411). Actes du colloque int. de Chantilly (5-7 sept. 1996)*, Paris, Ét. aug., 1998, pp. 49-61.

CHAPITRE XX : Les *Confessions*

1. G. BARDY, dans son Introduction aux *Révisions*, B.A., vol. 12, p. 217.

2. Cf. *B.A.*, vol. 13, pp. 45-54, et E. FELDMANN, « Confessiones », dans *Augustinus-Lexikon*, vol. 1, 1994, col. 1184-1185.

3. Les rapprochements ont été faits par A. GABILLON, « Redatation de la lettre 109 de Severus de Milev », dans *Augustin prédicateur. Actes du colloque int. de Chantilly (5-7 sept. 1996)*, Paris, Ét. aug., 1998, pp. 431-437.

4. P. FABRE, *Saint Paulin de Nole et l'amitié chrétienne* (BEFAR, t. 167), Paris, 1949, pp. 236-241 ; P. COURCELLE, *Les Confessions de saint Augustin dans la tradition littéraire*, Paris, Ét. aug., 1963, pp. 559-573. Il faut cependant corriger la chronologie retenue par l'un comme par l'autre avec J. DESMULLIEZ, « Paulin de Nole. Études chronologiques (393-397) », dans *Recherches augustiniennes*, XX, 1985, pp. 35-64.

5. P. COURCELLE, *Les Confessions [...]*, p. 567 ; A. PINCHERLE, *Vita di sant'Agostino*, pp. 175-176.

6. L'hypothèse du plaidoyer *pro domo* est cependant parfois encore reprise, mais avec précaution : cf. récemment J.-Y. TILLIETTE, « Saint Augustin entre Moïse et Jean-Jacques ? L'aveu dans les *Confessions* », dans *L'Aveu. Antiquité, Moyen Âge*, Coll. École française de Rome, 88, Rome, 1986, p. 152.

7. Depuis Pétrarque, qui a le premier, au XIVᵉ siècle, explicité cette division tripartite : *Ep. ad Donatum Apenningenam (Sen. VIII, 6)*, p. 928 : cf. P. COURCELLE, *Les Confessions de saint Augustin*, p. 334.

8. Notamment dans le *De ordine* et dans le *De musica* ; sur ces spéculations, cf. H.-I. MARROU, *Saint Augustin et la fin de la culture antique*, pp. 259-262.

9. Voir ce rapprochement dans un essai récent : R. MARTIN, dans *Revue des études latines*, 68, 1990, pp. 139-141 ; le « credo » arithmologique apparaît dans cet article très fortement affirmé.

10. Au-delà du jeu de mots (risqué par R. MARTIN, *loc. cit.*, p. 141), il est vrai de dire que les réminiscences virgiliennes abondent dans les *Confessions* ; mais les comparaisons avec l'épopée de Virgile, déjà faites par J.J. O'MEARA, « Augustine the artist and the Aeneid », dans *Mélanges C. Mohrmann*, Utrecht, 1963, pp. 252-261, apparaissent forcées.

11. R. MARTIN, *loc. cit.*, p. 145.

12. Sur le sens spécifiquement biblique du mot, présent dans l'usage qu'en fait Augustin, cf. M. VERHEIJEN, *Eloquentia pedisequa. Observations sur le style des Confessions de saint Augustin*, Nimègue, 1949, p. 69-70. En dernier lieu, E. VALGIGLIO, *Confessio nella Bibbia e nella letteratura cristiana antica*, Turin, 1980, (pp. 173-238 sur saint Augustin).

13. On a montré que les citations des Psaumes ont souvent dans les *Confessions* valeur « unifiante » ou fonction de « suture » : cf. N.G. KNAUER, *Psalmenzitate in Augustins Konfessionen*, Göttingen, 1955, particulièrement pp. 133-161, où l'auteur analyse plus précisément le rôle de ces citations dans la construction du texte d'Augustin.

14. Le mot « lettre à Dieu », parfois risqué pour caractériser les *Confessions* (cf. par exemple A. TRAPÉ, *Saint Augustin*, p. 237), est ainsi trop réducteur.

15. Sur cet usage du mot *cor* chez Augustin, cf. A. Maxsein, « *Philosophia cordis* bei Augustin », dans *Augustinus Magister*, t. I, 1954, pp. 357-371.

16. Ce mot de psychothérapie est prononcé par P. Brown (*Vie de saint Augustin*, p. 193) reprenant une suggestion de E.R. Dodds. De fait, tout aveu a une vertu libératrice et agit comme une catharsis.

17. Ph. Lejeune, *Le Pacte autobiographique*, Paris, Le Seuil, 1975, p. 14.

18. En dépit de leurs nuances, on ne s'accorde plus avec les vues que G. Misch a exprimées dans le chapitre consacré aux *Confessions* dans sa monumentale *Geschichte der Autobiographie*, I, 2 (3ᵉ édit.), Francfort, 1950, pp. 637-678.

19. Comme le note A. Mandouze, en ajoutant que ce « reste » est l'essentiel, dans son introduction aux *Confessions* dans la traduction de L. de Mondadon, Paris, Le Seuil, Coll. Points-Sagesse, 31, 1982, p. 16.

20. Sur ces libertés prises avec la chronologie, cf. P. Courcelle, *Recherches* [...], pp. 44-45 et les remarques récentes de J.-Cl. Fredouille, « Les *Confessions* d'Augustin, autobiographie au présent », dans *L'Invention de l'autobiographie d'Hésiode à saint Augustin*, Paris, Presses de l'ENS, 1993, pp. 169-170.

21. *Conf.*, X, 12. Il y a derrière cette brillante description toute une technique mémorielle qu'Augustin avait apprise dans sa jeunesse commme tout apprenti rhéteur : cf. D. Doucet, « L'*Ars memoriae* dans les *Confessions* », dans *Rev. des ét aug.*, 33, 1987, pp. 49-69.

22. *Conf.*, XI, 2. Un peu avant dans son texte (*Conf.*, X, 70), Augustin avoue qu'il a éprouvé la tentation de se soustraire à tout service et qu'il a « médité le projet de fuir dans la solitude ». On a situé à diverses époques le moment de cette tentation : au lendemain de la conversion, ou après l'accession à l'épiscopat. On pourrait aussi bien la placer lors de l'*otium* à Thagaste ; mais Augustin ne donne aucun élément de solution.

23. Formule de J.-Ph. Pierron, dans *Rev. des ét. aug.*, 41, 1995, p. 265.

24. Cette finalité essentielle est bien dégagée par E Feldmann, « Confessiones », dans *Augustinus-Lexikon*, vol. 1, Bâle, 1994, col. 1134-1193, particulièrement col. 1157-1164.

25. Pétrarque, *Seniles*, VIII, 6, *Ad Donatum Apennigenam*, p. 928. Texte commenté par E. Luciani, *Les* Confessions *de saint Augustin dans les Lettres de Pétrarque*, Paris, Ét. aug., 1982, p. 156.

26. Cinq volumes – tous parus entre 1965 et 1991 dans la collection des *Études augustiniennes* – ont été consacrés à l'iconographie de saint Augustin par P. Courcelle et J. Ladmirant-Courcelle.

27. On peut se figurer les tablettes – *pugillares* – sur le modèle, légèrement réduit, des ardoises cerclées de bois qu'utilisaient encore les écoliers il y a quelques décennies. Augustin avait des tablettes d'ivoire, qu'il utilisait pour son courrier ; faute de pouvoir en disposer, il écrira à Romanianus sur une petite feuille de parchemin, en s'excusant de ce matériau insolite pour une lettre : *Ep.* 15, 1.

28. Jérôme, *Contra Vigilantium*, 3, 356 c. Dans la lettre qu'il lui adresse (*Ep.* 61, 4), Jérôme dira à Vigilantius que son nom lui a été donné par antiphrase, car, mentalement, c'est un dormeur !

29. *Ep.* 23 A*, 3 ; on lira dans *B.A.*, vol. 46 B (1987), pp. 532-547, le commentaire de M.-F. Berrouard, et notamment le décompte (p. 545) fait d'après l'édition de la Patrologie latine, qui montre qu'une ligne des *notarii* d'Augustin équivaut aux trois quarts d'une ligne de l'édition de Migne : les six mille lignes dictées en six semaines, surtout la nuit, représentent 4 572 lignes de la patrologie latine.

30. Horace, *Art poétique*, 390 : « *Nescit uox missa reuerti.* »

31. Voir PRUDENCE, *Peristephanon*, IX, 21-30, sur l'école de *notarii* fondée à Imola par saint Cassien.

32. Car le texte était transcrit en *scriptura continua*, les mots n'étant pas détachés les uns des autres, avec une ponctuation rudimentaire ou inexistante. Avant d'être ponctué, et de devenir un *codex distinctus*, le texte écrit était pratiquement illisible (JÉRÔME, *Ep.*, 80, 3, *in fine*).

33. JÉRÔME, *Ep.* 71 (*Ad Lucinum Baeticum*), 5 : « [...] l'incurie des copistes, qui écrivent non pas ce qu'ils trouvent dans les textes, mais ce qu'ils en comprennent et qui, en voulant corriger les erreurs d'autrui, manifestent les leurs ».

34. À défaut de lire les *Confessions* en latin, on se reportera le plus souvent possible au texte original, et pour cela on préférera une édition bilingue. Le lecteur français dispose de bonnes traductions récentes : celle de P. de Labriolle, dans la Collection des universités de France (ou « collection G. Budé ») ; celle de E. Tréhorel et G. Bouissou, dans la *Bibliothèque augustinienne* (vol. 13 et 14) ; celle aussi de P. de Mondadon (Éd. P. Horay-Le Seuil, avec une présentation de A. Mandouze) : la plus alerte, peut-être, la plus suggestive, sûrement, la plus « décollée » de l'original, aussi. La toute dernière traduction en langue française est due à Patrice Cambronne dans SAINT AUGUSTIN, *Œuvres*, t. I (« Bibl. de la Pléiade »), Paris, Gallimard, 1998, pp. 781-1124.

35. Il est très rare qu'on *voie* Augustin en train d'écrire : un exemple, quand à la fin du *Contra Felicem* il prend un morceau de *charta* pour écrire en quelques lignes le modèle d'anathème qu'il propose à son adversaire manichéen, qui s'avoue vaincu, de recopier : *Contra Felicem*, II, 22.

36. C'est le cas dans l'édition de la *Bibliothèque augustinienne* (vol. 13 et 14). Jacques FONTAINE dit avec raison qu'il faudrait toujours lire ces textes des *Confessions* à voix haute (« Une révolution littéraire dans l'Occident latin : les *Confessions* de saint Augustin », dans *Bull. de litt. eccl.*, 88, 3-4, 1987, p. 176) : oui, mais c'est le texte latin qu'il faut lire à haute voix.

37. La meilleure analyse du « style » des *Confessions* demeure, à cinquante ans de distance, celle de M. VERHEIJEN, *Eloquentia pedisequa. Observations sur le style des* Confessions *de saint Augustin*, Nimègue, 1949. Cf. aussi les remarques de Chr. MORHMANN, « Saint Augustin écrivain », dans *Recherches augustiniennes*, I, 1958, pp. 53-57, et celles de G. BOUISSOU, dans *B.A.*, vol. 13, pp. 207-232. En dernier lieu, la synthèse de J. FONTAINE, « Genres et styles dans les *Confessions* de saint Augustin », dans *L'Information littéraire*, 42/1, 1990, pp. 13-20.

38. Cf. le livre de H. HAGENDHAL, *Augustine and the Latin Classics*, Göteborg, 1967.

39. Cf. P. COURCELLE, « Le thème du regret : "*Sero te amaui, Pulchritudo*" [...] », dans *Revue des ét. lat.*, 38, 1960, pp. 277-283.

40. S'il fallait y joindre une autre, plutôt que la *Cité de Dieu*, en dépit de l'importance du livre, on dirait les *Lettres* ; mais le lecteur français devra attendre qu'une bonne édition traduite et commentée en soit procurée dans la *Bibliothèque augustinienne*, à l'image de ce qui a été fait dans le vol. 46 B, consacré en 1987 aux nouvelles lettres découvertes par J. Divjak.

CHAPITRE XXI : Un moine en ses monastères

1. QUODVULTDEUS, *Liber promissionum et praedictorum Dei*, III, 44. Le dernier éditeur de ce texte, R. Braun, repousserait volontiers à 407 la dévolution du temple de Caelestis à l'Église (cf. *S.C.*, vol., 101, 1964, p. 72). Mais le maintien de la date de 399 a de bons arguments : cf. O. PERLER et J.-L. MAIER, *Les Voyages de saint*

Augustin, pp. 391-395 ; en dernier lieu, L. Ennabli, *Carthage. Une métropole chrétienne du IVᵉ siècle à la fin du VIIᵉ siècle*, Paris, CNRS, 1997, pp. 35-36.

2. Cf. G. Charles-Picard, *La Carthage de saint Augustin*, Paris, Fayard, 1965, pp. 100-103.

3. Après avoir obtenu gain de cause, comme le suggèrent les termes du rescrit impérial adressé le 25 juin 399 à Sapidianus, vicaire d'Afrique : C. Th., XVI, 2, 34.

4. Bulla Regia est l'un des endroits de Tunisie où la chaleur estivale est la plus forte ; c'est le seul site du monde antique occidental où le rez-de-chaussée des maisons soit doublé d'un étage souterrain, de même plan, où l'on se réfugie l'été.

5. Ces mots entre guillemets, significatifs de cette évolution, sont de A. Mandouze, *Saint Augustin*, p. 219.

6. Cf. *Cité de Dieu*, XIX, 19, où il propose de traduire *episkopein* par *superintendere* et ajoute que celui qui se plaît à commander et non à se rendre utile ne saurait être un évêque.

7. Cf. L. Verheijen, *La Règle de saint Augustin. II. Recherches historiques*, Paris, Ét. aug., 1967, p. 202.

8. L. Verheijen, « Spiritualité et vie monastique chez saint Augustin. L'utilisation monastique des Actes des apôtres 4, 31, 32-35 dans son œuvre », dans *Jean Chrysostome et Augustin, Actes du Colloque de Chantilly, 22-24 sept. 1974*, Paris, Beauchesne, 1975 (pp. 94-123), p. 106.

9. L. Verheijen, *La Règle de saint Augustin*, II, pp. 164-172.

10. Nous reprenons ici le résumé que donne L. Verheijen au terme d'une longue étude : *La Règle de saint Augustin, II*, p. 216. Les chercheurs ne sont cependant pas tout à fait unanimes sur ce processus, et en particulier sur la part qui en reviendrait à Alypius ; pour G. Lawless, *Augustine of Hippo and His Monastic Rule*, Oxford, Clarendon Press, 1990, pp. 168-170, l'*Ordo monasterii* fut rédigé par Augustin.

11. Cf. L. Verheijen, « Spiritualité et vie monastique [...] », pp. 99-102.

12. G. Madec, « Le communisme spirituel », dans *Petites Études augustiniennes*, Paris, 1994, p. 215.

13. La chronologie de cette affaire a été précisée récemment par une analyse de l'*Ep.* 243 : A. Gabillon, « Pour une datation de la lettre 243 d'Augustin à Laetus », dans *Rev. ét. aug.*, 40, 1 (1994), pp. 127-142.

14. L. Verheijen a souligné l'importance de ce texte pour comprendre la pensée d'Augustin sur la vie monastique : « Spiritualité et vie monastique chez saint Augustin », dans *Jean Chrysostome et Augustin. Actes du colloque de Chantilly, 22-24 sept. 1974*, Paris, Beauchesne, 1975, pp. 118-120.

15. *Ep.* 26*, 2, B.A., 46 B p. 392 : il pouvait à la rigueur, suggérait Augustin, faire office de lecteur, et encore ! Sur les lieux et la chronologie, cf. *ibid.*, pp. 520-522 et 557-559 (commentaires de A. Gabillon et S. Lancel).

16. Mais ainsi avaient fait avant lui Martin à Tours, Victrice à Rouen, Eusèbe à Vercelli, en Italie.

17. Cf. J. Gaudemet, *L'Église dans l'Empire romain (IVᵉ-Vᵉ siècle)*, pp. 156-163.

18. Sur la distinction entre légumes verts (*holera*) et secs (*legumina*) dans le régime des chrétiens, le texte à lire est la lettre écrite à cette époque par Jérôme à Furia, noble romaine et jeune veuve ; il la mettait en garde contre les *legumina*, pour les flatulences et les pesanteurs dont ils sont cause (*Ep.* 54, 10).

19. Elle était de règle pour permettre aux religieux en voyage d'éviter la promiscuité des auberges.

20. Ce distique élégiaque à valeur gnomique ou normative n'est sans doute pas

d'Augustin. On l'a retrouvé avec une variante sur une inscription de Dalmatie : *Rev. arch.*, 18, 1941, p. 315, note 53.

21. *Sermon 355*, 4-5. Un bon commentaire de ce texte, dû à L. DE SALVO, « *Nauiculariam nolui esse ecclesiam Christi*. A proposito di Aug. *Sermo* 355, 4 », dans *Latomus*, 46, 1987, pp. 146-160.

22. Pratique de remploi de pierres pour nous un peu surprenante, mais qu'on retrouvera dans le cas des constructions réalisées par l'évêque Antoninus à Fussala : *supra*, p. 360.

23. Augustin songeait évidemment aux appels à Rome, à l'égard desquels il manifestait, comme toute l'Église africaine, une sourcilleuse indépendance.

CHAPITRE XXII : Un évêque en ses églises, à Hippone

1. Ou *une* des basiliques : cf. E. MAREC, *Monuments chrétiens d'Hippone*, p. 230 : « La préposition *intra* paraît bien confirmer que le jardin de Valerius et le monastère sont à rechercher dans les limites de l'*insula* chrétienne. » Pour l'auteur de ces fouilles, il n'y a qu'une *insula* chrétienne, celle qu'il a mise au jour ; mais il n'est pas sûr qu'on y trouve place pour le « jardin » (et le monastère).

2. *Ep.* 20*, 2, *B.A.*, 46 B, p. 294. L. VERHEIJEN (« Les lettres nouvelles et la VIE monastique autour de saint Augustin », dans *Les Lettres de saint Augustin découvertes par Johannès Divjak*, Paris, 1983, p. 125) pensait plutôt au monastère des clercs pour Antoninus et son père.

3. Pour la date, cf. L. VERHEIJEN, *La Règle de saint Augustin*, t. II, p. 203.

4. *Ep.* 211. L'*obiurgatio* a été éditée de façon critique par L. VERHEIJEN, *La Règle de saint Augustin*, t. I, pp. 105-107 ; cf. aussi G. LAWLESS, *Augustine of Hippo and His Monastic Rule*, pp. 104-118, avec traduction anglaise. On sait peu de choses sur ce couvent ; toujours valable est le mémoire ancien de P. MONCEAUX, « Un couvent de femmes à Hippone », dans *CRAI*, 1913, pp. 570-595.

5. Par le biais de ce qu'Augustin appellera des *libelli miraculorum* : pour Uzalis, voir les textes publiés à l'instigation d'Evodius lui-même, le *De miraculis sancti Stephani* ; Augustin y fera peu après une allusion appuyée dans sa *Cité de Dieu*, XXII, 8, 22.

6. Cf. O. PERLER, « L'église principale et les autres sanctuaires chrétiens d'Hippone-la-Royale d'après les textes de saint Augustin », dans *Rev. des ét. aug.*, 1, 1955, p. 321, se fondant sur des indications de *Cité de Dieu*, XXII, 8, 21 et de *Sermon* 318, 1. L'apport personnel d'Augustin fut les quatre vers qu'il composa et fit tracer dans la *cella*, peut-être sur la voûte de l'abside : *sermon* 319, 7.

7. Ils avaient, dira Augustin (*serm.* 322, *P.L.*, 38, col. 1444), bénéficié de visions qui leur enjoignaient de se rendre à Hippone. Pour la date, on peut hésiter entre 425 et 426 ; LENAIN DE TILLEMONT (*Mémoires* [...], t. XIII, col. 1003-1004) en tient pour 425 ; l'année suivante paraît plus probable.

8. O. PERLER (« L'église principale [...] », dans *Rev. des ét. aug.*, 1955, p. 322, et note 182, et p. 323) s'est curieusement mépris sur cette phrase dans laquelle il n'a pas su reconnaître la position où se trouve, très normalement, Augustin, au moment où on lui annonce la guérison miraculeuse de Paulus.

9. Paulus y disait en termes propres ce qu'on trouve repris dans le texte de la *Cité de Dieu* : « *Orabam ego quotidie cum magnis lacrimis in loco ubi est memoria gloriosissimi martyris Stephani. Die autem dominico Paschae, sicut alii qui praesentes erant uiderunt, dum orans cum magno fletu cancellos teneo, subito cecidi* » (*sermon* 322 = *Cité de Dieu*, XXII, 8, 2).

10. Sur ces phénomènes, cf. Y. DUVAL, *Loca sanctorum Africae*, II, notamment pp. 697-726.

11. La large circulation des pèlerins et la nécessité de bâtir des structures pour les accueillir sont une des caractéristiques de ce temps ; à l'extrême fin du IVe siècle, Pammachius, ami de Jérôme et proconsul honoraire, fera construire un *xenodochium* à Porto, près d'Ostie (JÉR., *Ep.* 66, 11 ; 77, 10).

12. Il est vrai que les donatistes l'honoraient à son *dies natalis* comme les catholiques (*Ep.* 29, 11), ce qui inclinait P. MONCEAUX à situer son hypothétique martyre pendant la persécution de Dioclétien, avant le début du schisme africain (*Hist. litt. de l'Afrique chrét.*, III, p. 152-153).

13. *Concilia Africae, CCL*, 149, p. 250.

14. O. PERLER (« L'église principale [...] », dans *Rev. des ét. aug.*, 1, 1955, p. 304) s'appuie pour l'affirmer sur la réponse faite par Augustin à ceux qui, pour justifier les beuveries de la *Laetitia*, alléguaient l'exemple de ce qui se passait à Saint-Pierre de Rome : le Vatican, répondait-il, était loin du palais papal. Sous-entendu : la distance n'était pas la même à Hippone, ce qui ne signifie pas une réelle proximité.

15. Rare et énigmatique : mettre cette appellation « de la Paix » en rapport avec la « paix de l'Église » reviendrait à dater le monument de l'époque constantinienne, ce qui paraît difficile ; la mettre en rapport avec les periodes d'entente (forcée !) avec les donatistes ne rendrait pas plus facile sa datation dans la seconde moitié du IVe siècle. En outre, le concept qu'on mettait alors en avant était plutôt celui d'« unité » que de paix.

16. Discussion dans O. PERLER, « L'église principale [...] », dans *Rev. des ét. aug.*, 1, 1955, pp. 313-318.

17. C'est l'interprétation d'un liturgiste comme A. OLIVAR, *La Predicación cristiana antigua*, Barcelone, 1991, pp. 521-522. Cf. aussi les commentaires d'un archéologue comme N. DUVAL, *Les Églises africaines à deux absides. II. Inventaire des monuments, interprétation*, Paris, De Boccard, 1973, p. 303, qui pense aussi à une « conversion morale », ou encore que l'injonction exhortait les fidèles à se tourner vers l'autel, souvent situé de façon avancée dans la nef centrale.

18. Il avait en 256 assisté au concile réuni à Carthage par Cyprien (*Sent. episc.*, 14) et Augustin a commenté son avis sur le baptême dans son *De baptismo*, VI, 36-37.

19. Avant cette date, les fidèles se réunissaient dans des maisons privées : on ne peut exclure que la maison sur le site de laquelle fut édifiée la basilique ait déjà abrité ces réunions. Jean LASSUS le pensait : « Les édifices du culte autour de la basilique », dans *Atti VI Congr. int. di Arch. crist.*, Ravenna, 1962, p. 589.

20. Lire pour le détail la publication des fouilles : E. MAREC, *Monuments chrétiens d'Hippone, ville épiscopale de saint Augustin*, Paris, A.M.G., 1958, notamment pp. 23-130, à compléter et à corriger par l'important mémoire critique de H.-I. MARROU, « La basilique chrétienne d'Hippone d'après le résultat des dernières fouilles », dans *Rev. des ét. aug.*, 6, 1960, pp. 109-154.

21. Cf. les remarques de H.-I. MARROU, dans *Rev. des ét. aug.*, 6, 1960, pp. 128-130.

22. Pour ne rien dire des basiliques de Carthage, on trouve beaucoup plus grand par exemple à Tébessa et à Tipasa : cf. J.-P. CAILLET, N. DUVAL et I. GUI, *Basiliques chrétiennes d'Afrique du Nord. I. Inventaire de l'Algérie*, t. I (texte), t. II (illustr.), Paris, Ét. aug., 1992.

23. E. MAREC, *op. cit.*, pp. 167-168 et 231-234 : cette salle trilobée est notée *c7* sur le plan. H.-I. MARROU, *op. cit.*, p. 153, se disait sceptique, mais ne proposait rien.

24. Le plan évoque plutôt un triclinium de maison privée : cf. en dernier lieu les

remarques de N. Duval, « Hippo Regius », dans *Reallexikon für Antike und Christentum*, XV, 1989, col. 451-452.

25. E. Marec, *op. cit.*, pp. 112-128 : groupe de salles centrées autour du péristyle *H* (cf. fig. 1).

26. H.-I. Marrou, *op. cit.*, p. 152 ; la communication avec l'église se faisait par la petite salle *J*.

27. Ce serait l'ensemble *E*, où E. Marec, *op. cit.*, pp. 230-231, verrait bien la *domus episcopi*, dès l'origine. L'auteur s'appuie sur le *sermon* 61, 13 pour affirmer qu'Augustin empruntait la rue pour aller de sa maison à l'église ; mais le texte ne permet pas une telle conclusion.

CHAPITRE XXIII : Un évêque en son diocèse

1. Sur ces données, cf. S. Lancel, art. « Africa, organisation ecclésiastique », dans *Augustinus-Lexikon*, vol. 1, 1994, col. 206-216.

2. Il faut évidemment tenir compte de la polémique, des deux côtés ; sur ces cruelles réalités, voir *Actes de la conférence de Carthage en 411*, t. 1, *Sources chrétiennes*, vol. 194, Paris, 1972, p. 122.

3. Sur ces faits à l'époque considérée (IVᵉ-Vᵉ siècle), cf. S. Lancel, « Évêchés et cités dans les provinces africaines », dans *L'Afrique dans l'Occident romain (Iᵉʳ s. av. J.-C.-IVᵉ s. apr. J.-C.)*, Rome, 1990, pp. 276-280.

4. Voir la carte des provinces ecclésiastiques et des évêchés africains au temps de saint Augustin, entre les col. 216 et 217 de l'*Augustinus-Lexikon*, vol. 1, 1994.

5. Références dans S. Lancel, « Études sur la Numidie d'Hippone au temps de saint Augustin. Recherches de topographie ecclésiastique », dans *Mél. de l'École française de Rome, Antiquité*, 96, 1984, p. 1088-1089.

6. *Concilia Africae, CCL*, 149, p. 208.

7. Cf. déjà, *supra*, p. 247 l'affaire du diacre anonyme de la *uilla Mutugenna*.

8. Il suffit, pour constater le changement de rythme dans ses déplacements, de consulter les tableaux de « chronologie et de topologie augustiniennes » publiés par O. Perler et J.-L. Maier, *Les Voyages de saint Augustin*, p. 395 et suiv.

9. Cf. *Actes de la conf. de Carthage en 411*, I, 128, *Sources chrétiennes*, vol. 195, p. 732. Aussi bien chez les donatistes que chez les catholiques, l'ordre qui régit les listes est celui de l'ancienneté d'ordination.

10. Pour une discussion plus complète des données, cf. S. Lancel, dans *Mél. de l'École française de Rome, Antiquité*, 96, 1984, p. 1103.

11. Voir l'analyse des pérégrinations du tribunal épiscopal dans S. Lancel, « Études sur la Numidie d'Hippone au temps de saint Augustin », dans *MEFRA*, 96, 1984, pp. 1099-1103.

12. Dans l'angle sud-est de la feuille 9 de l'*Atlas archéologique de l'Algérie*. Sur plusieurs centaines de kilomètres carrés, ces plissements orientés nord-nord-est/sud-sud-est, dont l'altitude avoisine 900 m sur les crêtes, sont vides de tout repère archéologique.

13. Sur l'usage de la *lingua Punica* en Afrique à basse époque, cf. S. Lancel, dans *Revue des études latines*, 59 (1981), 1982, pp. 270-272.

14. La *matricula pauperum* (*Ep.* 20*, 2), première et intéressante occurrence du mot *matricula* en ce sens. Sur l'institution et son développement historique, cf. M. Rouche, « La matricule des pauvres. Évolution d'une institution de charité du Bas-Empire jusqu'à la fin du haut Moyen Âge », dans *Études sur l'histoire de la pauvreté (Moyen Âge-XVIᵉ siècle)*, Paris, 1974, pp. 83-110.

15. Cf. Cl. Lepelley, *Les Cités de l'Afrique romaine au Bas-Empire*, t. I, 1979, pp. 132-133.

16. Cf. le portrait, dressé au concile de Carthage de 397 par Epigonius de Bulla Regia, de ceux qui « *quasi quadam in arce tyrannica sibi dominatum uindicant* » : *Concilia Africae, CCL*, t. 149, p. 189.

17. C. Th., XVI, 2, 38, loi adressée au proconsul d'Afrique, en réponse à une demande exprimée par le concile de Carthage du 13 juin 407 : *Concilia Africae, CCL*, t. 149, p. 215.

18. *Ep.* 20*, 6. Sur la destinataire, Fabiola, voir S. LANCEL, « L'affaire d'Antoninus de Fussala », dans *Les Lettres de saint Augustin découvertes par J. Divjak*, Paris, Ét. aug., 1983, pp. 278-279. Comme beaucoup de nobles romains, Fabiola avait des terres en Afrique, où elle s'était réfugiée après la prise de Rome, à la fin de 410.

19. Sur son application au début du ve siècle, cf. J. GAUDEMET, *L'Église dans l'Empire romain*, pp. 242-243.

20. *Ep.* 20*, 10, où l'on constate tout à la fois la capacité qu'avait la *domina* d'intervenir positivement ou négativement dans une affaire religieuse, et la liberté d'action de ces *coloni* en principe strictement rivés à la glèbe (cf. C. Th., V, 17, 1, loi de Constantin datée de 332), mais dont ce texte, qui s'ajoute à d'autres, montre la mobilité réelle.

21. Sur ces problèmes, et les attitudes de l'Église africaine, cf. Ch. MUNIER, « La question des appels à Rome d'après la lettre 20* d'Augustin », dans *Les Lettres de saint Augustin découvertes par J. Divjak*, pp. 287-299, en particulier pp. 290-294 pour cette affaire.

22. La structure agraire apparaît ainsi omniprésente dans le petit monde où se déroule l'enquête relatée par Augustin. Ajoutons que l'encadrement rural palliait en l'occurrence le manque de clercs disponibles pour assister les fidèles : Antoninus n'avait avec lui qu'un prêtre et qu'un diacre, destitués en même temps que lui, et son successeur fraîchement ordonné n'avait guère eu le temps de recruter à leur place.

23. Sur la localisation de Gilva, cf. J. DESANGES et S. LANCEL, dans *Les Lettres de saint Augustin découvertes par J. Divjak*, pp. 97-98.

24. Cf. *Notitia de 484*, Num. 21, *CSEL*, t. 7, p. 120.

CHAPITRE XXIV : Un évêque dans le siècle

1. Sur cette évolution, cf. J. GAUDEMET, *L'Église dans l'Empire romain*, pp. 233-236.

2. Privilège rappelé par Honorius dans une loi de fin 412 (C. Th., XVI, 2, 41) : « *Clericos non nisi apud episcopos accusari conuenit* »... La réserve qui suit, « *si quidem alibi non oportet* », a fait couler beaucoup d'encre. Mais ce n'est plus une réserve si on la comprend comme le faisait J. ROUGÉ, « puisque cela ne convient pas ailleurs » (dans *Les Lettres de saint Augustin découvertes par J. Divjak*, p. 181).

3. Sur ce corps de législation, cf. J. GAUDEMET, *L'Église dans l'Empire romain*, pp. 144-149.

4. Cl. LEPELLEY, *Les Cités de l'Afrique romaine au Bas-Empire*, t. I, p. 396.

5. Qui dans une loi de 385 disait que le *defensor ciuitatis* devait avoir pour les humbles des « entrailles de père » : *C.J.*, I, 55, 4.

6. Voir sur ce point F. JACQUES, « Le défenseur de cité d'après la lettre 22* de saint Augustin », dans *Revue des ét. aug.*, 32, 1986, pp. 56-73, notamment p. 61.

7. *Concilia Africae, CCL*, t. 149, p. 202 : en dépit de l'intitulé du canon, il ne s'agit pas de *defensores ecclesiae*, mais bien de personnages nommés pour soulager l'*afflictio pauperum* et les défendre contre les riches.

8. Cf. *supra*, p. 329. Lire la procédure d'affranchissement dans l'église dans le

sermon 21, 6. Plus largement, sur l'attitude de l'évêque en ce domaine, lire F. Decret, « Augustin d'Hippone et l'esclavage », dans *Dialogues d'histoire ancienne*, 11, 1985, pp. 675-685.

9. Cf. *Cité de Dieu*, XIX, 15. On trouve là une étymologie, qu'on pourrait dire optimiste dans sa fausseté, du mot *seruus*, de l'esclave comme produit de la guerre : « *A uictoribus cum* seruabantur serui *fiebant, a* seruando appellati *; quod etiam ipsum sine peccati merito non est.* »

10. Selon une loi de Constantin (C. Th., IV, 8, 6) toujours valable, à laquelle Augustin lui-même fait allusion dans une autre de ces lettres : *Ep.* 10*, 2. Sur le risque lié à la vente de la force de travail, lire le savant commentaire de M. Humbert, « Enfants à louer ou à vendre : Augustin et l'autorité parentale », dans *Les Lettres de saint Augustin découvertes par J. Divjak*, pp. 189-203.

11. Une loi de Théodose (*C. J.*, XI, 52, 1, de 393) disait qu'ils devaient être considérés comme « esclaves de la terre elle-même pour laquelle ils sont nés ». Mais voir cependant plus haut la possibilité de *migrare* dont les *coloni* de Thogonoetum lançaient la menace (*supra*, p. 361).

12. Cf. l'*Expositio totius mundi et gentium*, 60, *Sources chrétiennes*, vol. 124, p. 200, et le commentaire de J. Rougé, p. 319.

13. Dans le *saltus Paratianensis* : cf. *supra*, p. 348.

14. Le domaine de Paratianis, où il était fermier, relevait de la juridiction du « consulaire » (gouverneur) de Numidie : cf. *supra*, p. 348.

15. *Constitutio Sirmondiana* 13 : cf. M.-F. Berrouard, dans *Rev. des ét. aug.*, 31, 1985, p. 56.

16. Cf. *Ep.* 250 et *Ep.* 1* (*B.A.*, 46 B, p. 42-50) : cette nouvelle lettre est le texte complet de la lettre d'Augustin à Classicianus, dont on ne connaissait que le dernier paragraphe (= *Ep.* 250A). Sur ces lettres, cf. G. Folliet, « Le dossier de l'affaire Classicianus », dans *Les Lettres de saint Augustin découvertes par J. Divjak*, pp. 129-146.

17. *Ep.* 250, 2 : « *senex* [...] *et episcopus tot annorum* » ; il avait donc au moins soixante ans, puisqu'il faisait commencer la *senectus* à cet âge : cf. *De diu. quaest. LXXXIII, qu.* 58, 2 : « *cum a sexagesimo anno senectus dicatur incipere* ».

18. On a montré que depuis la fin du IVᵉ siècle (vers 388), le comte d'Afrique avait perdu le contrôle militaire de la Tripolitaine à l'est et de la Césarienne à l'ouest, au profit de *duces* : cf. Y. Modéran, dans *Mélanges de l'École fr. de Rome, Ant.*, 101, 2, 1989, pp. 868-872. Mais il lui restait la Proconsulaire, la Byzacène, la Numidie et la Sitifienne, soit toute la Tunisie actuelle et la moitié orientale de l'Algérie.

19. *Sermon Denis* 16, 1, dans *Miscellanea Agostiniana*, I, Rome, 1930, p. 75 : « *Omni homini proximus est omnis homo.* » C'est à Suzanne Poque que revient le mérite d'avoir fermement daté ce sermon de l'été 413, en le reliant, ainsi que quelques autres, à ces événements : « L'écho des événements de l'été de 413 à Carthage dans la prédication de saint Augustin », dans *Homo spiritalis. Festgabe für L. Verheijen*, Würzburg, 1987, pp. 391-399.

20. *Ep.* 151, 10. On lira utilement l'analyse qui est faite de cette lettre et de son contexte par M. Moreau, *Le Dossier Marcellinus dans la correspondance de saint Augustin*, Paris, Ét. aug., 1973, pp. 131-135.

Chapitre XXV : L'unité de l'Église

1. Sur Adimante, cf. F. Decret, s. v., dans *Augustinus-Lexikon*, vol. 1, col. 94-95.

2. Sur ces *Capitula*, leur ordre de succession réel – qui n'est pas celui d'Augustin – et leur contenu scripturaire, cf. P. Monceaux, *Le Manichéen Faustus de Milev.*

Restitution de ses Capitula, Paris, 1933. En dernier lieu, F. DECRET, *Aspects du manichéisme dans l'Afrique romaine*, pp. 66-70.

3. Le jour et l'année (le sixième consulat d'Honorius) figurent en tête du *Contra Felicem manichaeum*. Cette date, qui paraît tardive dans l'ordre des préoccupations d'Augustin, a été discutée ; sur ces discussions, cf. F. DECRET, *Aspects du manichéisme dans l'Afrique romaine*, pp. 77-78, et en dernier lieu G. MADEC, *Introduction aux « Révisions » et à la lecture de saint Augustin*, pp. 150-153.

4. Les indications de la lettre 79 d'Augustin, jointes à celles de *Retract.*, II, 8, et du texte du *Contra Felicem* permettent de reconstituer la genèse de la rencontre.

5. Augustin l'avait réfutée vers 396/97 : c'est le *Contra epistulam fundamenti*, B.A., 17, pp. 381-507.

6. On peut ajouter qu'au début du Vᵉ siècle le dépérissement des communautés manichéennes en Afrique comme ailleurs en Occident privait le combat d'Augustin de ses motivations pastorales : cf. les analyses de P.R.L. BROWN, « The Diffusion of Manichaeism in the Roman Empire », dans *The Journal of Roman Studies*, 1969, pp. 92-103, particulièrement pp. 101-102.

7. *Contra Cresconium*, IV, 58-59. Augustin s'était donné la peine – sans doute durant l'été de 404, au retour de sa participation au concile de Carthage – d'aller enquêter lui-même à Membressa, ainsi qu'à Assuras, Abitinae et Musti, tous lieux marqués par les conflits entre primianistes et maximianistes.

8. W.H.C. FREND, *The Donatist Church*, p. 22.

9. Le texte du 15 novembre 407 affirme que « l'obstination des donatistes – mais aussi la folie des païens – est attisée par la déplorable inaction des juges, la connivence des bureaux, le dédain des conseils locaux » : C. Th., XVI, 5, 43 ; en 409, discours semblable : C. Th., XVI, 5, 46.

10. Hypothèse de P. MONCEAUX, *Histoire littéraire de l'Afrique chrétienne*, t. IV, p. 275.

11. *Ep.* 53, 4, qui comporte la première citation littérale de ce document, qu'Augustin citera plus longuement et analysera dans son *Contra Cresconium*, III, 33, et IV, 66, en 405/06. Ce qui nous prouve que son dossier était déjà entièrement constitué en 400 (cf. aussi *Contra litt. Pet.*, I, 23, et III, 69).

12. *C. litt. Pet.*, I, 1 : « *Cum essem in ecclesia Constantiniensi Absentio praesente et collega meo Fortunato eius episcopo* », où *Absentius* est une des petites énigmes de la tradition manuscrite augustinienne : c'est évidemment d'Alypius qu'il s'agit.

13. C'est la date habituellement retenue : cf. G. BONNER, « Augustinus (vita) », dans *Augustinus-Lexikon*, vol. 1, col. 539. Cependant A. SCHINDLER (dans *Pietas. Festschrift für B. Kötting*, 1980, pp. 228-236) a proposé de repousser ce texte en 404-405, sur les indices d'un durcissement de la position d'Augustin à l'égard des donatistes. En outre, un des nouveaux sermons récemment publiés (*Dolbeau 26* (*M.* 62), datable du 1ᵉʳ janvier 404, présente de tels points de contact avec *C. epist. Parm.*, II, 14-16 qu'il est difficile de ne pas dater ces textes de la même époque (cf. *Vingt-Six Sermons au peuple d'Afrique*, pp. 353-358).

14. Voir *supra*, p. 246, ses hésitations historiques sur le problème de l'itération du baptême dans son *Contra epistulam Donati*.

15. Sur la genèse du *Contra Cresconium*, voir l'introduction de A.C. DE VEER, dans *B.A.*, 31, p. 9 et suiv.

16. *Contra Cresc.*, II, 9. Sur les glissements de la pensée d'Augustin dans l'application aux donatistes de l'étiquette « hérétique », cf. A. SCHINDLER, « Die Unterscheidung von Schisma und Häresie in Gesetzgebung und Polemik gegen den Donatismus », dans *Pietas. Festschrift für B. Kötting*, Münster, 1980, pp. 228-236.

17. P. MONCEAUX en a dressé la liste dans *Histoire littéraire de l'Afrique chré-*

tienne, t. VII, pp. 129-177, et tableaux chronologiques, pp. 279-292. Pour les sermons, rajouter les nouveaux *sermons Dolbeau* 24 (Mayence 60), 21 (M. 54) et surtout 27 (M. 63), sur lequel on reviendra : F. Dolbeau, *Vingt-Six Sermons au peuple d'Afrique*, Paris, Ét. aug., 1996, pp. 227-242, 271-296 et 304-314.

18. R.F. Evans, *One and Holy : The Church in Latin Patristic Thought*, Londres, 1972, p. 65 : « *The impression is inescapable that while Augustine listened to what the Donatists said, he had his mind on something else.* »

19. *Epist. ad cath.*, 9. Sur ce texte d'Augustin daté de 400/01 et dont l'authenticité a parfois été contestée, cf. M. Moreau, dans *Augustinus-Lexikon*, vol. 1, 1994, col. 808-815.

20. Cyprien pouvait écrire à Jubaianus, en lui faisant connaître la décision du concile de 256 : « Nous ne rebaptisons pas, mais nous baptisons ceux qui, venant d'une eau adultère et profane, doivent être lavés de nouveau et sanctifiés par la véritable eau de salut » (*Ep.* 73, 1), il s'agissait bien d'une itération du baptême.

21. Aux conséquences potentielles graves : l'attitude de Cyprien tendait à la rupture avec le siège de Rome ; cf. sa lettre 74 qui condamnait la théologie baptismale du pape Étienne.

22. Cf. Cyprien, *Ep.* 73 (à Jubaianus), 26, 2 ; *De baptismo*, I, 28 ; II, 6 et 7 ; III, 5 ; IV, 11 ; V, 23 ; cf. aussi *C. Cresc.*, II, 48-49, citant Cyprien, *Ep.* 54, 3, 1 : « Même si l'on voit de l'ivraie dans l'Église, notre foi ou notre charité ne doit pas en être entravée au point de nous faire quitter l'Église parce que nous voyons qu'il s'y trouve de l'ivraie. »

23. *Actes de la conférence de Carthage en 411*, II, 10, *S.C.*, 195, p. 929 : « *martyrialis gloriae uirum* ».

24. Pour la date et une analyse rapide de l'œuvre, cf. *Prosopographie chrétienne du Bas-Empire. I. Afrique (303-533)*, s. v. Optatus 1, pp. 795-801. Toujours utiles sont les développements de P. Monceaux, *Hist. litt. de l'Afrique chrét.*, t. V, pp. 241-306. En dernier lieu, lire l'Introduction de l'édition traduite et commentée de M. Labrousse, t. I (livres I et II), *S.C.*, vol. 412 (1995) et t. II (livres III-VII), *S.C.*, vol. 413 (1996).

25. Sur ces textes on lira en dernier lieu l'édition de M. Labrousse, t. I, *S.C.*, vol. 412 (1995), pp. 57-72, où l'on voit rassemblée la volumineuse bibliographie suscitée par eux depuis plus d'un siècle.

26. À partir du milieu du IVᵉ siècle, il y eut à Rome une petite communauté donatiste – les catholiques les appelaient *Montenses* (Optat, II, 4 ; Aug., *C. litt. Pet.*, II, 247) ou, par dérision, *Cutzupitae* (*Ep.* 53, 2) – et, en 411, ils étaient représentés à la conférence de Carthage par leur évêque, Felix.

27. *Ct., 1, 7* : « *in meridie* », compris géographiquement, au lieu du moment de la journée, « à l'heure de midi ». Le plus étonnant est qu'Augustin, qui aurait pu d'un mot corriger cette bévue, acceptera d'entrer dans cette interprétation fausse et de discuter longuement sur cette base : *sermon* 138, 9-10.

28. Sur la dette d'Augustin à l'égard d'Optat, surtout dans le *De baptismo*, cf. M. Labrousse, « Le baptême des hérétiques d'après Cyprien, Optat et Augustin : influences et divergences », dans *Revue des ét. aug.*, 42, 2, 1996, pp. 223-242, notamment pp. 232-242.

29. Les occurrences de la formule dans ses divers contextes ont été rassemblées par Y.M.-J. Congar, dans son Introduction générale aux *Traités antidonatistes*, *B.A.*, vol. 28, p. 98.

30. Pour Augustin, à la différence des schismatiques, ce n'était pas l'évêque, ni le collège des évêques, ni même l'Église en tant que somme des fidèles qui était l'opérateur des sacrements, mais le Christ, Verbe incarné.

31. Y.M.-J. Congar, dans Introd. aux *Traités antidonatistes*, *B.A.*, vol. 28, p. 123. Ajoutons que ces pages doivent beaucoup à ses analyses.

32. C'est le *tertium quid* d'une distinction faite d'abord par H.-I. Marrou (« Ciuitas Dei, ciuitas terrena. Num tertium quid ? » dans *Studia patristica*, 2, 1957, pp. 342-350), reprise et développée par P. Borgomeo, *L'Église de ce temps dans la prédication de saint Augustin*, Paris, Ét. aug., 1972, pp. 300-324.

CHAPITRE XXVI : La conférence de Carthage (411)

1. *Concilia Africae, CCL*, vol. 149, p. 199.

2. Le texte de l'édit proconsulaire fut cité lors des débats de la conférence de Carthage : *Actes*, III, 174, *S.C.*, vol. 224, p. 1123. Le proconsul y condamnait d'avance l'« hérésie » (*superstitio*) des « chefs d'une communauté égarée » (*magistri deuiae plebis*). Cette prise de parti annonçait l'imminence d'une intervention directe du pouvoir séculier dans le règlement des affaires religieuses en Afrique.

3. Le document n'a pas été conservé, mais il fut produit par les donatistes lors de la conférence de 411 : cf. *Breu. conl.*, III, 6 : « *Obtulerunt ergo donatistae gesta proconsularia et uicariae praefecturae, ubi catholici petierant eos actis municipalibus conueniri.* »

4. C'est-à-dire des centaines. La procédure n'était pas applicable là où l'Église schismatique avait le monopole épiscopal. Pour le détail de la procédure, voir la *forma conuentionis* dans *Concilia Africae*, p. 210.

5. Le *fundus Oliuetensis* (la « ferme des Oliviers ») : *Ep.* 105, 4 ; dans le *C. Cresc.*, III, 50, Augustin donne des précisions intéressantes (qu'il tenait évidemment de Possidius lui-même : cf. *Vita Aug.*, XII, 4) sur les réactions des témoins, majoritairement donatistes, mais apeurés à l'idée des conséquences et visiblement terrorisés par le prêtre Crispinus et ses hommes de main.

6. C. Th., XVI, 5, 39, au proconsul Diotimus.

7. *Sermon Dolbeau 26 (Mayence 62)*, 45 : « [...] *propter hoc oderunt nos et, si facultas detur, occidunt manu circumcellionum. Sed quia dominus adiuuit,* euasimus, *gratias agentes misericordiae domini* » (Cf. F. Dolbeau, *Vingt-Six Sermons au peuple d'Afrique*, p. 401 et 353-355 pour le commentaire). Une autre allusion rapide dans *Sermon Dolbeau 4 (M. 9)*, 3, *ibid.*, pp. 513-514.

8. Lors des *tempora Macariana*, au milieu du IVᵉ siècle, son évêque était ce Donatus qui avait organisé la résistance en Numidie contre les agents du pouvoir impérial ; sa mort violente avait fait de lui un martyr, au même titre que Marculus de Nova Petra (*C. litt. Pet.*, II, 32).

9. La prospection archéologique a révélé le nombre et souvent la qualité des basiliques et oratoires ruraux en Numidie : cf. A. Berthier, M. Martin et F. Logeart, *Les Vestiges du christianisme antique en Numidie centrale*, Alger, 1942.

10. *C. Cresc.*, III, 47, récit plus détaillé que dans la lettre plus tardive, et plus riche en détails « pittoresques » (la tour, la molle couche de fumier, la femme du pauvre paysan restée d'abord à l'écart pendant que son mari soulage son ventre), dont il vaudrait la peine de faire une étude typologique. Augustin avait lu Apulée et l'auteur des récits picaresques des *Métamorphoses* semble sous-jacent. Ce qui ne veut pas dire que le fait en soi ne soit pas véridique.

11. *Ep.* 88, 7 : « *Sed cum legati* Romam *uenerunt, iam cicatrices episcopi catholici Bagaitani horrendae et recentissimae imperatorem commouerant ut leges tales mitterentur quales et missae sunt.* » Non à Ravenne, mais bien à Rome, où Honorius avait inauguré son sixième consulat le 1ᵉʳ janvier 404 et où il résidera avec sa cour jusqu'à la fin de l'été. On savait cela en Afrique : cf. *sermon Dolbeau 25 (M. 61)*, 25 et 26.

12. Voir le texte de ce *commonitorium* dans *Concilia Africae*, p. 211-213.

13. *Ibid.*, p. 213, l. 1049-1062 ; C. Th., XVI, 5, 7

14. C. Th., XVI, 11, 2.

15. C. Th., XVI, 6, 4 : « [...] *aduersarios catholicae fidei* extirpare *huius decreti auctoritate prospeximus* ».

16. *Concilia Africae*, CCL, 149, p. 214 : « [...] *quia apud Carthaginem tantum unitas facta est* »... Le compilateur à qui nous devons les actes de ce concile les a abrégés en quelques lignes parce qu'il en jugeait, dit-il, les débats trop circonstanciels ! C'est ce manque de sens historique des compilateurs de la basse Antiquité et du Moyen Âge qui nous a souvent privés de larges pans des écrits de circonstance d'Augustin, dans les lettres et dans les sermons, notamment.

17. *Ep.* 86. Il se peut cependant que cette lettre – et les responsabilités administratives qu'elle implique pour Caecilianus – soit plutôt à dater vers 414 et concerne donc plutôt les suites répressives de la conférence de 411 : cf. A. Mandouze, *Prosop. chrét. du Bas-Empire. I. Afrique (303-533)*, p. 179, et S. Lancel, dans *Augustinus-Lexikon*, vol. 1, 1994, p. 690.

18. À jamais illustrée par la fameuse réplique de Donat : « Qu'a à voir l'empereur avec l'Église ? » (Optat, III, 3).

19. *Actes de la conf. de Carthage en 411*, III, 110-141, *S.C.*, vol. 224, pp. 1070-1096. Sur cette phase des débats de 411, cf. *supra*, p. 421.

20. Très probablement Valentinus de Vaiana, qui sera primat de Numidie une douzaine d'années plus tard.

21. Cet aphorisme célèbre est venu à Augustin dans le contexte de la lutte antidonatiste, mais parce qu'il formule la primauté de l'amour charité il a évidemment des résonances très larges : cf. J. Gallay, dans *Rech. de sc. relig.*, 43, 1955, pp. 545-555 ; A. Trapé, *Saint Augustin*, pp. 264-267 ; E. Dutoit, *Tout saint Augustin*, pp. 119-121.

22. Et donc, là où l'évêque donatiste et son clergé propre coexistaient avec une hiérarchie cléricale catholique naissait *ipso facto* une hiérarchie cléricale double avec les problèmes qui en découlaient. Ces problèmes seront encore plus nombreux et plus délicats après 411. Sur les solutions qui leur seront données, cf. S. Lancel, « Le sort des évêques et des communautés donatistes après la conférence de Carthage en 411 », dans *Internationales Symposion über den Stand der Augustinus-Forschung*, Würzburg, 1989, pp. 149-165.

23. Concile du 13 juin 407, c. 5, *Concilia Africae*, p. 216 (J.-L. Maier, *Le Dossier du donatisme*, II, p. 150).

24. Sur la localisation de Siniti, cf. *supra*, p. 355.

25. On se trouve en milieu citadin, comme l'attestent les allusions du prédicateur à la *rusticitas*, et comme le suggèrent aussi les amples dimensions de l'église où il prêche (§ 1). F. Dolbeau (*Vingt-Six Sermons au peuple d'Afrique*, p. 309) pense à Thagaste, chez Alypius ; ce pourrait être aussi Calama, chez Possidius.

26. *Sermon* 360. Le mérite de l'attribution de ce texte à Maximinus de Siniti revient encore à F. Dolbeau, qui a su en retrouver le titre initial : cf. *Revue bénédictine*, 105, 1995, pp. 293-308, et *Vingt-Six Sermons au peuple d'Afrique*, p. 630.

27. C. Th., XVI, 5, 43 ; J.-L. Maier, t. II, pp. 153-157. M.-F. Berrouard ne s'y est pas trompé, en datant la confiscation de l'église des donatistes à Hippone postérieurement à cette ordonnance : *Recherches augustiniennes*, VII, 1971, p. 118.

28. Comme le suggère l'éditeur du sermon, F. Dolbeau, dans *Vingt-Six Sermons au peuple d'Afrique*, p. 308.

29. C. Th., XVI, 5, 44 (J.-L. Maier, *Le Dossier du donatisme*, II, p. 159-160).

30. C. Th., XVI, 5, 46 (id., *ibid.*, pp. 162-168).

31. C. Th., XVI, 5, 47 (ID., *ibid.*, pp. 168-169).

32. Le texte ne nous en est pas parvenu, mais sa teneur est évoquée dans le procès-verbal du concile de Carthage du 14 juin 410 (*Concilia Africae*, p. 220) et dans l'édit du 25 août, qui l'abrogea (C. Th., XVI, 5, 51). Cf. A.C. DE VEER, « Une mesure de tolérance de l'empereur Honorius », dans *Rev. des études byzantines*, 24, 1966, pp. 189-195.

33. C. Th., XVI, 5, 51 (J.-L. MAIER, *Le Dossier du donatisme*, II, p. 172).

34. La date est indiquée dans le court extrait publié au Code Théodosien : C. Th., XVI, 11, 3 ; texte dans les *Actes de la conférence de Carthage en 411*, I, 4 et III, 29, *S.C.*, vol. 195, pp. 564-568, et 224, pp. 998-1004.

35. *Actes*, I, 4, *S.C.*, vol. 195, p. 564.

36. *Actes*, I, 5, p. 570.

37. *Actes*, I, 5, pp. 572-574.

38. Sur la diffusion de ce texte et plus largement sur les modalités d'organisation de la conférence, cf. S. LANCEL, dans *Actes de la conférence de Carthage en 411*, Introd. générale, *S.C.*, vol. 194, pp. 25-34.

39. Il avait profité de ce loisir forcé pour écrire à Dioscorus, le frère du *magister memoriae* Zenobius (cf. *supra*, p. 125), une longue lettre (*Ep.* 118) sur laquelle on reviendra ; il écrivait aussi à son clergé et à ses ouailles, inquiet qu'il était sur la situation de son église en son absence (*Ep.* 122).

40. Sur cette église et sa localisation, cf. en dernier lieu, L. ENNABLI, *Carthage*, 1997, pp. 31-32.

41. L. ENNABLI, *op. cit.*, p. 69-70.

42. Édit publié dans les *Actes*, I, 10, *S.C.*, vol. 195, pp. 576-586.

43. *Actes*, I, 14, *S.C.*, vol. 195, p. 590 : « [...] ut quamprimum de numero nostro constet ».

44. Les catholiques, ce disant, ne couraient pas grand risque ! Augustin a raconté plus tard que l'idée fut acceptée à l'unanimité des présents, à l'exception d'un vieil évêque qui refusa et d'un autre qui s'abstint, mais qu'on fit revenir sur leurs positions : *Gesta cum Emerito*, 6.

45. *Actes*, I, 16, pp. 594-598.

46. C'était le local non cultuel et donc choisi par Marcellinus pour sa neutralité. Nous savons qu'il était situé au milieu de la ville, et qu'il était spacieux, clair et frais. Cf. S. LANCEL, dans *Actes*, t. I, *S.C.*, 194, pp. 50-52.

47. *Actes*, I, 97, *S.C.*, 195, p. 698.

48. *Actes*, I, 150 (Possidius) ; 152 ; 154 ; 156 (Aurelius).

49. On lira l'exploitation de ces données dans l'Introduction générale aux Actes de la conférence, *S.C.*, vol. 194, pp. 108-167.

50. Analyse de cet épiscopat dans S. LANCEL, « Le recrutement de l'Église d'Afrique au début du ve siècle : aspects qualitatifs et quantitatifs », dans *De Tertullien aux Mozarabes. Mélanges offerts à J. Fontaine*, t. I, pp. 325-338.

51. *Actes*, II, 20, 23, 25, *S.C.*, vol. 224, p. 934. Pris en sténographie par plusieurs équipes d'*exceptores*, les volumineux procès-verbaux du 1er juin n'étaient encore que partiellement retranscrits en clair deux jours plus tard (cf. *Actes*, II, 53, p. 956). Les donatistes faisaient valoir leur incapacité à prendre connaissance du procès-verbal en son état brut (sur ces aspects techniques, cf. *Actes*, t. I, *S.C.*, 194, pp. 342-351).

52. *Actes*, II, 56, *S.C.*, 224, p. 958 : « Nous demandons à ta Hauteur de leur accorder cet ajournement. C'est humain : ils veulent examiner, ils veulent discuter, ils veulent venir bien préparés. » On notera qu'Augustin trouvait là les mêmes mots qu'il avait eus à l'égard du manichéen Felix en décembre 404 : *C. Felicem*, I, 20.

Dans la mise en œuvre de ces astuces procédurières, il est difficile de renvoyer catholiques et donatistes dos à dos, comme le fait M.A. TILLEY, « Dilatory Donatists or procrastinating Catholics : the trial at the Conference of Carthage », dans *Church History*, 60, 1991, pp. 7-19.

53. *Actes*, III, 15, p. 992.

54. Cf. *supra*, p. 410.

55. *Actes*, III, 120, pp. 1076-1078.

56. Voir la constatation amère de Petilianus : « *Sensim in causam inducimur !* » (*Actes*, III, 151, p. 1102).

57. *Actes*, III, 155, 187, 197, 199, 201, 214, pp. 1104, 1132, 1144, 1156. La distinction que faisait Augustin entre les deux causes, très solide, était aussi des plus habiles. Les donatistes avaient posé en principe, au début de la conférence (*Actes*, I, 20), que le débat devait être « ecclésiastique » ; mais en même temps, sachant bien que l'affaire, à demeurer au plan scripturaire, eût été vite réglée, ils ne pouvaient renoncer à leurs objections préalables, dont celle relative à la personne juridique du demandeur, qui était à l'origine de la production des documents d'archives. Ils étaient donc condamnés à ne pas choisir, sans pouvoir pour autant empêcher que les deux causes fussent successivement abordées.

58. *Actes*, III, 222, 226, 228, 230, 232, 235, 237, 242, pp. 1162-1178. À propos de Caecilianus (« *frater, non pater* » : *Actes*, III, 233), Augustin reprenait les paraboles évangéliques sur le mélange des bons et des mauvais dans l'Église de ce monde. Quant à l'origine de l'Église à laquelle il appartenait comme y avait appartenu Caecilianus, il appuyait son argumentation sur les textes cités dans la lettre synodale produite comme *mandatum* (*Actes*, I, 55) essentiellement sur *Lc*, 24, 46-47 et *Mt.*, 23, 9. La discussion sur *I Co.*, 4, 15 lui fut imposée par Montanus de Zama, dont il corrigea l'interprétation en citant *I Co.*, 3, 6-7.

59. *Actes*, III, 247, p. 1184 ; sur l'ordination épiscopale d'Augustin, cf. *supra*, p. 262 *sq.*

60. *Actes*, III, 265, p. 1224 (cf. III, 258, p. 1202 pour le texte des donatistes).

61. Les *Capitula* de Marcellus (abrégés ici *Capit.*) et le *Breuiculus conlationis* (*Breu. conl.*) d'Augustin.

62. *Breu. conl.*, III, 16-18.

63. *Capit.*, 296-303, *S.C.*, 195, pp. 502-504 ; *Breu. conl.*, III, 21-22.

64. Les discussions sur ces documents d'archives furent très longues. Nous renvoyons à notre analyse dans *Actes*, t. I, *S.C.*, vol. 194, pp. 91-102.

65. *Capit.*, 540 et 541, *S.C.*, 195, p. 548. Le juge impérial fit observer que la défection d'un des avocats pouvait donner matière à requête (*Capit.*, III, 542) ; mais les donatistes ne saisirent pas la balle au bond.

66. *Capit.*, III, 564 à 573, pp. 552-554. Ce sont les *Acta purgationis Felicis*, du 5 février 315, à lire dans J.-L. MAIER, *Le Dossier du donatisme*, t. I, 1987, pp. 171-187.

67. *Capit.*, III, 585, p. 556 ; *Breu. conl.*, III, 43. Rappelons que c'était le début de juin : les évêques et le juge étaient donc restés en séance, sans interruption semble-t-il, pendant une douzaine d'heures.

68. Sur la qualité de l'arbitrage de Marcellinus, cf. *Actes*, t. I, *S.C.*, 194, pp. 66-73, cf. aussi M. MOREAU, *Le Dossier Marcellinus dans la correspondance de saint Augustin*, Paris, Ét. aug., 1973, pp. 112 et 142-143, et A. MANDOUZE, *Prosopographie de l'Afrique chrét. (303-533). I. Afrique*, sv. Marcellinus 2, pp. 671-688.

69. *Actes*, I, 5, *S.C.*, 195, p. 574.

70. *Actes*, I, 7, p. 576.

71. Par exemple W.H.C. FREND, *The Donatist Church*, p. 275.

72. Leurs porte-parole avaient authentifié toutes leurs interventions à la conférence avec la mention : « sous réserve d'appel », et de fait ils firent appel : *Breu. conl.*, III, 16.

73. *Actes*, I, 4, lignes 10-13, *S.C.*, 195, p. 564.

74. Les amendes allaient jusqu'au paiement de 50 livres d'or pour les *illustres*, de très hauts personnages qu'il y avait peu de chances de rencontrer dans les rangs des schismatiques.

75. Cette assimilation insolite des circoncellions à un *ordo* est encore discutée : cf. J.E. ATKINSON, « Out of order : the Circumcellions and Codex Theodosianus, 16, 5, 52 », dans *Historia*, 41, 1992, pp. 488-499.

76. C. Th., XVI, 5, 52 (J.-L. MAIER, *Le Dossier du donatisme*, II, pp. 175-178).

77. C. Th., XVI, 5, 54 (ID., *ibid.*, pp. 179-283).

78. *Contra Gaudentium*, I, 28. Cf. les fines analyses de P.R.L. BROWN, « St. Augustine's Attitude to Religious Coercion », dans *Religion and Society in the Age of Saint Augustine*, Londres, 1972, pp. 260-278.

79. C'est la lettre 185, une des plus longues écrites par Augustin, à laquelle il a donné dans les *Révisions* le statut d'un livre : *De correctione donatistarum* (*Retract.*, II, 48). L'évêque d'Hippone n'aurait pas écrit si longuement au jeune capitaine s'il n'avait eu la prescience d'un mérite que la suite devait révéler.

80. En 386, à Milan, Augustin, encore extérieur à l'Église, mais proche d'Ambroise, avait certainement su la fin de Priscillien, haineusement poursuivi par ses collègues espagnols ; et il savait que l'honneur de l'Église avait été la condamnation de cette exécution par le pape Sirice, mais aussi par saint Martin de Tours et Ambroise lui-même.

CHAPITRE XXVII : Le dialogue avec les païens

1. *Concilia Africae*, *CCL*, 149, p. 196. L'ambassade dépêchée en Italie était d'ailleurs dûment mandatée dans ce sens : *ibid.*, p. 194. Elle n'eut sans doute pas satisfaction, puisqu'un second concile général réuni à l'automne de cette même année 401 réitéra sa demande de suppression du paganisme, notamment rural : *ibid.*, p. 205.

2. C. Th., XVI, 10, 15 ; 18

3. C. Th., XVI, 10, 19 (nov. 407).

4. Cette volonté politique a été commentée par Cl. LEPELLEY, « Le musée des statues divines », dans *Cahiers archéologiques*, 42, 1994, pp. 5-15. Voir aussi, du même, pour l'Italie comme pour l'Afrique, « Permanence de la cité classique et archaïsmes municipaux en Italie au Bas-Empire », dans *Institutions, société et vie politique dans l'Empire romain au IVe siècle apr. J.-C.*, Coll. EFR, 159, Rome 1992, pp. 364-366.

5. Nectarius, dans *Ep.* 103, 3 : « *Et si, ut quibusdam philosophis placet, omnia peccata paria sunt, indulgentia omnibus debet esse communis.* » Cette anthropologie de type stoïcien était répandue à cette époque dans les élites municipales, particulièrement en Afrique : cf. R. HANOUNE, « Le paganisme philosophique de l'aristocratie municipale », dans *L'Afrique dans l'occident romain, Ier siècle av. J.-C.-IVe siècle apr. J.-C.*, Coll. École fr. de Rome, 134, Paris-Rome, 1990, pp. 63-75.

6. Par exemple chez FUSTEL DE COULANGES, *L'Invasion germanique et la Fin de l'Empire*, Paris, 1890, p. 64.

7. Le premier artisan de cette révision fut un spécialiste du droit romain tardif, J. DÉCLAREUIL, notamment dans un article intitulé « Les curies municipales et le clergé au Bas-Empire », dans *Revue hist. de droit français et étranger*, 1935, pp. 26-53.

8. Cf. les analyses de Cl. Lepelley, *Les Cités de l'Afrique romaine au Bas-Empire*, I, Paris, 1979, pp. 372-376.

9. *Op. cit.*, p. 374. L'auteur écrivait cela en 1979 ; les choses évoluent très vite en cette fin de deuxième millénaire, et la situation « parareligieuse » qu'il décrit dans notre pays n'est déjà plus la même vingt ans après. Tout de même, l'avant-dernier (en date) de nos présidents de la République, agnostique mais « spiritua-liste » – « Je crois aux forces de l'esprit », disait-il d'un ton pénétré –, a cru bon de faire offrir à sa dépouille mortelle une messe à Notre-Dame de Paris.

10. C. Th., XVI, 10, 17 : « *Ut profanos ritus iam salubri lege submouimus, ita festos conuentus ciuium et* communem omnium laetitiam *non patimur submoueri* »...

11. Cf. A.-M. La Bonnardière, « Les "Enarrationes in Psalmos" prêchées par saint Augustin à Carthage en décembre 409 », dans *Rech. aug.*, 11, 1976, pp. 52-90 ; par exemple *Enarr. in Psalm.* 147, 7 : « [...] *sunt qui propterea hodie non uenerunt quia* munus est ». Cf. aussi *S. Dolbeau* 5 (*Mayence* 12), 7, qui annonce le prêche de l'*Enarr. in Psalm.* 147 : *Vingt-Six Sermons au peuple d'Afrique*, pp. 427 et 440.

12. Sur les deux Mélanie, et en particulier l'Ancienne, on lira les remarques critiques de N. Moine, « Melaniana », dans *Recherches augustiniennes*, XV, 1980, pp. 3-79.

13. C'est expressément affirmé dans la *Vie de sainte Mélanie*, version grecque, § 20, éd. D. Gorce, *Sources chrétiennes*, 90, 1962, p. 170.

14. *Vita Melaniae*, version latine, I, 15.

15. *Vie de sainte Mélanie*, vers. grecque, *S.C.*, 90, p. 170.

16. *Vita Melaniae*, I, 22, *S.C.*, 90, p. 172. La version latine (*Anal. Bolland.*, 8, 1889, p. 35) précise que les effectifs en furent constitués par des contingents des deux sexes de la domesticité servile du couple.

17. La lettre d'Albina n'est pas conservée, mais son ton et ses propos se déduisent de la réponse faite par Augustin (*Ep.* 126), dans une lettre où il s'efforçait un peu laborieusement de disculper ses paroissiens de l'accusation de cupidité ; sur cette lettre, cf. L.J. Swift, « On the Oath of Pinianus », dans *Congresso int. su S. Agostino nel XVI centenario della conversione, Atti*, vol. I,, Rome, 1987, pp. 371-379.

18. Voir l'analyse « scénique » qu'en a faite A. Mandouze, *Saint Augustin* [...], pp. 631-634.

19. L'attitude d'Augustin en cette circonstance est notamment analysée par G.A. Cecconi, « Un evergete mancato. Piniano a Ippona », dans *Athenaeum*, 66, 1988, pp. 371-389.

20. *Saturnales*, VI, 1, 1. Sur la personnalité intellectuelle de Ceionius Rufius Albinus, cf. J. Flamant, *Macrobe et le néoplatonisme latin à la fin du IVe siècle*, Leyde, Brill, 1977, pp. 59-62.

21. *Supra*, p. 125. Le frère de Ceionius Rufius Albinus, Caecina Albinus, avait lui aussi une épouse chrétienne. Sur cette pénétration du christianisme par les femmes dans ce milieu aristocratique, cf. A. Chastagnol, « Le sénateur Volusien et la conversion d'une famille de l'aristocratie romaine au Bas-Empire », dans *Revue des études anciennes*, 58, 1956, pp. 250-251. Sur ces « mariages mixtes », lire aussi P.R.L. Brown, « Aspects of the Christianization of the Roman Aristocracy », dans *Journal of Roman Studies*, 51, 1961, p. 6-7.

22. « Ce n'était point Accius et Virgile, Auguste ou même Antonin qu'il fallait prendre pour modèle, mais bien Scipion et Marius. C'est en abandonnant le com-mandement des armées que cette aristocratie s'est condamnée, et ainsi s'explique le caractère archaïsant et désuet de son impuissante propagande » : A. Piganiol, rendant compte dans le *Journal des savants*, 1945, p. 28, du livre de A. Alföldi, *Die Kontorniaten*, Budapest et Leipzig, 1943.

23. Sinon la mention que fait de ce proconsulat son ami Rutilius Namatianus, *De reditu suo*, I, 173-174.

24. En matière de magie, d'autres avaient fait mieux ! Sur le « Christ magicien », cf. G. Madec, « Le Christ des païens d'après le *De consensu euangelistarum* de saint Augustin », dans *Recherches augustiniennes*, 26, 1992, pp. 40-47.

25. *Ep.* 233, 234 (cf. 234, 1 : « *per meae opinionis sententiam, id est a pagano homine* ») et 235. Sur ces textes, cf. P. Mastandrea, « Il "dossier Longiniano" nell'epistolario di Sant'Agostino (epist. 233-235) », dans *Studia Patavina*, 25, 1978, pp. 523-540.

26. Cf. P. Courcelle, « Date, source et genèse des *Consultationes Zacchaei et Apollonii* », dans *Revue de l'hist. des relig.*, 146, 1954, p. 185 ; en dernier lieu, G. Madec, dans *Rech. aug.*, 26, 1992, p. 66.

27. *CIL*, VI, 1779. Sur le paganisme aristocratique dans la Rome chrétienne des papes Damase et Sirice, cf. Ch. Pietri, *Roma christiana*, I, pp. 427-460, et L. Cracco Ruggini, *Il Paganesimo romano tra religione e politica (384-394 d. C.)*, Rome, 1979.

28. Ce sont les lettres 137 et 138. Elles ont fait l'objet d'excellentes analyses, dues à M. Moreau, *Le Dossier Marcellinus dans la correspondance de saint Augustin*, Paris, Ét. aug., 1973, pp. 59-77.

29. Cf. S. Lancel, dans *Actes de la conférence de Carthage en 411*, t. IV, *S.C.*, vol. 373, p. 1333-1334 ; en dernier lieu, F. Dolbeau, *Vingt-Six Sermons au peuple d'Afrique*, 1996, p. 244-245.

30. *Sermon Dolbeau* 25 (*M.* 61), 27 (*Vingt-Six Sermons au peuple d'Afrique*, p. 267) : « *Cras ero christianus* » ; *cras, cras* était le cri du corbeau qui n'était pas revenu vers l'arche, c'était aussi le cri que poussait Augustin lui-même au plus profond de sa détresse dans le jardin de Milan juste avant l'élan libérateur : cf. *supra*, p. 142.

31. *Serm. Dolbeau*, 25, 27, *ibid.*, p. 266. Augustin revient souvent sur son injonction faite aux fidèles de montrer le bon exemple, facteur de conversion des païens ; cf. H. Chadwick, « Augustine on pagans and Christians : reflections on religious and social change », dans *History, Society and the Churches. Essays in Honour of Owen Chadwick*, Cambridge University Press, 1985, pp. 17-18.

32. *Enarr. in Psalm.* 93, 3. Sur ces problèmes de dénomination des jours et le maintien de la tradition en dépit des objurgations ecclésiastiques, cf. Ch. Pietri, « Le temps de la semaine à Rome et dans l'Italie chrétienne (IV⁰-VI⁰ s.) », dans *Le Temps chrétien de la fin de l'Antiquité au Moyen Âge (IIIᵉ-XIIIᵉ siècle)*, Paris, CNRS, 1984, pp. 63-97.

33. Sur l'ensemble de ces pratiques, voir le développement de F. Van Der Meeer, *Saint Augustin pasteur d'âmes*, t. I, pp. 108-114.

34. Augustin mentionnera la guérison, au sortir des eaux du baptême, d'un vieux médecin podagre à Carthage et d'un ancien mime paralytique à Curubis (Kourba) : *Cité de Dieu*, XXII, 8, 5 et 6.

35. Un théologien appellerait sans doute cela un « miracle interne », comme celui dont saint Paul bénéficia lors de sa conversion.

TROISIÈME PARTIE

LE DOCTEUR DE LA GRÂCE

CHAPITRE XXVIII : Pélage

1. On a parfois supposé un séjour (de deux ou trois ans) de Pélage en Sicile, ou il aurait composé son *De natura* : *Dict. de théol. cath.*, 12, art. « Pélagianisme », col. 680, § 2, b, reprenant une suggestion ancienne (1673) d'un grand jésuite, Jean Garnier. Mais pourquoi serait-il allé délibérément de Sicile en Afrique, où il n'avait que faire ? Il est bien plus probable que son passage en Afrique fut causé par les événements.

2. *Ep.* 146, qu'Augustin citera *in extenso* dans le *De gestis Pelagii*, 52, et que son destinataire gardera précieusement par-devers lui à toute éventualité, et qu'il produira plus tard pour sa défense. Pour authentifier son message, Augustin avait ajouté de sa main la salutation finale.

3. Jérôme a signalé son physique imposant, dû, raillait-il, à l'abus du « porridge » écossais (*In Ieremiam, Prol.*, 4 : « *Scottorum pultibus praegrauatus* » – ainsi le voyait-il en Palestine en 414/15), trait confirmé par OROSE, *Liber apologeticus*, 2, 5.

4. Sur le milieu romain dans lequel évoluait Pélage, outre le livre fondamental, mais sur bien des points dépassé, de G. de PLINVAL, *Pélage, ses écrits, sa vie et sa réforme*, Lausanne, 1943, pp. 47-71, on lira P. BROWN, « Pelagius and his supporters : aims and environment », dans *Journal of theol. Studies*, 19, 1968, pp. 93-112 et, du même, « The patrons of Pelagius : the Roman aristocracy between East and West », dans *J. Th. St.*, 21, 1970, pp. 56-72 (repris dans *Religion and Society in the Age of Saint Augustine*, 1972).

5. Cf. *supra*, p. 408. Evodius cosignera en 416, avec Aurelius, Alypius et Possidius, la lettre adressée au pape Innocent (*Ep.* 177) par Augustin contre Pélage. Voir, sur cette hypothèse, Y.-M. DUVAL, « La date du "De natura" de Pélage », dans *Rev. des ét. aug.*, 36, 1990, p. 283, note 178.

6. Selon P. COURCELLE, *Les* Confessions *de saint Augustin dans la tradition littéraire*, p. 580.

7. Sur ces textes, cf. *supra*, pp. 256-258 et 269-274. Sur ces premiers textes de Pélage, cf. G. MARTINETTO, « Les premières réactions antiaugustiniennes de Pélage », dans *Rev. des ét. aug.*, 17 ; 1971, pp. 83-117, et aussi les précieuses notes de A.C. DE VEER dans *B.A.*, 22, pp. 680-694.

8. On date habituellement ce *De natura* de Pélage aux environs de 414. Au terme d'une enquête serrée (dans *Rev. des ét. aug.*, 36, 1990, pp. 257-283, particulièrement pp. 272-278) Y.-M. DUVAL avance la date de 405/06.

9. Cf. sur Caelestius la notice récente de G. BONNER dans *Augustinus-Lexikon*, vol. 1, 1994, col. 693-698.

10. Plutôt que de 422, elle est datée de 412/13 par E. LAMIRANDE, « La datation de la "Vita Ambrosii" de Paulin de Milan », dans *Rev. des ét. aug.*, 27, 1981, pp. 44-55 (cf. déjà dans ce sens Y.-M. DUVAL, dans *Rech. aug.*, 4, 1966, p. 179).

11. Cf. F. REFOULÉ, « Datation du premier concile de Carthage contre les pélagiens et du "Libellus fidei" de Rufin », dans *Rev. des ét. aug.*, 9, 1963, pp. 41-49.

12. Ces propositions ont été transmises par Marius Mercator, mais Augustin les a citées lui aussi dans son *De gestis Pelagii*, 23. Cf. sur cet épisode O. WERMELINGER, *Rom und Pelagius*, Stuttgart, 1975, pp. 9-11.

13. Cette identification, déjà avancée par Jean Garnier au XVIIᵉ siècle, n'était pas acceptée par H.-I. MARROU, « Les attaches orientales du pélagianisme », dans *CRAI*,

1968, pp. 464-465 (repris dans *Patristique et Humanisme*, Paris, Le Seuil, 1976, pp. 331-344). Elle est cependant plus que probable : cf. la mise au point de A.C. DE VEER, « Le prêtre Rufinus », dans *B.A.*, 22, pp. 704-711.

14. Ep. 139, 3 : « *Cum uiderem neminem se uelle tanto aggeri litterarum legendo committere.* » Sur l'édition des *Actes* de 411, cf. S. LANCEL dans *S.C.*, vol. 194, pp. 353-363, et dans *Augustinus-Lexikon*, 1, 1994, col. 681.

15. Ce sera le *Contra donatistas, liber unus* : sur ce texte, cf. S. Lancel, *Augustinus-Lexikon*, 2, 1999.

16. Ét. GILSON, *Introduction à l'étude de saint Augustin*, 1929, p. 200, qui ajoute : « [...] le pélagianisme était la négation radicale de l'expérience personnelle d'Augustin ou, si l'on préfère, l'expérience personnelle d'Augustin était [...] la négation même du pélagianisme ».

17. Et même auparavant : cf. G. BONNER, art. « Baptismus paruulorum », dans *Augustinus-Lexikon*, vol. 1, 1994, col. 593-594.

18. *De pecc. mer.*, I, 21 : « *Potest proinde recte dici paruulos sine baptismo de corpore exeuntes* in damnatione *omnium* mitissima *futuros.* » Il confirmera ce point de vue dans le « Manuel » (*Enchiridion*, 93) avec le même terme (*mitissima poena*), sans qu'on sache, faute de précisions, ce qu'il entendait par là.

19. *De spiritu et littera*, 22 : « *Da quod iubes* » ; c'est le mot de *Conf.*, X, 40, déjà trois fois répété en *De pecc. mer.*, II, 5, comme faisant écho à des injonctions des *Psaumes*. Sur la formule et ses implications, cf. C. MAYER, « *Da quod iubes et iube quod uis* », dans *Augustinus-Lexikon*, vol. 2, fasc. 1-2, 1996, col. 211-213.

20. *De spiritu et littera*, 42. Sur les implications théologiques de ces textes au-delà des enjeux de la lutte antipélagienne, cf. I. BOCHET, « "La lettre tue, l'Esprit vivifie". L'exégèse augustinienne de *II Co.*, 3, 6 » dans *Nouv. Revue théol.*, 114, 1992, pp. 341-370.

21. Cf. M. MOREAU, *Le Dossier Marcellinus dans la correspondance de saint Augustin*, pp. 172-173.

22. La lettre à Demetrias se trouve en deux endroits de la *Patrologie latine*, en appendice aux lettres de Jérôme (*P.L.*, 30, 15-45) et d'Augustin (*P. L.*, 33, 1099-1120). En traduction française dans PÉRONNE, ÉCALLE et VINCENT, *Œuvres de saint Augustin*, Paris, Vivès, 1873, t. 6, pp. 339-379.

23. Sur cet épisode, cf. O. WERMELINGER, *Rom und Pelagius*, pp. 29-34.

24. Cf. l'article déjà cité de Y.-M. DUVAL, « La date du *De natura* de Pélage », dans *Rev. des ét. aug.*, 36, 1990, pp. 264-268 et, auparavant, O. WERMELINGER, *Rom und Pelagius*, pp. 39-40. Précisons que l'*opinio communis* est que Pélage a rédigé son *De natura* en Palestine en 414, et que Iacobus et Timasius l'ont de là adressé à Augustin (cf. par ex. M.-F. BERROUARD, dans *Recherches augustiniennes*, 16, 1981, pp. 149-150).

25. *Ep.* 166, 2 : « *Ecce uenit ad me religiosus iuuenis, catholica pace frater, aetate filius, honore compresbyter noster Orosius, uigil ingenio, promptus eloquio, flagrans studio.* » Il y avait comme une mise en garde sur l'« activisme » religieux d'Orose dans ce portrait en quelques touches adressé à Jérôme.

26. OROSE, *Liber apologeticus*, 3, 5 ; JÉRÔME, *Dialogue contre les pélagiens*, 3, 19.

27. Déjà affirmé par Pélage dans ses *Commentaires sur les 13 épîtres de l'apôtre Paul*, éd. A. Souter, dans *Texts and Studies*, 1926, p. 45.

28. OROSE, *Liber apologeticus*, 3, 6. Pélage aurait déclaré, à la suite d'une mise au point sur la grâce faite par l'évêque Jean de Jérusalem : « Tel est aussi ce que je crois. Anathème à celui qui prétend que sans l'aide de Dieu l'homme peut arriver au développement de toutes les vertus » (*De gestis Pelagii*, XIV, 37).

29. Il sera condamné par le successeur d'Innocent, Zosime : cf. O. Wermelinger, *Rom und Pelagius*, p. 68.

30. Ce dossier a été commodément rassemblé par O. Wermelinger, *Rom und Pelagius*, pp. 71-75 (texte allemand), pp. 295-299 (texte latin), essentiellement sur la base du *De gestis Pelagii*.

31. Le mot est de Jérôme dans une lettre adressée à Augustin un peu plus tard : *Ep.* 143, 2.

32. C'est la *Chartula defensionis suae* (cf. *De gestis Pelagii*, XXXII, 57-XXXIII, 58) qu'Augustin reçut par l'entremise, non d'un certain « Charus » dont le nom figure fautivement dans le *De gestis*, mais par celle de Palatinus, citoyen d'Hippone et diacre en Palestine.

33. Sur l'« utilisation » de ces reliques en Afrique, et en particulier à Hippone, cf. *supra*, pp. 332-335.

34. Dans la nouvelle lettre 19*, 1, qui contient sur cette phase de la controverse antipélagienne beaucoup d'informations soigneusement « décodées » et éclairées par les commentaires de Y.-M. Duval dans *B.A*, 46 B, 1987, pp. 507-515.

35. La lettre 4* (*B.A.*, 46 B, pp. 108-116), à lire avec les éclaircissements de Y.-M. Duval, *ibid.*, pp. 430-442, et aussi de J.-P. Bouhot, dans *Les Lettres de saint Augustin découvertes par J. Divjak*, 1983, pp. 147-153.

36. La chronologie (« vers juillet 416 ») que retenait encore G. de Plinval dans *B.A.*, 21, p. 423 est périmée à la suite de la découverte des nouvelles lettres d'Augustin.

37. *Ep.* 181, 182 et 183 dans la correspondance d'Augustin. Elles ont été analysées avec beaucoup de finesse par Ch. Pietri dans *Roma Christiana*, t. II, pp. 1196-1211, qui avait aussi mis en évidence (pp. 1186-1195) la grande habileté des deux synodales africaines.

38. Sur les convictions et les objectifs de Zosime, on lira Ch. Pietri, *Roma Christiana*, t. II, pp. 1219-1226.

39. Paulin de Milan, *Ep.* 8, dans *Collectio Avellana*, *CSEL*, 35, p. 108.

40. Cf. ce qu'Augustin dira de ces échanges : « *Tot enim et tantis inter apostolicam sedem et Afros episcopos currentibus et recurrentibus scriptis ecclesiasticis* » (*Contra duas ep. pelag.*, II, 5)

41. Zosime, *Ep.* 12 (« *Quamuis patrum* »), dans *Collect. Avellana*, 50, CSEL, 35, 1, 115-117.

42. Pour O. Wermelinger, *Rom und Pelagius*, pp. 196-205, et Ch. Pietri, *Roma Christiana*, II, pp. 933-934 et 1230-1233, la réalité de la pression impériale sur le pape ne fait aucun doute. A. Pincherle, *Vita di sant'Agostino*, p. 404, ne doute pas qu'Aurelius et Augustin aient été les inspirateurs d'Honorius. Réserves chez Y.-M. Duval dans *Rev. des ét. aug.*, 24, 1978, p. 245, qui ne veut pas éliminer l'hypothèse d'un appui du pouvoir impérial à la volte-face de Zosime.

43. On sait par des textes que cette *Basilica Fausti*, qui avait en annexe un baptistère, était hors les murs et qu'elle était vaste. On pencha parfois à l'identifier à l'ensemble de Damous el-Karita : cf. en dernier lieu L. Ennabli, *Carthage, une métropole chrétienne*, pp. 27-28 et 127.

44. Cf. « Restitutus 4 », évêque de Noua Sinna, dans *Prosop. chrét. du Bas-Empire. I-Afrique (303-533)*, p. 971.

45. Analyse très complète de ce texte dans O. Wermelinger, *Rom und Pelagius*, pp. 209-214.

46. *Ep.* 6*, à lire avec les éclaircissements de Y.-M. Duval dans *B.A.*, 46 B, pp. 444-456 ; cf. aussi M.-F. Berrouard, dans *Rev. des ét. aug.*, 27, 1981, pp. 269-275

47. Comme cela avait été le cas pour le *De natura* : cf. A.C. DE VEER, « Pélage et la paternité de ses écrits », dans *B.A.*, 22, p. 678.

48. La lettre à Démétriade est conservée (cf. *supra*, note 22). Le *Pro libero arbitrio* ne subsiste plus que par les citations qu'en a faites Augustin : elles sont rassemblées dans *P. L.*, 48, 611-613.

49. Sur la date du traité, cf. en dernier lieu B. DELAROCHE, « La datation du *De peccatorum meritis et remissione* », dans *Rev. des ét. aug.*, 41, 1995, pp. 37-57 : hiver 411-412.

50. *Rm.*, 5, 12. Tributaire d'une vieille traduction latine, Augustin lisait : « [...] *in quo omnes peccauerunt* » (littéralement : « en qui tous ont péché »), traduction fautive du grec « *eph'hô pantes hèmarton* », où le relatif doit être entendu non comme un masculin (renvoyant à Adam) mais comme un neutre et où la meilleure interprétation de *epi* serait sans doute de comprendre, soit en un sens purement temporel : « ensuite de quoi tous ont péché », soit en un sens à la fois consécutif et temporel : « par suite de quoi tous ont péché » (cf. sur ce sujet J.A. FITZMYER, « The Consecutive Meaning of *eph'hô* in Romans 5. 12 », dans *New Testament Studies*, 39, 3, 1993, pp. 321-339, dont les analyses et les interprétations nous paraissent préférables à celles de S. LYONNET, « Le péché originel et l'exégèse de *Rm.*, 5, 12-14 », dans *Rech. de science religieuse*, 44, 1956, pp. 63-84, qui retient un sens plutôt explicatif ou causal – « du fait que » – du *eph'hô* rendu si bizarrement par *in quo* [avec l'ambiguïté du relatif] dans la vieille traduction latine). Il ne s'ensuit cependant pas que cette faute du texte latin lu par Augustin annule tous ses développements théologiques, qui ne reposent pas sur cet unique verset, mais sur l'ensemble de la section 5, 12-20 de l'*Épître aux Romains* (bien vu, entre autres, par P.-M. HOMBERT, *Gloria gratiae*, 1996, p. 292, note 131). On revient sur l'utilisation augustinienne de *Rm.*, 5, 12, dans le cadre de la controverse avec Julien d'Éclane (*supra*, pp. 591-592).

51. En particulier un article lumineux de A. SAGE, « Péché originel. Naissance d'un dogme », dans *Rev. des ét. aug.*, 13, 1967, pp. 211-248.

52. Cf. A. SAGE, dans *Rev. des ét. aug.*, 13, 1967, p. 234.

53. Cette dernière caractérisation est de G. de PLINVAL, *Pélage*, p. 200, et le rapprochement des deux formules est de A. MANDOUZE, *Saint Augustin*, p. 415.

54. Cf. G. GRESHAKE, *Gnade als konkrete Freiheit* (« La Grâce comme liberté concrète »), Mayence, 1972.

CHAPITRE XXIX : 418-419

1. Cf. J.-L. MAIER, « La date de la rétractation de Leporius et celle du "sermon 396" de saint Augustin », dans *Rev. des ét. aug.*, 11, 1965, pp. 39-42.

2. Voir les analyses subtiles et mesurées de la position de Leporius dans F. DE BEER, « Une tessère d'orthodoxie. Le "Libellus emendationis" de Leporius (vers 418-421) », dans *Rev. des ét. aug.*, 10, 1964, pp. 145-185.

3. Voir la petite note de G. MADEC, « Leporius à l'école d'Augustin », dans *La Patrie et la Voie*, 1989, p. 244.

4. L'été de 418, Augustin était dans sa soixante-quatrième année, et ne voyageait certainement pas à cheval, mais avec les moyens de confort relatif des services de la poste officielle (*euectio publica*), qui lui permettaient de dicter tout en cheminant. Sur les distances et les conditions de voyage, cf. O. PERLER et J.-L. MAIER, *Les Voyages de saint Augustin*, pp. 31 et 346-347.

5. On s'en doutait, mais on sait maintenant depuis peu, grâce au *Sermon Dolbeau 2 (Mayence 5)*, 2 *(Vingt-Six Sermons [...]*, p. 328), que Fortunatus était un proche

d'Augustin, formé dans son monastère, et ordonné prêtre à Thagaste avant d'accéder à la chaire de Constantine.

6. Cf. *Concilia Africae*, *CCL*, 149, p. 226. Sur ces litiges, cf. S. Lancel, « Le sort des évêques et des communautés donatistes après la conférence de Carthage en 411 » dans *Internationales Symposion über den Stand der Augustinus-Forschung*, 1989, pp. 149-165, particulièrement pp. 159-163.

7. Canon du concile de Carthage du 13 septembre 401 : *Concilia Africae*, pp. 202-203.

8. *Ep.* 236, 1, lettre adressée d'Hippone à Deuterius, évêque « métropolitain » de Caesarea ; que ce soit Deuterius qui en soit informé est un indice que l'évêque Victor qui figure parmi les sanctionnés est bien Victor de Malliana, alors absent de sa cité, sans doute parce qu'il était à Rome pour soutenir son appel.

9. *Concilia Africae*, *CCL*, 149, p. 230 et 234.

10. *Ep.* 16*, 3, *B.A.*, 46 B, p. 272, et *Ep.* 23A*, 6, p. 380. Sur l'ensemble des faits, cf. S. Lancel, « Saint Augustin et la Maurétanie Césarienne : les années 418 et 419 à la lumière des nouvelles lettres récemment publiées », dans *Rev. des ét. aug.*, 30, 1984, pp. 48-59.

11. Iol, avant que Juba II ne donnât à sa capitale le nom de Caesarea, en l'honneur d'Auguste. On dispose depuis peu sur la ville et son environnement d'une bonne monographie : Ph. Leveau, *Caesarea de Maurétanie, une ville romaine et ses campagnes*, Coll. de l'École fr. de Rome, 70, Rome, 1984.

12. Sur ces épisodes, cf. *supra*, pp. 241-242. Le sac de Caesarea par les « Barbares » qui s'étaient introduits dans la ville à la suite de Firmus était resté célèbre. Symmaque dira que tout l'or et l'argent de la province y avaient disparu : *Ep.* I, 64, éd. J.-P. Callu, Les Belles Lettres, 1972, pp. 121-122 et 228.

13. Les ancêtres des Beni Menacer, qui donnèrent tant de fil à retordre à l'armée française lors de l'insurrection de 1871 : cf. P. Salama, « Vulnérabilité d'une capitale : Caesarea de Maurétanie », dans *L'Africa romana*, 5, 1988, pp. 253-269, particulièrement pp. 267-268.

14. La « *platea* » de *Gesta cum Emerito*, 1, est peut-être le forum que des fouilles occasionnelles ont récemment mis partiellement au jour à Cherchell : cf. Ph. Leveau, *Caesarea de Maurétanie*, pp. 40-42, sur le forum exhumé en 1977 par N. Benseddik et T.W. Potter.

15. *Contra Gaudentium*, I, 15 : « *Ad ecclesiam catholicam pariter uenimus ; adfuit maxima multitudo.* » Cette *ecclesia* est qualifiée de *maior* dans *Gesta cum Emerito*, 1, *initio*. On ne peut l'identifier avec la petite basilique mise au jour sur le forum, bien qu'elle ait été datée du début du vᵉ siècle : cf. N. Duval, dans *Rev. des ét. aug.*, 34, 1988, pp. 254-255.

16. Sur cette absence de liaison routière permanente, cf. M. Euzennat, « Les ruines antiques du Bou Hellou (Maroc) », dans *Actes du 101ᵉ Congr. nat. des soc. sav., Lille, 1976, Arch.*, Paris, 1978, pp. 295-297 et 312-329. P. Salama, dans sa carte sur le réseau routier de l'Afrique romaine, réserve la possibilité d'un tracé littoral entre Siga (Takembrit) en Césarienne et Rusaddir (Mellila) en Tingitane.

17. Il y a longtemps qu'on a noté les similitudes de formulaire – indices à basse époque de relations maintenues – entre les textes épigraphiques chrétiens de Volubilis d'une part, en Tingitane, et d'Altava, Pomaria (Tlemcen) et Numerus Syrorum (Marnia), d'autre part, en Césarienne : textes commentés en dernier lieu par G. Camps, « De Masuna à Koçeila. Les destinées de la Maurétanie aux viᵉ et viiᵉ siècles », dans *B.A.C.*, n. s., 19 B, 1985, pp. 307-324, notamment p. 320, article qui insiste à juste titre sur l'unité culturelle cimentée par le christianisme entre l'ancienne Césarienne et l'ancienne Tingitane. On sait d'autre part qu'au viᵉ siècle,

après leur éphémère reconquête, les Byzantins renoncèrent à réorganiser la Tıngıtane et rattachèrent Septem (Ceuta) à Caesarea dans le cadre de la Maurétanie Césarienne.

18. Cf. Ch. Courtois, *Les Vandales et l'Afrique*, Paris, A.M.G., 1955, pp. 53-54.

19. *Ep.* 93, 24 : « *Mauretania tamen Caesariensis, occidentali quam meridianae parti uicinior, quando* nec Africam *se uult dici, quomodo de meridie gloriabitur ?* » La remarque s'insérait dans une critique de l'ecclésiologie donatiste, qui voulait (sur la base de *Ct.* 1, 6) que la véritable Église fût « au midi ».

20. Et pour cause : du point de vue de l'anthropologie biblique, le problème de l'origine de l'âme est un faux problème. Cf. les pages lumineuses de Cl. Tresmontant, *La Métaphysique du christianisme et la Naissance de la philosophie chrétienne*, Paris, Le Seuil, 1961, pp. 577-612. Un peu plus loin (*Ep.* 190, 17-19), Augustin citait quelques textes scripturaires dans un sens ou dans l'autre, mais c'était pour reconnaître qu'ils n'étaient pas pertinents.

21. Jérôme (*Ep.* 165 dans le *corpus* augustinien) s'était contenté de dire à Marcellinus que la tradition occidentale et plus particulièrement africaine penchait pour le « traducianisme », alors qu'il était, luı, plutôt « créatianiste » ; mais il avait prudemment conseillé à Marcellinus de s'adresser à Augustin.

22. Sur cette lettre, lire les justes commentaires de M. Moreau, *Le Dossier Marcellinus dans la correspondance de saint Augustin*, pp. 88-89.

23. *Actes de la conf. de Carthage en 411*, t. II, *S.C.*, vol. 195, pp. 896-897.

24. Il y en avait une à Hippone, notamment, ainsi qu'à Uzalis, chez Evodius, à Simitthu (Chemtou), à Oea (Tripoli), et en bien d'autres endroits, où ces juiveries étaient anciennes. Sur ces implantations, cf. J.-M. Lassère, *Ubique Populus*, Paris, éd. du CNRS, 1977, pp. 413-426.

25. En dépit du scepticisme de A. Mandouze, dans *Prosop. chrét. du Bas-Empire. I-Afrique (303-533)*, s. v. Aptus 2, p. 88.

26. Cf. *Sur son retour*, I, v. 383-399, où les poncifs du juif avare et profiteur semblent fixés *ne varietur*.

27. Cf. Th. Raveaux, « *Aduersus Iudaeos*. Antisemitismus bei Augustinus ? » dans *Signum Pietatis. Festgabe für C.P. Mayer, Cassiciacum*, XL, 1989, pp. 37-51.

28. *Sermon* 351, 11. Ces textes ont été commentés par P. Salama, « La parabole des milliaires chez saint Augustin », dans l'*Africa romana*, 6, 2, Sassari, 1989, pp. 697-707.

29. Cf. Ch. Pietri, *Roma christiana*, t. II, pp. 1249-1250. La lettre du pape (*Ep.* 16 : *Miror uos*) est datée du 16 novembre 418.

30. Sinon déjà au début de l'été de 418 : cf. notre travail dans *Rev. des ét. aug.*, 30, 1984, pp. 51-53.

31. Ch. Pietri, *Roma christiana*, t. II, p. 1251, parle d'« ordination douteuse » ; en fait nous n'en savons rien ; la lettre synodale du 26 mai 419 au pape Boniface fait seulement état de ses *omnia errata* : *Concilia Africae, CCL*, 149, p. 157, ligne 24. Apiarius est déposé, mais garde son grade presbytéral : *ibid.*, lignes 30-31.

32. *Collectio Avellana, Ep.* 26-28 dans *CSEL*, 35, pp. 72-74.

33. On sait par l'*Elenchus* de Possidius (X[6], 144, dans *Miscellanea Agostiniana*, 2, p. 203) qu'Augustin prononça un sermon à l'occasion de l'élection et de l'ordination du successeur de Florentius.

34. *Concilia Africae, CCL*, 149, p. 169.

35. *Ibid.*, 149, p. 93.

36. *Ibid.*, 149, p. 266. Cf. Ch. Munier, « Un canon inédit du xxᵉ concile de Carthage », dans *Rev. des sc. relig.*, 40, 1966, pp. 113-126.

37. La conception collégiale des Africains a été bien mise en lumière par P. Zmire,

« Recherches sur la collégialité épiscopale dans l'Église d'Afrique », dans *Rech. aug.*, 7, 1971, pp. 3-72.

38. Probablement l'église-cathédrale d'Aurelius. Peut-être l'édifice mis au jour au lieudit « Carthagenna », dans le quartier des ports : cf. L. Ennabli, *Carthage. Une métropole chrétienne* [...], Paris, CNRS, 1997, p. 70 ; mais voir les remarques sceptiques de N. Duval dans *Antiquité tardive*, 5, 1997, p. 321.

39. *Concilia Africae*, CCL, 149, pp. 231 et 232.

40. Cf. M.-F. Berrouard, « Un tournant dans la vie de l'Église d'Afrique : les deux missions d'Alypius en Italie à la lumière des *Lettres* 10*, 15*, 16*, 22* et 23*A de saint Augustin », dans *Rev. des ét. aug.*, 31, 1985, pp. 46-70, notamment pp. 49-63 pour les années 419-420.

41. On admirera la rigueur d'analyse qui avait déjà permis à A.C. De Veer (dans *B.A.*, 22, p. 290) de parvenir à cette approche chronologique sans disposer encore des informations de l'*Ep.* 23*A.

42. Car nous pensons comme A.C. De Veer (*B.A.*, 22, p. 312) que Vincentius Victor n'écrivait pas pour son compte, mais pour celui d'un groupe de clercs qui avaient apprécié ses capacités rhétoriques : peut-être ceux que dans l'*Ep.* 23*A (4, *initio*) à Possidius Augustin appelle bizarrement les *Hispani episcopi*, recourant à un pluriel qui paraît une extrapolation à partir du seul *episcopus Hispanus* nommé, Optatus ; ou bien Petrus, *presbyter Hispanus*, est-il compris dans ce pluriel ?

43. *Concilia Africae*, c. 3, CCL, 149, p. 70.

44. *Passion de Perpétue et de Félicité*, VII, 4-10, et VIII, 1-4, à lire dans la belle édition récente de J. Amat, *S.C.*, vol. 417, Éd. du Cerf, 1996, pp. 128-132.

45. Sur la possibilité que Victor ait pu, à travers le « prêtre espagnol », Petrus, être influencé par les idées origénistes et priscillianistes répandues alors en Espagne au témoignage d'Orose, cf. A.C. De Veer, « Aux origines du *De natura et origine animae* de saint Augustin », dans *Rev. des ét. aug.*, 19, 1973, p. 156.

46. Pour la chronologie et les détails de toute l'affaire, cf. S. Lancel, « Saint Augustin et la Maurétanie Césarienne (2) », dans *Rev. des ét. aug.*, 30, 1984, pp. 251-262, en particulier pp. 257-259.

Chapitre XXX : « *Cherchez sans cesse son visage* » : le *De Trinitate*

1. *Saint Augustin et l'augustinisme*, Paris, Le Seuil, 1955, p. 145. Lire aussi, du même, « Saint Augustin et l'ange. Une légende médiévale », dans *L'Homme devant Dieu. Mélanges de Lubac*, t. II, Paris, 1964, pp. 137-149, repris dans *Christania tempora*, (coll. EFR, 35), Rome, 1978, pp. 401-413.

2. *Ep.* 174. Nous savons qu'Augustin a rajouté les prologues des livres I, II, III, IV et V, la seconde partie du livre XII, les livres XIII, XIV et XV : cf. A.-M. La Bonnardière, *Recherches* [...], Paris, 1965, pp. 165-177.

3. *De ord.*, II, 44 ; cf. *supra*, p. 158. Sur cette influence porphyrienne, A. Solignac, « Réminiscences plotiniennes et porphyriennes dans le début du *De ordine* de saint Augustin », dans *Archives de philosophie*, 20, 1957, p. 461.

4. *De diu. quaest. ad Simpl.*, II, *qu.* 2, 1. Sur l'indicibilité de Dieu, *cf.* G. Madec, art. « Deus », dans *Augustinus-Lexikon*, vol. 2, fasc. 3/4, 1999.

5. *De octo Dulcitii quaestionibus*, 5, 4 : « *Ego enim, quod et supra de me commemoraui*, magis amo discere quam docere. » La date de ce texte est difficile à fixer : peut-être 424 (cf. G. Madec, *Introduction aux « Révisions »*..., p. 157).

6. Cf. A.-M. La Bonnardière, *Recherches* [...], p. 176 : postérieur à 420. La validité de ces « analyses stratigraphiques » du *De Trinitate* est parfois contestée : cf. A. Pincherle, *Vita di sant'Agostino*, p. 255.

7. Cf. Cl. Tresmontant, *Introduction à la théologie chrétienne*, pp. 352-354.

8. Sur les aspects plus proprement occidentaux de la querelle, cf. M. Meslin, *Les Ariens d'Occident, 335-430*, particulièrement pp. 253-324.

9. B. Studer a bien montré, par le rassemblement et le commentaire de nombreux textes tirés notamment de la prédication de l'évêque, que le concept d'*aequalitas* (entre le Père et le Fils, mais aussi entre les trois personnes de la Trinité) est fréquemment mis en avant par Augustin pour rendre le consubstantiel de Nicée : cf. B. Studer, « Augustin et la foi de Nicée », dans *Rech. aug.*, 19, 1984, pp. 133-154, particulièrement pp. 141-154.

10. Par exemple dans la « Déclaration de Sirmium » en 357 : cf. M. Meslin, *Les Ariens d'Occident*, p. 277. Sur le détail de l'exploitation arienne du verset johannique, cf. M. Simonetti, « Giovanni 14, 28 nella controversia ariana », dans *Kyriakon. Festschrift Johannes Quasten*, Münster, 1970, pp. 151-161.

11. Texte fondateur – comme l'est aussi en un autre sens le prologue johannique – de sa christologie, fréquemment cité par Augustin dans ses premières œuvres avant de devenir comme ici une *regula fidei* : cf. A. Verwilghen, *Christologie et spiritualité selon saint Augustin*, Paris, Beauchesne, 1985, pp. 344-400.

12. *De Trin.*, II, 7. Les Ariens ne sont pas nommément désignés comme les objecteurs ; faut-il pour autant penser (avec M.-F. Berrouard, dans *B.A.*, 73 A, p. 471) qu'Augustin a dû attendre que le *Sermo Arianorum* lui vienne entre les mains à l'automne de 419 (cf. *Ep.* 23*A,, 3, *B.A.*, 46 B, p. 372) pour pouvoir mettre un nom sur l'objection ?

13. *De Trin.*, II, 17. À noter qu'Augustin se détachait d'une tradition (encore présente chez Hilaire de Poitiers, *De Trin.*, 4, 25) qui attribuait au Fils seul la vision de Mambré.

14. On a cru déceler non seulement dans le prologue du livre IV de *De Trinitate*, mais aussi dans le corps du livre des traces de la controverse antipélagienne qui le dateraient après 411. A.-M. La Bonnardière (*Recherches de chronologie*, p. 173) voulait même voir dans les *phantasmata* de *De Trin.*, IV, 14 un écho du débat contre les Ariens tel qu'Augustin l'a mis en forme dans le *Sermo Arianorum*, postérieur donc à 419 ; mais cette grande dame des études augustiniennes pourrait bien s'être ici trompée.

15. Cf. R. Braun, *Deus Christianorum. Recherches sur le vocabulaire doctrinal de Tertullien*, Paris, PUF, 1962, pp. 167-170. Généralisant *substantia* pour traduire *ousia*, Tertullien était d'accord avec Apulée pour repousser *essentia*.

16. Cf. R. Braun, *Deus christianorum*, p. 227.

17. Cf. M.-F. Berrouard, « La défiance d'Augustin à l'égard du mot *persona* en théologie trinitaire », dans *B.A.*, 73 A, 1988 (à propos de *Tract. in Ioh. euang.*, 39, 3).

18. On s'accorde en général à penser que ceux que vise Augustin sont les « eunomiens » (qui insistaient sur l'« *agennesia* », l'aséité de Dieu, par opposition au Fils « *genitus* » qui n'était donc pas de même substance) : cf. A. Schindler, *Wort und Analogie in Augustins Trinitätslehre*, Tübingen, 1965, pp. 151-153 ; O. Du Roy, *L'Intelligence de la foi en la Trinité selon saint Augustin*, 1966, p. 458. On a voulu récemment y reconnaître plutôt des « homéens » : M.R. Barnes, dans *Journal of Theol. Studies*, 44, 1, 1993, pp. 185-195.

19. Références chez O. Du Roy, *L'Intelligence de la foi en la Trinité selon saint Augustin*, p. 438.

20. *De Trin.*, XII, 10. Voir T.J. Van Bavel, « Woman as Image of God in Augustine's *De Trinitate* XII », dans *Signum pietatis. Festgabe f. C.P. Mayer O.S.A. zum 60. Geburtstag*, Würzburg, 1989, pp. 267-288.

21. Cf. A.-M. La Bonnardière, « Les deux vies. Marthe et Marie », dans *Saint Augustin et la Bible*, Paris, Beauchesne, 1986, pp. 411-425.

22. *De Trin.*, XIII, 24. Sur ce thème, cf. G. Madec, « Christus, scientia et sapientia nostra. Le principe de cohérence de la doctrine augustinienne », dans *Recherches augustiniennes*, 10, 1975, pp. 77-85.

23. Cf. les analyses de J. Moingt dans *B.A.*, t. 16, pp. 632-634.

24. *De Trin.*, XV, 47. Pour faire comprendre que cette « procession » n'est pas une génération, Augustin citera ensuite (XV, 48) un long passage d'un de ses sermons sur l'Évangile de Jean, en précisant que dans ce prêche il s'adressait à des croyants, non à des incroyants : ce dernier mot pourrait fournir la clef de cet excursus un peu inattendu. À noter que le début de XV, 49 s'adresse aussi aux incroyants.

CHAPITRE XXXI : La *Cité de Dieu*

1. Sur ces ravages subis par la ville, cf. P. Courcelle , *Histoire littéraire des grandes invasions germaniques*, 3e édit., Paris, Ét. aug., 1964, pp. 51-55.

2. *In Ezech.*, 1, *prol.* En fait Marcella succombera quelques mois plus tard des suites des mauvais traitements endurés pendant ces trois jours : Jérôme, *Ep.* 127, 13-14.

3. F. Paschoud, *Roma aeterna. Études sur le patriotisme romain dans l'Occident latin à l'époque des grandes invasions*, Rome, 1967, p. 236. Voir les analyses plus équilibrées de H. Inglebert, *Les Romains chrétiens face à l'histoire de Rome*, Paris, Ét. aug., 1996, pp. 421-424, sur ces premières réactions d'Augustin.

4. La formule est d'A. Mandouze, *Saint Augustin*, p. 322. Voir Prudence, *Peristephanon*, II, 553-560.

5. *Ep.* 130, 10 ; rapprochements faits par J. Doignon dans *Rev. des ét. aug.*, 36, 1990, p. 135.

6. *De excidio urbis*, 2. Datable des derniers mois de 411 – si ce n'est du début de 412 – le *De excidio urbis* apparaît comme l'aboutissement et la conclusion de cette série de sermons directement inspirés par la chute de Rome ; sur l'ensemble de la série, cf. en dernier lieu J.-Cl. Fredouille, « Les sermons sur la chute de Rome », dans *Augustin prédicateur. Actes du colloque int. de Chantilly (5-7 sept. 1996)*, Paris, Ét. aug., 1998, pp. 439-448.

7. Déjà, dans un texte datable sans doute de l'hiver de 403-404 : *sermon Dolbeau* 6 (M. 13), 13 (*Vingt-Six Sermons*, p. 466) : « *Legant priorum saeculorum mala* in suis litteris », à quoi fait écho le *historia eorum* du *sermon* 296, 7 de 411. Sur le thème des *tempora christiana* chez Augustin, cf. G. Madec, « *"Tempora christiana"*. Expression du triomphalisme chrétien ou récrimination païenne ? » dans *Petites Études augustiniennes*, Paris, Ét. aug., 1994, pp. 233-259.

8. *Sermo Casinensis*, I, 133, 9 (*Miscellanea Agostiniana*, I, p. 407) = *sermon* 296, 7, cité et commenté par G. Madec, « Le *De Ciuitate Dei* comme *De uera religione* », dans *Petites Études augustiniennes*, Paris, 1994, pp. 189-213 (ici, p. 191), reprise d'une conférence prononcée à Pérouse en 1990.

9. *Enarr. in Psalm.* 83, 1, et 136, 9. Le thème apparaît avec une orchestration remarquable dans l'un des nouveaux sermons récemment publiés, peut-être prononcé à Carthage l'hiver de 403-404 : *sermon Dolbeau* 6 (*M.* 13), 15 (*Vingt-Six Sermons*, pp. 467-468). La symbolique du pressoir a été étudiée par S. Poque, *Le Langage symbolique dans la prédication d'Augustin d'Hippone*, t. I, Paris, Ét. aug., 1984, pp. 157-170.

10. *Ep.* 138, 16. Sur l'exploitation polémique par Augustin des historiens latins, cf. A. Schindler, « Augustin und die römischen Historiker », dans *Augustiniana Traiectina*, Paris, 1987, pp. 153-168. Cf. aussi, du même, « Augustine and the

History of the Roman Empire », dans *Studia Patristica*, XXXII, Louvain, 1989, pp. 326-336.

11. *Ep.* 138, 17. Sur ce thème de la *pietas* chrétienne comme agent de conservation de la cité terrestre, cf. C.P. MAYER, « *Pietas* and *uera pietas quae caritas est* », dans *Augustiniana Traiectina*, 1987, pp. 119-136, particulièrement p. 125.

12. On a parfois pensé à Rutilius Namatianus, mais autant que les dates, les intentions de son poème rendent l'hypothèse peu plausible : cf. G. BARDY, dans Intr. gén. à la *Cité de Dieu*, B.A., vol. 33, pp. 23-24.

13. *Cité de Dieu*, V, 26, 2 : « *audiui* quosdam *nescio quam aduersus eos* [*libros*] *responsionem scribendo praeparare* ».

14. OROSE, *Histoires*, I, *prol.* 11. 417 est la date d'achèvement de ce livre du prêtre espagnol.

15. Cf. G. BARDY, dans *B.A.*, vol. 33, p. 29.

16. Cette présentation des principales articulations de la *Cité de Dieu* doit beaucoup à l'exposé sobre et clair qui en est fait par G.J.P. O'DALY, « Ciuitate dei (De-) », dans *Augustinus-Lexikon*, vol. 1, 1994, col. 979-982. Outre l'Introduction de G. BARDY dans *B.A.*, vol. 33, pp. 35-52, toujours utile est le livre de J.-Cl. GUY, *Unité et structure logique de la « Cité de Dieu » de saint Augustin*, Paris, Ét. aug., 1961, à compléter par B. STUDER, « Zum Aufbau von Augustins *De ciuitate dei* », dans *Mélanges T.J. Van Bavel*, t. II, Louvain, 1990, pp. 937-951.

17. *L'Orateur*, XXIII, 75, où Cicéron prononce le mot avant d'aborder les genres et les styles : ce n'était pas le même niveau de difficulté !

18. H.-I. MARROU, *Saint Augustin et la fin de la culture antique*, pp. 668-670.

19. En ce sens, B. STUDER, « Zum Aufbau von Augustins *De ciuitate dei* », dans *Mélanges T.J. Van Bavel*, t. II, Louvain, 1990, p. 947. Mais il faut ajouter que pour Basil Studer le point culminant de la *Cité de Dieu* est atteint à la fin du livre X, avec ce grand mouvement marqué par de fortes reprises anaphoriques qui est une proclamation solennelle de la religion chrétienne comme voie universelle du salut : « *Haec est igitur universalis animae liberandae uia* »... (X, 32, 2). Dans cette perspective, la grande seconde partie de l'œuvre ne sera qu'une *confirmatio*, au sens quasi rhétorique du mot en latin.

20. Il suffit de lire en dernier lieu – pour l'instant ! – les pages consacrées au sujet par J. VAN OORT, *Jerusalem and Babylon. A study into Augustine's City of God and the Sources of His Doctrine of the Two Cities*, Leyde, Brill, 1991, pp. 77-86, pour constater combien ces spéculations sont oiseuses. La moins absurde est la remarque que dans le « Psaume abécédaire » contre les donatistes – *cf. supra*, p. 246 – le refrain (*hypopsalma*) revient à vingt-deux reprises. Mais on ne voit pas comment la raison de ce nombre, qui est ici celui des lettres de l'alphabet, peut jouer dans le cas de la *Cité de Dieu*.

21. Son *Histoire contre les païens*, en sept livres dédiés à Augustin, avait des perspectives tout à fait différentes : cf. P. BROWN, *Vie de saint Augustin*, p. 350, et, dans un sens différent, A. MANDOUZE, *Saint Augustin*, pp. 326-328.

22. J.-Cl. GUY, *Unité et Structure logique de la « Cité de Dieu » de saint Augustin*, p. 125.

23. C'est l'*Ep.* 1*A, B.A., 46 B, pp. 54-58 (première publication par C. LAMBOT, dans *Rev. bénéd.*, 51, 1939). À la fin de cette lettre, Augustin signale un sommaire (*breuiculus*) qui est une table des matières développée ; H.-I. MARROU a montré qu'il est l'œuvre d'Augustin lui-même : « La division en chapitres des livres de la *Cité de Dieu* », dans *Mélanges J. de Ghellinck*, 1951 (repris dans *Patristique et Humanisme*, 1976, pp. 253-265).

24. Sur la genèse du thème des « deux cités » et des « deux amours », cf. surtout

A. Lauras et H. Rondet, « Le thème des deux cités dans l'œuvre de saint Augustin », dans *Etudes augustiniennes*, Paris, Aubier, 1953, pp. 99-160 ; en dernier lieu, J. Van Oort, *Jerusalem and Babylon* [*op. cit.*], pp. 108-123.

25. Et sans doute sous l'influence, entre autres prédécesseurs, de Tyconius, comme on s'accorde à le reconnaître : voir G. Bardy, *Saint Augustin. L'homme et l'œuvre*, p. 334-335 et J. Van Oort, *Jerusalem and Babylon*, p. 122.

26. L'inscription dédicatoire gravée dans le rocher (*CIL*, XII, 1524 : cf. A. Blanchet, *Carte archéologique de la Gaule romaine*, fasc. VI, Basses-Alpes, n° 70, pp. 22-23) est toujours visible au lieudit Pierre-Écrite, à quelques kilomètres au nord-est de Sisteron. Cf. H.-I. Marrou, « Un lieu dit "Cité de Dieu" », dans *Augustinus Magister*, vol. I, Paris, Ét. aug., 1954, pp. 101-110.

27. *De uera relig.*, 77. Cf. R.A. Markus, *Saeculum. History and Society in the Theology of St Augustine*, Cambridge, 1970, pp. 75-76.

28. *Cité de Dieu*, V, 26, 1. Sur cet éloge de Théodose – « un document théologique » : p. 175 –, cf. Y.-M. Duval, dans *Recherches augustiniennes*, IV, 1966, pp. 135-179.

29. *Cité de Dieu*, XIX, 15 : « *non hominem homini, sed hominem pecori* ». Ces textes d'Augustin ont été finement analysés par R.A. Markus, dans *Saeculum. History & Society in the Theology of St Augustine*, pp. 197-210, reprenant l'essentiel d'un article publié dans *The Journ. of Theol. Studies*, 16, 1965, pp. 69-82.

30. Voir les belles pages récemment consacrées à ce thème – notamment le sens que Virgile a donné au retour de l'âge d'or dans sa *IVe Bucolique* – dans le livre de A. Novara, *Les Idées romaines sur le progrès*, t. II, Paris, Les Belles Lettres, 1983, pp. 682-708.

31. Sur cette image du triptyque, voir les belles pages de H.-I. Marrou, *Théologie de l'histoire*, Paris, Le Seuil, 1968, pp. 31-35, toutes nourries, comme l'ensemble de ce grand livre, par la *Cité de Dieu*. On en trouvera une analyse et un reflet fidèle dans un texte de A. Mandouze, « Une théologie de l'histoire inspirée par saint Augustin », dans *De Renan à Marrou. L'histoire du christianisme et les progrès de la méthode historique*, Lille, Éd. du Septentrion, 1999.

32. *Gn.*, 1, 28 ; mais l'évêque souligne que cet encouragement à la procréation donné au premier couple humain est antérieur à la faute, et que si l'homme et la femme avaient persisté dans leur obéissance à Dieu et avaient procréé hors de la concupiscence et dans la félicité, « cette félicité se serait maintenue jusqu'à ce que par l'effet de la bénédiction divine le nombre des saints prédestinés eût été complet » (*Cité de Dieu*, XIV, 10). À l'époque de la rédaction du *Bien du mariage* (*De bono coniugali*, 2) Augustin se demandait encore si cet accroissement avant le péché ne devait pas être purement spirituel ; mais maintenant il ne doute plus qu'il s'agisse d'un accroissement physique, obtenu par des voies corporelles : cf. *Cité de Dieu*, XIV, 20-24 et déjà *De Genesi ad litteram*, IX, 9.

33. *Ep.* 197 et 199, cette dernière, *De fine saeculi*, ayant la dimension d'un petit traité. Augustin renvoie dans la *Cité de Dieu* (XX, 5, 4) à ce texte qui datait de 420.

34. *Enarr. in Psalm.* 64, 4 : c'est la base de « l'eschatologie inchoative » évoquée par H.-I. Marrou dans sa *Théologie de l'histoire*, p. 89. « Travaille comme si tu devais vivre toujours, vis comme si tu devais mourir ce jour même » : c'était la maxime de vie d'Anne-Marie La Bonnardière, que nous avons eu le chagrin de perdre en ce printemps de 1998.

35. Voir la page finale des *Confessions* (XIII, 50-53) sur la paix du septième jour qui n'a point de soir. Augustin s'est accusé lui-même (*Cité de Dieu*, XX, 7, 1) d'avoir été « millénariste » dans ses textes de jeunesse (par exemple *sermon* 259,

2) qui distinguaient le repos temporel du septième jour et la béatitude intemporelle du huitième jour. Mais on a montré les limites du « millénarisme » d'Augustin à cette époque : cf. G. FOLLIET, « La typologie du sabbat chez saint Augustin », dans *Rev. des ét. aug.*, 2, 1956, pp. 371-390.

CHAPITRE XXXII : Julien d'Éclane

1. On hésite parfois, pour son nom, entre Memorius, nom que lui donne Augustin (voir l'adresse de l'*Ep.* 101) et Memor, qu'on lit chez Paulin de Nole (*Carmen* 25, v. 101, 212 et *passim*). Mais ce nom, Memorius, avec ses trois syllabes brèves à la suite, ne pouvait trouver place dans les distiques élégiaques de Paulin, trop heureux par ailleurs de jouer avec les variations de Memor/*memor* (cf. *Carmen* 25, v. 225, 240 et 241). Il est vrai cependant que le nom du père de Julien se lit sous la forme Memor dans le *Contra Iulianum*, I, 12.

2. On a déjà vu (cf. *supra*, pp. 204-205) que ce couronnement était d'un ton et d'une inspiration tout différents. Son « introduction » au moins (*De musica*, VI, 1) date des années de l'épiscopat, comme le pensait H.-I. MARROU (*Saint Augustin et la fin de la culture antique*, p. 583).

3. Cf. F. REFOULÉ, « Julien d'Éclane, théologien et philosophe », dans *Recherches de science religieuse*, 52, 1964, pp. 42-84 et 233-247 (pour les sources de sa philosophie) ; à lire avec les remarques critiques de F.-J. THONNARD, « L'aristotélisme de Julien d'Éclane et saint Augustin », dans *Rev. des ét. aug.*, 11, 1965, pp. 296-304, qui note qu'il s'agit d'un « aristotélisme éclectique », surtout mis en œuvre à des fins polémiques.

4. On peut pourtant soupçonner qu'en matière de sexualité l'« auditeur » mani-chéen qu'il était s'est soumis aux impératifs de la secte, puisque aucune autre naissance ne survint dans les douze ans de vie commune certainement non continente qui suivirent la naissance d'Adeodatus. Au demeurant, Augustin en fait pratique-ment lui-même l'aveu deux ou trois ans après sa rupture avec sa compagne dans son pamphlet contre la secte : « N'est-ce pas vous qui aviez coutume de nous commander d'observer, autant que possible, le temps où la femme après les règles était apte à la conception, et de nous abstenir pendant ce temps de coucher avec elle, afin d'éviter d'engager une âme dans la chair ? » (*De mor. manich.*, II, 65). C'était faire de la compagne, comme il le dit un peu plus loin, au lieu d'une « épouse » (*uxor*), une « courtisane » (*meretrix*). Que ces années aient pesé rétros-pectivement sur lui est une évidence.

5. À la fin de l'hiver de 411-412, Augustin mit Honoratus en garde contre ceux – Pélage et ses disciples – qui bien que *continenter uiuentes*, avaient de la grâce et du Christ des conceptions qu'il jugeait hérétiques *(Ep.* 140, 83) ; Julien a pu être du nombre de ces pélagiens rencontrés par Honoratus.

6. Cf. Ch. PIETRI, *Roma christiana*, t. II, pp. 1230-1232.

7. Cf. *Ep.* 200 (au comte Valerius), 1. Sur ces mouvements des porteurs de lettres, notamment du prêtre Firmus, cf. Y.-M. DUVAL, « Julien d'Éclane et Rufin d'Aqui-lée », dans *Rev. des ét. aug.*, 24, 1978, pp. 246-247. Mais peu probable est l'hypo-thèse selon laquelle Firmus aurait remporté en Italie un exemplaire du premier livre du *De nuptiis*, déjà rédigé par Augustin, avant le début de l'hiver de 418-419.

8. Cf. M.-F. BERROUARD, « Un tournant dans la vie de l'Église d'Afrique : les deux missions d'Alypius en Italie à la lumière des lettres 10*, 15*, 16*, 22* et 23*A de saint Augustin », dans *Rev. des ét. aug.*., 31, 1985, pp. 46-70. Les moti-vations de cette mission et les raisons des interventions d'Alypius à la Cour étaient multiples : cf. déjà *supra*, p. 368.

9. Cette *chartula* (« papier » : c'est le mot employé par Augustin) avait ce titre

maladroit : « Passages tirés d'un écrit par Augustin, avec, à l'encontre, quelques extraits des livres (c'est-à-dire de l'*Ad Turbantium*) » : *De nuptiis et conc.*, II, 2.
10. Cf. O. PERLER et J.-L. MAIER, *Les Voyages de saint Augustin*, p. 360.
11. En 421 (et plutôt après le 13 juin, date du concile réuni cette année-là à Carthage), car il faut exclure 420, puisque l'évêque de Thagaste venait juste de rentrer chez lui, et d'autre part la remise du *Contra duas ep. pelag.* au pape Boniface est nécessairement antérieure à sa mort le 4 septembre 422 ; au demeurant nous savons qu'au printemps de 422 Alypius est en Afrique : nous le voyons participer alors avec Augustin à la commission épiscopale chargée de l'affaire d'Antoninus de Fussala : *ep.* 20*, 12 (cf. *supra*, p. 361).
12. M.-F. BERROUARD, dans *Rev. des ét. aug.*, 31, 1985, p. 62.
13. Sur les activités connues d'Alypius en ces années, cf. en dernier lieu O. WER-MELINGER, dans *Augustinus-Lexikon*, vol. 1, Bâle, 1994, col. 263-265.
14. On a noté entre autres l'abondance et la précision des citations prises dans l'œuvre d'Ambroise et fait l'hypothèse qu'Augustin a pu y être aidé, s'il ne disposait pas d'un recueil d'*excerpta* constitué au préalable, par d'anciens collaborateurs de l'évêque de Milan, peut-être par Paulin de Milan : G. MADEC, *Saint Ambroise et la philosophie*, Paris, 1974, pp. 269-272, et *Introduction aux « Révisions »*, Paris, 1996, p. 112.
15. *Ep.* 224, 2. La chronologie relative de ces textes postérieurs aux *Révisions* a été récemment élucidée par A. MUTZENBECHER, « Der Nachtrag zu den Retraktationen mit Augustins letzten Werken », dans *Rev. des ét. aug.*, 30, 1984, pp. 60-83, particulièrement pp. 77-81. La conclusion est que l'ordre dans lequel ils sont mentionnés dans un appendice aux *Révisions* (cf. *C.C.L.*, 57, p. 143) est bien l'ordre chronologique : le dernier texte sur lequel les copistes d'Augustin sont restés le calame en l'air est le septième livre, demeuré inachevé – et donc non publié – de la seconde réponse à Julien. La chronologie de O. PERLER et J.-L. MAIER était un peu différente (*Les Voyages de saint Augustin*, pp. 475-477).
16. Les textes de Julien d'Éclane ont fait l'objet d'une édition critique récente, mais malheureusement incomplète, dans le *Corpus Christianorum, series latina*, vol. 88, 1977 ; cf. Y.-M. DUVAL, « Iulianus Aeclanensis restitutus. La première édition – incomplète – de l'œuvre de Julien d'Éclane », dans *Rev. des ét. aug.*, 25, 1979, pp. 162-170. Il est particulièrement regrettable que manquent à cette édition les six premiers livres de l'*Ad Florum*, pourtant reproduits par Augustin dans son *Contra Iulianum opus imp.*, dont l'édition critique est elle-même encore incomplète (les trois premiers livres dans *CSEL*, 85/1).
17. Nous faisons nôtres les subtiles analyses de G. de Broglie sur les difficultés d'Augustin à entrer dans la pensée de l'adversaire pour tenter d'en tirer le meilleur, de mettre en valeur ce qu'elle peut avoir de vrai et d'utilisable dans la perspective de sa propre construction théologique. À l'obstination de ses adversaires « hétérodoxes », Augustin répondait par la réaffirmation intransigeante de ses positions et leur radicalisation, évitant de donner même l'apparence d'une quelconque concession : cf. G. de BROGLIE, dans *Augustinus Magister*, t. III, 1954, p. 323. Voir aussi par ailleurs les justes réflexions de A. Mandouze sur l'« alignement polémique » de l'évêque d'Hippone par rapport à Julien d'Éclane, lequel l'a enfermé dans la problématique qu'il lui imposait : cf. A. MANDOUZE, *Saint Augustin*, p. 424.
18. Cf. *De Genesi ad litt.*, X, 32, et, sur le problème de la sainteté de la Vierge Marie, la note de G. de PLINVAL à propos de *De natura et gratia*, 42, dans *B.A.*, 21, pp. 609-610.
19. *Contra Iulianum opus imp.*, VI, 12 et 20. P. BROWN, dans sa *Vie de saint Augustin*, p. 454, fait un sort à ces quelques mots rapides (« une évocation pleine de charme

des temps primitifs ») et n'est pas sensible à la contradiction qui, chez Julien, aboutit à faire du paradis avant la chute un lieu certes non désagréable, mais bien ordinairement « humain », avec ses limites et ses peines. Augustin s'est amusé à faire la caricature du paradis selon Julien : si un peintre en faisait le tableau et inscrivait dessus « paradis », on ne pourrait que le prendre pour un farceur (*Contra Iulianum opus imp.*, III, 154).

20. C'est cette insistance augustinienne sur ce texte qui lui a valu d'être le seul texte scripturaire allégué en faveur de l'existence du péché originel par les conciles de Carthage (418), d'Orange (529) et enfin de Trente (1546) : le 4ᵉ canon de ce dernier concile reprendra le texte de *Rm.*, 5, 12 dans les mêmes termes qu'à Carthage en 418.

21. Sur cet *eph'hô* et le sens que lui reconnaissent maintenant les exégètes, cf. *supra*, p. 721, note 50 du chap. XXVIII.

22. *Retract.*, II, 22, 1. Voir sur ce livre la notice de M.-F. BERROUARD dans *Augustinus-Lexikon*, 1, 658-666.

23. *Cité de Dieu*, XIV, 16. P. BROWN met à juste titre à l'actif d'Augustin les premières analyses non physiologiques, mais psychosomatiques des phénomènes d'impuissance et de frigidité : cf. *Le Renoncement à la chair. Virginité, célibat et continence dans le christianisme primitif*, Paris, 1995, pp. 499-500.

24. Cf. entre autres, *Cité de Dieu*, XIV, 11 et 12, sur un jardin d'Éden à la fois « animal » et « spirituel ». Sur l'« animalité » et la « sexualité » d'Adam, voir les textes commentés par G. BONNER, dans *Augustinus-Lexikon*, vol. 1, 1994, s. v. « Adam », col. 73-74 et 77-78.

25. *C. Iulianum opus imp.*, I, 70 et II, 42 ; le thème est repris à peu près dans les mêmes termes en V, 16, et VI, 22. Soulignons ici que la pensée théologique d'Augustin n'est jamais linéaire ou simplificatrice ; ainsi n'a-t-il pas exclu que Dieu ait pu créer le premier homme sans le préserver de la concupiscence ; dans cette hypothèse, la création n'aurait pas cessé d'être bonne. La question a fait l'objet d'un des plus intéressants débats du grand congrès augustinien de 1954 : cf. les communications et réponses de Ch. BOYER, J. LEBOURLIER et A. TRAPÉ, dans *Augustinus Magister*, 1954, t. II, pp. 737-744, 795-803 ; t. III, pp. 301-316.

26. La notion de concupiscence est chez Augustin très compréhensive et comporte de nombreuses harmoniques ; cf. le mémoire de F.-J. THONNARD, « La notion de concupiscence en philosophie augustinienne », dans *Recherches augustiniennes*, vol. 3, 1965, pp. 59-105, plus particulièrement pp. 95-105 sur la concupiscence et le péché originel.

27. Le recensement des citations a été fait par A. Sage, qui avait bénéficié du fichier de A.-M. La Bonnardière : cf. A. SAGE, « Praeparatur uoluntas a Domino », dans *Rev. des ét. aug.*, 10, 1964, pp. 1-20. On en retiendra (p. 16) cette phrase : « *Prov.* 8, 35 possède aux yeux de saint Augustin le double avantage de témoigner en faveur du libre arbitre et en faveur de la grâce. » Et, pour qualifier les modalités de l'action de la grâce, ces deux autres (*ibid.*) : « La grâce relève de Dieu seul, car Dieu seul, en parfait ouvrier, peut pénétrer dans les rouages les plus intimes de la volonté pour assurer la rectitude de ses démarches. Il le fait d'admirable manière, *miris modis*, comme il en a agi dans l'Ancien Testament, à l'égard de la veuve de Sarepta, avec Assuérus à la prière d'Esther. Ni la veuve de Sarepta ni Assuérus, sous l'occulte touche de Dieu qui sonde les reins et les cœurs, n'ont agi "en robots" ! »

28. Voir les textes cités et commentés par G. de BROGLIE dans *Augustinus Magister*, t. III, 1954, pp. 320-322, pour illustrer et la conscience qu'Augustin avait du problème et son inaptitude métaphysique à le résoudre. Dans le même sens, A. SAGE

dira peu après qu'Augustin « n'a pas approfondi la question de la conciliation de la grâce et de la liberté : il n'était pas outillé pour le faire » (dans *Rev. des ét. aug.*, 6, 1960, p. 39).

29. Cette appréciation est tirée d'un texte de dom Odilon Rottmanner (cité ici dans sa traduction française : « L'augustinisme. Étude d'histoire doctrinale », dans *Mélanges de science religieuse*, 6, 1949, p. 44) qui a pourtant fait date à la fin du xixᵉ siècle par sa présentation assez étroite de l'augustinisme, entendu comme « la doctrine de la prédestination inconditionnée et de la volonté salvifique particulière » (*ibid.*, p. 31).

30. *Ep.* 216 (lettre de Valentinus à Augustin) ; sur les réactions de Florus, constatées par Augustin à Hippone, cf. *De correptione et gratia*, 2. Pour les détails de l'affaire et les protagonistes, cf. *Prosopographie chrétienne du Bas-Empire. I. Afrique (303-533)*, s. v. Felix 58, p. 430 ; Florus 2, p. 478 ; Valentinus 3, p. 1133.

31. Contexte historique d'abord : bien que les persécutions eussent cessé depuis un bon siècle, Augustin pensait d'abord aux martyrs que la grâce avait soutenus dans les pires épreuves (et qui étaient de son temps les seuls à être canonisés) ; contexte polémique ensuite : le débat avec les pélagiens aiguisait la plus fine pointe des formulations de l'évêque (ici les deux fameux adverbes, rares et impressionnants).

32. Sur cette date et l'activité de Cassien à Marseille, cf. H.-I. Marrou, « Jean Cassien à Marseille », dans *Patristique et Humanisme. Mélanges*, pp. 363-372 (repris de *Revue du Moyen Âge latin*, 1, 1945, pp. 17-26).

33. Nous nous en tiendrons ici à cette appellation commode, mais qui n'est pas apparue avant le xviᵉ siècle, et qui est assez contestable dans la mesure où, même s'ils rencontraient parfois les positions pélagiennes, ou s'en rapprochaient, les moines de Provence ne se réclamaient pas de Pélage.

34. Prosper se séparait d'Hilarius en discernant parmi les moines marseillais deux groupes dont l'un « s'écartait très peu des sentiers pélagiens » (*Ep.* 225, 4). Cette distinction apparaît moins à la lecture de son texte que par comparaison avec celui d'Hilarius : cf. la note complémentaire de J. Chéné dans *B.A.*, 24, pp. 799-802, résumant une sienne étude parue dans *Rech. de science relig.*, 43, 1955, pp. 321-341.

35. Prosper d'Aquitaine défendra indéfectiblement Augustin dans son *Liber contra collatorem* (un texte dirigé contre Jean Cassien et sa « XIIIᵉ Conférence » et dans ses *Pro Augustino responsiones*.

36. Cf. A. Solignac, « Les excès de l'"*intellectus fidei*" dans la doctrine d'Augustin sur la grâce », dans *Nouvelle Revue théologique*, 110, 1988, pp. 825-849, particulièrement pp. 835-839 sur la dispensation limitée de la grâce salvatrice, en complément de l'article de A. Sage dans *Rech. aug.*, 3, 1965, pp. 107-131.

37. A. Sage, dans *Rev. des ét. aug.*, 6, 1960, p. 37.

38. Lire sur ce thème les pages suggestives et les excellentes explications de textes de P.-M. Hombert, *Gloria gratiae*, 1996, pp. 330-335.

Chapitre XXXIII : La mort et l'au-delà

1. L'expérience du pasteur, mais aussi la réflexion du théologien ont été brillamment analysées par E. Rebillard, *In hora mortis. Évolution de la pastorale chrétienne de la mort aux iv⁰ et v⁰ siècles* (BEFAR, 283), Rome, 1994, particulièrement pp. 34-45, 51-75, 78-92. Le travail de E. Rebillard élargit les perspectives d'un autre livre récent, plus étroitement centré sur l'évolution des attitudes d'Augustin à propos de la mort : J.-M. Girard, *La Mort chez saint Augustin. Grandes lignes de l'évolution de sa pensée, telle qu'elle apparaît dans ses traités*, Fribourg, 1992. Le titre indique que la prédication n'est pas ici prise en compte.

2. *Cité de Dieu*, XIII, 6. Ces textes augustiniens sur le « passage » ont été commentés par Cl. CAROZZI, *Le Voyage de l'âme après la mort dans la littérature latine (v-xiiiᵉ siècle)*, Coll. École fr. de Rome, 189, Rome, 1994, pp. 14-15.

3. Cf. *De Genesi contra manich.*, I, 29, et II, 8, notamment, et les commentaires de J.-M. GIRARD, *La Mort chez saint Augustin*, pp. 34-58.

4. *De uera relig.*, 23. Cf. A.-M. LA BONNARDIÈRE, *Biblia Augustiniana. A.T. Le livre de la Sagesse*, p. 38.

5. Cf. *De libero arb.*, III, 51-64 et la note complémentaire de G. MADEC dans *B.A.*, 6, pp. 578-580.

6. *Sermon* 172, 1 (datant des années 420/24), cité par E. Rebillard, à qui j'emprunte aussi les éléments du commentaire *(In hora mortis*, pp. 44-45).

7. *Tract. in Ioh. euang.*, 60, 2. Voir les substantiels commentaires de E. REBILLARD, *In hora mortis*, pp. 73-75.

8. *De libero arbitrio*, III, 23. Voir à propos de ces textes les commentaires de E. ZUM BRUNN dans *Recherches augustiniennes*, 6, 1969, pp. 47-49.

9. Cf. *supra*, pp. 240-241. Cf. en dernier lieu sur ces pratiques des donatistes et des circoncellions : A.J. DROGE et J.D. TABOR, *A Noble Death. Suicide and Martyrdom among Christians and Jews in Antiquity*, San Francisco, 1992, pp. 167-183.

10. Sur la peur du jugement telle qu'elle est analysée dans les sermons d'Augustin, voir les très belles pages d'E. REBILLARD, *In hora mortis*, pp. 145-167.

11. Cf. notamment le *sermon* 299, 8 ; 344, 4 ; *Enarr. in Psalm.* 68, 1, 3. Ces textes ont bénéficié des excellentes analyses de E. REBILLARD, *In hora mortis*, pp. 58-60.

12. Ils ont été passés en revue comme jalons d'une « préhistoire » du purgatoire par J. LE GOFF, *Naissance du purgatoire*, Paris, Gallimard, « Bibliothèque des Histoires », 1981, pp. 64-68, et plus récemment par N. GAUTHIER, « Les images de l'au-delà durant l'Antiquité chrétienne », dans *Rev. des ét. aug.*, 33, 1987, pp. 7-9.

13. Ce refus est bien perçu et bien commenté par Cl. CAROZZI, *Le Voyage de l'âme dans l'au-delà d'après la littérature latine (v-xiiiᵉ siècle)*, p. 34, qui montre bien cependant comment, à la fin du viiᵉ siècle, Julien de Tolède a utilisé maints textes augustiniens dans sa description de l'au-delà : pp. 90-98.

14. Cf. la page finale d'un article posthume de H.-I. MARROU, « Une inscription chrétienne de Tipasa et le *refrigerium* », dans *Antiquités africaines*, 14, 1979, p. 269.

15. J. LE GOFF, *Naissance du purgatoire*, p. 74. Cf. aussi J. DELUMEAU, *Une histoire du Paradis*, Paris, Fayard, 1992, pp. 43-45.

16. *De Genesi contra manichaeos*, II, 30. Cela infirme la remarque de J. NTEDIKA, *L'Évolution de la doctrine du purgatoire chez saint Augustin*, Paris, Ét. aug., 1966, p. 67, selon qui, jusqu'en 413, Augustin situe toujours le feu purificateur non dans un temps intermédiaire entre mort et résurrection, mais au moment du Jugement dernier.

17. *Enarr. in Psalm.* 37, 3, cité par J. LE GOFF, *Naissance du purgatoire*, p. 99, comme l'une des « autorités » du purgatoire médiéval.

18. Cf. J. LE GOFF, *Naissance du purgatoire*, p. 101, et les textes augustiniens sur la pénitence cités et analysés par E. REBILLARD, *In hora mortis*, pp. 157-167, notamment.

19. Cf. *De natura et origine animae*, II, 8, où Augustin félicite Vincentius Victor de sa saine doctrine sur le jugement particulier, à propos précisément de la parabole du mauvais riche. Il la tenait d'un prêtre espagnol, Petrus (cf. *supra*, p. 509), ce qui indique qu'au début du vᵉ siècle au moins la croyance relative au jugement particulier, sans préjudice du jugement général, mais le préfigurant dans la plupart des cas, était déjà bien établie, indépendamment d'Augustin.

20. *De natura et origine animae*, III, 12, pour le bon larron, dans le cas duquel il hésitait entre un « baptême de sang » et un « baptême de désir » : voir les références dans la note de A.C. De Veer, *B.A.*, 22, pp. 777-779. Dans le cas de Dinocrate, Augustin n'hésitait pas à bâtir un petit roman : l'enfant avait pu être baptisé, mais détourné ensuite de la foi par son père, par exemple en temps de persécution : *ibid.*, I, 12 ; III, 12. Au demeurant, l'évêque mettait en garde contre le caractère non canonique de ce texte.

21. Cf. S. Lancel, « Une inscription martyrologique de Tipasa », dans *Bull. d'arch. alg.*, II, 1966-1967, pp. 251-259 (= n° 178, dans Y. Duval, *Loca sanctorum Africae*, I, pp. 377-380).

22. Voir notamment P. Courcelle, « Propos antichrétiens rapportés par saint Augustin », dans *Rech. aug.*, I, 1958, pp. 149-186, en particulier pp. 163-170.

23. Voir la *Vita Plotini*, 1, de Porphyre, citée par H.-I. Marrou, « Le dogme de la résurrection des corps et la théologie des valeurs humaines selon l'enseignement de saint Augustin », dans *Patristique et Humanisme. Mélanges*, Paris, Le Seuil, 1976, p. 435 (texte d'abord publié dans *Rev. des ét. aug.*, 12, 1966, pp. 112-136).

24. L'étude du devenir de la métaphore du corps « prison de l'âme » a été faite par P. Courcelle, « Tradition platonicienne et traditions chrétiennes du corps-prison », dans *Rev. des ét. lat.*, 43, 1965, pp. 406-443.

25. Cf. M.R. Miles, art. « Corpus », dans *Augustinus-Lexikon*, 2, 1-2, 1996, col. 14, qui date vers 411-412 cette maturation de la doctrine augustinienne de l'Incarnation.

26. Bien vu par E. Rebillard, *In hora mortis*, p. 64.

27. E. Rebillard, *ibid.*, p. 66, retourne heureusement la proposition de H.-I. Marrou, dans le texte reproduit dans *Patristique et Humanisme*, p. 439, pour qui la réflexion sur le dogme de la résurrection « conduit le penseur chrétien à une tout autre anthropologie que celle de la philosophie païenne ». La démarche intellectuelle est sans doute en effet inverse.

28. Textes cités par J.-M. Girard, *La Mort chez saint Augustin*, p. 71.

29. On peut regretter que le problème ne soit pas abordé sous cet angle dans le beau livre de Chr. Trottmann, *La Vision béatifique des disputes scolastiques à sa définition par Benoît XII* (BEFAR, 289), Rome, 1995, qui envisage pourtant les textes augustiniens (pp. 54-67), mais sous l'angle de la mystique et non dans la perspective de l'eschatologie.

Chapitre XXXIV : Épilogue

1. Augustin est muet sur ceux qui l'assistèrent en cette occasion – il fallait au moins trois évêques pour une ordination –, et pour une succession épiscopale comme celle-là le primat provincial devait être présent. C'était sans doute alors encore Aurelius de Macomades (cf. S. Lancel, dans *Les Lettres de saint Augustin découvertes par J. Divjak*, pp. 280-281), avant qu'Alypius ne lui succédât peu avant la mort d'Augustin.

2. Nous avons vu ces vestiges en cours de sondages lors d'une visite faite sur le site en 1964 en compagnie de Jean Lassus. Des fouilles ont par la suite complètement dégagé le monument (cf. *Bull. d'arch. alg.*, IV, 1970, pp. 19-23, avec figures). Il est dommage que ces vestiges n'aient pas été assez nettement reconnus pour figurer, comme bon exemple de « passage de témoin » ancien du christianisme à l'islam, dans *Les Basiliques chrétiennes d'Afrique du Nord. I. Inventaire de l'Algérie*, Paris, Ét. aug., 1992.

3. La formule « examen de conscience d'un écrivain » est due, pour qualifier les *Révisions*, à J. De Ghellinck, dans *Nouv. Revue théol.*, 57, 1930, pp. 481-500

A. von HARNACK avait parlé, au début de ce siècle, de « confession d'un écrivain » et G. BARDY s'était souvenu de ce mot en appelant lui-même les *Révisions* les « confessions de la vieillesse d'Augustin » (dans son édition du texte : *B.A.*, 12, p. 217). Les remarques les plus critiques sur le changement de visée d'Augustin ont été faites par J. BURNABY, « The "Retractationes" of Saint Augustine : Self-criticism or Apologia ? », dans *Augustinus Magister*, I, 1954, pp. 85-92, notamment p. 91. On se reportera pour le détail à l'appréciation récente et équilibrée de G. MADEC, *Introduction aux « Révisions » et à la lecture des œuvres de saint Augustin*, Paris, Ét. aug., 1996, particulièrement pp. 9-24 et 119-126.

4. Sur ces réalités à l'époque d'Augustin et par rapport à lui-même, voir le texte si éclairant de P. PETITMENGIN, art. « Codex », dans *Augustinus-Lexikon*, vol. 1, col. 1022-1035. Augustin s'est trompé sur le nombre total de ces « livres » ! Il faut en rajouter une vingtaine : cf. A. MANDOUZE, *Saint Augustin*, p. 57 ; en dernier lieu, A. MUTZENBECHER, dans son introduction à l'édition critique des *Révisions* dans le *C.C.L.*, t. 57 (1984), p. XIII, et G. MADEC, *Introduction aux « Révisions »*, p. 21.

5. Augustin en dit moins que nous ne souhaiterions sur l'organisation et les pratiques de son secrétariat. Cf. déjà *supra*, pp. 306-310 et, pour aller plus loin, B. ALTANER, « In der Studierstube des heiligen Augustinus. Beiträge zur Kenntnis seines schriftstellerischen Schaffens », dans *Amt und Sendung. Beiträge zu seelsorglichen und religiösen Fragen*, Fribourg en Brisgau, 1950, pp. 416-424 (repris dans *Kleine Patristische Schriften* (*Texte und Untersuchungen*, 83, Berlin, 1967).

6. Cf. G. MADEC, *Introduction aux « Révisions »*, p. 119, résumant les constats faits autrefois par A. von Harnack et plus récemment par A. Mandouze dans un travail universitaire (*Retractatio Retractationum*) qui n'a malheureusement pas été publié.

7. Cf. G. BARDY, p. 61 de son Introduction générale aux *Révisions*, qui au milieu de ce siècle apportait déjà un magnifique éclairage non seulement sur ces textes, mais de façon rétrospective sur toute l'œuvre et en donnait, par son ampleur, une belle étude d'ensemble (*B.A.*, 12 [1950], pp. 11-251).

8. Notamment G. BARDY dans *B.A.*, 12, p. 175.

9. Cicéron préférait cependant dire, de façon plus « romaine », style « grave » : cf. A. MICHEL, *Les Rapports de la rhétorique et de la philosophie dans l'œuvre de Cicéron*, Paris, 1960, p. 380. Sur la « réception » de la rhétorique cicéronienne dans le *De doctrina christiana*, cf. P. PRESTEL, *Die Rezeption der ciceronischen Rhetorik durch Augustinus in « De doctrina christiana »*, Francfort, 1992 ; A. PRIMMER, « The Function of the *genera dicendi* in De doctrina christiana, 4 », dans *De doctrina christiana, a Classic of Western Culture*, Notre-Dame-Londres, 1995, pp. 68-86.

10. Cf. J. FONTAINE, dans *Aspects et Problèmes de la prose d'art latine au IIIᵉ siècle*, Turin, 1968, p. 37. ; cf. déjà H.-I. MARROU, *Saint Augustin et la fin de la culture antique*, pp. 519-520.

11. Cf. J.-Cl. FREDOUILLE, *Tertullien et la conversion de la culture antique*, pp. 143-178, plus particulièrement pp. 171-178.

12. *Doctr. chr.*, IV, 40 ; cela aurait fait un crétique suivi d'un ditrochée, l'une des clausules favorites d'Augustin : cf. F. DI CAPUA, « Il ritmo prosaico in S. Agostino », dans *Miscellanea Agostiniana*, II, Rome, 1931, p. 637.

13. On a noté que les années 420-421, certes occupées, ne furent pas parmi les plus encombrées de la vie de l'évêque : cf. *supra*, p. 582, et O. PERLER et J.-L. MAIER, *Les Voyages de saint Augustin*, p. 363 et pp. 374-375.

14. Cf. Y. DUVAL, « Flora était-elle africaine ? » dans *Rev. des ét. aug.*, 34, 1988, pp. 70-77. L'auteur rectifie les erreurs souvent faites sur la page liminaire du *De cura pro mortuis gerenda*, 1 ; mais il lui a échappé qu'avec sa perspicacité habituelle

P. Courcelle avait déjà fort bien identifié les personnages de cette histoire : cf. *Les Confessions de saint Augustin dans la tradition littéraire*, 1963, p. 595.

15. Voir les textes rassemblés et les analyses menées par Y. DUVAL, *Auprès des saints, corps et âme*, 1988, notamment pp. 51-98 ; voir aussi, du même auteur, « *Sanctorum sepulcris sociari* », dans *Les Fonctions des saints dans le monde occidental (IIIᵉ-XIIIᵉ siècle)*, Coll. École fr. de Rome, 149, Rome, 1991, pp. 333-351.

16. Voir P.-A. FÉVRIER, « Tombes privilégiées en Maurétanie et en Numidie », dans *L'Inhumation privilégiée du IVᵉ au VIIIᵉ siècle en Occident*, Paris, De Boccard, 1986, pp. 13-23 ; en dernier lieu, S. LANCEL, « Modalités de l'inhumation privilégiée dans la nécropole de Sainte-Salsa à Tipasa (Algérie) », dans *CRAI*, 1998, pp. 791-812.

17. P. BROWN, *Le Culte des saints. Son essor et sa fonction dans la chrétienté latine*, Paris, 1984, pp. 54-69.

18. Quoi qu'en pense P. BROWN (*Le Culte des saints*, p. 43), qui voit ici une « victoire du vulgaire », et qui fait en outre un peu rapidement un amalgame entre miracles chrétiens et pratiques religieuses préchrétiennes.

19. Cf. en ce sens V. SAXER, « Das Problem der Kultrezeption, illustriert am Beispiel des afrikanischen Reliquienskults zur Zeit des hl. Augustinus », dans *Antikerezeption [...] Eine Aufsatzsammlung*, 1983 (1988), pp. 101-112.

20. Sur la date, difficile à déterminer entre deux termes possibles qui sont 399 et fin 404, voir la note de G. MADEC dans *B.A.*, 11, 1, 1991, pp. 233-237.

21. Ep. 227, « ad *senem* Alypium » (certains témoins de la tradition manuscrite portent ad *sanctum* Alypium, mais il faut préférer la *lectio difficilior*). Le mot *senex*, quand il ne signifie pas platement l'âge, est le titre de révérence porté par les prélats qui par leur ancienneté d'ordination (et donc aussi du fait de l'âge) accédaient à la primatie dans leur province. Alypius, évêque depuis 394/95, a donc, à une date de nous inconnue, succédé comme « doyen » de Numidie à Aurelius de Macomades, que nous voyons encore dans ce rôle lors de l'affaire d'Antoninus de Fussala, en 421/22 (cf. *supra*, p. 363).

22. La date n'est pas facile à préciser ; O. PERLER et J.-L. MAIER, dans *Les Voyages de saint Augustin*, pp. 367-368, proposent 421 avec quelque hésitation, mais avec de bons arguments tirés de ce que l'on sait par ailleurs de la carrière de Bonifatius ; c'est aussi la datation de O. WERMELINGER dans *Augustinus-Lexikon*, art. « Alypius », vol. 1, col. 260, tandis que R.A. MARKUS, *ibid.*, art. « Bonifatius comes Africae », col. 654-655, préfère 423, ce qui est trop tardif.

23. Les historiens modernes lui donnent trop aisément du « comte », titre un peu passe-partout dont ils abusent souvent ; mais Darius était un *uir illustris* et les termes employés par Augustin à son endroit (*Ep.* 229, 1) indiquent qu'il s'agissait d'un personnage considérable ; sa lettre (*Ep.* 230) est de belle tenue.

24. Sur leur cheminement, les pages de Chr. COURTOIS, *Les Vandales et l'Afrique*, Paris, 1955 (pp. 158-163), sont toujours valables. Courtois évaluait l'ensemble de la troupe à 180 000 personnes. Le passage des Vandales par Altava (Ouled Mimoun, ex-Lamoricière) a été prouvé. Publiant le trésor découvert à Cartennae (Ténès), J. Heurgon a pensé pouvoir identifier comme portrait de Galla Placidia l'effigie au repoussé d'un médaillon en or (*Le Trésor de Ténès*, Paris, 1958, p. 69). Il a cependant pour de bonnes raisons résisté à la tentation de dater l'enfouissement du trésor du temps du passage des Barbares à Ténès. Il se peut toutefois que le cheminement côtier ait été l'un de leurs itinéraires, parallèlement à celui de la vallée du Chélif.

25. Une réputation non usurpée, en dépit des commentaires lénifiants de Chr. COURTOIS, *Les Vandales et l'Afrique*, pp. 164-168.

26. *Vita Aug.*, XXIX, 5. On retrouve là la veine des guérisons miraculeuses de

Cité de Dieu, XXII, 8, et il faut souligner que Possidius fut avec Evodius à l'origine de l'« exploitation » des reliques de saint Étienne : la chapelle du protomartyr à Calama était antérieure à celle d'Hippone et les miracles « homologués » y étaient sensiblement plus nombreux : *Cité de Dieu*, XXII, 8, 21.

27. *Vita Aug.*, XXXI, 2. Ce sont les *Psaumes* 6, 31, 37, 50, 101, 129, 142. Sur les réalités et les problèmes pratiques posés par cette demande d'Augustin sur son lit de mort, voir la note de M. Pellegrino à *Vita Aug.*, XXXI, 2, p. 229 de son édition. Commentaire de cette attitude pénitentielle dans E. Rebillard, *In hora mortis*, pp. 213-214.

28. Sur ces problèmes techniques de l'édition à la fin de l'Antiquité, toujours pertinentes sont les pages publiées par H.-I. Marrou sur « La technique de l'édition à l'époque patristique », dans *Vigiliae Christianae*, 1949, pp. 208-224 (reprises dans *Patristique et Humanisme. Mélanges*, Paris, 1976, pp. 239-252).

29. L'édition critique de ce catalogue a été faite par A. Wilmart, « Operum s. Augustini elenchus », dans *Miscellanea Agostiniana*, II, Rome, 1931, pp. 149-233. Voir en dernier lieu les remarques critiques de A. Mutzenbecher sur une étude récente relative au texte de Possidius, dans *Rev. des ét. aug.*, 33, 1987, pp. 128-131.

30. *Elenchus*, X^3, 15 (Wilmart, p. 179) : « *Quaternio unus quem propria manu sanctus episcopus Augustinus initiauit* » ; peut-être s'agit-il du *De Genesi ad litteram liber imperfectus* ; mais dans les *Révisions* l'évêque dit clairement que le début de ce livre a été dicté (*Retract.*, I, 18). Ce pourrait être, selon une hypothèse récente, le *Liber uiginti unius sententiarum* : cf. F. Dolbeau, « Un poème philosophique de l'Antiquité tardive : *De pulchritudine mundi*. Remarques sur le *Liber XXI sententiarum* (*CPR*, 373) », dans *Rev. des ét. aug.*, 42, 1996, p. 41.

31. Le texte de Possidius sur l'incendie d'Hippone a fait l'objet d'un examen critique de M. Pizzica, « Possidio e la caduta di Ippona », dans *Romanobarbarica*, VII, 1582-83, pp. 81-159. Les fouilles d'Hippone n'ont relevé aucune trace d'un incendie massif, comme le fut celui qui détruisit par exemple Carthage en 146 avant notre ère, ni non plus d'indices d'une destruction brutale sûrement due à une action humaine un peu précisément datable. Mais on a dit plus haut (pp. 340-341) l'état dans lequel un long dépérissement avait laissé les ruines remises au jour au milieu de ce siècle. Quant aux fortifications qui avaient arrêté les Vandales, rien n'en a été retrouvé ; mais cela ne surprend pas les archéologues qui savent bien que partout les murs d'une ville sont la première source de nouveaux matériaux une fois qu'ils ont été démantelés, et qu'ils peuvent disparaître jusqu'aux fondations. Le meilleur exemple à cet égard est encore celui de la Carthage punique.

32. Ces pistes ont été suivies et exploitées avec beaucoup de vraisemblance et de science par un bon spécialiste du *Nachleben* augustinien : J.-P. Bouhot, « La transmission d'Hippone à Rome des œuvres de saint Augustin », dans *Du copiste au collectionneur. Mélanges en l'honneur d'André Vernet*, Brepols, 1999, pp. 23-33. On ne peut cependant suivre l'auteur quand il remet Hippone dans l'orbite de l'Empire après 442. Le mystère des modalités du transfert reste entier.

Principaux repères chronologiques

354   13 novembre : naissance d'Augustin à Thagaste (Souk-Ahras, en Algérie).

366-369   Études chez le *grammaticus*, à Madaure (Mdaourouch, Algérie).

369-370   Année de désœuvrement à Thagaste.

370-373   Études supérieures à Carthage ; naissance d'Adeodatus (371/72) ; lecture de l'*Hortensius* ; entrée dans la secte manichéenne.

373-374   Professorat à Thagaste.

374-383   Professorat à Carthage ; rédaction du *De pulchro et apto*, un texte qui ne sera pas conservé.

383-384   Première année romaine.

384-387   Les années milanaises ; Monique rejoint son fils (385) ; lecture des *Libri platonicorum* (printemps 386) ; première lecture de saint Paul (juillet 386) ; scène du jardin et conversion (août 386) ; retraite à Cassiciacum et rédaction des premiers *Dialogues* (automne 386) ; baptême à Milan (Pâques 387).

387-388   Seconde année romaine ; mort de Monique à Ostie (août 387) ; second séjour d'Augustin à Rome avec Alypius.

388-390   Retour en Afrique et retraite à Thagaste ; mort d'Adeodatus et de Nebridius.

391-395   Prêtrise à Hippone (Hippo Regius, Annaba, en Algérie) ; Augustin prêtre prend la parole lors du concile d'Hippone (octobre 393) ; il est ordonné évêque « coadjuteur » de Valerius (printemps-été 395).

396   Relecture de saint Paul, décisive pour l'élaboration de la théologie de la grâce.

397 Participation aux conciles de Carthage (juin et août) ; campagne de prédication pendant l'été ; début probable de la rédaction des *Confessions*.

400 Augustin se rend à Constantine ; premiers contacts indirects avec l'évêque donatiste Petilianus.

403 Concile de Carthage (25 août) : projet de rencontre avec l'Église donatiste, inspiré par Augustin, qui échappe par chance à une embuscade tendue contre lui.

407 *Dilige et quod uis fac* : premiers commentaires sur la *Première Épître de Jean* ; Augustin fait une tournée en compagnie de Maximinus de Siniti, évêque donatiste rallié.

411 Augustin joue un rôle décisif lors de la conférence entre donatistes et catholiques (1er-8 juin).

411-412 Augustin est en relation avec le milieu aristocratique romain (païen et chrétien) que le sac de Rome a conduit en Afrique ; il entame la rédaction de la *Cité de Dieu* ; débuts de la lutte contre le pélagianisme et de l'élaboration de la doctrine du péché originel.

413 Augustin ne peut s'opposer à l'exécution de son ami Flavius Marcellinus à Carthage.

416 Les conciles de Carthage et de Milev ratifient par les condamnations qu'ils portent la réfutation par Augustin des thèses de Caelestius et de Pélage.

418 Le concile de Carthage (1er mai) prend des positions doctrinales sur le péché originel et la nécessité du baptême des petits enfants ; Augustin passe l'été en Maurétanie Césarienne en compagnie d'Alypius et de Possidius pour régler des affaires ecclésiastiques ; il rencontre le donatiste Emeritus à Caesarea (Cherchell). Hiver 418-419 : début du long duel avec Julien d'Éclane, qui ne prendra fin qu'avec la mort d'Augustin.

420/421 Augustin en compagnie d'Alypius rend visite à Bonifatius, alors en poste sur le *limes* de Numidie.

422 Les procédures disciplinaires engagées contre Antoninus de Fussala mobilisent Augustin et Alypius en tournée dans la région d'Hippone.

426 Augustin va régler la succession de Severus à Milev (Mila, en Algérie) ; il règle sa propre succession en désignant le prêtre Eraclius pour lui succéder ; il entame la rédaction des *Révisions*.

430 Augustin meurt le 28 août, au troisième mois du siège mis par les Vandales devant Hippone.

Table des œuvres de saint Augustin dans l'ordre chronologique[a]

Explication des sigles

PL (ou éd. bénédictine) *Patrologie latine*, Migne, Paris, 1861-1862.

CSEL
Corpus Scriptorum Ecclesiasticorum Latinorum, Vienne, Académie de Vienne, à partir de 1887.

CC
Corpus Christianorum, Brepols, Turnhout, à partir de 1955.

BA
Bibliothèque augustinienne, Desclée de Brouwer, puis Institut d'études augustiniennes (Paris). Texte latin, traduction, introduction et notes.

Titre	Abréviation	Date	Édition
– Contra Academicos	C. Acad.	386	PL 32, 905-958 ; CC 29, 3 ; BA 4, 1948, Éd. bénéd., Jolivet
– De beata uita	Beata uita	386	PL 32, 959-976 ; CC 29 ; BA 4/1, 1986, Éd. bénéd., Doignon
– De ordine	De ord.	386	PL 32, 977-1020 ; CC 29 ; BA 4, 1948, Éd. bénéd., Jolivet
– Soliloquia	Sol.	386-387	PL 32, 869-904 ; CSEL 89 ; BA 5, 1948, Éd. bénéd., Labriolle
– De immortalitate animae	De imm. an.	387	PL 32, 1021-1034 ; CSEL 89 ; BA 5, 1948, Éd. bénéd., Labriolle
– De musica	De mus.	387-389	PL 32, 1081-1194 ; BA 7, 1947, Éd. bénéd., Finaert Thonnard

a. Certaines dates sont difficiles à fixer ; le lecteur voudra bien se reporter à notre texte, où la chronologie est souvent discutée.

Titre	Abréviation	Date	Édition
– De moribus ecclesiae catholicae et de moribus Manichaeorum	De mor. eccl. cath. – De mor. manich.	388-389	PL 32, 1309-1378 ; CSEL 90 ; BA 1, 1949, Éd. bénéd., Roland-Gosselin
– De quantitate animae	De quant. an.	388	PL 32, 1035-1080 ; CSEL 89 ; BA 5, 1948, Éd. bénéd., Labriolle
– De libero arbitrio	De lib. arb.	388-I 391-395 II-III	PL 32, 1221-1310 ; CC 29 ; BA 6, 1976, Madec
– De Genesi aduersus Manichaeos	Gen. adu. Man.	388-389	PL 34, 173-220
– De diuersis quaestionibus LXXXIII	De diu. qu.	388-396	PL 40, 11-100 ; CC 44 A ; BA 10, 1952, Éd. bénéd., Bardy Beckaert Boutet
– De magistro	De mag.	389	PL 32, 1193-1220 ; BA 6, 1976, Éd. bénéd., Madec
– De uera religione	De uera rel.	389-391	PL 34, 121-172 ; BA 8, 1982, Éd. bénéd., Pegon, mise à jour Madec
– De utilitate credendi	De util. cred.	391-392	PL 42, 65-92 ; BA 8, 1982, Éd. bénéd., Pegon, mise à jour Madec
– De duabus animabus contra Manichaeos	De duab. an.	391-392	PL 42, 93-112 ; BA 17, 1961, Éd. bénéd. + CSEL (Zycha), Jolivet Jourjon
– Contra Fortunatum disputatio	C. Fort.	392	PL 42, 111-130 ; CSEL 25, 1 ; BA 17, 1961, Éd. bénéd. + CSEL (Zycha), Jolivet Jourjon
– Enarrationes in Psalmos	Enarr. in Psalm.	392-420	PL 36-37 ; CSEL 38, 39, 40
– De Genesi ad litteram imperfectus liber	De Gen. ad lit. lib. imp.	393	PL 34, 219-246
– De fide et symbolo	De fide et symb.	393	PL 40, 181-196 ; CSEL 41 ; BA 9, 1975, Éd. bénéd., Rivière, mise à jour Madec Bouhot
– De sermone Domini in monte	De serm. dom. in monte	394	PL 34, 1129-1308 ; CC 35
– Epistulae ad Romanos inchoata expositio	Ep. ad Rom. inch. exp.	394-395	PL 35, 2063-2088 ; CSEL 84
– Expositio Epistulae ad Galatas	Exp. Galat.	394-395	PL 35, 2105-2148
– De mendacio	De mend.	394-395	PL 40, 487-518 ; BA 2, 1948, Éd. bénéd., Combès

Titre	Abréviation	Date	Édition
– De diuersis quaestionibus ad Simplicianum	Ad Simpl.	396	PL 40, 101-148 ; BA 10, 1952, Éd. bénéd., Bardy Beckaert Boutet
– Contra epistulam quam uocant fundamenti	C. epist. fund.	396	PL 42, 173-206 ; BA 17, 1961, Éd. bénéd. + CSEL (Zycha), Jolivet Jourjon
– De agone christiano	De ag. christ.	396-397	PL 40 ; CSEL 41 ; BA 1, 1949, Roland-Gosselin
– De doctrina christiana	De doctr. christ.	396/ 397 ; 426/427	PL 34, 15-122 ; BA 11/2, 1997, CC., Moreau
– Confessiones	Conf.	397-400	PL 32, 659-868 ; CSEL 33 ; CC 27 ; BA 13, 1993, Bibl. Teubneriana (Skutella), Solignac, Tréhorel Bouissou BA 14, 1992, Bibl. Teubneriana (Skutella), Solignac, Tréhorel Bouissou
– Contra Faustum	C. Faust.	397-398	PL 42, 207-518
– Contra Felicem	C. Felicem.	404	PL 42, 519-552 ; BA 17, 1961, Éd. bénéd. + CSEL (Zycha), Jolivet Jourjon
– Contra Secundinum Manichaeum	C. Secund.	399	PL 42, 577-602 ; BA 17, 1961, Éd. bénéd. + CSEL (Zycha), Jolivet Jourjon
– De catechizandis rudibus	De catech. rud.	399-400	PL 40, 309-348 ; BA 11/1, 1991, CC, Madec
– De Trinitate	De Trin.	399-419	PL 42, 819-1098 ; CC 50, 50 A ; BA 15, 1991, Éd. bénéd., Mellet Camelot Hendrickx Madec BA 16, 1991, Éd. bénéd., Agaësse Moingt
– De natura boni	De nat. boni	399	PL 42, 551-572 ; CSEL 25, 2 ; BA 1, 1949, Éd. bénéd., Roland-Gosselin
– De consensu euangelistarum	De cons. euang.	400	PL 34, 1041-1230 ; CSEL 43
– De baptismo contra Donatistas	De bapt.	400-401	PL 43, 107-244 ; CSEL 51 ; BA 29, 1964, CSEL (Petschenig), Bavaud Finaert
– De bono coniugali	De bono coniug.	401	PL 40, 371-396 ; CSEL 41 ; BA 2, 1948, Éd. bénéd., Combès
– De Genesi ad litteram	De Gen. ad litt.	401-414	PL 34, 245-486 ; CSEL 28, 1 ; BA 48, 1972, CSEL (Zycha), Agaësse Solignac BA 49, 1972, CSEL (Zycha), Agaësse Solignac

Titre	Abréviation	Date	Édition
– Contra Crescopnium grammaticum et donatistam	C. Cresc.	405-406	PL 43, 445-597 ; CSEL 52 ; BA 31, 1968, CSEL (Petschenig), Finaert De Veer
– Tractatus in Iohannis euangelium	Tract. in Iohan.	407-417	PL 35, 1379-1976 ; CC 36 ; BA 71 (I-XVI), 1969, Éd. bénéd., Berrouard BA 72 (XVII-XXXIII), 1977, Éd. bénéd., Berrouard BA 73A (XXXIV-XLIII), 1988, CC + Éd. bénéd., Berrouard BA 73B (XLIV-LIV), 1989, CC + Éd. bénéd., Berrouard BA 74A (LV-LXXIX), 1993, CC + Éd. bénéd., Berrouard
– Tractatus in epistulam Iohannis ad Parthos	Tract. in ep. Iohan.	407-416	PL 35, 1977-2062
– Contra Adimantum	C. Adimant.	410	PL 42, 129-172 ; CSEL 25, 1 ; BA 17, 1961, Éd. bénéd. + CSEL (Zycha), Jolivet Jourjon
– De unico baptismo contra Petilianum	De unico bapt.	410	PL 43, 595-614 ; CSEL 53 ; BA 31, 1968, CSEL (Petschenig), Finaert De Veer
– De peccatorum meritis et remissione	De pecc. mer. et rem.	412	PL 44, 109-200
– Breuiculus conlationis	Breu. conl.	412	PL 43 ; CSEL 53 ; CC 149A ; BA 32, 1965, Finaert Lamirande
– Ad Donatistas post conlationem	Ad Donat. post. conl.	412	BA 32, 1965, CSEL (Petschenig), Finaert Lamirande
– De spiritu et littera	De sp. et litt.	412	PL 44, 201-246
– De fide et operibus	De fide et op.	413	PL 40, 197-230
– De natura et gratia	De nat. et gratia	413-415	PL 44, 247-290 ; BA 21, 1966, CSEL (Urba et Zycha), Plinval
– De ciuitate Dei	De ciu. Dei	413-426	PL 41 ; CSEL 40, 1 et 2 ; BA 33-37, 1959-1960, Bibl. Teubneriana (Dombart et Kalb) + PL + CC, Bardy Combès, révision Thonnard De Veer Folliet
– De gratia Christi et de peccato originali	De gratia Chr.	418	PL 44, 359-410 ; CSEL 42 ; BA 22, 1975, CSEL (Urba et Zycha), Chirat Plagnieux

Titre	Abréviation	Date	Édition
– De nuptiis et concupiscentia	De nupt. et concup.	419-421	PL 44, 413-474 ; CSEL 42 ; BA 23, 1974, CSEL (Urba et Zycha), Thonnard Bleuzen De Veer
– De natura et origine animae	De nat. et orig. animae	419-421	PL 44, 475-548 ; CSEL 60 ; BA 22, 1975, CSEL (Urba et Zycha), Thonnard
– Contra mendacium	C. mend.	420	PL 40, 517-548 ; CSEL 41 ; BA 2, 1948, Éd. bénéd., Combès
– Contra duas epistulas pelagianorum	C. duas ep. pelag.	420-421	PL 44, 549-638 ; CSEL 60 ; BA 23, 1974, CSEL (Urba et Zycha), Thonnard Bleuzen De Veer
– Contra Gaudentium	C. Gaud.	419-420	PL 43 ; CSEL 53 ; BA 32, 1965 Finaert Lamirande
– Contra Iulianum	C. Iulianum	421	PL 44, 641-874
– Enchiridion ad Laurentum de fide spe et caritate	Ench.	421-423	PL 40, 231-290 ; CC 46
– De cura pro mortuis gerenda ad Paulinum episcopum	De cura	420-421	PL 40, 591-610 , CSEL 41 ; BA 2, 1948, Éd. bénéd., Combès
– De gratia et libero arbitrio	De gratia et lib. arb.	426-427	PL 44, 881-912 ; BA 24, 1962, Éd. bénéd., Pintard Chéné
– De correptione et gratia	De corrept. et gratia	426-427	PL 44, 915-946 ; BA 24, 1962, Éd. bénéd., Pintard Chéné
– Retractationes	Retract.	426-427	PL 32, 583-656 ; BA 12, 1950, Éd. bénéd., Bardy
– De praedestinatione sanctorum	De praed. sanct.	428-429	PL 44, 959-992 ; BA 24, 1962, Chéné, Pintard
– De dono perseuerantiae	De dono perseu.	428-429	PL 45, 993-1034 ; BA 24, 1962, Éd. bénéd., Chéné Pintard
– Contra Iulianum opus imperfectum	C. Iulianum op. imp.	429-430	PL 45, 1049-1608 ; CSEL 85, 1
– Epistulae	Ep.	387-430	PL 33 ; CSEL 34, 44, 57, 58
– Epistulae Divjak	Ep.*	387-430	CSEL 88, 1981 ; BA 46B, 1987
– Sermones	Serm.	392-430	PL 38, 39 ; CC 41
– Sermones Denis Guelf Morin			*Miscellanea Agostiniana* 1, Rome, 1931
– Sermones Dolbeau			*Vingt-six sermons au peuple d'Afrique*, Études aug., 1996

Bibliographie

La bibliographie augustinienne est foisonnante ; elle est même démesurée. Le principal répertoire bibliographique de langue française, le *Bulletin augustinien*, régulièrement publié par la *Revue des études augustiniennes*, recense en moyenne, en en donnant de brèves analyses, quelque 400 publications annuelles, dans toutes les grandes langues de culture, y compris le japonais, comprenant de courts articles mais aussi des ouvrages de grandes dimensions : c'est dire que personne ne peut se targuer de dominer l'ensemble de cette production, même au sein de la communauté internationale des spécialistes.

Ne sont mentionnés ci-dessous que les livres et articles qui ont effectivement été utilisés et cités en note dans le présent livre, sauf exception signalée. À l'usage du lecteur non spécialiste qui souhaiterait cependant aller plus loin, on a mis en évidence par un astérisque (*) les ouvrages de synthèse auxquels il peut se référer plus particulièrement, soit en complément, soit à titre de confrontation.

On attire en outre spécialement son attention sur l'intérêt que présente un lexique augustinien, réalisé à Würzburg en Allemagne avec la collaboration d'une équipe rédactionnelle internationale : l'*Augustinus-Lexikon*, éd. par C. Mayer, publié à Bâle par Schwabe & Co. A. G. Le vol. 1 (*Aaron-Conuersio*) est sorti en 1994, le vol. 2, fasc. 1-2 (*Cor-Deus*) en 1996 ; le complément de ce deuxième volume sera prochainement publié.

Enfin, comment ne pas insister à l'intention des lecteurs francophones sur les trésors de finesse, d'attention scrupuleuse aux textes, d'érudition souvent aussi, dispensés dans leurs introductions et dans leurs notes complémentaires par les commentateurs augustiniens des volumes de la *Bibliothèque augustinienne* (abrégée ici *B.A.*), trop nombreux pour qu'on puisse ici les citer. On signalera en outre l'entrée toute récente (fin 1998) de saint Augustin dans la « Bibliothèque de la Pléiade » (Paris, Gallimard), avec un premier volume – SAINT AUGUSTIN, *Œuvres*, I – rassemblant, outre les *Confessions*, celles des œuvres antérieures à l'épiscopat que les auteurs de cette édition ont jugées les plus significatives des inflexions philosophiques d'Augustin avant 395.

Actes de la conférence de Carthage en 411, éd. par S. Lancel, *Sources chrétiennes*, vol. 194, 195, 224 et 373, Paris, Éd. du Cerf, 1972-1991.

Alfaric, Prosper, *L'Évolution intellectuelle de saint Augustin*, Paris, 1918.

Archambault, Paul, « Augustin et Camus », dans *Recherches augustiniennes*, 6, 1969, pp. 195-221.

Arminjon, Victor, *Monique de Thagaste*, Montmélian, 1989.

Atkinson, J. E., « Out of order : the Circumcellions and Codex Theodosianus, 16, 5, 52 » dans *Historia*, 41, 1992, pp. 488-499.

Banniard, Michel, *Genèse culturelle de l'Europe, V^e-VIIe siècle* (Coll. « Points Histoire »), Paris, Le Seuil, 1989.

Id., *Viva Voce. Communication écrite et communication orale du IVe au IXe siècle en Occident latin*, Paris, Ét. aug., 1992.

* Bardy, Gustave, *Saint Augustin, l'homme et l'œuvre*, Paris, Desclée, 1940.

Barnes, T. D., « Augustinus, Symmachus and Ambrose », dans *Augustine. From Rhetor to Theologian*, Waterloo, Ontario, 1992, pp. 7-13.

Beatrice, P. F., *Tradux peccati. Alle fonti della dottrina agostiniana del peccato originale*, Milan, 1978.

Id., « *Quosdam platonicorum libros*. The Platonic readings of Augustine in Milan », dans *Vigiliae Christianae*, 43, 1989, pp. 248-281.

Berrouard, Marie-François, « La date des "Tractatus I-LIV in Iohannis Euangelium" de saint Augustin », dans *Recherches augustiniennes*, 7, 1971, pp. 105-168.

Id., « L'exégèse augustinienne de Rom., 7, 7-25 entre 396 et 418, avec des remarques sur les deux périodes de la crise pélagienne », dans *Recherches aug.*, 16, 1981, pp. 101-195.

Id., « Les lettres 6* et 19* de saint Augustin. Leur date et les renseignements qu'elles apportent sur l'évolution de la crise pélagienne », dans *Revue des études aug.*, 27, 1981, pp. 264-277.

Id., « L'activité littéraire de saint Augustin du 11 septembre au 1er décembre 419 d'après la lettre 23*A à Possidius de Calama », dans *Les Lettres de saint Augustin découvertes par Johannes Divjak*, Paris, Et. Aug., 1983, pp. 301-327.

Id., « Un tournant dans la vie de l'Église d'Afrique : les deux missions d'Alypius en Italie à la lumière des lettres 10*, 15*, 16*, 22* et 23*A de saint Augustin », dans *Revue des ét. aug.*, 31, 1985, pp. 46-70.

Blanchard-Lemée, Michèle, « La "maison de Bacchus" à Djemila. Architecture et décor d'une grande demeure provinciale à la fin de l'Antiquité » dans *Bulletin archéologique du Comité des travaux historiques*, n. s. 17 B, 1981, pp. 131-143.

Bochet, Isabelle, « *La lettre tue, l'esprit vivifie*. L'exégèse augustinienne de II Cor. 3, 6 », dans *Nouvelle Revue théologique*, 114, 1992, pp. 341-370.

Ead., « Le livre VIII des *Confessions* : récit de conversion et réflexion théologique », dans *Nouv. Revue théol.*, 118, 1996, pp. 363-384.

Bolgiani, Francesco, *La conversione di S. Agostino e l'VIII° libro delle Confessioni*, Turin, 1956.

* Bonner, Gerald, *St Augustine of Hippo. Life and Controversies*, Londres, 1963 (rééd. 1986).

Bonner, Gerald, « Augustine's Conception of Deification », dans *The Journal of Theological Studies*, 37, 1986, pp. 369-386.

Id., « Augustinus (uita) », dans *Augustinus-Lexikon*, vol. 1, 1994, col. 519-550.

Borgomeo, Pasquale, *L'Église de ce temps dans la prédication de saint Augustin*, Paris, Ét. aug., 1972.

Bouhot, Jean-Paul, « Une lettre d'Augustin d'Hippone à Cyrille d'Alexandrie (Ép. 4*) », dans *Les lettres de saint Augustin découvertes par Johannes Divjak*, Paris, Ét. aug., 1983, pp. 47-154.

Id., « Augustin prédicateur d'après le *De doctrina christiana* », dans *Augustin prédicateur (395-411). Actes du colloque int. de Chantilly (5-7 sept. 1996)*, Paris, Ét. aug., 1998, pp. 49-61.

Id., « La transmission d'Hippone à Rome des œuvres de saint Augustin », dans *Du copiste au collectionneur. Mélanges d'histoire des textes et des bibliothèques en l'honneur d'André Vernet*, Brepols, à paraître.

Broglie, Guy de, « Pour une meilleure intelligence du *De correptione et gratia* », dans *Augustinus Magister*, t. III, Paris, Ét. aug., 1954, pp. 317-337.

Brown, Peter, « Aspects of the Christianization of the Roman Aristocracy », dans *The Journal of Roman Studies*, 51, 1961, pp. 1-11.

Id., « Pelagius and his supporters : aims and environment », dans *The Journal of Theol. Studies*, 19, 1968, pp. 93-112.

* Id., *La Vie de saint Augustin*, Paris, Le Seuil, 1971, traduit par Jeanne Henri-Marrou de l'original en langue anglaise : *Augustine of Hippo. A Biography*, Londres, 1967.

Id., « St. Augustine's Attitude to Religious Coercion », dans *Religion and Society in the Age of Saint Augustine*, Londres, 1972, pp. 260-278.

Id., *Le Culte des saints, son essor et sa fonction dans la chrétienté latine* (traduit de l'anglais par Aline Rousselle), Paris, Éd. du Cerf, 1984.

Id., *Le Renoncement à la chair. Virginité, célibat et continence dans le christianisme primitif* (traduit de l'anglais par Pierre-Emmanuel Dauzat et Christian Jacob), Paris, Gallimard, 1995.

Caillet, Jean-Pierre : cf. Gui, Isabelle.

Cambronne, Patrice, « Le vol des poires », dans *Revue des études latines*, 71, 1993, pp. 220-238.

Carozzi, Claude, *Le Voyage de l'âme après la mort dans la littérature latine (Vᵉ-XIIIᵉ siècle)*, Coll. EFR, 189, Rome, 1994.

Cecconi, G. A., « Un evergete mancato. Piniano a Ippona », dans *Athenaeum*, 66, 1988, pp. 371-389.

Chadwick, Henry, « Augustine on pagans and Christians : reflections on religious and social change », dans *History, Society and the Churches. Essays in Honour of Owen Chadwick*, Cambrige University Press, 1985, pp. 17-18.

* Id., *Augustin* (traduit de l'anglais par A. Spiess, préface de J. Fontaine), Paris, Éd. du Cerf, 1987.

Id., « Donatism and the Confessions of Augustine », dans *Philanthropia kai Eusebeia. Festschrift für A. Dihle*, Göttingen, 1993, pp. 23-35.

Chastagnol, André, « Le sénateur Volusien et la conversion d'une famille de l'aristocratie romaine au Bas-Empire », dans *Revue des études anciennes*, 58, 1956, pp. 240-253.

Id., *Les Fastes de la préfecture de Rome au Bas-Empire*, Paris, 1962.

Id., *L'album municipal de Timgad*, Bonn, 1978.

Id., « Les jubilés impériaux de 260 à 387 », dans *Crise et Redressement dans les provinces européennes de l'Empire*, Strasbourg, 1983, pp. 11-25.

Chiesa, Paolo, « Un testo agiografico africano ad Aquileia : gli *Acta* di Gallonio e dei martiri di Timida Regia », dans *Analecta Bollandiana*, 114, 1996, pp. 241-268.

Chomarat, Jacques, « Les "Confessions" de saint Augustin », dans *Revue française de psychanalyse*, 52, 1988, pp. 153-174.

Concilia Africae (a. 345-a. 525), éd. par Ch. Munier, *Corpus Christ., series latina (CCL)*, vol. 149, 1974.

Courcelle, Pierre, « Les premières "Confessions" de saint Augustin », dans *Revue des études latines*, XXI-XXII, 1943-1944, pp. 155-174.

Id., *Les Lettres grecques en Occident de Macrobe à Cassiodore*, Paris, De Boccard, 1948.

Id., « Plotin et saint Ambroise », dans *Revue de philologie*, 76, 1950, pp. 29-56.

Id., *Les « Confessions » de saint Augustin dans la tradition littéraire. Antecédents et postérité*, Paris, Ét. aug., 1963.

Id., *Histoire littéraire des grandes invasions germaniques*, 3ᵉ éd., Paris, Ét. aug., 1964.

* Id., *Recherches sur les « Confessions » de saint Augustin*, Paris, De Boccard, 1968.

Courtois, Christian, *Les Vandales et l'Afrique*, Paris, AMG, 1955.

Cracco Ruggini, Lelia, *Il paganesimo romano tra religione e politica (384-394 d. C.)*, Rome, 1979.

Crespin, Rémi, *Ministère et Sainteté. Pastorale du clergé et solution de la crise donatiste dans la vie et la doctrine de saint Augustin*, Paris, Ét. aug., 1965.

De Beer, F., « Une tessère d'orthodoxie. Le "Libellus emendationis" de Leporius (vers 418-421) », dans *Revue des ét. aug.*, 10, 1964, pp. 145-185.

Decret, François, *Aspects du manichéisme dans l'Afrique romaine*, Paris, Ét. aug., 1974.

Id., *Mani et la tradition manichéenne*, Coll. « Maîtres spirituels », Paris, Le Seuil, 1974.

Id., « Augustin d'Hippone et l'esclavage », dans *Dialogues d'histoire ancienne*, 11, 1985, pp. 675-685.

Id., « Aspects de l'Église manichéenne. Remarques sur le manuscrit de Tébessa », dans *Cassiciacum*, XL, 1989, pp. 123-151.

Id., « L'utilisation des épîtres de Paul chez les manichéens d'Afrique », dans *Sussidi patristici*, V, Rome, Augustinianum, 1989, pp. 29-83.

Id., « Le traité d'Evodius "Contre les manichéens" : un compendium à l'usage du parfait controversiste », dans *Augustinianum*, 31, 2, 1991, pp. 387-409.

Delaroche, Bruno, « La date du *De peccatorum meritis et remissione* », dans *Revue des ét. aug.*, 41, 1995 pp. 37-57.

Derycke, H., « Le vol des poires, parabole du péché originel », dans *Bulletin de littérature ecclésiastique*, 88, 3-4, 1987, pp. 337-348.

Desanges, Jehan, et Lancel, Serge, « L'apport des nouvelles lettres à la géographie historique de l'Afrique antique et de l'Église d'Afrique », dans *Les lettres de saint Augustin découvertes par Johannes Divjak*, Paris, Ét. aug., 1983, pp. 87-99.

De Veer, A. C., « L'exploitation du schisme maximianiste par saint Augustin dans sa lutte contre le donatisme », dans *Recherches augustiniennes*, 3, 1965, pp. 219-237.

Id., « Une mesure de tolérance de l'empereur Honorius », dans *Revue des études byzantines*, 24, 1966, pp. 189-195.

Id., « Aux origines du *De natura et origine animae* de saint Augustin », dans *Revue des ét. aug.*, 19, 1973, pp. 121-157.

Doignon, Jean, « La prière liminaire des *Soliloquia* dans la ligne philosophique des *Dialogues* de Cassiciacum », dans *Augustiniana Traiectina*, Paris, Ét. aug., 1987, pp. 85-105.

Id., « *Factus erectior* (*B. uita*, I, 4). Une étape dans l'évolution du jeune Augustin à Carthage », dans *Vetera Christianorum*, 27, 1990, pp. 77-83.

Id., « Oracles, prophéties, "on-dit" sur la chute de Rome. Les réactions de Jérôme et d'Augustin », dans *Revue des études aug.*, 36, 1990, pp. 120-146.

Dolbeau, François, *Vingt-Six Sermons au peuple d'Afrique*, Paris, Ét. aug., 1996 (ce volume rassemble, avec des compléments, les sermons inédits d'Augustin publiés par l'auteur depuis 1991 dans diverses revues).

Id., « Un poème philosophique de l'Antiquité tardive : *De pulchritudine mundi* :

Remarques sur le *Liber XXI Sententiarum* (*CPR*, 373) », dans *Revue des études augustiniennes*, 42, 1996, pp. 21-43.

Id., « Le sermonnaire augustinien de Mayence (Mainz, Stadtbibliothek I 9) : analyse et histoire », dans *Revue bénédictine*, 106, 1-2, 1996, pp. 5-52.

Doucet, Dominique, « L'*ars Memoriae* dans les "Confessions" », dans *Revue des études augustiniennes*, 33, 1987, pp. 49-69.

Id., « Recherche de Dieu, Incarnation et philosophie : *Sol.*, I, 2-6 », dans *Revue des études augustiniennes*, 36, 1990, pp. 91-119.

Dulaey, Martine, *Le Rêve dans la vie et la pensée de saint Augustin*, Paris, Ét. aug., 1973.

Dunbabin, Katherin, *The Mosaics of Roman North Africa. Studies on Iconography and Patronage*, Oxford, 1978.

Du Roy, Olivier, *L'Intelligence de la foi en la Trinité selon saint Augustin. Genèse de sa théologie trinitaire jusqu'en 391*, Paris, Ét. aug., 1966.

Dutoit, Ernest, *Tout saint Augustin* (textes réunis et édités par Esther Bréguet), Fribourg, 1988.

Duval, Noël, *Les Églises africaines à deux absides*, t. I et II (BEFAR, 218 et 218 *bis*), Paris, De Boccard, 1973.

Id., « Hippo Regius », dans *Reallexikon für Antike und Christentum*, XV, 1989, col. 442-466.

Id., « Architecture et liturgie », dans *Revue des études augustiniennes*, 42, 1996, pp. 121-127.

Id. : cf. Gui, Isabelle.

Duval, Yves-Marie, « L'éloge de Théodose dans la *Cité de Dieu* (V, 26, 1). Sa place, son sens et ses sources », dans *Recherches aug.*, 4, 1966, pp. 135-179.

Id., « Julien d'Éclane et Rufin d'Aquilée. Du Concile de Rimini à la répression pélagienne. L'intervention impériale en matière religieuse », dans *Revue des ét. aug.*, 24, 1978, pp. 243-271.

Id., « La date du "De natura" de Pélage », dans *Revue des études aug.*, 36, 1990, pp. 257-283.

Duval, Yvette, *Loca sanctorum Africae. Le culte des martyrs en Afrique du IVᵉ au VIIᵉ siècle* t. I et II (Coll. EFR, 58), Rome, 1982.

Ead., *Auprès des saints, corps et âme. L'inhumation « ad sanctos » dans la chrétienté d'Orient et d'Occident du IIIᵉ au VIIᵉ siècle*, Paris, Ét. aug., 1988.

Ead., « *Flora* était-elle africaine ? » dans *Revue des ét. aug.*, 34, 1988, pp. 70-77.

Ead., « *Sanctorum sepulcris sociari* », dans *Les fonctions des saints dans le monde occidental (IIIᵉ-XIIIᵉ siècle)* (Coll. EFR, 149), Rome, 1991, pp. 333-351.

Ennabli, Liliane, *Carthage. Une métropole chrétienne du IVᵉ siècle à la fin du VIIᵉ siècle*, Paris, CNRS, 1997.

Evans, R. F., *One and Holy : The Church in Latin Patristic Thought*, Londres, 1972.

Feldmann, Erich, *Der Einfluss des Hortensius und des Manichäismus auf das Denken des jungen Augustins von 373*, Münster, 1973.

Id., « Confessiones », dans *Augustinus-Lexikon*, vol. 1, 1994, col. 1134-1193.

Ferrari, Leo C., « The Pear-Theft in Augustine's Confessions », dans *Revue des études augustiniennes*, 16, 1970, pp. 233-242.

Id., « The Arboreal Polarisation in Augustine's Confessions », dans *Revue des études augustiniennes*, 25, 1979, pp. 35-46.

Id., « Saint Augustine on the Road to Damascus », dans *Augustinian Studies*, 13, 1982, pp. 151-170.

Id., « *Ecce audio uocem de uicina domo* : *Conf.*, 8, 12, 29 », dans *Augustiniana*, 33, 1983, pp. 232-245.

Id., « Isaiah and the early Augustine », dans *Mélanges T. J. Van Bavel*, t. II, Louvain, 1990, pp. 739-756.

Février, Paul-Albert, « À propos du repas funéraire : culte et sociabilité », dans *Cahiers archéologiques*, 26, 1977, pp. 29-45.

Id., « Tombes privilégiées en Maurétanie et en Numidie », dans *L'Inhumation privilégiée du IVᵉ au VIIIᵉ siècle en Occident*, Paris, De Boccard, 1986, pp. 13-23.

* Flasch, Kurt, *Augustin. Einführung in sein Denken*, Stuttgart, 1980.

Id., *Logik des Schrekens. Augustinus von Hippo, die Gnadenlehre von 397*, Mayence, 1990.

Folliet, Georges, « La typologie du sabbat chez saint Augustin », dans *Revue des études augustiniennes*, 2, 1956, pp. 371-390.

Id., « *Deificari in otio* : *Aug.*, *Ep.* X, 2 », dans *Recherches augustiniennes*, 2, 1962, pp. 225-236.

Id., « Le dossier de l'affaire Classicianus » (*Ep.* 250 et 1*), dans *Les Lettres de saint Augustin découvertes par J. Divjak*, Paris, Ét. aug., 1983, pp. 129-146.

Id., « La correspondance entre Augustin et Nebridius », dans *L'opera letteraria di Agostino tra Cassiciacum e Milano. Agostino nelle terre di Ambrogio*, Palerme, 1987, pp. 191-215.

Fontaine, Jacques, *Aspects et Problèmes de la prose d'art latine au IIIᵉ siècle. La genèse des styles latins chrétiens*, Turin, Bottega d'Erasmo, 1968.

Id., *Naissance de la poésie dans l'Occident chrétien*, Paris, 1981.

Id., « Une révolution littéraire dans l'Occident latin : les *Confessions* de saint Augustin », dans *Bulletin de littérature ecclésiastique*, 88, 3-4, 1987, pp. 173-193.

Id., « Genres et styles dans les *Confessions* de saint Augustin », dans *L'Information littéraire*, 42, 1, 1990, pp. 13-20.

Fontanier, Jean, « Sur le traité d'Augustin *De pulchro et apto*. Convenance, beauté, adaptation », dans *Revue des sciences philos. et théolog.*, 73, 1989, pp. 413-421.

Fredouille, Jean-Claude, *Tertullien et la conversion de la culture antique*, Paris, Ét. aug., 1972.

Id., « Deux mauvais souvenirs d'Augustin », dans *Philanthropia kai Eusebeia. Festschrift für A. Dihle*, Göttingen, 1993, pp. 74-79.

Id., « Les Confessions d'Augustin, autobiographie au présent », dans *L'Invention de l'autobiographie d'Hésiode à saint Augustin*, Paris, Presses de l'ENS, 1993, pp. 167-178.

Id., « Les sermons d'Augustin sur la chute de Rome », dans *Augustin prédicateur (395-411). Actes du colloque int. de Chantilly (5-7 sept. 1996)*, Paris, Ét. aug., 1998, pp. 439-448.

Frend, W. H. C., *The Donatist Chuch. A Movement of Protest in Roman North Africa*, Oxford, 1952.

Id., « The Family of Augustine. A Microcosm of Religious Change in North Africa », dans *Atti del Congr. intern. su S. Agostino nel XVI centenario della sua conversione*, Rome, 1987, pp. 135-151.

Gabillon, Aimé, « Romanianus, alias Cornelius. Du nouveau sur le bienfaiteur et l'ami de saint Augustin », dans *Revue des études aug.*, 24, 1978, pp. 58-70.

Id., « Pour une datation de la lettre 243 d'Augustin à Laetus », dans *Revue des études augustiniennes*, 40, 1, 1994, pp. 127-142.

Id., « Redatation de la lettre 109 de Severus de Milev », dans *Augustin prédicateur*

(395-411). Actes du Colloque int. de Chantilly (5-7 sept. 1996), Paris, Ét. aug., 1998, pp. 431-437.

Gaudemet, Jean, *L'Église dans l'Empire romain (IV*ᵉ*-V*ᵉ *siècle)*, Paris, Sirey, 1958.

Gauthier, Nancy, « Les images de l'au-delà durant l'Antiquité chrétienne », dans *Revue des études aug.*, 33, 1987, pp. 3-22.

* Gilson, Étienne, *Introduction à l'étude de saint Augustin*, Paris, Vrin, 1929.

Girard, Jean-Michel, *La Mort chez saint Augustin. Grandes lignes de l'évolution de sa pensée, telle qu'elle apparaît dans ses traités*, Fribourg, 1992.

Gorman, Martin, « Aurelius Augustinus : the Testimony of the oldest Manuscripts of Saint Augustine's Works », dans *The Journal of Theol. Studies*, 35, 1984, pp. 475-480.

Id., « The text of Saint Augustine's *De Genesi ad litteram imperfectus liber* », dans *Recherches augustiniennes*, 20, 1985, pp. 65-86.

Greshake, G., *Gnade als konkrete Freiheit*, Mayence, 1972.

Gros, Pierre « Le forum de la ville haute dans la Carthage romaine d'après les textes et l'archéologie », dans *Comptes rendus de l'Acad. des inscriptions et belles-lettres*, 1982, pp. 636-658.

Gui, Isabelle, Duval, Noël, et Caillet, Jean-Pierre, *Basiliques chrétiennes d'Afrique du Nord. I. Inventaire de l'Algérie*, Paris, Ét. aug., 1992.

Guy, Jean-Claude, *Unité et Structure logique de la « Cité de Dieu » de saint Augustin*, Paris, Ét. aug., 1961.

Hadot, Ilsetraut, *Arts libéraux et philosophie dans la pensée antique*, Paris, Ét. aug., 1984.

Hadot, Pierre, « Platon et Plotin dans trois sermons de saint Ambroise » dans *Revue des études latines*, 34, 1956, pp. 202-220.

Id., *Marius Victorinus. Recherches sur sa vie et ses œuvres*, Paris, Ét. aug., 1971.

Hagendhal, Harald, *Augustine and the Latin Classics*, Göteborg, 1967.

Hamman, Adalbert, *La Vie quotidienne en Afrique du Nord au temps de saint Augustin*, Paris, Hachette, 1979.

Hanoune, Roger, « Le paganisme philosophique de l'aristocratie municipale », dans *L'Afrique dans l'Empire romain (I*ᵉʳ *siècle avant J.-C – IV*ᵉ *siècle après J.-C.)*, Rome, 1990, pp. 63-75.

Henry, Paul, « Plotin et l'Occident », dans *Spicilegium sacrum Lovaniense*, XV, Louvain, 1934.

Id., *La Vision d'Ostie. Sa place dans la vie et l'œuvre de saint Augustin*, Paris, Vrin, 1938.

Holte, Ragnar, *Béatitude et Sagesse. Saint Augustin et le problème de la fin de l'homme dans la philosophie ancienne*, Paris, Ét. aug., 1962.

Hombert, Pierre-Marie, *Gloria gratiae. Se glorifier en Dieu, principe et fin de la théologie augustinienne de la grâce*, Paris, Ét. aug., 1996.

Humbert, Michel, « Enfants à louer ou à vendre : Augustin et l'autorité parentale (*Ep.* 10* et 24*) », dans *Les Lettres de saint Augustin découvertes par Johannes Divjak*, Paris, Ét. aug., 1983, pp. 189-203.

Inglebert, Hervé, *Les Romains chrétiens face à l'histoire de Rome*, Paris, Ét. aug., 1996.

Jacques, François, « Le défenseur de cité d'après la lettre 22* de saint Augustin », dans *Revue des études augustiniennes*, 32, 1986, pp. 56-73.

Kevane, Eugene, « Augustine's *De doctrina christiana* : a Treatise on Christian Education », dans *Recherches augustiniennes*, 4, 1966, pp. 97-133.

Knauer, N. G., *Psalmenzitate in Augustins Konfessionen*, Göttingen, 1955.

Kotula, Taddeusz, « *Modicam terram habes, id est uilla.* Sur une notion de *uilla* chez saint Augustin », dans *L'Africa romana*, 5, Sassari, 1988, pp. 339-344.

Kriegbaum, Bernhard, *Kirche der Traditoren oder Kirche der Martyrer. Die Vorgeschichte des Donatismus*, Innsbruck-Vienne, 1986.

Kunzelmann, A., « Die Chronologie der Sermones des Hl. Augustinus », dans *Miscellanea Agostiniana*, II, Rome, 1931, pp. 417-520.

La Bonnardière, Anne-Marie, *Recherches de chronologie augustinienne*, Paris, Ét. aug., 1965.

Ead., *Biblia Augustiniana. A. T. : le livre de la Sagesse*, Paris, Ét. aug., 1970.

Ead., *Biblia Augustiana. A. T. : le livre des Proverbes*, Paris, Ét. aug., 1975.

Ead., « Les *Enarrationes in Psalmos* prêchées par saint Augustin à Carthage en décembre 409 », dans *Recherches aug.*, 11, 1976, pp. 52-90.

Ead., « "Aurelius Augustinus" ou "Aurelius, Augustinus" ? » dans *Revue bénédictine*, 91, 1981, pp. 213-237.

Ead., « Les deux vies. Marthe et Marie », dans *Saint Augustin et la Bible*, Paris, Beauchesne, 1986, pp. 411-425.

Ead., « Aurelius episcopus », dans *Augustinus-Lexikon*, vol. 1, 1994, col. 550-566.

Labrousse, Mireille, « Le baptême des hérétiques d'après Cyprien, Optat et Augustin : influences et divergences », dans *Revue des études aug.*, 42, 1996, pp. 223-242.

Lamirande, Émilien, « Quand Monique, la mère d'Augustin, prend la parole », dans *Signum pietatis. Festgabe für C. P. Mayer O. S. A. zum 60. Geburtstag*, Würzburg, 1989, pp. 3-19.

Lancel, Serge, « Originalité de la province ecclésiastique de Byzacène », dans *Cahiers de Tunisie*, 45-46, 1964, pp. 139-152.

Id., « Les débuts du donatisme : la date du "Protocole de Cirta" et de l'élection épiscopale de Silvanus », dans *Revue des études augustiniennes*, 25, 1979, pp. 217-229.

Id., « La fin et la survie de la latinité en Afrique du Nord », dans *Revue des études latines*, 59, 1981, pp. 269-297.

Id., « L'affaire d'Antoninus de Fussala : pays, choses et gens de la Numidie d'Hippone saisis dans la durée d'une procédure d'enquête épiscopale », dans *Les Lettres de saint Augustin découvertes par Johannes Divjak*, Paris, Ét. aug., 1983, pp. 267-285.

Id., « Études sur la Numidie d'Hippone au temps de saint Augustin. Recherches de topographie ecclésiastique », dans *Mélanges de l'École fr. de Rome, Antiquité*, 96, 2, 1984, pp. 1085-1113.

Id., « Saint Augustin et la Maurétanie Césarienne ; les années 418 et 419 à la lumière des nouvelles lettres récemment publiées », dans *Revue des ét. aug.*, 30, 1984, pp. 48-59.

Id., « Le sort des évêques et des communautés donatistes après la conférence de Carthage en 411 », dans *Internationales Symposion über den Stand der Augustinus-Forschung*, Würzburg, 1989, pp. 149-167.

Id., « Victor de Vita et la Carthage vandale », dans *L'Africa romana*, 6, Sassari, 1989, pp. 649-661.

Id., *Tipasa de Maurétanie* (3e édit. en coll. avec M. Bouchenaki), Alger, 1990.

Id., « Évêchés et cités dans les provinces africaines », dans *L'Afrique dans l'Empire romain (Ier siècle av. J.-C. – IVe siècle après J.-C.)*, Rome, 1990, pp. 273-290.

Id., « Le recrutement de l'Église d'Afrique au début du Vᵉ siècle : aspects qualitatifs et quantitatifs », dans *De Tertullien aux Mozarabes. Mélanges offerts à Jacques Fontaine*, t. I, Paris, Ét. aug. 1992, pp. 325-338.

Id., « Africa, organisation ecclésiastique », dans *Augustinus-Lexikon*, vol. 1, 1994, col. 206-216.

Id., « Donatistae », dans *Augustinus-Lexikon*, vol. 2, 1999.

Id., « Modalités de l'inhumation privilégiée dans la nécropole de Sainte-Salsa à Tipasa (Algérie) », dans *CRAI*, 1998, pp. 791-812.

Lassère, Jean-Marie, *Ubique populus*, Paris, CNRS, 1977.

Law, V. A., « St. Augustine's *De grammatica* : Lost or Found ? » dans *Recherches augustiniennes*, 19, 1984, pp. 155-183.

Lawless, G. P., « Augustine's first monastery : Thagaste or Hippo ? » dans *Augustinianum*, 25, 1985, pp. 65-78.

Id., *Augustine of Hippo and His Monastic Rule*, Oxford, 1990.

Legewie, B. « Die körperliche Konstitution und die Krankheiten Augustins », dans *Miscellanea Agostiniana*, t. II, Rome, 1931, pp. 5-21.

Le Goff, Jacques, *Naissance du purgatoire*, Paris Gallimard, 1981.

Lejeune, Philippe, *Le Pacte autobiographique*, Paris, Le Seuil, 1975.

* Lenain de Tillemont, Sébastien, *Mémoires pour servir à l'histoire ecclésiastique des six premiers siècles* ; t. XIII : *Vie de saint Augustin*, Paris, 1702.

Lepelley, Claude, *Les Cités de l'Afrique romaine au Bas-Empire*, t. I, Paris, Ét. aug., 1979 ; t. II, *ibid.*, 1981.

Id., « *Juvenes* et circoncellions : les derniers sacrifices humains de l'Afrique antique », dans *Antiquités africaines*, 15, 1980, pp. 261-271.

Id., « Un aspect de la conversion d'Augustin : la rupture avec les ambitions sociales et politiques », dans *Bulletin de litt. eccl.*, 88-3-4, 1987, pp. 229-246.

Id., « Quelques parvenus de la culture de l'Afrique romaine tardive », dans *De Tertullien aux Mozarabes. Mélanges offerts à Jacques Fontaine*, t. I, Paris, Ét. aug., 1992, pp. 583-594.

Id., « Le musée des statues divines » dans *Cahiers archéologiques*, 42, 1994, pp. 5-15.

Id., « Circumcelliones », dans *Augustinus-Lexikon*, vol. 1, 1994, col. 930-935.

Leveau, Philippe, *Caesarea de Maurétanie, une ville romaine et ses campagnes*, Coll. EFR, 70, Rome, 1984.

Lewis, Geneviève, « Augustinisme et cartésianisme », dans *Augustinus Magister*, t. II, Paris, Ét. aug., 1954, pp. 1087-1104.

Lim, R., « Manichaeans and public disputation in Late Antiquity », dans *Recherches augustiniennes*, 26, 1992, pp. 233-272.

Madec, Goulven, « Une lecture de *Confessions*, VII, 13-27 », dans *Revue des études augustiniennes*, 16, 1970, pp. 79-137.

Id., *Saint Ambroise et la philosophie*, Paris, Ét. aug., 1974.

Id., « Christus, scientia et sapientia nostra. Le principe de cohérence de la doctrine augustinienne », dans *Recherches aug.*, 10, 1975, pp. 77-85.

Id., « L'historicité des *Dialogues* de Cassiciacum », dans *Revue des études augustiniennes*, 32, 1986, pp. 207-231.

Id., « Le milieu milanais. Philosophie et christianisme », dans *Bulletin de littérature eccl.*, 88, 3-4, 1987, pp. 194-205.

* Id., *La Patrie et la Voie. Le Christ dans la pensée et la vie de saint Augustin*, Paris, Desclée, 1989.

Id., « Le néoplatonisme dans la conversion d'Augustin. État d'une question centenaire (depuis Harnack et Boissier, 1883) », dans *Internationales Symposion über den Stand der Augustinus-Forschung*, Würzburg, 1989, pp. 9-25.

Id., « Le Christ des païens d'après le *De consensu euangelistarum* de saint Augustin », dans *Recherches augustiniennes*, 26, 1992, pp. 3-67.

Id., « Augustin prêtre », dans *De Tertullien aux Mozarabes. Mélanges offerts à Jacques Fontaine*, t. I, Paris, 1992, pp. 185-199.

Id., « Saint Augustin et le maître intérieur », dans *Connaissance des Pères de l'Église*, 48, déc. 1992, pp. 16 *sq.*

Id., « Le neveu d'Augustin », dans *Revue des ét. aug.*, 39, 1993, pp. 149-153.

Id., *Petites Études augustiniennes*, Paris, Ét. aug., 1994 (le livre rassemble une vingtaine d'études parues depuis 1975, plus un texte inédit).

Id., *Saint Augustin et la philosophie. Notes critiques*, Paris, Ét. aug., 1996.

* Id., *Introduction aux* Révisions *et à la lecture de saint Augustin*, Paris, Ét. aug., 1996.

Id., « Deus », dans *Augustinus-Lexikon*, vol. 2, fasc. 1-2 et 3-4, 1996-1998.

Id., *Le Dieu d'Augustin*, Paris, Éd. du Cerf, 1998 (nous n'avons pu lire cet ouvrage, sorti à l'automne de 1998).

Maier, Jean-Louis, « La date de la rétractation de Leporius et celle du "sermon 396" de saint Augustin », dans *Revue des ét. aug.*, 11, 1965, pp. 39-42.

Id. : cf. Perler, Othmar.

Id., *Le Dossier du donatisme*, t. I : *Des origines à la mort de Constance II (303-361)*, Berlin, 1987 ; t. II : *De Julien l'Apostat à saint Jean Damascène (361-750)*, Berlin, 1989.

Mandouze, André, « "L'extase d'Ostie". Possibilités et limites de la méthode des parallèles textuels », dans *Augustinus Magister*, I, Paris, Ét. aug., 1954, pp. 67-84.

Id., « Saint Augustin et la religion romaine », dans *Recherches aug.*, 1, 1958, pp. 187-223.

* Id., *Saint Augustin, l'aventure de la raison et de la grâce*, Paris, Ét. aug. 1968.

Id., « Quelques principes de "linguistique augustinienne" dans le *De magistro* », dans *Forma futuri. Studi in onore del cardinale Michele Pellegrino*, Turin, Bottega d'Erasmo, 1975, pp. 790-795.

Id., *Prosopographie chrétienne du Bas-Empire. I. Afrique (303-533)*, Paris, CNRS, 1982.

Id., « Se/nous/le confesser ? Question à saint Augustin », dans *Individualisme et autobiographie en Occident*, Bruxelles, Éd. de l'université de Bruxelles, 1983, pp. 73-83.

Id., « Le livre V des "Confessions" de saint Augustin », dans *Le Confessioni di Agostino d'Ippona, libri III-V*, Palerme, 1984, pp. 39-55.

Marec, Erwan, *Hippone-la-Royale, antique Hippo Regius*, 2ᵉ édit., Alger, 1956.

Id., *Monuments chrétiens d'Hippone, ville épiscopale de saint Augustin*, Paris, AMG, 1958.

Markus, R. A., *Saeculum. History and Society in the Theology of St Augustine*, Cambridge, 1970.

Marrou, Henri-Irénée, Un lieu dit « Cité de Dieu », dans *Augustinus Magister*, t. I, Paris, Ét. aug., 1954, pp. 101-110.

Id., « La théologie de l'histoire », dans *Augustinus Magister*, t. III, Paris, Ét. aug., 1954, pp. 193-204.

* Id. (en coll. avec Anne-Marie La Bonnardière), *Saint Augustin et l'augustinisme*, Coll. « Maîtres spirituels », Paris, Le Seuil, 1955.

Id., « Ciuitas Dei, ciuitas terrena. Num tertium quid ? » dans *Studia patristica*, 2, 1957, pp. 342-350.

* Id., *Saint Augustin et la fin de la culture antique*, 4ᵉ éd., Paris, De Boccard, 1958.

Id., « La basilique chrétienne d'Hippone d'après les résultats des dernières fouilles », dans *Revue des ét. aug.*, 6, 1960, pp. 109-154 (repris dans *Patristique et Humanisme. Mélanges*, Paris, Le Seuil, 1976, pp. 183-231).

Id., « Le dogme de la résurrection des corps et la théologie des valeurs humaines selon l'enseignement de saint Augustin », dans *Revue des ét. aug.*, 12, 1966, pp. 112-136 (repris dans *Patristique et Humanisme. Mélanges*, pp. 429-455).

Id., « Les attaches orientales du pélagianisme », dans *Comptes rendus de l'Acad. des inscriptions et belles-lettres*, 1968, pp. 459-472 (repris dans *Patristique et Humanisme. Mélanges*, pp. 331-344).

Id., *Théologie de l'histoire*, Paris, Le Seuil, 1968.

Id., « Une inscription chrétienne de Tipasa et le *refrigerium* », dans *Antiquités africaines*, 14, 1979, pp. 261-269.

Martin, René, « Apulée, Virgile, Augustin : réflexions nouvelles sur la structure des *Confessions* », dans *Revue des études latines*, 68, 1990, pp. 136-150.

Martinetto, G., « Les premières réactions antiaugustiniennes de Pélage », dans *Revue des ét. aug.*, 17, 1971, pp. 83-117.

Mayer, Cornelius Petrus, *Die Zeichen in der geistigen Entwicklung und in der Theologie Augustins*, t. I, Würzburg, Augustinus-Verlag, 1969 ; t. II, *ibid.*, 1974.

Meslin, Michel, *Les Ariens d'Occident (335-430)*, Paris, Le Seuil, 1967.

Modéran, Yves, « Gildon, les Maures et l'Afrique », dans *Mélanges de l'École fr. de Rome, Antiquité*, 101, 2, 1989, pp. 821-872.

Monceaux, Paul, *Histoire littéraire de l'Afrique chrétienne*, t. IV, Paris, 1912 ; t. VI et VII, Paris, 1922 (réimpr. Bruxelles, 1966).

Id., « Un couvent de femmes à Hippone », dans *Comptes rendus de l'Acad. des inscriptions et belles-lettres*, 1913, pp. 570-595.

Id., « Saint Augustin et saint Antoine. Contribution à l'histoire du monachisme », dans *Miscellanea Agostiniana*, II, Rome, 1931, pp. 61-89.

Moreau, Madeleine, « Le dossier Marcellinus dans la correspondance de saint Augustin », dans *Recherches augustiniennes*, 9, 1973, pp. 51-258.

Ead., « Qui est donc Publicola ? » dans *Revue des études aug.*, 28, 1982, pp. 225-238.

Ead., « Lecture du *De doctrina christiana* », dans *Saint Augustin et la Bible*, Paris, Beauchesne, 1986, pp. 253-285.

Morel, Jean-Paul, « Recherches stratigraphiques à Hippone », dans *Bulletin d'arch. alg.*, III, 1968, pp. 35-84.

Morizot, Pierre, « L'âge au mariage des jeunes romaines à Rome et en Afrique », dans *Comptes rendus de l'Acad. des inscriptions et belles-lettres*, 1989, pp. 656-669.

Mourant, J. A., « Ostia reexamined : a Study in the Concept of Mystical Experience », dans *Philosophy of Religion*, 1, 1970, pp. 38-49.

Munier, Charles, « La question des appels à Rome d'après la lettrre 20* d'Augustin », dans *Les Lettres de saint Augustin découvertes par J. Divjak*, Paris, Ét. aug., 1983, pp. 287-299.

Nauroy, Gérard, « Le fouet et le miel. Le combat d'Ambroise en 386 contre l'arianisme milanais », dans *Recherches aug.*, 23, 1988, pp. 4-86.

Ntedika, Joseph, *L'Évolution de la doctrine du purgatoire chez saint Augustin*, Paris, Ét. aug., 1966.

O'Daly, G. J. P., « Anima, animus », dans *Augustinus-Lexikon*, vol. 1, 1994, col. 315-340 ; « Ciuitate Dei (de) », dans *Augustinus-Lexikon*, vol. 1, 1994, col. 969-1010.

Olivar, A., *La predicación cristiana antigua*, Barcelone, 1991.

O'Meara, John J., « The Historicity of the Early Dialogues of Saint Augustine », dans *Vigiliae Christianae*, 5, 1951, pp. 150-178.

Id., *La Jeunesse de saint Augustin. Introduction aux Confessions de saint Augustin* (traduit de l'anglais par Jeanne Henri-Marrou), Paris, Plon, 1958 (2ᵉ éd. Fribourg-Paris, 1988).

Palanque, Jean-Rémy, *Saint Ambroise et l'Empire romain*, Paris, De Boccard, 1933.

Paredi, A., « Agostino ed i Milanesi », dans *Agostino a Milano*, Palerme, 1988, pp. 57-62.

Paschoud, François, *Roma aeterna. Études sur le patriotisme romain à l'époque des Grandes Invasions*, Rome, Institut suisse de Rome, 1967.

Pelland, G., « Augustin rencontre le livre de la *Genèse* », dans *Lectio Augustini*, VII, Palerme, 1992, pp. 15-53.

Pellegrino, Michele, *Les Confessions de saint Augustin. Guide de lecture* (traduit de l'italien par H. Chirat), Paris, Éd. Alsatia, 1960.

Pépin, Jean, « Saint Augustin et le symbolisme néoplatonicien de la vêture », dans *Augustinus Magister*, t. I, Paris, Ét. aug., 1954, pp. 293-306.

Id., *Ex platonicorum persona. Études sur les lectures philosophiques de saint Augustin*, Amsterdam, 1977.

* Perler, Othmar, et Maier, Jean-Louis, *Les Voyages de saint Augustin*, Paris, Ét. aug., 1969.

Picard, Gilbert-Charles, *La Carthage de saint Augustin*, Paris, Fayard, 1965.

Id., *La Civilisation de l'Afrique romaine*, 2ᵉ éd., Paris, Ét. aug., 1990.

Pierron, Jean-Philippe, « La question du témoignage dans les *Confessions* de saint Augustin », dans *Revue des études aug.*, 41, 1995, pp. 253-266.

Pietri, Charles, *Roma christiana. Recherches sur l'Église de Rome, son organisation, sa politique, son idéologie de Miltiade à Sixte III (311-440)*, t. I et II (BEFAR, 224), Rome, 1976.

Id., « Le temps de la semaine à Rome et dans l'Italie chrétienne (IVᵉ-VIᵉ s.) », dans *Le Temps chrétien de la fin de l'Antiquité au Moyen Âge (IIIᵉ-XIIIᵉ siècle)*, Paris, CNRS, 1984, pp. 63-97.

* Pincherle, Alberto, *Vita di sant'Agostino*, Rome-Bari, Laterza, 1980.

Plinval, Georges de, *Pélage, ses écrits, sa vie et sa réforme*, Lausanne, 1943.

Poque, Suzanne, *Le Langage symbolique dans la prédication de saint Augustin*, t. I, Paris, Ét. aug., 1984.

Ead., « L'écho des événements de l'été 413 à Carthage dans la prédication de saint Augustin », dans *Homo spiritalis. Festgabe für L. Verheijen*, Würzburg, 1987, pp. 391-399.

Puech, Henri-Charles, *Le Manichéisme, son fondateur et sa doctrine*, Paris, Publications du musée Guimet, 1949.

Rebillard, Éric, *In hora mortis. Évolution de la pastorale chrétienne de la mort aux IVᵉ et Vᵉ siècles*, BEFAR, 283, Rome, 1994.

Refoulé, François, « Datation du premier concile de Carthage contre les pélagiens et du "Libellus fidei" de Rufin », dans *Revue des ét. aug.*, 9, 1963, pp. 41-49.

Id., « Julien d'Éclane théologien et philosophe », dans *Recherches de science relig.*, 52, 1964, pp. 48-84 et 233-247.

Rigobello, A., « Lettura del IV libro delle Confessioni di Agostino d'Ippona », dans *Le Confessioni di Agostino d'Ippona, libri III-V*, Palerme, 1984, pp. 27-38.

Rougé, Jean, « Escroquerie et brigandage en Afrique romaine au temps de saint

Augustin », dans *Les Lettres de saint Augustin découvertes par J. Divjak*, Paris, Ét. aug., 1983, pp. 177-188.

Sage, Athanase, « Praeparatur voluntas a Domino », dans *Revue des études aug.*, 10, 1964, pp. 1-20.

Id., « La volonté salvifique universelle de Dieu dans la pensée de saint Augustin », dans *Recherches augustiniennes*, 3, 1965, pp. 107-131.

Id., « Péché originel. Naissance d'un dogme », dans *Revue des études aug.*, 13, 1967, pp. 211-248.

Id., « Le péché originel dans la pensée de saint Augustin de 412 à 430 », dans *Revue des études aug.*, 15, 1969, pp. 75-112.

Salama, Pierre, « Vulnérabilité d'une capitale : Caesarea de Maurétanie », dans *L'Africa romana*, 5, Sassari, 1988, pp. 253-269.

Id., « La parabole des milliaires chez saint Augustin », dans *L'Africa romana*, 6, Sassari, 1989, pp. 697-707.

Savon, Hervé, *Ambroise de Milan (340-397)*, Paris, Desclée, 1997.

Schindler, Alfred, *Wort und Analogie in Augustins Trinitätslehre*, Tübingen, 1965.

Id., « Die Unterscheidung von Schisma und Häresie in Gesetzgebung und Polemik gegen den Donatismus (mit einer Bemerkung zur Datierung von Augustins Schrift Contra epistulam Parmeniani) », dans *Pietas. Festschrift für B. Kötting*, Münster, 1980, pp. 228-236.

Id., « Augustine and the History of the Roman Empire », dans *Studia patristica*, 32, Louvain, 1989, pp. 326-336.

Shanzer, Danuta, « Pears before Swine : Augustine, *Confessions* 2. 4. 9 », dans *Revue des études aug.*, 42, 1996, pp. 45-55.

Shaw, Brent D., « The Family in Late Antiquity : the Experience of Augustine », dans *Past and Present*, 115, 1987, pp. 3-51.

Solignac, Aimé, « La condition de l'homme pécheur d'après saint Augustin », dans *Nouv. Revue théol.*, 88, 1956, pp. 359-387.

Id., « Doxographies et manuels dans la formation philosophique de saint Augustin », dans *Recherches augustiniennes*, 1, 1958, pp. 113-148.

Id., « Exégèse et métaphysique. *Genèse*, I, 1-3 chez saint Augustin », dans *In principio. Interprétations des premiers versets de la Genèse*, Paris, Ét. aug., 1973, pp. 153-171.

Id., « Les excès de l'"intellectus fidei" dans la doctrine d'Augustin sur la grâce », dans *Nouv. Revue théol.*, 110, 1988, pp. 825-849.

Studer, Basil, « Saint Augustin et la foi de Nicée », dans *Recherches augustiniennes*, 19, 1984, pp. 133-154.

Id., « Zum Aufbau von Augustins De ciuitate Dei », dans *Mélanges T. J. Van Bavel*, t. II, Louvain, 1990, pp. 937-951.

Swift, L. J., « On the Oath of Pinianus », dans *Atti del Congr. intern. su S. Agostino nel XVI centenario della sua conversione*, t. I, Rome, 1987, pp. 371-379.

Tengström, Emin, *Donatisten und Katholiken. Soziale, wirtschaftliche und politische Aspekte einer nordafrikanischen Kirchenspaltung*, Göteborg, 1964.

TeSelle, Eugene, « Nature and Grace in Augustine's Exposition of Genesis I, 1-5 », dans *Recherches augustiniennes*, 5, 1968, pp. 95-137.

Id., « *Regio dissimilitudinis* in the Christian Tradition and its Context in Late Greek Philosophy », dans *Augustinian Studies*, 6, 1975, pp. 153-179.

Teske, R. J., « Augustine's Epistula X : Another Look at *deificari in otio* », dans *Augustinianum*, 32, 1992, pp. 289-299.

Testard, Maurice, *Saint Augustin et Cicéron*, Paris, Ét. aug., 1958.

Thonnard, François-Joseph, « La prédestination augustinienne », dans *Revue des ét. aug.*, 9, 1963, pp. 259-287, et 10, 1964, pp. 97-123.

Id., « L'aristotélisme de Julien d'Éclane et saint Augustin », dans *Revue des études aug.*, 11, 1965, pp. 296-304.

Id., « La notion de concupiscence en philosophie augustinienne », dans *Recherches augustiniennes*, 3, 1965, pp. 59-105.

Tilley, M. A., « Dilatory Donatists or procrastinating Catholics : the trial at the Conference of Carthage », dans *Church History*, 60, 1990, pp. 7-19.

Tilliette, Jean-Yves, « Saint Augustin entre Moïse et Jean-Jacques ? L'aveu dans les *Confessions* », dans *L'Aveu. Antiquité, Moyen Âge*, Rome, 1986, pp. 147-168.

* Trapé, Agostino, *Saint Augustin, l'homme, le pasteur, le mystique* (traduit de l'italien par V. Arminjon), Paris, Fayard, 1988.

Tresmontant Claude, *Introduction à la théologie chrétienne*, Paris, Le Seuil, 1974.

Trottmann, Christian, *La Vision béatifique, des disputes scolastiques à sa définition par Benoît XII* (BEFAR, 289), Rome, 1995.

Trout, D. E., « The dates of the ordination of Paulinus of Bordeaux and of his départure for Nola », dans *Revue des études augustiniennes*, 37, 1991, pp. 239-247.

Van Bavel, T. J., « Woman as image of God in Augustine's *De Trinitate* XII », dans *Signum pietatis. Festgabe für C. P. Mayer O. S. A. zum 60. Geburtstag*, Würzburg, 1989, pp. 267-288.

* Van der Meer, Fritz, *Saint Augustin pasteur d'âmes*, t. I et II (traduit du néerlandais), Colmar-Paris, Éd. Alsatia, 1955.

Van Fleteren, F., « Background and commentary on Augustine's *De uera religione* », dans *Lectio Augustini*, X, Rome, 1994, pp. 33-49.

Van Oort, J., *Jerusalem and Babylon. A Study into Augustine's City of God and the Sources of his Doctrine of the Two Cities*, Leyde, Brill, 1991.

Verheijen, Luc Melchior, *Eloquentia pedisequa. Observations sur le style des « Confessions » de saint Augustin*, Nimègue, 1949.

Id., *La Règle de saint Augustin*, t. I et II, Paris, Ét. aug., 1967.

Id., « Le *De doctrina christiana* de saint Augustin. Un manuel d'herméneutique et d'expression chrétienne avec, en II, 19(29)-42(63), une "charte fondamentale pour une culture chrétienne" », dans *Augustiniana*, 24, 1974, pp. 10-20.

Id., « Spiritualité et vie monastique chez saint Augustin. L'utilisation monastique des Actes des apôtres 4, 31, 32-35 dans son œuvre », dans *Jean Chrysostome et Augustin. Actes du colloque de Chantilly*, Paris, Beauchesne, 1975, pp. 94-123.

Verwilghen, A., *Christologie et Spiritualité selon saint Augustin*, Paris, Beauchesne, 1985.

Wermelinger, Otto, *Rom und Pelagius. Die theologische Position der römischen Bischöfe im pelagianischen Streit in den Jahren 411-432*, Stuttgart, 1975.

Id., « Alypius (V : Alypius et Augustin entre 412 et 430) », dans *Augustinus-Lexikon*, vol. 1, 1994, col. 256-265.

Wischmeyer, W., « Zum Epitaph der Monica », dans *Römische Quartalschrift*, 70, 1975, pp. 32-41.

Zum Brunn, Emilie, « Le dilemme de l'être et du néant chez saint Augustin. Des premiers dialogues aux *Confessions* », dans *Recherches aug.*, 6, 1969, pp. 3-102.

INDEX DES NOMS DE LIEUX
ET DES NOMS DE PERSONNES

INDEX AUGUSTINIEN

93,3 : 717, n. 32
103,3,2 : 398
105,2 : 627
118,27,6 : 597
132,3-4 : 323, 324
134,4 : 131
136,9 : 726, n. 9
138,20 : 646
145,5 : 183

Enchiridion
17 : 407
68 : 623, 624
69 : 625
85 : 634
93 : 629
95 : 611
97 : 611
103 : 611
110 : 627
112 : 627

Epistulae
1 : 153
3 : 159, 191
4,1 : 683, n. 6
5 : 190
6,1 : 190
7,1 : 25
7,2 : 192, 206
7,5 : 192
7,6 : 46
9,1 : 191
10,1 : 190, 191, 276
11,1 : 191
11,2-3 : 193
13,1 : 191
13,4 : 192
14,3 : 194
15,1 : 689, n. 20, 690, n. 1
16,2 : 39, 202
16,4 : 672, n. 15
17,2 : 203
17,4 : 39
18,1-2 : 202
19 : 689, n. 25
20,3 : 202
21,1 : 218
22 : 670, n. 6
22,2-3 : 225, 226
22,4 : 226
23,2 : 247
24,4 : 294
26,4 : 245
27,6 : 294
28,1 : 267
28,3-4 : 256
29,2-3 : 227

29,6 : 336
29,8 : 228, 337
29,10 : 180, 228
29,11 : 229, 237, 692, n. 32
30,3 : 320
31,4 : 263, 265
31,7 : 186
32,1 : 697, n. 26
32,2 : 295
33,2 : 268
34,5 : 268
35,1 : 269
35,2 : 353
36,32 : 109, 167
37 : 269
38,1 : 267, 275
40,7 : 256
41,1 : 218, 278
41,2 : 284
42 : 295
43,17 : 238
43,26 : 243
44,12 : 267
44,14 : 351
46 : 438
47 : 438
49,3 : 391
50 : 432
51,1 : 391
52,1 : 391
53,1 : 392
53,4 : 709, n. 11
54,3 : 109
55,34 : 245, 317
56,1 : 392
56,2 : 390
57,2 : 390
58,1 : 390
58,3 : 390
60,2 : 323
62-63 : 352
65,1 : 353
66,2 : 391
78,9 : 324
79 : 709, n. 4
82,28-33 : 256
83 : 442
86 : 712, n. 17
87,8 : 414
87,10 : 242
88,6 : 407
88,7 : 405, 711, n. 11
88,8 : 410
88,10 : 411
89,2 : 406
89,6 : 410
89,8 : 410

INDEX THÉMATIQUE

TABLE DES ILLUSTRATIONS

TABLE DES MATIÈRES

DEUXIÈME PARTIE
L'ÉVÊQUE D'HIPPPONE

TROISIÈME PARTIE

LE DOCTEUR DE LA GRÂCE

Cet ouvrage a été achevé d'imprimer en novembre 1999
sur presse Cameron
par **Bussière Camedan Imprimeries**
à Saint-Amand-Montrond (Cher)
pour le compte de la librairie Arthème Fayard
75, rue des Saints-Pères – 75006 Paris

35-65-0482-02/6

Dépôt légal : novembre 1999.
N° d'Édition : 9114. – N° d'Impression : 995211/4.

Imprimé en France

ISBN 2-213-60282-4